JOHANN WOLFGANG GOETHE

GEDENKAUSGABE DER WERKE, BRIEFE UND GESPRÄCHE

28. AUGUST 1949

HERAUSGEGEBEN VON ERNST BEUTLER

DIE AUSGABE WIRD GEFÖRDERT DURCH DIE GOETHESTIFTUNG
FÜR KUNST UND WISSENSCHAFTEN IN ZÜRICH

KARTON ZU EINEM VERSCHOLLENEN ÖLGEMÄLDE
GOETHE ALS THEATERDICHTER VON FRIEDRICH BURY
1800

GOETHE-NATIONALMUSEUM WEIMAR

JOHANN WOLFGANG GOETHE

ÜBERTRAGUNGEN

ARTEMIS-VERLAG
ZÜRICH UND STUTTGART

FÜNFZEHNTER BAND DER GEDENKAUSGABE
MIT EINEM BILDNIS GOETHES AUS DEM JAHRE 1800
IN VERBINDUNG MIT ANDERN HERAUSGEGEBEN
UND MIT EINEM NACHWORT VERSEHEN
VON FRITZ ERNST

FÜR DIE VORLIEGENDE ZWEITE AUFLAGE (1964) KONNTE
DIE ÜBERTRAGUNG DES «BENVENUTO CELLINI» MIT
FREUNDLICHER GENEHMIGUNG DES COTTA-VERLAGES
NACH DEM VON KARL MAURER, BONN, ÜBERPRÜFTEN
TEXT REVIDIERT WERDEN.

© 1953 ARTEMIS VERLAGS-AG ZÜRICH
ALLE RECHTE VORBEHALTEN
GESAMTHERSTELLUNG BENZIGER & CO. AG
EINSIEDELN
PRINTED IN SWITZERLAND

EXERCITIA PRIVATA

Mens. Jan. CIƆDCCLVII

I

Wen es regnet, fallen die Tropfen ins Wasser und machen viele Blasen, aus welchen Schaum wird. Das gefrohrne Wasser nennen wir Eiß, und den gefroh[r]nen Thau nennen wir Reif, und den gefrornen Reif oder Regen, Glatt-Eiß.

II

Du wirst von vielen vor einen frommen Knaben gehalten, da du doch mutwillig bist und Narrens-Possen treibest. Dein Bruder aber wird von deinen Eltern vor fleisig gegesehen weil er zu Hauß allezeit über den Büchrn sitzet. Viele werden vor from und gelerhrt gehalten und sinds doch nicht.

III

Ich und mein Bruder sind heut Morgen ein wenig vor Sieben-Uhr aufgestanden, und hat uns niemand aufgeweckt. Und nachdem uns die Magd gekämmet haben wir mit gefaltenen Händen, und gebogenen Knien das Morgen-Gebet gesprochen.

IV

Der schweflichte Dampf ist eine Ursach des Donners und Blitzes. Vor etlichen Monaten brach der Donner aus der Wolcke und donnerte, und der Blitz wetterstrahlte.

Zur Zeit des Donners geht der Blitz allezeit vor, der Donner aber folget dem Blitz nach.

LABORES JUVENILES

EXERCITIA PRIVATA
Mens. Jan. CIƆDCCLVII

I

Si pluit incidunt guttae in aquam et faciunt multas bullas ex quibus spuma fit. Aquam congelatam dicimus glaciem et congelatam rorem dicimus pruinam et pruinam s. pluviam gelatam, pruinosam glaciem.

II

Tu a multis haberis pius puer, cum tamen petulans sis, et nugeris. Tuus frater autem habetur a suis parentibus diligens quia domi semper libris incumbit. Multi habentur pii et docti, nec tamen sunt.

III

Ego et frater meus resureximus hodie mane paulo ante septimam horam nosque nemo expergefecit. Et postquam nos ancilla pectinavit, copulatis manibus, et flexis genubus praeces matutinas diximus.

IV

Vapor sulphureus est causa tonitru et fulguris. Ante aliquot menses erumpebat tonitru e nube et tonabat et fulgur fulgurabat.

Tempore tonitru praeit semper fulgur tonitru autem sequitur fulgur.

V

Dein Bruder ist kein wohl erzogner Knab, weil er fast täglich nüchtern trinckt. Wen er seine Lectionen auf sagt, stehet er niemals recht aufgericht sondern krum. Im Bett liegt er auf dem Rücken oder für sich.

VI

Quum. Da ich reich war, warest du mein bester Freund, dann wo ich war, da warest du auch. Jetzund aber, nachdem ich bin arm worden, sagst du nicht mehr: wir sind die besten Freunde; sondern, wir sind Freunde gewesen. O du unbestendiges Glück! wie bald machst du einen Unterschied zwischen den zweyen Wörtern: wir sind, und wir sind gewesen. Weil du den mein Freund nicht mehr bist; so bist du gewiß auch niemals mein Freund, sondern meines Geldes Freund gewesen, nach dem Spruch Aristotilis: Wer aufgehört hat ein Freund zu seyn, ist niemals ein Freund gewesen.

VII

Der Schöpfer aller Dinge hat nicht allein die hohe Berge, erhabene Hügel, sondern auch die hole Klüffte ebene Felder und schattigte Wälder erschaffen.

VIII

Wenn meine Kinder geschickt und fleisig sind so habe ich sie alle lieb und gebe ihnen Milch-Zucker zu trincken. Wen sie aber ungehorsam [und] faul sind, so empfinden sie meinen Zorn und die Ruthe als die beste Arzeney vor muthwillige und unfleisige Kinder.

IX

Nichts ist schöner als auf den Wiesen Kreuter und Blumen auf dem Feld Geträid und Gemüß, und in den Wäldern die Schwämme, Erdbern, und Heydelbern. Unter der Erde aber Metalle, Steine und Mineralien zu sehen. Denn die Hand des Herren hat dieses alles hervorgebracht.

V

Frater tuus non est bene educatus puer, quia fere quotidie iejunus bibit. Suas lectiones recitans, nunquam erectus stat sed curvus. In lecto iacet supinus, aut pronus.

VI

Quum dives essem, tu eras meus optimus amicus, nam ubi eram, illic tu etiam eras. Jam autem postquam pauper factus sum non dicis amplius: sumus optimi amici; sed amici fuimus. O sors inconstans! quam mox facis differentiam inter haec duo verba: sumus et fuimus. Quia igitur meus amicus non amplius es; numquam certe fuisti meus sed meae pecuniae amicus: iuxta proverbium Aristotilis. Qui amicus esse desinit nunquam amicus fuit.

VII

Creator omnium rerum non solum altos montes elevatos colles, sed etiam speluncas cavas planos campos et opacas sylvas creavit.

VIII

Si liberi mei morigeri et diligentes sunt omnes amo illisque do saccharum lactis bibere. Si autem immorigeri et petulantes sunt sentiunt meam iram et betulam, optimam lascivibundorum pigrorumque liberorum medicinam.

IX

Nihil est pulchrius quam in pratis herbas in campo fruges et olera, et in sylvis fungos fragarum mirtillosque. Sub terra autem metalla lapides et mineralia videre, nam manus domini haec cuncta produxit.

X

Ich will daß ihr mir in allen Dingen gehorsam seyd, wie die lieben Kinder ihrem lieben Vatter. Denn also befielet Gott im vierten Gebott: Ihr Kinder seyd gehorsam eueren Eltern auf daß es euch wohlgehe.

XI

Es haben viele Städte Landschafften und Völcker besondere Beywörter eerhalten: als Rom die heilige Neapel die höflige, Florentz die schöne, Genua die prächtige, Venedig die reiche, Padua die gelehrte, Bologna die fette, Mailand die grose, und Ravenna die alte. Unter den Landschafften sind: Das glücklige Arabien und das steinigte, Abisinien das warme, das trockne Mauritanien die bergigte Schweitz, u.s.w. Von denen Nationen aber werden genennet: Die aberglaubige Perser. Die menschen-Fleisch fressende Hottentotten, die blinde Hessen. Die Thüringische Herings-Nasen.

XII

Der Gehorsam ist eine schöne und h[e]rrliche Tugend. Den sobald wir gehorsam sind so lieben uns unsere Eltern, und die heilige Engel umgeben uns. Wir sind andern zum Exempel, und von jederman geachtet. Überdiß hat er auch diesen Nutzen bey unsern Eltern. Wir bekommen dafür manches Lecker-Bißgen, und fahren mit ihnen jezuweilen spatziren. O herliche Tugend!

XIII

Die Metalle sind sowohl in der güte als schwere von einander unterschieden. Wem ist unbekandt? daß das Gold nicht das kostbarste ist den das Silber folget darnach das Messing den das Zinn hierauf das Kupfer ferner das Bley und endlich das Eisen.

X

Volo ut mihi in cunctis rebus obedientes sitis, sicut liberi chari charo patri. Nam ita imperat DEUS in praecepto quarto: Liberi obeditote vestris parentibus ut benevaleatis diuque vivatis in terra.

XI

Acceperunt multae urbes provinciae et populi, singularia epitheta: hoc pacto Roma nuncupata Neapolis civilis, Florentia pulchra, Genua splendida, Venetiae divites, Padua docta, Bologna opima Mediolanum magnum, et Ravenna antiqua. Inter provincias dicitur. Arabia felix et lapidosa, Abisinia calida Mauritania sicca, Helvetia montosa, et sic porro. A nationibus autem appellantur. Persa superstitiosus. Hottentottae carnem humanam devorantes. Hassi caeci. Thurringi nasi halecini.

XII

Obedientia est pulchra et pra[e]clara virtus. Nam simulac nos obedientes sumus, nos amant nostri parentes et sancti Angeli circumdant nos, Sumus aliis exemplo et honorati ab omnibus. Praeterea habet obedientia apud nostros parentes etiam hanc utilitatem. Accipimus pro ea varias delicias, et cum illis subinde carpento animi gratia vehimur. O praeclara virtus!

XIII

Metalla tam bonitate quam gravitate differunt inter se. Cuinam ignotum est? quod aurum non praetiosissimum sit. Hoc argentum sequitur deinde orichalcum tum stannum post cuprum porro plumbum et tandem ferum.

XIV

Was die Schwere der Metalle anlangt so folgen sie aufeinander in dieser Ordnung: als, Erstlich das Gold ist das aller schwerste hirnächst folgt, das Bley, den, das Silber, ferner das Zinn, weiter der Stahl, das Eisen, das Messing und zuletzt das Blech. Und ohngeachtet dieser Ordnung ist ein Pfund Gold so schwer als ein Pfund Blech.

XV

In das Natur Reich der Minerialien werden auch die Steine gesetzt welche entweder lichte oder dunckle sind. Zujenen werden gezelet: Der aller kostbaarste und reinste, nehmlich der Diamant, so weiß, der Rubin, so roth, der Saphir, so blau, der Schmaragd, so grün, und der Hyacinth, so gelb ist: Diese Steine alle würden nicht gläntzen wen sie nicht vorher des Künstler Hand schliffe und eckigt machte.

XVI

Zu den duncklen Steinen gehören. Der Kiesel-Stein, der Marmor; welche beyde durch den Fleiß glat gemacht werden können. Der Magnet aber bleibt dunckel und hat die Krafft das Eisen an sich zu ziehen. Perlen, Muschlen, Corallen, u.s.w. sind von den vorhererzehlten allen Himmelweit unterschieden, wie auch der Agd oder Birnstein der im Meer hauptsächlich in Preusen gefunden wird, und der Crystall, sonderlich der aus den Bergwercken gegraben wird, und durchsichtig ist, wie das helste Wasser.

XVII

Die Furcht ist gut wieder die Gefahr, aber sie schadet in Kranckheiten. Wenn das Unglück vorher zu sehen aber dem selbigen nicht auszuhelgen muß man sich vor solchem so sehr nicht fürchten sondern es vielmehr mit Standhafftigkeit erwarten und mit heroischem Gemüthe ertragen.

XIV

Quod ad gravitatem metallorum attinet, sequuntur se invicem, hoc ordine: utpote, primo: Aurum quod est gravissimum, deinde sequitur, plumbum, tum argentum porro stannum, tunc chalybs, ferrum, orichalcum, et demum lamina. Non obstante hoc ordine pondo auri tam grave est quam pondo laminae.

XV

Ad regnum naturae mineralium etiam referuntur lapides qui vel lucidi vel obscuri sunt. Ad illos numerantur: praeciossissimus et purissimus Adamas qui candidus est, Rubinus qui rubens, Saphirus quae coerulea, Smaragdus qui viridis, et Hyacinthus quae lutea est. Hi omnes non nitarentur, nisi artificis manus poliret eos atque angulatos redderet.

XVI

Ad obscuros lapides pertinent. Silex, $Μαρμαροσ$, qui duo per diligentiam possunt laevigari. Magnes autem manet obscurus et habet virtutem ferrum attrahendi, Uniones, Conchae, Corallia e.s.p. ab ante enumeratis omnibus toto coelo differunt ut et Gagates vel succinum quod in mare praecipue in Borussia invenitur, et Christallus inprimis qui ex metallifodinis foditur et pellucidus est ceu limpidissima aqua.

XVII

Timor prodest contra periculum, sed nocet in morbis. Si malum praevideamus quod evitari nequit, nequaquam nobis ab illo timeamus sed illud potius constanti animo exspectemus fortique feramus necesse est.

XVIII

Der bloße Fleiß ist ein ansehlicher Reichthum und die Emsigkeit ein gutes Vermögen. Der Müßiggang hingegen verderbet einen Menschen so unvermerckt als ihn der Fleiß beßert.

Denn viele Leute, so zwar große Geschicklichkeit haben, sich aber allein auf ihren Verstand verlaßen, und den Gebrauch der ordentlichen Mittel verabsäumen, müßen leiden, daß andere die nicht so geschickt, aber unverdrossener und fleißiger sind, es ihnen weit zuvor thun.

PHRASES AC DENOMINATIONES EX NOVELLIS
LATINIS LIPSIENSIBUS POLITICIS HUC POSITAE

Litterae fidem facientes.	Beglaubigungs Briefe.
Nomen praetextum.	Ein verkapter Nahme.
Pactio de permutandis captivis.	Cartel. Auswechslungs Vertrag.
Usurae cum vita cessantes.	Leib-Renten.
Alaris regius adiutor.	Königlicher Flügel-Adjutant.
Compotem voti facere.	Den Mund öfnen
Adversa et Aversa facies monetae.	Revers et Avers de Medaille
Tribunus equitum levis armaturae.	Maitre de Camp.
Solidus Russiacus.	Ein Rubel.
Primores Galliae	Pairs von Franckreich.
Sclopeti globo aliquem configere.	Einen arquebusiren.
Bachanaliorum choreas personatorum grex habuit.	

[Fortsetzung nebenstehend

XVIII

Diligentia sola est splendida opulentia et sedulitas bonum patrimonium. Desidia autem corrumpit hominem inopinate ubi diligentia illum reddit meliorem.

Multi enim, qui magna quidem doctrina praediti sunt, ingenio tamen suo nimium fidentes usumque ordinariorum mediorum negligentes, debent pati ut alii, non quidem adeo habiles, sed impigriores tamen et diligentiores, illis (illos) longe antecellant.

Maritimae legionis tribunus.	Vice Admiral.
Expeditionis cruciatae curator.	
Caesareus negotiorum gestor.	Kaiserl. Charge d'affaire.
Decreta in tabulas regerenda.	Ein zu registrirende Verordnungen.
Reginae supremus stabili magister.	Der Königin Ober-Stallmeister.
Chorus musicus regius.	Die Königliche Capelle.
Supremus navalis magistratus	Die Admiralität.
Summus rei tormentariae magister.	General Feld Zeug Meister.
Pretiosam conquirere suppellectilem.	Sich eine prächtige Equipage anschaffen.
Praeparationis capita propinquae conciliationis	Praeliminarien zu dem bevorstehenden Frieden.
Exoritur de principatu contentio	Es entstehet ein Rang-Streit.
Supremus fidei quaesitor.	Der General Inquisitor.
Miles Desultorius.	Ein Dragoner.
Militia provincialis.	Land-Militz.
Cohors praetoria.	Die Leibguarde.

Littoris circuitor.	Strandt Reuter.
Dape coelesti aliquem reficere.	Einem das heilige Abendmahl reichen.
Summus aulae magister hereditarius.	Der Oberhof-Meister.
Aulae purpuratorum princeps.	Der Gros-Vezier.
Copiarum recensum agere.	Die Truppen die revue passiren lassen
Rudem a rege petere.	Von dem König seine Dimission pp.
Religionis Turcicae praesul	Der Muffti
Agmen securitatis causa simul proficiscentium	Eine Caravane.
Supremus sigillorum regni custos.	Gros Siegel Verwahrer.
Summus castrorum ac legionis peditum praefectus	Der General-Feld Marschall.
Iudex militaris.	Auditeur.
Aureus hispanicus.	Eine Cruisade.
Rei publicae legatus ordinarius.	Bailo.
Magna quatuor hebdomadum ieiunia	Ramasan.
Solennitas paschalis.	Beiram.
Res frontem magis magisque contrahunt.	Die Sachen nehmen eine ernsthaftere Miene an.
Corporis custodes.	Leib Garde.
Grandiores aevo hoc ignorant.	Die Älteste Leute wissen d. nicht.
Nemo non intuendo stupet.	Jedermann erstaunt darüber.
Classem moderari.	Die Flotte commandiren.
Velitationes levis armaturae copiarum.	Das Scharmutziren der leichten Truppen.
Figmentum sapit.	Es schmeckt nach Erdichtung.

Loricae transversae.	Traversen
Frons plana muci.	Courtinen
Declivitates loricae exterioris incisae munimentorum latera sustentantes.	Cou[r]bures Bastionen
Minus benigna tentari valetudine.	Unpaß werden.
Largissimas alicui praebere epulas	Einen herlich bewirthen
Tormenta in puppes ingerere.	Die Canonen auf die Schiffe plantz pp
Vota alicui solvere	Einem Glück wünschen
Ad penates suos reditum instituere	Wieder nach Hauß reisen
Solennium admissionum magister.	Introducteur des ambassadeurs
Experiundae valetuudinis tempus	Die Contumatz.
Sacris Christianorum initiari	Taufen
Nomen alicui indere.	Einem einem Nahmen geben.
Retro vestigia legere.	Zurück kehren
Summus redituum collector.	General Controlleur der Finanzien
Ultimo regis colloquio gaudere.	Abschied-Audienz.
Praetor urbis regius.	Lord-Maire
Summus copiarum rector.	General en chef.
Agrorum hospitia.	Cantonierungs Quartier.
Aureus Anglorum Solidus.	Eine Guinee.
Curia beneficiorum Ecclesiae Roman.	Dataria.
Argenteus Hispanorum Solidus.	Piastres.
Ratis vectoria.	Transport Schiffe.

Ass.	Ein Schilling.
Vexillum caudam equinam referens.	Roß-Schweif.
Dissimulata versari persona.	Incognito leben
Officina nautica	Arsenal.
Nobilis virgo cubicularis	Eine Cammer Fräulein.
Pacificationis congressus	Friedens Congress.
Expeditae copiae.	Leichte Truppen.
Portio copiarum circularium debita.	Creiß Truppen Contingent
Beatorum in numerum adlectio [scriptio	Beatification
Sanctorum in ordinem ad-	Canonisation
Litterae circummittendae	Circular Schreiben.[Schluß S.21]

COLLOQUIUM PATER ET FILIUS

Mens. Jan. MDCCLVII

F. Ist es erlaubt mit in den Keller zu gehen?

P. Ja es ist erlaubt wen du mir sagst was du daselbst machen wilst.

F. Ich höre, daß sie die Weine auffüllen wollen, und davon möchte ich einen Begriff haben.

P. Verschlagener! hierunter stickt etwas anders verborgen: sage die Wahrheit.

F. Ich kans nicht bergen, den Grund und Schluß-Stein habe ich Lust einmal wieder zu sehen.

P. Folge mir, dir soll in einem als andern willfahret werden.

F. Ich will gern folgen. Siehe, wir sind schon an der Treppe. O was vor eine grose Finsternüß, es kan nicht dunkler im Grab aussehen.

P. Hinweg dermalen mit dieser traurigen Vorstellung: Gehe mein Sohn nur behutsam der Treppe hinunter, du wirst bald Licht finden.

Usurae vita cessantes.	Leib Renten.
Habitus equestris.	Ritter Ordens Kleid.
Sacra Vespertina.	Vesper-Andacht.
Copias suis conducere stipendiis	Soldaten in seinen Sold nehmen.
Viri Senatorii.	Aldermans.
Commune civitatis concilium.	Common concil.
Manipuli.	Peloton.
Flos equestris.	Der Junge Adel.
Suplementa legere.	Recrouten werben.
Pabulator.	Ein Fouragierer.
Lorica extrema.	Cordons.
Cohors spontanea.	Volontairs.

COLLOQUIUM PATER ET FILIUS
Mens. Jan. MDCCLVII

Licetne tecum ire in cellam vinariam?
 P. Immo licebit: utprimum dixeris, quid illic facturus sis.

F. Audio, quod vina replenda sint, cuius rei notionem veram habere cuperem.

P. Astute, latet sub hoc quid monstri: dic verum.

F. Ingenue fatear: volupe est tandem aliquando videre lapidem fundamentalem et clausularem.

P. Sequere me, voluntati tuae in utroque satisfiet.

F. Lubens sequar. Verum Ecce sumus ad scalas. Quae tenebrae cimmeriae, sepulcrum ipsum non potest esse obscurius.

P. Mitte hanc, hac vice, funestam immaginem: descende mi fili provide et mox infra lucem invenies.

F. Sie haben recht: ich sehe alle umliegende Sachen als Kessel, Töpfe, Bütten u. d. m.

P. Warte ein wenig, es wird sich dir noch mehr und dieses weit deütlicher als bißher geschehen endecken.

F. Fürwahr das wenige Licht so durch das Keller Loch fält erleuchtet alles.

P. Wo glaubest du nun das gesuchte zu finden?

F. Den Schluß-Stein sehe ich wol über meinem Kopf aber den Grund Stein kan ich noch nicht antreffen.

P. Siehe da in diesem Winkel ist er ein gemauret.

F. Nunmehro sehe ich ihn wohl und erinnere mich, daß ich ihn unter vielen Feyerlichkeiten mit eigener Hand eingemauret habe.

P. Kanstu dich noch mehrer Umstände die dabey vorgefallen erinnern.

F. Warum nicht. Ich sehe mich nehmlich in der Tiefe als einen Maurer gekleidet mit der Kelle in der Hand unter vielen Maurer-Gesellen stehen, und hatte den Steinmetzen-Meister zur Seiten.

P. Wurde den dabey sonst nichts geredet?

F. Ja wohl. Es fing der Obergeselle zwar nach Gewohnheit aine Rede an konte sie aber nicht ausfüren und unterlies nicht sich die Haare auszurauffen da er von so vielen Zuschauern inzwischen ausgelacht wurde.

P. Was denckstu den nun gutes bey diesem Stein, nach dem dich so sehr verlanget?

F. Ich gedencke und wünsche daß er nicht eher als mit dem Ende der Welt verrucket werden möge.

P. Das wollen wir Gott anheimstellen. Du aber gehe mit mir weiter.

F. Potz, wie bequem komt man nicht aus diesem in den g[r]osen Keller. Es muß viel Mühe und Oel gekostet haben biß diese Öfnung zustande kommen.

F. Rectissime: iam iam omnes res circumiacentes video ut, ahena, ollas, doliola, orcas labra e. i. g. a.

P. Exspecta paulisper, plura adhuc eaque clariora hactenus tibi patefient.

F. Profecto, clarum illud perpausillum quod per cellae spiraculum intrat illuminat omnia.

P. Ubinam igitur opinaris genio tuo satisfacere?

F. Lapidem quidem, quem dicunt clausularem, super caput meum optime cerno, at lapidem fundamentalem reperire non licet.

P. Ecce in isto angulo in murum inclusus eminet.

F. Video et recordor, illum multis solenitatibus adhibitis a me eo collocatum fuisse.

P. Potesne alia atque alia eodem tempore gesta, tibi revocare in memoriam.

Quidni: Me ipsum video scilicet in abisso ut murarium amictum spatulam manutenentem magnoque murariorum sociorum agmine stipatum, lapicida latus meum claudente.

P. Nihilne amplius tunc eveniebat?

Quod sic. Primarius nempe eorum murariorum Ciceronem |: ut solent :| agere voluit, cui tamen concione vix coepta, vox faucibus haesit, steteruntque comae, quas prae pudore sibi evellere non cessavit spectatoribus interim eum deridentibus.

P. Quid boni nunc ad hunc lapidem cogitas quem intueri adeo anhelasti?

F. Cogito mecum et opto, ut iste haud prius, quam cum mundi ipsius interitu universali de loco suo moveatur.

P. Id soli Deo commitendum esse certe scio. Tu vero progredere mecum ulterius.

F. Papae, quam commode nobis ex hac in maiorem transire licet cellam. Multa sane opera multoque oleo constiterit usque dum haec apertura conficeretur.

P. Du hasts getroffen: Setze bey viele Gefahr, welche die Handwercks-Leüte gehabt, vornehmlich in Erbauung der Haupt-Treppe wie du hier siehest, da das gantze Gewölbe fast mit unzehligen Stützen unterbauet wurde.

F. Und wir sind bey aller der Gefahr dennoch wohnen gebliben. Es ist gut wen man nicht alles weiß, ich hätte gewiß nicht so ruhig geschlafen, als geschehen.

P. Weistu nicht wie süße es ist, an die Gefahr, wen sie vorüber, zu gedencken. Aber mein Sohn, siehe nun auch wie Weine aufgefüllet werden.

F. Ach, was bedeüt das: Warum gehet so viel in einjegliges Faß: Wo komt den der Wein alle hin da wir ihn so mäsig trincken.

P. Du hast bemercket: Wisse also daß es sich von Tag zu Tage verzehret, und wen man den Abgang nicht jezuweilen wieder ersetzte, würde er endlichen alle versch[w]inden.

F. Und solchergestalt wäre ja besser, daß man zuvor käme, und das, so verr[a]uchen wolte, genöße: den was nützet mir [ein] gantzer Keller voll wen er zu Lufft werden solte.

P. Thörigter! dieser Abnahme muß man, wie du hier siehest, mit wenigen Kosten abhelfen.

F. Ich gebe es zu: Allein was sind den in diesen Fässern vor Weine.

P. Ob zwar die Unwissenheit hirinnen besser ist so solstu doch wissen, daß sie viele Jahre haben, und desfals sehr raar sind, und dieses sage ich dir damit du dich dermaleinst mäsig bedienest, und Sorge habest, daß solche auf die Zukunfft überliefert werden.

F. Ja ich will es thun: doch eines möchte noch wissen, ob es nehmlich solche Weine sind welche Theologische genennet und mit denen dreyen Buchstaben COS bezeichnet werden.

P. Rem acu tetigisti: adde adhuc periculum, quod operarii iniverunt, inprimis in exstruendis, quas hic vides, scalis primariis, ubi tota fere haec fornix fulcris innumeris sustinebatur.

F. Et tamen in tantis periculis habitationem ipsi non mutavimus. O salutarem inscitiam! etenim si ego hoc scivissem, non tam secure in utramvis aurem dormivissem.

P. An nescis quam dulce sit praeteritorum meminisse periculorum. At, mi filli, respice nunc et alterum scopum, quomodo videlicet implea[n]tur dolia.

F. Hem, quid hoc sibi vult quod tantum vini singulis doliis infundatur: quorsum igitur abit, cum in hac re teneamus modum.

P. Optime animadvertis, scito igitur, vina in dies etiam non utendo sese consumere, quae, nisi dicta ratione restituerentur, omnia tandem evanescererent.

F. Atqui, hoc pacto consultius esset, istam absumtionem, utendo atque fruendo praevenire quam ab illa praeveniri, nam quid prodest cella vinis plena, si in auram abirent.

P. Stulte! huic decremento minori, ut vides, sumtu, obviam eundum est.

F. Do manum; sed quae vina his in doliis asservantur.

P. Docta quidem est ignorantia, hoc tamen habeto, quod multos annos computent proptereaque rarissima sint, idque tibi tico, ut aliquando illis moderate utaris et in seram posteritatem illa transferri quoque studeas.

F. Curabo: sed pace tua scire velim, utrum id vini genus forsan sit, quod Theologicum vocari tribusque istis literis Cos indicari solent.

P. Ey wie lustige Einfälle: die armen Geistlichen müssen sich sehr leiden, da die wenigsten solchen geniesen können.

F. Dieses ist auch wahr und pflegen jene solche Beschuldigung auf die Juristen zu schiben.

P. Genug vor diesesmal. Gehe wieder hina[u]f an deine ordentliche Arbeit. Und damit du nicht unbelohnt fortgehest so empfange hiermit ein zwar unansehnlich Stück-Holtz, das aber darum schätzbar ist, weil es ein Überbleibsel von dem auf Columbus Schiff befindlich gewesen Mastbaum ist.

F. Ha ha, ich will es aufheben mit den andern Alterthümer biß daß ein Damasippus kome und sie kaufe. Lebe wohl.

COLLOQUIUM WOLFGANG ET MAXIMILIAN

M. Wo bleibst du so lange?

W. Hastu auf mich gewartet.

M. So ists: und zwar schier eine Stunde.

W. Es ist mir leid, ich habe nicht gekont, sonst wäre ich eher gekomen.

M. Was hattestu den noch zu thun.

W. Ich muste den Tisch decken und alles zum Empfang guter Freunde bereiten helfen.

M. Eine herliche Sache: warum bliebstu nicht zu Hause.

W. Meine Eltern wolten mich nicht beym Schmäusgen haben: darnach hatte ich dir versprochen noch hieher zukomen ehe der Lehrmeister sich einstelle.

M. Was will da[s] sagen daß man dir befohlen hat aus dem Hause zu gehen da ihr Gäste erwartet.

W. Woran mir nichts gelegen, da unterlasse ich alles Nachgrüblen.

M. Du hast zwar recht, aber du komst dabey zu kurtz.

W. Was soll mir das: sie mögen schmausen. Ich aber freue mich dich wol zusehen.

P. Eia quam facete respondes Boni isti Theologi multum in hac re pati debent, cum tamen plerique eorum ab illis bibendis abstinere cogantur.

F. Hoc quoque verum est, quare iidem illud dicterium in Iureconsultos referre amant.

P. Haec sufficiant: tu autem redi ad labores consuetos. Ne tamen indonatus hinc prima vice discedas, accipe hanc exilem licet cossique erosam ligni particulam propter vetustatem tamen pretiosam. Restat enim ut ferunt ex malo navis scil. qua Columbus in novi orbis inventione usus est.

F. Hem conservabo eam cum ceteris antiquitatibus donec Damasippus venerit illam emendo. Vale.

COLLOQUIUM WOLFGANG ET MAXIMILIAN

M. Ubi tam diu manes.
W. Mene exspectavisti.
M. Ita est: et quidem unam prope horam.
W. Doleo, non potui, aliâs prius venissem.

M. Quid tibi igitur adhuc agendum erat.
W. Me oportebat mensam sternere et omnia ad excipiendos amicos ordinare.
M. Praeclara res: cur non mansisti domi.
W. Parentes mei noluerunt ut conviviolo adessem, dein tibi promisi huc prius venire, quam ludimagister se sistat.

M. Quid sibi vult, quod iussus sis domo exire convivis praesentibus.
W. Quod mea non refert percontari desino.

M. Recte quidem: modo ne de multis rebus dulciculis frustrareris.
W. Quid tum: epulentur, gaudeo te valere.

M. Sage demnach wie vertreiben wir uns die Zeit biß der Lehrmeister komme.

W. Wir wollen mittlerweile des Speccius seine Übungen der Declinationen und Conjugationen vor die Hand nehmen.

M. Weg mit diesem Zeitvertreib.

W. Wilstu du etwa des Comenii seine sichtbare Welt aufschlagen und ein Paar Capitel mit mir wiederholen.

M. Auch diesen nicht, wens auch die erneüerte Viersprächige wäre.

W. So will ich noch eines vorschlagen, und das sol der angehende Lateiner seyn.

M. Nichts minder: Laß mir dermalen die Bücher vom Leibe.

W. Sage du nun selbst was zu thun.

M. Ich hasse das ernsthafte, den das überlasse ich den Sauer-Töpfen.

W. Du bist sehr lang: Sags einmal heraus, in was es bestehen soll.

M. Wisse, wir wollen uns einander mit den Köpfen stutzen.

W. Das sey ferne: meiner schickt sich wenichstens dazu nicht.

M. Was schadet es: laß sehen wer den härtesten habe.

W. Höre, wir wollen dieses Spiel denen Böcken überlassen, welchen es natürlich ist.

M. Verzagter: wir bekommen durch diese Übung harte Köpfe.

W. Das wäre uns eben keine Ehre. Ich will meinen lieber weich behalten.

M. Wie verstehestu das?

W. Ich mag nicht hartnäckig werden.

M. Hierinnen hastu recht: allein ich nehme es von der Festigkeit der Glieder.

M. Dic quaeso quomodo fallendum nobis tempus donec Didascalus veniat.

W. Speccii interea praxin Declinationum et Coniugationum ad manus sumamus.

M. Fac missum hunc temporis traducendi modum.

W. Visne forsan mecum Comenii orbem sensualium pictum evolvere et par numerorum repetere.

M. Nequidem hunc quamvis renovatus ac quadrilinguis esset.

W. Unum adhuc auctorem proponam, tironem nempe latinum.

M. Nequaquam: apage nunc omnes libros.

W. Loquere ergo tu ipse quid faciendum nobis.
M. Odi seria, quae morosis prorsus relinquo.

W. Quid moraris: edic modo in quonam consistat.

M. Scito, concuramus frontibus interim adversis.

W. Absit a nobis: meum ad minimum caput ad id aptum non est.

M. Quid tum: videamus quisnam nostrûm durius habeat granium.

W. Audi, hunc arietandi lusum, capris, quibus naturalis est, relicturi sumus.

M. Timide: duriora, hoc pacto, nos habituri sumus, capita.

W. Id profecto nobis non esset honori. Malo meum potius conservare molle.

M. Quomodo hoc intelligis.

W. Durum caput i.e. pertinax habere nolo.

M. Rectissime quidem: ego vero de soliditate s. firmitate membrorum loquor.

W. Wen du weiter nichts wilst, so stose den Kopf nach Belieben nur brav wieder die Wand: es wird die erwünschte Würckung haben.

M. Du bist ein guter Rathgeber: ich aber wäre ein Narr wen ich folgte.

W. Erwehle nur ein ander Spiel das menschliger ist.

M. Wolan, so nim diesen Stock, mittlerweile der Lehrmeister abwesend.

W. Was wilstu den, daß ich mit thun soll.

M. Warte, du wirsts gleich erfahren. Ich will hier das Lieneal nehmen; und so wollen wir miteinander tapfer fechten.

W. Dieses ist ja eben so mißlich. Wie aber, wen der Lehrmeister uns in dieser Stellung anträfe.

M. Fürchte dich nicht: Seine Stunde ist noch nicht komme[n]: fechte brav zu: Hauend und s[t]osend wie du wilt.

W. Höre höre es klopft: habe ichs nicht gesagt. Herein.

M. Wehe mir: Wo sind meine Bücher. Riegele nur ein wenig die Thür zu.

W. Das lasse ich bleiben. Es geziemet sich nicht den Lehrmeister auszuschlisen: herein.

M. Er kan nun imer komen, ich bin in guter Ordnung und fürchte nichts.

W. Das muß ein guter Geist gewesen seyn, der uns die Ankunfft des Lehrmeisters angedeütet: den siehe da komt Er erst her!

M. Ja wohl war es ein blinder doch uns heilsamer Lermen: laß uns gantz stille schweigen.

COLLOQUIUM PATER. FILIUS

P. Was machstu da mein Sohn?

F. Ich bilde in Wachs.

P. Das dachte ich: O wen wirstu einmal die Nüsse verlassen.

F. Ich spiele ia nicht mit Nüssen sondern mit Wachs.

W. Si sola haec est intentio, offende modo caput pro lubitu ad parietem et res ex voto succedet.

M. Bonus sane consiliarius es: ast ego te non nisi stultus sequerer.

W. Elige ergo aliud ludi genus, humanius isto.

M. Age dum, sume, praeceptore adhuc absente, hunc baculum.

W. Quid igitur vis, ut cum illo faciam.

M. Exspecta, mox scies: ego interim apprehendam istam regulam, et ita muniti, una mascule pugnabimus.

W. Non minus hoc est periculosum: quod si vero praeceptor nos ita conveniret.

M. Noli timere: hora illius nondum venit. Proeliare fortiter, caesim et punctim, prout lubet.

W. Ausculta, nonne fores pulsantur? ingredimini.

M. Vae mihi: ubi sunt libri mei. Claude interea ianuam.

W. Manum de ianua. Non decet praeceptorem excludere. Introite.

M. Adveniat modo, paratus sum, nihil quicquam timeo.

W. Bonus certe fuit genius, praeceptoris adventum nobis paulo ante indicans: istic enim primum adproperat.

M. Sic est: terror quidem fuit panicus, attamen salutaris. Taceamus.

COLLOQUIUM PATER. FILIUS

P. Quid agis mi fili istic?

F. Fingo e cera.

P. Id opinabar: O Quando linques istas nuces.

F. Bona venia, cera nunc ludo, non nucibus.

P. Unwissender: kan dir wol unbekandt seyn was hier Nüsse sagen wollen.

F. Jetzo erinnere mich: Allein sehen Sie, was ich in kurtzer Zeit vor ein Wachs-Posierer worden bin.

P. Ja wol, ein Wachs-Verderber.

F. Ich bitte mirs ab: bringe ich dan nicht ziemlich artige Sachen zur Welt.

P. Ja wol, zeige einmal worinnen deine Mißgeburten bestehen.

F. Unter andern Thiren habe ich vorzüglich gefertiget: Eine Katze mit einem langen Schnor-Bart, den eine Stadt und Feld-Mauß, nach Anleitung des Horatz in einem seiner Straf-Briefen welche Geschichte Drollinger in reine deutsche Knittel-Verse übersetzt.

P. Diese Erinnerung gefält mir besser als die Thiergen selber: Alleine hastu sonst weiter nichts gemacht, woraus deine angegebene Kunst deütlicher hervorleüchte.

F. Ja wol: hier ist noch ein Wallfisch der seinen Rachen aufspert als ob er uns verschlingen wolte, und zwey Gemsen, in deren Jagd sich der Kayser Maximilian so sehr verliebet hatte daß er aus den steilen Felsen sich nicht wider finden konte, biß ihm ein Engel unter der Gestalt eines alten Mannes einen Weg gezeiget haben soll.

P. Du bringst doch deine historische Kleinigkeiten so ziemlich gut an, worüber man dir die Ungestalte Figuren Verzeihen muß: Und das ist alles?

F. Keines Wegs: den unter allen von meinen Händen gebildeten Thieren ist vornehmlich zubewundern: Das falsche Thränen vergiesende Crocodil, der ungeheüre und in denen Kriegen der Alten streitbare Elepfant, die menschenfreundliche Eidexe der quackende und den Frühling anzeigende Frosch, welchen allen nichts als das Leben fehlet.

P. O Wäscher! wer wird wol derselben Nahmen ohne beyschrifft errathen können.

F. Wehe mir: ist den nicht einjeder der beste Ausleger seiner Wercke.

P. Inepte: tene fugit, quid hic nuces sibi velint.

F. Memini iam: ast vide, qualis et quantus factus sim brevi tempore Ceroplastes.

P. Immo potius cerae corruptor.

F. Deprecor: parione res admodum pulchras.

P. Scilicet: ostende igitur quaenam hactenus peperis monstra.

F. Inter alia praesertim confeci: felem longo mystace, tum murem urbanum et rusticum, ductu Horatii, iu una suarum satyrarum, quam fabulam beatus Drollingerus oratione poetica agresti donavit.

P. Haec recordatio magis mihi arridet quam animalcula ipsa: Verum nihilne amplius fecisti, ex quo praetensa ars tua clarius eluceat.

F. Utique: adhuc balena hic est fauces suas diducens quasi devorare nos vellet et rupicaprae duae, quarum venatio imperatori Maximiliano I in amore atque deliciis adeo fuit, ut e rupibus abruptis itterum extricari se alio modo non potuerit usque dum angelus sub specie seniculi viam ut ferunt commodam demonstraverit.

P. Minutias tuas historicas satis bene applicas, quapropter figurarum ipsarum deformitas tibi condonanda est: Et haec sunt omnia.

F. Nequaquam: etenim omnium quae edidi animalium vel illa imprimis commemoranda veniunt: invitis oculis lacrymas fundens Crocodillus, denique immensus et in proeliis veterum bellicosus Elephas, porro Lacerta hominibus amica, et rana coaxans vernumque tempus indicans, quibus nil nisi vita deesse videtur.

P. Garrule! quisnam horum omnium nomina sine inscriptione assequi poterit.

F. Vah, nonne quivis operum suorum optimus est interpres.

P. Dieser Satz ist zwar ansich richtig, aber er wird am unrechten Ort angebracht.

F. Verzeihen sie in diesem Stück meiner Unwissenheit. Würdigen sie sich nur noch diese Schlitte-Fahrt in Augenschein zu nehmen. Es sind deren just ein Dutzend und stellen verschiedene, theils krigende theils fliegende Thiere vor, unter welchen mir der Schwan, der Hirsch, das See-Pferd, und der Lind-Wurm am aller besten gerathen zu seyn scheinet.

P. Laße dir es nur immer so scheinen: Man siehet wol daß du noch keinen rechten Unterschied zwischen schön und heßlich weist.

F. Wollen Sie lieber Vatter, so gut seyn und mir diesen erlernen.

P. Warum nicht: es muß alles zu seiner Zeit geschehen. Laß nur erst dein Augen-Maas etwas älter werden.

F. Ey lieber, warum wollen Sie diese Lehre aufschieben: tragen Sie mir solche ehender heute als Morgen vor, ich will unter meinem Spiel-Werck die Ohren spitzen.

P. Das kan nicht jtzo, wie gesagt, sondern ein andermal geschehen; Lege die Kinder Possen beyseit, und gehe an dein Tage W[erck].

F. Ich will gehorsamen. L.W.

EXEMPLUM AVTOCHEIRIAE

Leße Nachwelt ein Exempel wo sich die Boßheit selber rächet, und die Untreue auf ihren Urheber zurück fällt. Quirinus Ju[n]ckerus ein unwürdiger franckfurter Bürger und seine gantze Lebens Zeit über ein Tauge-Nichts, wird so vieler von ihm begangenen Bubenstücke wegen, da die Gerechtigkeit verzögert, sein eigner Hencker.

Durch das böse Gewißen und verz[w]eiflung getrieben, und den Teuffel unterstützt, zog er sich an 4ten Junii 1757, auf der Constabler Wache mit dem Strumpfband die verruchte Kehle zu, wohin er kaum aus dem Rath-Hause, wo-

P. Pulchrum alias dictum at in exiguo opere adhibita.

F. Ignoscas hac in re meae ignorantiae. Dignare modo hunc traharum cursum benevolo aspectu. Numerum duodenarium conficiunt, partim volantia partim repentia animalia repraesentantes, ex quibus Cignus, Cervus Hypopotamus, et Draco [prae] caeteris manus meas effectrices expertae sunt.

P. Placeant tibi semper: facile inde patet, te nullam adhuc inter pulchrum ac turpe nosse differentiam.

F. Si volupe est. charissime genitor hanc me doceas velim.

P. Quidni omnia suo fiunt tempore. Ocularum mensura fac primum ad maiorem adolescat aetatem.

F. Amabo, cur vis differre hanc institutionem in crastinum. loquere potius nunc quam tunc, ego interim aures tibi dabo inter ludendum attentissimas.

P. Id, ut dixi alio fiet tempore. Iam quisquilias depone, et ad meliora facienda progredere.

F. Faciam illico. Vale.

EXEMPLUM AVTOCHEIRIAE

Legite posteri, malitiae se ipsam vindicantis atque perfidiae in suum auctorem recidentis, insigne exemplum. Quir: Junc: indignus franco-francoforten. civis, et per omnem vitam homo nauci, tantorum scelerum a se perpetratorum ergo, justitia humana nimium quantum cunctante sui ipsius tandem carnifex extitit.

Iste cum pessima conscientia, tum summa desp[e]ratione impulsus, satana instigante, fauces sibi sua sponte, genualibus pra[e]clusit infames, idque in custodia explosorum to[r]mentorum 72 Annos natus perfecit, quorsum vix e

selbst ihme, seiner überführten Gottlosichkeiten wegen, scharfe Verweise gegeben worden, zu wohl verdienter Strafe gebracht wurde.

Solcher Gestalten fallen diejenige in schwere Versuchungen, welche sich nicht scheuen, alle göttliche und menschliche Gesetze zu übertretten:

Den, indem solche die schuldige Liebe und sonstige Achtung gegen Gott und ihren Nächsten aus den Augen setzen verliehren sie beydes gegen sich selbst.

Jener Selbst Mörder hat über seine Ruchlosigkeiten ein weit härteres Urtheil gefället, als er vielleicht von dem menschlichen Richter-Stuhl, alwo man öfters aus menschlicher Schwachheit, gelinder als billig, zu Wercke gehet, würde erfahren haben.

Dem sey wie ihm wolle, so ist er von allen verständigen, so zureden, zehenmal hangens würdig gehalten worden, ob er sich gleich nur einmal selbst erhencken Könen.

O wen doch dieses die härteste und letzte Strafe, so er zu erdulden, wäre. Jedoch wir übergehen was uns verborgen ist. Das aber läst sich mit völliger Gewißheit sagen, daß er seines Nahmens Gedächtnüß, wen noch einiges vorhanden, bey allen Ehrliebenden, mit der grösten Unehre und Schande bedecket habe.

Die Mutter verlangt daß ihr etwas Geld gegeben werde ehe der Vatter aus dem Haus gehet.

Daß Caja, welche nur bisher das Beysassen Recht genossen, sambt ihrem fremden Brautigam mit dem Franckfurter Burger Recht beschencket worden ist nicht sowohl dieses letztern besondern Kunst zu zu schreiben, sondern vielmehr die ertheilte Gnade darin zu suchen, weilen Sie nebst ihrem Bruder als arme Kinder ih[r]e noch ärmere Eltern ernärt und dadurch ein so seltnes Denckmal ihres kindlichen Gehorsams aufgerichtet haben zu ihrem unvergesligem Ruhm.

Curia, ubi improbitatum suarum convictus et reprehensus, poenae benemeritae loco, deducebatur.

Hoc modo in graves illi incidere solent tentationes, qui divina quaevis ac humana jura transgredi non verentur.

Hi enim, dum amorem omnem officiaque omnia proximo debita exuere studeant, utriusque ipsi erga se jacturam faciunt.

Propricida ille, impietatum suarum causa longe duriorem de se concepit sententiam, quam in foro humano forsan ipso expertus fuisset, ubi saepenumero mitius aequo, imbecillitate ita volente procedi solet.

Quicquid sit, ab omnibus prudentioribus decies, ut dicitur suspendio dignus habitus fuit, quamvis semel modo se ipsum suspendere potuerit.

O si haec ultima et gravior, illi subeunda esset poena. Sed taceamus quae nos latet. Id tamen certo scimus eum nominis sui memoriam si qua superest apud bonos omnes, et summa jnfamia, et summo dedecore prorsus omnino adoperuisse.

Mater vult sibi dari non-nihil paecuniae priusquam pedem domo efferas, Pater.

Quod Caja, quae hactenus iure incolarum usa est, unacum suo peregrino sponso civitate donata fuerit francofurtensi, non quidem hujus posterioris artificio singulari tribuendum, sed potius gratia impertita in eo quaerenda, quia liberi pauperes suos pauperiores parentes nutrivêre et hoc modo tam rarum pietatis monumentum, nunquam interiturum, posuêre.

Mens. Majo 1757.

MORI

Naturae debitum solvere.
 Vitalia lumina linquere.
Supremum obire diem.
Morte obire.
Supremum exhalare spiritum.

Animam efflare.
Vitam ponere.
Desiit vivere.
Desiit morari inter homines.
Vitam cum morte commutare.

[Fortsetzung nebenstehend]

VORTREFFLICHES KÖNIGLICHES DENCKMAHL DER MENSCHEN-LIEBE

Der Graf von Mailly, General Leutenant, so bey der kurtzweiligen Rosbacher Schlacht den 5. Nov. 1757 gefangen wurde, und nachhero von dem König im Preußen auf eine bestimte Zeit nach Paris zu gehn Erlaubnüß erhalten, hat diesfals einen längern Vorschub durch folgenden königlichen Brief zuempfangen die Gnade gehabt.

M. le Comte de Mailly

Ich erlaube Ihnen gerne die Verlängerung Ihres Abschieds umso mehr weil ich erfreuet bin einen Mann von Verdiensten zu verbinden, und weil ich immer die Meynung hege, daß die unseelige Zänckereyen der Könige denen Privat Personen so wenig als nur möglich zur Last sey[n] sollen. Nehmen Sie so viel Zeit als zur Ordnung Ihrer Geschäffte nöthig, und im Fall der kayserliche Hof biegsamer wird, wie ich Urschache es davor zu halten habe, auch aufrichtiger in Nachlebung der Auslieferungs Verträge; so können Sie einer beschwerlichen Reise in dieser Zeit überhoben seyn, und man wird die Auswechselung so einrichten, daß Sie nicht nöthig haben sich von Ihrem Ort zubegeben. Wornechst ich Gott bitte Herr Graf, daß Er sie in seinen heiligen Schutz nehme.

Friedrich.

Obdormire.
Vita fungi.
Mortalitatem exuere.
Ultimum efflare spiritum.
E vita discedere.
De vitae praesidio recedere.
De statione vitae discedere.
Decedere terris
Morte exspirare
Finem vitae facere
Morti succumbere.
E vivorum consortio eliminari.

PRAECLARUM HUMANITATIS REGIAE MONUMENTUM

Comes de Mailly locumtenens generalis copiarum gallicarum, in pugna ludicra Rosbacensi die V^{to} Nov. 1757 captus, postquam a Borussorum Rege facultatem limitatam Parisios contendendi obtinuit prorogationem illius litteris regiis consecutus est hujus tenoris.

Domine Comes

Quam petivisti ulteriorem emanendi veniam, eo lubentius concedo quo certius virum benemeritum obstrictum teneo, quippe qui ea semper fui sententia, ut infaustae regum controversiae privatis minus quoad ejus fieri potest, debeant esse funestae. Carpe igitur tempus rebus domesticis in ordinem redigendis sufficiens: et posito quod aula imperialis fiat, ut credere fas est, tractabilior, fideque majori ac sanctitate mutuam illam captivorum utrinque extraditionem observet, vel ipso reditu hoc tempore molesto supersedere, atque ita negotio illo probe instituto loci mutatione prorsus carere poteris. Desuper Deum orans, Domine Comes, ut sub sancta sua Te servet tutela.

Friedericus.

Der gefürstete Bischoff von Breslau schrieb an den König von Preusen unterm 30. Jenner 1758 einen Brief von Nicolaus Berg, worinnen er Sr. Maiestät vorstellte, wie er wohl mercke daß dieselbe ihme nicht mehr dero Huld und Gnade angedeyen liesen auch daß er in die Ungenade des Kayserlichen Hofs gefallen, ein folglichen ihme nichts mehr übrig wäre, als die Entschliesung zu ergreifen nach Rom zu gehn, als die eintzige Gelegenheit, welche ihm in seiner Verwirrung übrig sey: Der König hat ihm folgende Antwort zu kommen lassen.

Herr Bischoff von Breslau

Ich habe ihren Brief vom 30sten Jan. erhalten deßen Inhalt mich wohl hätte hintergehen können, wenn ich nicht schon durch die Undanckbahrkeit ihrer vergangnen Bezeugung wäre vorbereitet gewesen. Diese ist mit zu kentbahren Umständen begleitet gewesen, als daß sie sich solche selbst hätten verhelen können. Den Augenblick da ich mich mit meiner Armee herannahete um den Fortgang meiner Feinde sowohl aufzuhalten als Schlesien zu befreyen so nahmet ihr euch vor diese Provintz zu verlassen, welche euch vielmehr das Andencken meiner Wohlthaten wieder in das Gedächtnüß zu rückbringen sollten. Sie erwehleten um sich zu entfernen den Augenblick meiner Annäherung gen Breßlau, der Annäherung sag ich, da der höchste meinen gerechten Waffen den herrlichsten Fortgang verliehen. Genöthigt durch die Bewegung ihres Gewissens, und da sie sich schuldig finden, begeben sie sich unter den Schutz einer Macht mit welcher ich mich in einem öffentlichen angekündigten Krieg befinde, anbey unterstehen sie sich anietzo selber mir diejenige Partey welche sie ergriffen anzukündigen, indem sie solches mit vielen undichtigem Vorwand zu bemänteln suchen und diesem noch wiewohl falsche Bezeugungen einer Treue beyfügen, in deren Betracht sie doch in denen Haupt Puncten gefehlet haben. Nach solchen so aufrührischen Betra-

LABORES JUVENILES

Episcopus princeps wratislaviensis Comes de Schafgotsch pridie ante Calendas Februarii Regi Borussiae perscripsit litteras Nicolaiburgi datas, quibus suae Maiestati significabat se haud obscure animadvertisse clementiam regiam plane sibi esse ademtam seque parimodo in offensuram aulae imperialis incidisse atque ita nihil esse reliqui, quam Romam proficiscendi consilium, ceu unicum quod his in difficultatibus sibi restet. Cui Rex responsorias dedit sequentes.

Domine Comes

Accepi tuas litteras d. d. 30. Jan. quarum summa me potuisset decipere nisi iam ingrata tua vivendi quondam ratio me reddidisset paratum. Haec concomitata fuit circumstantiis tam manifestis, quam quod tibimet ipsi eas dissimulare potuisses. Eo enim ipso tempore quo una cum meo exercitu accessi ad sistendos inimicorum meorum progressus adque liberandam Silesiam, propositum provinciam hanc deserendi iniisti quae tamen benefactorum meorum memoriam renovare debuisset. Elegisti ad evadendum ipsum appropinquationis meae versus Uratislaviam momentum, istud dico momentum ubi summus rerum gubernator vexillis meis iustitia ac aequitate nixis eventum largitus est, perquam illustrem. Motibus conscientiae ergo compulsus, criminisque tuapte sententia reus, ad illius Potentiae tutelam te conferre non dubitas qua cum bello irretitus sum aperto atque publico indicato, tuque adeo castra ipsa ad quae transiisti, mihi notificare ipse conaris, praetextibus variis iisque frivolis hocce palliare allaborans, nec minus his porro severationes fidei licet commentitias, adiungens in quam tame[n] quoad essentialia peccavisti. Ratione hac vivendi tam seditiose instituta, quin te proditorem agnoscam me continere non possum quippe qui ad inimicorum partes te conferre ausus es, stationem eam voluntario deserens, cui officii tui sola consideratione magis magisque

gen kann ich euch nicht anders als einen Verräther betrachten, welcher auf die Seite meiner Feinde übergegangen, und der eine Stelle freywillig verlassen zu welcher die einzige Betrachtung der Schuldigkeiten eures Standes hätte fest halten sollen. Und es bleibet abseiten meiner nichts übrig als die Maaß Reglen zu nehmen, die mir am aller dauglichsten scheinen werden, ingleichen sie ihrem Schicksaal zu überlaßen, gewiß versichert daß ein so wenig vergebliches Betragen gantz untrüglich diejenigen Strafen erhalten wird, welche ihm gebühren und daß sie weder der Göttlichen Rache entfliehen können weder dem hohn der Menschen entweichen welche so verdorben als möglich sie auch seyn, es dennoch in einem Grad noch lange nicht [sind] daß sie nicht sollten vor Verräther und undanckbahren einen Abscheu haben.   Friedrich.

ETLICHE ÜBUNGEN

so ehemals der Herr Conrector Reinhard zur Nachahmung des Justins denen Primanern privatim teutsch in die Feder gegeben, nunmehro aber von mir J. W. G. im Monat Mertz 1758 hinwiederum abgeschrieben und übersetzt.

Es war zwar eine hochmüthige Antworth welche die Aetoler von welchen Livius schreibt, daß sie das Hertz von Griechen Land bewohnten, denen Römern gegeben haben; Doch war sie nicht falsch, indem dasienige was sie ihnen vorrückten, der Wahrheit garnicht entgegen gewesen. Denn was waren die Römer vor Leute? Gewiß ihre erste Stiffter sind Hirten gewesen, die von Rauberey gelebet, und das Land seinem rechtmäsigen Herrn genommen und besessen, also daß ein gewisser Philosophus nicht unrecht geurtheilet, wann die Römer wolten [gerecht] seyn, so müsten sie wieder in ihre vorige Hütten zurück kehren. Und wer ist unter uns in der römischen Historie so unerfahren; Der nicht wüß[t]e daß Romulus mit einem Bru[der]mord die Stadt erbauet und den Grund der Mauren mit dem Blut seines Bruders besprenget. Es ist auch

adstringendus fuisses, nihilque mea ex parte superest, quam de hoc constituere, quid commode facturum sit, tuaeque te sorti commitens, persuasus, quod huius modi vitae ratio minus excusabilis, poenas sine dubio sentiet, se dignas, qui nullo prorsus modo neque vindictae divinae effugies neque hominum contumeliis, utpote qui quanto depravati sint ad eum minime gentium id esse possunt gradum, ut non reformident proditores atque ingratos.

Wratislaviae d. d. 15 Febr. 1758. Friedericus.

EXERCITATIONES

quaedam a Domino Conrectore Reinhard olim ad imitationem Justini primanis quibusdam privatim germanice dictatae in latinum convertendae, nunc a me Joanne Wolfgang Goethe denuo descriptae et proprio Marte, quoad fieri potuit e vernaculo in romanum serm. traditae.

Just. Cap. 2. lib. 28

Erat quidem superba responsio, quam Aetoli de quibus Livius narrat quod umbilicum Graeciae incolerent, Romanis dederunt; Attamen non erat falsa, dum id quod illis exproprabant a veritate non alienum fuit. Quinam fuerunt quaeso romani homines? Certe primi eorum fundatores pastores fuere qui rapina vixerunt regionemque suo legitimo Domino ademptam occupaverunt ita ut quidam Philosophus non male iudicaverit, si Romani esse vellent iusti illis ad suas casas redeundum esset. Et quis est tam hospes inter nos in historia romana qui nesciret quod Romulus cum fratricidio Romam exstruxerit et fundamentum moenium sanguine fratris adsperserit. Nemo etiam apud nos tam rudis est antiquitatum, qui non legerit, quod Romani,

niemand unter uns so unwissend in den Alterthümern, der nicht gelesen habe daß die Römer da sie wegen ihres schlechten herkommen keine Weiber bekommen Konten, die sabinische Jungfrauen geraubet. Wan die Aetolier ferner denen Römern vorrücken, daß Rom von den Galliern eingenommen und mit Geld losgekaufet worden leugnen die Römische Scribenten, selbsten nicht die doch das ihrige so hoch erheben.

* Das 16te Jahr Hundert nach Christi Gebuhrth ist sonderlich merckwürdig, nicht nur weil in demselben die Kirchen Reformation angefangen worden, sondern auch weil um diese Zeit fast in allen Reichen neue Könige aufgekommen sind. Den in dem Römischen Teutschen Reich, ist nach dem Todte Maximiliani Isten Carl der 5te sein Enckel, ein Herr von 19 Jahren zum Kayser erwehlet worden. In dem Türckischen Reiche ist Selimus Kayser worden, nachdem er seinen Vatter Baiazet umgebracht und seinen Bruder Zizimus veriaget hatte. Spanien hatte Ferdinandus Catholicus dem iungen Carolo, seinem Enckel im Testament hinterlassen. Franckreich bekam nach dem Todte Ludovici des 17ten der ohne mänliche Erben gestorben Franciscum den Isten zum König, der denen Wissenschafften und Gelehrten sonderlich günstig gewesen ist. Auch in Engelland folgte an die Stelle Henrichs des 7ten Henrich der 8te welcher von seinem Eifer den er wieder Lutherum in Schriften bewiesen sehr bekant ist, und desswegen den Zunahmen des Vertheidigers des [Glaubens] von dem Babste erhalten. Und damit es diesen Zeiten nicht an Veränderung fehlete so sind auch in Polen und Rusland neue Könige erwehlet worden. Denn in Polen wurde Sigismundus König, und in Rusland wurde Basilius zum Kayser ernennet, welcher die Russen von dem Tartarischen Joche befreyet hatte.

* Der seelige Lutherus, durch dessen fürtrefliche Bemühung das nie genugsam gepriesene Werck der Kirchen Reformation vor 2 hundert Jahren ist angefangen worden,

cum propter eorum vilem originem nullas fo[e]minas invenirent, virgines sabinicas rapuerint. Quod autem Aetoli porro Romanis obiiciebant, quod Roma a Gallis occupata pecuniaque redemta fuisset, ipsi romani historici, qui tamen ipsi sua magni aestimant inficias ire non conantur.

Just. Cap. 1. L. 29

Seculum decimum sextum a reparata salute praesertim notandum non tantum quia in eo ecclesiae repurgatio suscepta est, sed etiam quia hoc tempore fere in omnibus regionibus novi reges orti sunt. Nam in romano germanico regno post mortem Maximiliani I mi Carolus V^{tus} eius nepos, iuvenis novendecim annorum, imperator electus est. In regno turcico Selimus imperator creatus est, postquam patrem suum Baiazet occiderat fratremque suum Zizimum in fugam coniecerat. Hispaniam Ferdinandus Catholicus iuveni Carolo, suo nepoti in testamento reliquit. Gallia suscipiebat post mortem Ludovici VII^{timi} qui sine herede masculo mortuus est, Franciscum primum regem, studiis et doctis presertim faventem. In Anglia quoque sequebatur in locum Henrici septimi Henricus octavus qui ob zelum contra Lutherum quam in suis scriptis ostendit notissimus est, et ob hanc causam, cognomen defensoris fidei accepit a pontifice. Et ne qua his temporibus mutatio deesset etiam in Polonia et Moscovia novi reges electi sunt. In Polonia enim Sigismundus rex et in Moscovia Basilius imperator denominatus est qui Russos de Tartarorum iugo liberavit.

Just. lib. 31. cap. 6

Beatus Lutherus cuius praeclari studio, illud nunquam satis laudandum opus reformationis ecclesiae ante ducentos annos inceptum est, omnium confessione, vir fuit fortissi-

war nach iedermans Geständnüß ein sehr tapferer und kluger Mann welcher durch keine Schm[e]icheleyen konte verderbet werden, sondern alles was er thate mit Vernunft und Überlegung angefangen hat. Die Gefahr sahe er bald vorhero und rüstete sehr wieder dieselbe, denn er gedachte im Glück an das Ungelück und wiederum im Unglück an das Glück. Derohalben er weder den Muth sincken lassen wann er unglücklich gewesen, noch auch hochmüthig worden wen ihm ein Glück begegnete. Aus Liebe zur göttlichen Wahrheit vor welche auch ein jeder ehrlicher Mann das Leben zu lassen schuldig ist, hat er sich niemahls gescheuet sich in die Gefahr zu begeben, den er sahe nicht auf seinen, sondern auf den algemeinen Nutzen. Zwar seine Feinde welche sagten er könne nicht wohl unter den Gesetzen des Mönch-Lebens aushalten, beschuldigten ihn, daß er aus Verdruß der Ruhe, und Liebe zu einer unmäsigen F[r]eyheit, ein solches Werck übernommen hätte. Ob nun dieses falsch war, so wurde es doch von vielen Leicht-Glaubigen vor wahr angenommen. Allein die besser unterrichtet waren haben ihn billig als ein Göttliches Geschenck ausgenommen und ist bey seiner Ankunft eine grose Begierde bei iederman entstanden.

*Die meisten Menschen sind unbedachtsammer im Glück als im Unglück, welches schon Cor. Nep. ein vortreflicher Autor in seinen Lebens Beschreibungen der vornehmsten Griechischen Feld-Herrn angemercket hat. Fragen wir nach der Ursache, so glaube ich es seye keine andre, als weil es ihnen fehlet an der wahren Klugheit, welche im Glück an das Unglück, und im Unglück an das Glück gedencket. Dahero geschiehet es daß sie hochmüthig werden wenn sie glücklich sind und herg[eg]en den Muth sincken lassen wen ihnen ein Ungelück begegnet das Glück macht die meisten Menschen übermüthig, und, wen ihnen alles glücklich vonstatten gehet so vergessen sie zuweilen daß sie Menschen sind. Wie groß war die Mäsigkeit, Freundlichkeit und Gnade des Alexandri, da das Glück sein Gemüth noch

mus atque prudentissimus quippequi nullis blanditiis corrumpi potuit sed omnia quae agebat ratione et meditatione auspicatus est. Contra pericula praevisa, armabat se, nec minus in fortuna de adversis, sed et in adversis de fortuna cogitans. Igitur, neque animum abiecit si infelix fuit neque superbus factus, si illi fortuna affulserit. Ex amore divinae veritatis, pro qua quivis honestus vitam tradere debet nunquam metuit pericula subire, etenim non suam privatam sed publicam utilitatem quaesivit. Hostes quidem eius dicentes, eum non bene posse pati leges, vitae monasticae arguebant eum, quod fastidio quietis et amore immoderatae libertatis hoc opus susceperit. Quamvis hoc falsum esset tamen a multis credulis pro vero venditabatur. Ast melius instructi eum merito tanquam donum divinum exceperunt, et ex adventu eius summus ardor apud omnes ortus est.

Just. Lib. 31. cap. 2

Plurimos homines incautiores esse in secundis quam in adversis, iam Corne. Nep: elegans auctor, in suis vitis excellentium imperatorum graecorum annotavit. Si quaerimus causam, credo nullam esse aliam, quam quod illis absit vera prudentia, quae in secundis adversa et in adversis secunda cogitat. Inde fit quod arroggantes fiant si felices, et contra animum dimittunt si illis adversa eveniunt. Fortuna plurimos homines reddit superbos, et si illis omnia fortunate accidunt, interdum obliviscuntur, se esse homines. Quanta fuit temperantia humanitas ac gratia Alexandri, cum fortuna animum suum nondum possederit. Tunc temporis, ita se gerebat ut omnes reges ante eum temperantia et bonitate supperaret. Sed quantum degeneratus a nimia qua donabatur fortuna, contra quam ut Curtius docet, ho-

nicht eingenomen hatte. Damahls führte er sich so auf daß er alle Könige vor ihm an Mässigkeit und Güthigkeit übertraff. Aber wie sehr veränderte er sich da er viel Glück hatte gegen welches wie Curtius sagt, die sterbliche Menschen nicht vorsichtig genug sind. Derohalben die klugste Männer längstens angemercket, daß es viel schwerer sey das Glück als das Unglück zu ertragen.

* Daß auch unter Brüdern die Einigkeit wie der Poet singet etwas rares seye, kan mit vielen Exempeln so wohl der H. Schrift als der weltlichen Scribenten bewiesen werden. Denckwürdig ist das Exempel welches von unserm Autore in dem 2ten Capittel des 37ten Buchs erzehlet wird. Perseus und Demetrius des Königs Philippi in Macedonien Söhne waren zwar Brüder aber bey dem einen galte mehr die Begierde zu herrschen als die Verwandtschafft des Geblüths. Dahero er täglich den Demetrium verläumte und denn erstlich verhasst darnach verdächtig machte, und endlich durch angestelte Verräther und bestelte Zeügen, den Vatter zur Ermordung des Sohnes angetrieben. So viel vermag die unersätliche Begierde zu herrschen. Größer war die Einigkeit der Brüder Xerxes und Artamenes von welchen unser Autor im zehenden cap. des zweyten Buchs nachzuschlagen. Denn als diese wegen des Reichs stritten haben sie ihre Strittigkeit mit vereinigtem Gemüth ihres Vatters Bruder, dem Artaphernes übergeben, und so lange die Untersuchung währte einander Geschencke geschicket, auch miteinander vertraulich umgegangen. Nachdem Artap[h]ernes den Außspruch gethan, hat weder, der gewonnen gefrolocket, weder der welcher verlohren Sich betrübet. Dahero unser Autor nicht unrecht darzusetzet, mit so viel größerer Bescheidenheit hätten damahlen die Brüder die grösten Reiche getheilet als sie jetzo die geringe Erb Güther unter einander theilen.

* Macedonien hat ehemahls an Adel alle Völcker übertroffen, indem es zwey hundert Jahr die Herrschafft gehabt hat. Nachdem Perseus geschlagen war ist es unter die Bott-

mines mortales non satis providi sunt. Quapropter prudentissimi viri iam diu observarunt quod multo gravius sit fortunam secundam quam adversam perpeti.

Just. cap. 2. lib. 32

Quod inter fratres concordia ut Poeta cantillat rara sit, multis exemplis sacrae scripturae, scriptoribusque profanis demonstrari potest. Dignum est exemplum, quod ab auctore nostro capite secundo, libri trigesimi septimi proponitur. Perseus et Demetrius regis Philippi in Macedonia filii fratres quidem erant, sed apud illum magis valebat cupido reg[n]andi quam cognatio sanguinis. Quapropter quotidie Demetrium apud patrem calumpiabatur et primo odiosum, deinde etiam suspectum tandem proditoribus conspiratis testibusque subornatis, patrem ad interfectionem filii allexit. Tantum potest insaturabilis regnandi cupido. Multo major erat concordia fratruum Xerxis et Artamenis de quibus Auctor noster capite decimo libri secundi consulendus. Nam cum hi de principatu contenderent, litem suam unanimi consensu patruo suo Arthapherni tradiderunt atque tamdiu inquisitio durabat sibi invicem dona mittebant nec non una amicabiliter conversati sunt. Postquam Arthaphernes iudicium tulit neque is qui vicit gaudio exultavit nec ille qui perdidit tristitia affectus est. Quamobrem auctor noster non male addit ea maiori modestia tunc temporis fratres maxima dividisse imperia quam nunc facultates privatorum vel minimas partirentur.

Just. lib. 33

Macedonia quondam nobilitate omnes populos antecelluit dum per ducentos annos imperium tenebat. Victo autem Perseo sub potestatem pervenit Romanorum, in for-

mäsigkeit der Römer gekommen und zu einer Provintz gemacht worden. Perseus ein Sohn Philippi war wegen seiner Macht und durch das Andencken des alten macedonischen Ruhms aufgeblasen. Er gedachte nicht an das Unglück seines Vatters und erregte einen Krieg und wurde von dem Aemilio Paulo welchen die Römer aus Furcht vor diesem Krieg zum Burgemeister ernennet hatten in dem ersten Treffen geschlagen und gefangen genomen. Nach diesem Krieg hat Aemilius Paulus zu Rom einen Triumph gehalten, und den Perseus mit seinen drey Söhnen vor dem Triumph vorher geführet. Niemahlen ist zu Rom ein schönerer und herrlicher Triumph gesehen worden, sintemahlen er drey gantzer Tage gewähret. Aemilius hat selbsten das Unglück des Perseus beweinet, und seine Söhne errinert daß sie das Glück welches so viel vermögte scheuen solten. Nicht unrecht. Damit seine Glückseeligkeit nicht vollkommen wäre, so ist sie durch den Todt seiner zween Söhne turbirt worden, deren der eine vor, der andre nach dem Triumph gestorben. Dieser Aemilius ist sonsten in der Historie wegen seiner Mässigkeit und Armuth sehr berühmt gewesen. Denn nach seinem Todt konte die Frau ihre Morgen Gabe nicht wieder bekommen es seye denn, daß man seine Güther verkaufte.

* Wenn unter den Büchern des Justini eines ist, welches unsere Aufmercksamkeit verdienet so ist es gewiß das 36te Buch in welchem er den Anfang Wachstum und Thaten, des iüdischen Volcks beschreibet. Denn das meiste was er von diesem Volck anführet, ist voll Lügen u. Fablen, und ist kaum ein weniges anzutreffen welches mit der Wahrheit der Erzählung wie sie von der H. Schrift u. Josepho beschrieben wird übereinkommet. Es ist dieses gewöh[n]lich bey den Heydnischen Scribenten, daß sie theils aus Nachlässigkeit, theils aus Unwissenheit die Geschichten der Juden mit schändlichen Lügen die aus Boßheit erdichtet beflecken. Doch wenn unser Justinus mit dem Theodorus, Sicculus, Tacitus, Plutarchus, und andern Heyd-

mam provinciae redacta fuit. Perseus regis Philippi filius sua potestate ac veteris macedonicae gloriae tumore inflatus memoria. Hic de patris sui fortuna adversa non cogitans bellum comparabat, et ab Aemilio Paulo quem romani timore hujus belli consulem elegerant, prima conflictione victus et captus est. Hoc bello finito Aemilius Paulus Romae triumphavit et Perseum ipsum unacum tribus suis filiis ante triumphalem currum duxit. Nunquam Romae tam insignis atque magnificus triumphus fuit habitus quippe cujus spectaculum triduum implevit. Aemilius ipse infortunium lacrimis prosecutus est, filiosque suos admonuit ut fortunam, cui tantum liceret, abhorrerent. Non male. Ne vero eius felicitas solida fieret, morte duorum filiorum suorum perturbata est, quorum alter ante, alter post triumphum mortuus. Hic Aemilius olim propter suam temperantiam et paupertatem celeberrimus fuit in historia. Nam post mortem eius, uxori dos sua exsolvi non potuit, nisi bonis eius distractis.

Just. lib. 36. cap. 2

Si quis inter Justini libros nostram attentionem meretur certe est liber trigesimus sextus in quo initium et incrementum factaque iudaici populi describit. Plurima enim quae de illo affert plena sunt mendaciis et fabulis, et vix pauca reperiuntur, quae cum veritate enarrationis ut in sacra scriptura et ab Josepho exhibita conspirant. Hoc auctoribus Etnicis consuetum est ut partim negligentia partim ignorantia iudeorum gesta mendaciis turpibus, malitia consutis inquinent. Attamen si Justinus noster cum Theodoro Sicculo Tacito Plutarcho aliisque etnicis Scriptoribus acta judeorum attingentibus comparatur, reperiemus eum in plurimis veritati propius accedere illis. Interea nisi ex sacra scriptura melius instructi essemus enarrationibus eorum

nischen Scribenten, welche die Geschichten der Juden beschreiben, verglichen wird, so werden wir finden, daß er in den meisten, der Wahrheit näher kommt als iene. Unterdessen wo wir nicht aus der H. Schrifft und dem Flavio Josepho besser unterrichtet wären, so würden wir ihren Erzehlungen, wegen ihres Ansehens leichtlig Glauben zumessen, und uns also schändlich betriegen. Wie wenig aber denselben zu trauen sey hat der seelige H. Rector Schudius in seinem Compendio historiae iudaicae in welchem er sonderlich damit umgehet daß er die Historie der Juden von den Irrthümern Lügen und Lästerungen der Heyden befreye.

* Wann unser auctor den Ursprung des iüdischen Volcks beschreiben will, so sagt er, sie stammete[n] von Damascus, einer sehr berümten Stadt in Syrien. Allein er irret sich eben so sehr als Strabo [welcher] dessen Ursprung aus Egipten herholet und als Tacitus welcher den Anfang der Juden aus der Insel Creta herleitet. Denn aus der heiligen Schrifft wissen wir daß der Ursprung der Juden aus Caldea herzuleiten sey, woselbst in den ältesten Zeiten die Nachkommen des Eberi gewohnet, ob wir schon nicht läugnen daß die Vorfahren der Juden einezeitlang in Syrien und um Damascus als Fremdlinge sich aufgehalten. Ferner rechnet er unter die Vorfahren der Juden den Azetas und Adores, wer aber dieselbe gewesen last sich kaum errathen. Es kan seyn daß durch den Adores der Thara des Abrahams Vater verstanden werde. Abraham und Israel von welchen er sagt daß sie Könige gewesen sind aus der heiligen Schrifft bekant ge[n]ung. Aber sie waren niehmahls Könige den sie hatten weder einen gewissen Sitz noch Unterthanen. Vieleicht ist der Irrthum der Heyden daher entstanden weil sie gehöret haben, daß Abraham Krieg geführet hat.

*Wenn unser Autor ferner den Nahmen des Hebraeischen Volcks der zu seiner Zeit am gebräuglichsten gewesen beschreiben will, so sagt er, Israel habe das Volck in zehen Reiche vertheilet und seinen Söhnen übergeben und habe

propter auctoritatem facilius crederemus atque nos ita turpissime deceperimus. Quam parum eis fides habenda sit beatus Dom. Rec. Schudius in compendio suo historiae iudaicae in quo praesertim tractat, ut historiam iudeorum ab erroribus mendaciis et calumniis gentilium liberare studet.

Just. lib. 37. cap. 2

Auctor noster originem iudaici populi descripturus dicit eos originem debere Damasco urbi Syriae celeberrimae sed non secus ipse errat atque Strabo qui illius ortum, ex Egypto arcessit, et Tacitus qui natales iudaeorum ex insula Creta deducit. Ex sacra enim scriptura relatum scimus originem iudaeorum ex Chaldaea derivandam esse ubi temporibus antiquissimis Eberi posteri habitarunt, quamvis non negemus, quod maiores iudaeorum aliquamdiu in Syria circa Damascum ceu alienigenae consederint. Porro in numero maiorum iudaeorum Azetam Adoremque ponit qui vero isti fuerint vix divinando assequi licet. Potest per Adorem Thara quoque Abrahami pater subintelligi. Abrahamus et Israel de quibus dicit eos fuisse reges ex sacra scriptura satis abunde apparet. Ast nunquam reges erant neque enim habebant domicilium certum stabilitum neque subditos. Fortassis error iste genti[li]um inde ortus, quia fama Abrahamum bellum gessisse experti sunt.

Just. lib. 36. cap. 2

Auctor noster porro nomen hebbraici populi, quod suo tempore notissimum fuit explicaturus ait Israelem, populum in decem regiones dividisse filiisque suis tradidisse eosque omnes nomine Judae post divisionem mortui Ju-

sie alle nach dem Nahmen Judae der nach der Theilung gestorben Juden genennet und befohlen daß sie alle seyn Andencken feyren solten. So viel Worte wir hier Antreffen, so viel Irrthümer finden wir es ist wahr daß die Hebraeer auch Juden genennet wurden aber nicht so wohl von Juda dem Sohn Jacobs als vielmehr von dem gantzen Stam Juda. Und der Urheber dieser Benennung ist nicht Jacob von welchem mann nicht sagen kan daß er einem Volck das noch nicht gewesen einen Nahmen beygelegt habe. Sondern dieser Nahme ist viele Jahrhundert nach dem Jacob aufgekommen. Noch weiter von der Wahrheit ist entfernet Tacitus, ein sonst berühmter historien Schreiber der aber nach dem Urtheil des Seldenus in Beschreibung der jüdischen Gebräuche sich gewaltig vergehet. Dann wie derselbige den Ursprung der Juden aus Creta herführet, so sagt er dieselben seyn von dem Berg Ida so in dieser Insel gelegen erstlich Idaei genennet worden, nachgehens aber hätten sie den Barbarischen Nahmen Judaei bekommen. Die Aufrigtigkeit des Dyonis Cassii verdienet mehr Lob welcher aufrigtig bekennet daß er nicht wisse woher der Nahme Juden entstanden sey.

* Gleichwie unser Autor fälschlich den Mosen einen Sohn Josephs genennet hat, also irret er sich auch wenn er schreibet, daß nach Mose sein Sohn Arvas zum Priester der Aegyptischen Götter, und bald darauf zum König erwehlet worden. Wir wissen, daß Moses zwey Söhne gehabt, derer aber Keiner Arvas sondern der eine Gergas der andre Elieser genennet worden. Sie haben auch nicht das Priesterthum verwaltet noch Könige gewesen, sondern beyde sind mit ihren Nachkommen unter die gemeine Leviten gerechnet worden, [welches] wie Curtius wohl anmercket, die Aufrichtigkeit des Moses vortrefflich beweiset welcher weder auf seinen Ruhm noch auf den Nutzen der seinigen gesehn. Indem er die Würde des Reichs und des Priesterthums andern übergeben und seine Nachkommen, unter die gemeine Leviten gesetzt. Es ist wahrschein-

daeos apellasse atque imperavisse memoriam eius ab omnibus esse celebrandam. Quot verba hic reperimus, tot invenimus errores. Verum quidem est Hebraeos etiam Judaeos appellatos fuisse sed non tam ab Juda filio Jacobi quam potius a tota stirpe iudaica. Neque autor huius denominationis fuit Jacobus de quo non dici potest, quod populo nondum existenti nomen apposuerit. Sed hoc nomen multa ante secula post Jacobum ortum est. Longius adhuc a veritate abest Tacitus celeberrimu[s] alias olim historicus qui vero secundum iudicium Seldeni in describendis Ebreorum ritibus valde errat. Nam quemadmodum ille originem Judaeorum ex Creta accersit isstos inquit de monte Ida in hac Insula sito primum Idaeos vocatos, postea vero nomen barbarum Judaeorum nactos fuisse. Fides Dionis Cassii plus laudis meretur ingenue fatentis se nescire unde nomen Judaeorum ortum sit.

Just. lib. 37. cap. 2

Quemadmodum auctor noster perperam Mosen Josephi filium nominavit ita quoque hallucinatur scribens, post Mosen filium suum Arvam sacerdotem Deorum aegyptiacorum et mox regem electum fuisse. Novimus quod Moses duos filios habuerit, quorum vero neuter Arvas, sed unus Gergas, alter vero Elieser nominatur. Neque etiam functi sunt officio sacerdotali, neque profuere regno, at ambo una cum suis posteris in numero communium Levitarum positi sunt ut Grotius bene notat probitatem Mosis praeclare demonstrans qui neque ad suam gloriam neque ad utilitatem suorum respexit dum dignitatem imperii et sacerdotii aliis tradiderit, suosque posteros in numero vulgarium Levitarum habuerit. Verisimile enim est Arvae nomine Aronem significari Mosis fratrem qui tribus annis illo maior fuit, ast nunquam imperium administravit Deo au-

lich daß durch den Arvas Aron angezeiget werde Mosis Bruder der drey Jahre älter gewesen aber niemahlen das Reich verwaltet, sondern auf Gottes Befehl zum obersten Priester ist erwehlet worden. Es ist auch falsch, was der Autor sagt, daß bey den Juden ihre Könige auch Priester gewesen, indem niemand bey ihnen erlaubet war sich des Priesterthums anzumasen denn wir lesen daß die Könige selbsten so offt sie sich da[s]selbige unterstanden sehr hart sind gestrafet worden.

* Wir haben bishero einige Fehler welche unser Autor in Erzählung der Jüdischen Geschichten begangen angeführet. Aber es sind noch viel mehrere übrig deren wir noch einige anführen müssen. Wenn er das Schicksaal Josephi erzählet scheinet ihm ein helleres Licht der Wahrheit auf gegangen zu seyn. Aber in der Mosaischen Historie irret er sehr. Er nennet den Moses fälschlich einen Sohn Josephs der doch aus einem gantz andern Geschlecht gebohren, und lang nach Josephs Todt auf die Welt gekommen. Wenn er aber sagt die Juden seyen von den Aegyptiern weil sie krätzig und aussätzig gewesen, damit die Kranckheit nicht mehrere ergreifen mögte aus den Gräntzen Aegytiens vertrieben worden so erzehlet er eine alte Lüge der Heyden welche wie es scheinet von den Juden selbst ihren Ursprung gennomen, die denen Israelithen ihren Nahmen misgönneten welche Gott durch seine mächtige Hand aus Aegypten geführet hatte, wieder ihren Willen und nachdem sie mit vielfältigen Plagen waren heimgesuchet worden, Ferner schreibet er fälschlich daß Moses ein Anführer der vertriebenen worden und die Götter der Aegyptier gestohlen und mit genommen, da man doch lieset, daß die Juden nicht sowohl die Götter, von welchen sie entfernet gewesen, als vielmehr kostbare Gefäse, auf Göttlichen Befehl mit gutem Willen der Aegyptier, welche ihnen dieselbe aufgetrungen, als einen wohl verdienten Lohn ihrer Arbeit mit genommen haben.

tem praecipiente primarius sacerdos constit[ut]us est. Falsum etiam est id quod auctor dicit apud Iudaeos Reges eorum et sacerdotes fuisse dum apud eos nemini liceret arrogare sibi sacerdotium nam relatum habemus quod reges ipsi toties illud audebant durissime puniti fuerint.

Just. lib. 38. cap. 6

Hactenus aliquot sphalmata ab auctore nostro in enarratione iudaicae historiae commissa retulimus. Sed tamen adhuc multa supersunt, quorum quaedam nobis enumeranda sunt. Cum fatum Josephi describit clarius ei veritatis lumen alluxisse videtur. Sed in historia mosaica graviter hallucinatur Mosen enim falso vocat filium Josephi qui tamen ex alia stirpe prognatus diuque post iosephi mortem in lucem editus est. Sin vero dicit Iudaeos ab Aegyptiis quod scabiosi atque leprosi fuerint ne morbus pestilens plures comprehenderet ex finibus Aegypti expulsos esse, narrat ille mendacium vetus Ethnicorum quod ab Aegyptiis ipsis, ut apparet, provenit qui gloriam suam invidebant et quos Deus ex aegypto manu sua omni potenti eduxerat, idque eis nolentibus multifariisque plagis cruciatis.

Porro scribit falso Mosen factum fuisse exulum ducem Deosque Aegyptiorum surripuisse et secum sumsisse, cum tamen relatum legamus, iudaeos non tam falsa numina a quibus alienati fuerunt, quam pretiosa potius vasa, jussu divino, Aegyptiisque volentibus, ipsa, qui eas his obtruderunt, tanquam mercedem bene meritam laborum suorum abstulisse.

*Im vier und vierzigsten Buch erzehlet unser Autor aus dem Trogo kürtzlich den Ursprung des Römischen Reichs, weil er glaubte, er seye ein undanckbahrer Bürger wenn er die Thaten aller Völcker beschrieben und den Ursprung seiner Vater Stadt welche das Haupt der gantzen Welt worden mit Stillschweigen über gehen solte. Gleichwie nun der Anfang und Ursprung der Städte und Völcker merentheils fablen sind also glauben auch viele nicht ohne Ursach sonderlich dieienige, welchen die fabuloisse Erzehlungen in den Geschichten auszeignen und aus denselben auszurothen sich bemühen daß alles dasjenige was insgemein von dem Ursprung der Statt Rom erzehlet wird einer Fabel änlicher sey als einer wahrhaften Geschichte. Daß der Aenaeas in Ithalien gekommen und dem Römischen Volck den Ursprung gegeben erzehlen die alte Geschichtschreiber einmüthig. Allein andere erweisen daß des Aenaeae Ankunft in Ithalien unter die Fablen zu zehlen sey. Dieses hat schon Philippus Auverius in seinem Italia antiqua bezeuget, und Samuel Bochardus hat eben dasselbe in [einer] besonderen Disputation welche aus dem französischen ins Teutsche u. lateinische übersetzet worden, gründlich bewiesen. Denn die gantze Erzehlung gründet sich auf den Troianischen Krieg u. die Zerstörung der Stadt Troia von welchen die Gelehrthen längst geurtheilet haben daß diese Geschichte mit vielen Fablen verderbet seyn.

Obman schon zu allen Zeiten aller Wohlthaten Gottes und seines Sohnes unsers Heylandes soll eingedenck seyn und Gott dancken: so ist doch von der Kirche nicht unbillich verordnet worden, daß gewisse Tage und gewisse Zeiten auf gewisse Wohlthaten und derselben Betrachtung sollen gewendet werden, damit die Christliche Gemeinde lerne, was oder wieviel sie für diese oder jene Wohlthat Gott schuldig sey, es ist aber nicht überall einerley Anzahl der Festage, indem etliche mehr Tage feyren etliche weniger was wir für Feyertage haben, ist uns allen bekannt. Was nun diese Feyertage anbelangt, so wird von etlichen die

Just. lib. 38. cap. 8

In libro quadragesimo tertio auctor noster narrat ex Trogo brevissime, originem romani imperii, quia credebat se esse civem ingratum si facta omnium populorum describeret originem vero urbis patriae quae caput totius mundi facta sit omitteret. Sicut ergo initium et origo urbium atque gentium plerumque fabulae sunt, ita etiam multi non sine caussa credunt imprimis ii qui enarrationes fabulosas in historiis atro carbone notant et ex iis eas exstirpare student, omnia illa quae vulgo de origine urbis Romae enarra[n]tur fabulam milesiam plus redolere quam veram historiam. Quod Aenaeas in Italiam pervenerit et populum Romanum fundaverit veteres historici unanimi referunt consensu. Sed alii demonstrant Aenaeae adventum in Italiam inter fabulas esse numerandam. Hoc iam Philippus Auverius in Italia eius antiqua ostendit Samuelque Bochardus idem in singulari Disputatione ex gallica lingua in latinam versa solide demonstravit. Nam tota enarratio nititur bello troiano destructioneque urbis Troiae de qua iam diu eruditi iudicaverunt quod haec historia multis fabulis corrupta sit.

Quamvis omnibus temporibus cun[c]ta benefi[ci]a [Dei] et filii sui salvatoris nostri in memoriam revocanda ac Deo gratiae agendae sint: tamen ab ecclesia non male constitutum est ut certi dies et certa tempora ad certa beneficia eorumque contemplationem impendi debeant, quo coetus christianus discat quid et quantum pro hoc vel illo Deo persolvendum sit, non ubique vero idem est festorum numerus dum nonnulli plures dies alii paucos ferientur, quales nos habeamus ferias nobis omnibus constat. Quod ad has ferias pertinet a quibusdam in medium profertur quaestio quodnam maximum festum sit omnium maxima-

Frag auf die Bahn gebracht, welches doch das höchste Fest sey unter allen und mit der grösten Andacht zu feyren: etliche streiten vor das Weyhnacht Fest und schliesen also: Christus hätte nicht den heilgen Geist über seine Jünger gesendet wann er nicht wäre gen Himmel gefahren; er wäre nicht gen Himmel gefahren wen er nicht auferstanden wäre; er hätte aber weder leiden noch sterben noch auferstehen können wenn er nicht wäre gebohren worden, sey also das Fest der Gebuhrt Christi allen andern vorzuziehen.

Eben dieses Argument brauchen auch diejenige, welche das Fest Mariä Verkündigung vor das höchste halten. Dann sprechen sie an demselben Tag ist der Heyland der Welt emfangen worden, welches das Fundament ist aller Wohlthaten andre drehen den Beweis Grund um, und schliesen also: was hätte die Gebuhrt Christi genutzt wenn er nicht für uns gestorben und aufe[r]standen wäre; in dieser Auferstehung bestehet all unser Hofnung und all unser Trost derowegen gebühret diesem Feyertage der Vorzug. Andre halten das Himmelfahrts Fest für das vornehmste, weilen er an demselben in seine Herrlichkeit eingangen, damit er uns dermahleins theihlhaftig mache. Andre wollen behaupten das P[f]ingstfest sey sonderlich hoch zu feiren, weil alle durch Christum erworbene Wohlthaten im Gegentheil daß Christus für uns gestorben und auferstanden als daß er ein Mensch gebohren worden. Es war der gnädige Wille des himmlischen Vaters daß der Sohn Gottes uns arme und verlohrne Menschen erlösete, und dieses einzige Werck der Erlösung ist gleichsam Stufen weis zu ende gebracht worden: es muste also ein Mensch werden er muste sterben und auferstehen und nach vollbrachtem Werck der Erlösung, wieder zu demjenigen gehen der ihn gesandt hatte: ist also ungescheit daßjenige von einander zu trennen was nach der göttlichen Ordnung vereiniget und nur eins außmacht gleichwie alle Gelencke an einer Kette nur eine Kette und alle Glaubens Articel nur einen Glauben außmachen. Wir wollen ein ander Gleichnüß geben: die

que veneratione feriandum: quidam pugnant pro festo nativitatis Christi atque ita ratiocinantur: Christus Spiritum sanctum haud misisset supra suos discipulos, nisi ascendisset in coelum, non ascendisset nisi surexisset, nec autem pati neque mori nec resurgere potuisset nisi natus fuisset; ergo festum nativitatis Christi omnibus aliis praeferendum.

Eodem argumento utuntur quoque isti qui festum annunciationis Mariae maximum esse putant: Illo enim aiunt die salvator mundi conceptus est, quod fundamentum omnium beneficiorum; Alii contorquent argumentum atque ita colligunt: quidnam nativitas Christi profuisset, nisi pro nobis mortuus esset et resurrexisset; in hac resurrectione omnis spes nostra est posita, omneque solatium ideoque huic festo praerogativam tribuunt. Alii festum ascensionis Christi palmarium esse censent, quia in eo in gloriam suam introivit quo nos etiam aliquando illius participes faceret. Alii volunt statuere diem pentecostes esse praecipua solennitate feriandum quia omnia per Christum accquisita beneficiae contra, quod Christus pro nobis mortuus sit et resurrexerit quam ut homo natus fuerit. Erat benigna co[e]lestis patris voluntas ut filius Dei nos perditos et pauperes homines redimeret, et hoc unicum redemtionis opus quasi gradatim ad finem perductum fuit: quare hic salvator homo fieri, mori atque resurgere et confecto opere redemtionis iterum ad eum adire debuit qui eum miserat: itaque stultum est id disecare quod iuxta divinum [ordinem] coniunctum est et tantummodo unum comprehendit, sicut omnes articuli cataenae connexi unam tantummodo catenam et omnes articuli fidei unam fidem faciunt. Aliam dabimus similitudinem: remissio peccatorum ac donatio iustitiae Christi praeclara sunt Dei beneficia, quis quis autem tam stultus esse ac interrogare vellet an Deo plus debeamus pro remissione peccatorum vel pro donatione iustitiae Christi

Schenckung der Gerechtigkeit Christi, sind fürtrefliche Güter Gottes; wer wolte aber so einfältig seyn, und fragen ob wir Gott mehr schuldig seyen vor die Vergebung der Sünden oder vor die Schenckung der Gerechtigkeit Christi, indem man sich gar keine Vergebung der Sünden ohne die Schenckung der Gerechtigkeit Christi noch die Schenckung der Gerechtigkeit ohne Vergebung der Sünden einbilden kann. Und sind auch diese zwey nicht so unterschieden, daß uns Gott die Gerechtigkeit seines Sohnes schencke, und auf eine andre Zeit die Sünden vergebe; sondern in dem Augenblick, da Gott die Gerechtigkeit seines Sohnes uns zurechnet, in eben dem Augenblick sind unsre Sünden bedeckt und vergeben. Last uns dancksagen Gott dem Vater der uns einen Erlöser gegeben; Last uns dancksagen dem Sohne Gottes der durch unterschiedliche Stufen und Handlungen die Erlösung erworben; Last uns dancksagen dem H. Geist der in uns die durch Christum erworbene Wohlthaten uns zueignet und den dreyeinigen Gott bitten daß er uns in wahrem und lebendigem Glauben zum ewigen Leben erhielte.

O Gott du Vater unsers Herren Jesu Christi wir bitten dich richte du alles was wir in unserm Beruf und Stande vornehmen dahin, daß deine Ehre und Ruhm dadurch befördert werde, mach uns zu Gefäsen deiner Barmhertzigkeit geordnete damit wir thun was dir gefält und uns selbsten und unserm Nechsten nützlich ist bewahre uns vor böser Geselschaft damit wir nicht von dir mögen verführet werden, und in Sünd, Schand und Laster gerathen. Heilige im Gegentheil unsere Hertzen, mehr und mehr zünde in uns an eine brünstige Liebe, zu dir und zu deinem Wort wie auch eine Begierde allerley nützliche Dinge zu lernen. Erhalte uns in wahrem Glauben und in deiner Erkändnüß damit wir in derselben bis an das Ende unsers Lebens beständig verharren und dermaleins mit allen Englen und Außerwählten in der ewigen Freude dich rühmen und preißen mögen.

dum nulla remissio peccatorum sine donatione iustitiae Christi, neque donatio iustitiae sine remissione peccatorum concipi potest. Neque haec duo tam distincta sunt, quasi nobis Deus iam iustitiam filii sui donet et alio tempore peccata remittat; Sed eo momento quo Deus iustitiam filii sui nobis attribuit eodem et nostra peccata obtecta et remissa sunt. Agamus ergo Deo gratias: qui filium suum nobis dedit. Agamus et gratias filio Dei qui per varios gradus et actiones redemtionem accquisivit. Agamus gratias sancto spiritui qui nobis per Cristum accquisita bona tribuit ac triunum Deum rogemus ut nos in vera et viva fide ad vitam aeternam servet.

O! Pater domini nostri Jesu Christi rogamus te dirigas omnia quae in nostra vocatione et conditione agimus quo honor tuus et gloria eo promoveatur, fac ex nobis vasa tuae misericordiae ita comparata ut tibi placeamus nobisque ipsis ac proximo utiles simus. Custodi nos a malo consortio, ne seducamus abs te, ac in peccata probra et flagitia incidamus. Sanctifica econtra nostras mentes, magis magisque, et incende in nobis amorem ardentem erga Te, καὶ πρὸς τὸν λόγον σοῦ, ut et desiderium varias utiles res discendi. Serva nos in recta fide et in cognitione tua quo in ea, finem usque vitae nostrae constanter perseveremus ac aliquando cum omnibus angelis et electis in aeterna laetitia te glorificemus et laudemus.

Horatius et Cicero Ethnici quidem fuerunt, sed prudentiores multis Cristianis; ille enim inquit: argentum auro vilius est, aurum virtute; hic autem ait: nihil est pulchrius virtute. Multi vero ethnici Christianos virtute superaverunt. Quis in servanda amicitia fidelior erat Damone, liberalior Alexandro M. magis iustus Aristide continentior Diogene, patientior Socrate, humanior Vespasiano et laboriosior Apelle et Demosthene.

Horatius und Cicero sind zwar Heiden gewesen aber verständiger als viel Christen; den derselbe sagt; das Silber ist schlechter als Golt, und das Gold ist schlechter als die Tugend. Dieser aber sagt: nichts ist schöner als die Tugend. Aber viele Heyden haben die Cristen an Tugenden übertroffen. Wer war in Haltung der Freundschaft getreuer als Damon, freygebiger als Alexander M., gerechter als Aristides, enthaltsamer als Diogenes, gedultiger als Socrates leutseliger als Vespasianus und arbeitsamer als Apelles und Demosthenes. [Übersetzung Seite 63 unten]

Obwohl die Gelehrsamkeit einen schweren Zugang hat so sind doch ihre Früchte süß. Denn sie schärft den Verstand und macht uns tüchtig zu allen Dingen: ohne dieselbe werden wir thörigte Dinge angeben; und nicht tüchtig seyn Ehren Aembter zu verwalten: wir werden auch dieselbe nicht leicht erlangen. Derowegen sorgen die Eltern besser vor ihre Kinder wan sie selbige unterweisen lassen als wen sie ihnen großen Reichthum samlen. Denn ein Haufen Geldes kann leicht geraubet werden. Silberne und Güldene Gefäse sind sehr oft gestohlen worden, aber die Gelehrsamkeit kan wie der Comicus sagt seinem Besitzer nicht geraubet werden.

Als Christus der unschuldigste unter allen Creaturen am Creutze hing, war niemand unter den Menschen der Mitleiden mit ihm hätte, sondern einjeder unter den Soldaten spottete seiner. Wer unter uns das gesehen und nicht geweinet hätte, der wäre der ärgste Bube, so auf zwey Füssen gehn. Daß aber die meisten der Christen ia etliche der Gläubigen zu weilen undanckbar seyn bezeuget die Tägliche Erfahrung, dadoch Gott einem ieden Menschen viel Gaben gegeben hat für welche er solte danckbar seyn.

Der Heilige Geist von welchem künftigen Sontag wird gehandelt werden, ist die drite Person in der Gottheit, und gehet von Vatter und Sohne aus. Er wird nicht allein heilig genent weil er selbst heilig ist, sondern auch in Sonderheit

[Schluß nebenan]

Quanquam eruditio difficilem aditum habet fructus tamen dulces sunt. Nam acutum reddit ingenium, nosque facit ad omnes res aptos: sine ea nugabimur et innepti erimus honoribus fungendis: uos etiam haud facile impetrabimus. Igeo parentes melius consulunt liberis si informari curant quam si illis maximas divitias colligunt. Nam acervus pecuniae facile rapi potest. Argentea et aurea vasa saepissime ablata sunt, sed doctrina ut Comicus quidam dicit possessori suo eripi haud potest.

Cum Christus innocentissimus omnium creaturarum cruci affixus penderet, nemo fuit hominum qui eius miseraretur, sed quilibet militum deridebat eum. Quotusquisque nostruum hoc vidisset et non ploravisset pessimus fuisset bipedum omnium. Quod vero multi Christianorum, imo quidem fidelium interdum ingrati sint, quotidiana testatur experientia, quum tamen Deus unicuique multa dona dederit pro quibus deberet esse gratus.

Sanctus spiritus de quo futuro die domenico in ecclesia agetur est tertia persona Deitatis, exiens a patre et filio. Neque solum dicitur sanctus, quia ipse sanctus est, sed etiam praesertim eapropter quia nos sanctificat ut Deo placeamus. Sanctificat homines partim verbo divino, partim vero Sacramentis. Verbum Dei ergo negligens ac sancta Sacramenta contemnens, manet profanus et impurus, mancipiumque est mortis et gehennae ac incidit tandem in rete Diaboli ex quo nunquam liberari poterit.

---

deswegen weil er uns heiliget damit wir Gott gefallen können. Er heiliget die Menschen theils durchs Wort Gottes theils aber durch die Sacramenta. Wer nun das Wort Gottes verwirft und die heilige Sacramenta verachtet, der bleibet unheilig und unrein, ist ein leibeigner des Todes und der Höllen und falt endlich in das Netz des Teufels, aus welchem er nimmer wird erlöset werden können.

LIBER EXERCITIORUM
GERMANICO GRAECORUM ATQUE LATINORUM

quae a Domino Scherbio Praeceptore meo aestimatissimo dictata et a me
Jo: Wolfg. Goethe versa sunt. Anno Christi Mens Jan. 1759.

Exercitium

Wer Gott liebet, daß Wercke seines Berufs fleisig treibet und nicht träge wird sondern ein Nachfolcher derer die durch den Glauben und Gedult ererben die Verheisungen, der empfängt von Gott den Seegen. Den am iüngsten Tag wird er die Frommen welche rein und wahrhaftig sind und deßwegen Schafe gennennet werden zu seiner rechten stellen und zu ihnen sagen kommet her ihr Gesegneten meines Vatters ererbet das Reich das euch bereitet ist von der Grundlegung der Welt.

Versio

῞Οστις τὸν Θεὸν φιλεῖ καὶ τὸν λόγον τοῦ Θεοῦ ἡδέως ἀκούει καὶ τὰ ἔργα τῆς κλησεώς αὐτοῦ σπουδείος ποιεῖ καὶ οὐ νωθρὸς γινετεὶ ἀλλὰ μιμητὴς τῶν διὰ τῆς πίςτεως καὶ μακροθυμίαν κληρονομούντων τὴν επαγγελίαν οὗτὸς λαμβάνει ἀπὸ τοῦ Θεοῦ τὴν εὐλογίαν. Γὰρ ἒν τῇ ἐσχατῇ ἡμέρα τοὺς ἀγαθοὺς ὅι καθαροὶ καὶ ἀληθινοὶ ἐπικαλοῦνται τὰ πρόβατα, στήσει ἐκ δεξιζν αὐτοῖς καὶ ἐρεῖ: δεῦτε οἱ ευλογημένοι τοῦ πατρός κληρονομήσατε τὴν βασιλείαν ἡτοιμασμένην, ἀπὸ καταβολῆς τοῦ κόσμου:

Aliud

Nach mir war mein Bruder König: er hatte aber keinen Ruhm vor seinen kriegsthaten er vermiet allen bösen Schein er war nicht weniger denen Menschen nützlich als wie ich er gab ihnen Gesetze er ordnete die Sitten er bauete Tempel und in den 43ten Jahr seiner Regierung führte er Krieg gegen seine Feinde.

Versio

Μετὰ μὲ ὁ αδελφὸς μου ἐβασίλευςεν: εἶχεν δὲ οὗτος οὐδεμιαν δοξαν ἀπὸ τῶν ἔργον πολεμικῶν. Ὅυτος απεχων παντὸς εἴδους πονιροῦς οὐ ἧττον γεγένετο κρήσιώος καθὼς ἐγὸ, ἔθηκὲν αὐτοῖς νόμους τασσεὶ τὰ ἔθεη καταςκέψαςε ναοὺς καὶ τῳ τεσσαρακοςτῷ καὶ τρίτῳ ἐτεὶ τῆς βασιλέιας ἄιρον πόλεμον πρὸς πολεμίους:

Aliud

Als Christus nahe bey Jerusalem kam wolte er in die Stadt seinen Einzug halten und saß auf einer Eselin auf daß erfüllet würde was Gott durch den Propfeten gesagt von dem König der Tochter Zion deßwegen erwehlte er zween von seinen Jüngern welche hingehen und die in dem Flecken angebundene Eselin nebst ihrem Füllen loßbinden und zu ihm führen solten welches die Jünger thäten. Da aber Jesus hinein zog ging viel Volcks vor und folgte ihm nach und rüfen alle gelobet sey der da komt im Namen des Herrn.

Versio

Καὶ ὅτε ἤγγισε ὁ Ιησοῦς ἐις Ἱεροσόλυμα ἔθελε ἐις τὴν πόλιν ἐισελθεῖν καὶ ἐπιβεπηκὼς ἐπὶ ὄνον ἵνα πληρωθῇ τὸ ῥηθὲν ἀπὸ τοῦ Θεοῦ διὰ τοῦ προφήτου περὶ τοῦ βασιλέως τῆς θυγατρὸς Σίων. Τοῦ δὲ Χριστοῦ εἰσελθόντος ἐκ τῶν μαδιτῶν δύο ἀπέςστειλεν ἵνα πορευομενοι ἐν τῇ κώμῃ δεδομένην ὄνον καὶ πῶλον λύοντες αὐτῶ ἄγώσι τοῦτο καὶ ὁι μαθιταὶ ἐποίησαι. Ὅτε δὲ ὁ Ιησοῦς εἰσηλθεν ὁ πλειςτος οχλος ὁ προάγων καὶ ἀκολουθῶν ἔκραζον πας εὐλογιμένος ὁ ἐρχόμενος ἐν ὀνόματι Κυρίου:

Versio

Cum Iesus appropinquasset Hierosolyma voluit introire in urbem et sedebat super asina ut impleatur quod dictum est a Deo per propetham de rege filiae Sionis ideo eligebat duos discipulos qui abirent et cum ea pullum solverent eumque adducerent id quod etiam discipuli facerent. Cum

autem Iesus introiret multa turba a[n]tecedens et consequens exclamabat be[ne]dictus in nomine Domini veniens.

Aliud

Die Gottlosen werden gestrafet werden, wie sie fürchten denn sie achten des Gerechten nicht und weichen von dem Herrn. Hiervon versichert uns Christus in dem gestrigen Evangelio welches von dem jüngsten Tag handelt.

Versio Graeca

Ὁἱ ἀσσεβεῖς ἐπιτιμίαν ἑξούσι καθὰ ἐλογίσαντο ἀμελήσαντες τοῦ δικαίου τοῦ Κυρίου περι αὐτῶν ὁ Ἰησοῦς ἐν τῷ ἐπαγγελιω, τῆς χθὲς ἡμέρας, περὶ ἡμέρας ἐσχάτης διηγήσατο:

Versio Latina

Impii punientur ut timent: neque enim curant iustos, et recedunt a Domino. De his Christus nos certiores facit in Evangelio hesterno quod de extremo Die tractat.

Continuatio

An demselben wird es den Gottlosen bange seyn, wenn die Zeichen an Sonn, Mond und Sternen geschehen werden, sie werden ve[r]schmachten vor Furcht und Erwartung der Dinge die auf Erden kommen sollen.

Versio

Ἐν αὐτῷ συνοχὴ ἔσεται τῶν ἀσσεβῶν ὅταν τᾶ σημεῖα ἐν ἡλίῳ σελήνῃ καὶ ἄστροις ἀποψύξουσι ἀπὸ φόβου καὶ προςδοκιάς τῶν ἐρχομένων ἐν τῇ οἰκουμενῃ.

Aliud

Gleichwie die Eltern Jesu jährlich nach Jerusalem auf den Befehl Gottes gingen und ihren zwölfjährigen Sohn mit sich nahmen auf daß er sich befände in dem das seines Vatters wäre. Also kommen auch jetzo alle frommen Eltern gerne und oft in das Haus Gottes und nehmen ihre kinder mit sich.

Versio

Καθὼς οἱ γονεῖς τοῦ Ἰησοῦ κατ' ἔτος ἐις Ἰερουσαλημ κατὰ τὴν εντολὴν τοῦ Θεοῦ ἐπορέυοντο καὶ ελαβον μετ ἐτῶν δωδεκα ἱνα ἦ ἐν τοῖς τοῦ πατρὸς. Οὕτω καὶ νῦν πάντες ἐνσεβεις γονεῖς ἡδέως καὶ πολάκις ἐις τὴν οἰκίαν τοῦ Θεοῦ καὶ λαμβάνουσι τὰ τεκνα μὲτ ἑαυτῶν.

Aliud

Der Herr ist gut, denen die auf ihn harren und den Seelen die nach ihm fragen. Es ist dem Menschen nützlich der gedultig ist und auf die Hülfe des Herren hoffet. Dieses ist deutlich in unserm Evangelio bewiesen. Jesus und seine Jünger wurden auf die Hochzeit geladen. Die Mutter Jesu befande sich auch daselbst und da es am Wein gebrach wurfe sie ihr Vertrauen nicht weg welches eine grose Belohnung hat.

Versio

Κύριός ἐστιν ἀγατός, τοῖς αὐτὸν ὑπομενουσι, καὶ ψυχαῖ[ς] ἀυτὸν ζητούςαις. Ἔστι τῶ ἀνθρωπο αγατον ὅς υπομενει καὶ ὅς ησυλάζει ἐις τὸ σωτήρηον τοῦ Κυρίου. Τοῦτο φανερὸν εστὶν ἐν τουτω ευαγγελίω ημῶν. Ὁ Ἰησοῦς καὶ δι μαθηται εκληθην, ἐις τον γάμον. Ἡ μητὴρ τοῦ Ἰησοῦς ἦν καὶ ἐκεῖ. Καὶ ὑστερήσαντος οἴνου οὐκ ἀποβάλει τὴν παραςιαν ἥτης ἔκείμι θαποδοςίαν μεγαλην.

Aliud

Die Trübsal ist die enge Pforte, welche zum Himmel führet. Der Apostel Paulus sacht deswegen daß wir durch viel Creutz müssen ins reich Gottes gehen.

Versio

Θλίψις ἐστιν ἡ πύλη στενὴ ἡ ἀγάπουσα προς τὸν οὐρανὸν. Ὁ Ἀποστολος Παῦλος διὰ τοῦτο λέγει ὅτι ἡμεῖς, δεῖ ἐιςελτεῖν διὰ πύλην ἐις τὴν βαςιλειαν τῶν οὐρανῶν.

Aliud

Das Wort welches Gott den Menschen gegeben hat ist wahrhaftig und würdig aller Aüfnahme. Christus Jesus welcher uns geliebet hat ist in die Welt kommen die Sünder seelig zu machen. Christus will mich auch seelig zu machen.

Versio

ʽΟ λόγος ὃν ὁ θεὼς τοῖς ἀνθρώποις ἐδοκέν ἐστι πιστὸς καὶ ἄξιος πάσης αποδοχης. Χριστὸς ᾽Ιησοῦς, ὁ φιλεῖ ἡμᾶς ἦλτεν ἐις τὸν κόσμον ἱνα τοὺς ἁμαρτολοὺς ςοςῇ. Χριστὸς καὶ ςόςεὶ ἐμὲ.

Versio

Verbum, quod Deus hominibus dedit, verum est ac dignum omni susceptione. Christus Iesus qui nos dilexit, venit in mundum ut nos beet peccatores. Christus me etiam beabit.

Exercitium novum

Gott ist der Hausvatter, der Weinberg ist die Kirche, und die Menschen sind die Arbeiter. Gott gehet aus und miethet Arbeiter, nicht daß sie müsig sind sondern daß sie arbeiten. Wer deßwegen von dem Hausvatter gedinget und in den Weinberg geschickt worden der trage die Last des Tages und die Hitze alsdenn wierd er den Lohn emfangen.

Versio

ʽΟ Θεὼς ἐστιν ὁ ὀικοδεσπότης ὁ αμπελον ἐστιν ἡ ἐκληςία, καὶ ὁι ἀνθρωποὶ ἐισιν ὁι ἐρχάται. Θεως ἐξέρχετα μιστώι μισθοςαςθα ἐρχάτας μὴ ἀρνοὶ ὦσὶν αλλ ἱνα ἐρχάζονται. ʽΟστις γὰρ απὸ τόυ ὀικοδεσπότου μιςθωθεὶς καὶ τὴν ἁμπελὸν απεμφαὶς ὁ βαστατη το βαρος τῆς ἡμερας καὶ τὸν καύςωνα τοτε λήψεται τὸν μισθον.

Versio

Deus est paterfamilias, vinea est ecclesia et homines sunt operatores. Deus exit et conducit operatores non ut otientur, sed ut negotia tractent. Qui igitur ab hoc patrefamilias conductus in vineamque missus est ille ferat onus diei et aestum tum accipiet mercedem.

AESOPUS

189. Zeus und die Schlange

Zu Jupiters Hochzeit brachten alle Thiere Geschenke, iedes nach seinem Vermögen: auch die Schlange kam mit einer Rose im Munde kriechend hinauf. Zeus erblickte sie und sprach: aller der übrigen Geschenke nehme ich an, aber von deinem Munde nehme ich nichts. Denn auch die Geschenke der Bösen sind fürchterlich.

8. Die Füchse

Ein Fuchs blieb in der Falle hängen, büßte den Schwanz ein, und entkam. Aber diese Schande, machte ihr das Leben verhaßt. Da fiel ihr ein, die andern Füchse das auch zu überreden, damit das Unglück gemein, und ihre einzelne Schande bedeckt würde. Und deßwegen rieth sie ihnen bey einer Versammlung, die Schwänze, nicht allein als ein unanständiges Glied, sondern auch als eine beschweerlich schleppende Last, hinwegzuschneiden. Aber es fiel ihr einer in die Rede und sprach: O wenn das nicht dein eigner Vorteil wäre, du würdest uns das nicht rahten.

Die Fabel lehret, daß böse Leute nicht ihrem Nächsten aus gutem Willen rahten, sondern zu ihrem eignen Nutzen.

230. Der Wolf und das Lamm

Der Wolf sah ein Schaaf, aus einem Bache trincken, und dachte darauf es unter dem Schein der Gerechtigkeit zu verzehren, und ob er gleich höher stund beschuldigte er doch das Lam, als wenn es ihm das Wasser trübte, und ihn am Trincken verhinderte. Aber da es sprach, es träncke ja nur mit den äußersten Lippen, und es sey auch sonst unmöglich, da es unten stehe, das Wasser oben zu trüben; da verließ der Wolf, diese Klage und sprach: aber vor einem Jahr hast du meinen Vater gelästert. Da war ich noch nicht gebohren versetzte das Schaaf, und der Wolf sagte bey sich selbst, du behältst zwar recht, aber ich werde mich doch nichts darum bekümmern.

Diese Fabel zeigt, daß gegen die Ungerechten, keine Gerechte Sache schützt.

167. Die Frösche

Die Frösche über ihren anarchischen Zustand unzufrieden, ließen durch Gesandte den Zeus um einen König bitten; er sah ihre Einfalt, und warf ein Kloz in den Teich. Da erschracken die Frösche vor dem Geräusch, und flohen in die Tiefe des Wassers, aber endlich da das Holz unbewegt lag, kamen sie verächtlich und setzten sich drauf. Und es schien ihnen zu gering so einen König zu haben, sie kamen zum zweytenmaale vor den Jupiter mit der Bitte um einen andern Fürsten, denn der erste sey unfähig, und unbrauchbaar. Jupiter ergrimmte, und sandte ihnen eine Wasserschlange, die ergrif und fraß sie.

Diese Fabel lehrt es sey besser liebreiche und gütige Regenten zu haben, als unruhige und böse.

PHAEDRUS

1. Fabel: Der Wolf und das Lamm

Es kam an einen Bach ein Wolf und Schaf, vom Durst getrieben: oben stund der Wolf, weit unter ihm das Schaaf. Mit Lügen fing der gier'ge Räuber Händel an. Was trübst du, sprach er, da ich Trincke, mir den Fluß. Das Schaaf versetzt mit Zittern: Ich bitte Wolf, du klagst, wie kann ichs thun, das Wasser fließt von dir zu meinem Mund. Der Wahrheit macht schlug ihn zurück Doch sprach er du hast mir geflucht, sechs Monat sinds. Da war ich nicht gebohren sagt das Schaaf. Eh nun so wars dein Vater der mir fluchte; und mit dem Worte raubt er und zerreist den Armen.

Die Fabel deutet auf die Menschen, die mit Erdichtungen die Unschuld unterdrücken.

2. Fabel: *Die Frösche*

Es blühete Athen durch der Gesetze Lindigkeit, allein unbändig war die Freyheit und verwirte den Staat, und riß den alten Zaum entzwey. Da rotteten Partheyen sich zusammen, und König Pisistrat besetzt das Schlos. Athen beweinte seiner Knechtschaft Elend, nicht weil er grausam war, allein weil iede Last, dem ungewohnten schwer ist. Auf diese Klagen, erzählt Aesopus diese Fabel.

Die Frösche, die in freyen Teichen schwärmten, baten mit viel Geschrey zum Jupiter um einen König der durch sein Ansehn ihr unbändig Leben regiere. Der Götter Vater lachte, und gab ihnen, ein kleines Klötzgen, das mit Geräusch den Teich erschütterte, die feigen Thiere schröckte. Da lagen sie im Schlamme lang versteckt...

AUS FREMDSPRACHIGEN
JUGENDBRIEFEN

An Cornelia Goethe

Ma soeur, ma chere soeur.
Me voici pour repondre a ta lettre du 15me Octbr. Sois persuade mon Ange, que je suis ici, si bien, pour ne souhaiter rien de mieux. Jamais je n'ai mangè tant de bonnes choses que dans le temps, que je suis dans ces lieux. Des faisans, perdrix, becasses, alouettes poissons en allemand (Forellen) en quantite voila le manger de la table du Prof. Ludewig. Quelquefois on trouve des raisins. Le 60 des Alouettes coute 2 rh. Je ne goute pas la biere de Mersebourg. Amere comme la mort au pots. Ici je n'ai pas encor senti du vin. Je plains les pauvres pieces de theatre. Moors! Bon soir compere avec ton habit de Velours, et tes merites! Oh le galant homme. Adieu ma chere. Mes compliments Mon ange, a toutes mes amies. Adieu. ce 18 Ocbr. [1765]   G.

An Cornelia Goethe Leipzig, d. 12 Dec. *1765* abends um 8

Liebe Schwester

Es ist heute des Großpapas Geburtstag und du wirst sitzen und schmaußen, mitlerweile ich armer Mensch mit einem Gänse Flügelgen und einer Semmel zufrieden seyn muß. Doch ich will mich vergnügen, indem ich an dich schreibe.

Verschiedene Fragen. Was macht Stellwag? hat ihm sein Herr Schöff noch zu keiner Dorfpfarre geholfen, Es ist ein schönes Ämtgen und schickt sich für ihn.

> He that has it, may pass his life,
> Drink with the 'Squire, and kiss his wife;
> On Sundays preach, and eat his fill;
> And fast on Fridays—if he will;

> Toast Church and Queen, explain the news,
> Talk with Church-Wardens about Pews,
> Pray heartily for some new Gift,
> And shake his head at Doctor Swift.

Am Sontage war ich bey Hofraht Langen Abends bey Tische. Es ist ein unerträglich närrischer Mann. Meine Tisch Gesellin war Mad Linken. Sie ist mit hofraht L[ange] verwandt eine sehr schöne Frau, die einen Schöps zum Manne hat, sie ist sehr artig. Die böse Welt sagt ihr nach

> Her learning and good breeding such,
> Whether th 'Italian or the Dutch
>   Spaniards or French came to her:
> To all obliging she 'd appear:
> 'Twas Si Signor, 'twas Ja mein Herr
> 'Twas S'il vous plait Monsieur.

Ich aber glaub es nicht. ...

An Cornelia Goethe   L. d. 31 Dec. 1765

... (—) Je m'en rejouis fort, si ma satire a pu trouver des originaux, autant plus que je suis sûr, que je n'ai eu que la nature et les fautes universelles devant les yeux, en peignant ces portraits, et non pas, comme on pouroit penser quelques personnes en particulier.

C'est une grande depense içi que les trainaux pour ceux qui aiment ces divertissements. Il y a eu cet Hyver quelques grandes compagnies qui alloit ensemble apeu pres comme chez nous exeptè que jamais on ne reste en ville, mais toujours on fait un tour a quelques village d'ont il en a quantite aupres de ce lieu. Tu es une bonne enfant, je vois que tu apprens a parler, mais je voudrois aussi scavoir, si tu apprens a lire des livres serieux, je n'ai tout a fait rien entendu, de la lecture que j'ai proposee, ie serois curieux d'en entendre quelque chose. J'ai tremble de pied en cap en lisant la fin de la lettre de mon pere. Juste ciel qui auroit cru, que la voix du public seroit la voix de la verite. Cependant je ne puis dire ni mon sentiment, ni du mal, ni du bien de ce mariage. J'attens avec impatiençe même les plus petites circonstances de cette affaire, en me preparant pour faire valoir mes talens poetiques dans une occasion si favorable.

Tu l'as trouvè ce probleme aritmetique, mais tu te trahis toi meme en ecrivant: qu'avec la regle de tri on en pouroit venir a bout. Je vois par ca que M. Thym aura fait son mieux a cette affaire la. Soit, il est tard. Entends, la gloche de la maison de ville sonne deux fois, c'est onze heures et demi. Le[s] Chats miaulent comme des fous et sont les seules creatures apres moi, qui veillent dans ce terrain, pourquoi rester plus longtemps semblable a eux. Adieu, je m'en vais coucher. Demain nous nous reverrons.

Ce 18. Jan.

J'ai oublie quelque chose dans la lettre de mon pere, que tu pourras lui racconter. Il y a ici un certain Conseiller Welke a qui j'ai fait la visite. Il a ete pendant les couronnemens a Francfort, au couronn. de Charles VII il a eu l'office de maitre de quartier du saint E. R. Il se souvient en quelque chose du pere, mais pas distinctement; si le pere pouvoit m'ecrire quelques particularites il me feroit plaisir. Pour parler quelque mot du stile de ta lettre, il ne me deplait pas tout a fait, exceptè quelques fautes legeres. P. E. Au comme[nce]ment ce paragraphe auroit ete mieux, comme cela: Freil. haben wir geschmaußt, aber auch dabey an dich gedacht und deine Gesundheit getruncken, car les mots dabey, indem, ne sont pas bien naturels. Voila la repet[iti]on du verbe bekommen ne sied pas bien. Apres les mots gar schön zu lehren tu n'aurois du rien faire qu'un comma et poursuivre alors ainsi, dafür sie ihm nicht genug dancken können. Ce daher est trop precis. Le Paragraphe du Bosh est trop affecte. Prends garde de n'ecrire plus les mots allemands en lettres francoises, de même de ne te servir des mots etrangers. Au lieu de Figure, Charge, dis plustot Aufsehen, Amt. Je passe les autres fautes, p. e. quand tu ecris les noms substantifs avec des lettres initiales petites et les adjectives avec des grands. Adieu, ecris bien tot et beaucoup, tu vois que je suis porte a repondre.

d. 18 Jan 1766 G.

An Cornelia Goethe

Chere Soeur

Il faut que vous aiez, vous autres filles, un certain charme secret, dont vous nous ensorcelèz quand il vous plait. Que ce charme vienne de la complaisance que nous avons pour votre sexe, ou qu'il consiste dans cet air de flatterie, que vous scavez feindre, quand il vous semble necessaire, cela m'est indifferant; suffit, que je l'ai senti en plusieures occasions et je le sens, en t'ecrivant ces lignes. J'avois pris le dessein, de gronder dans cette lettre, d'une maniere à te faire peur; J'avois deux, trois, quatre raisons, justes raisons, en poche, dont une auroit suffi pour gronder terriblement; Mais tu ecris, tu demandes pardon, Ft! voila mes raisons qui s'envolent. Je m'assieds et au lieu d'ecrire que je suis faché, j'ecris que je t'aime, et que je te pardonne.

Ton recit du festin de noce est reussi assez bien; mais pourtant, tu n'as pas sçu peindre toutes les circonstances, d'une maniere si vive et si exacte, que je l'avois souhaitte et que j'avois lieu de l'attendre de ton addresse. Toutefois il faut que je loue ta diligence dont tu ecris, et la priere que je joins aux louanges scavoir que tu veuilles bien continuer tes recits, peut te faire foix, de ce que ta maniere d'ecrire ne me deplait pas toutafait. A quelque autre chose. Je suis à plaindre, de ce que mes prieres ne produisent point d'effet sur toi, en matiere de la lecture; cependant ne crains pas d'entendre alavenir des reproches de moi, car je vais bannir cet article, comme inutile, de mes lettres. Mais pour cette fois il faut que je dise encore quelque chose, en reponse du trait de ta lettre, ou tu dis; que le festin et ses circonstances

t'aient empechè de penser à la lecture. En disant cela, ma
soeur, tu prends un certain air, l'air de ceux, qui n'ont pas
droit de pretendre du pardon. Peutetre que ta conscience
t'aura peint les reproches que tu merites. Mais passons cet
article. Je te vais communiquer quelqunes de mes reflexions
d'ont je m'amuse quelque fois.

La vanité est presque toujours la maitresse du coeur des
jeunes filles. Elle les gate, en leur montrant, d'un jour avantageux, la fausse gloire de la parure exterieure, et d'un jour
desavantageux la vraie gloire des soins pour l'esprit.

Ne sont elles pas des creatures singulieres que ces filles?
Q'uon leur dise: En compagnie Mademoiselle! — En
compagnie? — Oui da! — Y trouverai je plusieures de ma
connaissance? — Sans doute —! Aussi des etrangeres? —
Rien est plus vraisemblable! ... Dabord elle fera la mine
serieuse. — Que pense t elle? Ce qu'elle parlera pour divertir les autres? — Non! — Ce qu'elle dira pour etre admiree? — Ni cela non plus! — Que penset elle donc? —
Rien est plus aisè à scavoir. Regardez seulement ce qu'elle
fera. Vojez vous, dabord elle s'envole vers sa garderobe!
Vojez vous, comme elle parcourt des yeux ses habits? Entendez vous elle parle à soi meme? Que dit elle? — Je ne metrai
pas cette robe là, Mad. S. a la robe plus belle. Mais celle la?
Non, elle est mal garnie. Celle la? Oui, ce sera la meilleure;
mais il faut, que j'y change encor quelque chose. — Attendez seulement j'usqu'a deux heures apres midi! Elle est
coiffèe, il y a encore longtemps jusqu'a cinq. Mais il faut
que tout l'apresmidi se perde en sa parure. Regardez cette
centaine des boites, regardez ce qu'il en sortira. Des bouqets,
des Palatins, des Barbes, des evantails, des Pierreries, et
quantitè de semblables colifichets. Elle choisit, elle rejette,
elle batit, elle detruit, elle joint, elle dechire. A la fin on voit
sa tete gothiquement paree, d'un quolibet, que presqu'on
prendroit pour un tourban. Je passe ses soins pour des
autres bagatelles. Enfin elle se croit prete, parceque son
miroir ne lui montre plus de fautes, a son ajustement. Elle

va voir la compagnie d'un esprit si peu preparè, pour n'avoir pas meme pensè plutot au compliment d'entree qu'en entrant dans la salle de compagnie. Allors vous la verrez, joindre a ses reverances embarrassees un air et des compliments plus embarrassès encore. Vous l'entendrez dire d'un ton timide, et mal articulè: «Parceque vous l'avez commandè, je viens vous paièr mes tres humbles respects». Elle dit cela sans penser, quelle dit la plus grande sottise du monde. La compagnie s'assied. On commence a babbiller; allors il y a deux extremitès où elle est en peril de tomber. Ou elle reste collèe sur sa chaise comme une statue sans parler mot; ou elle enrage les autres d'un babil sans raison. Ces deux fautes ne tirent leur origine de rien, que du peu de soin qu'elle prend pour cultiver son esprit, si bien en se preparant pour aller en compagnie, comme aussi etant seule dans son cabinet. Je developperai un peu mes pensèes la dessus. — Ce qu'elle fait, n'est il pas assez? Me dirat on. Elle scait des langues elle lit, elle ecrit; peut on demander d'avantage? — Oh que oui! repondrai je. Que lui sert son scavoir, meme plus etendu encore qu'il n'est; s'il reste toujours un scavoir mort, sans attitude et sans pratique. Que lui sert sa lecture si elle ne pense en lisant, comment appliquer ce qu'elle lit; et que lui sert son ecriture; si elle ne scait joindre en ecrivant, d'un bon gout, ce qu'elle a lu a ses pensèes — Mais d'ou vient il que cela lui manque? Demandera peutetre quelq'un. Rien est plus aisè a comprendre. Elle ne se sert point des langues qu'elle scait, pour lire les livres du bon gout qu'on trouve chez les etrangers, c'est seulement un scavoir mechanique, qu'elle cherche, a augmenter sans chercher a le faire utile. Si elle lit ce sont tout au plus des livres allemands et francois. Bon! Mais pourquoi lit elle? Quels sont les livres qu'on trouve dans ses mains? — J'ose pretendre que la lecture est chez elle une façon d'agreable passetemps, qui sans produire aucun effet, s'evanouit comme les heures qu'on lui a sacrifiees. On voit cela aux livres dont elle est amoureuse. Ce sont des Histoi-

rettes, Romans, petits traitès legerement ecrits. Elle lit pour
satisfaire a la curiositè, et si la curiositè est mere de la lecture,
ce n'est pas un trop bon presage; On la satisfait, et si elle est
satisfaite, on n'est pas trop empressè, de chercher quelque
nourriture, pour le coeur et pour l'esprit. N'est elle pas
digne d'etre grondee une telle fille, qui malgrè les dons
qu'elle possede, passant ses plus beaux jours en amusements,
laisse son coeur et son esprit, dans des tenebres qu'elle pourroit dissiper. Qu'en pensez vous, ma soeur? Surement il y
aura des telles filles, parmi tes compagnonnes. Que dirois tu;
si on te faisoit la question; comment les corriger. Je pourrois t'en dire mes sentiments; mais j'ai deja babbillè trop
longtemps pour ne pas penser a d'autres choses et pour ne
pas chercher a finir bientot ma lettre. Parlons quelques mots
de Mdlle Brevilliers. Je vois qu'elle tient parole, et je l'estime
pour cela encore plus, que je ne l'estimois jusqu'ici. Tu scais
elle a etè toujours de mes amies, tu scais je l'ai tant admirè
pour me faire un honneur de ce qu'elle disoit: que nos sentiments se ressembloit fort. Son charactere qui s'est developpè
a mes yeux, pendant notre connaissance, que j'ai trouvè
aimable; ses autres bonnes qualites; les promesses qu'elle
me fit, lorsque je laissois ma patrie, de t'aimer toujours, et
de te faire entrer dans la grande compagnie; toutes ces circonstances m'ont empechè, de croire tes plaintes bien fon-
dèes, dont tu reprochois sa condouite envers toi; et je me
rejouis que je ne me sois pas trompè dans la bonne opinion
que j'avois d'elle. Tu vois par sa presente condouite, que
c'est toujours la meme Mdlle Breviller que nous admirions
tant. Regarde ma soeur, si on fait le juge trop vite, on court
risque de faire le juge injuste. Je te prie en cette occasion de
faire mes compliments, a Mdlle Brevillier, a la grande compagnie et a toute ma belle connoissance. — Parceque je suis
en train de parler de ton sexe, je vais dire encore quelques
mots de notre chere, petite amie, que j'aime tant. Quand je
forme des souhaits, que ma soeur cherchat a rendre la lecture
plus utile a son coeur et a son esprit, qu'elle n'a fait j'us-

qu'ici; c'est aussi pour le bien de la chere Runckel que je le souhaite. Combien ne pouroit on attendre de son charmant genie, si on le cultivoit avec soin; si on arrangeoit ses pensees delicates, et ses sentiments nobles, par les oeu[v]res les plus exellents de la religion, de la morale, et du bon gout. Tu me montres quelques foibles raisons d'esperance, en m'ecrivant dans une de tes dernieres lettres, que tu lis en compagnie avec elle les lettres de Mad. Gomez. Je te loue et ma joie seroit incomparable; si tu continuois a satisfaire a mes souhaits. Ecris moi quelque fois les raisonnemens de ma petite et les tiens sur certaines matieres, je ne manquerai pas de joindre les miens aux votres. Croyez ma chere; que je vous ai fortement au coeur. C'est une si jolie creature qu'une fille, que je ne puis souffrir a en voir des gateès; ie voudrois cepourquoi les pouvoir rendre toutes bonnes. On prend apresant tant des soins pour ammeliorer les ecoles, pourquoi ne penset on pas aux ecoles de filles. Qu'en pense tu? J'ai eu la pensee, de devenir maitre d'une ecole du beau sexe après le retour en ma partie. Ce ne seroit pas si mauvais, qu'on pense, toutefois je serois plus utile a ma patrie qu'en faisant l'avocat. Mais il faudroit prendre garde de ne pas mener dans mon ecole, de si belles filles, comme ma cher Runkel en est, autrement, je serois en danger de jouer, l'amour Precepteur.

En regardant la quantitè des feuilles que j'ai deja rempli de mon griffonage; ie ne puis retenir un petit reproche que tu merites. Tu ecris toujours des lettres si courtes, et on voit, que, d'ecrire c'est toujours un travail pour toi. J'ai tant a faire, et j'ecris de si longues lettres. C'est pour me divertir que je fais cela. Fais dememe. Je te pardonnerai, si tu n'ecris pas toujours de ta propre main. Qui est ce qui t'empéche, de faire ecrire tes pensees par l'ecrivain qui ecrit si joliment et si vitement. J'attends une lettre, telle que je la souhaite, grande, exacte, remplie meme des plus petites circonstances, par la voie d'Horn, a la foire prochaine. Je m'approche insensiblement au pied de ma lettre. J'ecrirois encore plus si la page n'etoit pas remplie. Adieu. Mes compliments respectueux a mes chers parens. Adieu.

Leipzig, ce 14. du Mars 1766   Goethe

An Cornelia Goethe   le soir du premier iour des Paques
Leipzig, 30. März 1766

Ma chere soeur

> It is ten a klok
> Thus may we see, how the world wags:
> 'T'is but an hour ago since it was nine;
> And after an hour 'twill be eleven;
> And so from hour to hour we ripe and ripe,
> And then from hour to hour we rot and rot.

Ne suis je pas un personnage singulier! Je voulois t'ecrire qu'uil etoit apresant dix heures et dabord il me vient de vers de Shakespeare en tete, et je les jette sur le papier. Il est donc deja un peu tard, mais non obstant cela je pense, de causer un peu avec toi.

Vous aurez passè ce jour premier des Paques en agreables divertissements, en vous assemblant chez Mr. le Grandpere. Vous aurez senti toute la joie, inseparable d'une compagnie, qui s'entend bien. Je n'ai pas manquè a me divertir, moi; mais mon divertissement etoit tout a fait d'une autre facon que le votre. Seul, dans le plus beau des jardins. Tantot me promenant, dans des vastes et sombres allees, encore impenetrable au soleil, quoique depouillees par l'hiver, tantot assis au pieds d'une statue qui ornoit un berceau, d'une verdure qui ne meurt jamais, tantot debout, regardant d'un seul coup d'oil l'entree de six diverses allees sans pouvoir atteindre des yieux la sortie d'aucune; Ce sont les situations, aux quelle je passai mon apres midi. Je ne scaurois le dire, une promenade solitaire, a pour moi des agremens sans nombre. Mon esprit qui se plait a des reveries,

Finds tongues in trees, books in the running brooks,
Sermons in stones and good in every thing.

Mais non obstant, ma Soeur, que j'aime ces divertissemens sombres et solitaires; je ne suis pas toutafait mal a mon aise, en me voyant au milieu d'une troupe coiffee, frisee, gallonnee, babillarde comme aparement je la trouve au concert. Je n'y manque pas de faire mes reflexions. Ah ma soeur, quelles creature sont ce que ces fille saxonnes! Une quantite en est folle, la plus part n'en est pas trop sage, et toutes sont coquettes. peutetre que je fais tort a quelq'unes, mais n'importe, je trouve ma regle generalement vraie. Des Exceptions? Oh! Pour les pouvoir faire, il faudroit chercher en Diogene. — Une des plus grandes fautes de nos Dames, c'est qu'elle parlent trop sans savoir trop.

— — — — — be check'd for silence;
But never tax'd for speech — — — —

dit un grand Poete. — Mais les filles, me dira certain Monsieur; les filles ne sont pas faites, a parler de quelque chose importante, tout ce qu'elle parlent sont des riens; mais j'aime toujours mieux une fille qui parle d'un rien, q'une fille qui parle rien. Que pense tu de ce galant homme qui a une si jolie idee de ton sexe, et qui ose la prononcer d'un ton energique dans un cercle d'une vingtaine de Dames. Allons Mesdames les Saxonnes, à vous le dè, encore une fois. Vous prennez de soins extravaguans, de votre exterieur; toutefois vous n'en etes gueres plus belles. L'exes tant du port, et du maniement que de la parure du corps merite toujours moins l'approbation du bon gout, a mesure qu'il s'eloigne d'une maniere naturelle, de s'habiller ou de porter son corps. Mais je leur passerois volontairement toutes ces fautes, si elles n'etoit couronnees de la plus grande et la plus meprisable folie qu'on peut trouver chez une femme; savoir de la coqueterie. Ce desir de plaire par des moiens indignes d'une Dame d'esprit et d'honneur est ici tres a la Mode. On se croiroit presque à Paris. Le beau sexe est porte generalement a aimer les choses qui occupent les sens, il regarde la beaute, et toute autre apparence exterieure, comme le plus grand merite dont il est capable, qui peut s'en etonner, s'il cherche a s'en donner autant qu'il peut. Notre foible sexe, les admire, et plus foible encore, les suit, par cela — Adieu.

the 11. of May

My french speech interrupted, by some speedily affair, shall remain unfinish'd untill an other time, I think to they great pleasure. I'll say thee the cause thereof: The father as he writes in an appendix to Luptons letter, would see if I write as good english as Lupton german. I know it not, but if he should write better then I that is no wunder, if I should have been as long a time in England as he was in Germany, I would laugh of ten thousand scoolmastres. Let us speak a little sister, the fathe[r] may judge. Lupton is a good fellow, a marry, invetious fellow as I see it in his letter, which is wroten with a spirit of jest, much laudably moderated by the respect, he owes to his master. But one can see, that he is not yet acquainted, with the fair and delicate manners of our language. Notwithstanding he writes well. For the present state of the improvement of my english speaking, it goes as good as it can. My Born and his Tutor and I, when we are assembled we speak nothing then english. I learn much by that conversation. But that lovely Freind is gone to Graitze in Voigtland to be inoculated, God may give he return saved and in good health.

Any worlds of my self. Sister I am a foolish boy. Thou knowst it; why should I say it? My soul is changed a little. I am no more a thunderer as I was at Francfort. I make no more: J'enrage. I am as meek! as meek! Hah thou believest it not! Many time I become a melancholical one. I know not whence it comes. Then I look on every man with a starring owl like countenance. Then I go in woods, to streams, I look on the pyed daisies on the blue violets, I hear the

nightingales, the larks, the rooks and daws, the cukow;
And then a darkness comes down my soul; a darkness as
thik as fogs in the October are. Often has Horn the great
honnour to follow me, I go Tete a tete with him in the gardens. A male Tete a tete! T' is pity! But hark ye! In like a
situation of my soul, I make english verses | : a science more
than Lupton: | english verses, that a stone would weep. In
that moment thou shallt have of them. Think on it sister
thou art a happy maiden, to have a brother who makes
english ve[r]ses. I pray thee be not haugty thereof.

A Song over The Unconfidence towards my self
To Dr. Schlosser

> Thou knowst how happily they Freind
>   Walks upon florid Ways;
> Thou knowst how heavens bounteous hand
>   Leads him to golden days.
>
> But hah! a cruel ennemy
>   Destroies all that Bless;
> In Moments of Melancholy
>   Flies all my Happiness.
>
> Then fogs of doubt do fill my mind
>   With deep obscurity;
> I search my self, and cannot find
>   A spark of Worth in me.
>
> When tender freinds, to tender kiss,
>   Run up with open arms;
> I think I merit not that bliss,
>   That like a kiss me warmeth.
>
> Hah! when my child, I love thee, sayd,
>   And gave the kiss I sought;
> Then I—forgive me tender maid—
>   She is a false one, thought.

> She cannot love a peevish boy,
> > She with her godlike face.
> O could I, freind, that tought destroy,
> > It leads the golden days.
>
> An other tought is misfortune,
> > Is death and night to me:
> I hum no supportable tune,
> > I can no poet be.
>
> When to the Altar of the Nine
> > A triste incense I bring,
> I beg let Poetry be mine
> > O Sistres let me sing.
>
> But when they then my prayer not hear,
> > I break my wispring lire;
> Then from my eyes runns down a tear,
> > Extinguish th' incensed fire.
>
> Then curse I, Freind, the fated sky,
> > And from th' altar I fly;
> And to my Freinds aloud I cry,
> > Be happier then I.

Are they not beautifull sister? Ho yes! Senza Dubbio.

An Augustin Trapp

Mon cher Trapp.

Vous savez bien ramener les gens à leur devoir, duquel lls se sont éloignés en les contraignant d'une façon, qui ne leurs fait pas sentir que vous les contraignez. Vous m'entendez cher ami? vous souriez de ce que j'ai eu scu si bien penetrer votre intention, et ce même souris me fait esperer le pardon de la faute que j'ai commise en ne vous écrivant pas tout le temps que je suis à Leipsic. C'etoit faute d'industrie et non pas faute de memoire. Comment pourrois je oublier Wormbs et les agreables habitans de cette bien

aimée. O vous savez trop que Worms me tient au coeur.
Vous connoissez ma passion pour la belle Charitas que vous
l'avez crue le plus fort motif de m'amener à Vous ecrire en
me donnant par Stern le doux espoir, de me faire entendre
des nouvelles, qui touchent de plus pres votre charmante
nièce. Votre offre a encore plus de pouvoir sur moi, parce
que je suis tout a fait delaissé par ce mechant Muller.

> Muller! je suis faché de ce malicieux
> Ce n'est plus cet ami si tendre en ses adieux,
> Qui m'aimant autrefois, relevoit ma foiblesse
> Se joignit à ma joie et chassa ma tristesse.
> Aujourd'hui tout changé, il rit de mes soupirs,
> Et dans un noir chagrin fait changer mes plaisirs.
> Jamais il ne m'ecrit des nouvelles agreables
> Sans qu'il y fasse entrer un recit qui m'accable;
> Et qui d'un coup mechant, adroitement porté
> Ne m'ôte le bonheur, que lui même a donné.
> Le cruel! Il connoit mon coeur sensible et tendre,
> Il connoit le repos qu'il y pourroit repandre,
> Il scait bien qu'un ami s'il ne peut nous aider,
> Devroit en nous plaignant pourtant nous soulager.
> Le fait il? Oh que non! ma douleur est estreme,
> Je suis faible il est vrai. Est on fort quand on aime?
> Mais il ne cherche rien que de combler mes maux,
> Et me dit en riant: Ha, tu as des rivaux.
> Je ne le scais que trop, sans qu'il le dise encore.
> Tout qui la vit l'admire, qui la connoit l'adore;
> Mais faut il eveiller, l'idée plein d'effroi;
> Un rival est plus digne de cet enfant que moi.
> Soit! Si je ne le suis, je vais chercher de l'être.
> Chassons le vil honneur! que l'amour soit mon maître.
> J'ecouterai lui seul, lui seul doit me guider,
> Au sommet du bonheur par lui je vais monter.
> Au sommet de la science monté par l'industrie,
> Je reviens, cher ami, pour revoir ma patrie.

Et viens voir en depit de tout altier censeur;
Si elle est en état d'achever mon bonheur.
   Mais il faut jusque la que votre main m'assiste
Laissez parler toujours ce docte moraliste.
Ecrivez moi! Que fait l'enfant autant aimé?
Se souvient il de moi? Ou m'a il oublié?
Ah ne me cachez rien, qu'il m'eleve ou m'accable.
Un poignard de sa main, me seroit agreable.
Ecrivez, c'est allors, que de mon coeur cheri.
Comme elle est mon amante, vous serez mon ami.

Je suis avec toute affection possible cher Trapp
Leipsic ce 2 du Juin 1766.   Le votre Goethe

An Ernst Wolfgang Behrisch   Leipzig, 8. Oktober 1766?

du secretaire de ma petite!
   Elle est s'en allee, mon cher, mon bon Behrish, elle est allee a la comedie, avec sa mere et avec son pretendu futur, qui cherche à lui plaire par cent parties de plaisir. C'est une chose tres agreable a voir, digne de l'observation d'un connoisseur, un homme s'efforcant a plaire, inventieux, soigneux, toujours sur ses pieds, sans en remporter le moindre fruit, qui donneroit pour chaque baisers deux louis aux pauvres et qui n'en aura jamais, et de voir apres cela moi immobile dans un coin, sans lui faisant quelque galanteries, sans dire une seule fleurette, regardé de l'autre comme un stupide qui ne sait pas vivre, et de voir a la fin apportés a ce stupide des dons pour les quels l'autre feroit un vojage a Rome. — Je voulois partir en meme temps lorçequelle sortit, mais pour m'en empecher elle me donna la clé de son secretaire, avec le plein pouvoir d'y faire ou d'y ecrire ce que je voudrois. Elle me dit en partant, restez la jusqu'aceque je revienne, vous avez toujours quelque folie en tete soit en vers, soit en prose, mettez la sur le papier comme il vous plaira. Je dirai au pere quelque galimathias pourquoi vous restes la haut, s'il peut penetrer la verite qu'il la pe-

netre. Elle me laissa encore deux belles pommes, present de mon rival. Je les ai mangées elles etoit d'un gout exellent.

Je ne saurois mieux employer ce temps la que pour vous ecrire et pour vous porter moimeme cette lettre. Que Dieu dirige votre Comte enfin qu'il s'en aille bientot, car Vous me manquez pour rendre complete ma fortune, et ma joie. Mais ces diables de Colleges recommenceront. Ehbien, nous nous verrons malgrès cela, je partagerai mon hiver en trois parties egales, entre Vous, entre ma petite et mes etudes. Que je suis heureux, puissiez vous l'etre dememe! Que fait Dresde. L'amour sera suspendu dememe que l'amitie par la foire. Adieu. J'ai barbouillé furieusement. Je finirai, je vous porterai cette lettre, je serai de retour au secretaire quand ma petite sortira de la comedie.

An Ernst Wolfgang Behrisch

Bon jour mon cher!

Ma petite, en employant tout son pouvoir, quelle a sur moi, m'a fait manquer a ma parole, et au soupé, que vous m'aviez fait preparer. J'en suis au desespoir, mais elle m'en a paié, et elle m'en paiera encore. Je sais que Vous etes indulgent et que Vous me pardonnerez aisement, si je Vous developpe un peu les circonstances de cette soiree. J'allai droitement de Vous a mon logis, pour y expedier mes petites affaires, quelle fut ma surprise d'y trouver par le mojen de notre correspondence secrete, un avis de me rendre au plutot chez elle. Jy volai, je la trouvai seule, toute la famille aiant eté attire par le spectacle nouveau a la comedie. Juste ciel qu'el plaisir de se voir seul, avec sa bienaimée, quatre heures de suite. Elle se passerent sans que personne de nous deux le sut. J'appris que la mere m'avoit pardonné, et que la bonne femme fatiguée enfin des tendresses perpetuelles que l'autre fit a sa fille, tourna toute son humeur contre lui. Que ces quatres heures me firent heureux!

What pleasure, God! of like a flame to born,
A virteous fire, that ne'er to vice kan turn.
What volupty! when trembling in my arms,
The bosom of my maid my bosom warmeth!
Perpetual kisses of her lips o'erflow,
In holy embrace mighty virtue shew.
When I then, rapt, in never felt extase,
My maid! I say, and she, my dearest! says.
When then, my heart, of love and virtue hot,
Cries: come ye angels! Come! See and envy me not.

Vous rirez un peu de cette extase. Riez autant qu'il vous plaira. Mais Vous aurez encore, un sujet pour rire, c'est que cette lettre entiere, ne contient rien qu'amour. Pardonnez moi, en pensant, que nous ne sommes jamais si fertiles en expressions que quand notre coeur nous en fournit. Adieu. Je ne manquerai pas de vous ecrire quelque fois pendant ce 8 jours, si vous voules etre content de ma mauvaise patte.

Leipzig, c. 12. d'Octb. 1766. Goethe

An Cornelia Goethe Leipzig ce 27 du 7bre. 1766

Bon jour ma petite savante.

... Orçus, venons au fait de l'italien.

Tu t'en souviens encore qu'un jour le Roi mon pere—
Je m'en souviens un peu—je ne m'en souviens gueres.

Eh bien si tu ne le sais plus, je vais te le racconter.

Il y avoit un temps, ou je me melois à lire et a ecrire de l'italien, j'avois quelque connoissance de cette langue, j'appris bien de paroles, un petit peu de la Syntaxe, et rien de plus. Malgrè cela, je chiffonnois tantot une lettre, tantot un air. J'avois composé, l'Opera comique La Sposa rapita, et bien d'autres choses. Mais ma prose n'alloit pas en trop bon train faute d'avoir lu trop de vers et naturellement les lettres qu'il me falloit ecrire pour mon pere etoit rarement de son gout. Souvent il se mit a me railler sur quelque mots, je ne savois le faire mieux, j'enrageois, je brulai mes papiers et depuis ce temps la, je n'ai jamais pu me resoudre, de commencer mes lettres par, Signor. J'ai recommencè quelque fois ici mon etude italien, mais je savois trop peu pour m'aider moimême, je n'avois point de dictionaire, je ne connoissois ni les tours de cette langue ni ses regles, et je l'ai cepourquoi quittée pour le francois et l'anglois, et je ne saurois la reprendre, que sous la condouite d'un maitre habile. ...

the 12, of Octbr.

French enough! Let us write english! I shall become haughty sister, if thou doest praise me in like a manner. Truely, my english knowledge is very little, but i'll gather all my forces, to perfection it. Visiting my letters, ye shall have found many faults, ye may pardon. The few you have marked, have been caused, by lack of attention. I 've found that Adieu in many english lettres, and I did then adopt it.

Presently I 'll speak of a pretty argument: Of maids! Jes sister, of maids. Forstly, I 'll give thee notice, of that, I 'm not much pleased to speak of, and secondly I 'll turn my babbling to those, I am so fond of. The honnour to sit in the first paragraph shall have Miss B[ethmann]. Ye wait, the dear father and thou, for a long description, of her beeing here; but I can 't give You a complet notice thereof. I did see her, four or five times, and four or five times she was a goose. Set her to Paris and she shall be also one. 'Twas a playworth thing to see her in the concert. Ha! That Piarots figure, besieg'd by Arlequins, and Pappillons. A very foolish scene, I would not barter, for the most comic Play. I did laugh. My lungs crow thik like a chanticlear. The concert finish'd Madame and Miss were walking in Apels Garden; I meated them. A profond compliment of my side, and a nod of theirs. 'Twas all. The magnificance of her Attendance, consisting in Counts, Barons, Nobles and Doctors, did turn the head to theese womens, not aquainted with that splendor. But Mad. B[ethmann] was very civil, when I was coming to see her once. That is all what I know. The companions of Miss B[ethmann] are mediocre beauties, for her wit, I did never see it.

Miss Aunt |: while I am once writing of maids:| Shall have the honnour, to be put near Miss Bethmann. Heaven defend us! What follies in our family, since I am gone! Take heat sister, thou art presently the next pretendant at! One is marrying him to a mad wife, wise as Rabener says. The other inamoured, of a black horrid Mars. Oh, she shall excuse herself, by Venus. But I did believe him an andidote of love, and she can love him! Hang him! — The ugly figure! Ha! 'tis consolation for me, a maid shall also love me, notwithstanding I am no Adonis. If she would have been in love, with D. S[chlosser] I 'd have excused her, but in like a manner! I 'm furiosly astonish'd. — What would the king of Holland say? — But sister, let us dam no man. I 've courage enough to take her party. Think her education sister, and then dam her if thou darest. A maiden, of no great natural genius, she lives her first Years in the company of her parents and sisters. They are all honnest men, but how form a womens heart to his heapyness they understand not. A writing, a reconing master are chosen to make her wise, and a Catechismus Candidat, to make her good. Pretty leaders in the way of life. Th'occasion to read good books she had not, and to seek it she loved not. She relish'd by that no pleasure of the soul, corporal, grosser joys, dance, companies pp were her paradise, and she learned never to be her own companion, to amuse her spiritually with herself. Finally she is no maid of a moral character, and could 't be 't.

Can we impute to her, when she beginns to be in love, with a man she saw every day, a man, who conform to her folly, can speak half a day of triffles, of the news stirring in the city pp and who did by that means captivate her benevolance, another a wise man would not have attaind; And if a man has once the benevolannce of a maid, and has th' occasion to see her often, he must be the highest blokhead, of the universe, if he could not take also her love. I'm very curious to hear the end of that strange story. In Parenthesi. Dr. Schl[osser] thinks no more on her he lives, as he writes, in a kind of insensibility, in his rugged Treptow. I've an english correspondance with him. Lassen Sie uns nun, Meine Herren zu dem zweeten Paragraphen übergehen, und kürzlich noch von artigen Mägden reden. La petite Runkel, est donc tombée dans la faute commune des petites filles. He bien il faudra prendre patience, et esperer qu'elle en revienne si vite, comme en revint ma soeur. Fais lui mes complimens. Porte mes respects à Mdlle Brevill[ier], dis lui: que je serois au comble de la joie, si elle ne cessat de me mettre au rangs de ses amis. Dis a toutes les autres petites filles, que je connus autre fois, que je ne manquerai jamais, a etre leur serviteur. Particulierement baise de ma part, la petite Shmiedel. Ecris moi un peu comment Mlle Sarasin se comporte. Horn est toujours amoureux d'elle, de sorte qu'il s'est mis en tete, d'aimer une fille ici qui lui resemble beaucoup. Sed exclusus tempore, cetera dicam crastina lectione.

ce 13 d'Octobre.

Vaudeville a Mr Pfeil

Otez moi la grammaire!
   Dit autrefois Monsieur le Sot.
Si Le Poitevin, et son frere
Le Peplier, veulent me plaire,
   Il faut qu'ils me laissent en repos.

Les regles de ces droles
   Si sottement barbouilles
Sont bonnes, dans les ecoles,
Pour exercer les epaules,
   Et la tete, des pauvres ecoliers.

Madame Deesse grammaire
   En entendant ces discours,

Me dicta dans sa colere,
L'arret, l'arret si severe,
   Que j'aurai a pleurer toujours

Que ta prose de fautes fertile
   Que sans attraits soient tes vers.
Et que ton maigre style,
Te rende ridicule
   A la belle a la quelle tu sers.

Grandpretre de cette deesse
   Pfeill viens me preter ton secours,
Afin que ma maitresse
En vengeant ta deesse
   Ne me fasse finir mes jours.

Va t'en, porter a la Dame
   Avec des dus encens,
Le repentir de mon ame.
Dis lui que je me blame
   De l'avoir haie ceans.

Et lorscequ'elle me pardonne
   Va demander en mon nom,
Quelle soit la facon la plus bonne,
De firmer de ma personne
   Avec elle la plus forte union.

En relisant cette petite sottise en vers, je vois que ma demande est un peu obscure, et qu'on ne sauroit deviner si tot, que je veux savoir de lui, comment me perfectionner bientot dans la langue francaise. Mon cher Pere ne sera pas content, du Metrum, mais il faut qu'il pense que c'est la l'air du Vaudeville.

A Monsieur le Major General de Hoffmann
Au sujet de la mort de Madame son Epouse

La mort, en sortant du Tartare,
   Voulant que l'univers sentit

La pesanteur, de son couroux barbare,
                Se mit,
A depeupler du fleau de la guerre
            La terre;
            Et vit
Avec plaisir, tous les champs inondès
De sang, et dans le Sang baignes
    Les malheureux,
Frondes par le Tonnere
Dans la poussiere.
            Les feux
Du meurtre, et du carnage
    Eteints enfin,
La mort fremit de rage,
Voyant le genre humain
            En sureté
De n'etre pas fauché
Comme autre fois par millions.
            Otons,
Dit elle, otons leur
            Ce bonheur.
Si autre fois je frappois mille,
Frappons, a la venir, un seul qui vaudra mille.
            Elle le dit,
            On vit
Bientot familles desolèés
Pleurer, autour d'un mausolee
            D'un pere vertueux,
            D'un fils l'espoir de sa patrie
Et d'autres dont la vie
Ne dut que tard etre finie.
    Combien vit on de malheureux!
    Et ce spectre hideux,
Tout content de sa proie,
    Va dedans les enfers,

> Aux ennemis de l'univers
> Porter sa joie.
> D'un tel coup ton epouse tomba,
> Et ce trepas
> Desola Sa Famille.
> Mais Elle n'en eut point d'effroi;
> Car en perdant ici, le monde et Toi,
> Elle trouve la haut et le Ciel, et Sa Fille.

J'attens avec inpatience, d'entendre le sucçes de ce petit poeme, et la raison pourquoi mon cher Pere, m'ordonna de le composer. Mr. Pfeil voudroit bien savoir, quel Poete j'imite dans ces petits ouvrages; Mais je ne saurois le Dire, car quoique je croie, qu'il y en ait en francois de cette facon, je ne m'en souviens pas de les avoir lus. ...

An Cornelia Goethe   Leipzig d. 11. May. 1767

... Mais ma soeur, ne croiroit on pas en lisant mes vers qu'il me falut etre bien amoureux, du moins il y regne beaucoup de tendresse. Vraiment j'aime les filles touttes ensemble, quoique je puisse souvent chanter:

> Von kalten Weisen rings umgeben
> Sing ich was heisse Liebe sey;
> Ich sing vom süßen Saft der Reben
> Und Wasser trinck ich oft dabey.

Pour l'amour veritable, il ne faut pas, q'un Poete en sente, il doit peindre en ses poesies, ou des filles ideales, parfaites, ou mauvaises, comme elles sont, au lieu desquelles il peindra s'il est amoureux, sa maitresse, comme Seekatz sa femme, quand il falut des princesses.

> En fait d'amour un favori des Muses,
> Est un astre, vers qui le sentiment humain
> Dresseroit d'ici bas son thelescope envain.
> Sa Sphere est audessus de toute intelligence,
> L'illusion nous frappe autant que l'existence,

Et par le sentiment suffissament heureux,
De l'amour seulement nous sommes amoureux.
Ainsi le fantastique a droit sur notre homage,
Et nos feux, pour objet, ne veulent qu'une image.

Oui nous l'aimons avec autant de volupté,
Que le vulgaire on trouve a la realité.
La realité meme, est moins satisfaisante,
Sous une meme forme elle se represente.
Mais une Iris en l'air, en prend mille en un jour;
Et la mienne est bergere, et Nymphe tour a tour,
Brune ou blonde, Coquette ou proude, fille ou veuve,
Et comme tu crois bien fidele a toutte epreuve.

An Cornelia Goethe   *Leipzig, 12. Oktober 1767*

... Sonst habe ich aber gar nichts dieses halbe Jahr gemacht, eine Ruhe die man allen jungen Dichtern rahten sollte. Einige Kleinigkeiten, einige Oden damit ich dich nicht belästigen will sind alles was ich aufweisen kann. Manchmal mach' ich Madrigals und das sind meistenteils Naivetäten von meinem Mädgen und Freunden. Z. E.

Le veritable Ami

Va te sevrer des baisers de ta belle,
Me dit un jour l'ami; par son air sedouisant,
Ses yieux perçans, par son teint eclatant,
Sa taille mince, son language amusant,
Elle te pourroit bien deranger la cervelle;
Fuis de cette beaute le dangereux amour!
Mais pour te faire voir a quel degré je t' aime,
Je veux t'oter tout espoir du retour,
En m'en faisant aimer moi meme.

GEDICHTE UND GEDICHTFRAGMENTE

MADRIGAL
Aus dem Französischen

Climene lebt in tausend Sorgen,
Daß heut den Schatz ihr Hymen mächtig raubt,
Den sie der Liebe lang verborgen.
O, hätte sie längst meinem Rat geglaubt;
Sie hätte jetzt nichts mehr zu sorgen.

MADRIGAL
Aus dem Französischen des Herrn v. Voltaire

Auch in die allergröbste Lügen
Mischt oft ein Schein von Wahrheit sich.
Ich war im Traum zum Königsrang gestiegen,
Und liebte dich,
Erklärt es kühn zu deinen Füßen.
Doch mit dem Traum verließ nicht alles mich;
Nichts als mein Reich ward mir entrissen.

DAS SCHREIEN
Nach dem Italienischen

Jüngst schlich ich meinem Mädchen nach,
Und ohne Hindernis
Umfaßt ich sie im Hain; sie sprach:
Laß mich, ich schrei gewiß.
Da droht ich trotzig: Ha, ich will
Den töten, der uns stört.
Still, winkt sie lispelnd, Liebster, still,
Damit dich niemand hört.

PINDARS FÜNFTE OLYMPISCHE ODE

Strophe

Hoher Tugenden und
Olympischer Kränze
Süße Blüten empfange,
Tochter des Ozeans,
Mit freudewarmem Herzen,
Sie, unermüdeter Mäuler
Und des Psaumis Belohnung.
Der deiner Stadt Preis erwerbend,
Bevölkertes Kamarina,
Auf sechs Zwillingsaltären
Verherrlichte die Feste der Götter
Mit stattlichen Rindopfern
Und Wettstreits fünftägigem Kampf
Auf Pferden, Mäulern und Springrossen,
Dir aber siegend
Lieblichen Ruhm bereitete,
Da seines Vaters Akrons
Name verkündet ward
Und deiner, neubewohnte Stätte.

Antistrophe

Und nun herwandlend
Von des Oenomaus
Und des Pelops lieblichen Gründen
Völkerschützerin Pallas,
Besingt er deinen heiligen Hain,
Des Oanis Fluten,
Des Vaterlandes See
Und die ansehnlichen Gänge,
In welchen die Völker
Hipparis tränket;
Schnell dann befestigt er
Wohlgegründeter Häuser

Hocherhabne Gipfel,
Führt aus der Niedrigkeit
Zum Licht rauf sein Bürgervolk.
Immer ringet an der Tugend Seite
Müh und Aufwand
Nach gefahrumhülltem Zwecke.
Und die Glücklichen
Scheinen weise den Menschen.

Epode

Erhalter, wolkenthronender Zeus,
Der du bewohnest Kronions Hügel,
Ehrest des Alpheus breitschwellende Fluten
Und die Idäische heilige Höhle,
Bittend tret ich vor dich
In lydischem Flötengesang,
Flehe, daß du der Stadt
Manneswerten Ruhm befestigest.
Du dann, Olympussieger,
Neptunischer Pferde
Freudmütiger Reuter,
Lebe heiter dein Alter aus,
Rings von Söhnen, o Psaumis, umgeben.
Wem gesunder Reichtum zufloß
Und Besitztumsfülle häufte
Und Ruhmnamen drein erwarb,
Wünsche nicht ein Gott zu sein.

KLAGGESANG

von der edlen Frauen des Asan Aga, aus dem Morlackischen

Was ist Weißes dort am grünen Walde?
Ist es Schnee wohl oder sind es Schwäne?
Wär es Schnee, er wäre weggeschmolzen;
Wärens Schwäne, wären weggeflogen.
Ist kein Schnee nicht, es sind keine Schwäne,

's ist der Glanz der Zelten Asan Aga.
Niederliegt er drin an seiner Wunde;
Ihn besucht die Mutter und die Schwester,
Schamhaft säumt sein Weib, zu ihm zu kommen.

Als nun seine Wunde linder wurde,
Ließ er seinem treuen Weibe sagen:
«Harre mein nicht mehr an meinem Hofe,
Nicht am Hofe und nicht bei den Meinen.»

Als die Frau dies harte Wort vernommen,
Stand die Treue starr und voller Schmerzen,
Hört der Pferde Stampfen vor der Türe,
Und es deucht ihr, Asan käm, ihr Gatte,
Springt zum Turme, sich herab zu stürzen.
Ängstlich folgen ihr zwei liebe Töchter,
Rufen nach ihr, weinend bittre Tränen:
«Sind nicht unsers Vaters Asan Rosse,
Ist dein Bruder Pintorowich kommen!»

Und es kehret die Gemahlin Asans,
Schlingt die Arme jammernd um den Bruder:
«Sieh die Schmach, o Bruder, deiner Schwester!
Mich verstoßen, Mutter dieser fünfe!»

Schweigt der Bruder, ziehet aus der Tasche,
Eingehüllet in hochrote Seide,
Ausgefertigt den Brief der Scheidung,
Daß sie kehre zu der Mutter Wohnung,
Frei sich einem andern zu ergeben.

Als die Frau den Trauer-Scheidbrief sahe,
Küßte sie der beiden Knaben Stirne,
Küßt' die Wangen ihrer beiden Mädchen.
Aber ach! vom Säugling in der Wiege
Kann sie sich im bittern Schmerz nicht reißen!

Reißt sie los der ungestüme Bruder,
Hebt sie auf das muntre Roß behende,

Und so eilt er mit der bangen Frauen
Grad nach seines Vaters hoher Wohnung.

Kurze Zeit wars, noch nicht sieben Tage;
Kurze Zeit gnug; von viel großen Herren
Unsre Frau in ihrer Witwen-Trauer,
Unsre Frau zum Weib begehret wurde.

Und der größte war Imoskis Kadi;
Und die Frau bat weinend ihren Bruder:
«Ich beschwöre dich bei deinem Leben,
Gib mich keinem andern mehr zur Frauen,
Daß das Wiedersehen meiner lieben
Armen Kinder mir das Herz nicht breche!»

Ihre Reden achtet nicht der Bruder,
Fest, Imoskis Kadi sie zu trauen.
Doch die Gute bittet ihn unendlich:
«Schicke wenigstens ein Blatt, o Bruder,
Mit den Worten zu Imoskis Kadi:
Dich begrüßt die junge Wittib freundlich,
Und läßt durch dies Blatt dich höchlich bitten,
Daß, wenn dich die Suaten herbegleiten,
Du mir einen langen Schleier bringest,
Daß ich mich vor Asans Haus verhülle,
Meine lieben Waisen nicht erblicke.»

Kaum ersah der Kadi dieses Schreiben,
Als er seine Suaten alle sammelt,
Und zum Wege nach der Braut sich rüstet,
Mit den Schleier, den sie heischte, tragend.

Glücklich kamen sie zur Fürstin Hause,
Glücklich sie mit ihr vom Hause wieder.
Aber als sie Asans Wohnung nahten,
Sahn die Kinder oben ab die Mutter,
Riefen: «Komm zu deiner Halle wieder!
Iß das Abendbrot mit deinen Kindern!»
Traurig hört' es die Gemahlin Asans,

Kehrete sich zu der Suaten Fürsten:
«Laß doch, laß die Suaten und die Pferde
Halten wenig vor der Lieben Türe,
Daß ich meine Kleinen noch beschenke.»

Und sie hielten vor der Lieben Türe,
Und den armen Kindern gab sie Gaben;
Gab den Knaben goldgestickte Stiefel,
Gab den Mädchen lange reiche Kleider,
Und dem Säugling, hülflos in der Wiege,
Gab sie für die Zukunft auch ein Röckchen.

Das beiseit sah Vater Asan Aga,
Rief gar traurig seinen lieben Kindern:
«Kehrt zu mir, ihr lieben armen Kleinen;
Eurer Mutter Brust ist Eisen worden,
Fest verschlossen, kann nicht Mitleid fühlen.»

Wie das hörte die Gemahlin Asans,
Stürzt' sie bleich den Boden schütternd nieder,
Und die Seel entfloh dem bangen Busen,
Als sie ihre Kinder vor sich fliehn sah.

SCHEINTOD
Aus dem Französischen

Weint, Mädchen, hier bei Amors Grabe; hier
Sank er von nichts, von ohngefähr danieder.
Doch ist er wirklich tot? Ich schwöre nicht dafür:
Ein Nichts, ein Ohngefähr erweckt ihn öfters wieder.

CANZONETTA ROMANA

Diese Federn, weiß und schwarze,
Die ihr auf den Häuptern traget,
Holde Herzensköniginnen,
   Eure Schönheit mehren sie:
Ihr erscheinet unsern Augen
So viel aufgeputzte Lerchen,

So viel Pfauen, die stolzierend
   Auf der Wies in Freiheit gehn.

Prächtig war's am Carnavale
In der Oper euch zu sehen,
Wie erhabne Sultaninnen,
   Wie des Mogols Herrscherin:
Nur wer in den hintern Bänken
Nichts vom Schauspiel sehen konnte,
Zog die unbescheidnen Federn
   Sotto voce weidlich durch.

Diese schöne fremde Sitte
Kam aus England nicht herüber,
Nicht aus Frankreich, nicht aus Spanien,
   Nicht aus Persien, noch Catay:
Unter unsre Römerinnen
Schnell sich vom Olympus stürzend
Brachte sie der Götterbote,
   Der geflügelte Merkur.

Er erzählte, daß da droben
Jede Göttin ihre Locken
Hoch und breit mit Federn zieret,
   Wenn sie schön sich machen will;
Daß Minerva, die bescheidne,
Jüngferlich und blau von Augen,
Diese Mode mit zu machen
   Ihren armen Kauz gerupft;

Daß der Liebe schöne Mutter
Selbst ihr Taubenpaar entfiedert,
Ja, die Federn von dem Helme
   Ihres Kriegesgotts entwandt,
Und daß sich die hohe stolze
Juno, Jupiters Gemahlin,
Von den Schweifen ihrer Pfauen
   Einen Federbusch gemacht.

Billig reizt euch das Verlangen,
Holde Töchter unsrer Tiber,
Mit den Federn in den Locken
 Götterfrauen gleich zu sein.
Aber hinter jener Ulme
Seh ich einen Satyr lauschen,
Der, euch ins Gesichte lachend,
 Unterm Ziegenbarte knurrt

Und euch zuruft: «Liebe Damen!
Diese Federn, die ihr traget,
Fliegen freilich; doch ihr flieget
 Mit dem Hirnchen weiter um:
Sind nicht bunte Pfauenfedern,
Nicht die Federn weißer Tauben,
Sind die Federn der Verehrer,
 Die ihr jeden Tag berupft.»

Unverschämter Satyr, schließe
Deine tückisch bittre Lippe!
Unsre schönen Römerinnen
 Sind so tugendreich als schön.
Itzt noch kocht in ihrem Busen
Der Lukrezia alt Geblüte
Und ihr Herz und ihre Seele
 Sind voll Zärtlichkeit und Treu.

GNOMISCHE VERSE
Aus dem Griechischen

Und wenn du's vollbracht hast,
Wirst du erkennen der Götter und Menschen unänderlich Wesen,
Drinne sich alles bewegt, und davon alles umgrenzt ist,
Stille schaun die Natur, sich gleich in allem und allem,
Nichts Unmögliches hoffen und doch dem Leben genug sein.

AN DIE CICADE
nach dem Anakreon

Selig bist du, liebe Kleine,
Die du auf der Bäume Zweigen,
Von geringem Trank begeistert,
Singend, wie ein König lebest!
Dir gehöret eigen alles,
Was du auf den Feldern siehest,
Alles, was die Stunden bringen;
Lebest unter Ackersleuten,
Ihre Freundin, unbeschädigt,
Du den Sterblichen Verehrte,
Süßen Frühlings süßer Bote!
Ja, dich lieben alle Musen,
Phöbus selber muß dich lieben,
Gaben dir die Silberstimme,
Dich ergreifet nie das Alter,
Weise, Zarte, Dichterfreundin,
Ohne Fleisch und Blut Geborne,
Leidenlose Erdentochter,
Fast den Göttern zu vergleichen.

SÜSSER DRANG
Aus dem Griechischen

Süßer Drang den Becher zu kosten
Tröstet die Seele. Hoffnung der Kypris,
Des Bacchus Gaben gemischt,
Erheitert den Sinn;
Denn von oben
Sendet er Sorgen
Ja und zerstört
Herrliche Städte.
Aber Gold und Elfenbein
Ziert die Häuser;

Purpurne Schiffe
Bringen von Ägypten
Den Reichtum der Früchte,
Des Trinkenden
Herz beruhigend.

LIEBESLIED EINES AMERIKANISCHEN WILDEN
Brasilianisch

Schlange, warte, warte, Schlange,
Daß nach deinen schönen Farben,
Nach der Zeichnung deiner Ringe
Meine Schwester Band und Gürtel
Mir für meine Liebste flechte.
Deine Schönheit, deine Bildung
Wird vor allen andern Schlangen
Herrlich dann gepriesen sein.

TODESLIED EINES GEFANGENEN
Brasilianisch

Kommt nur kühnlich, kommt nur alle,
Und versammelt euch zum Schmause!
Denn ihr werdet mich mit Dräuen,
Mich mit Hoffnung nimmer beugen.
Seht, hier bin ich, bin gefangen,
Aber noch nicht überwunden.
Kommt, verzehret meine Glieder
Und verzehrt zugleich mit ihnen
Eure Ahnherrn, eure Väter,
Die zur Speise mir geworden.
Dieses Fleisch, das ich euch reiche,
Ist, ihr Toren, euer eignes,
Und in meinen innern Knochen
Stickt das Mark von euren Ahnherrn.
Kommt nur, kommt, mit jedem Bissen
Kann sie euer Gaumen schmecken.

NACH DEM ITALIENISCHEN

Weinet nicht, geliebte Kinder,
Daß ihr nicht geboren seid:
Eure Schmerzen, eure Tränen
Tun dem guten Vater leid.
Noch müßt ihr ein kleines Weilchen
Ungezeugt im stillen ruhn;
Kann es nicht der liebe Vater,
Wird es eure Mutter tun.

NACH DEM LATEINISCHEN

Du verachtest den Armen, er lehne sich überall nieder.
  Schöne Königin, wohl lieg ich bald hier und bald dort;
Aber fändest du ihn erwachend einst in dem Arme,
  Du beriefst ihn mit Recht: lehnt er doch überall an!

AUS HOMERS ILIAS

Aber durchbrochen waren nunmehr die Reihen der beiden
Heere, sie kämpften gewaltig im Felde, hierhin und dorthin
Gegeneinander die Lanzen in feindlichen Händen erhebend,
Zwischen dem Xanthos zerstreut und zwischen des Simois
                                        Fluten.
Ajas
Brach die Reihen der Troer... [VI, 1–6]

Einem Vogel glaub er heißt dich das Vaterland retten.
                                        [XII, 243]

Also sprach er und trieb, und alle hörten und stürmten
Nach der Mauer gedrängt, sie zu ersteigen, die scharfen
Speere führend. Und Hektor ergriff den Stein der am Tore
Außen stand, nach unten breit und spitz nach oben,
Den zwei Männer nicht leicht die stärksten würden vom
                                        Boden

Auf den Wagen erheben, wie jetzt der Sterblichen Kraft ist.
Diesen schwang er allein, denn Zeus erleichtert' die Last
ihm.
Wie ein Schäfer bequem das Fell des Widders, in einer
Hand es ergreifend, hinweg ... [XII, 442–452]

Schämt euch Argiver, ihr seid nur Knaben; ich hatte euch
immer,
Da ihr strittet, vertraut das Wohl der sämtlichen Schiffe.
Nun vergeßt ihr auf einmal des grimmigen Kampfes,
Und so kommt auch der Tag, daß euch die Troer besiegen.
O fürwahr ein gewaltiges Wunder erblick ich mit Augen,
Grimmiges, was ich nicht dachte vor mir vollendet zu
sehen.
Troer, auf eure Schiffe sie dringen, die ehmals wahrhaftig
Flüchtigen Hindinnen gleich erschienen, wie durch den
Wald sie
Luchsen, Pardeln und Wölfen bequem zur Speise gereichen,
Schwankend, irrend, ohnmächtig keines Gestreites.
Hatten Troer wohl sonst die Kraft und die Hände der
Griechen
Abzuwarten vermocht, zu stehn auch nur im geringsten?
Nun entfernt von der Stadt bei unsern Schiffen sie streiten,
Weil es der Fürst versah, und weil sich die Völker
vergessen,
Mit ihm zürnen und nicht sich wacker zu helfen besinnen,
Ihren Schiffen und sich, und lassen sich lieber erschlagen.
[XIII, 95–110]

Doch betrüglich sagte darauf die mächtige Juno:
Hoher Sohn des Saturns, welch eine Rede vernahm ich?
Hier begehrst du der Lust und ehlichen Liebe zu pflegen,
An den Gipfel gelehnt des offenbaren Gebirges.
Blickte nun der göttlichen eine auf unsre Umarmung,
Ging' und sagt' es den Himmlischen an, ich käme nicht
wieder,

Von dem Lager erwacht, zu deinem ewigen Hause.
Nein, es kränkte zu sehr. Doch wenn du meiner begehrest,
Wenn dein Herz es gebeut, so laß in deinem Gemache,
Das Vulkan dein Sohn mit klugen Sinnen erbau[te],
Fest mit Türen verschloß, uns miteinander vergnügen.

Ihr antwortete drauf der Wolkensammler Kronion:
Juno, keiner der Götter und keiner der sterblichen
    Menschen
Soll uns sehen, fürchte das nicht, mit goldenem Nebel
Deck ich dein Lager umher, es soll die wandlende Sonne
Mit dem Blicke, der alles durchdringt, die Hülle nicht
    durchsehn.

Sprach's und faßte sein Weib, in göttlichen Armen
    bezwingen[d].
Unter ihnen hub sich der Boden von sprossenden Kräutern,
Feuchten Lotos und Krokus und Hyazinthen erzeugen[d].
Stark und weich die Göttlichen trug das schwellende Lager,
Golden wallte der Nebel umher und träufelte glänzend.
    [XIV, 329–351]

Stand, nun schnell sich erhebend, und sah die Troer und
    Griechen,
Hektorn auch sah er im Felde liegen und um ihn die Freunde
Sitzen... [XV, 69, 10]

AUS HOMERS ODYSSEE

Als sie die Worte gesprochen, entfernte sich Pallas Athene.
Wandlend über das Meer verließ sie die liebliche Insel,
Kam nach Marathon, kam nach Athen, die herrlichen
    Gassen
Leiteten sie zum befestigten Hause des hohen Erechtheus.
Aber Ulysses erreichte des Königs Wohnung, da stand er,
Dachte vieles bei sich, eh er die Schwelle berührte.

Denn wie Sonn und Mond uns blenden, so leuchtet es glänzend
Um die hohe Wohnung Alcinous', ehrene Mauren
Waren hüben und drüben errichtet von vornen bis hinten,
Himmelblau lief das Gesimse herum. Es schließen von innen
Goldene Türen das Haus, es stehen silberne Pfosten
Auf der ehrenen Schwelle, die Oberschwelle von Silber
Deckt die Pforte, daran ein goldner Türring bewegt wird.
Golden und silberne Hunde, zu beiden Seiten, bestellte
Vor Alcinous' Haus, unsterbliche Wächter, Hephaistos.

Drinne waren Bänke befestigt, so hüben als drüben,
Rings von vorn bis hinten umher, und Teppiche glänzten,
Feine, wohlgestickte, darüber gebreitet, der Frauen
Künstliche Werke, es saßen darauf die ersten Phaiaken,
Aßen und tranken, sie hatten genug. Es standen im Saale
Goldene Knaben umher auf schönen Gestellen und hielten
Brennende Fackeln, den Gästen zu leuchten. Es waren im Hause
Funfzig Mägde verteilt, die einen mahlen den Weizen,
Andre sitzen und weben, geschickt die Fäden verwechselnd.
Wie die Blätter der Pappel bewegt sich die Arbeit der Hände,
Und es träufelt das Öl vom festgeschlagnen Gewebe.
Wie vor allen Menschen phäakische Männer verstehen
Schiffe zu führen durchs Meer, so wissen die Frauen der Insel
Herrlich zu weben, zu sticken, es lehrte sie Pallas Athene
Mit verständigem Geist fürtreffliche Werke vollenden.

An den Seiten des Hofes war ein geräumiger Garten,
Der vier Acker enthielt, von allen Seiten umzäunet.
Wohlgewachsen trugen daselbst die grünenden Bäume
Birnen, Granaten und Äpfel, die Äste glänzten gebogen,
Süße Feigen fanden sich da und Beeren des Ölbaums.

Niemals mangelt es hier an Früchten. Im Sommer und Winter
Bringet Zephir die einen hervor und reifet die andern.
Apfel eilet nach Apfel dem süßen Alter entgegen,
Birn nach Birn und Feige nach Feigen und Traube nach Trauben.
Denn es stehen Reben gepflanzt im sonnigen weiten
Raum, es trocknet daselbst ein Teil der Trauben am Stocke.
Andere lieset man ab und keltert sie, andere nähern
Langsam der Reife sich noch und andre blühen der Zukunft.
Immergrünend wächst das Gemüs auf zierlichen Beeten
Wohlgeordnet zuletzt und schmücket das Ende des Gartens.
Auch zwei Quellen dringen hervor, es teilet die eine
Durch den Garten sich aus, es eilet die andre dem Haus zu,
Unter der Schwelle des Hofes hindurch und tränket die Bürger.
Solche Gaben der Götter ersah man im Hause des Königs.

[VII, 78–131]

Singe, Muse, mit Lust den Liebeshandel des Ares,
Den er einst sich erkühnt mit Aphroditen zu wagen.
Erst verbanden sie sich im Hause des alten Hephästos
Heimlich, mit vielen Geschenken gewann sich Ares das Lager
Des abwesenden Königs, doch dieser erfuhr das Geheimnis,
Denn die Sonne verriet's, die ihre Spiele gesehen.
Als nun aber der Alte die traurige Märe vernommen,
Schritt er der Werkstatt zu, im Sinne Böses bewegend.
Und er setzt' auf den Block den großen Ambos und schmiedet'
Fesseln, die festesten, aus, die immer und ewiglich hielten.
Als er im Zorne nun so dem Ares Böses bereitet,
Ging er zur Kammer hinan, wo das liebe Bett ihm gestellt war.
Nun umschlang er die Pfeiler mit Banden alle, von oben
Breitet' er viele herab wie luftige Spinnengewebe,

Die auch niemand bemerkte, und wenn es ein Göttlicher
                                       wäre,
Denn sie waren zu künstlich. Und da er alles bereitet,
Schien er nach Lemnos zu gehn, der schönen Stadt der
                                       Geliebten.
Aber Ares bemerkte sogleich den Wandernden, eilig
Ging er ins Haus des Mannes, der süßen Cythere begehrend.
Diese war eben vom Vater, dem großen Kronion,
                                       gekommen,
Hatte sich niedergesetzt; es kam der Freund sie zu grüßen,
Faßte sie bei der Hand und sprach die reizenden Worte:
Komm, mein Liebchen, gehn wir zum Bette, zusammen zu
                                       schlafen,
Dein Gemahl ist hinweg, ich sah nach Lemnos ihn
                                       wandern.
Also sprach er: auch sie begehrte der süßen Umarmung.
Beide bestiegen das Lager und freuten sich. Aber die Bande
Schlangen sich über sie her, die künstlichen Werke des
                                       Meisters;
Nicht zu bewegen war mehr ein Glied und nicht zu
                                       verrücken.
Sie erkannten sogleich, es sei die Flucht nun unmöglich.
Wieder zu ihnen bewegte sogleich der hinkende Gott sich,
Um sich wendend, noch eh er die Gegend von Lemnos
                                       erreichte;
Denn die Sonne hatte gespäht und das Zeichen gegeben.
Und er wankte zum Hause, im Herzen schmerzlich
                                       beweget,
Stand an der Pforte; da faßte der Zorn ihn wild und
                                       gewaltig
Und er erhub ein entsetzlich Geschrei, die Götter
                                       vernahmen's:
Zeus, mein Vater, und ihr andern, ihr seligen Görter
                                       zusammen,
Kommt, daß ihr sehet die Werke, die lächerlich sind und
                                       unerträglich,

Wie mich hinkenden Mann die Tochter Zeus', Aphrodite,
Ewig entehrt und in Liebe den schädlichen Ares umarmet,
Weil er schön ist und grad, ich aber freilich dagegen
Bin gebrechlich geboren; doch ich und niemand ist schuldig,
Nur die Eltern beide, o hätten sie mich nicht geboren!
Aber sehet nun her, wie sie in Lieb sich umarmen,
Meine Lager besteigend, ich aber sehe sie traurig.
Aber ich hoffe, sie sollen nicht lange so wünschen zu liegen,
So verliebt sie auch sind, und wieder zusammen zu schlafen.
Diesmal aber soll sie die List und die Fesseln mir halten,
Bis der Vater mir alle die Hochzeitgeschenke zurückgibt
Die ich ihm wegen der Tochter, der unverschämten,
                                    gereichet.
Herrlich schön ist sie wohl, doch unbezwungnen Gemütes.

Also sprach er; es langten die Götter im ehernen Haus an,
Poseidaon, der schreckliche, und der gewandte
Hermes, und so kam auch der treffende König Apollo.
Weiblich aber verschämt die Göttinnen blieben zu Hause.
In dem Vorhaus standen sie nun, die Götter, versammelt,
Unter ihnen entstand sogleich ein unendlich Gelächter.

                                    [VIII, 267–326]

O! geschähe das doch Apoll! Umschlängen die Fesseln
Dreifach, um und um uns, unendliche; sähet ihr Götter
Alle gegenwärtig auf mich und die Göttinnen alle,
Dennoch wünscht ich zu liegen die schöne Venus
                                    umschließend.
Also sprach er, und unter den Göttern entstand ein
                                    Gelächter.
Nur Poseidon war ernst, und bat inständig den Künstler,
Daß er löse den Mars, und sprach die geflügelten Worte:
Lös ihn! Ich aber verspreche, wie du es selber begehrest,
Soll er das Billige dir vor allen Göttern erstatten.
Ihm antwortete drauf der herrlich hinkende Künstler:
Erderschüttrer Neptun, wie kannst du mir dieses gebieten!

Schwach ist immer die Bürgschaft, die einem Schwachen
            gelobt wird.
Und wie könnte ich, mächtiger Gott, zum Ersatze dich
            zwingen,
Wenn mir Ares entfloh, der Schuld und den Fesseln
            entweichend?
[VIII, 339–353]

AUF DIE GEBURT DES APOLLO
Nach dem Griechischen

Dein gedenk ich, Apollo, du Fernetreffer, und werde
Nie vergessen dein Lob zu verkünden. In Jupiters Hause
Fürchten die Götter dich alle, sie heben, wie du hereintrittst,
Von den Stühlen sich auf, den kommenden Sieger zu ehren.
Leto aber allein bleibt sitzen neben dem Donnrer,
Spannt den Bogen dir ab und schließt den Köcher, sie löset
Von der glänzenden Schulter die Waffen dir los und hänget
An dem Pfeiler des Vaters sie auf am goldenen Nagel,
Leitet zum Sitze den Gott. Es reicht der Vater im goldnen
Becher Nektar dem Sohn und grüßt ihn freundlich, die
            andern
Götter setzen sich auch, es freut sich Leto, die große,
Ihres herrlichen Sohns. Gegrüßet, selige Leto,
Sei uns, Mutter herrlicher Kinder! Apollo den König,
Artemis hast du geboren, die Freundin treffender Pfeile,
Auf Ortygia diese, auf Delos jenen, der rauhen   [du,
Insel; am großen Gebirge, dem cynthischen Hügel, gebarst
An die Palme gelehnt. Der Inopus rauschte vorüber.

Wie besing ich, o Phöbus, dich liederreichen? Es kommen
Alle Lieder von dir, die auf der nährenden Erde,
Auf den Inseln des Meers den Menschen festlich erschallen.
Freie Gipfel gefallen dir wohl der höchsten Gebirge,
Nach dem Meere sich stürzende Flüsse, die offnen,
            gekrümmten,

Weitgestreckten Ufer des Meers, die Buchten und Häfen.
Sing ich, wie dich Leto gebar, dich Freude der Menschen,
An den cynthischen Hügel gelehnt, im rauhen, vom Meere
Ringsumflossenen Delos; es trieben die säuselnden Winde
Die bewegliche Flut von allen Seiten ans Ufer.

Dort entsprangst du, beherrschest nunmehr die Sterblichen
    alle,
Welche Kreta, welche der Gau Athens ernähret,
Und Aigina, die Insel, Euböa schiffreich, und Aigai,
Eiresiai, Peparethos am Meere, der thrakische Athos,
Pelions hohes Gebirg, die thrakische Samos, des Idas
Schattige Rücken, und Skyros, Phokaia, dann der erhabne
Berg Autokanes, Imbrus, bewohnt von vielen, und Lemnos'
Unwirtbares Gestade, die göttliche Lesbos, der selge
Sitz Aiolions, Chius, die schönste der Inseln im Meere,
Mimas steinig, und Korykos hoch, die herrliche Klaros,
Dann Aisagees hohes Gebirg, das gewässerte Samos,
Mykales steiles Gebirge, Miletus, Koos, die hohe
Knidus, die stürmische Karpathos, Naxus, und Paros,
Und Rhenaia, die steinige; schmerzlich verlegen durch-
    wandert
Diese Länder und Insuln, den Sohn zu gebären, die Göttin,
Suchet Wohnung dem Sohn, allein die Länder erbebten.
Keines wagte, das fruchtbarste nicht, Apollen zu tragen.
Endlich stiegst du auf Delos, verehrte Leto, und sagtest:
Delos, willst du der Sitz des Sohnes, den ich gebäre,
Phöb' Apollens werden und seinem herrlichen Tempel
Platz gewähren? — Fürwahr, dich wird kein andrer
    verlangen
In Besitz zu nehmen; denn weder Stieren beförderst
Du, noch Schafen den Wuchs, und es gedeihet der
    Weinstock
Weder auf dir, noch gedeihet der Trieb der unendlichen
    Pflanzen.
Ehret dich aber Apollos, des herrlichen, Tempel, so bringen

Hekatomben die Menschen dir alle versammelt; es duftet
Immer glänzend der Rauch des dampfenden Opfers, dich
 schützen,
Bist du die Wohnung des Gotts, die Götter für feindlichen
 Händen.
Nun bedenke, wie wenig du sonst durch Früchte berühmt
 bist.

Also sprach sie; es freute sich Delos und sagte dagegen:
Leto, herrlichste Tochter des großen Kronions, wie gerne
Nähm ich den treffenden Gott bei seiner Geburt auf! Die
 Menschen
Reden Übels von mir, ich weiß es, aber ich würde
Dann aufs höchste verehrt. Allein die prophetischen Worte
Fürcht ich, Leto, verberge dir's nicht. Sie sagen, es werde
Grimmig aus dir ein Verderber entstehn und über die
 Götter,
Über alle Menschen gebieten, das fürcht ich; erblickt er
Erst das Licht, so verachtet er mich und mein rauhes
 Gestade,
Tritt mit den Füßen mich weg und in die Tiefe des Meeres,
Daß die Wellen mir über und über den Scheitel bedecken,
Geht und findet alsdann sich eine gefällige Wohnung,
Baut den Tempel daselbst und pflanzt die schattigen Haine.
Mich umkriechen Polypen, die schwarzen Kälber des
 Meeres
Machen sich Höhlen in mir, und mich vergessen die Völker.
Darum beteure mit heiligem Schwur, erhabene Göttin,
Daß er hier den Tempel erbaut, den Sterblichen allen,
Die mit vielen Namen ihn nennen, Orakel verkündigt.

Leto hört' es und schwur sogleich die heiligen Schwüre:
Wisse die Erde, der Himmel da droben, es wisse der
 schwarze
Drunten fließende Styx (die seligen Götter verbindet
Diese Beteurung des heiligen Eids): im Tempel des Phöbus,

Hier an seinem Altar soll's ewig duften, vor allen
Ländern und Inseln des Meers soll er dich immer verehren.

Nach vollendetem Schwur erfreute sich Delos, erwartend
Seines Gottes. Allein von schmerzlichen Wehen gequälet,
Litt neun Tag und Nächte die Göttin. Es waren die andern
Göttlichen Frauen zu ihr, die herrlichsten, alle gekommen:
Rhea, ferner Dione, dazu die forschende Themis,
Amphitrite mit ihnen, die Göttin seufzender Wogen,
Andre mehr der unsterblichen Frauen. Es weilte mit Vorsatz
Here, sitzend im Hause Kronions, beschäftigte künstlich
Dich, gebärenden Frauen erwünschteste Eileithyia;
Dir verbarg sie die Schmerzen der leidenden Göttin,
          mißgönnte
Jupiters herrlichen Sohn der ringellockichten Leto.

Aber die göttlichen Frauen versendeten Iris von Delos,
Eileithyia zu holen, die Helferin, ließen zusammen
Eine köstliche Schnur um den Hals, von goldenem feinem
Drahte, künstlich geflochten, ihr, lang neun Ellen,
          versprechen.
Heimlich solle sie Iris berufen, daß Here nicht etwa
Merkte die Absicht und hinderlich wäre der scheidenden
          Göttin.
Schnell entfernte sich Iris mit leichten Füßen und legte
Zwischen Himmel und Erde den Raum in kurzem zurücke,
Kam zum Sitze der Götter, dem hohen Olympus, und
          winkte
Eileithyien heraus vor die Türe des göttlichen Hauses,
Sagte mit eilenden Worten ihr alles, was die erhabnen
Frauen ernstlich befohlen; und sie bewegte das Herz ihr.
Beide gingen wie schüchterne Tauben und kamen nach
Da Eileithyia, die Helferin, Delos betreten, [Delos.
Wirkten die Wehen gewaltig, es nahte Letos Entbindung.
Mit den Armen umschloß die Göttin den Palmbaum; die
          Füße

Stemmte sie gegen das Gras, die Erde lächelte. Mächtig
Sprang ans Licht der göttliche Sohn, es jauchzten die
                              Frauen,
Wuschen heilig und rein im klaren Wasser, o Phöbus,
Deine Glieder und wickelten dich in glänzende, zarte,
Neue weiße Gewande, die goldene Binde darüber.
Und es tränkete nicht die Mutter den göttlichen Knaben,
Themis reichte mit göttlichen Händen ihm Nektar zu
                              saugen
Und Ambrosia hin, zur Freude Letos, der großen,
Die den herrlichen Sohn nach vielen Sorgen geboren.
Aber kaum genoß er die Kost der unsterblichen Götter,
Als die goldenen Binden nicht mehr den Strebenden hielten,
Bande der sterblichen Jugend, die Knoten lösten sich alle.
Und die göttlichen Frauen vernahmen die Rede des Knaben:
Lieben werd ich Zither und Bogen, den Ratschluß Kronions
Werd ich wahrhaft und treu den Menschen allen verkünden.

Also sprach er und schritt die weiten Wege hernieder,
Phöbus, der lockige Gott, der Fernetreffer. Es staunten
Die unsterblichen Frauen, und wie von Golde beladen
Glänzte Delos für Freuden, den Sohn Kronions und Letos
Endlich schauend, den Gott, der sie vor allen erwählet,
Allen Ländern und Inseln, sich einen Tempel zu bauen.
Und es ergriff sie gewaltige Liebe, sie leuchtete freundlich,
Wie im Frühling der Rücken des Berges von blühenden
                              Wäldern.

FINNISCHES LIED

    Käm der liebe Wohlbekannte,
    Völlig so wie er geschieden,
    Kuß erkläng an seinen Lippen,
    Hätt auch Wolfsblut sie gerötet;
    Ihm den Handschlag gäb ich, wären
    Seine Fingerspitzen Schlangen.

Wind! o hättest du Verständnis,
Wort' um Worte trügst du wechselnd,
Sollt auch einiges verhallen,
Zwischen zwei entfernten Liebchen.

Gern entbehr ich gute Bissen,
Priesters Tafelfleisch vergäß ich,
Eher als dem Freund entsagen,
Den ich sommers rasch bezwungen
Winters langer Weis bezähmte.

SIZILIANISCHES LIED

Ihr schwarzen Äugelein.
Wenn ihr nur winket,
Es fallen Häuser ein,
Es fallen Städte;
Und diese Leimenwand
Vor meinem Herzen —
Bedenk doch nur einmal —
Die sollt nicht fallen!

LA BIONDINA

Nächtig führ ich in dem Nachen
Meine Liebe blond und schlank;
Wollten zwar zusammen wachen,
Doch ihr holdes Auge sank:
Und ich weckte sie zuweilen,
Doch sie blieb im Schlummer liegen;
Denn der Barke sanftes Wiegen
Wiegte bald sie wieder ein.

Und vom Wolkenstreif durchzogen,
Kam der helle Mond heran.

Da umblinkten lichte Wogen
Unsrer Gondel sanfte Bahn.
Und ein leises Lüftchen spielte
Mit der Locke goldner Fülle,
Hob mit zartem Hauch die Hülle
Von des Mädchens Busen los.

So von ihrem Reiz umfangen,
Ruht ich da in trunkner Lust,
Nah den Rosen ihrer Wangen,
Nah dem Mund und nah der Brust.
Tausend wechselnde Gefühle
Sproßten mir aus diesen Zügen,
Eine Regung, ein Vergnügen,
Das ich kaum zu nennen weiß.

Angebannt von Wonn und Liebe,
Mußt ich sehn und wieder sehn,
Ach! und Amors regem Triebe
Konnt ich kaum noch widerstehn.
Und ich schloß die Augenlider,
Wollte schlummern, leise, leise,
Doch so nah dem Feuerkreise
Fand ich weder Rast noch Ruh.

ARIE

Nach dem Italienischen

An den holden Jüngling denkend,
Den ich gar so zärtlich liebe,
Ging ich still durchs Abendwäldchen,
Und unvermutet fand ich ihn da.

Ach, wie flog er mir entgegen,
Schloß mich herzlich an die Brust,
Als in dem Busche sich etwas regte,
Was raschelt? rief ich erschrocken aus.

Es ist das Wild im Walde häufig,
Es sind die Hasen, es sind die Hühner,
Fürchte nichts, nur nichts, mein süßes Liebchen,
Und laß uns wandeln im Abendrot.

Allein ich seh was Weißes blinken.
Es glänzt wie Tauben, so wie Kaninchen,
Die Zweige teilend, tret ich ihm näher,
Ich dringe weiter und immer weiter,
Und nun gelang ich zum grünen Platz.

Was Himmel seh' ich? statt des Kaninchens
Drückt sich ein Dirnchen zum Dickicht hin;
Ist dies das Reh! ist dies das Hühnchen!
Ich will es treffen! ich will es rupfen!
Geschwind, sie rührt sich! springt mir fort,
Dort unten läuft sie! Nun ist sie weg.

Lieber Gatte, süßer Jüngling,
Von euch ist hier ja nicht die Rede,
Ich singe nur von solchen Wichtchen,
Die mit Verwegenheit uns Nasen drehn.

MYRONS KUH

Aus dem Griechischen

Myron formte, Wandrer! die Kuh; das Kalb sie erblickend
    Nahet lechzend sich ihr, glaubet die Mutter zu sehn.

Armes Kalb! was nahst du dich mir mit bittendem Blöken?
    Milch ins Euter hat mir nicht geschaffen die Kunst.

Vorbei Hirt bei der Kuh und deine Flöte schweige!
    Daß ungestört ihr Kalb sie säuge.

Als sie das Kühlein ersah, dein ehernes, eiferte Juno,
    Myron! sie glaubte fürwahr Inachus Tochter zu sehn.

KLAGGESANG
Irisch

So singet laut den Pillalu
Zu mancher Träne Sorg und Not;
Och orro orro ollalu,
O weh des Herren Kind ist tot!

Zu Morgen, als es tagen wollt,
Die Eule kam vorbeigeschwingt,
Rohrdommel abends tönt im Rohr.
Ihr nun die Totensänge singt:
   Och orro orro ollalu.

Und sterben du? warum, warum
Verlassen deiner Eltern Lieb?
Verwandten Stammes weiten Kreis?
Den Schrei des Volkes hörst du nicht:
   Och orro orro ollalu.

Und scheiden soll die Mutter, wie,
Von ihrem Liebchen schön und süß?
Warst du nicht ihres Herzens Herz,
Der Puls, der ihm das Leben gab?
   Och orro orro ollalu.

Den Knaben läßt sie weg von sich,
Der bleibt und west für sich allein,
Das Frohgesicht, sie sieht's nicht mehr,
Sie saugt nicht mehr den Jugendhauch.
   Och orro orro ollalu.

Da sehet hin an Berg und Steg,
Den Uferkreis am reinen See,
Von Waldesecke, Saatenland,
Bis nah heran zu Schloß und Wall.
   Och orro orro ollalu.

Die Jammer-Nachbarn dringen her
Mit hohlem Blick und Atem schwer;

Sie halten an und schlängeln fort
Und singen Tod im Totenwort:
   Och orro orro ollalu.

So singet laut den Pillalu
Und weinet, was ihr weinen wollt!
Och orro orro ollalu,
Des Herren einzger Sohn ist fort.

AUS EINEM STAMMBUCH VON 1604
Englisch

Hoffnung beschwingt Gedanken, Liebe Hoffnung,
In klarster Nacht hinauf zu Cynthien, Liebe!
Und sprich: wie sie sich oben umgestaltet,
So auf der Erde schwindet, wächst mein Glück.
Und wispere sanft-bescheiden ihr ans Ohr,
Wie Zweifel oft das Haupt hing, Treue tränte.
Und ihr Gedanken, mißzutraun geneigt,
Beschilt euch die Geliebte dessenthalb,
So sagt: ihr wechselt zwar, doch ändert nicht,
Wie sie dieselbe bleibt und immer wechselt.
Untrauen tritt ins Herz, vergiftet's nicht,
Denn Lieb ist süßer von Verdacht gewürzt.
Wenn sie verdrießlich dann das Aug umwölkt,
Des Himmels Kläre widerwärtig schwärzt,
Dann Seufzer-Winde scheucht die Wolken weg,
Tränt nieder, sie in Regen aufzulösen.
Gedanke, Hoffnung, Liebe bleibt nur dort,
Bis Cynthia scheint, wie sie mir sonst getan.

BYRONS DON JUAN

Mir fehlt ein Held! — «Ein Held, er sollte fehlen,
Da Jahr und Monat neu vom Neusten spricht?» —
Ein Zeitungsschreiber mag sich schmeichelnd quälen,

So sagt die Zeit: es sei der rechte nicht.
Von solchen mag ich wahrlich nichts erzählen,
Da nehm ich mir Freund Juan ins Gesicht;
Wir haben in der Oper ihn gesehen,
Früher als billig war, zum Teufel gehen.

Vernon, der Metzger Cumberland und Wolfe so mit,
Auch Hawke, Prinz Ferdinand, Burgoyne aufs beste,
Keppel und Howe, sie hatten ihre Feste
Wie Wellesley jetzt — Der Könige Schattenschritt
Vom Stamme Bancos — Raben aus Einem Neste! —
Der Ruhm, die Lust zu herrschen reißt sie mit.
Dumouriez', Bonapartes Kampfgewinsten,
Die Zeitung steht den Herren gleich zu Diensten.

Barnave kennt und Brissot die Geschichte,
Condorcet, Mirabeau und Petion auch;
Cloots, Danton, Marat litten viel Gerüchte,
Selbst Lafayette er ging beinahe in Rauch,
Dann Joubert, Hoche, vom Militär-Verpflichte,
Lannes, Desaix, Moreau. Es war der Brauch
Zu ihrer Zeit, an ihnen viel zu preisen;
Doch will das nichts für meine Lieder heißen.

Nelson war unser Kriegsgott, ohne Frage,
Und ist es noch dem herzlichsten Bekenntnis;
Doch von Trafalgar tönet kaum die Sage,
Und so ist Flut und Ebbe wetterwendisch.
Denn die Armee ist popular zu Tage
Und mit dem Seevolk nicht im Einverständnis;
Der Prinz ist für den Landdienst, und indessen
Sind Duncan, Nelson, Howe, sie sind vergessen.

Vor Agamemnon lebten manche Braven,
So wie nachher, von Sinn und hoher Kraft;
Sie wirkten viel, sind unberühmt entschlafen,
Da kein Poet ihr Leben weiter schafft.

Von unsern Helden möcht ich niemand strafen,
Da jeder sich am Tag zusammenrafft;
Für mein Gedicht wüßt ich mir aber keinen,
Und nenne so Don Juan mein, den Meinen.

AUS BYRONS «ENGLISH BARDS»

Sind dies Zensoren, warum steh ich an?
Gibt's solche Kritiker, wer trägt's fortan?
Und doch so nah

Wenn man sich anschließt, wem den Rücken kehrt,
Wo soll man schonen, treffen da-, dorthin?
Richter und Barde sind einander wert.

VENI CREATOR SPIRITUS

Komm heiliger Geist, du Schaffender,
Komm, deine Seelen suche heim;
Mit Gnadenfülle segne sie
Die Brust, die du geschaffen hast.

Du heißest Tröster, Paraklet,
Des höchsten Gottes Hochgeschenk,
Lebendger Quell und Liebesglut
Und Salbung heiliger Geisteskraft.

Du siebenfaltiger Gabenschatz,
Du Finger Gottes rechter Hand,
Von ihm versprochen und geschickt,
Der Kehle Stimm und Rede gibst.

Den Sinnen zünde Lichter an,
Dem Herzen frohe Mutigkeit,
Daß wir, im Körper wandelnden,
Bereit zum Handeln sei'n, zum Kampf.

Den Feind bedränge, treib ihn fort,
Daß uns des Friedens wir erfreun,
Und so an deiner Führerhand
Dem Schaden überall entgehn.

Vom Vater uns Erkenntnis gib,
Erkenntnis auch vom Sohn zugleich,
Uns, die dem beiderseitgen Geist
Zu allen Zeiten gläubig flehn.

Darum sei Gott dem Vater Preis,
Dem Sohne, der vom Tod erstand,
Dem Paraklet, dem wirkenden
Von Ewigkeit zu Ewigkeit.

DAS STRÄUSSCHEN
Altböhmisch

Wehet ein Lüftchen
Aus fürstlichen Wäldern;
Da läufet das Mädchen,
Da läuft es zum Bach,
Schöpft in beschlagne
Eimer das Wasser.

Vorsichtig, bedächtig
Versteht sie zu schöpfen.
Am Flusse zum Mädchen
Schwimmet ein Sträußchen,
Ein duftiges Sträußchen
Von Veilchen und Rosen.

Wenn ich, du holdes
Blümchen, es wüßte,
Wer dich gepflanzet
In lockeren Boden;
Wahrlich! dem gäb ich
Ein goldenes Ringlein.

Wenn ich, du holdes
Sträußchen, es wüßte,
Wer dich mit zartem
Baste gebunden;
Wahrlich! dem gäb ich
Die Nadel vom Haare.

Wenn ich, du holdes
Blümchen, es wüßte,
Wer in den kühlen
Bach dich geworfen;
Wahrlich! dem gäb ich
Mein Kränzlein vom Haupte.

Und so verfolgt sie
Das eilende Sträußchen,
Sie eilet vorauf ihm,
Versucht es zu fangen:
Da fällt, ach! da fällt sie
Ins kühlige Wasser.

GÄTET MÄDCHEN HANF

Altböhmisch

Gätet Mädchen Hanf
An dem Herrengarten.
Spricht zu ihr das Lerchelein
Warum also traurig?
Konnt ich aber fröhlich sein
Allerliebstes Lerchlein?
Den Geliebten führten sie
Fort zum Felsenschlosse.

DER FÜNFTE MAI

Ode von Alexander Manzoni

Er war — und wie, bewegungslos
Nach letztem Hauche-Seufzer,
Die Hülle lag, uneingedenk,
Verwaist von solchem Geiste:
So tief getroffen, starr erstaunt,
Die Erde steht der Botschaft.

Stumm, sinnend nach der letztesten
Stunde des Schreckensmannes,
Sie wüßte nicht, ob solcherlei
Fußstapfen Menschenfußes
Nochmals den blutgefärbten Staub
Zu stempeln sich erkühnten.

Ihn wetterstrahlend auf dem Thron
Erblickte die Muse schweigend,
Sodann im Wechsel immerfort
Ihn fallen, steigen, liegen;
Zu tausend Stimmen Klang und Ruf
Vermischte sie nicht die ihre.

Jungfräulich, keiner Schmeichelei
Noch frevler Schmähung schuldig,
Erhebt sie sich plötzlich aufgeregt,
Da solche Strahlen schwinden,
Die Urne kränzend mit Gesang,
Der wohl nicht sterben möchte.

Zu Pyramiden von Alpen her,
Vom Manzanar zum Rheine,
Des sichern Blitzes Wetterschlag
Aus leuchtenden Donnerwolken,
Er traf von Scylla zum Tanais,
Von einem zum andern Meere.

Mit wahrem Ruhm? — Die künftge Welt
Entscheide dies! Wir beugen uns,
Die Stirne tief, dem Mächtigsten,
Erschaffenden, der sich einmal
Von allgewalter Geisteskraft
Grenzlose Spur beliebte.

Das stürmische, doch bebende
Erfreun an großen Planen,
Die Angst des Herzens, das ungezähmt,
Dienend nach dem Reiche gelüstet
Und es erlangt, zum höchsten Lohn,
Dens töricht war zu hoffen.

Das ward ihm all: der Ehrenruhm,
Vergrößert nach Gefahren,
Sodann die Flucht, und wieder Sieg,
Kaiserpalast, Verbannung;
Zweimal zum Staub zurückgedrängt,
Und zweimal auf dem Altar.

Er trat hervor: gespaltne Welt,
Bewaffnet gegeneinander,
Ergeben wandte sich zu ihm,
Als lauschten sie dem Schicksal;
Gebietend Schweigen, Schiedesmann
Setzt er sich mitten inne;

Verschwand! — Die Tage Müßiggangs,
Verschlossen im engen Raume,
Zeugen von grenzlosem Neid
Und tiefem, frommem Gefühle,
Von unauslöschlichem Haß zugleich
Und unbezwungener Liebe.

Wie übers Haupt Schiffbrüchigem
Die Welle sich wälzt und lastet,
Die Welle, die den Armen erst

Emporhob, vorwärts rollte,
Daß er entfernte Gegenden
Umsonst zuletzt erblickte;

So wards dem Geist, der wogenhaft
Hinaufstieg in der Erinnrung.
Ach! wie so oft den Künftigen
Wollt er sich selbst erzählen.
Und kraftlos auf das ewige Blatt
Sank die ermüdete Hand hin.

O! wie so oft beim schweigsamen
Sterben des Tags, des leeren,
Gesenkt den blitzenden Augenstrahl,
Die Arme übergefaltet,
Stand er, von Tagen vergangnen
Bestürmt ihn die Erinnrung.

Da schaut er die beweglichen
Zelten, durchwimmelte Täler,
Das Wetterleuchten der Waffen zu Fuß,
Die Welle reitender Männer,
Die aufgeregteste Herrscherschaft
Und das allerschnellste Gehorchen.

Ach, bei so schrecklichem Schmerzgefühl
Sank ihm der entatmete Busen,
Und er verzweifelte! — Nein, die Kraft
Der ewigen Hand von oben,
In Lüfte, leichter atembar,
Liebherzig trug ihn hinüber.

Und leitete ihn auf blühende
Fußpfade, die hoffnungsreichen,
Zu ewigen Feldern, zum höchsten Lohn,
Der alle Begierden beschämet;
Er sieht, wie auf Schweigen und Finsternis,
Auf den Ruhm, den er durchdrungen.

Schönste, unsterblich wohltätige
Glaubenskraft, immer triumphend!
Sprich es aus! erfreue dich
Daß stolzer-höheres Wesen
Sich dem berüchtigten Golgatha
Wohl niemals niedergebeugt hat.

Und also von müder Asche denn
Entferne jedes widrige Wort,
Der Gott, der niederdrückt und hebt,
Der Leiden fügt und Tröstung auch,
Auf der verlaßnen Lagerstatt
Ihm ja zur Seite sich fügte.

NEUGRIECHISCH-EPIROTISCHE HELDENLIEDER

I

Sind Gefilde türkisch worden,
Sonst Besitz der Albanesen;
Stergios ist noch am Leben,
Keines Paschas achtet er.
Und solang es schneit hier oben,
Beugen wir den Türken nicht.
Setzet eure Vorhut dahin,
Wo die Wölfe nistend hecken!
Sei der Sklave Stadtbewohner;
Stadtbezirk ist unsern Braven
Wüster Felsen Klippenspalte.
Eh als mit den Türken leben,
Lieber mit den wilden Tieren!

II

Schwarzes Fahrzeug teilt die Welle
Nächst der Küste von Kassandra,
Über ihm die schwarzen Segel,

Über ihnen Himmelsbläue.
Kommt ein Türken-Schiff entgegen,
Scharlach-Wimpel wehen glänzend,
«Streich die Segel unverzüglich,
Nieder laß die Segel du!» —
Nein, ich streiche nicht die Segel,
Nimmer lass ich sie herab,
Droht ihr doch, als wär ich Bräutchen,
Bräutchen, das zu schrecken ist.
Jannis bin ich, Sohn des Stada,
Eidam des Bukovalas.
Frisch, Gesellen, frisch zur Arbeit!
Auf zum Vorderteil des Schiffes:
Türkenblut ist zu vergießen,
Schont nicht der Ungläubigen.
Und mit einer klugen Wendung
Beut das Türken-Schiff die Spitze;
Jannis aber schwingt hinauf sich,
Mit dem Säbel in der Faust,
Das Gebälke trieft vom Blute
Und gerötet sind die Wellen.
Allah! Allah! schrein um Gnade
Die Ungläubigen auf den Knieen.
Traurig Leben! ruft der Sieger,
Bleibe den Besiegten nun.

III

Beuge, Liakos, dem Pascha,
Beuge dem Wesire dich.
Warst du vormals Armatole,
Landgebieter wirst du nun.
«Bleibt nur Liakos am Leben,
Wird er nie ein Beugender.
Nur sein Schwert ist ihm der Pascha,
Ist Wesir das Schießgewehr.»
Ali Pascha das vernehmend,

Zürnt dem Unwillkommenen,
Schreibt die Briefe, die Befehle,
So bestimmt er, was zu tun.
Veli Guekas, eile kräftig
Durch die Städte, durch das Land,
Bring mir Liakos zur Stelle,
Lebend sei er oder tot!
Guekas streift nun durch die Gegend,
Auf die Kämpfer macht er Jagd,
Forscht sie aus und überrascht sie,
An der Vorhut ist er schon.
Kontogiakupis, der schreit nun
Von des Bollwerks hohem Stand:
Herzhaft, Kinder mein! zur Arbeit,
Kinder mein, zum Streit hervor!
Liakos erscheint behende,
Hält in Zähnen fest das Schwert.
Tag und Nacht ward nun geschlagen,
Tage drei, der Nächte drei.
Albaneserinnen weinen,
Schwarz in Trauerkleid gehüllt;
Veli Guekas kehrt nur wieder
Hingewürgt im eignen Blut.

IV

Welch Getöse? wo entsteht es?
Welch gewaltiges Erschüttern?
Sind es Stiere vor dem Schlachtbeil,
Wild Getier im grimmen Kampfe?
Nein! Bukovalas zum Kriege
Fünfzehnhundert Kämpfer führend
Streitet zwischen Kerasovon
Und dem großen Stadtbezirk.
Flintenschüsse wie des Regens,
Kugeln wie der Schlossen Schlag! —
Blondes Mädchen ruft herunter

Von dem Überpforten-Fenster:
Halte, Janni, das Gefecht an,
Dieses Laden, dieses Schießen:
Laß den Staub herniedersinken,
Laß den Pulverdunst verwehen,
Und so zählet eure Krieger,
Daß ihr wisset, wer verloren.
Dreimal zählte man die Türken,
Und vierhundert Tote lagen;
Und wie man die Kämpfer zählte,
Dreie nur verblichen da.

V

Ausgeherrschet hat die Sonne,
Zu dem Führer kommt die Menge:
Auf, Gesellen, schöpfet Wasser,
Teilt euch in das Abendbrot!
Lamprakos du aber, Neffe,
Setze dich an meine Seite;
Trage künftig diese Waffen,
Du nun bist der Kapitan,
Und ihr andern braven Krieger,
Fasset den verwaisten Säbel,
Hauet grüne Fichtenzweige,
Flechtet sie zum Lager mir;
Führt den Beichtiger zur Stelle,
Daß ich ihm bekennen möge,
Ihm enthülle, welchen Taten
Ich mein Leben zugekehrt:
Dreißig Jahr bin Armatole,
Zwanzig Jahr ein Kämpfer schon;
Nun will mich der Tod erschleichen,
Das ich wohl zufrieden bin.
Frisch nun mir das Grab bereitet,
Daß es hoch sei und geräumig,
Aufrecht, daß ich fechten könne,

Könne laden die Pistolen.
Rechts will ich ein Fenster offen,
Daß die Schwalbe Frühling künde,
Daß die Nachtigall vom Maien
Allerlieblichstes berichte.

VI

Der Olympos, der Kissavos,
Die zwei Berge haderten;
Da entgegnend sprach Olympos
Also zu dem Kissavos:
«Nicht erhebe dich, Kissave,
Türken- du Getretener.
Bin ich doch der Greis Olympos,
Den die ganze Welt vernahm.
Zweiundsechzig Gipfel zähl ich
Und zweitausend Quellen klar,
Jeder Brunn hat seinen Wimpel,
Seinen Kämpfer jeder Zweig.
Auf den höchsten Gipfel hat sich
Mir ein Adler aufgesetzt,
Faßt in seinen mächtgen Klauen
Eines Helden blutend Haupt.»
«Sage, Haupt! wie ists ergangen?
Fielest du verbrecherisch?» —
Speise, Vogel, meine Jugend,
Meine Mannheit speise nur!
Ellenlänger wächst dein Flügel,
Deine Klaue spannenlang.
Bei Louron, in Xeromeron
Lebt ich in dem Kriegerstand,
So in Chasia, aufm Olympos
Kämpft ich bis ins zwölfte Jahr.
Sechzig Agas ich erschlug sie,
Ihr Gefild verbrannt ich dann;
Die ich sonst noch niederstreckte,

Türken, Albaneser auch,
Sind zu viele, gar zu viele,
Daß ich sie nicht zählen mag;
Nun ist meine Reihe kommen,
Im Gefechte fiel ich brav.

VII · Charon

Die Bergeshöhn warum so schwarz?
Woher die Wolkenwoge?
Ist es der Sturm, der droben kämpft,
Der Regen, Gipfel peitschend?
Nicht ists der Sturm, der droben kämpft,
Nicht Regen, Gipfel peitschend;
Nein, Charon ists, er saust einher,
Entführet die Verblichnen;
Die Jungen treibt er vor sich hin,
Schleppt hinter sich die Alten;
Die Jüngsten aber, Säuglinge,
In Reih gehenkt am Sattel.
Da riefen ihm die Greise zu,
Die Jünglinge, sie knieten:
«O Charon halt! halt am Geheg,
Halt an beim kühlen Brunnen!
Die Alten da erquicken sich,
Die Jugend schleudert Steine,
Die Knaben zart zerstreuen sich
Und pflücken bunte Blümchen.»

Nicht am Gehege halt ich still,
Ich halte nicht am Brunnen;
Zu schöpfen kommen Weiber an,
Erkennen ihre Kinder,
Die Männer auch erkennen sie,
Das Trennen wird unmöglich.

NEUGRIECHISCHE LIEBE-SKOLIEN

Diese Richtung ist gewiß,
Immer schreite, schreite!
Finsternis und Hindernis
Drängt mich nicht zur Seite.

Endlich leuchtest meinem Blick,
Luna! klar und golden;
Immer fort und immer grad
Geht mein Weg zur Holden.

Nun der Fluß die Pfade bricht,
Ich zum Nachen schreite,
Leite, liebes Himmelslicht!
Mich zur andern Seite.

Seh ich doch das Lämpchen schon
Aus der Hütte schimmern,
Laß um deinen Wagenthron
Alle Sterne glimmern.

2

Immerhin und immerfort,
Allzuschön erscheinend,
Folgt sie mir von Ort zu Ort,
Und so hab ich weinend

Überall umsonst gefragt,
Feld und Flur durchmessen,
Auch hat Fels und Berg gesagt:
Kannst sie nicht vergessen.

Wiese sagte: geh nach Haus,
Laß dich dort bedauern;
Siehst mir gar zu traurig aus,
Möchte selber trauern.

Fragmente

Andre zittern das zu schauen

Ein und einer, zwei und zwei
Bildeten ein groß Geschwader

Sie entrissen uns Alhama

Günstigend die Abgefallnen
Von Cordova der genannten

ZWEI GRIECHISCHE RÄTSEL

Nicht sterblich, nicht unsterblich, aber von Natur
Gebildet also, daß er nicht nach Menschenart,
Noch Götterweise lebe, sondern stets aufs neu
Geboren werde, wechselweis zum Untergang;
Gesehn von keinem, allen aber doch bekannt,
Vorzüglich Kindern, die er sich besonders liebt.

—

Es GIBT ein weiblich Wesen,
Am Busen trägt es Kinder,
Geboren stumm, doch schwatzhaft,
Die über Erd' und Meere
Nach Lust sich unterhalten,
Und aller Welt verständlich,
Nur nicht dem nahen Hörer
Im mindesten vernehmlich.

BRASILIANISCH

Schlange, halte stille!
Halte stille, Schlange!
Meine Schwester will von dir ab
Sich ein Muster nehmen;
Sie will eine Schnur mir flechten,
Reich und bunt, wie du bist,

Daß ich sie der Liebsten schenke.
Trägt sie die, so wirst du
Überall vor allen Schlangen
Herrlich schön gepriesen.

AUS DANTES DIVINA COMMEDIA

Rauhfelsig war's da, wo wir niederklommen,
Das Steingehäuf' den Augen übergroß;
So wie ihr dieser Tage wahrgenommen
Am Bergsturz diesseits Trento, der den Schoß
Der Etsch verengte, — niemand konnte wissen,
Durch Unterwühlung oder Erdenstoß? —
Von Felsenmassen, dem Gebirg entrissen,
Unübersehbar lag der Hang bedeckt,
Fels über Felsen zackig hingeschmissen;
Bei jedem Schritte zaudert' ich erschreckt.

So gingen wir, von Trümmern rings umfaßt,
Auf Trümmern sorglich; schwankend aber wanken
Sie unter meinem Fuß, der neuen Last.
Er sprach darauf: «In düstersten Gedanken
Beschauest du den Felsenschutt, bewacht
Von toller Wut; sie trieb ich in die Schranken,
Allein vernimm: als in der Hölle Nacht
Zum erstenmal so tief ich abgedrungen,
War dieser Fels noch nicht herabgekracht;
Doch kurz vorher, eh der herabgeschwungen
Vom höchsten Himmel herkam, der dem Dis
Des ersten Kreises große Beut' entrungen,
Erbebte so die graue Finsternis,
Daß ich die Meinung faßte, Liebe zücke
Durchs Weltenall und stürz' in mächtigem Riß
Ins alte Chaos neu die Welt zurücke.
Der Fels, der seit dem Anfang festgeruht,
Ging damals hier und anderwärts in Stücke.»

«Bemerkt: der hinten kommt, bewegt,
Was er berührt, wie ich es wohl gewahrte,
Und wie's kein Totenfuß zu machen pflegt.»
[12. Gesang]

HOCHLÄNDISCH

Matt und beschwerlich,
Wandernd ermüdigt,
Klimmt er gefährlich,
Nimmer befriedigt;
Felsen ersteigt er,
Wie es die Kraft erlaubt,
Endlich erreicht er
Gipfel und Bergeshaupt.

Hat er mühselig
Also den Tag vollbracht,
Nun wär es törig,
Hätt er darauf noch acht.
Froh ist's unsäglich
Sitzendem hier,
Atmend behäglich
An Geißhirtens Tür.

Speis ich und trinke nun,
Wie es vorhanden,
Sonne sie sinket nun
Allen den Landen;
Schmeckt's doch heut abend
Niemand wie mir,
Sitzend mich labend
An Geißhirtens Tür.

ALTSCHOTTISCH

Und morgen fällt Sankt Martins Fest,
Gutweib liebt ihren Mann;
Da knetet sie ihm Puddings ein
Und bäckt sie in der Pfann.

Im Bette liegen beide nun,
Da saust ein wilder West;
Und Gutmann spricht zur guten Frau:
«Du riegle die Türe fest.» —

«Bin kaum erholt und halb erwarmt,
Wie käm ich da zu Ruh;
Und klapperte sie einhundert Jahr,
Ich riegelte sie nicht zu.»

Drauf eine Wette schlossen sie
Ganz leise sich ins Ohr:
So wer das erste Wörtlein spräch,
Der schöbe den Riegel vor.

Zwei Wanderer kommen um Mitternacht
Und wissen nicht wo sie stehn,
Die Lampe losch, der Herd verglomm,
Zu hören ist nichts, zu sehn.

«Was ist das für ein Hexenort,
Da bricht uns die Geduld!»
Doch hörten sie kein Sterbenswort,
Des war die Türe schuld.

Den weißen Pudding speisten sie,
Den schwarzen ganz vertraut;
Und Gutweib sagte sich selber viel,
Doch keine Silbe laut.

Zum andern sprach der eine dann:
«Wie trocken ist mir der Hals,
Der Schrank der klafft und geistig riecht's,
Da findet sich's allenfalls.

Ein Fläschchen Schnaps ergreif ich da,
Das trifft sich doch geschickt,
Ich bring es dir, du bringst es mir,
Und bald sind wir erquickt.»

Doch Gutmann sprang so heftig auf
Und fuhr sie drohend an:
«Bezahlen soll mit teurem Geld,
Wer mir den Schnaps vertan.»

Und Gutweib sprang auch froh heran,
Drei Sprünge, als wär sie reich:
«Du, Gutmann, sprachst das erste Wort,
Nun riegle die Türe gleich.»

AUS DEN «GEDICHTEN DER HUNDERT SCHÖNEN FRAUEN»

Chinesisch

Fräulein See-Yaou-Hing

Du tanzest leicht bei Pfirsichflor
Am luftigen Frühlingsort:
Der Wind, stellt man den Schirm nicht vor,
Bläst euch zusammen fort.

Auf Wasserlilien hüpftest du
Wohl hin den bunten Teich,
Dein winziger Fuß, dein zarter Schuh
Sind selbst der Lilie gleich.

Die andern binden Fuß für Fuß,
Und wenn sie ruhig stehn,
Gelingt wohl noch ein holder Gruß,
Doch können sie nicht gehn.

Fräulein Mei-Fe

Du sendest Schätze mich zu schmücken!
Den Spiegel hab ich längst nicht angeblickt:
Seit ich entfernt von deinen Blicken,
Weiß ich nicht mehr was ziert und schmückt.

Fräulein Fung-Sean-Ling

Bei geselligem Abendrot,
Das uns Lied und Freude bot,
Wie betrübte mich Seline!
Als sie, sich begleitend, sang,
Und ihr eine Saite sprang,
Fuhr sie fort mit edler Miene:
Haltet mich nicht froh und frei;
Ob mein Herz gesprungen sei,
Schaut nur auf die Mandoline.

Kae-Yven

Aufruhr an der Grenze zu bestrafen
Fechtest wacker, aber nachts zu schlafen
Hindert dich die strenge Kälte beißig.
Dieses Kriegerkleid, ich näht es fleißig,
Wenn ich schon nicht weiß, wer's tragen sollte;
Doppelt hab ich es wattiert, und sorglich wollte
Meine Nadel auch die Stiche mehren,
Zur Erhaltung eines Manns der Ehren.
Werden hier uns nicht zusammen finden,
Mög ein Zustand droben uns verbinden!

DER Kaiser schafft, bei ihm ist alles fertig,
Zum Wohl der Seinen, Künftiges gegenwärtig.

Dou-rouy

Und wie die Hortensien seid ihr
Bald grün, bald rot, bald blau,
Am Ende gar mißfärbig:
Ich kenn euch genau.

Khalkhal (Knöchel-Schellenring)

Der Schellenring um eure Knöchel
Ihr Liederlichen, das verführt mich nicht.

CHINESISCH-DEUTSCHE
JAHRES-UND TAGESZEITEN

SAG, was könnt uns Mandarinen,
Satt zu herrschen, müd zu dienen,
Sag, was könnt uns übrigbleiben,
Als in solchen Frühlingstagen
Uns des Nordens zu entschlagen
Und am Wasser und im Grünen
Fröhlich trinken, geistig schreiben,
Schal auf Schale, Zug in Zügen?

—

WEISS wie Lilien, reine Kerzen,
Sternen gleich, bescheidner Beugung,
Leuchtet aus dem Mittelherzen,
Rot gesäumt, die Glut der Neigung.

So frühzeitige Narzissen
Blühen reihenweis im Garten,
Mögen wohl die Guten wissen,
Wen sie so spaliert erwarten.

—

ZIEHN die Schafe von der Wiese,
Liegt sie da, ein reines Grün,
Aber bald zum Paradiese
Wird sie bunt geblümt erblühn.

Hoffnung breitet lichte Schleier
Nebelhaft vor unsern Blick:
Wunscherfüllung, Sonnenfeier,
Wolkenteilung bring uns Glück.

—

DER PFAU schreit häßlich, aber sein Geschrei
Erinnert mich ans himmlische Gefieder,
So ist mir auch sein Schreien nicht zuwider.
Mit indischen Gänsen ist's nicht gleicherlei,

Sie zu erdulden ist unmöglich:
Die häßlichen sie schreien unerträglich.

———

ENTWICKLE deiner Lüste Glanz
Der Abendsonne goldnen Strahlen,
Laß deines Schweifes Rad und Kranz
Kühn-äugelnd ihr entgegen prahlen.
Sie forscht wo es im Grünen blüht,
Im Garten überwölbt vom Blauen;
Ein Liebespaar wo sie's ersieht,
Glaubt sie das Herrlichste zu schauen.

———

DER KUCKUCK wie die Nachtigall
Sie möchten den Frühling fesseln,
Doch drängt der Sommer schon überall
Mit Disteln und mit Nesseln.
Auch mir hat er das leichte Laub
An jenem Baum verdichtet,
Durch das ich sonst zu schönstem Raub
Den Liebesblick gerichtet;
Verdeckt ist mir das bunte Dach,
Die Gitter und die Pfosten,
Wohin mein Auge spähend brach,
Dort ewig bleibt mein Osten.

———

WAR schöner als der schönste Tag,
Drum muß man mir verzeihen,
Daß ich sie nicht vergessen mag,
Am wenigsten im Freien.
Im Garten wars, sie kam heran,
Mir ihre Gunst zu zeigen;
Das fühl ich noch und denke dran,
Und bleib ihr ganz zu eigen.

———

DÄMMRUNG senkte sich von oben,
Schon ist alle Nähe fern;
Doch zuerst emporgehoben
Holden Lichts der Abendstern!
Alles schwankt ins Ungewisse
Nebel schleichen in die Höh;
Schwarzvertiefte Finsternisse
Widerspiegelnd ruht der See.

Nun im östlichen Bereiche
Ahn' ich Mondenglanz und -glut,
Schlanker Weiden Haargezweige
Scherzen auf der nächsten Flut.
Durch bewegter Schatten Spiele
Zittert Lunas Zauberschein,
Und durchs Auge schleicht die Kühle
Sänftigend ins Herz hinein.

—

NUN WEISS man erst was Rosenknospe sei,
Jetzt da die Rosenzeit vorbei;
Ein Spätling noch am Stocke glänzt
Und ganz allein die Blumenwelt ergänzt.

—

ALS Allerschönste bist du anerkannt,
Bist Königin des Blumenreichs genannt;
Unwidersprechlich allgemeines Zeugnis,
Streitsucht verbannend, wundersam Ereignis!
Du bist es also, bist kein bloßer Schein,
In dir trifft Schaun und Glauben überein;
Doch Forschung strebt und ringt, ermüdend nie,
Nach dem Gesetz, dem Grund, Warum und Wie.

—

«MICH ängstigt das Verfängliche
Im widrigen Geschwätz,
Wo nichts verharret, alles flieht,

Wo schon verschwunden was man sieht;
Und mich umfängt das bängliche
Das graugestrickte Netz.» —
Getrost! Das Unvergängliche
Es ist das ewige Gesetz
Wonach die Ros und Lilie blüht.

—

«Hingesunken alten Träumen
Buhlst mit Rosen, sprichst mit Bäumen,
Statt der Mädchen, statt der Weisen;
Können das nicht löblich preisen,
Kommen deshalb die Gesellen
Sich zur Seite dir zu stellen,
Finden, dir und uns zu dienen,
Pinsel, Farbe, Wein im Grünen.»

—

Die stille Freude wollt ihr stören?
Laßt mich bei meinem Becher Wein;
Mit andern kann man sich belehren,
Begeistert wird man nur allein.

—

«Nun denn! Eh wir von hinnen eilen,
Hast noch was Kluges mitzuteilen?»

Sehnsucht ins Ferne, Künftige zu beschwichtigen,
Beschäftige dich hier und heut im Tüchtigen.

DORNBURGER INSCHRIFT
Aus dem Lateinischen

Freudig trete herein und froh entferne dich wieder!
  Ziehst du als Wandrer vorbei, segne die Pfade dir Gott!

FRAGMENTE AUS DEM NACHLASS
Griechisch

Neu! alles schön und alles schön zur rechten Zeit!

Ein kraftlos Herrschen, wär es wünschenswert?
Kraftvoll zu dienen find ich ehrenhaft.

Dann wenn der Bogen nachläßt tut die Wunde weh.

Der Freunde Fehler kennen magst du, hassen nicht.

Nur kämpfend weicht der Krieger, so der Meinende.

Das Alter führet Alterndes gar viel herbei.

Nur keinen aller Menschen heiße frei:
Er ist des Elends oder ist der Götter Knecht.

Mit Ungeduld bestraft sich tausendfältig Ungeduld;
Sie will das Ziel heranziehn und entfernt es nur.

DRAMEN UND DRAMENFRAGMENTE

DER LÜGNER
Aus Corneilles Komödie «Le Menteur»

Erster Auftritt: Dorant · Cliton

DORANT.
Gehab dich wohl, o Jus! wir sind nunmehr geschieden;
Dem Himmel sei's gedankt, mein Vater ist's zufrieden.
Der Übergang ist schnell, unglaublich scheint er mir,
Noch gestern ein Student, und heut ein Kavalier.
Doch wird mir bange, daß ich mich verraten könnte.
Betrachte mich einmal, seh ich wie ein Studente?
Denn, Cliton, zeigt ich mich hier in der Tuilerie,
Dem Land der großen Welt und der Galanterie,
Nur Einmal schülerhaft, beleidigt ich die Mode
Mit einer Kleinigkeit, ich grämte mich zu Tode.
Drum fürcht ich mich —
CLITON.   Wovor? Mein Herr? das seh ich nicht.
Ein Mensch gemacht wie Sie, ein offenes Gesicht,
Die Festigkeit im Gang, die Anmut im Betragen,
Der darf sich ohne Furcht auf unsre Plätze wagen.
Er ist für jeden Mann ein schröcklich Phänomen,
Die Weiber schützen ihn. Doch ist Paris nicht schön?
DORANT.
Unendlich schön. Ich kann dem Vater nicht vergeben,
Daß er mich zwang, bisher in Poitiers zu leben.
Du hast das Glück gehabt beständig hier zu sein,
Drum sage mir einmal, wie richtet man sich ein?
Wird man in dieser Stadt leicht eines Herzens Meister?
CLITON. O schöner Zeitvertreib, für alle schöne Geister!
Bei meiner Treu! Er regt sich früh, Ihr Appetit.
Sie kommen gestern an, kaum heut den ersten Schritt
Aus Ihres Vaters Haus, an diese Luft; so rauchen
Sie schon, die edle Zeit mit Nutzen zu gebrauchen.

Es kömmt kein Ebenteur, die Zeit wird Ihnen lang.
Recht wohl! Wer fleißig ist, haßt allen Müßiggang.
Eh nun, wir wollen sehn uns immer einzurichten.
Ich kenne die und die, weiß die und die Geschichten.
Das lernt sich bald, mein Herr, wie man's mit Mädchen
macht,
Am Tage sind sie streng, geschmeidig bei der Nacht;
Da werden Sie sich leicht —
DORANT. Du wirst Dich sehr betrügen,
Bekanntschaft wünsch ich nur, mich manchmal zu
vergnügen.
Wenn man ein bißchen liebt, wird man gesellschaftlich,
Wird andern angenehm, und unterhält auch sich.
Das andre, Cliton, ist nicht meine schwache Seite.
CLITON.
Ich merk's. Sie sind noch nicht wie unsre jungen Leute.
Sie hassen jene Art, die, wenn der Beutel klingt,
Was sie dem Christen gab auch wohl dem Juden bringt.
Der Ekel ist recht hübsch. Bei jenen Buhlerinnen
Wo jeder kömmt und liebt, und alle nichts gewinnen:
Ein wohlgewandtes Aug, ein wohlgewähltes Wort,
So nehmen sie ihn an, so schicken sie ihn fort:
Da, denk ich, ist für Sie auch kein bequemer Posten,
Er ist nicht ohne Müh, und trägt nicht seine Kosten.
Am besten wählen Sie zu einem solchen Scherz,
Ein Herz voll Ehrbarkeit, und doch ein zärtlich Herz,
Ein Frauenzimmer, das die Tugend zwar verehret,
Allein dem Liebsten auch nicht alle Freude wehret.
Herr, darauf gehn Sie aus, nur frisch es findt sich schon.
Doch brauchen Sie von mir nicht erst viel Lektion;
Ihr Auge sieht mir aus, als ob es lange wüßte,
Wie man auf dieser Jagd die Netze stellen müßte.
Sie sind zwar noch nicht lang von Hohen Schulen da,
Doch dort studiert man auch dergleichen Studia.
DORANT. In diesen hab ich wohl nie vielen nachgegeben,
Ich lebte zu Poitiers wie junge Leute leben.

Ich liebte da und dort, und stets gelang es mir,
Doch Poitiers, guter Freund, liegt immer weit von hier.
Man lebt nicht hier und dort nach einerlei Methode,
Was dort bewundert wird, ist hier schon aus der Mode,
Man denkt, man handelt hier, man redet nicht wie dort,
Und einen Neuling stürzt ein unbesonnes Wort.
Man pflegt in der Provinz zu nehmen, nicht zu wählen,
Man nimmt die Toren auch, wenn ja die Klugen fehlen.
Allein hier in Paris muß man ganz anders sein.
Es trügt die Leute hier nicht leicht der falsche Schein.
Ein jeder ist galant, und unter solchen Leuten,
Wenn man nicht ist wie sie, kann man nicht viel bedeuten.

CLITON. Man sieht, Sie kennen noch Paris nicht lange Zeit.
Es ist nichts weniger als ganz Vollkommenheit,
Und man betrügt sich hier so gut als andrer Orten.
Man findet hier ein Volk gemischt von allen Sorten.
Ganz Frankreich kömmt hierher. Uns sendet jede Stadt
So gut die Narren, als die Klugen die sie hat.
Man muß nur herzhaft sein um sich in Ruf zu setzen,
Und um geschätzt zu sein, braucht man sich nur zu
                                                        schätzen.
Es hat es mancher, der nicht war wie Sie, gewagt.
Doch apropos, von dem was Sie vorhin gefragt,
Freigebig sind Sie doch?
DORANT.   Ich gebe wenn ich habe.
CLITON. Zur Liebe, Gnädger Herr, ist das die größte Gabe.
Doch wer bei dem Gebrauch nicht Kunst genug besitzt,
Dem schadet ein Geschenk anstatt daß es ihm nützt.
Der schenkt mit voller Hand und wird doch nicht geliebet.
Die Art zu geben, gilt mehr als das was man gibet.
Und ein versteckt Geschenk das man im Spiel verlor,
Ein wohlgetroffner Tausch, macht ein geneigtes Ohr.
Die grobe Zärtlichkeit sich brüstender Amanten
Beschenkt ein Mädchen oft wie einen Abgebrannten,
Verstehet keinen Wink, versieht die rechte Zeit,
Und zur Beleidigung wird die Gefälligkeit.

DORANT. Ich kenne dieses Volk, allein sie nachzuahmen
 Ist mein Charakter nicht. Hör! kennst du jene Damen?
CLITON.
 Dergleichen Wildbret kömmt vor meinesgleichen nie,
 Doch allem Anschein nach ist es so was für Sie.
 Nur frisch gehandelt, Herr, es sind noch frische Waren,
 Vom Diener will ich leicht das übrige erfahren.
DORANT. Glaubst du er sagt dir was?
CLITON.   Ich frag ihn um ihr Haus,
 Und kein Bedienter schlägt so ein Diskurschen aus.

CHÖRE AUS RACINES ATHALIE

Durch alle Welten reicht
Die Herrlichkeit Jehovas.
Betet an unsern Gott,
Rufet an seine Kraft!
Sein Reich bleibt auf der Erde
 und im Himmel gegründet.
Gesang! Gesang!
Bringe Lob ihm und Dank!

O Gesetz das göttlich uns gebeut!
Welche Weisheit, welch erhabne Güte!
Euer Verstand, euer Gefühl
Ruft euch zu:
Gebt euch hin
Diesem Herrn,
Euer Herz und Gemüt. [1, 4]

Beglückt! tausendmal
Das Kind das sich der Herr
Zu seinem Dienst erkor.

Mit Tränen
O mein Gott!
Mit Entsetzen

Bestrafe den Frevelnden
Der nicht dem heilgen Tempel
Mit Ehrfurcht naht,
Jeden Tag dich verehrt.

Nur für uns ist Gesang
Nur für uns, die du wählest,
Als die Erben deines Reichs.
Nur für uns ist Gesang
Zu erhöhn
Deine Kraft und Herrlichkeit. [II, 9]

O wenn des Herren Stimme tröstlich klänge
Und unser Herz
Seine Worte vernähme.
Wie die zarte Blüte
Am frühen Jahr
Kühler Tau morgens labt. [III, 7]

O Versprechen! O Bedräun!
O finsterstes Geheimnis!
Wie viel Weh,
Welches Glück
Kündet an
Dieses Wort!
Erwartest du nach diesem Feuergrimm
So viele Vaterhuld? [III, 8]

Hinaus, erwähltes Volk

Ist euer Fürst. Ist Gott,
Für den ihr streiten sollt. [IV, 6]

MAHOMET

TRAUERSPIEL IN FÜNF AUFZÜGEN

NACH VOLTAIRE

Personen:

Mahomet
Sopir, Scherif von Mekka
Omar, Heerführer unter Mahomet
Seide, Mahomets Sklave

Palmire, Mahomets Sklavin
Phanor, Senator von Mekka
Bürger von Mekka
Muselmänner

Der Schauplatz ist in Mekka

ERSTER AUFZUG

Erster Auftritt: Sopir · Phanor

SOPIR. Was? Ich! Vor falschen Wundern niederknieen?
Dem Gaukelspiele des Betriegers opfern?
In Mekka den verehren, den ich einst verbannt?
Nein, straft, gerechte Götter! straft Sopiren,
Wenn ich, mit diesen freien reinen Händen,
Dem Aufruhr schmeichle, den Betrug begrüße!
PHANOR. Wir ehren deinen väterlichen Eifer,
Des heiligen Senats erhabner Scherif!
Doch dieser Eifer, dieser Widerstand
Reizt nur den Sieger, statt ihn zu ermüden.
Wenn du denselben Mahomet vor Zeiten
Durch der Gesetze Kraft darnieder hieltest,
Und eines Bürgerkrieges furchtbarn Brand
In seinen ersten Funken weise tilgtest,
Da war er noch ein Bürger und erschien
Als Schwärmer, Ordnungsstörer, Aufruhrstifter;
Heut ist er Fürst, er triumphiert, er herrscht.
Aus Mekka mußt' er als Betrieger flüchten,
Medina nahm ihn als Propheten auf,

Ja, dreißig Nationen beten ihn
Und die Verbrechen an, die wir verwünschen.
Was sag' ich! Selbst in diesen Mauern schleicht
Der Gift des Wahnes. Ein verirrtes Volk,
Berauscht von trübem Feuereifer, gibt
Gewicht den falschen Wundern, breitet
Parteigeist aus und reget innern Sturm.
Man fürchtet und man wünscht sein Heer, man glaubt
Ein Schreckensgott begeistre, treibe, führe
Unwiderstehlich ihn von Sieg zu Sieg.
Zwar sind mit dir die echten Bürger eins;
Doch ihre Zahl ist kleiner als du denkst.
Wo schmeichelt sich die Heuchelei nicht ein?
Und Schwärmerei, die ihren Vorteil kennt?
Zu Neuerungen Lust, ein falscher Eifer, Furcht
Zerstören Mekkas auferregten Kreis,
Und dieses Volk, das du so lange Zeit beglückt,
Ruft seinen Vater an und fordert Frieden.
SOPIR. Mit dem Verräter Frieden! o du feiges Volk!
Von ihm erwarte nur der Knechtschaft Jammer.
Tragt feierlich ihn her, bedient ihn knieend,
Den Götzen, dessen Last euch bald erdrückt.
Doch ich bewahr' ihm einen ewgen Haß,
Mein tief verwundet Herz, nie kann es heilen.
Und er nährt gleiche Rache gegen mich.
Mein Weib und meine Kinder mordet' er,
Bis in sein Lager trug ich Schwert und Tod,
Sein eigner Sohn fiel, Opfer meiner Wut.
Nein! nein! Der Haß glüht ewig zwischen uns,
Und keine Zeit kann dieses Feuer löschen.
PHANOR. Verbirg die Glut, sie brenne heimlich fort;
Dem Ganzen opfre deiner Seele Schmerzen.
Rächst du die Deinen, wenn er diese Stadt
Mit Feuer und mit Schwert verheerend straft?
Verlorst du Sohn und Tochter, Gattin, Bruder;
Den Staat bedenke, der gehört dir an.

SOPIR. Dem Staate bringt die Furchtsamkeit Verderben.
PHANOR. Auch Starrsinn bringt ihn seinem Falle nah.
SOPIR. So fallen wir! wenn's sein muß.
PHANOR.   Diese Kühnheit
Setzt uns dem Schiffbruch aus, so nah dem Hafen.
Du siehst, der Himmel gab in deine Hand
Ein Mittel den Tyrannen zu bezähmen.
Palmire, seines Lagers holder Zögling,
Die in den letzten Schlachten du geraubt,
Ist als ein Friedensengel uns erschienen,
Der seine Siegerwut besänftgen soll.
Schon forderte sein Herold sie zurück.
SOPIR. Und diese gäb' ich dem Barbaren wieder?
Du wolltest, daß mit solchem edlen Schatz
Die Räuberhände sich bereicherten?
Wie? Da er uns mit Schwert und Trug bekämpft,
Soll Unschuld sich um seine Gunst bewerben?
Und Schönheit seine tolle Wut belohnen?
Mein graues Haar trifft der Verdacht wohl nicht,
Daß ich in ihr das holde Weib begehre;
Denn jugendliche Glut erregt nicht mehr
Mein traurig Herz, erdrückt von Zeit und Jammer.
Doch sei es, daß vom Alter selbst die Schönheit
Ein unwillkürlich stilles Opfer fordre!
Mag ich vielleicht, dem eigne Kinder fehlen,
In ihr das längst Verlorne wieder sehen!
Ich weiß nicht welcher Hang zu ihr mich zieht,
Die Öde mancher Jahre wieder füllt.
Sei's Schwäche, sei's Vernunft, nicht ohne Schaudern
Säh' ich sie in des Lügenkünstlers Hand.
O möchte sie sich meinen Wünschen fügen,
Und heimlich diesen Schutzort lieb gewinnen!
O daß ihr Herz, für meine Wohltat fühlbar,
Ihn, den ich hassen muß, verwünschen möchte!
Sie kommt, in diesen Hallen mich zu sprechen,
Im Angesicht der Götter dieses Hauses.

Sie kommt! Ihr Antlitz, edler Unschuld Bild,
Läßt alle Reinheit ihres Herzens sehen. *Phanor ab.*

Zweiter Auftritt: Sopir · Palmire

SOPIR. Wie segn' ich, edles Kind, das Glück des Kriegs,
Das dich, durch meinen Arm, zu uns geführt!
Nicht in Barbaren Hand bist du gefallen.
Ein jeder, so wie ich, ehrt dein Geschick,
Dein Alter, deiner Schönheit, deiner Jugend Reiz.
O sprich! und blieb mir, in dem Sturm der Zeit,
Bei meinem Volke, noch so viel Gewalt,
Um deine stillen Wünsche zu befriedgen,
So will ich meine letzten Tage segnen.
PALMIRE. Zwei Monden schon genieß' ich deinen Schutz,
Erhabner Mann, und dulde mein Geschick,
Das du erleichterst und die Tränen stillest,
Die eine harte Prüfung mir entlockt.
Wohltätger Mann! Du öffnest mir den Mund;
Von dir erwart' ich meines Lebens Glück.
Wie Mahomet begehrt von meinen Banden mich
Befreit zu sehn, so wünsch' ich's auch. Entlaß
Ein Mädchen, die des Krieges schwere Hand
Nicht fühlen sollte. Sei, nach dem Propheten,
Mein zweiter Vater, dem ich alles danke.
SOPIR. Du sehnst dich nach den Fesseln Mahomets,
Dem Lärm des Lagers, nach der Wüste Schrecknis!
Ein wandelnd Vaterland, reizt es so sehr?
PALMIRE. Dort ist mein Herz, dort ist mein Vaterland;
Mein erst Gefühl hat Mahomet gebildet,
Von seinen Frauen ward ich auferzogen,
In ihrer Wohnung, einem Heiligtum,
Wo diese Schar, verehret und geliebt
Von ihrem Herrn, in ruhigen Gebeten
Und still beschäftigt, selge Zeiten lebt.
Der einzge Tag war mir ein Tag des Grauens,
An dem der Krieg in unsre Wohnung drang,

Und unsrer Helden Kraft nur kurze Zeit
Den Streichen eines raschen Feindes wich.
O Herr! verzeihe meinen Schmerzgefühlen!
Du hältst mich hier; doch bin ich immer dort.
SOPIR. Wohl, ich versteh'! die Hoffnung nähresr du,
Des stolzen Mannes Herz und Hand zu teilen.
PALMIRE. Herr, ich verehr' ihn, ja ich glaube, bebend,
In Mahomet den Schreckensgott zu sehen.
Zu solchem Bunde strebt mein Herz nicht auf,
Aus solcher Niedrigkeit zu solchem Glanz.
SOPIR. Wer du auch seist, ist denn wohl er geboren,
Dich als Gemahl, als Herr dich zu besitzen?
Das Blut aus dem du stammst scheint mir bestimmt,
Dem frechen Araber Gesetz zu geben,
Der über Könige sich nun erhebt.
PALMIRE. Ich weiß von keinem Stolze der Geburt;
Nicht Vaterland, nicht Eltern kannt' ich je;
Mein Los von Jugend auf war Sklaverei.
Die Knechtschaft macht mich vielen andern gleich,
Und alles ist mir fremd, nur nicht mein Gott.
SOPIR. Wie? dir ist alles fremd und dir gefällt
Ein solcher Zustand? Wie? du dienest einem Herrn
Und fühlst nach einem Vater keine Sehnsucht!
In meinem traurigen Palast allein
Und kinderlos, o fänd' ich solche Stütze!
Und wenn ich dir ein heiteres Geschick
Bereitet, wollt' ich in den letzten Stunden
Die Ungerechtigkeit des meinigen vergessen.
Doch ach! verhaßt bin ich, mein Vaterland
Und mein Gesetz dem eingenommnen Herzen.
PALMIRE. Wie kann ich dein sein, bin ich doch nicht mein!
Ungern, o güt'ger Mann, verlass' ich dich;
Doch Mahomet, er ist und bleibt mein Vater.
SOPIR. Ein Vater, solch ein triegrisch Ungeheuer!
PALMIRE. Welch unerhörte Reden gegen den,
Der, als Prophet auf Erden angebetet,

Vom Himmel uns die heilge Botschaft bringt!
SOPIR. O wie verblendet sind die Sterblichen,
Wenn sie ein falscher Heuchelwahn betäubt!
Auch mich verläßt hier alles, ihm Altäre,
Dem Frevler, zu errichten, den ich, einst
Sein Richter, schonte, der, ein Missetäter,
Von hier entfloh und Kronen sich erlog.
PALMIRE. Mich schaudert! Gott! Sollt' ich in meinem Leben
So freche Reden hören! und von dir!
Die Dankbarkeit, die Neigung räumte schon
Gewalt auf dieses Herz dir ein. Von dir
Vernehm' ich diese Lästrung auf den Mann,
Der mich beschützt, mit Schrecken und mit Abscheu.
SOPIR. Ach! in des Aberglaubens festen Banden
Verliert dein schönes Herz die Menschlichkeit.
Wie jede Knechtschaft, raubt auch diese dir
Den freien Blick das Würdige zu schätzen.
Du jammerst mich, Palmire! deinen Irrtum,
Der dich umstrickt, bewein' ich wider Willen.
PALMIRE. Und meine Bitte willst du nicht gestatten?
SOPIR. Nein! dem Tyrannen, der dein Herz betrog,
Das, zart und biegsam, sich ihm öffnete,
Geb' ich dich nicht zurück. Du bist ein Gut,
Durch das mir Mahomet verhaßter wird.

Dritter Auftritt: Die Vorigen · Phanor

SOPIR. Was bringst du, Phanor?
PHANOR.   An dem Tor der Stadt,
Das gegen Moabs reiche Felder weist,
Ist Omar angelangt.
SOPIR.   Wie? Omar? Dieser wilde
Verwegne Mann, den auch der Irrtum faßte
Und an den Wagen des Tyrannen fesselte?
Als Bote kommt er des Verführers nun,
Den er zuerst, als guter Bürger, selbst
Verabscheut und bekämpft, und so, vor vielen,

Sich um sein Vaterland verdient gemacht.
PHANOR. Er liebt es noch vielleicht; denn diesmal kommt er
Nicht schrecklich als ein Krieger; seine Hand
Trägt einen Ölzweig über seinem Schwert,
Und bietet uns ein Pfand des Friedens an.
Man spricht mit ihm, man tauschet Geiseln aus,
Er bringt Seiden mit, den jungen Krieger,
Den Liebling des Propheten, und des Heers
Erfreulich schöne Hoffnung —
PALMIRE.   Gott! welch Glück!
Seide kommt!
PHANOR.   Und Omar nahet schon.
SOPIR. Ich muß ihn hören. Lebe wohl, Palmire!
Palmire geht.
Und Omar wagt's, vor meinen Blick zu treten!
Was kann er sagen! Götter meines Landes!
Dreitausend Jahre schützt ihr Ismaels
Großmütge Kinder. Sonne! heilge Lichter!
Der Götter Bilder, deren Licht ihr bringt,
Blickt auf mich nieder, stärket meine Brust,
Die ich dem Unrecht stets entgegensetzte!

Vierter Auftritt: Sopir · Omar · Phanor

SOPIR. Nun also kommst du nach sechs Jahren wieder,
Betrittst dein Vaterland, das einst dein Arm
Verteidigte, das nun dein Herz verrät?
Noch sind von deinen Taten diese Mauern
Erfüllt, und du, Abtrünniger, erscheinst
Im heiligen Bezirk, verwegen, wo
Die Götter, die Gesetze herrschen, die du flohst.
Was bringst du, Werkzeug eines Räubers der
Den Tod verdient? Was willst du?
OMAR.   Dir vergeben!
Der göttliche Prophet sieht deine Jahre,
Dein frühes Unglück mit Bedauern an.
Er ehret deinen Mut und reichet dir

Die Hand die dich erdrücken könnte. Nimm
Den Frieden an, den er euch bieten mag!
SOPIR. Und er, der Aufruhrstifter, der um Gnade
Zu flehen hätte, will uns Friede schenken!
Erlaubt ihr, große Götter, daß der Frevler
Uns Frieden geben oder nehmen könne?
Und du, der des Verräters Willen bringt,
Errötest nicht solch einem Herrn zu dienen?
Hast du ihn nicht gesehn, verworfen, arm,
Am letzten Platz der letzten Bürger kriechen?
Wie war er weit von solchem Ruhm entfernt,
Der sich um ihn gewaltsam nun verbreitet.
OMAR. Nichtswürdge Hoheit fesselt deinen Sinn.
So wägst du das Verdienst? und schätzest Menschen
Nach dem Gewicht des Glücks in deiner Hand?
Und weißt du nicht, du schwacher stolzer Mann,
Daß das Insekt das sich im Halm verbarg,
So wie der Adler der die Wolken teilt,
Dem Ewigen belebter Staub erscheine?
Die Sterblichen sind gleich! Nicht die Geburt,
Die Tugend nur macht allen Unterschied.
Doch Geister gibt's, begünstiget vom Himmel,
Die durch sich selbst sind, alles sind und nichts
Dem Ahnherrn schuldig, nichts der Welt. So ist
Der Mann, den ich zum Herren mir erwählte.
Er in der Welt allein verdient's zu sein;
Und allen Sterblichen, die ihm gehorchen sollen,
Gab ich ein Beispiel, das mich ehren wird.
SOPIR. Omar, ich kenne dich. Du scheinest hier
Als Schwärmer dieses Wunderbild zu zeichnen;
Doch seh' ich nur den klugen Redner durch.
Du glaubst umsonst, wie andre, mich zu täuschen;
Ihr betet an wo ich verachten muß.
Verbanne jeden Trug! Mit weisem Blick
Sieh den Propheten an den du verehrst.
Den Menschen sieh in Mahomet! Gesteh!

Du hobst ihn, du, zu dieser Himmelshöhe.
Des Schwärmens, der Verstellung sei genug!
Laß mit Vernunft uns deinen Meister richten.
Wie zeigt er sich? Er treibt, ein roher Knecht,
Kamele vor sich her, betriegt, durch Heucheldienst
Und Schwärmerei, ein Weib das ihm vertraut.
So wird Fatime sein. Von Traum in Traum
Führt er ein leicht gewonnen Volk und macht Partei,
Erregt die Stadt. Man fängt ihn, führet ihn
Zu meinen Füßen. Vierzig Älteste
Verdammen, sie verbannen ihn, und so
Zu leicht bestraft, wächst nur sein kühner Unsinn.
Von Höhle flüchtet er zu Höhle mit Fatimen,
Und seine Jünger, zwischen Stadt und Wüste,
Verbannt, verfolgt, geächtet, eingekerkert,
Verbreiten ihre Wut als Götterlehre.
Medina wird von ihrem Gift entzündet.
Da standest du, du selbst, du standest auf,
Mit Weisheit diesem Übel abzuwehren.
Da warst du glücklich, brav, gerecht, und stelltest
Als freier Mann dich gegen Tyrannei.
Ist er Prophet, wie durftest du ihn strafen?
Ist er Betrieger, und du dienest ihm?

OMAR. Ich wollt' ihn strafen, als ich sie verkannte,
Die ersten Schritte dieses großen Mannes,
Doch nun erkenn' ich's, ja, er ist geboren,
Die Welt zu seinen Füßen zu verwandeln.
Sein Geist erleuchtete den meinen, und ich sah ihn
Zum unbegrenzten Laufe sich erheben.
Beredt und unerschüttert, immer wunderbar,
Sprach, handelt', straft', vergab er wie ein Gott.
Da schloß ich diesen ungeheuern Taten
Mein Leben an, und Thronen und Altäre
Erwarben wir; ich teile sie mit ihm.
Ich war, laß mich's gestehn, so blind wie du.
Ermanne dich, Sopir, verlasse, schnell

Bekehrt wie ich, den alten Eigensinn!
Hör auf, die Wut des falschen Eifers mir
Verworren eitel vorzurühmen, daß
Du grausam unser Volk verfolgest, unsre Brüder
Mit Freuden quälst und lästerst unsern Gott.
Dem Helden fall zu Füßen, den du einst
Zu unterdrücken dachtest! Küsse diese Hand,
Die nun den Donner trägt! Ja, sieh mich an,
Der Erste bin ich nach ihm auf der Erde.
Die Stelle die dir bleibt, ist schön genug
Und wert, daß du dem neuen Herren huldigst.
Sieh was wir waren, siehe was wir sind.
Für große Menschen ist das schwache Volk
Geboren. Glauben soll's, bewundern und gehorchen.
Komm, herrsche nun mit uns, erhebe dich
Teil unsre Größe, der sich nichts entzieht,
Und schrecke so das Volk das dich beherrschte!
SOPIR. Nur Mahomet und dich, und deinesgleichen,
Wünsch' ich durch meine Redlichkeit zu schrecken.
Du willst, der Scherif des Senates soll
Abtrünnig dem Betrieger huldgen, den Verführer
Bestätgen, den Rebellen krönen? Zwar
Ich leugne nicht, daß dieser kühne Geist
Viel Klugheit zeigt und Kraft und hohen Mut;
Wie du, erkenn' ich deines Herrn Talente,
Und wär' er tugendhaft, er wär' ein Held.
Doch dieser Held ist grausam, ein Verräter;
So schuldig war noch niemals ein Tyrann.
Mir kündigst du die triegerische Huld
Vergebens an; der Rache tiefe Künste
Versteht er meisterlich, mir drohen sie.
Im Laufe dieses Krieges fiel sein Sohn
Durch meine Hand. Ja! dieser Arm erlegt' ihn,
Und meine Stimme sprach des Vaters Bann;
Mein Haß ist unbezwinglich, wie sein Zorn.
Will er nach Mekka, muß er mich verderben,

Und der Gerechte schont Verräter nicht.
OMAR. Daß Mahomet verzeihend schonen kann,
Sollst du erfahren. Folge seinem Beispiel!
Er trägt dir an zu teilen, deine Stämme
Vom Raub der überwundnen Kön'ge zu bereichern.
Um welchen Preis willst du den Frieden geben?
Um welchen Preis Palmiren? Unsre Schätze
Sind dein.
SOPIR. Und so glaubst du mich anzulocken!
Mir meine Schande zu verkaufen! Mir
Den Frieden abzumarkten, weil du Schätze
Zu bieten hast, die ihr mit Missetaten
Errangt! Palmiren will er wieder? Nein!
So viele Tugenden sind nicht geschaffen
Ihm untertan zu sein. Er soll sie nicht besitzen,
Der Trieger, der Tyrann, der die Gesetze
Zu stürzen kommt, die Sitten zu vergiften.
OMAR. Du sprichst unbiegsam noch als hoher Richter,
Der von dem Tribunal den Schuldgen schreckt.
Du willst ein Staatsmann sein; so denke, handle
Wie's einem Staatsmann ziemt. Betrachte mich
Als den Gesandten eines großen Manns
Und Königs!
SOPIR. Wer hat ihn gekrönt?
OMAR. Der Sieg!
Bedenke seine Macht und seinen Ruhm!
Man nennt ihn Überwinder, Held, Erobrer;
Doch heute will er Friedensstifter heißen.
Noch ist sein Heer von dieser Stadt entfernt;
Doch es umschließt euch bald, und diese Mauern,
Die mich gezeugt, soll ich belagern helfen.
O höre mich! Laß uns das Blut ersparen;
Er will dich sehn, er will dich sprechen!
SOPIR. Wer?
OMAR. Er wünscht es.
SOPIR. Mahomet?

OMAR. Er selbst!
SOPIR. Verräter!
Herrscht' ich allein in diesen heilgen Mauern,
So würde Strafe statt der Antwort folgen!
OMAR. Sopir, mich jammert deine falsche Tugend!
Doch da, wie du gestehst, ein abgewürdigter
Senat das schwache Reich mit dir zu teilen
Sich anmaßt, wohl, er soll mich hören.
Nicht alle Herzen, weiß ich, sind für dich.
SOPIR. Ich folge dir, und zeigen wird sich bald
Wen man zu hören hat. Gesetz und Götter
Und Vaterland verteidigt meine Stimme;
Erhebe dann die deine! Leihe sie
Dem Gotte der Verfolgung, dem Entsetzen
Des menschlichen Geschlechts, den ein Betrieger,
Die Waffen, in der Hand, verkünden darf.
  Zu Phanor, nachdem Omar abgegangen.
Und du! hilf den Verräter mir verdrängen.
Ihn dulden heißt ihn schonen, heißt es sein.
Komm, laß uns seinen Plan vereiteln! seinen Stolz
Beschämen! Komm! und wenn ich nicht vermag
Dem Richtplatz ihn zu weihen, steig' ich willig
Ins Grab hinunter. Hört mich der Senat;
Befreit sind wir, die Welt ist's vom Tyrannen.

ZWEITER AUFZUG

Erster Auftritt: Seide · Palmire

PALMIRE. Führt dich ein Gott in mein Gefängnis? soll
Mein Jammer enden? seh' ich dich, Seide!
SEIDE. O süßer Anblick! Freude meines Lebens!
Palmire, meiner Schmerzen einzger Trost!
Wie viele Tränen hast du mich gekostet,
Seit jenem Tag des Schreckens, da der Feind
Dich meinem blutgefärbten Arm entriß.
Vergebens widerstand ich seiner Macht,

Die in das Heiligste des Lagers drang;
Vergebens stürzt' ich mich den Räubern nach;
Nur einen Augenblick errang ich dich.
Bald lag ich unter Toten hingestreckt
Am Saibar, verzweifelnd; mein Geschrei,
Das dich nicht mehr erreichte, rief den Tod.
Er hörte nicht. In welchen Abgrund stürzte,
Geliebteste Palmire, dein Verlust
Mein armes Herz. Mit jammervollen Sorgen
Bedacht' ich die Gefahren um dich her.
Entbrannt von Wut irrt' ich und schalt, verwegen,
Der Rache Zaudern, stürzte mich im Geist
Auf diese Mauern. Ich beschleunigte
Den Tag des Bluts, des Mordes, und schon flammte,
Von meinen Händen angezündet, der Bezirk,
Der deinen Jammer eingekerkert hält.
Vergebens! Meine rege Phantasie
Verschwand in Finsternis. Ich war allein.
Nun aber handelt Mahomet. Wer darf
In seiner Plane Göttertiefe spähen?
Er sendet Omar fort, nach Mekka, hör' ich,
Um einen heilgen Stillstand einzugehen;
Ich eil' ihm nach, am Tor erreich' ich ihn,
Man fordert Geiseln, und ich bin bereit.
Man nimmt mich an, man läßt mich ein, und hier
Bleib' ich bei dir, gefangen oder tot.
PALMIRE. Du kommst mich von Verzweiflung zu erretten!
In dieser Stunde warf ich mich, bewegt,
Zu meines Räubers Füßen flehend hin.
O kenne, rief ich aus, mein ganzes Herz!
Mein Leben ist im Lager. Wie du mich von dort
Entführtest, sende mich zurück und gib
Das einzge Gut, das du geraubt, mir wieder!
Vergebens flossen meine Tränen, hart
Versagt' er meine Bitten, mir verschwand
Des Tages Licht; mein Herz, beklemmt und kalt,

Von keiner Hoffnung mehr belebt, es schien
Auf ewig nun zu stocken; alles war
Für mich verloren, und Seide kommt.
SEIDE. Und wer kann deinen Tränen widerstehn?
PALMIRE. Sopir. Er schien gerührt von meinem Jammer
Doch bald, verhärtet und verstockt, erklärt er,
Es sei umsonst, er gebe mich nicht los. —
SEIDE. Du irrst, Barbar! dir drohet Mahomet
Und Omar; auch Seide darf sich nennen
Nach diesen großen Namen. Liebe,
Vertrauen, Hoffnung, Glaube, Mut befeuern
Den Jüngling, der nach Heldenruhm sich sehnte,
Und dem nun hier die schönste Palme winkt.
Wir brechen deine Ketten, trocknen deine Tränen!
Gott Mahomets! Beschützer unsrer Waffen!
Du, dessen heiliges Panier ich trug,
Der du Medinens Mauern niederrissest;
Auch Mekka stürze nieder, uns zu Füßen!
Omar ist in der Stadt. Geruhig sieht
Das Volk ihn an, nicht mit Entsetzen,
Wie Feinde feindlich den Besieger sehn.
Ihn sendet Mahomet zu großen Zwecken.
PALMIRE. Uns liebet Mahomet, befreiet mich,
Verbindet uns, zwei Herzen die ihm ganz
Gehören; aber ach! er ist entfernt,
Wir sind in Ketten.

Zweiter Auftritt: Die Vorigen · Omar

OMAR. Nur getrost, es springen
Die Ketten bald entzwei. Der Himmel ist
Euch günstig. Mahomet ist nah.
SEIDE. Wer?
PALMIRE. Unser hoher Vater?
OMAR. Zu dem Rat
Von Mekkas Ältesten sprach eben jetzt
Sein Geist durch meinen Mund.

«Der Freund des Gottes der die Schlachten lenkt,
Der große Mann, der, einst bei euch geboren,
Nun Könige beherrschet und beschützt,
Den wollt ihr nicht als Bürger anerkennen?
Kommt er um euch zu fesseln? zu verderben?
Er kommt euch zu beschützen! und noch mehr,
Er kommt euch zu belehren, und sein Reich
Allein in euren Herzen aufzurichten.»
So sprach ich; mancher Richter war bewegt,
Die Geister schwankten. Doch Sopir steht auf,
Er, der sich vor dem Himmelslichte fürchtet,
Das allen alten Wahn zerstreuen soll,
Beruft das Volk, für sich es zu bestimmen;
Es läuft zusammen, und ich dringe zu.
Nun red' ich auch und weiß die Bürger bald
Zu schrecken, bald zu überreden. Endlich
Erhalt' ich einen Stillstand und das Tor
Für Mahomet ist offen, endlich naht er,
Nach funfzehnjähriger Verbannung, seinem Herde.
Die Tapfersten umgeben ihn, er kommt
Mit Ali, Pharan, Ammon; alles Volk
Stürzt, ihn zu sehn, an seinen Weg. Die Blicke
Sind, wie der Bürger Sinn, verschieden. Dieser sieht
In ihm den Helden, dieser den Tyrannen.
Der eine flucht und droht, der andre stürzt
Zu seinen Füßen, küßt sie, betet an.
Wir rufen dem bewegten Volk entgegen
Die heilgen Namen: Friede! Freiheit! Gott!
Und die Partei Sopirs, verzweifelnd, haucht
Der Raserei ohnmächtge Flammen aus.
Durch den Tumult, mit ruhig freier Stirn,
Tritt Mahomet heran, als Herrscher; doch er führt
Den Ölzweig, und der Stillstand ist geschlossen.
Groß ist der Augenblick. Hier kommt er selbst.

MAHOMET · ZWEITER AUFZUG

Dritter Auftritt: Mahomet · Omar · Gefolge · Seide · Palmire

MAHOMET. Unüberwindliche Gefährten meiner Macht,
Mein edler Ali, Morat, Pharan, Ammon,
Begebt euch zu dem Volk zurück, belehrt's
In meinem Namen, droht, versprecht. Die Wahrheit
Allein soll sie regieren, wie mein Gott.
Anbeten soll man ihn, man soll ihn fürchten.
Wie? Auch Seide hier?
SEIDE.   Mein Vater! mein Gebieter!
Der Gott, der dich begeistert, trieb mich an.
Bereit für dich Unmögliches zu wagen,
Zu sterben, eilt' ich vor, eh' du befahlst.
MAHOMET. Du hättest warten sollen! Mir zu dienen
Versteht nur der, der meinen Wink befolgt.
Gehorch' ich meinem Gott, gehorchet mir!
PALMIRE. O Herr! vergib ihm, seiner Ungeduld!
Du ließest uns zusammen auferziehn;
Ein Geist belebt uns, Ein Gefühl durchdringt uns.
Ach! meine Tage waren trüb genug.
Entfernt von dir, von ihm, gefangen, schmachtend,
Eröffnet sich mein mattes Aug' dem Licht,
Nach langer Zeit, zum ersten Male wieder.
Ach! diesen Augenblick vergäll' ihn nicht.
MAHOMET. Genug, Palmire! Deines Herzens Tiefen
Durchschau' ich. Bleibe still und unbesorgt.
Leb' wohl! Die Sorge für Altar und Thron
Hält mich nicht ab, dein Schicksal zu bedenken.
Ich bin für dich besorgt, wie für die Welt;
Drum warn' ich dich vor einem Manne, vor
Sopiren.
    Zu Seiden. Du suchst meine Krieger auf.

Vierter Auftritt: Mahomet · Omar

MAHOMET. Du, wackrer Omar, bleibest und vernimmst,
Was ich in meinem Sinn und Herzen wälze.
Soll ich die Stadt belagern, die vielleicht

Hartnäckig widersteht, und meinen Sieg
Im raschen Laufe hemmet, ja wohl gar
Die Bahn begrenzt die ich durchlaufen kann?
Die Völker müssen keine Zeit gewinnen,
Von meiner Taten Glanz sich zu erholen.
Das Vorurteil beherrscht den Pöbel. Alt
Ist das Orakel, die gemeine Sage,
Die einen gottgesandten Mann der Welt
Versprechen. Überall soll ihn der Sieg
Erst krönen, und er soll nach Mekka dann
Mit einem Ölzweig kommen, wohlempfangen,
Den Krieg von dieser heilgen Stätte wenden.
Laß uns der Erde Wahn getrost benutzen;
Ich fühle mich zu ihrem Herrn bestimmt.
Die Meinen dringen schon mit neuem Eifer
Und Geisteskraft aufs unbeständge Volk.
Du aber sage mir, wie fandest du
Palmiren und Seiden?

OMAR.   Immer gleich.
Von allen Kindern, welche Hammon dir
Erzogen, sie zu deinem Dienst, zu deinem
Gesetz genähret und gebildet, die
Vor deinem Gott sich beugen, dich als Vater
Verehren, keins von allen hat ein Herz
So bildsam, keins von allen einen Geist
Zum Glauben so geneigt als dieses Paar.
Ergeben sind sie dir wie keine sind.

MAHOMET. Und dennoch sind sie meine größten Feinde
Sie lieben sich! Das ist genug.

OMAR.   Und schiltst
Du ihre Zärtlichkeit?

MAHOMET.   O lerne mich
Und meine Wut und meine Schwachheit kennen!

OMAR. Was sagst du?

MAHOMET.   Omar, dir ist nicht verborgen,
Wie Eine Leidenschaft die übrigen,

Die in mir glühen, mit Gewalt beherrscht.
Von Sorge für die Welt belastet, rings umgeben
Vom Sturm des Krieges, der Parteien Woge,
Schwing' ich das Rauchfaß, führ' ich Szepter, Waffen;
Mein Leben ist ein Streit, und mäßig, nüchtern,
Bezwing' ich die Natur mit Ernst und Strenge.
Verbannt ist der verräterische Trank,
Der Sterbliche zu heben scheint und schwächt.
Im glühnden Sand, auf rauhen Felsenflächen,
Trag' ich, mit dir, der strengen Lüfte Pein,
Und keiner unsrer Krieger duldet besser
Der Heereszüge tausendfältge Not.
Für alles tröstet mich die Liebe. Sie allein,
Sie ist mein Lohn, der Arbeit einzger Zweck,
Der Götze dem ich räuchre, ja! mein Gott!
Und diese Leidenschaft sie gleicht der Raserei
Der Ehrsucht, die mich über alles hebt.
Gesteh' ich's! Heimlich glüh' ich für Palmiren! sie
Ist mir vor allen meinen Frauen wert.
Begreifst du nun die höchste Raserei
Der Eifersucht, wenn sich Palmire mir
Zu Füßen wirft, ihr ganzes Herz mir zeigt,
Das einem andern schon gehört? Entrüstet
Steh' ich vor ihr und fühle mich beschämt.
OMAR. Und du bist nicht gerochen?
MAHOMET.   Hör erst alles,
Und lern ihn kennen, um ihn zu verwünschen.
Die beiden, meine Feinde, die Verbrecher, sind —
Sind Kinder des Tyrannen, den ich hasse!
OMAR. Sopir?
MAHOMET. Ist Vater dieser beiden! Hammon brachte
Vor funfzehn Jahren sie in meine Hand.
An meinem Busen nährt' ich diese Schlangen,
Und ihre Triebe feindeten mich an.
Sie glühten für einander, und ich fachte
Selbst Odem ihren Leidenschaften zu.

Vielleicht versammelt hier der Himmel alle
Verbrechen! Ja ich will — er kommt, er blickt
Uns grimmig hassend an, und seinen Zorn
Verbirgt er nicht. Du gehst, bemerkest alles.
Mit meinen Tapfern soll sich Ali fest
Am Tore halten! Bringe mir Bericht,
Zu überlegen, ob mit meinen Streichen
Auf ihn ich zaudern oder eilen soll.

Fünfter Auftritt: Mahomet · Sopir

SOPIR. O welche Last zu meinen tiefen Schmerzen!
 Empfangen soll ich hier den Feind der Welt.
MAHOMET.
 Da uns der Himmel hier zusammenbringt, so komm!
 Sieh ohne Furcht mich an und ohn' Erröten.
SOPIR. Erröten sollt' ich nur für dich, der nicht
 Geruht, bis mit Gewalt und List er endlich
 Sein Vaterland dem Abgrund zugeführt;
 Für dich, der hier nur Missetaten sät,
 Und mitten in dem Frieden Krieg erzeugt.
 Dein Name schon zerrüttet unsre Häuser,
 Und Gatten, Eltern, Mütter, Kinder feinden
 Sich, Weltverwirrer, deinetwegen an.
 Der Stillstand ist für dich nur Mittel uns
 Zu untergraben; wo du schreitest drängt
 Der Bürgerkrieg sich deinem Pfade nach.
 Du Inbegriff von Lügen und von Kühnheit!
 Tyrann der Deinen! und du wolltest hier
 Mir Friede geben und mir Gott verkünden?
MAHOMET. Spräch' ich mit einem andern als mit dir,
 So sollte nur der Gott der mich begeistert reden.
 Das Schwert, der Koran, in der blutgen Hand,
 Sollt' einem jeden Schweigen auferlegen.
 Wie Donnerschläge wirkte meine Stimme,
 Und ihre Stirnen säh' ich tief im Staub.
 Doch dich behandl' ich anders, und mit dir

Sprech' ich als Mensch und ohne Hinterhalt.
Ich fühle mich so groß, daß ich dir nicht
Zu heucheln brauche. Wir sind hier allein!
Du sollst mich kennenlernen; höre mich.
Mich treibt die Ehrsucht; jeden Menschen treibt sie;
Doch niemals hat ein König, nie ein Priester,
Ein Feldherr, oder Bürger solchen Plan
Wie ich empfangen oder ausgebildet.
Von mir geht eine rasche Wirkung aus,
Die auch den Meinen hohes Glück verspricht.
Wie manches Volk hat auf der Erde schon
Geglänzt an seiner Stelle durch Gesetz,
Durch Künste, doch besonders durch den Krieg.
Nun endlich tritt Arabien hervor.
Ein edles Volk, in Wüsten, unbekannt,
Vergräbt es lange seinen hohen Wert.
Blick auf und sieh die neuen Siegestage
Herannahn! Sieh von Norden gegen Süden
Die Welt versunken, Persien in Blut,
Schwach Indien, in Sklaverei Ägypten
Erniedrigt, und den Glanz der Mauern Konstantins
Verfinstert; sieh das Reich, dem Rom gebot,
Nach allen Seiten auseinanderbrechen,
Zerstückt den großen Körper, seine Glieder,
Zerstreut und ohne Hoffnung, traurig zucken.
Auf diese Trümmern einer Welt laß uns
Arabien erheben. Neuen Gottesdienst
Bedürfen sie, bedürfen neue Hülfe,
Die Tiefgesunknen, einen neuen Gott.
Einst gab Osiris den Ägyptern, einst
Den Asiaten Zoroaster, Moses
Den Juden, in Italien gab Numa
Halbwilden Völkern unzulängliche
Gesetze; nun, nach tausend Jahren, komm' ich,
Die gröberen Gebote zu verändern.
Ein edler Joch biet' ich den Völkern an.

Die falschen Götter stürz' ich; neuer Gottesdienst,
Die erste Stufe meiner Größe, lockt
Die Herzen an. Mit Unrecht tadelst du,
Daß ich mein Vaterland betriege. Nein,
Ich raub' ihm seines Götzendienstes Schwäche,
Und unter Einem König, Einem Gott,
Vereint es mein Gesetz. Wie es mir dient,
So soll es herrlich werden auf der Erde.

SOPIR. Das sind nun deine Plane! Kühn gedenkest du
In andere Gestalt, nach deinem Willen,
Die Welt zu modeln, willst, mit Mord und Schrecken,
Dem Menschen deine Denkart anbefehlen;
Und du, Verheerer, sprichst von Unterricht!
Ach! wenn ein Irrtum uns verführte, wenn
Ein Lügengeist im Dunkeln uns bezwang,
Mit welcher Schreckensfackel dringst du ein,
Uns zu erleuchten! Wer erteilte dir
Das Recht zu lehren, uns die Zukunft zu
Verkündigen, das Rauchfaß zu ergreifen und
Das Reich dir anzumaßen?

MAHOMET.   Dieses Recht
Gibt sich der hohe Geist, der große Plane
Zu fassen und beharrlich zu verfolgen
Verstehet, selbst, und fühlet sich geboren,
Das dunkle, das gemeine Menschenvolk zu leiten.

SOPIR. Und jeder mutige Betrieger dürfte
Den Menschen eine Kette geben? Er
Hat zu betriegen Recht, wenn er mit Größe
Betriegt?

MAHOMET. Wer sie und ihr Bedürfnis kennt
Und dies befriedigt, der betriegt sie nicht.
Sie sehnen sich nach neuem Gottesdienst;
Der meine wird ihr Herz erheben. Das
Bedürfen sie. Was brachten deine Götter
Hervor? wann haben sie wohltätig sich gezeigt?
Entspringt der Lorbeer zu den Füßen ihres

Altares? Nein! dein niedrig dunkler Sinn
Entwürdiget die Menschen und entnervt sie,
Macht sie beschränkt und stumpf. Doch meine Lehre
Erhebt den Geist, entwickelt Kraft und Mut,
Macht unerschütterlich, und mein Gesetz
Erschafft sich Helden!

SOPIR.   Räuber magst du sagen!
Bei mir kann deine Lehre nicht gedeihn.
Rühm' in Medina deines Truges dich,
Wo deine Meister unter deinen Fahnen,
Verführt, sich sammeln, wo sich deinesgleichen
Zu deinen Füßen werfen.

MAHOMET.   Seinesgleichen
Hat Mahomet schon lange nicht gesehen.
Bezwungen ist Medina, Mekka zittert;
Dein Sturz ist unvermeidlich. Nimm den Frieden an!

SOPIR. Auf deinen Lippen schallt der Friede, doch
Dein Herz weiß nichts davon. Mich wirst du nicht
Betriegen.

MAHOMET. Brauch' ich das? Der Schwache nur
Bedarf des Trugs, der Mächtige befiehlt.
Befehlen werd' ich morgen das, worum
Ich heute dich ersuche. Morgen kann ich
Mein Joch auf deinem Nacken sehen; heute
Will Mahomet dein Freund sein.

SOPIR.   Freunde? Wir?
Auf welch ein neues Blendwerk rechnest du?
Wo ist der Gott, der solch ein Wunder leistet?

MAHOMET. Er ist nicht fern, ist mächtig! sein Gebot
Wird stets befolgt, er spricht zu dir durch mich.

SOPIR. Wer?

MAHOMET. Die Notwendigkeit, dein Vorteil!

SOPIR.   Nein!
Eh' uns ein solches Band vereinen soll,
Eh' mag die Hölle sich dem Himmel paaren.
Der Vorteil ist dein Gott, der meine bleibt

Gerechtigkeit, und solche Feinde schließen
Kein sicher Bündnis. Welch ein Pfand vermagst du
Zur Sicherheit der unnatürlichen
Verbindung vorzuschlagen? Ist's vielleicht
Dein Sohn, den dir mein Arm geraubt? Vielleicht
Willst du das Blut mir zeigen meiner Kinder,
Das du vergossest?

MAHOMET.   Deine Kinder! ja!
Vernimm denn ein Geheimnis, das allein
Ich auf der Welt bewahre! Du beweinest
So lange deine Kinder, und sie leben.

SOPIR. Sie leben! sagst du? Himmel! Tag des Glücks!
Sie leben! und durch dich soll ich's erfahren?

MAHOMET. In meinem Lager, unter meinen Sklaven.

SOPIR. Sie dienen dir? sie, meine Kinder, dir?

MAHOMET. Wohltätig nährt' ich sie und zog sie auf.

SOPIR. Und du erstrecktest nicht den Haß auf sie?

MAHOMET. An Kindern straf' ich nicht der Väter Schuld.

SOPIR. Vollende! sprich! enthüll ihr ganz Geschick!

MAHOMET. Ihr Leben ist, ihr Tod in meiner Hand.
Du sprichst ein einzig Wort, und sie sind dein.

SOPIR. Ich kann sie retten? Nenne mir den Preis!
O laß die Bande mich mit ihnen tauschen!
Willst du mein Blut, es fließet gern für sie.

MAHOMET. Nein! Komm vielmehr und tritt auf meine Seite!
Durch dein Gewicht befestige das Reich.
Verlasse deinen Tempel, übergib
Mir Mekka, sei gerührt von meinem Glauben,
Den Koran kündige den Völkern an,
Dien' als Prophet, als treuer Eiferer mir;
Frei ist dein Sohn, ich bin dein Eidam.

SOPIR.   Götter!
Zu welcher Prüfung habt ihr mich gespart?
Ja, ich bin Vater, Mahomet! ich fühle,
Nach funfzehn Schmerzensjahren, ganz das Glück,
Das mich erwartete, wenn ich sie wieder

Vor mir erblickte, sie an dieses Herz
Noch einmal schlösse. Gerne wollt' ich sterben,
Von ihren Armen einmal noch umfangen;
Doch wenn du forderst, daß ich meinen Gott,
Mein Vaterland an dich verrate, mich
In schnöder Heuchelei vor dir erniedrige,
So fordre lieber, daß ich die Geliebten
Mit eignen Händen opfre; meine Wahl
Wird keinen Augenblick im Zweifel schweben.
Sopir geht ab.

MAHOMET. Geh, stolzer Bürger, eigensinnger Greis!
Du forderst selbst zur Grausamkeit mich auf,
Zur unbezwungnen Härte.

Sechster Auftritt: Mahomet · Omar

OMAR.   Zeige sie,
Wenn wir nicht fallen sollen. Deiner Feinde
Geheimnisse sind mir verkauft, es steht
Die Hälfte des Senates gegen dich. Sie haben
Dich heimlich angeklagt und dich verdammt,
Und des Gerichtes heilge Scheu verbirgt
Den Meuchelmord, auf den man sinnet. Morgen,
Gleich wenn der Stillstand endet, soll Sopir
Und seine blutge Rache triumphieren.

MAHOMET. Ereilen soll sie meine Rache! Fühlen
Soll dieses widerspenstge Volk die Wut
Des Manns der zu verfolgen weiß. Sopir
Soll untergehn.

OMAR.   Wenn dieses starre Haupt
Zu deinen Füßen liegt, ist alles dein,
Die andern beugen sich; doch säume nicht!

MAHOMET. Ich muß den Zorn in meiner Brust verhalten,
Die Hand verbergen, die den Streich vollbringt,
Von mir des Pöbels Auge klug hinweg
Nach einem andern lenken.

OMAR.   Achtest du

Den Pöbel?

MAHOMET. Nein, doch muß er uns verehren.
Drum brauch' ich einen Arm, der mir gehorcht;
Die Frucht sei unser, und er trag' die Schuld.

OMAR. Der Arm ist schon gefunden! Niemand ist
Zu solcher Tat geschickter als Seide.

MAHOMET. Du glaubst?

OMAR. Er wohnt als Geisel bei Sopiren;
Er nahet sich ihm frei und findet leicht
Den Augenblick die Rache zu vollbringen,
Und sein beschränkter Sinn macht ihn geschickt.
Die andern, die sich deiner Gunst erfreun,
Sind eifrig, aber klug. Erfahrung lehrte
Sie deinen Vorteil und den eignen kennen;
Auf bloßen Glauben wagte keiner leicht
Die Schreckenstat, die ihn verderben kann.
Ein einfaches Gemüt bedarf's, das mutig blind
In seine Sklaverei verliebt sei. Nur
Die Jugend ist die Zeit der vollen Täuschung.
Seide hegt die Glut des Aberglaubens
In seinem Busen; anzufachen ist
Sie leicht.

MAHOMET. Seiden wählst du?

OMAR. Ja, den schlag' ich vor,
Des kühnen Feindes unbezähmten Sohn,
Der mit verbotnen Flammen dich verletzt.

MAHOMET.
Er sei verwünscht! Nenn ihn vor mir nicht mehr!
Die Asche meines Sohnes ruft um Rache.
Gefahr häuft auf Gefahr sich jede Stunde,
Und Leidenschaften wüten in der Brust;
Mich ziehet eine holde Schönheit an,
Ihr Vater ist mein unversöhnter Feind.
Abgründe liegen um mich her, ich schreite
Hindurch nach einem Thron! und ein Altar,
Dem neuen Gott errichtet, soll sogleich

Von unerhörten Opfern gräßlich bluten.
Sopir muß untergehn, so auch sein Sohn!
Mein Vorteil will's, mein Haß und meine Liebe.
Sie reißen mich gewaltig mit sich hin.
Die Religion verlangt es die wir bringen,
Und die Notwendigkeit, sie fordert's mit Gewalt.

DRITTER AUFZUG

Erster Auftritt: Palmire · Seide

PALMIRE. Verweile! sprich! Welch Opfer kann es sein?
 Welch Blut, das insgeheim die göttliche
 Gerechtigkeit verlangt? Verlaß mich nicht
 In diesen ahnungsvollen Augenblicken!
SEIDE. Gott würdigt, Gott beruft mich! Diesen Arm
 Hat er erwählt, ich soll ihm näher treten.
 Ein heilger Eid, ein hoher, schreckensvoller,
 Soll mich dem Unerforschlichen verbinden.
 Mich führet Omar zu dem Heilgen ein;
 Ich schwöre Gott, für sein Gesetz zu sterben;
 Mein zweiter Schwur, Palmire, bleibt für dich.
PALMIRE. Du gehst allein, warum? Was ruft man dich
 Von mir hinweg? O, könnt' ich mit dir gehen!
 An deiner Seite fühlt' ich keine Furcht.
 Ich bin beängstet. Eben Omar wollte
 Mich trösten, stärken; doch er schreckte mich.
 Er sprach geheimnisvoll, sprach von Verrat,
 Von Blut, das fließen werde, von der Wut
 Der Ältesten des Volks, von Meuterei
 Sopirens. Wenn der Stillstand nun erlischt,
 Was wird es werden? Flammen brennen schon.
 Die Dolche sind bereit, sie sind gezuckt,
 Sie werden treffen. Der Prophet hat es
 Gesagt, er trieget nicht. Was wird aus uns?
 Ich fürchte von Sopiren alles, alles für
 Seiden.

SEIDE. Wär' es möglich, daß Sopir
 Ein so verrätrisch Herz im Busen trüge!
 Als Geisel trat ich heute vor ihm auf;
 Mit Adel und mit Menschlichkeit empfing
 Er mich so schön; im Innern fühlt' ich mich,
 Wie von geheimer Macht, zu ihm gezogen,
 Und unsern Feind konnt' ich in ihm nicht sehn.
 Sein Name, seine hohe Gegenwart
 Erfüllten mich mit Ehrfurcht, sie verdeckten
 Dem unerfahrnen Jüngling seine Tücke
 Und schlossen mir das Herz gewaltig auf.
 Doch nein, dein Anblick war's, da ich dir wieder
 Zum erstenmal begegnete, mein Glück
 Von ganzer Seele fühlte, jeden Schmerz vergaß,
 Und Furcht und Sorgen alle von mir wies,
 Nichts kannte, sah, nichts hörte mehr als dich;
 Da fühlt' ich mich auch glücklich bei Sopiren.
 Nun hass' ich den Verführer desto mehr,
 Und will der Stimme, die für ihn sich regt,
 In meinem Herzen kein Gehör verleihn.
PALMIRE. Wie hat der Himmel unser Schicksal doch
 In allem inniglich verbunden! uns
 Zu Einem Willen väterlich vereint!
 Auch ich, Geliebter, wär' ich nicht die Deine
 Und zöge mich unwiderstehlich nicht
 Die Liebe zu dir hin, begeisterte
 Mich Mahomets erhabne Lehre nicht,
 Wie dich, wie gern würd' ich Sopiren trauen!
SEIDE. Das ist Versuchung, die uns zu dem Manne
 Zu reißen strebet. Laß uns widerstehn,
 Des Gottes Stimme hören, dem wir dienen.
 Ich gehe jenen großen Eid zu leisten.
 Gott, der mich hört, wird uns begünstigen,
 Und Mahomet, als Priester und als König,
 Wird unsre reine Liebe segnend krönen;
 Dich zu besitzen wag' ich jeden Schritt.

Zweiter Auftritt: Palmire

PALMIRE. Er geht beherzt; doch kann ich meinen Geist
Von einer schwarzen Ahnung nicht befreien.
Die Sicherheit geliebt zu sein, das reine
Gefühl zu lieben, heitert mich nicht auf.
Der lang ersehnte Tag erscheinet mir
Ein Tag des Schreckens. Welchen Schwur verlangt
Man von Seiden? Es verwirrt mich! Alles
Erreget mir Verdacht. Sopiren fürcht' ich
Und wenn ich mein Gebet zu Mahomet
Erhebe, flößt sein heilger Name mir
Ein Grauen ein, so sehr ich ihn verehre.
Befrei, o Gott! aus dieser Lage mich!
Mit Zittern dien' ich dir, gehorche blind.
Mach' dieser Angst ein Ende, diesen Tränen!

Dritter Auftritt: Mahomet · Palmire

PALMIRE. O Herr! dich sendet mir ein Gott zu Hülfe.
Seide —
MAHOMET *seinen Zorn verbergend.*
    Welch Entsetzen faßte dich?
Bin ich nicht hier? Was fürchtet man für ihn?
PALMIRE. O Gott! Soll ich noch mehr geängstet werden!
Welch unerhörtes Wunder! Du bist selbst
Erschüttert? Mahomet ist auch bewegt?
MAHOMET. Ich sollt' es sein, und wär' ich es um dich.
Wo ist die Scham, daß deine Jugend mir
Gewaltsam Flammen zeigen darf die ich
Vielleicht mißbillige? Und könntest du
Gefühle nähren die ich nicht gebot?
Dich warnte keine Stimme, kein geheimes
Wohltätges Schrecken? Dich, die ich gebildet,
Muß ich so ganz verändert wieder finden?
Hast du dem Vater alle Dankbarkeit,
Dem heiligen Gesetze Treu' und Ehrfurcht

Und deinem Herrn Gehorsam abgeschworen?
PALMIRE *fällt nieder*.
Was sagst du? Überrascht und zitternd liegt
Palmire dir zu Füßen. Schaudernd senk' ich
Den Blick zum Boden. Ja, ich fühlte mich
Vernichten, hielte mich die Kraft
Unschuldger reiner Liebe nicht empor.
Wie? hast du nicht mit günstgen Blicken selbst,
An diesem Ort, auf uns herab gesehn?
Die Hoffnungen genähret und gebilligt?
Ach! dieses schöne Band, das Gott um uns
Geschlungen, fesselt uns noch mehr an dich.
MAHOMET. Der Unbesonnene verscherzt sein Glück.
Verbrechen lauern auch der Unschuld auf.
Das Herz kann sich betriegen. Diese Liebe,
Du kannst mit Tränen sie, mit Blut bezahlen.
PALMIRE. Mein Blut? Mit Freuden flöss' es für Seiden.
MAHOMET. Du liebst ihn so?
PALMIRE.   Seit jenem Tag, als Hammon
Uns deinen heilgen Händen übergab,
Wuchs diese Neigung still, allmächtig auf.
Wir liebten, wie wir lebten, von Natur.
So gingen Jahre hin, wir lernten endlich
Den süßen Namen unsers Glückes kennen,
Und nannten Liebe nun was wir empfanden.
Wir dankten Gott; denn es ist doch sein Werk.
Du sagst es ja, die guten Triebe kommen
Von ihm allein, und was in unsrer Brust
Er Gutes schafft, ist ewig, wie er selbst.
Sein Wille wechselt nie. Nein! er verwirft
Die Liebe nicht, die aus ihm selbst entsprang.
Was Unschuld war, wird immer Unschuld sein,
Kann nicht Verbrechen werden.
MAHOMET.   Ja, es kann's!
Drum zittre! Bald erfährst du ein Geheimnis!
Erwart es, und erwarte, was ich dir

MAHOMET · DRITTER AUFZUG

Zu wünschen und zu meiden anbefehle.
Mir glaubst du, mir allein.

PALMIRE. Und wem als dir?
An deinen Lehren und Befehlen hält
Der Ehrfurcht heilige Gewohnheit mich.

MAHOMET. Bei Ehrfurcht ist nicht immer Dankbarkeit.

PALMIRE. Ich fühle beide. Könnten sie verlöschen;
So strafe mich Seidens Hand vor dir.

MAHOMET *mit verhaltnem Zorn.*
Seidens!

PALMIRE. Blicke mich nicht zornig an!
Mein Herz ist schwer gebeugt, du wirst es brechen.

MAHOMET *gefaßt und gelind.*
Ermanne dich und nähere dich mir!
Ich habe nun dein Herz genug geprüft,
Du kannst auf meinen Beistand dich verlassen.
Vertrauen fordr' ich, und du gibst es gern,
Und dein Gehorsam gründet dein Geschick.
Sorgt' ich für dich, gehörst du mir; so lerne
Das, was ich dir bestimmte, zu verdienen.
Und was ein göttlicher Befehl Seiden auch
Gebieten kann, darin bestärk ihn, laß
Zur Stimme seiner Pflicht die deine sich geselle.
Er halte seinen Schwur! dies ist der Weg,
Dich zu verdienen.

PALMIRE. Zweifle nicht, mein Vater!
Was er versprach erfüllt er. Wie für mich
Steh' ich für ihn. Seide betet dich
Mit vollem Herzen an, wie er mich liebt.
Du bist ihm König, Vater, einzger Schutz.
Ich weiß, ich fühl' es! und ich schwör' es, hier
Zu deinen Füßen, bei der Liebe die
Ich für ihn hege, und ich eile nun
Zu deinem Dienst ihn treulich anzufeuern.

Vierter Auftritt

MAHOMET. Sie macht mich zum Vertrauten ihrer Liebe!
Mit Offenheit beschämt sie meine Wut,
Mit Kindersinn schwenkt sie den Dolch auf mich!
Verruchte Brut! Verhaßt Geschlecht! Du bist
Zu meiner Qual geboren; Vater, Kinder,
Eins wie das andre! doch ihr sollt, zusammen,
Des Hasses, wie der Liebe Wut und Macht
An diesem Schreckenstage grimmig fühlen.

Fünfter Auftritt: Mahomet · Omar

OMAR. Die Zeit ist da! Bemächtge dich Palmirens,
Besetze Mekka und Sopiren strafe!
Sein Tod allein bezwingt dir unsre Bürger,
Doch alles ist verloren, kommst du nicht
Der feindlichen Gesinnung dieses Manns zuvor.
Erwartest du des Stillstands Ende hier;
So bist du gleich gefangen, bist ermordet.
Entfernst du dich aus Mekka, wird die Frucht
Von diesem ersten großen Schritt verschwinden.
Drum rasch! Seide harrt, er denkt, vertieft
Und trüb, dem Schwure nach und was du ihm
Für einen Auftrag geben werdest, den
Er zu vollbringen schon entschlossen ist.
Er kann Sopiren sehn, ihm nahen. Hier
In diesen Hallen ist der schwache Mann
Gewohnt, zu Nacht, den Göttern seines Wahns,
Mit nichtgen Weihrauchswolken, seiner Wünsche
Starrsinnge Torheit zu empfehlen. Da
Mag ihn Seide suchen, und, berauscht,
Vom Eifer deiner Lehre hingerissen,
Dem Gott ihn opfern der durch dich befiehlt.
MAHOMET. Er opfr' ihn, wenn es sein muß. Zu Verbrechen
Ist er geboren! Er verübe sie,
Und unter ihren Lasten sink' er nieder!

Gerochen muß ich, sicher muß ich sein.
Die Glut der Leidenschaft und mein Gesetz,
Die strengen Schlüsse der Notwendigkeit
Befehlen's. Aber hoffst du, daß sein Herz
So vielen Glaubensmut und Eifer hege?
OMAR. Er ist geschaffen, diesen Dienst zu tun,
Und zu der Tat wird ihn Palmire treiben.
In Lieb' und Schwärmerei schwebt seine Jugend
Und seine Schwäche kehret sich in Wut.
MAHOMET. Hast du mit Schwüren seinen Geist gebunden?
OMAR. Der heiligen Gebräuche finstre Schrecken,
Verschloßne Pforten, ungewisses Licht,
Ein dumpfer Schwur, der ewge Strafen droht,
Umfingen seinen Sinn. Zum Vatermord
Druckt' ich den schärfsten Stahl in seine Hand,
Und unter heilgem Namen facht' ich wild
Die Flamme des Parteigeists in ihm auf.
Er kommt.

Sechster Auftritt: Mahomet · Seide · Omar

MAHOMET. O Sohn des Höchsten, der dich ruft!
Vernimm in meinen Worten seinen Willen.
Du bist bestimmt des heilgen einzgen Dienstes
Verachtung, bist bestimmt Gott selbst zu rächen.
SEIDE. Als König, Hohenpriester, als Propheten,
Als Herrn der Nationen, den der Himmel
Ausdrücklich anerkennt, verehr' ich dich.
Mein ganzes Wesen, Herr! beherrschest du;
Erleuchte nur mit einem Wort den dunklen
Gelehrgen Sinn! Gott rächen soll ein Mensch?
MAHOMET. Durch deine schwachen Hände will der Herr
Die Schar unheiliger Verächter schrecken.
SEIDE. So wird der Gott, des Ebenbild du bist,
Zu rühmlich großen Taten mich berufen?
MAHOMET. Gehorche, wenn er spricht! Das sei dein Ruhm.
Befolge blind die göttlichen Befehle!

Bet an und triff! Der Herr der Heere waffnet,
Der Todesengel leitet deinen Arm.
SEIDE. So sprich! und welche Feinde sollen nieder?
Welch ein Tyrann soll fallen, welches Blut soll fließen?
MAHOMET. Des Mörders Blut, den Mahomet verflucht,
Der uns verfolgte, der uns noch verfolgt,
Der meinen Gott bestritt, der meine Jünger
Ermordete. Das Blut Sopirs.
SEIDE.   Sopirs!
Den sollte diese Hand?—
MAHOMET.   Verwegner, halt!
Wer überlegt, der lästert. Fern von mir
Vermessner Sterblichen beschränkter Zweifel,
Die eignen Augen, eignem Urteil traun!
Zum Glauben ist der schwache Mensch berufen,
Ein schweigender Gehorsam ist sein Ruhm.
Verkennst du wer ich bin? Verkennst du, wo
Des Himmels Stimme dir verkündigt wird?
Wir sind in Mekka. Wenn sein Volk bisher
Abgöttern sich im Wahn dahingegeben,
So bleibt doch dieser Boden, diese Stadt
Das Vaterland der Völker Orients.
Warum soll dieser Tempel alle Welt
Versammelt sehn? Warum soll ich von hier
Ein neu Gesetz verkündigen? Warum
Bin ich als König, Hoherpriester,
Hierhergesandt? Warum ist Mekka heilig?
Erfahr es! Abraham ist hier geboren!
In diesem Raume ruhet sein Gebein.
War es nicht Abraham, der seinen Sohn,
Den einzgen, am Altar, das ewge Wort
Anbetend, fesselte; für seinen Gott,
Die Stimme der Natur erstickend, selbst
Das Messer nach dem vielgeliebten Busen zuckte?
Wenn dieser Gott dich nun zur Rache ruft,
Wenn ich die Strafe seines Feinds verlange,

Wenn er dich wählt, so darfst du zweifelnd schwanken?
Hinweg du Götzendiener! Nimmer warst du wert,
Ein Muselmann zu sein! Such einen andern Herrn!
Schon war der Preis bereit, Palmire dein;
Dem Himmel trotzest du, verachtest sie.
Du wirst ihm, Schwacher, Feiger, nicht entfliehen!
Die Streiche fallen auf dich selbst zurück.
Verbirg dich, krieche, diene meinen Feinden!
SEIDE. Ich höre Gottes Stimme, du befiehlst,
 Und ich gehorche.
MAHOMET.   Ja, gehorche! Triff!
Mit eines Ungerechten Blut bespritzt
Gehst du ins ewge Leben herrlich ein. *Zu Omar.*
Folg ihm von fern und halte stets auf ihn
Und seinen Gang dein Auge wachend offen.

Siebenter Auftritt

SEIDE. Den Greis zu morden, dessen Geisel ich,
 Ja, dessen Gast ich bin, der, schwach und wehrlos,
 Von seiner Jahre Last gebändigt, schwankt!
Genug! So fällt ein armes Opferlamm
Auch am Altar. Sein Blut gefällt dem Himmel.
Hat Gott mich nicht zum Priester dieser Tat
Erlesen? Schwur ich nicht? Sie soll geschehn.
Kommt mir zu Hülfe, Männer, deren Arm
Mit hoher Kraft Tyrannen niederschlug!
Mein Eifer schließt an eure Wut sich an;
Beschleunigt meiner Hände heilgen Mord!
Komm, Engel Mahomets! Vertilger, komm!
Mit wilder Grausamkeit durchdringe mich! —
Was muß ich sehn? Hier tritt er selbst heran.

Achter Auftritt: Sopir · Seide

SOPIR. Verwirrt, Seide, dich mein Auge? Sieh
 Mich mit Vertrauen an; denn ich verdien's.
 Blick in mein Herz, es ist für dich besorgt.

Du bist, als Geisel, in bedenklicher
Gefahrenvoller Zeit mir übergeben;
Du rührst mich, und nur wider Willen zähl' ich
Dich unter meine Feinde. Wenn der Stillstand
Den Drang der raschen Kriegeswut gehemmt,
So kann der Schein des Friedens bald verschwinden.
Mehr sag' ich nicht. Doch wider Willen bebt
Mein Herz bei der Gefahr, die dich umgibt.
Geliebter Fremdling! Eines bitt' ich nur:
In diesen Stürmen, die uns drohn, verlaß
Mein Haus nicht! Hier allein ist Sicherheit.
Hier steh' ich für dein Leben, mir ist's wert.
Versprich mir's!

SEIDE. Harte Pflicht! O! Gott im Himmel!
Sopir, und hast du keinen andern Zweck
Als mich zu schützen? Über meine Tage
Zu wachen? Mußt' ich so ihn kennen lernen,
Jetzt da sein Blut von mir gefordert wird!
O! Mahomet! verzeihe diese Regung!

SOPIR. Erstaunst du, daß ich einen Feind bedaure?
Doch ich bin Mensch, und das ist mir genug
Unglückliche zu lieben, zu beschützen,
An deren Unschuld meine Neigung glaubt.
Vertilget, große Götter, von der Erde
Den Mann der Menschenblut mit Lust vergießt!

SEIDE. Wie greift dies Wort an mein zerrüttet Herz!
Die Tugend kennt auch meines Gottes Feind?

SOPIR. Du kennst sie wenig, weil du staunst. Mein Sohn,
In welchem tiefen Irrtum wandelst du?
Betäubte so die Lehre des Tyrannen
Den guten, den natürlich reinen Sinn,
Daß nur die Muselmannen tugendhaft
Und alle Menschen dir Verbrecher scheinen?
So mißgebildet hat zur Grausamkeit
Der Wahn dich schon, daß, ohne mich zu kennen,
Du mir, als einem Sohn des Greuels, fluchtest?

Verzeihen kann ich solchen Irrtum dir,
Er ist nicht dein, er ist dir aufgezwungen;
Doch hebe selbst den freien Blick empor
Und sprich: ist das ein Gott, der Haß gebietet?
SEIDE. Wie fühl' ich mich mit Einemmal verändert,
Von diesem Schreckensgott hinweggezogen,
Zu dir, zu dir, den ich nicht hassen kann!
SOPIR. Je mehr ich mit ihm rede, desto mehr
Wird er mir lieb und wert. Sein zartes Alter,
Die Offenheit, sein Schmerz und seine Zweifel —
Sie stimmen mich zum herzlichsten Gefühl.
Wie! ist es möglich, daß mich ein Soldat,
Des Ungeheuers Sklave, der sich selbst
Mit Abscheu von mir wendet, mich gewinnen,
Mein Herz gewaltig zu sich reißen kann?
Wer bist du? Welches Blut hat dich gezeugt?
SEIDE. Von meinen Eltern weiß ich nichts zu sagen.
Nur meinen Herren kenn' ich, dem bisher
Ich treu gedient, und den ich zu verraten
Beginne, seit ich dir mein Ohr geliehn.
SOPIR. Du kanntest deinen Vater nicht?
SEIDE.   Das Lager
War meine Wiege, und mein Vaterland
Das Heiligtum das Mahomet erleuchtet.
Man bringt ihm jährlich Kinder zum Tribut,
Und er war mir vor allen andern gnädig,
Und so verpflichtete mein Herz sich ihm.
SOPIR. Ich lobe dich und deine Dankbarkeit,
Sie ist ein schön Gesetz für edle Herzen;
Doch Mahomet verdiente nicht das Glück
Dir und Palmiren wohl zu tun. Du schauderst,
Du bebst und wendest deinen Blick von mir?
Ist es ein Vorwurf der dein Herz zerreißt?
SEIDE. Wer ist an diesem Tage frei von Schuld?
SOPIR. Erkennst du sie, so hast du sie gebüßt.
Ich rette dich, es fließt nur schuldges Blut.

SEIDE. Und sollte seins von diesen Händen tropfen?
O Schwur! Palmire! Gott! Es ist zu viel!
SOPIR. Komm ohne Zaudern. Nur in meinen Armen
Ist Sicherheit. Komm, daß ich dich verberge;
Denn alles hängt an diesem Augenblick.

Neunter Auftritt: Die Vorigen · Omar

OMAR. Wohin? Dich fordert Mahomet zu sich.
SEIDE. Wo bin ich? Himmel! was soll ich beginnen?
Das Wetter schlägt auf beiden Seiten ein.
Wohin mich flüchten, diese Qual zu enden?
Wohin?
OMAR.   Zu dem erwählten Manne Gottes.
SEIDE. Ja, meinen blutgen Vorsatz abzuschwören!

Zehnter Auftritt

SOPIR. Er eilt; ich lass' ihn gehn? Befiehlt als Herr
Schon Mahomet in unsern Mauern?
Ist dieser Jüngling nicht als Geisel mein?
Ich lass' ihn gehn? Doch nein, er flieht vor mir,
Er geht verzweifelt, schaudervoll getroffen;
Ihm folgt mein Herz mit sorgenvollem Zug.
Welch eine Schuld kann diese Jugend martern?
Welch ein Gefühl für ihn durchzittert mich?
In diesen rätselhaften Augenblicken
Bin ich für sein Geschick mehr als für mich,
Als für der Vaterstadt Gefahr besorgt.
Wo find' ich ihn? Wo soll ich Ruhe finden?

Eilfter Auftritt: Sopir · Phanor

SOPIR. Was bringst du, Phanor?
PHANOR.   Diese Tafel gab
Ein Araber mir insgeheim.
SOPIR.   Was ist's? —
Wie? Hammon! Götter! Trügt das Auge mich?
Ist's möglich, wollt ihr meinen Jammer enden?

Er will mich sprechen, Hammon, dessen Arm
Im harten Kampf die Kinder mir entriß?
Sie leben, sagt er; unter Mahomets
Gesetzen leben sie. So ist es wahr,
Was ich für List des frechen Feindes hielt,
Die mich zu schnödem Abfall locken sollte?
Der Hoffnung darf ich mich ergeben! Welch
Ein Lichtstrahl blicket durch die Nacht mich an!
Weiß doch Palmire nicht woher sie stammt!
Seide weiß es nicht, und mein Gefühl
Riß mich zu beiden allgewaltig hin.
Sie meine Kinder! Hoffnung, trüge nicht!
In meinem Elend schmeichl' ich mir zu viel.
Soll ich der tiefen süßen Rührung glauben?
Und künden diese Tränen mir sie an?
Wo eil' ich hin? wo kann ich sie umfangen?
Was hält mein Fuß mich an dem Boden fest?
Vom Alter und vom Unglück glaubt' ich mich
Gekühlt, daß nichts mich überraschen könne;
Nun überrascht mich ein unendlich Glück.
Nur heimlich kann mich Hammon sehen. Bring
Ihn diese Nacht, durch diese Hallen her.
Am Fuße des Altars, wo meine Tränen,
Wo ungestümer Jammer vor den Göttern
Sich ausgoß, bis sie endlich sich erweichten,
Da geb' er meine Kinder mir zurück.
Ja, gebt mir, Götter! meine Kinder wieder!
Und dieses junge Paar, das mich bisher
Bedeutungsvoll gerührt, ist es nicht mein,
So wächst mein Reichtum an. Auch diese gebt
Der Tugend, der Natur, der Wahrheit wieder,
Und so sind denn die beiden Paare mein.

VIERTER AUFZUG

Erster Auftritt: Mahomet · Omar

OMAR. Ja, das Geheimnis das dich retten, rächen,
Den Deinigen den Sieg erleichtern soll,
Der Tod Sopirens durch Seidens Hand —
Es schwebet nah am Rande der Entdeckung.
Seide, voll Verwirrung, unentschlossen,
Hat es dem alten Hammon anvertraut.
MAHOMET. Und weigert sich das Urteil zu vollziehen?
OMAR. Nein! Es geschah vorher eh' du zuletzt,
Mit Feuerworten, seinen Mut beseelt
Und den Besitz Palmirens ihm, aufs neue,
Ein Bild des Paradieses, dargestellt.
Er wird gehorchen.
MAHOMET. Aber Hammon?
OMAR. Er
Schien mir bestürzt, er schien ein tiefes Mitleid
Mit Vater und mit Sohn zu fühlen. Seine
So lang erprobte Treue schien zu wanken,
Und diesen Mann, der deinem Willen ganz
Ergeben war, sah ich mit Zweifeln kämpfen.
Ach! rief er aus: ich hoffte, Mahomet
Sei nun gesinnt die Kinder ihrem Vater,
Als Pfänder des Vertrages, zu erstatten.
MAHOMET.
Ich kenn ihn; schwach ist Hammon, und der Schwache
Wird leicht Verräter. Omar, laß ihn fühlen
Daß er Geheimnis und Gefahren teilt,
Und daß, in Augenblicken der Entscheidung,
Mir ungestraft sich niemand widersetzt.
Entfernt er sich von seiner Pflicht, so sei
Ein lästger Zeuge gleich hinweggeräumt.
OMAR. Das Unvermeidliche soll rasch geschehn.
MAHOMET. So sei's! In Einer Stunde mag man uns
Zum Richtplatz führen, wenn Sopir nicht fällt.

Er falle! Mehr bedarf's nicht! Das erschreckte Volk
Wird meinen Gott, der sich für mich erklärt,
Der mich verteidigte, verehren. Dieses ist
Der erste Schritt. Doch haftest du dafür,
Daß auch Seide gleich, wenn ihm das Blut
Des Vaters von den Händen niedertrieft,
Den Tod in seinen Eingeweiden fühle.
Ist ihm der Gift bereitet?

OMAR.   Schon gegeben!

MAHOMET. Nun eile, blick' umher, und wache, handle!

Omar ab.

So bleibe der geheimnisvolle Knoten
Der schwarzen Taten dieses Augenblicks
Im Tod verborgen und vom Grab bedeckt.
Palmirens Vater falle! neben ihm
Ihr Bruder, ihr Geliebter! doch sie selbst,
Unwissend, werfe sich, in dieser Nacht
Des Schreckens, der Gefahr, in meinen Arm.
Willkommen, Finsternis! willkommen, Blut!
Der Leichen, der Lebendgen starre Blässe!
Aus dieser nächtgen Stille soll das Ächzen
Der Sterbenden ertönen, dann Gemurmel
Des aufgeregten Volks die Halle füllen.
Und das Geräusch vermehrt sich, das Geschrei.
Nach Waffen ruft der eine, still ergreift
Der andre schon die Flucht. Man ruft den Namen
Sopirens aus, man jammert, fordert Rache.
Doch meine Krieger, die Partei des Volks
Die mich verehrt, sie dringen an, mein Name,
Des Sieges Losung, tönt, und nieder gleich
Gestreckt sind meine Feinde, gleich verjagt —
Und zwischen den Gefahren bebend sucht
Palmire Schutz bei ihrem einzgen Herrn.
Sie sieht mich bei dem Schein der Fackeln kommen,
Der Schwerter Blinken hält sie nicht zurück.
Kein Blut, kein Leichnam hemmet ihren Fuß,

Und über ihren eignen Vater fliegt sie weg;
Und, aufgeregt von Schrecken, Furcht und Hoffnung,
Versunken im Gefühl an meiner Brust
Gerettet sich zu sehen, halb im Traum,
Am Rande der Vernichtung, lernet sie
Der Liebe Glück in meinen Armen kennen. *Ab.*

Zweiter Auftritt

SEIDE. So muß ich denn die fürchterliche Pflicht
  Erfüllen! Hier und bald! Es soll geschehn.
  Ich wußte meinem Herrn nichts zu erwidern,
  Ein heilger Schauer überfiel mein Herz;
  Doch überredet war es nicht. Noch jetzt
  Zuckt mir durch alle Glieder bald ein Krampf,
  Bald preßt er mir das Herz und bald das Haupt,
  Die Kniee wanken und die Hände sinken,
  Ich kann nicht vorwärts nicht zurück. Doch bald
  Fühl' ich ein neues Feuer mir im Busen,
  Fühl' ich das Blut in raschem Puls belebt.
  Der Himmel hat's geboten, ich gehorche.
  Welch ein Gehorsam! und was kostet er!

Dritter Auftritt: Palmire · Seide

SEIDE. Palmire, wagst du's? welch unselger Trieb
  Kann dich an diesen Ort des Todes führen?
PALMIRE. Die Furcht, die Liebe leiten mich hieher.
  Mit heißen Tränen laß mich deine Hände,
  Geweiht zu einem heilgen Morde, baden!
  Welch schrecklich Opfer fordert Mahomet,
  Und du willst ihm, willst seinem Gott gehorchen?
SEIDE. Du, deren rein Gefühl, du, deren Liebe
  Mich ganz beherrscht, o, sprich mir mächtig zu!
  Entscheide die verworrne Wut, erleuchte
  Den trüben Geist, und leite meine Hand,
  Statt eines Gottes den ich nicht begreife.
  Warum erwählt man mich? Ist unser Gott

Denn nur ein Gott der Schrecken? sein Prophet,
Zeigt er uns nur den Unerbittlichen?
PALMIRE. Wer darf zu fragen, wer zu untersuchen
Sich unterstehen? Mahomet durchschaut
Die Tiefen unsers Herzens, unsre Seufzer
Vernimmt er alle, kennet meine Tränen.
An Gottes Statt wird er verehrt von allen,
Das weiß ich. Zweifel schon ist Lästerung.
Und dieser Gott, den er so stolz verkündet,
Er ist der wahre, denn der Sieg beweist's.
SEIDE. Er ist es, denn Palmire glaubt an ihn.
Doch mein verwirrter Geist begreift noch nicht,
Wie dieser gute Gott, der Menschen Vater,
Zum Meuchelmorde mich bestimmen kann.
Ich weiß, mein Zweifel schon ist ein Verbrechen;
Das Opfer fällt, den Priester rührt es nicht,
Und so verdammt des Himmels Wort Sopiren;
Mir ruft es zu: Erfülle das Gesetz!
Vor Mahomet verstummt' ich, fühlte mich
Geehrt des Himmels Winke zu erfüllen;
Ich eilte, das Gericht schon zu vollziehn.
Ach! welch ein andrer Gott hielt mich zurück?
Als ich den unglückseligen Sopir
Erblickte, fühlt' ich meiner Überzeugung
Gewalt verschwinden, und vergebens rief
Die Pflicht zum Mord mich auf. Gelinde kräftig
Sprach an mein innres Herz die Menschlichkeit.
Dann aber griff mit Eifer und mit Milde
Mich Mahomet und meine Schwachheit an.
Mit welcher Größe, welchem Ernste, riß
Er aus dem weichlichen Gefühl mich auf.
So stand ich da, gehärtet und gestählt.
Wie göttlich-schrecklich ist Religion!
Da schien mein erster Eifer mich zu treiben:
Doch trägt die Ungewißheit mich zurück,
Von herber Wut, zum Mitleid und Verschonen.

So dränget das Gefühl mich hin und her,
Mich schreckt der Meineid wie die Grausamkeit.
Ich fühle mich zum Mörder nicht geschaffen;
Doch Gott hat es geboten; ich versprach's,
Und ich verzweifle nun daß ich's getan.
Im Sturme siehst du mich umhergetrieben;
Die hohe Woge trägt mich zum Entschluß,
Sie reißt mich wieder weg. O könntest du
Im ungestümen Meer den Anker werfen!
Wie fest sind unsre Herzen nicht vereint;
Doch ohne dieses Opfer kann das Band,
So drohte Mahomet, uns nicht umschlingen.
Um diesen Preis nur ist Palmire mein.

PALMIRE. Ich bin zum Preise dieser Tat gesetzt?

SEIDE. Der Himmel hat's und Mahomet beschlossen.

PALMIRE. Soll solcher Grausamkeit die Liebe dienen?

SEIDE. Dem Mörder nur bestimmt dich Mahomet.

PALMIRE. Wir Unglückselgen!

SEIDE.   Doch der Himmel will's.
Religion und Liebe, beiden dien' ich.

PALMIRE. Ach!

SEIDE.   Kennst du nicht den Fluch, der unaufhaltsam
Des Ungehorsams freche Weigrung trifft?

PALMIRE. Wenn seine Rache Gott in deine Hand
Gegeben, wenn er Blut von dir verlangt?

SEIDE. Um dein zu sein, was soll ich?

PALMIRE.   Gott! ich schaudre!

SEIDE. Du hast's gesagt, sein Urteil ist gesprochen.

PALMIRE. Ich? wie?

SEIDE.   Ja, du entscheidest.

PALMIRE.   Welches Wort
War so zu deuten? welcher Wink?

SEIDE.   So ist's!
Der Himmel gab ein Zeichen mir durch dich,
Und dies Orakel bleibe mein Gesetz.
Die Stunde naht. Sopir wird bald erscheinen;

Hier betet er die falschen Götter an,
Die wir verfluchen. Geh, Palmire!
PALMIRE. Nein.
Ich kann dich nicht verlassen.
SEIDE. Bleibe nicht!
Nicht in der Nähe dieser Schreckenstat.
Der Augenblick ist greulich. Fliehe! Hier,
Durch dieser Hallen säulenreiche Gänge,
Kommst du zur Wohnung des Propheten hin.
Dort bleib' in Sicherheit.
PALMIRE. Der alte Mann
Soll sterben?
SEIDE. Soll! das Opfer ist bestimmt!
Am Staube fest soll meine Hand ihn halten,
Drei Stiche sollen seine Brust durchbohren,
Und umgestürzt, von seinem Blut bespritzt,
Soll der Altar verbannter Götter liegen.
PALMIRE. Durch deine Hand! im Staube! blutig! Gott!
Hier ist er. Weh uns!

Der Grund des Theaters öffnet sich, man sieht einen Altar.

Vierter Auftritt: Sopir · Seide · Palmire

SOPIR *knieend.* Götter meines Landes!
So lange herrschet ihr und sollt ihr nun
Vor dieser Sekte neuem Frevel fliehen?
Zum letztenmal ruft meine schwache Stimme,
Um euretwillen, euch inbrünstig an,
Verteidigt euch und uns! doch ist's beschlossen
Daß euer Antlitz von uns weichen soll,
Daß in dem Kampfe, der sich bald erneut,
Gerechte fallen, Frevler siegen sollen,
Wenn ihr des größten Bösewichts verschont—
SEIDE. Du hörst, er lästert!
SOPIR. Gönnet mir den Tod!
Doch gebt in dieser letzten Stunde noch
Mir meine Kinder wieder! Laßt entzückt

In ihren holden Armen mich verscheiden,
Laßt die gebrochnen Augen sie mir schließen!
Ach, wenn ich einer leisen Ahnung traue,
So sind sie nah! O zeigt mir meine Kinder.

PALMIRE. Was sagt er? Seine Kinder?

SOPIR. Heilge Götter!
Vor Freuden stürb' ich über ihrer Brust.
O laßt sie unter euren Augen wandeln,
Wie ich gesinnt; doch glücklicher als ich. *Entfernt sich.*

SEIDE. Zu seinen falschen Göttern rennt er.

PALMIRE. Halt!
Was willst du tun!

SEIDE. Ihn strafen.

PALMIRE. Ach! Verweile!

SEIDE. Dem Himmel dien' ich, und verdiene dich.
Geweiht ist dieser Stahl dem wahren Gott.
Nun soll sein Feind durch diese Schärfe fallen.
Hinan! — Und siehst du nicht die Ströme Blut,
Die mir den Weg zum Opferplatze zeigen?

PALMIRE. Was sagst du?

SEIDE. Ja, so find' ich diesen Weg.
Er geht dahin! Ich kann mich nicht verirren.
Nur fort.

PALMIRE. Ein Grausen schlingt sich um uns her.

SEIDE. Es drängt mich hin. Die volle Zeit ist da.
Das Zeichen winkt, es bebt Altar und Halle.

PALMIRE. Der Himmel spricht, was kann sein Wille sein?

SEIDE. Treibt er mich an? Will er zurück mich drängen?
Ich höre des Propheten Stimme wieder
In meinem Ohre schallen! Meine Schwäche
Verweist er mir, verweist mir meine Feigheit.

PALMIRE. Nun?

SEIDE. Wende deine Stimme himmelwärts.
Ich treffe. *Er geht hinter den Altar.*

PALMIRE. Augenblick des Todes! Mich
Umgibt sein Schauer. Still ist alles! Still.

Doch ach! Was ruft so laut in meinem Herzen?
Warum bewegt sich heftiger das Blut?
Es ist noch Zeit, soll ich die Tat verhindern?
Verwegne! Wenn der Himmel einen Mord
Gebieten kann, hast du dich ins Gericht
Zu drängen? anzuklagen? zu entscheiden?
Gehorche! Sonst war der Gehorsam dir
So leicht, und nun woher das Widerstreben?
Ach! Weiß ein Herz was recht ist oder nicht?
Es ist getan! ein Schrei durchdringt mein Ohr,
Seide!

SEIDE. *kommt zurück.* Ruft mich jemand? Welcher Weg
Führt mich hinaus? Palmiren find' ich nicht!
Verlassen kann sie mich?

PALMIRE.   Verkennst du sie,
Die für dich lebt?

SEIDE.   Wo sind wir?

PALMIRE.   Das Gebot,
Das traurige Versprechen ist's erfüllt?

SEIDE. Was sagst du?

PALMIRE.   Fiel Sopir?

SEIDE.   Sopir!

PALMIRE.   O Gott,
Der du dies Blut verlangtest, stärke nun
Den schwerbeladnen Geist! Komm, laß uns fliehen!

SEIDE. Ich kann nicht! meine Kniee sinken ein.
Er setzt sich.
Ach wollte Gott, daß auch das Leben schwände!

PALMIRE. Palmire lebt, du wolltest sie verlassen?

SEIDE. Palmire, rufst du mir? Ich kehr' ins Leben
Für dich zurück. Wo bist du?

PALMIRE.   Hier, mein Freund!

SEIDE. O deine Hände! sie allein vermögen
Vom Rande der Vernichtung mich zu reißen.
Du lebst, ich fühle dich, und ich bin dein.

PALMIRE. Was ist geschehn?

SEIDE *steht auf.* Sie ist geschehn die Tat.
  Ich habe nichts verbrochen, ich gehorchte.
  Mit Wut ergriff ich ihn, der Schwache fiel,
  Ich traf, ich zuckte schon den zweiten Streich;
  Ein jämmerlicher Schrei zerriß mein Ohr,
  Vom Staub herauf gebot die edelste
  Gestalt mir Ehrfurcht, seine Züge schienen
  Verklärt, es schien ein Heilger zu verscheiden.
  Die Lampe warf ihr bleiches Licht auf ihn,
  Und düster floß das Blut aus seiner Wunde.
PALMIRE. Komm, laß uns flüchten, komm zu Mahomet!
  Er schützt uns gegen alle. Zaudre nicht!
  Wir schweben in der tödlichsten Gefahr.
SEIDE. Das Blut versöhnt die Gottheit, sagen sie,
  Gewiß versöhnt das Blut der Menschen Grimm.
  Ich fühlte mich erweicht, als ich es sah,
  Im raschen Strom, das weiße Kleid durchirren.
  Ich wandte mich, er rief mir. Welche Stimme!
  Seide, rief er, du Geliebter? mich?
  Unglücklicher! Er sank, ich seh' ihn liegen,
  Er zuckt, er stirbt. O! daß ich neben ihm,
  Von diesem Dolch getroffen, sterbend läge!
PALMIRE. Man kommt! Ich zittre für dein Leben! Flieh,
  Wenn du mich liebst!
SEIDE.   Die Liebe nenne nicht.
  Sie riß mich zu der Schaudertat hinab.
  Die Liebe darfst du nennen? sprachst du nicht
  Das Todesurteil dieses Mannes aus?
  Du hießest es vollstrecken, ich gehorchte
  Nicht Mahomet, dem Himmel nicht, nur dir.
PALMIRE. Mit welchem Vorwurf kränkest du mein Herz!
  Verschone mich, die nur für dich besorgt ist,
  Die so verwirrt wie du, verloren, schwankt. *Sopir erhebt
  sich hinter dem Altar und erscheint an denselben gelehnt.*
SEIDE. Erscheinet mir ein Geist? Erhebet mir
  Sopir sich aus dem Grabe?

PALMIRE. Ach! er ist's!
Der unglückselge Mann! Im Todeskampf
Schleppt er sich mühsam gegen uns heran.
SEIDE. Du willst zu ihm?
PALMIRE. Ich muß, ich seh' ihn schwanken,
Ich muß ihn unterstützen. Reue treibt
Mich weg von diesem Anblick, Mitleid zieht,
Ach! und ein mächtiger Gefühl mich hin.
SOPIR *tritt hervor, von ihr unterstützt.*
Ich danke dir für diesen letzten Dienst.
Wie freut mich noch dein Anblick! o Palmire! *Er setzt sich.*
Und Undankbarer, du ermordest mich?
Nun weinst du? Schmilzt die Wut in Mitleid auf?

Fünfter Auftritt: Die Vorigen · Phanor

PHANOR *nachdem er, pantomimisch, sich mit dem Geschehenen bekannt gemacht.* Ihr Götter, sollt' ich solchen Jammer sehen!
SOPIR. Kommt Hammon etwa? Phanor, seh' ich dich?
Dies ist mein Mörder.
Phanors Gefährten gehen voll Entsetzen ab.
PHANOR. Schreckliches Geheimnis!
Verruchte Tat! Es ist dein Vater!
SEIDE. Wer?
PALMIRE. Sopir?
SEIDE. Mein Vater?
SOPIR. Götter!
PHANOR. Hammon stirbt,
Er sieht mich, ruft mich. Eile, ruft er aus,
Eil, einen Vatermord zu hindern! Halt ihn auf
Seidens Arm; den blutbegiergen Stahl
Entreiße seiner Hand. Ich bin gestraft.
Zu schrecklichen Geheimnissen, Verrat
Und Kinderraub, mißbraucht mich Mahomet,
Und nun bestraft mich er, der mich verführte.
Von seinen Händen sterb' ich, sterbe gern,
Wenn mir Sopir verzeiht und in Seiden

Palmirens Bruder, seinen Sohn erkennt.
PALMIRE. Mein Bruder! O mein Vater!
SOPIR.   Kinder! meine Kinder!
 O! meine Götter! Ihr betrogt mich nicht,
Als ihr für sie in meinem Herzen spracht,
Mich zu erleuchten. Unglückselger Jüngling,
Wer konnte dir den Vatermord gebieten?
SEIDE *zu seinen Füßen.*
 Gehorsam, Pflichten, Liebe meines Volks,
Religion und Dankbarkeit, das Höchste,
Was Menschen nur ehrwürdig scheinen kann,
Hat mich zu dieser Greueltat geleitet.
O daß zu deinen Füßen ich verginge!
PALMIRE. Er klagt sich an, ich bin die Schuldige,
 Verzweifelnd und beschämt muß ich's gestehn.
O welch ein Wunsch riß uns im Wahn dahin!
Wie schrecklich war der Lohn des Vatermords!
SEIDE. Des Himmels Rache ruf auf uns hernieder,
 Verfluche deine Mörder!
SOPIR.   Meine Kinder
 Umarm' ich. Welche hohe Gunst vermischt
Mit diesem allertiefsten Elend das Geschick!
Ich segn' es! da ich sterbe; lebt doch ihr,
O meine Kinder! die zu spät ich wieder
Gefunden, dich Seide, dich Palmire!
Bei allen heilgen Kräften der Natur,
Bei diesem väterlichen Blut beschwör' ich euch.
Erhaltet euch, indem ihr Rache fordert.
Der Morgen kommt, der Stillstand wird erlöschen.
Da sollte sich mein Plan entfalten, da
Der siegende Verbrecher unterliegen.
Nicht alles ist verloren, wenn dein Arm
Zu einer großen Tat sich kühn erhebt.
Das Volk versammelt sich bewaffnet hier.
Mein Blut sei ihre Losung; führe sie,
Und des Verräters letzter Tag ist da;

Wir harren kurze Zeit.
SEIDE.   Ich eile gleich!
Das Ungeheuer falle; doch auch ich.
Gerochen sollst du sein, und ich gestraft.

Sechster Auftritt: Die Vorigen · Omar · Gefolge

OMAR. Ist das Gerücht, das sich verbreitet, wahr?
Seiden haltet! steht Sopiren bei!
In Ketten diesen Mörder! Mahomet
Ist des Gesetzes kräftiger Vollbringer.
SOPIR. Der Missetat Vollendung soll ich sehn!
SEIDE. Mich strafen! Mahomet?
PALMIRE.   Du darfst, Tyrann!
Mit diesem Munde, der den Mord befahl?
OMAR. Nichts ist befohlen worden.
SEIDE.   Ich verdiene,
Leichtgläubig, wie ich war, den herben Lohn.
OMAR. Gehorcht, Soldaten!
PALMIRE.   Darfst du wohl? Verräter!
OMAR. Palmire wird, wenn sie Seiden liebt,
Gehorchen. Mahomet beschützet sie,
Und hält den Blitz, der eben treffen soll,
Vielleicht zurück, doch nur um ihretwillen.
Zu ihrem König folgt sie willig mir.
PALMIRE. So vielem Jammer war ich aufgespart!
Man führt Palmiren und Seiden ab.
SOPIR. Man führt sie weg? o! unglückselger Vater!
Mit diesem Faden reißt dein Leben ab.
PHANOR. Schon wird es Tag, das Volk versammelt sich,
Man kommt, dich zu umgeben, edler Greis!
SOPIR. Sie wären meine Kinder!
PHANOR.   Zweifle nicht.

FÜNFTER AUFZUG

Erster Auftritt: Mahomet · Omar

OMAR. Gelungen ist der Plan, Sopir verscheidet,
Der ungewisse Bürger starrt und schwankt.
Die Deinigen, erstaunt, verehren selbst
Das Wunder das zu unsrer Hülfe kommt,
Und zeigen Gottes Finger der erregten
Geteilten Stadt und dämpfen ihre Wut.
Wir selbst beklagen laut Sopirens Tod,
Versprechen Rache, preisen deine Größe,
Gerecht und gütig rufen wir dich aus.
Man hört uns an, man beugt sich deinem Namen,
Und wenn der Aufruhr sich noch regen möchte,
So sind es Wellen die das Ufer schlagen,
Wenn heitrer Himmel schon von oben glänzt.

MAHOMET. Ein ewges Schweigen sei der Flut geboten! —
Und meine Völker, nahen sie der Stadt?

OMAR. Die ganze Nacht bewegt sich schon das Heer,
Durch einen Umweg, diesen Mauern zu.

MAHOMET. Zur Überredung füge sich die Macht.
Seide weiß nicht wen er mordete?

OMAR. Wer könnt' es ihm verraten? Schon begräbt
Mit Hammon dies Geheimnis ewge Nacht.
Seide folgt ihm, schon begann sein Tod,
Und vor der Missetat ging Strafe her.
Indem er zum Altar das Opfer schleppte,
Indem er seines Vaters Blut vergoß,
Durchirrte schon ein schleichend Gift die Glieder;
Nicht lange wird er im Gefängnis atmen.
Palmiren aber lass' ich hier bewachen.
Der Irrtum führt sie bald in deinen Arm.
Seiden zu befreien ist ihr Wunsch.
Ich hab' ihr diese Hoffnung nicht geraubt.
Noch geht sie schweigend und verhüllt in sich,
Doch ihr gelehrig Herz, dich anzubeten

Gewohnt, es wird in deiner Gegenwart,
An deiner Brust, zur Freude sich beleben.
Du bist zum Gipfel deines Glücks gelangt.
Gesetze gibst du deinem Vaterlande,
Bist ihm Prophet und König, und regierst
Vom väterlichen Boden aus die Welt.
Das Innre deines Hauses, deines Herzens
Soll die Geliebte schmücken und erfreun.
Hier kommt sie, leblos, zitternd; sprich ihr zu!
MAHOMET. Versammle meine Treuen um mich her!

Zweiter Auftritt: Mahomet · Palmire

PALMIRE. Wo bin ich? großer Gott!
MAHOMET.   Erhole dich!
Des Volkes, dein Geschick, hab' ich gewogen.
Sieh die Begebenheit, die dich erschreckt,
Als ein Geheimnis zwischen mir und Gott an.
Befreit auf ewig von Gefangenschaft
Und Sklaverei, erhebe dein Gemüt.
Du siehst dich hier gerochen, frei und glücklich.
Beweine nicht Seiden! Überlaß
Des menschlichen Geschickes Sorge mir!
Denk an dein eignes Glück; du bist mir wert,
Und Mahomet nahm dich zur Tochter auf;
Zu einer höhern Stufe kann er dich
Erheben. Solchen Rang verdiene dir.
Blick auf zum Gipfel alles Erdenglücks,
Das übrige laß der Vergessenheit.
Beim Anblick jener Größe, die dich lockt,
Geziemen sich die niedern Wünsche nicht.
Zu mir gewendet, ruh' auf mir dein Herz!
Wie mir die Welt vertraut, vertraue mir!
PALMIRE. Was hör' ich! Von Gesetzen, Wohltat, Liebe,
Wagst du zu reden, blutiger Betrieger!
Auf ewig sei mein Herz dir abgeschworen,
Dir Henker meines Hauses. Dieses Letzte

Ging meinem Jammer, deiner Wut noch ab.
Das ist er also, Gott! der heilige
Prophet, der König, dem ich mich ergab?
Der Gott, den ich verehrte? Ungeheuer!
Durch Wut und grimmge Ränke weihtest du
Zwei reine Herzen einem Vatermord!
Verführen willst du meine Jugend, willst
Um mich, mit meinem Blut besudelt, werben?
Doch traue nicht auf deine Sicherheit,
Der Schleier ist zerrissen, Rache naht.
Vernimmst du das Geschrei, den Sturm der Menge,
Die meines Vaters Geist gewaltig treibt!
Man waffnet sich, man eilet mir zu Hülfe,
Und mich, und jeden Preis entreißt man dir.
Dich selbst, die Deinen seh' ich hingestreckt,
Und über euren Leichen atm' ich wieder.
O! laßt ihn nicht entkommen, gütge Götter!
Auf! Mekka! Auf! Medina! Asien,
Bewaffne dich, die Wut, die Heuchelei
Zu strafen. Alle Welt, beschämt, zerbreche
Die Fesseln, die sie allzuschändlich trug,
Und deine Lehre, die der Wahn gegründet,
Müss' Abscheu allen künftgen Zeiten sein.
Die Hölle, die du jedem grimmig drohtest,
Der zweifelnd mit sich selbst zu Rate ging,
Die Hölle, dieser Ort der Wut, des Jammers,
Für dich bereitet, schlinge dich hinab.
Solch einer Wohltat dankt ein solch Gefühl,
So sind mein Dienst, mein Schwur und meine Wünsche.

MAHOMET. Was auch entdeckt sei, was du träumst und was
Du glauben magst zu sein; ich bin dein Herr!
Und wenn sich meine Güte —

Dritter Auftritt: Die Vorigen · Omar · Ali · Gefolge

OMAR.   Alles weiß man.
Verrat an dir war Hammons letzter Hauch.

Das Volk erfährt es, bricht den Kerker auf.
Man waffnet, man erregt sich. Rasend stürzt
In ungeheurem Strom es brüllend her.
Sie tragen ihres Führers blutgen Leib,
Seide geht voran. Mit heißen Tränen
Ruft er zur Rache sie des Vatermords.
Ein jeder will den blutgen Leichnam sehen,
Und aus der Neugier strömet neue Wut.
Seide klagt sich an: Mein ist die Tat!
Und schmerzlich angefacht, entbrannt von Rache,
Scheint er nur noch zu leben wider dich.
Schon flucht man deinem Gott, man flucht den Deinen,
Und dein Gesetz verwünscht man. Jene selbst,
Die, schon gewonnen, deinem Volk die Tore
Eröffnen sollten, wieder abgerissen,
Sind gegen dich gewendet und entbrannt.
Nur Tod und Rache tönt von allen Seiten.
PALMIRE. Gerechter Himmel, laß die Unschuld siegen!
Triff den Verbrecher!
MAHOMET *zu den Seinigen.* Was befürchtet ihr?
OMAR. Die wenigen, die mit dir in der Stadt
Sich finden, sammeln sich sogleich um dich.
Wir werden an dir halten, mit dir fallen.
MAHOMET. Ich bin genug euch zu verteidigen;
Erkennet welchem König ihr gehört!

Vierter Auftritt:

Mahomet, Omar, Gefolge an der einen, Seide und das Volk an der andern Seite, Palmire in der Mitte

SEIDE *einen Dolch in der Hand, schon durch den Gift geschwächt.*
Bewohner Mekkas, rächet meinen Vater!
Den mörderischen Heuchler strecket nieder!
MAHOMET. Bewohner Mekkas, euch zu retten kam ich;
Erkennet euern König, euern Herrn!
SEIDE. Hört nicht das Ungeheuer! Folget mir!

Ihr Götter! welche Wolke deckt mich zu.
Auf ihn! — Wie wird mir? Gott! —

MAHOMET. Ich überwinde.

PALMIRE. Mein Bruder!

SEIDE. Nicht gesäumt! — Ich schwanke! Weh!
Vermag nicht — Welcher Gott hat mich gelähmt!

MAHOMET. Vor mir ergreif' es jeden Frevler so.
Ungläubge, die ein falscher Eifer treibt,
Mich zu verfluchen und Sopir zu rächen!
Der Arm der Könige bezwingen konnte
Hat eure Zweifel zu bestrafen Kraft;
Doch überlass' ich's Gott, der mir sein Wort
Und seinen Donner anvertraut, er schone
Die Irrenden, doch den Verbrecher straf' er.
Er richte zwischen mir und diesem Mörder.
Den Schuldgen von uns beiden streck' er nieder!

PALMIRE. Mein Bruder! Wie? er hat so viel Gewalt,
Der Lügner, auf sie alle? Wie sie stehn!
Erstaunt, erstarrt, vor seiner Stimme bebend,
Als käm' ein Gott, Gesetze zu verkünden.
Und auch Seide, du?

SEIDE. Ich bin gestraft!
Die Tugend war umsonst in meinem Herzen,
Ein groß Verbrechen ward mir aufgenötigt.
Doch wenn ein Gott den Irrtum so bestraft,
So zittre du, Verbrecher! Siehst du mich
Vom Strahl getroffen, mich das Werkzeug nur,
Sollt' er nach dir, Verführer, nicht ihn schleudern!
Ich fühl' es, mich umschwebt der Tod. Palmire!
Hinweg! daß er nicht dich mit mir ergreife.

PALMIRE. Nein, Bürger! Nicht ein Gott hat ihn getötet,
Gift wirkt in seinen Adern. —

MAHOMET. Lernt, Ungläubige,
Den Lohn des Aufruhrs gegen Gottgesandte,
Die Rache kennen, die der Himmel schickt.
Natur und Tod vernehmen meine Stimme.

Der Tod, der mir gehorcht, beschützte mich
Und grub die Züge rächender Vernichtung
Auf diese bleiche Stirne plötzlich ein.
Er steht noch zwischen euch und mir, der Tod,
Er zielt und wartet, was ich ihm gebiete.
So straf' ich jedes Irrtums Eigensinn,
Der Herzen Meuterei, ja, der Gedanken
Unwillgen Frevel; nur den Gläubigen
Verschont mein Bann, verschont des Todes Schrecken.
Wenn euch der Tag bescheint, wenn ihr noch lebt,
So dankt's dem Hohenpriester, der für euch,
Verführte, seinen Gott um Schonung fleht.
Zum Tempel fort, den Ewgen zu versöhnen!
Das Volk entfernt sich.
PALMIRE. O bleibt! nein, der Barbar vergiftete
Den holden Jüngling, meinen Bruder. Wie?
Und spräche dein Verbrechen selbst dich los?
Du scheinst ein Gott, nur weil du Laster häufest.
Verruchter Mörder meines ganzen Hauses,
Auch mir, der letzten, raube dieses Licht!
Du zauderst, blickest mich mit falscher Milde,
Die mir verhaßt ist, an! Des Toten Züge,
Die vielgeliebten, reißen mich dahin. *Gegen den Leichnam.*
Ein grauenvoll Geheimnis lauerte
Der Unschuld unsrer ersten Neigung auf.
Ich hatte mit Entsetzen dich geflohen;
Jetzt darf ich wieder jenem Zuge folgen.
Veredelt und verbunden sehen wir
Uns wieder. *Sie ersticht sich.*
MAHOMET.   Wehret ihr!
PALMIRE.   Ich sterbe. Fort!
Dich nicht zu sehen ist das größte Glück.
Die Welt ist für Tyrannen; lebe du!

TANCRED

TRAUERSPIEL IN FÜNF AUFZÜGEN
NACH VOLTAIRE

Personen:

Arsir, Ältester des Ritterchors von Syrakus
Orbassan ⎫
Loredan ⎬ Ritter von Syrakus
Roderich ⎭
Tancred, Ritter, aus einer verbannten syrakusanischen Familie, in Byzanz erzogen
Aldamon, Soldat
Amenaide, Tochter Arsirs
Euphanie, ihre Freundin
Mehrere Ritter, als Glieder des hohen Rats
Knappen, Soldaten, Volk

Der Schauplatz ist in und bei Syrakus. Die Zeit der Handlung fällt in das Jahr 1005. Die afrikanischen Sarazenen hatten, im neunten Jahrhundert, ganz Sizilien erobert. Da Syrakus ihr Joch abschüttelte, behielten sie Palermo und Girgenti. Die griechischen Kaiser besaßen Messina.

ERSTER AUFZUG
Ratssaal im Palaste der Republik

Erster Auftritt:
Die versammelten Ritter, in einem halben Zirkel sitzend

ARSIR. Erlauchte Ritter, deren Mut und Kraft
Des Vaterlands Bedrängnis rächen soll,
Mir, als dem Ältesten, erlaubet ihr
Euch zu versammeln, euren Rat zu hören.
Entschlossen seid ihr, mit gesamter Hand
Der Doppeltyrannei, die sich Siziliens
Bemächtigte, die Brust zu bieten, euch
Und Syrakus die Freiheit zu verschaffen.
Die beiden ungeheuren Mächte, die
Sich in die Welt zu teilen lange kämpfen,
Des Orients Monarchen und der Sarazenen
Verwegne Fürsten, beide machen sich

Die Ehre streitig, uns zu unterjochen.
    Dem Kaiser von Byzanz gehorchen schon
Messinens Völker; Solamir, der Maure,
Beherrschet Agrigent und Ennas Flur,
Bis zu des Ätna fruchtbeglücktem Fuß,
Und beide drohten Knechtschaft unsrer Stadt;
Doch aufeinander eifersüchtig beide,
Begierig beide solchen Raub zu haschen,
Bekämpften sich und stritten so für uns.
Sie haben wechselweise sich geschwächt,
Nun öffnet sich ein Weg uns zu erretten;
Der Augenblick ist günstig; nützet ihn!
Der Muselmannen Größe neigt sich schon,
Europa lernet weniger sie fürchten.
Uns lehrt in Frankreich Karl Martell, Pelag
In Spanien, der heilge Vater selbst,
Leo der Große, lehrt, mit festem Mut,
Wie dieses kühne Volk zu dämpfen sei.
    Auch Syrakus vereinigte sich heut
An seinem Teil zu solchem edlen Zweck.
Uneinigkeit und Ungewißheit soll
Nicht länger eure Heldenschritte lähmen.
Vergessen wir die unglücksvolle Zeit,
Da Bürger gegen Bürger aufgestanden
Und, grausam, diese Stadt die eignen Kinder
Ermordet und vertrieben und sich selbst
Entvölkert. Orbassan, an dich ergeht
Mein erster Aufruf: laß uns nun verbunden
Für Eine Sache stehn! fürs Allgemeine,
So wie fürs Beste jedes Einzelnen!
Ja, laß uns Neid und Eifersucht verbannen,
Ein fremdes Joch, das uns gewaltig droht,
Mit Heldenkraft zerbrechen, oder sterben!
ORBASSAN. Nur allzutraurig war der Zwist, Arsir,
Der unsre beiden mächtgen Stämme trennte
Und der geteilten Stadt die Kraft entzog.

Nun hoffet Syrakus die Orbassans
Mit deinem Blut, Arsir, vereint zu sehen.
So werden wir uns wechselweise schützen —
Und also reich' ich deiner edlen Tochter,
Ein wohlgesinnter Bürger, meine Hand;
Dem Staate will ich dienen, dir, den Deinen,
Und vom Altar, wo unser Band sich knüpft,
Stürz' ich mich rächend Solamir entgegen.
Doch sind es nicht allein die äußern Feinde,
Der Byzantiner hier, der Maure dort,
Auch selbst in dem Bezirk von Syrakus
Sehnt sich ein Teil betrognen Volkes noch
Dem längst vertriebnen Frankenstamme nach,
Man rühmet seinen Mut und wie er sich,
Freigebig, aller Bürger Herz verbunden.
Wen er beraubt daran denkt keiner mehr;
Nur was er gab verwahrt noch das Gedächtnis.

    Mit welchem Recht verbreitete der Franke
Sich über alle Welt und nahm auch hier
In unsern reichen Gegenden Besitz?
Coucy! mit welchem Recht verpflanzt' er sich
Vom Seine-Strom zu Arethusens Quelle?
Bescheiden erst und einfach, schien er nur
Sich unserm Dienst zu weihen; doch sein Stolz
Und seine Kühnheit machten ihn zum Herrn.
Sein Stamm, der ungeheure Güter häufte,
Erkaufte sich des Volkes Neigung bald
Und über meinen Stamm erhub er sich;
Doch nun sind sie gestraft, sie sind verbannt,
Auf ewig ihres Bürgerrechts verlustig.

    Das ist beschlossen; doch das Schwerste bleibt,
Nun dem Gesetz die volle Kraft zu geben.
Ein Sprosse des gefährlichen Geschlechts,
Tancred, ist übrig, der als Knabe schon
Mit seinen Eltern die Verbannung teilte.
Den Kaisern von Byzanz hat, wie man sagt,

Mit Ehren er gedient, und trägt gewiß,
Von uns gekränkt, den tiefsten Haß im Busen.
Vielleicht erregt er gegen uns die Macht
Der Griechen, die schon in Sizilien,
Durch den Besitz Messinas, eingegriffen,
Und denkt vielleicht, durch seinen Einfluß hier,
Uns innerlich zu untergraben. Doch
Wie ihm auch sei! wir stehen einer Welt
Entgegen, die von allen Seiten her
Nach unsern fruchtbeglückten Feldern dringt,
Und uns des reinen Himmels Frohgenuß
Im schönsten Land der Erde rauben möchte,
Nicht mit Gewalt allein, mit List noch mehr.
  Laßt gegen den Verrat uns, ohn' Erbarmen,
Als würdge Führer einer Stadt entbrennen.
Gebt den Gesetzen neue Kraft, die jeden
Der Ehre, wie des Lebens, ledig sprechen,
Der mit dem Feinde, mit dem Fremden sich
Zu heimlichen Verbindungen gesellt.
Untreue wird durch Mildigkeit erzeugt.
Kein Alter spreche künftig, kein Geschlecht,
Zur Schonung eines Schuldigen, das Wort.
So tat Venedig, wo mit großem Sinn
Mißtraun und Strenge sichre Losung war.
LOREDAN. Welch eine Schande für die Eingebornen,
Daß sie ein Fremder, sie ein Feind so leicht
Durch irgend einen Schein verblenden kann!
Welch ein Verdruß für uns, daß Solamir,
Als Muselmann, in dieser Christeninsel,
Ja selbst in dieser Stadt Verräter soldet,
Uns Friede bietet, wenn er Krieg bereitet,
Um uns zu stürzen, uns zu trennen sucht.
Wie mancher von den Unsern ließ sich nicht
Durch Wissenschaft und Kunst betören, die
Der Araber uns zu entkräften bringt.
Am meisten aber, daß ich nichts verschweige,

Neigt sich der Frauen leicht verführt Geschlecht
Den Lockungen des fremden Glanzes zu.
An Solamir und seinen Edlen schätzt
Ein weiblich Auge, lüstern, manchen Reiz,
Des Morgenlandes auserlesne Pracht
In Kleid und Schmuck, Gewandtheit der Gestalt,
Der Neigung Feuer und der Werbung Kühnheit;
Indes wir der gerechten Sache nur,
Dem Wohl des Staates, Sinn und Arme widmen,
Und Kunstgewerbe ritterlich verschmähn.
Im Siege mag sich unsre Kunst enthüllen;
Mir trau' ich viel, euch trau' ich alles zu.
Besonders aber laßt, gerecht und streng,
Uns gegen der Verräter Tücke wachen;
Ein Einziger zerstöret, leicht und schnell,
Was viele tausend Redliche gebaut.
Und wenn ein solcher des Gesetzes nicht,
Des Unglücks, das er stiftet, nicht gedenkt,
So laßt, wenn er entdeckt ist, im Gericht
Uns nicht an Gnade, nicht an Milde denken.
Und Syrakus liegt sicher hinter uns,
Wenn wir uns Solamir entgegen stürzen.
Auf ewig ausgeschlossen sei Tancred,
Und ihm und seinem Stamme jede Hoffnung
Der Rückkehr abzuschneiden, werde nun
Des Ritterrates letzter Schluß vollbracht.
Die Güter, das Vermögen, die der Franken
Vertriebner Stamm in Syrakus verließ,
Sei Orbassan verliehen, der für uns
So viel getan, so viel zu tun sich rüstet;
Solch eines Vorzugs ist der Bräutigam,
Arsirens Tochter solcher Mitgift wert.

RODERICH. So sei es! Mag Tancred doch in Byzanz
Sich jeder Gunst des Kaiserhofes freuen!
Er fordre nichts in unserm Freibezirk.
Gab er sich einen Herrn, so tat er selbst

Auf unsre heilgen Rechte hier Verzicht.
Er sei verbannt. Der Sklave der Despoten
Kann in dem freien Kreise nichts besitzen;
Der Staat, den Orbassan bisher beschützt,
War schuldig ehrenvoll ihn zu belohnen.
So denk' ich und ein jeder so mit mir.
ARSIR. Er ist mein Eidam! Einer Tochter Glück
Und Wohlstand bleibt des Vaters heißer Wunsch;
Doch den Vertriebnen, den verwaisten Mann,
Der, ganz allein noch übrig in der Welt
Von einem hohen Stamme, sich verliert,
Nicht gerne hab' ich, zu der Meinen Vorteil,
Der letzten Hoffnung ihn beraubt gesehn.
LOREDAN. Du tadelst den Senat?
ARSIR.   Die Härte nur.
Doch was die Mehrheit immer ausgesprochen,
Ich ehr' es als ein göttliches Gesetz.
ORBASSAN. Dem Staat gehören diese Güter! Mag
Er sie doch auch besitzen und verwalten.
ARSIR. Genug hievon! Gefährlich immer ist's
Das schon Entschiedne wieder aufzuregen.
Laß uns vielmehr des schönen Bunds gedenken,
Der unsre Häuser fest vereinen soll;
Laß uns die Feier heute noch vollbringen,
Und morgen sei der Tag beglückter Schlacht.
Da fühle Solamir, daß du mit ihm
Um Eine Braut, um Einen Kranz gerungen!
Entreiß ihm beide, glücklich hier und dort!
Ja, der verwegne Muselmann verlangte,
Zum Friedenspfande, meiner Tochter Hand.
Durch solch ein Bündnis glaubt' er mich zu ehren.
    Auf! meine Freunde! — Wenn das Alter mir
Den Ehrenplatz euch anzuführen raubt,
So ist mein Eidam dieser Stelle wert.
Nicht ferne will ich von dem Kampfe sein;
Mein Herz wird neue Regungen empfinden,

Mein Auge blickt auf eure Tapferkeit
Und sieht den schönsten Sieg eh' es sich schließt.
LOREDAN. Du bist es der uns leitet! Hoffen wir
Daß auch das Glück den edlen Kampf begünstigt.
Wir schwören, daß ein ehrenvoller Sieg,
Wo nicht, ein ehrenvoller Tod uns krönen soll.

Zweiter Auftritt: Arsir · Orbassan

ARSIR. Kann ich mich endlich deinen Vater nennen?
Ist, wackrer Orbassan, der alte Groll
In dir verloschen? Darf ich eines Sohns
Gesinnung von dir hoffen, auf dich zählen?
ORBASSAN. Laß uns erwarten, daß das Leben uns,
Das uns bisher getrennt, verbinden möge;
Daß, wie wir uns bisher geschadet, nun
Wir unsre Kraft zu beider Vorteil brauchen.
Laß denn Vertrauen zwischen uns entstehn,
Gegründet auf gemeinsames Bestreben,
Den Staat, uns selbst, die Unsern zu beglücken.
Gewohnt von Jugend auf dein Widersacher
Und deines ganzen Hauses Feind zu sein,
In dieses Bündnis wär' ich nicht getreten,
Hätt' ich dich selbst als Feind nicht ehren müssen.
Ob Liebe teil an diesem Schluß gehabt,
Das laß uns hoffen, aber nicht erforschen.
Amenaidens hohen Frauenwert
Darf jeder Ritter zu besitzen wünschen.
Sie wird nun mein! Mich ihrer wert zu nennen
Muß ich die Feinde dämpfen, Syrakus
Von jeder Not befreien, dir, mein Vater,
Der ersten Stelle hohe Würde sichern.
Das ruft zum Kampfe mich, zur Tätigkeit.
Und unter dem Geräusch der Todeswaffen,
Wenn Liebe spräche, würde sie gehört?
ARSIR. Wenn sich ein Krieger durch Freimütigkeit,
Durch trockne derbe Sinneskraft empfiehlt,

So gibt es eine Härte die ihm schadet.
Gefällige Bescheidenheit erhebt
Den Glanz der Tugend, ist der beste Schmuck
Der Tapferkeit. Ich hoffe meine Tochter
Soll deiner Sitte Heldenstrenge mildern.
Sie ging, in früher Zeit, mit ihrer Mutter
Den Stürmen unsers Bürgerzwists entflohn,
Am Hofe von Byzanz die ersten Blüten
Jungfräulicher Gesinnung zu entfalten.
Und blieb ihr Herz der Schmeichelei verschlossen,
So ist ihr Ohr doch diesen Ton gewohnt.
O, laß dir eines Vaters Rat gefallen!
Befremde sie durch Ernst und Strenge nicht!
Ein weiblich Herz glaubt nur an seinen Wert,
Wenn es den rohen Männersinn bezwingt.
ORBASSAN. Und diese rauhe Schale müßt ihr mir
Zugute halten, denn ich bin im Lager
Vom kriegerischen Vater aufgezogen.
Dort spricht die Tat den Wert des Mannes aus,
Dort lernt' ich biedern Sinn, Entschlossenheit,
Den unverruckten Schritt zum Ziele schätzen.
Und lernt' ich gleich des Hofes Sprache nicht,
Kann ich kein Scheinverdienst, durch Gleisnerei,
Mir eigen machen, und, mit glatten Worten,
Erlogne Neigung jedem Weibe bieten,
So fühl' ich doch die Würde meiner Braut
Vielleicht so gut als man sie fühlen soll;
Und mein Betragen zeige wie ich sie
Und euch und mich in ihr zu ehren denke.
ARSIR. Ich habe sie berufen, sie erscheint.

Dritter Auftritt: Arsir · Orbassan · Amenaide

ARSIR. Der hohe Rat, besorgt fürs Wohl des Ganzen,
Der Bürger Stimme, die ihr Herz befragen,
Dein Vater, ja der Himmel, führen dir
Den Bräutgam zu, dem mit ergebner Pflicht

Und holder Neigung du entgegen gehst;
Dein Wort empfing er aus des Vaters Munde.
Du kennest seinen Namen, seinen Rang
Wie seinen Ruhm, den er als edler Führer
Des Ritterheeres täglich mehren kann.
Daß er zu seinen großen Gütern noch
Tancredens Rechte vom Senat empfing —
AMENAIDE *für sich.* Tancredens?
ARSIR. — möchte der geringste Wert
Der auserwähltesten Verbindung sein.
ORBASSAN. Wie sie mich ehrt, das hab' ich längst gefühlt;
Nun fühl' ich auch in dieser Gegenwart,
Wie sehr ich mich beglückt zu nennen habe.
O! daß zu deiner Gunst und ihrer Wahl
Auch mein Verdienst um euch sich fügen möchte!
AMENAIDE. Zu allen Zeiten hast du, teurer Vater,
Mein Leid empfunden, wie mein Glück befördert,
Indem du einem Helden mich bestimmst,
So soll nach langen Kampfes wilden Tagen
Durch deine Weisheit Fried' und Freude blühn,
Und deine Tochter soll des Glückes Pfand
Für unsre Stadt, für unsre Häuser sein.
Die Würde dieser Pflicht empfind' ich wohl,
Den Vorteil auch erkenn' ich wünschenswert;
Doch Orbassan wird einem weichen Herzen,
Das, ach! von Jugend auf, zu sehr belastet
Von manchem Druck unselger Tage war,
Das selbst sich jetzt, in dieser neuen Lage,
Betroffen fühlen muß, vergönnen, sich
An eines Vaters Busen zu erholen.
ORBASSAN. Ich schätze diese Fordrung der Natur;
Ich weiß dein kindliches Gefühl zu ehren,
Dem herzlichen Vertrauen laß ich Raum.
An meiner Seite will ich unsers Heers
Geprüfte Ritter mustern; Wachsamkeit
Auf unsers Feinds Bewegungen empfehlen.

Nur wenn ich eine solche Hand verdiene,
Fass' ich sie mit Vertrauen; unser Fest
Werd' ich mit wahrer Freude nur begehn,
Wenn ich es reich mit Lorbeern schmücken kann.

Vierter Auftritt: Arsir · Amenaide

ARSIR. Du bist betroffen, und dein starrer Blick,
Von Tränen trübe, wendet sich von mir.
Erstickte Seufzer heben deine Brust.
Und wenn das Herz gewaltig widerstrebt,
Was kann die Lippe Günstiges verkünden?
AMENAIDE. Erwartet hätt' ich nicht, ich will's gestehn,
Daß du, nach solchen Kämpfen, solchem Haß,
Mit der Partei der Orbassans dich je,
Als etwa nur zum Schein, verbinden würdest;
Daß deiner Tochter zitternd schwache Hand
Gefordert werden könnte solchen Bund
Zu kräftigen, und daß mein Arm den Feind,
Der uns so sehr bedrängt, umfassen sollte.
Kann ich vergessen, daß der Bürgerkrieg
Des eignen Herds behaglich freie Stätte
Dir wild verkümmert; daß die gute Mutter,
Zwar wider Willen, doch für mich besorgt,
Aus dieser Stadt nach fremden Ufern zog!
Und teilt' ich nicht, der Wiege kaum entwachsen,
Dort in Byzanz, ihr trauriges Geschick?
Lernt' ich von ihr, der Irrenden, Verlassnen,
Verbannter Bürger Jammertage nicht,
Des stolzen Hofs erniedrigende Gnade,
Und Mitleid, schlimmer als Verachtung, tragen?
Herabgesetzt, doch edel ausgebildet,
Verlor ich bald die würdge Führerin.
Die Mutter starb, ich fand mich mit mir selbst,
Ein schwaches Rohr, und in dem Sturm allein.
Da leuchteten dir neue bessre Tage,
Und Syrakus, bedürftig deines Werts,

Gab dir die Güter, dir das Ansehn wieder,
Und seiner Waffen Glück in deine Hand.
Da wichen von den blutbefleckten Pforten
Der Vaterstadt die Feinde schnell hinweg.
Ich sehe mich in meines Vaters Armen,
Aus denen frühes Unglück mich gerissen.
Ach! führt ein größres etwa mich zurück?
Ich weiß, zu welchem Zweck, in welcher Hoffnung
Du meine Hand dem Gegner angelobt.
Bedenke, daß ein unnatürlich Bündnis,
Das beiden Gatten Unglück zubereitet,
Verderblich oft dem Allgemeinen wird.
Vergib wenn ich vor dieser Stunde bebe,
Die mir auf unabsehlich lange Reihen
Von Schmerz- und Kummerstunden schrecklich zeigt.

ARSIR. Laßt nicht Erinnerung vergangnen Übels
Der Zukunft weite Räume dir verengen!
Gedenke jetzt wie Syrakus gemurrt,
Als deine Hand zum Pfande Solamir
Des angebotnen Friedens sich bedingte.
Nun geb' ich dir den Helden, der mit ihm
Sich messen, der von ihm uns retten soll,
Den besten unsrer Krieger, der mich sonst
Befeindete, und der uns nun verstärkt.

AMENAIDE. Verstärkt! O, laß dich nicht durch jene Güter,
Die er vielleicht verschmähen sollte, blenden!
Ein Held, so mächtig und so bieder, könnte
Unschuldig Ausgetriebene berauben?

ARSIR. Der strengen Klugheit des Senates kann
Ich nichts entgegen setzen. In Tancreden
Bestraft man nur den eingedrungnen Stamm
Herrschsüchtger Franken, die uns längst getrotzt.
Er muß verlöschen.

AMENAIDE. Irr' ich, Herr, nicht ganz,
So ist Tancred in Syrakus geliebt.

ARSIR. Wir ehren alle den erhabnen Geist,

Den Mut, der, wie man sagt, Illyrien
Dem Kaiser unterwarf, sich überall
Wo er sich hingewendet ausgezeichnet;
Doch eben weil er jenem Dienst sich weihte,
Hat er bei uns das Bürgerrecht verwirkt,
Sein reiches Erbe bleibt ihm abgesprochen,
Und wie er flüchtig ist, er bleibt verbannt.
AMENAIDE. Verbannt! Auf ewig! Er?
ARSIR. Man fürchtet ihn.
Du hast ihn ehmals in Byzanz gesehen;
Du weißt, er haßt uns.
AMENAIDE. Damals glaubt' ich's nicht.
Auch meine Mutter hoffte: Syrakus
Sollt' er dereinst beschützen und befrein.
Und als der Bürger, undankbar verirrt,
Sich gegen dich für Orbassan erklärte,
Dich unterdrückte, deiner Güter dich
Beraubte, damals hätte, wie mir schien,
Tancred für dich den höchsten Kampf bestanden.
ARSIR. Genug, Amenaide! Rufe nicht
Vergangner Tage Schattenbild hervor!
Laß uns von Zeit und Ort Gesetze nehmen!
Tancred und Solamir, Byzanz und Hof
Sind alle gleich verhaßt in Syrakus,
Und wirken bald auf uns nicht weiter ein;
Doch deines Lebens nächstes ganzes Glück
Kannst du dir durch Gefälligkeit erschaffen.
Nun sechzig Jahre stritt ich für dies Land,
Ich liebt' es, dient' ihm als ein treuer Bürger,
So ungerecht, so undankbar es auch
Sich gegen mich bewiesen, und ich denke
Noch eben so in meinen letzten Stunden.
Solch eine Denkart zeige mir nun auch
Zu Trost und Hoffnung meiner alten Tage,
Und gehe sicher, an der Hand der Pflicht,
Dem Glück, das dir bereitet ist, entgegen.

AMENAIDE.
 Du sprichst von Glück, das nirgends mir erscheint.
 Zwar seh' ich nicht auf die vergangnen Zeiten,
 Nicht auf den Glanz des Kaiserhofs zurück;
 Dir weih' ich die Gefühle meines Herzens;
 Doch eh' du mich auf ewig binden magst,
 Laß wenig Tage noch vorübergehen!
 Die Gunst ist groß, durch die sich Orbassan
 Vom Volk und vom Senat erhoben sieht.
 Du eilest, staatsklug, teil daran zu nehmen;
 Und doch ist diese Gunst so leicht verscherzt!
 Und die Partei, statt uns empor zu tragen,
 Zieht uns in ihrem Sturze mit hinab.
ARSIR. Was sagst du?
AMENAIDE.   Wenn ich dir, o Herr! vielleicht
 Zu kühn erscheinen möchte, so vergib.
 Ich leugn' es nicht, das schwächere Geschlecht
 Hat an dem Kaiserhofe größre Rechte;
 Dort fühlt man sich und waget auszusprechen,
 Was in der Republik verboten ist.
 Man dient uns dort, hier will man uns befehlen.
 Es war nicht immer so! Der Muselmann,
 Der eines Weibes edle Rechte kränkt,
 Hat in Sizilien zu starken Einfluß.
 Auch unsre Helden hat er gegen uns
 Herrschsüchtger, ungefälliger gemacht;
 Doch deine Vatergüte bleibt sich gleich.
ARSIR. So lange du als Tochter dich erzeigst.
 Mißbrauche nicht die väterliche Huld!
 Du durftest zaudern, aber nicht versagen.
 Nichts trennet mehr das festgeknüpfte Band;
 Das Ritterwort kann nicht gebrochen werden.
 Wohl ist es wahr: ich bin zum Unglück nur
 Geboren! kein Entwurf gelang mir je!
 Und was ich jetzt zu deinem Glück getan,
 Wird, ahnungsvoll, von dir voraus verfinstert.

Doch sei ihm wie ihm wolle! das Geschick
Wird nicht von uns beherrscht und unsern Wünschen,
Und so ergib dich ihm, wie wir es tun.

Fünfter Auftritt: Amenaide, hernach Euphanie

AMENAIDE. Tancred! Geliebter! Sollt' ich meine Schwüre
Um deines größten Feindes willen brechen?
Ich sollte, niedrig, grausamer als er,
Die dir geraubten Güter mit ihm teilen?
Ich sollte — komm, Euphanie! vernimm,
Welch ungeheurer Schlag mein Leben trifft:
Mein Vater gibt mir Orbassan zum Gatten.
EUPHANIE. Wie wird es möglich zu gehorchen sein?
Ich kenne dein Gefühl und seine Stärke.
Nicht des Geschicks Gewalt, des Hofes Reiz
Vermochte, wenn du deinen Weg gewählt,
Dich aufzuhalten, oder abzulenken;
Du gabst dein Herz fürs ganze Leben hin.
Tancred und Solamir empfanden beide,
Für dich entzündet, gleicher Neigung Macht!
Doch der, den du im stillen, und mit Recht,
Dem andern vorgezogen, der dein Herz
Gewonnen und verdient, wird dieses Herzens
Auch würdig bleiben. Wenn er in Byzanz
Vor Solamir den Vorzug sich gewann,
So möchte schwerlich Orbassan sich hier
Des Sieges über ihn zu rühmen haben.
Dein Sinn ist fest.
AMENAIDE.   Er wird sich nie verändern.
Ach, aber man beraubt Tancreden hier,
Verbannt ihn, kränkt die Ehre seines Namens.
Verfolgung ist Geschick des edlen Manns;
Doch mein Geschick ist nur, ihn mehr zu lieben.
Und so vernimm: ich wage noch zu hoffen;
Ihn liebt das Volk noch immer!
EUPHANIE.   Wie man hört.

Wenn seines Hauses Freunde lange schon
Den Vater und den Sohn vergessen, die
In ferne Lande die Verbannung trieb,
Wenn Große nur dem eignen Vorteil frönen,
So ist das Volk gutmütig.

AMENAIDE. Oft gerecht!
EUPHANIE. Jetzt unterdrückt; und wer Tancreden liebt,
Darf lange schon nur im Verborgnen seufzen.
Tyrannisch waltet des Senats Befehl.
AMENAIDE. Nur weil Tancred entfernt ist wagen sie's.
EUPHANIE. Wenn er sich zeigen könnte hofft' ich auch;
Doch er ist fern von dir.
AMENAIDE. Gerechter Gott!
Dich ruf' ich an— *Zu Euphanien.*
und dir vertrau' ich mich.
Tancred ist nah und wenn man endlich, ihn
Ganz zu verderben, harte Schlüsse nahm,
Wenn Tyrannei sich über alles hebt;
So tret' er vor, daß alle sich entsetzen.
Tancred ist in Messina!
EUPHANIE. Großer Gott!
Vor seinen Augen will man dich ihm rauben.
AMENAIDE. Ich bleibe sein, Euphanie! Vielleicht
Gebietet er den Syrakusern bald,
Wie meinem Herzen — Dir vertrau' ich alles;
Doch alles muß ich wagen! Dieses Joch,
Es ist zu schimpflich, und ich will es brechen,
Verraten könnt' ich ihn? und niederträchtig
Der Macht, die ein Verbrechen heischt, gehorchen?
Nein! Männerstärke gibt mir die Gefahr.
Um meinetwillen kam er in die Nähe;
Mich sollte seine Nähe nicht begeistern?
Und könnt' ich einer falsch verstandnen Pflicht
Freiheit und Ehre, Glück und Leben weihen?
Wenn Unglück sich von allen Seiten zeigt,
So ist's das größte das mich ihm entreißt.

O Liebe, die du mein Geschlecht erhebst,
Laß dieses Wiedersehn beschleunigt werden!
Laß in der Not uns deinen Einfluß fühlen,
Und schufst du die Gefahr, so rett uns nun!

ZWEITER AUFZUG
Saal im Palaste der Republik

Erster Auftritt: Amenaide, hernach Euphanie

AMENAIDE. Die Ruhe flieht und ach! die Sorge folgt!
Vergebens wandl' ich durch die öden Säle.
Hier, in dem Busen, schwanket Ungeduld;
Unstet bewegt mein Fuß sich hin und wider.
Ist's Furcht? Ist's Reue? — Furcht! o, denk an ihn!
Und sollte dich die edle Kühnheit reuen?
Gefaßt, mein Herz! *Zu Euphanien, die eintritt.*
                          Ist mein Befehl vollbracht?
EUPHANIE. Dein Sklav empfing den Brief und eilte fort.
AMENAIDE. So ist mein Schicksal nun in der Gewalt
Des letzten meiner Knechte, weil ich ihn
Zu einem solchen Auftrag tüchtig finde,
Weil er von Muselmannen stammt, bei uns
Geboren und erzogen, beide Sprachen,
Der Sarazenen Lager und des Bergs
Verborgne fürchterliche Pfade kennt.
Wird er auch jetzt, so glücklich und so treu,
Messinas Pfort' erreichen, als zur Stunde,
Da er mir dort Tancreden ausgeforscht?
Wird er, wie damals, eilig wiederkehren,
Und allen Dank und allen Lohn empfangen,
Den ihm mein stolzes Herz, mit Freude, zollt?
EUPHANIE. Gefährlich ist der Schritt; doch hast du selbst,
Durch weise Vorsicht, die Gefahr gemindert.
Tancredens Namen hast du jenem Blatt,
Das ihn berufen soll, nicht anvertraut.
Wenn des Geliebten Namen sonst so gern

Die Lippe bildet, und der Griffel zieht,
Hier hast du ihn verschwiegen, und mit Recht.
Im schlimmsten Falle mag der Maure nun
Den Boten fangen, mag die Zeilen lesen,
Die ihm ein unerklärlich Rätsel sind.
AMENAIDE. Noch wacht ein guter Geist für mein Geschick;
Tancreden führt er her, ich sollte zittern?
EUPHANIE. An jedem andern Platz verbind' er euch;
Hier lauern Haß und Habsucht hundertäugig,
Der Franken alter Anhang schweigt bestürzt;
Wer soll Tancreden schützen wenn er kommt?
AMENAIDE. Sein Ruhm! — Er zeige sich und er ist Herr.
Den unterdrückten Helden ehrt im stillen
Noch manches Herz. Er trete kühn hervor,
Und eine Menge wird sich um ihn sammeln.
EUPHANIE. Doch Orbassan ist mächtig, tapfer!
AMENAIDE. Ach!
Du solltest meine Sorge nicht vermehren.
O, laß mich denken, daß ein gut Geschick
In früher Jugend uns zusammen führte,
Daß meine Mutter, in der letzten Stunde,
Uns, mit dem Scheidesegen, fromm vereint.
Tancred ist mein! Kein feindliches Gesetz,
Nicht Staatsverträge sollen mir ihn rauben.
Ach! wenn ich denke wie, vom Glanz des Hofs,
Vom Herrlichsten der Kaiserstadt umgeben,
Wir uns nach diesen Ufern hingesehnt,
Wo jetzt Gefahr von allen Seiten droht,
Wo mir Tancredens laut erklärter Feind
Das ungerecht entrissene Vermögen,
Als Bräutigam, zur Morgengabe beut.
Der edle Freund soll wenigstens erfahren,
Wie ihn Parteisucht hier behandelt, wie
Mich sein Verlust in Angst und Kummer setzt.
Er kehre wieder und verteidige
Sein angebornes Recht! Ich ruf' ihn auf.

Dem Helden bin ich's, bin's dem Freunde schuldig;
Ach! gerne tät' ich mehr, vermöcht' ich's nur.
Ja, hielte mich die Sorge nicht zurück
Des alten Vaters Tage zu verkürzen,
Ich selbst erregte Syrakus, zerrisse
Den Schleier, der die Menge traurig dämpft.
Von Freiheit reden sie, und wer ist frei?
Der Bürger nicht der vor dem Ritter bebt,
Der Ritter nicht der sich von seinesgleichen
Befehlen und verstoßen lassen muß.
Ist denn mein Vater frei? der doch von allen
Der Älteste, des Rates Erster sitzt.
Bin ich es, seine Tochter? deren Hand
Dem alten Feinde meines Hauses nun,
Im klugen Plane, dargeboten wird.
Ist Orbassan darum nun liebenswert,
Weil die Parteien, müde sich zu kränken,
In unserm Bund auch ihren Frieden sehn?
Solch ein Vertrag empört, wie solch ein Zwist,
Des zarten Herzens innerstes Gefühl,
Ein Einziger kann die Verwirrung lösen.
Und er ist nah, er kommt — es ist getan.
EUPHANIE. Und alle deine Furcht? —
AMENAIDE.   Sie ist vorüber.
EUPHANIE. Doch mir durchbebt sie heftiger die Brust.
In diesem Augenblicke der Entscheidung
Empfind' ich meine Schwachheit nur zu sehr!
Und hast du nichts von dem Gesetz gehört,
Das der Senat, mit wohlbedachter Strenge,
Noch diesen Morgen erst, erneuert hat?
AMENAIDE. Welch ein Gesetz?
EUPHANIE.   Es ladet Schand' und Tod
Auf jeden, der mit unsern Feinden sich,
Der sich mit Fremden insgeheim verbunden.
O Gott! dir drohet es, und trifft vielleicht!
AMENAIDE. Laß ein Gesetz von Syrakus dich nicht,

So sehr es immer droht, in Furcht versetzen.
Ich kenne schon den waltenden Senat;
Versammelt sinnt er auf das Beste, will,
Mit Herrscherwort, den Übeltaten steuern,
Und so entspringet weise manch Gesetz;
Gerüstet steht's, Minerven gleich, die sich
Einst aus dem Haupt des Göttervaters hob,
In seiner vollen Kraft, und scheint zu treffen.
Den Bürger trifft es auch und den nicht oft;
Doch weiß ein Ritter, was die Seinigen
Verletzen könnte, mächtig abzulenken,
Und keine Strafe trifft ein hohes Haupt.

Zweiter Auftritt:

Amenaide, Euphanie im Vordergrunde, Arsir und die Ritter im Hintergrunde

ARSIR. Weh über uns! — O Ritter! wenn ihr mich
Bei dieser Nachricht ganz vernichtet seht,
Bejammert mich! Zum Tode war ich reif;
Doch solche Schande dulden wer vermag's!
Zu Amenaiden, mit Ausdruck von Schmerz und Zorn.
Entferne dich!
AMENAIDE.   Mein Vater sagt mir das?
ARSIR. Dein Vater? Darfst du diesen heilgen Namen
Im Augenblicke nennen, da du frech
Dein Blut, dein Haus, dein Vaterland verrätst?
AMENAIDE *sich fortbewegend.*
Ich bin verloren!
ARSIR.   Bleib! und soll ich dich
Mit einemmal von diesem Herzen reißen?
Ist's möglich?
AMENAIDE.   Unser Unglück ist gewiß,
Wenn du dich nicht zu meiner Seite stellst.
ARSIR. Zur Seite des Verbrechens?
AMENAIDE.   Kein Verbrechen

Hab' ich begangen.
ARSIR. Leugnest du das Blatt?
AMENAIDE. Ich habe nichts zu leugnen.
ARSIR. Ja, es ist
Von deiner Hand geschrieben, und ich stehe
Betroffen und beschämt, verzweifelnd hier.
So ist es wahr! — O! meine Tochter! — Du
Verstummst? — Ja, schweige nur, damit mir noch
Im Jammer wenigstens ein Zweifel bleibe.
Und doch — o sprich, was tatst du?
AMENAIDE. Meine Pflicht!
Bedachtest du die deine?
ARSIR. Rühmst du noch
Dich des Verbrechens vor dem tief Gekränkten?
Entferne dich, Unglückliche! Verlaß
Den Ort, den Stand, das Glück, das du verwirkt,
Und mir soll fremde Hand mein Auge schließen.
AMENAIDE. Es ist geschehn!

Dritter Auftritt: Arsir, die Ritter

ARSIR. Wenn ich, nach dieser Tat,
Nach dem Verbrechen, das sie selbst bekannte,
Nicht ritterlich gelassen unter euch,
Wie es mir wohl geziemte, stehen kann,
Wenn meine Tränen wider Willen fließen,
Wenn tiefe Seufzer meine Stimme brechen,
Ach! so verzeiht dem tiefgebeugten Mann.
Was ich dem Staat auch schuldig bin, Natur
Macht allzudringend ihre Fordrung gelten.
Verlangt nicht, daß ein unglückseliger Vater
Zu euren strengen Schlüssen bebend stimme:
Unschuldig kann sie nicht gefunden werden;
Um Gnade wag' ich nicht für sie zu flehn;
Doch Schand' und Tod auf sie herab zu rufen
Vermag ich nicht. Es scheint mir das Gesetz,
Nunmehr auf sie gerichtet, allzustreng.

LOREDAN. Daß wir, o Herr, den würdigsten der Väter
 In dir bedauern, deine Schmerzen fühlen
 Und sie zu schärfen selbst verlegen sind,
 Wirst du uns glauben; aber dieser Brief! —
 Sie leugnet nicht, der Sklave trug ihn fort;
 Ganz nah am Lager Solamirs ergriff
 Den Boten unsre frische Doppelwache;
 Er suchte zu entfliehn, er widersetzte
 Sich der Gewalt die ihm den Brief entriß,
 Er war bewaffnet und er ist gestraft.
 Das Zeugnis des Verrates liegt zu klar
 Vor aller Augen! die Gefahr der Stadt!
 Wer sollte hier der wiederholten Schwüre
 Vergessen können? wer der ersten Pflicht?
 Und selbst die edlen väterlichen Schmerzen,
 Sie überreden nicht, so sehr sie rühren.
ARSIR. In deinem Spruche seh' ich deinen Sinn;
 Was auf sie wartet fühl' ich mit Entsetzen.
 Ach! sie war meine Tochter — dieser edle Mann
 Ist ihr Gemahl — ich überlasse mich
 Dem herben Schmerz — euch überlass' ich mich.
 Gewähre Gott mir nur vor ihr zu sterben!

Vierter Auftritt: Die Ritter

RODERICH. Sie zu ergreifen ist Befehl gegeben —
 Wohl ist es schrecklich, sie, von edlem Stamme,
 So hoch verehrt von allen, jung und reizend,
 Die Hoffnung zweier Häuser, von dem Gipfel
 Des Glücks, in Schmach und Tod gestürzt zu sehn;
 Doch welche Pflichten hat sie nicht verletzt?
 Von ihrem Glauben reißet sie sich los;
 Ihr Vaterland verrät sie, einen Feind
 Ruft sie, uns zu beherrschen, frech heran.
 Oft hat Sizilien und Griechenland
 An seinen Bürgerinnen das erlebt,
 Daß sie der Ehre, daß dem Christennamen,

Daß den Gesetzen sie entsagt und sich
Dem Muselmann, der alle Welt bedrängt,
Im wilden Feuer, lüstern, hingegeben;
Doch daß sich eines Ritters Tochter, sie, *Zu Orbassan.*
Die Braut solch eines Ritters, so vergißt
Und, auf dem Wege zum Altare, noch
Ein solch verrätrisch Unternehmen wagt,
Ist neu in Syrakus, neu in der Welt.
Laßt unerhört das Unerhörte strafen!

LOREDAN. Gern will ich es gestehn, ich bebe selbst,
Indem ich ihre volle Schuld mir denke,
Die nur durch ihren Rang sich noch vermehrt.
Wir alle kennen Solamirs Beginnen,
Wir kennen seine Hoffnung, seine Liebe,
Die Gabe zu gefallen, zu betriegen,
Geister zu fesseln, Augen zu verblenden.
An ihn gerichtet hat sie dieses Blatt!
«Regier in unserm Staate!» — Braucht es mehr
Die gräßlichste Verschwörung zu enthüllen?
Und was noch sonst Verwerflichs diese Züge
Vor unsre Augen bringen, sag' ich nicht *Zu Orbassan.*
In deiner Gegenwart, verehrter Mann!
Wir schämen uns wo sie der Scham vergaß.
Und welcher Ritter sollte nun für sie,
Nach altem löblichem Gebrauche, streiten?
Wer fände sie noch würdig, ihretwegen,
Die keinen Schein des Rechtes für sich hat,
Sein Blut und seinen Namen zu verschwenden?

RODERICH. Wir fühlen, Orbassan, die Schmach wie du,
Womit ein fremder Frevel uns getroffen.
Komm! wir entsühnen uns im Schlachtgewühl.
Sie hat das Band verräterisch zerrissen;
Dich rächt ihr Tod, und er befleckt dich nicht.

ORBASSAN. Betroffen steh' ich, das vergebt ihr mir!
Treu oder schuldig, sie ist mir verlobt.
Man kommt — sie ist's — die Wache führt sie.

Soll meine Braut in einem Kerker jammern?
Mich trifft, mich reizt die unerhörte Schmach.
Laßt mich sie sprechen!

Fünfter Auftritt:
Die Ritter im Vordergrunde. Amenaide im Hintergrunde,
mit Wache umgeben

AMENAIDE. Ewige Himmelsmächte,
Auf diesem Weg des Elends leitet mich!
Du kennst, o Gott! der Wünsche löblich Ziel;
Du kennst mein Herz! Ist denn die Schuld so groß?
RODERICH *im Begriff, mit den übrigen Rittern abzugehen, zu Or-*
bassan. Die Schuldige zu sprechen bleibst du stehn?
ORBASSAN. Ich will sie sprechen.
RODERICH. Sei es! doch bedenke:
Gesetz, Altar und Ehre sind verletzt,
Und Syrakus, obgleich mit Widerwillen,
Mit eignem Schmerz, verlangt des Opfers Blut.
ORBASSAN. Mir sagt, wie euch, der Ehre Tiefgefühl,
Wie jeder denkt, und wie er denken soll.
Die Ritter gehen ab, er spricht zur Wache.
Entfernet euch!

Sechster Auftritt: Amenaide · Orbassan

AMENAIDE. Was unterfängst du dich?
Willst meiner letzten Augenblicke spotten?
ORBASSAN. So sehr vergess' ich meiner Würde nicht.
Dich wählt' ich mir, dir bot ich meine Hand;
Vielleicht hat Liebe selbst die Wahl entschieden.
Doch davon ist die Rede nicht. Was auch
In meinem Herzen peinlich sich bewegt,
Gefühl der ersten Neigung gegen dich,
Verdruß, daß ich der Liebe nachgegeben:
Ertragen könnt' ich nicht enthert zu sein.
Verraten wär' ich? Sollt' ich das mir denken!

Um eines Fremden, eines Feindes willen,
Der unsrer heilgen Lehre widerstrebt?
Zu schändliches Verbrechen! Nein, ich will
Die Augen schließen, nichts von allem glauben,
Dich retten und den Staat und meinen Ruhm.
Mir werd' es Pflicht, ich ehre mich in dir;
Heut sah mich Syrakus als deinen Gatten;
Nun steh' ich dem Beleidger meines Rufs.
Das Gottesurteil ruht in unsrer Faust;
Das Schwert erschafft die Unschuld vor Gericht.
Ich bin bereit zu gehen!

AMENAIDE.   Du?

ORBASSAN.   Nur ich!
Und dieser Schritt und dieses Unternehmen,
Wozu, nach Kriegersitte, mich die Ehre
Berechtigt, wird ein Herz das mir gebührte,
So hoff' ich, tief erschüttern und es wird
Mich zu verdienen wissen. Was auch dich
In einen Irrtum augenblicklich stürzte,
List eines Feinds, Verführung eines Fremden,
Furcht mir die Hand zu reichen, frag' ich nicht.
Die Wohltat wirkt auf edle Herzen viel,
Die Tugend wird durch Reue nur gestärkt
Und unsrer beider Ehre bin ich sicher.
Doch das ist nicht genug; ich habe mir
Auf deine Zärtlichkeit ein Recht erworben:
Sei's Liebe, sei es Stolz, ich fordre sie.
Wenn das Gesetz den heilgen Schwur befiehlt,
Der Schwache bindet, sie in Furcht versetzt,
Und am Altare sie sich selbst betriegen,
Freimütig fordr' ich so Freimütigkeit.
Sprich, offen ist mein Herz, mein Arm bewaffnet.
Bereit zu sterben fordr' ich deine Liebe.

AMENAIDE. Im Abgrund des Entsetzens, da ich kaum
Von jenem Sturz, der mich hierher geschleudert,
Mich mit verstörten Sinnen wiederfinde,

Ergreift mich deine Großmut noch zuletzt.
Du nötigest mein Herz zur Dankbarkeit,
Und an der Gruft, die mich verschlingen soll,
Bleibt mir nur das Gefühl noch dich zu schätzen.
  O! kenntest du das Herz, das dich beleidigt!
Verraten hab' ich weder Vaterland
Noch Ehre! Dich! auch dich verriet ich nicht.
Bin ich zu schelten, daß ich deinen Wert
Verkannte; g'nug! Ich habe nichts versprochen.
Undankbar bin ich, bin nicht ungetreu,
Und redlich will ich sein so lang ich atme:
Dich lieben kann ich nicht! Um diesen Preis
Darf ich dich nicht zu meinem Ritter wählen.
  Mich drängt, in einer unerhörten Lage,
Ein hart Gesetz, die Härte meiner Richter;
Den Tod erblick' ich den man mir bereitet.
Ach! und ich seh' ihm nicht mit kühner Stirn,
Mit unbewegtem Busen nicht entgegen.
Das Leben lieb' ich, doppelt war mir's wert.
Weh über mein Geschick! Mein armer Vater! —
Du siehst mich schwach, zerrüttet; doch betrieg' ich
Auch so dich nicht. Erwarte nichts von mir!
Du bist beleidigt und ich scheine dir
Erst schuldig; aber doppelt wär' ich's,
Sucht' ich nun dir und deiner Gunst zu schmeicheln.
Verzeih den Schmerzensworten! Nein, du kannst
Nicht mein Gemahl und nicht mein Retter sein.
Gesprochen ist's, nun richte, räche dich!
ORBASSAN. Mir sei genug mein Vaterland zu rächen,
Die Frechheit zu verhöhnen, der Verachtung
Zu trotzen, nein! sie zu vergessen. Dich
Zu schützen war auch jetzt mein Arm bereit.
So tat ich für den Ruhm, für dich genug,
Von nun an Richter, meiner Pflicht getreu,
Ergeben dem Gesetz und fühllos, wie
Es selbst ist, ohne Zorn und ohne Reue.

Siebenter Auftritt:

Amenaide, Soldaten im Hintergrunde, hernach Euphanie

AMENAIDE.
 Mein Urteil sprach ich — gebe selbst mich hin —
 Du Einziger! der dieses Herz verdiente,
 Für den ich sterbe, dem allein ich lebte,
 So bin ich denn verdammt — ich bin's für dich!
 Nur fort — ich wollt' es — aber solche Schande,
 Des hochbetagten armen Vaters Jammer,
 Der Bande Schmach, der Henker Mörderblicke —
 O Tod! vermag ich solchen Tod zu tragen?
 In Qualen, schändlich — es entweicht mein Mut —
 Nein, es ist rühmlich für Tancred zu leiden!
 Man kann mich töten und man straft mich nicht.
 Doch meinem Vater, meinem Vaterland
 Erschein' ich als Verräterin! Zu dienen
 Gedacht' ich beiden, die mich nun entehren.
 So kann mir denn in dieser Schreckensstunde
 Mein eigen Herz allein das Zeugnis geben.
 Und was wird einst Tancred—
 Zu Euphanien, die eben eintritt.
                            Dich seh' ich hier?
 Ist einer Freundin Nähe mir erlaubt?
EUPHANIE. Vor dir zu sterben wär' mein einzger Wunsch.
 Sie umarmen sich, die Soldaten treten vor.
AMENAIDE. Sie nahen! Gott! man reißt mich weg von dir.
 Dem Helden bringe, dem ich angehörte,
 Mein letzt Gefühl, mein letztes Lebewohl!
 Laß ihn erfahren, daß ich treu verschied;
 Nicht wird er seine Tränen mir versagen.
 Der Tod ist bitter; doch für den Geliebten,
 Für ihn zu sterben, halte mich empor!

DRITTER AUFZUG

Vorhalle des Palastes. An den Pfeilern sind Rüstungen aufgehangen

Erster Auftritt

Tancred, zwei Knappen, welche seine Lanzen und übrigen Waffen tragen, Aldamon

TANCRED. Wie hängt am Vaterland ein frommes Herz!
Mit welcher Wonne tret' ich hier herein!
Mein braver Aldamon, Freund meines Vaters,
Als einen Freund beweisest du dich heut.
Durch deine Posten lässest du mich durch,
Und führst mich Unerkannten in die Stadt.
Wie glücklich ist Tancred! der Tag wie froh!
Mein Schicksal ist erneut. Ich danke dir
Mehr als ich sagen darf und als du glaubst.
ALDAMON. Mich Niedrigen erhebst du, Herr, so hoch;
Den kleinen Dienst, den ein gemeiner Mann,
Ein bloßer Bürger—
TANCRED.   Bürger bin auch ich!
Und Freunde sollen alle Bürger sein.
ALDAMON. Und alle Bürger sollen dich verehren.
Zwei Jahre hab' ich unter dir mit Lust
Im Orient gestritten; deiner Väter Taten
Sah ich dich übertreffen; nah bei dir
Lernt' ich bewundern deiner Tugend Glanz.
Das nur ist mein Verdienst. In deinem Hause
Bin ich erzogen, deine Väter waren
Mir väterliche Herrn, ich bin dein Knecht.
Ich muß für dich—
TANCRED.   Wir müssen Freunde sein!
Das also sind die Wälle, die zu schützen
Ich hergeeilt? der Mauern heilger Kreis,
Der mich als Kind in seinem Schoß bewahrt,
Aus dem parteiische Verbannung mich gerissen,
Zu dem ich ehrfurchtsvoll zurück mich sehnte!

Doch sage mir: wo wohnt Arsir? — und wohnt
Mit ihm Amenaide, seine Tochter?
ALDAMON. In dem Palaste hier der Republik,
Wo sich der hohe Ritterrat versammelt,
Ward ihm, dem Ältsten, Würdigsten, die Wohnung,
Nach langen Bürgerzwisten, angewiesen.
Hier leitet er die Ritter, die dem Volk
Gesetze geben, deren Tapferkeit
Die Stadt beschützt und sich die Herrschaft sichert.
Sie überwänden stets den Muselmann,
Wenn sie nicht ihren Besten, dich, verstoßen.
Sieh diese Schilde, Lanzen und Devisen!
Der kriegerische Prunk verkündet laut,
Mit welchem Glanz sie ihre Taten schmückten.
Dein Name nur fehlt diesen großen Namen.
TANCRED. Verschweigt ihn, da man ihn verfolgt. Vielleicht
Ist er an andern Orten g'nug berühmt. *Zu seinen Knappen.*
Ihr aber hänget meine Waffen hin.
Kein Wappen rufe den Parteigeist auf.
Ganz ohne Schmuck, als Zeugen tiefer Trauer,
Wie ich sie in der ernsten Schlacht geführt,
Den nackten Schild, den farbelosen Helm,
Befestigt ohne Pomp an diese Mauern,
Und füget meinen Wahlspruch nicht hinzu;
Er ist mir teuer, denn in Schlachten hat
Er meinen Mut erhoben, mich geleitet
Und aufrecht meine Hoffnungen gehalten,
Es sind die heilgen Worte: Lieb' und Ehre.
Steigt nun das Ritterchor zum Platz herab,
So sagt: ein Krieger wünsche, nicht gekannt,
Gefahr und Sieg mit ihnen zu bestehen,
Und ihnen nachzueifern sei sein Stolz. *Zu Aldamon.*
Arsir ist Ältester?
ALDAMON.   Im dritten Jahre.
Zu lange hielt die mächtige Partei,
Die auch vom Volke nicht geliebt ist, ihn

Den Edlen selbst untätig und im Druck;
Doch nun erkennt man seinen Wert. Es gilt
Sein Rang, sein Name, seine Redlichkeit.
Doch ach! das Alter schwächte seine Kraft
Und Orbassan wird leider auf ihn folgen.
TANCRED. Wie, Orbassan? Tancredens ärgster Feind!
Mein Unterdrücker! Sage mir, Getreuer,
Vernahmst du das Gerücht das sich verbreitet?
Ist's wahr, daß dieser kühne rohe Mann
Den schwachen Vater zu bestimmen wußte?
Ist's wahr, daß beide Stämme sich vertragen?
Und daß Amenaide sich zum Pfande
Des nimmer sichern Bundes weihen soll?
ALDAMON. Erst gestern hört' ich nur verworrne Reden.
Fern von der Stadt, in jene Burg verschlossen,
Auf meinem Posten wachsam, wo ich gern
Dich aufgenommen, sicher dich hieher
In die bewachten Grenzen eingeführt,
Dort hör' ich nichts und nichts mag ich erfahren
Aus diesen Mauern, die dich ausgestoßen;
Wer dich verfolgen kann, ist mir verhaßt.
TANCRED. Mein Herz muß dir sich öffnen, mein Geschick
Muß ich dir anvertrauen. Eile, Freund,
Amenaiden aufzusuchen. Sprich
Von einem Unbekannten, der für sie,
Für ihres Stammes Ruf, für ihren Namen,
Für ihres Hauses Glück von Eifer brennt,
Und, ihrer Mutter schon als Kind verpflichtet,
Geheim mit ihr sich zu besprechen wünscht.
ALDAMON. In ihrem Hause ward ich stets gelitten,
Und jeden der noch treu an dir sich hält
Nimmt man mit Freude dort, mit Ehren auf.
Gefiel es Gott, das reine Blut der Franken
Dem edlen Blut Arsirens zu verbinden,
Dem fremden Joch entrissest du das Land
Und innre Kriege dämpfte, Herr, dein Geist.

Doch was dein Plan bei diesem Auftrag sei,
Du sendest mich und er soll mir gelingen.

Zweiter Auftritt:
Tancred und seine Knappen im Hintergrunde

TANCRED. Es wird gelingen! Ja! Ein gut Geschick,
Das mich geleitet, mich zu der Geliebten
Nach mancher schweren Prüfung wieder bringt,
Das immer seine Gunst der wahren Liebe,
Der wahren Ehre göttlich zugekehrt,
Das in der Mauren Lager mich geführt,
Das in der Griechen Städte mich gebracht;
Im Vaterlande wird's den Übermut
Der Feinde dämpfen, meine Rechte schützen.
Mich liebt Amenaide. Ja, ihr Herz
Ist mir ein zuverlässger Bürge, daß
Ich keine Schmach hier zu befürchten habe.
Aus kaiserlichem Lager, aus Illyrien,
Komm' ich ins Vaterland, ins undankbare,
Ins vielgeliebte Land, um ihretwillen.
Ankomm' ich und ihr Vater sollte sie
An einen andern eben jetzt versagen?
Und sie verließe, sie verriete mich?
Wer ist der Orbassan? der Freche, wer?
Und welche Taten führt er für sich an?
Was konnt' er Großes leisten, daß er kühn
Den höchsten Preis der Helden fordern darf?
Den Preis, der auch des Größten würdig wäre,
Den wenigstens die Liebe mir bestimmt?
Will er ihn rauben, raub' er erst mein Leben,
Und selbst durch diese Tat gewinnt er nichts;
Denn auch im Tode blieb' sie mir getreu.
Dein Herz ist mir bekannt, ich fürchte nichts;
Es gleicht dem meinen. Wie das meine bleibt's
Von Schrecken, Furcht und Wankelmut befreit.

Dritter Auftritt: Tancred · Aldamon

TANCRED. Beglückter Mann! du hast vor ihr gestanden.
Du siehest mein Entzücken! Führe mich!
ALDAMON. Entferne dich von diesem Schreckensorte!
TANCRED. Was sagst du! wie? du weinest, tapfrer Mann?
ALDAMON. O, flieh auf ewig dieses Ufer! Ich,
Ein dunkler Bürger, kann, nach den Verbrechen,
Die dieser Tag erzeugte, selbst nicht bleiben.
TANCRED. Wie?
ALDAMON.   Andern Orten zeige deinen Wert,
Im Orient erneure deinen Ruhm!
Von hier entfliehe, wende deinen Blick
Von den Verbrechen, von der Schande weg,
Die sich auf ewig dieser Stadt bemeistert!
TANCRED. Welch unerhörter Schrecken faßte dich?
Was sahst du? sprachst du sie? was ist geschehn?
ALDAMON. War sie dir wert, o Herr, vergiß sie nun!
TANCRED. Wie? Orbassan gewann sie? Ungetreue!
Des Vaters Feind, Tancredens Widersacher!
ALDAMON. Ihm hat der Vater heute sie verlobt
Und alles war zum Feste schon bereitet —
TANCRED. Das Ungeheure sollte mir begegnen!
ALDAMON. Und doppelt wurdest du, o Herr, beraubt.
Man gab der festlich schon geschmückten Braut
Zur Morgengabe deine Güter mit.
TANCRED. Der Feige raubte, was ein Held verschmäht.
Amenaide! Gott! Sie ist nun sein.
ALDAMON. Bereite dich auf einen härtern Schlag;
Das Schicksal, wenn es trifft, ist ohne Schonung.
TANCRED. So nimm das Leben, Unbarmherzger, hin!
Vollende! sprich! du zauderst?
ALDAMON.   Eben sollte
Sie deinem Feind auf ewig angehören.
Er triumphierte schon; doch nun enthüllt
Sich ihr verrätrisch Herz, aufs neue, ganz.

Sie hatte dich verlassen, dich verraten,
Und nun verrät sie ihren Bräutigam.
TANCRED. Um wen?
ALDAMON. Um einen Fremden, einen Feind,
Den stolzen Unterdrücker unsres Volks,
Um Solamir.
TANCRED. Welch einen Namen nennst du?
Um Solamir? der schon sich in Byzanz
Um sie bemüht, den sie verschmäht, dem sie
Mich vorgezogen? Nein! Es ist unmöglich!
Nicht hat sie meiner, nicht des Eids vergessen.
Unfähig ist die schönste Frauenseele
Solch einer Tat.
ALDAMON. Ich sprach mit Widerwillen!
Dort hört' ich überall es sei geschehn.
TANCRED. Vernimm! ich kenne nur zu sehr des Neides
Und der Verleumdung lügnerischen Trug;
Kein edles Herz entgehet ihrer Tücke.
Von Kindheit an im Unglück auferzogen,
Verfolgt, geprüft, ich selbst mein eigen Werk,
Von Staat zu Staat bewies ich meinen Mut.
Und überall umgrinste mich der Neid.
Verleumdung überall haucht schadenfroh
In Republiken wie an Königshöfen
Aus unbestraften Lippen ihren Gift.
Wie lange hat Arsir durch sie gelitten!
Das Ungeheuer rast in Syrakus.
Und wo ist seine Wut unbändiger,
Als da wo der Parteigeist flammend waltet.
Du auch, Amenaide! großes Herz!
Auch du wirst angeklagt! Hinein sogleich!
Ich will sie sehen, hören, mich entwirren.
ALDAMON. Halt ein, o Herr, soll ich das Letzte sagen?
Aus ihres Vaters Armen reißt man sie.
Sie ist in Ketten.
TANCRED. Unbegreiflich!

ALDAMON. Bald
　Auf diesem Platze selbst, den wir betreten,
　Erwartet schmählich sie ein grauser Tod.
TANCRED. Amenaiden?
ALDAMON. Ist's Gerechtigkeit,
　So ist sie doch verhaßt. Man murrt, man weint;
　Doch niemand ist geneigt für sie zu handeln.
TANCRED. Amenaide! — Dieses Opfers Graus,
　Dies Unterfangen soll man nicht vollenden!
ALDAMON. Zum Saal des Blutgerichtes stürzt das Volk,
　Es schilt sie treulos und bejammert sie.
　Unwürdige Begier, das Schreckliche
　Zu sehn, bewegt die Menge, strömend wallt
　Sie in sich selbst, neugierig Mitleid treibt
　In Wogen sie um das Gefängnis her,
　Und dieser Sturm verkündet der Gefangnen
　Des höchsten Jammers nahen Augenblick.
　Komm! Diese Hallen, einsam jetzt und stumm,
　Durchrauschet bald ein lärmendes Gedränge.
　O komm, entferne dich!
TANCRED. Der edle Greis,
　Der zitternd von des Tempels Pforte steigt,
　Wer ist er? Weinend kommt er und umgeben
　Von Weinenden. Sie scheinen trostlos alle.
ALDAMON. Es ist Arsir, der jammervolle Vater.
TANCRED. Entferne dich, bewahre mein Geheimnis!
Arsiren betrachtend.
　Wie sehr bejammr' ich ihn!

Vierter Auftritt: Tancred · Arsir

ARSIR. Erhöre, Gott,
　Mein einziges Gebet! O laß mich sterben!
　Beschleunige die Stunde meines Tods.
TANCRED. Aus deiner Trauer wende deinen Blick,
　Verehrter Greis, mir, einem Fremden, zu.
　Verzeih wenn er teilnehmend sich zu dir,

In diesen Schreckensaugenblicken, drängt.
Ich, unter jenen Rittern, die den Feinden
Des Glaubens ihre Brust entgegenstellen,
Zwar der Geringste, kam — geselle nun
Zu deinen Tränen, Edler, meine Tränen.
ARSIR. Du Einziger, der mich zu trösten kommt,
Mich, den man flieht, und zu vernichten strebt;
Verzeihe den verworrnen ersten Gruß
Und sage wer du seist?
TANCRED.   Ich bin ein Fremder,
Voll Ehrfurcht gegen dich, voll Schmerz wie du,
Der bebend keine Frage wagen darf,
Im Unglück dir verwandt, und so vergib!
Zu dieser Kühnheit nötigt mich mein Herz.
Ist's wahr? — ist deine Tochter —? Ist es möglich?
ARSIR. Es ist geschehn, zum Tode führt man sie.
TANCRED. Ist schuldig?
ARSIR.   Ist des Vaters ewge Schande!
TANCRED. Sie? — Was ist nun im Leben noch gewiß!
Wenn ich in fernen Landen ihren Ruf,
Von tausend Zungen ihren Wert vernahm,
Da sagt' ich zu mir selbst: und wenn die Tugend
Auf Erden wohnt, so wohnt sie bei ihr.
Nun heißt sie schuldig. O verwünschtes Ufer!
Auf ewig unglückselge Tage!
ARSIR.   Wenn du mich
Verzweifeln siehest, wenn mir gräßlicher
Der Tod begegnet, wenn die Gruft sich mir
Noch grauenvoller, rettungsloser zeigt,
So ist es, weil ich der Verstockung denke,
In der sie ihr Verbrechen liebt, in der
Sie ohne Reue sich dem Abgrund naht.
Kein Held zu ihrer Rettung zeigte sich,
Sie unterschrieben, seufzend, ihren Tod.
Und wenn der alte feierliche Brauch,
Erhabnen Seelen wert und weit berühmt

Durch alle Welt, der Brauch, ein schwach Geschlecht
Durch Manneskraft im Kampfe zu entsühnen,
Gar manche schon gerettet, fällt nun die,
Die meine Tochter war, vor meinen Augen,
Und niemand findet sich, ihr beizustehn.
Das mehret meinen Jammer, schärft den Schmerz;
Man schaudert, schweigt und keiner will sich zeigen.
TANCRED. Es wird sich einer zeigen! Zweifle nicht.
ARSIR. Mit welcher Hoffnung täuschest du mein Herz?
TANCRED. Er wird sich zeigen! Nicht für deine Tochter,
Sie kann's nicht fordern, sie verdient es nicht.
Doch für den heilgen Ruf des hohen Hauses,
Für dich und deinen Ruhm und deine Tugend.
ARSIR. Es kehret sich ein Strahl des Lebens mir,
Erquickend und erregend, wieder zu.
Wer mag für uns sich auf den Kampfplatz wagen?
Für uns, die wir dem Volk ein Greuel sind?
Wer darf mir seine Hand zur Hülfe bieten?
Vergebne Hoffnung! wer den Kampf bestehn?
TANCRED.
Ich werd' es! Ja, ich will's! und wenn der Himmel
Für meinen Arm, für deine Sache spricht,
So bitt' ich nur, statt alles Lohns, von dir,
Sogleich mich zu entlassen; unerkannt
Und ohne sie zu sehen, will ich scheiden.
ARSIR. O edler Mann, dich sendet Gott hierher.
Zwar kann ich keine Freude mehr empfinden;
Doch naht mit lindern Schmerzen mir der Tod.
Ach! dürft' ich wissen wem in meinem Jammer
Ich so viel Ehrfurcht, so viel Dankbarkeit,
Auf einmal schuldig bin und gern entrichte!
Dein Ansehn bürgt mir deinen hohen Mut,
Den Vorzug edlen Sinnes, edler Ahnen.
Wer bist du? sprich!
TANCRED.   Laß meine Taten sprechen!

Fünfter Auftritt:
Orbassan, Arsir, Tancred, Ritter, Gefolge

ORBASSAN. Der Staat ist in Gefahr und fordert nun
Vereinte Kraft und Überlegung auf.
Erst morgen wollten wir zum Angriff schreiten,
Doch scheint es, daß der Feind von unsern Planen,
Auch durch Verräter, unterrichtet ist.
Es scheint, er sinnet uns zuvor zu kommen;
Und wir begegnen ihm! — Doch nun, o Herr,
Entferne dich von hier und zaudre nicht,
Ein unerträglich Schauspiel zu erwarten.

ARSIR. Es ist genug! mir bleibt allein die Hoffnung
Im Schlachtgewühl dem Tode mich zu weihen,
Auf Tancreden deutend.
Hier dieser edle Ritter leitet mich.
Und welches Unglück auch mein Haus betraf,
Ich diene sterbend meinem Vaterlande.

ORBASSAN. An diesem edlen Sinn erkenn' ich dich!
Laß deinen Schmerz die Muselmannen fühlen;
Doch bitt' ich, hier entweiche! Schrecklich ist's,
Was man der Unglückselgen zubereitet.
Man kommt.

ARSIR.   Gerechter Gott!

ORBASSAN.   Ich würde selbst
In diesem Augenblicke mich entfernen,
Wär' es nicht meines Amtes strenge Pflicht,
Dem härtesten Gesetz und seinem Ausspruch,
Vor einer, nur zu leicht beweglichen,
Verwegnen Menge, Ehrfurcht zu verschaffen.
Von dir verlangt man solche Dienste nicht.
Was kann dich halten, das dich nötigte
Dein eigen Blut zu sehn, das fließen soll?
Man kommt! Entferne dich!

TANCRED.   Mein Vater, bleib!

ORBASSAN. Und wer bist du?

TANCRED.   Dein Widersacher bin ich,
Freund dieses Greises, gebe Gott! sein Rächer,
So nötig dieser Stadt vielleicht als du.

Sechster Auftritt:

Die Mitte öffnet sich, man sieht Amenaiden, von Wache umgeben, Ritter und Volk füllen den Platz

ARSIR. Großmütger Fremder, leihe deinen Arm
Dem Sinkenden, laß mich an deine Brust
Vor diesem Anblick fliehen!
AMENAIDE.   Ewger Richter,
Der das Vergangne, wie das Jetzige
Und Künftge sieht! Du schauest in mein Herz,
Du bist allein der Billige, wenn hier
Mich eine Menge drängt, die, unbarmherzig
In blindem Eifer, leidenschaftlich richtet,
Nach blindem Zufall die Verdammung lenkt.
Sie tritt hervor.
Euch Ritter, Bürger, die, mit raschem Spruch,
Auf diese Todespfade mich gestoßen,
Euch denk' ich mit Entschuldgung nicht zu schmeicheln;
Der richtet zwischen mir und euch, der oben
Die einzig unbestochne Waage hält.
Ich seh' in euch verhaßtes Werkzeug nur
Unbilliger Gesetze; euch und ihnen
Hab' ich Gehorsam aufgekündigt, euch und sie
Verraten, meinen Vater selbst, der mich
In ein verhaßtes Bündnis zwang, gekränkt,
Hab' Orbassan beleidigt, der sich, kühn
Und streng, zum Herren meines Herzens aufwarf.
Wenn ich, o Bürger, so den Tod verdient,
So treff' er mich; doch höret erst mich an:
Erfahret ganz mein Unglück! Wer vor Gott
Zu treten hat, spricht ohne Furcht vor Menschen.
Auch du, mein Vater, Zeuge meiner Schmach,

TANCRED · DRITTER AUFZUG

Der hier nicht sollte stehn und der vielleicht
Die Härte der Gesetze— *Sie erblickt Tancreden.*
                Großer Gott!
An seiner Seite — wen erblick' ich — ihn —
Mein Herz — ich sterbe! *Sie fällt in Ohnmacht.*

TANCRED.   Meine Gegenwart
Ist ihr ein bittrer Vorwurf; doch es bleibt
Beschlossen — Haltet ein, die ihr dem Tod
Das Opfer allzurasch entgegenführt!
Ihr Bürger, haltet ein! Für sie zu sterben,
Sie zu verteidigen bin ich bereit.
Ich bin ihr Ritter! Dieser edle Vater,
Dem Tode nah, so gut verdammt als sie,
Nimmt meinen Arm, den Schutz der Unschuld, an.
Die Tapferkeit soll hier den Ausspruch geben;
Dies bleibet würdger Ritter schönster Teil.
Die Bahn des Kampfes öffne man der Ehre,
Dem Mut sogleich, und jeglicher Gebrauch
Sei von des Kampfes Richtern wohlbedacht.
Dich, stolzer Orbassan, dich fordr' ich auf!
Nimm mir das Leben, oder stirb durch mich!
Dein Name, deine Taten sind bekannt;
Du magst hier zu befehlen würdig sein.
Das Pfand des Kampfes werf' ich vor dir nieder,
Er wirft den Handschuh hin.
Darfst du's ergreifen?

ORBASSAN.   Deinen Übermut
Wär' ich vielleicht zu ehren nicht verbunden;
Er winkt einem der Seinen, der den Handschuh aufhebt.
Allein mich selbst und diesen edlen Greis,
Der dich hier einzuführen würdigte,
Uns ehr' ich, wenn ich vor dem Kampfgericht
Der Forderung Verwegenheit bestrafe.
Doch sag' uns deinen Namen, deinen Rang!
Der nackte Schild verkündet wenig Taten.

TANCRED. Ihn schmückt vielleicht der Sieg nur allzubald.

Doch meinen Namen ruf' ich, wenn du fällst,
Das letzte Wort, dem Sterbenden ins Ohr.
Nun folge mir!

ORBASSAN. Man öffne gleich die Schranken!
Entfesselt bleibt Amenaide hier
Bis zu dem Ausgang dieses leichten Kampfes.
Dies Recht genießt sogar die Schuldige,
Sobald ein Ritter auftritt, sie zu retten.
Und wie ich von dem Kampfplatz siegend kehre,
Sieht mich an eurer Spitze gleich der Feind.
Im Zweikampf überwinden ist Gewinn;
Fürs Vaterland zu siegen ewig Ruhm.

TANCRED. Gesprochen ist genug, und wenn du fällst,
So bleibt noch mancher Arm, den Staat zu retten.

Siebenter Auftritt:

*Arsir, Amenaide (im Hintergrund), die wieder zu sich kommt,
nachdem man ihr die Fesseln abgenommen hat. Die Menge folgt
den Rittern und verliert sich nach und nach*

AMENAIDE. Was ist aus ihm geworden? Weiß man schon? —
Er ist verloren, wenn man ihn entdeckt.

ARSIR. O meine Tochter!

AMENAIDE. Wendest du dich nun
Zu mir, die du verlassen und verdammt?

ARSIR. Wo soll ich hin vor diesem gräßlichen
Geschick mich wenden? Großer Gott, zu dir!
Du hast uns einen Retter hergesandt.
Willst du verzeihen? oder wäre sie
Unschuldig und ein Wunder soll sie retten?
Ist es Gerechtigkeit, ist's Gnade? Zitternd hoff' ich,
Was hat zu solcher Handlung dich verleitet?
Darf ich dir wieder nahen? Welche Blicke
Wag' ich auf dich zu richten?

AMENAIDE. Eines Vaters
Vertrauensvolle schonungsvolle Blicke.

Laß mich den väterlichen Arm ergreifen,
Und deine Tochter fasse wieder an.
Wer stützt uns, wenn wir uns in unserm Jammer
Nicht aufeinander stützen? Immer schwebt
Das Beil, noch aufgehoben, über mir,
Und offen liegt das Grab vor meinen Schritten.
Ach! und er stürzt vielleicht vor mir hinab,
Der Edelste, der mir zu Hülfe kam.
Ich folge dir! Ich will, so stumm wie du,
Auch unerkannt wie du, dem Grab mich weihen.
Doch ach vielleicht — der immer Siegende,
Sollt' er nicht auch zu meinem Vorteil siegen?
Ach! darf ich einem Strahl der Lebenslust
Die halberstarrte Brust zu öffnen wagen?
Mein Vater — nein — Vergib! die Lippe wagt
Nicht auszusprechen, was Gefahr und Not
Auf mich und meinen Retter häufen möchte.
Wer darf in mein so sehr verkanntes Herz
Und seine liebevollen Tiefen blicken?
Wer darf ihn kennen? Mache doch sein Arm
Den wunderbar Verborgenen bekannt!
Auch Raum verschaff' er mir! Ein einzig Wort
Stellt mich aufs ehrenvollste wieder her.
Mein Vater, komm! In wenigen Momenten
Erblickst du mich entsündigt, oder tot.

VIERTER AUFZUG
Vorhalle

Erster Auftritt: Tancred, Loredan, Ritter

LOREDAN. Mit Staunen und mit Trauer schauen wir
Den hohen Sieg, der dich verherrlichet.
Du hast uns einen tapfern Mann geraubt,
Der seine ganze Kraft dem Staat gewidmet,
Und der an Tapferkeit dir selber glich;
Magst du uns, edler Mann, nun deinen Namen

Und welch Geschick dich hergeführt, entdecken?
TANCRED. Vor seinem Tod erfuhr es Orbassan,
Und meinen Haß und mein Geheimnis nimmt er
Mit sich ins Grab. Und euch bekümmre nicht
Mein trauriges Geschick; wer ich auch sei,
Ich bin bereit euch ritterlich zu dienen.
LOREDAN. Bleib unbekannt, weil du es so begehrst,
Und laß, durch nützliche erhabne Taten,
Uns deinen Mut zum Heil des Staates kennen!
Die Scharen der Ungläubgen sind gerüstet.
Verteidige mit uns Religion,
Gesetz und Freiheit, jenes hohe Recht,
Sich selbst Gesetz zu geben. Solamir
Sei nun dein Feind und deiner Taten Ziel.
Du hast uns unsers besten Arms beraubt;
Der deine fechte nun an seiner Stelle.
TANCRED. Wie ich versprochen, will ich alsobald
Euch in das Feld begleiten. Solamir
Befeindet mich vielleicht weit mehr als euch;
Ich hass' ihn mehr als ihr. Doch, wie ihm sei,
Zu diesem neuen Kampf bin ich bereitet.
RODERICH. Wir hoffen viel von solchem hohen Mut;
Doch wird auch Syrakus dich und sich selbst
Durch seine Dankbarkeit zu ehren wissen.
TANCRED.
Mir keinen Dank! Ich fordr', ich wünsch' ihn nicht,
Ich will ihn nicht. In diesem Raum der Trauer
Ist nichts was meine Hoffnungen erregte.
Wenn ich mein Blut vergieße, wenn ich euch,
Mein jammervolles Leben endend, nütze,
So fordr' ich keinen Lohn und kein Bedauren,
Nicht Ruhm, nicht Mitleid. Kommt, zu unsrer Pflicht!
Auf Solamir zu treffen ist mein Wunsch.
LOREDAN. Wir wünschen die Erfüllung! Nun erlaube
Das Heer zu ordnen, vor die Stadt zu führen,
Das mit den Feinden sich zu messen brennt.

Du hörest gleich von uns. Erheitre dich!
Des Siegs, des Ruhms gedenke; alles andre,
Was dir auch Kummer macht, laß hinter dir!

Zweiter Auftritt: Tancred · Aldamon

TANCRED. Verdienen mag sie's, oder nicht, sie lebt!
ALDAMON. Sie wissen nicht, welch eine giftge Wunde
  Dies zärtlich edle Herz in seinen Tiefen,
  Mit unauslöschlich heißer Qual, verzehrt.
  Doch wirst du nicht, o Herr, dich überwinden?
  Und deinen Schmerz und die Beleidigung
  Auf einen Augenblick vergessen? nach der alten
  Bestehnden Rittersitte, dich der Schönen,
  Für die du kämpftest, überwandest, zeigen?
  Die Leben, Ehre, Freiheit dir verdankt,
  Wirst du ihr nicht sogleich die blutgen Waffen
  Des hingestreckten Feinds zu Füßen legen?
TANCRED. Nein, Aldamon! ich werde sie nicht sehn.
ALDAMON. Dein Leben wagtest du, um ihr zu dienen.
  Nun fliehst du sie?
TANCRED.   Wie es ihr Herz verdient.
ALDAMON. Ich fühle, wie dich ihr Verrat empört;
  Doch hast du selbst für den Verrat gestritten.
TANKRED. Was ich für sie getan, war meine Pflicht.
  So untreu sie mir war, vermöcht' ich nie
  Im Tode sie, in Schande sie zu sehen.
  Sie retten mußt' ich, nicht auch ihr verzeihn.
  Sie lebe, wenn Tancred im Blute liegt.
  Den Freund vermisse sie, den sie verraten,
  Das Herz, das sie verlor, das sie zerreißt.
  Unmäßig liebt' ich sie, ganz war ich ihr.
  Gefürchtet hätt' ich treulos sie zu finden?
  Die reinste Tugend dacht' ich anzubeten;
  Altar und Tempel, Schwur und Weihe schien
  Mir nicht so heilig als von ihr ein Wort.
ALDAMON. Dich zu verletzen, sollte Barbarei

Sich mit Verrat in Syrakus vereinen.
In früher Jugend wurdest du verbannt,
Nun durchs Gesetz beraubt, gekränkt von Liebe.
Laß uns auf ewig dieses Ufer fliehn.
In Schlachten folg' ich, ewig folg' ich dir!
Hinweg aus diesen schmacherfüllten Mauern!

TANCRED. Wie herrlich zeigt sich mir das schöne Bild
Der Tugend wieder, das in ihr ich sah!
Die du mich Schmerzbeladenen hinab
Ins Grab verstößest, dem ich dich entrissen,
Verhaßte Schuldige, Geliebte noch!
Die über mein Geschick noch immer waltet!
O wär' es möglich, könntest du noch sein,
Wofür im Wahne sonst ich dich gehalten!
Nein! Sterbend nur vergess' ich's. Meine Schwäche
Ist schrecklich, schrecklich soll die Buße sein.
Umkommen muß ich. Stirb und laß dir nicht
Von ihr die letzten Augenblicke rauben!

ALDAMON. Doch schienst du erst an dem Verbrechen selbst
Zu zweifeln. Ist die Welt, so sagtest du,
Der Lüge nicht zur Beute hingegeben?
Regiert nicht die Verleumdung?

TANCRED.   Alles ist,
Ach leider, zu bewiesen, jede Tiefe
Des schrecklichen Geheimnisses erforscht.
Schon in Byzanz hat Solamir für sie,
Ich wußt' es wohl, geglüht; auch hier, vernehm' ich,
Hat seine Leidenschaft ihn angetrieben,
Sich, einem Muselmann, der Christin Hand
Vom Vater, als des Friedens Pfand, zu fordern.
Er hätt' es nicht gewagt, wenn zwischen ihnen
Sich kein geheim Verständnis angesponnen.
Sie liebt ihn! und mein Herz hat nur umsonst
An sie geglaubt, für sie umsonst gezweifelt.
Nun muß ich ihrem Vater glauben, ihm,
Dem zärtlichsten von allen Vätern, ihm,

Der selber sie verklagt und sie verdammt.
Was sagt' ich! ach! sie selbst, sie klagt sich an.
Mit Augen sah ich jenes Unglücksblatt,
Von ihrer eignen Hand, die Worte sah ich:
«O möchtest du in Syrakus regieren,
Und unsre Stadt beherrschen, wie mein Herz!»
Mein Unglück ist gewiß.

ALDAMON. Vergiß, Erhabner!
Verachtend strafe die Erniedrigte!

TANCRED. Und was mich kränkender als alles trifft,
Sie glaubte sich zu ehren, glaubte sich
Dem größten Sterblichen zu weihen. Ach!
Wie tief erniedrigt, wie zerknirscht es mich!
Der Fremde kommt und siegt, erfüllt das Land,
Und das leichtsinnige Geschlecht, sogleich
Vom Glanz geblendet der um Sieger strömt,
Entäußert sich der alten frommen Triebe
Und wirft sich dem Tyrannen an die Brust,
Und opfert den Geliebten einem Fremden.
Umsonst ist unsre Liebe still und rein,
Umsonst legt uns die Ehrfurcht Fesseln an,
Umsonst verachten wir den Tod für sie!
Auch mir begegnet's, und ich sollte nicht
Das Leben hassen, die Verrätrin fliehn?

Dritter Auftritt:

Tancred, Roderich, Aldamon, Ritter

RODERICH. Beisammen ist das Heer; die Zeit enteilt!
TANCRED. Es ist geschehn, ich folge.

Vierter Auftritt:

Die Vorigen, Amenaide, Euphanie

AMENAIDE *heftig herbeieilend.* Laß, mein Retter!
Herr meines Lebens! mich zu deinen Füßen —
Tancred hebt sie abgewendet auf.

Ich fühle hier mich nicht erniedrigt. Laß
Auch meinen Vater dir die Knie umfassen!
Entziehe deine hohe Gegenwart
Nicht unsrer Dankbarkeit! Wer darf mich schelten,
Daß ich mit Ungeduld zu dir mich stürze?
Dir, meinem Retter, darf ich meine Freude
Nicht völlig zeigen, nicht mein ganzes Herz?
Nicht nennen darf ich dich — du blickst zur Erde!
Ach! mitten unter Henkern blickt' ich auf,
Ich sah dich und die Welt verschwand vor mir;
Soll die Befreite dich nicht wieder sehen?
Du scheinst bestürzt, ich selber bin verworren;
Mit dir zu sprechen fürcht' ich. Welcher Zwang!
Du wendest dich von mir? du hörst mich nicht?

TANCRED. Zu deinem Vater wende dich zurück
Und tröste den gebeugten edlen Greis.
Mich rufen andre Sorgen weg von hier,
Und gegen euch erfüllt' ich meine Pflicht.
Den Preis empfing ich, hoffe sonst nichts mehr.
Zu viele Dankbarkeit verwirret nur,
Mein Herz erläßt sie dir und gibt dir frei,
Mit deinem Herzen, nach Gefühl, zu schalten.
Sei glücklich, wenn du glücklich leben kannst,
Und meiner Qualen Ende sei der Tod.

Fünfter Auftritt: Amenaide · Euphanie

AMENAIDE.

Ist es ein Traum? Bin ich dem Grab entstiegen?
Gab mich ein Gott dem Lebenstage wieder?
Und dieses Licht umleuchtet es mich noch?
Was ich vernehmen mußte, war es nicht
Ein Urteil schreckenvoller, schauderhafter
Als jenes das dem Tode mich geweiht?
Wie gräßlich trifft mich dieser neue Schlag!
Ist es Tancred der so sich von mir wendet?
Du sahst wie kalt und tief erniedrigend

Er mit verhaltnem Zorne mich vernichtet.
Die Liebste sah er mit Entsetzen an!
Dem Tod entreißt er mich, um mich zu töten!
Durch welch Verbrechen hab' ich das verdient?
EUPHANIE. In seinen Zügen wandelte der Zorn,
Erzwungne Kälte lebt' in seiner Stimme,
In Tränen schwamm sein abgewandter Blick.
AMENAIDE. Er flieht, verstößt mich, gibt mich auf, beleidigt
Die ihm das Liebste war. Was konnt' ihn so
Verändern? Was hat diesen Sturm erregt?
Was fordert er? Was zürnt er? Niemand ist
Zur Eifersucht ihn aufzureizen würdig.
Das Leben dank' ich ihm, das ist mein Ruhm.
Als Einziger geliebt, mein einzger Schutz,
Gewann er mir, durch seinen Sieg, das Leben;
Was ich um ihn verlor erhielt er mir.
EUPHANIE. Die öffentliche Meinung reißt auch ihn
Vielleicht mit fort, vielleicht mißtraut er ihr
Und sie verwirrt ihn dennoch. Jener Doppelsinn
Des Unglücksbriefs, der Name Solamirs,
Sein Ruhm wie seine Werbung, seine Kühnheit,
Spricht alles gegen dich, sogar dein Schweigen,
Dein stolzes großes Schweigen, das ihn selbst,
Tancreden selbst, vor seinen Feinden barg.
Wer könnte dieser Hülle Nacht durchdringen?
Er gab dem Vorurteil, dem Schein sich hin.
AMENAIDE. So hat er mich verkannt?
EUPHANIE.   Entschuldige
Den Liebevollen.
AMENAIDE.   Nichts entschuldigt ihn!
Und wenn mich auch die ganze Welt verklagte;
Auf eignem Urteil ruht ein großer Mann,
Und der betrognen Menge setzt er still
Gerechter Achtung Vollgewicht entgegen.
Aus Mitleid hätt' er nur für mich gestritten?
Die Schmach ist schrecklich, sie vernichtet mich.

Ich ging für ihn, zufrieden, in den Tod;
Und nun entreißt er mir ein Zutraun, das
Mich von dem Tod allein noch retten konnte.
Nein, dieses Herz wird nimmer ihm verzeihn.
Zwar seine Wohltat bleibet stets vor mir,
Auch im gekränkten Herzen, gegenwärtig;
Doch glaubt er mich unwürdig seiner Liebe,
So ist er auch nicht meiner Liebe wert;
Jetzt bin ich erst erniedrigt, erst geschmäht.
EUPHANIE. Er kannte nicht—
AMENAIDE.   Mich hätt' er kennen sollen!
Mich sollt' er achten wie er mich gekannt,
Und fühlen, daß ich solch ein Band, verräterisch,
Unmöglich zu zerreißen fähig sei.
Sein Arm ist mächtig, stolz ist dieses Herz.
Dies Herz, so groß wie seines, weniger
Geneigt zum Argwohn, zärtlicher gewiß,
Entsagt auf ewig ihm und allen Menschen.
Falsch sind sie, voller Tücke, schwach und grausam,
Betrogene Betrieger! und vergißt
Mein Herz Tancreden, wird's die Welt vergessen.

Sechster Auftritt: Arsir · Amenaide · Gefolge

ARSIR. Nur langsam kehret meine Kraft zurück,
Das Alter trägt die eignen Lasten kaum,
Den ungeheuren Schmerzen lag ich unter.
Nun laßt mich jenen edlen Helden sehn,
An meine Brust ihn drücken. Sage mir,
Wer war's? wer hat mein einzig Kind gerettet?
AMENAIDE. Ein Mann, der meine Liebe sonst verdient,
Ein Held, den selbst mein Vater unterdrückte,
Den ihr verbanntet, dessen Namen ich
Vor euch verschweigen mußte, den zu mir
Das unglückselge Blatt berufen sollte,
Der letzte Sproß des hohen Ritterstammes,
Der größte Sterbliche, der mich nun auch,

TANCRED · VIERTER AUFZUG

Wie jedermann, verkennt! es ist Tancred!
ARSIR. Was sagst du?
AMENAIDE. Was mein Herz nicht mehr verschweigt,
Was ich mit Furcht bekenne, da ich muß.
ARSIR. Tancred?
AMENAIDE. Er selbst! Ich wußt' ihn in der Nähe;
Ihn zu berufen dacht' ich. Mich befreien
Sollt' er von Orbassan; da fiel mein Blatt
In eure Hand. Ihn führt sein eignes Herz
In diese Mauern, mich vom Tod zu retten,
Und ach! nun bin ich auch von ihm verkannt.
Mit unsern Helden eilt er schon hinaus
Und kämpft für uns mit tief zerrissnem Busen.
ARSIR. Der Edle, den wir unterdrückten, dem
Wir Güter, Würde, Vaterland geraubt,
Er kommt uns zu beschützen, wenn vor ihm
Als tückische Tyrannen wir erscheinen.
AMENAIDE.
Verzeiht euch selbst, er wird euch gern verzeihen;
Auch dir vergeb' ich, daß du allzuschnell
Zu meinen strengen Richtern dich gesellt,
Auf der Natur gelinde Stimme nicht,
Aufs Zeugnis meines Lebens nicht gehört.
ARSIR. An ihn war jenes Unglücksblatt geschrieben?
AMENAIDE. An ihn, er war mein Einzger in der Welt.
ARSIR. Und wie hat Liebe dich zu ihm geleitet?
AMENAIDE. Schon in Byzanz, an meiner Mutter Hand.
ARSIR. Nun kränkt dich sein Verdacht? Es irrt auch er?
AMENAIDE. Dem Zeugnis eines Vaters mußt' er glauben.
ARSIR. Wie übereilt, o! wie verstockt ich war!
AMENAIDE. O! könntest du nun auch das Rätsel lösen!
ARSIR. Ich eile! Kommt! Zu Pferde! Laßt mich ihm
Bis in der Schlacht verworrne Tiefe folgen;
Dort kämpft er freudiger, wenn er erfährt,
Daß du ihn liebst und daß du redlich bist.
Verzweiflung kämpft, ich fühl' es, nun mit ihm;

Den schönern Mut wird ihm die Liebe geben.
AMENAIDE. Du gehst nicht ohne mich!
ARSIR. Du bleibst zurück!
AMENAIDE. In diese Mauern soll mich nichts verbannen.
Scharf in die Augen faßt' ich schon den Tod,
Er blickte gräßlich; auf dem Feld der Ehre
Erscheint er mächtig, aber nicht verhaßt.
Nimm mich an deine Brust, an deine Seite!
Verstoße mich zum zweiten Male nicht.
ARSIR. Gehorsam hab' ich nicht von dir verdient,
Mein väterliches Recht hab' ich verscherzt;
Allein bedenke, welchen kühnen Schritt
Du vor den Augen aller Bürger wagst.
Zum Kampfe zieht ein zärtliches Geschlecht,
Dem engen Zwang entwachsen, nicht hinaus.
In andern Landen mag es Sitte sein;
Doch hier versagt's Gewohnheit und Gesetz.
AMENAIDE. Gesetz, Gewohnheit, Sitte darfst du nennen;
Ich fühle mich erhoben über sie.
An diesem ungerechten Schreckenstage
Soll mir mein Herz allein Gesetze geben.
Was? Die Gesetze, die so schwer auf dir
Und deinem Haus gelastet, die
Geboten deine Tochter unter Henkers Hand,
Vor allem Volk, entwürdigt, hinzustoßen,
Die sollen jetzt verbieten, daß ich, dich
Ins Ehrenfeld begleitend, mich entsühne?
Sie sollten mein Geschlecht vor Feindes Pfeilen,
Nicht vor der Schmach des Schandgerüstes wahren?
Du bebst, mein Vater? Hätte damals dich
Ein Schauer überlaufen, als, geneigt,
Der feindlichen Partei zu schmeicheln, du
Dich mit dem stolzen Orbassan vereintest,
Dem einzgen Sterblichen zu schaden, der
Euch retten sollte, damals, als in mir
Den heiligen Gehorsam du zerstörtest —

ARSIR. Halt ein und kränke den Gekränkten nicht!
Er ist dein Vater; brauche nicht das Recht
Mich anzuklagen und verschone mich!
Laß meine Schmerzen mich bestrafen, laß,
Wenn du Verzweiflung eines Vaters ehrst,
Laß von dem Pfeil der Mauren mich allein
An unsers Helden Seite fallen, wenn
Ich deine Lieb' und Unschuld ihm entdeckt.
Ich gehe! Haltet sie!

Siebenter Auftritt

AMENAIDE. Wer darf mich halten?
Wer hat gelitten was ich leiden muß?
Und wer hilft mir ertragen was ich trage?
Nein! Soll ich nicht elendiglich vergehn,
So muß ich fort, ich muß mich tätig zeigen,
Ich muß ihn suchen, finden! In der Schlacht
Gedrängtestem Gewühle treff' ich ihn.
Dort sollen alle Speere die ihm drohn
Auch mir des Lebens nahes Ende deuten.
Dort wirft vielleicht sich diese treue Brust
Dem Streiche, der ihn treffen soll, entgegen.
Er haßt, er flieht mich ungerecht! Auch mir
Empört das Herz im Busen sich, und ihn
Gestraft zu sehen ist mein Wunsch. Gestraft
In mir! An seiner Seite soll des Feinds
Geschärfter Pfeil mich treffen! dann ergreift
Sein kriegerischer Arm die Sinkende;
Alsdann erwacht sein Mitleid, doch zu spät!
Und er erfährt, daß ich ihm treu geblieben;
Er ruft umsonst ins Leben mich zurück,
Und heiße Reue quillt in seinem Busen,
Und alle Schmerzen jammervoller Liebe
Wälz' ich im letzten Seufzer auf ihn los.

FÜNFTER AUFZUG

Fels und Wald, im Hintergrund eine Aussicht auf den Ätna

Erster Auftritt:

Soldaten, welche beschäftigt sind, aus sarazenischer Beute Trophäen aufzustellen. Volk, von verschiedenem Geschlecht und Alter, das sich hinzudrängt. Zu ihnen Ritter und Knappen

LOREDAN. Erhebt das Herz in freudigem Gesang
Und Weihrauch laßt dem Gott der Siege wallen!
Ihm, der für uns gestritten, unsern Arm
Mit Kraft gerüstet, sei allein der Dank!
Er hat die Schlingen, hat das Netz zerrissen,
Mit denen uns der Glaubensfeind umstellt.
Wenn dieser hundert überwundne Völker,
Mit ehrnem Stab, tyrannisch niederdrückt,
So gab der Herr ihn heut in unsre Hand.
Errichtet Siegeszeichen auf dem Platze,
Wo diese Wundertaten euch befreit,
Und schmücket, fromm, die heiligen Altäre
Mit der Ungläubgen besten Schätzen aus.
O! möge doch die ganze Welt von uns,
Wie man sein letztes Gut verteidigt, lernen!
O möge Spanien aus seinem Druck,
Italien aus seiner Asche blicken!
Ägypten, das zertretne, Syrien,
Das fesseltragende, nun auch
Zum Herren, der uns rettete, sich wenden!
  Doch im Triumphe laßt uns nicht Arsirs
Und seiner Vaterschmerzen nicht vergessen!
O daß auch ihm das allgemeine Glück
In seines Hauses Jammer Tröstung bringe!
  Und nun, wo ist der Ritter, der für uns,
Wie alle rühmen, diesen Sieg erfocht?
Hat ein Triumph so wenig Reiz für ihn?
Und könnt' er uns des Neids verdächtig halten?

Wir sind geprüft genug, ein fremd Verdienst
In seinem vollen Werte zu verehren. *Zu Roderich.*
Er focht in deiner Nähe, wie ich weiß;
Kannst du von ihm, o Herr, uns Nachricht geben?
Er hat so edel die Gefahr geteilt,
Will er nicht auch die Siegesfreude teilen?
RODERICH. Vernehmt den sonderbarsten Fall durch mich.
Indessen ihr des Ätnas Felsenwege
Verteidigtet, entfaltete die Schlacht,
Mit Ungestüm, sich an dem Ufer hin.
Er war der Vorderste, war weit voraus,
Und wir erstaunten, in dem tapfern Manne
Nicht die Besonnenheit des Muts zu sehn,
Die in dem Schlachtgewühl dem Führer ziemt;
Verzweiflung trieb ihn der Gefahr entgegen.
In abgebrochnen Worten, wilden Blicken,
Entdeckte sich ein ungemessner Schmerz.
Er rief nach Solamir, oft rief er auch,
Mit Ungestüm, Amenaidens Namen.
Er schalt sie treulos; manchmal schien sogar
Sich seine Wut in Tränen aufzulösen.
Er weihte sich dem Tode freventlich,
Er gab sich auf und, fürchterlicher nur,
Erkämpft' er, statt des Todes, sich den Sieg.
Die Feinde wichen seinem Arm und uns,
Und unser war das freie Schlachtgefild;
Doch er empfand von seinem Ruhme nichts.
Gesenkten Blickes, tief in Traurigkeit
Verloren, hielt er unter unserm Chor.
Doch endlich ruft er Aldamon heran,
Umarmt ihn weinend, spricht ihm heimlich zu.
Auf einmal sprengen beide fort; der Held
Ruft noch zurück: Auf ewig lebet wohl!
Wir stehn bestürzt, daß solch ein edler Mann
Nach solchem Dienst sich uns verbergen will.
Auf einmal aber stürzt Amenaide

Durch der Soldaten dicht gedrängte Schar,
Entstellt und bleich, den Tod in ihren Blicken.
Sie ruft Tancreden, irrt an uns heran,
Ihr Vater folgt und sie, ermattet, sinkt
An seine Brust; wir eilen ihn zu stützen.
Der Unbekannte, ruft er, ist Tancred!
Er ist der Held, der solche Wunder leistet.
Amenaiden rächt er, rächt den Staat,
Und eilet uns zu retten, die wir ihn
Einstimmig als Rebellen, heute noch,
Behandelt. Sucht ihn auf und führet ihn,
Entsühnet, im Triumph, zur Stadt zurück!
LOREDAN. Wo ist er? daß die schönste Zierde nicht
An unserm holden Siegestage fehle.
Führt ihn heran, damit wir zeigen können,
Daß, wenn wir einen edlen Mann verkannt,
Wir den geprüften gleich zu ehren wissen.

Zweiter Auftritt:

*Die Vorigen, Arsir. Später Amenaide,
im Hintergrund, von ihren Frauen unterstützt*

ARSIR. O! eilt ihn zu befreien! ihn zu retten!
Tancred ist in Gefahr. Verwegen trieb
Sein Eifer ihn dem fliehnden Feinde nach,
Der wieder sich versammelt, wieder ficht.
Mein Alter, ach! erlaubt mir nur zu klagen.
Ihr, deren Kühnheit sich mit Stärke paart,
Die noch der Jugend Heldenkraft beseelt,
Verbunden eilet hin und gebt Tancreden
Euch, mir und dieser Hartgekränkten wieder.
LOREDAN. Genug! die Zeit ist kostbar, folget mir!
Wenn wir das Übermaß der Tapferkeit
Nicht loben können, diese düstre Wut,
So sind wir doch ihm schnelle Hülfe schuldig.

Dritter Auftritt: *Arsir · Amenaide*

ARSIR. So hörst du denn, o Gott! des Vaters Flehn?
Du gibst mir endlich meine Tochter wieder,
Den Mann uns wieder dem wir alles danken.
Die Hoffnung darf, geliebte Tochter, nun
In unserm Herzen wieder sich entfalten.
Wenn ich dich selbst verkannt, wenn ich dein Unglück
Aus Irrtum selbst verschuldet, wenn ich's ganz
Mit dir empfunden und getragen, laß
Mich nun es endgen, wenn der Edle kommt!
Laß diesen Trost in deine Seele leuchten!
AMENAIDE. Getröstet werd' ich sein wenn ich ihn sehe,
Wenn er, den ich mit Lieb' und Graun erwarte,
Gerettet kommt und sich gerecht erzeigt,
Wenn ich vernehme, daß er mich nicht mehr
Verkennt und seinen Argwohn tief bereut.
ARSIR. Ich fühle nur zu lebhaft, o Geliebte!
Was du in dieser harten Probe leidest,
Von solcher Prüfung heilt im edlen Herzen
Die Wunde kaum, die Narbe bleibt gewiß,
Das Nachgefühl des Schmerzens bleibt mit ihr.
Doch, meine Tochter, denke, daß Tancred,
Den wir verhaßt, den wir verfolgt gesehen,
Geliebt, bewundert, angebetet kommt,
Und solch ein Glanz dich nun mit ihm verklärt.
Je höher sich Tancred, je herrlicher
Durch unerwartet große Taten stellte,
Um desto schöner werden Lieb' und Treue,
Die du ihm rein und ganz gewidmet, glänzen.
Wenn sonst ein guter Mensch nur seine Pflicht
Zu tun versteht, erhebet sich der Held;
Er überfliegt gemeiner Möglichkeit
Bescheidne Grenze, ja, der Hoffnung selbst
Eilt er zuvor. So tat für uns Tancred,
Und über alle Hoffnung wird auch er

Dich treu und seiner Liebe wert entdecken.
Er wendet seine Neigung ganz dir zu,
Das Volk bewundert und verehrt auch dich.
Dies alles zu bewirken, seinen Irrtum
Aus seiner Seele schnell hinweg zu scheuchen,
Bedarf's ein Wort.

AMENAIDE. Es ist noch nicht gesprochen!
Was kann mich jetzt des Volks Gesinnung kümmern,
Das ungerecht verdammt, leichtsinnig liebt,
Und zwischen Haß und Mitleid, irrend, schwankt.
Nicht seine laute Stimme rührt mein Herz;
An eines Einzigen Munde hängt mein Ruf.
Ja, führe dieser fort mich zu verkennen,
Ich wollte lieber in den Tod mich stürzen,
Als länger seiner Achtung zu entbehren.
Ja, wisse — muß ich auch noch dies gestehn! —
Als meinen Bräutigam verehrt' ich ihn,
Ihm hat die Mutter, sterbend, mich gegeben,
Ihr letzter Seufzer hat uns noch gesegnet,
Und diese Hände, die sie erst verbunden,
Vereinten sich die Augen ihr zu schließen.
Da schwuren wir, bei ihrem Mutterherzen,
Im Angesicht des Himmels, bei dem reinen
Verklärten Geist, bei dir, unselger Vater,
Uns nur in dir zu lieben, für dein Glück,
Mit kindlichem Gehorsam, uns zu bilden.
Ich sah statt des Altars ein Mordgerüst;
Mein Bräutigam verkennt mich, sucht den Tod,
Und mir bleibt das Entsetzen meiner Schmach;
Das ist mein Schicksal.

ARSIR. Das nun sich erheitert.
Mehr als du hofftest wird noch dir gewährt.

AMENAIDE. Ach! Alles fürcht' ich!

TANCRED · FÜNFTER AUFZUG

Vierter Auftritt: Arsir · Amenaide · Euphanie

EUPHANIE. Teilet Freud' und Jubel!
Empfindet mehr als wir ein Wunderglück!
Tancred hat abermals gesiegt, den Rest
Auf ihn vereinter Flüchtiger zerstreut.
Und Solamir, von seiner Hand getötet,
Liegt nun, als Opfer des bedrängten Staats,
Als Pfand zukünftger Siege, zur Entsühnung
Gekränkter Frauenehre hingestreckt.
Wie schnell verbreitet sich der Ruf umher!
Wie freudetrunken fliegt das Volk ihm zu,
Und nennt ihn seinen Helden, seinen Schutz:
Des Thrones würdig preist man seine Taten.
Ein einziger von unsern Kriegern war,
Auf diesen Ehrenwegen, sein Begleiter:
Der Aldamon, der unter dir gedient,
Errang sich einen Teil an diesem Ruhm.
Und als zuletzt noch unsre Ritter sich,
Mit Ungestüm, zum Platz des Kampfes stürzten,
War alles längst getan, der Sieg entschieden.
In der Ferne Siegsgesang.
Vernehmt ihr jener Stimmen Hochgesang?
Die über alle Helden seines Stammes,
Ihn über Roland, über Tristan heben.
Ihm reichen tausend Hände Kranz um Kranz.
Welch ein Triumph der dich und ihn verklärt!
O teile, komm! den herrlichen Triumph;
Du hast ihn längst verdient und längst vermißt.
Dir lächelt alles nun und jeder schämt
Sich jener Schmach, mit der er dich verletzt.
Tancred ist dein, ergreife den Besitz!
AMENAIDE. Ach! Endlich atm' ich wieder und mein Herz
Eröffnet sich der Freude. Teurer Vater!
Laß uns den Höchsten, der auf solchen Wegen
Mir das Verlorne wiedergibt, verehren.

Vom herben Schmerz durch seine Hand befreit,
Fang' ich, so scheint mir, erst zu leben an.
Mein Glück ist groß; doch hab' ich es verdient.
Vergessen will ich alles. O! verzeih
So manchen Vorwurf, manche bittre Klage,
Womit ich, edler Vater, dich gekränkt,
Und wenn Tancredens Unterdrücker, wenn
Sich Feinde, Bürger ihm zu Füßen werfen,
Die Wonne fühl' ich ganz, denn er ist mein.
ARSIR. Und ganz genießt dein Vater sie mit dir. —
Ist dies nicht Aldamon? der, mit Tancreden,
Sich in den Feind mit echter Treue stürzte,
Er, der auch unter mir so brav gedient;
Vermehrt er die Gewißheit unsres Heils?
Durch einen wackren Boten wird die Wonne
Der guten Botschaft noch erhöht. Allein
Was seh' ich? Ungewissen Trittes naht er sich!
Ist er verwundet? Tiefe Schmerzen sind
Auf sein Gesicht gegraben!

Fünfter Auftritt:

Arsir · Amenaide · Euphanie · Aldamon

AMENAIDE.   Sag' uns an:
 Tancred ist Überwinder?
ALDAMON.   Ja, er ist's!
AMENAIDE. Verkündet nicht ihn dieser Siegeston?
Klaggesang von ferne.
ALDAMON. Der schon in Klagetöne sich verwandelt.
AMENAIDE. Was sagst du? Soll uns neues Unglück treffen?
ALDAMON. Zu teuer ist des Tages Glück erkauft.
AMENAIDE. So ist er tot?
ALDAMON.   Sein Auge blickt noch auf;
 Doch wird ihn seine Wunde bald uns rauben.
 Als er, an meiner Seite, sich zum Tod
 Getroffen fühlte, stützt' er sich gelassen

Auf meinem Arm und sprach: Ich sehe sie
Nicht wieder, die mir alles war, und die
Mich nun hieher getrieben. Eile hin
Und bring ihr noch ein schmerzlich Scheidewort,
Und sag ihr—
ARSIR. Gott! So grenzenlose Not
Verhängst du über uns! O teurer Mann!
Verschweig ihr eine Botschaft die sie tötet.
AMENAIDE. Nein, sprich das Urteil nur entschieden aus!
Ich habe nichts als dieses Leben mehr,
Und dieses geb' ich gern und willig hin.
Sprich sein Gebot, das letzte, sprich es aus!
ALDAMON. Nicht überleben konnt' ich den Gedanken,
So sprach er, daß sie mir die Treue brach;
Um ihretwillen sterb' ich; könnt' ich doch
Auch für sie sterben, daß sie Ruf und Namen
Und Lebensglück, durch meinen Tod, erwürbe.
AMENAIDE. Er stirbt im Irrtum! Werd' ich so gestraft!
ARSIR. Verloren ist nun alles, nun der Köcher
Feindseligen Geschickes ganz geleert!
Und, ohne Hoffnung, ohne Furcht, erwarten,
Auch ohne Klage, wir den nahen Tod.
O! laß mich wenigstens, geliebtes Kind,
In dieser schrecklichen Verwirrung, noch
Die letzten Kräfte sammeln, laß mich laut,
Daß unsre Ritter, unser Vaterland,
Daß alle Völker hören, laß mich rufen:
So litt ein edles Herz! so war's verkannt!
Und alle Welt verehre deinen Namen.
AMENAIDE. Und mag ein unerträglich herber Schmerz
Durch irgend einen Anteil milder werden?
Was kann das Vaterland? was kann die Welt?
Tancred ist tot.
ARSIR. So fahre hin, mein Leben!
AMENAIDE. Tancred ist tot! und niemand hat für mich
Ein Wort gesprochen, niemand mich vertreten! —

Nein, diese letzte Hoffnung laß mir noch:
Er lebt! er lebt! so lange, bis er sich
Von meiner Lieb' und Unschuld überzeugt.
Indem sie abgehen will, begegnet sie den Rittern, denen sie ausweicht.
Drängt mich auch hier die Tyrannei zurück!

Sechster und letzter Auftritt:

Loredan, Roderich, Ritter, Soldaten, Volk, Amenaide, Arsir, Euphanie, Aldamon. Tancred, von Soldaten getragen, erst im Hintergrunde. Andere Soldaten mit eroberten sarazenischen Standarten

LOREDAN. Beklagenswerte beide, die ihr bang
Dem Zug begegnet der sich stumm bewegt,
Wohl ist für euch der Schmerzen Fülle hier.
Verwundet, ehrenvoll und tödlich, naht,
Auf dieser Bahre, leider nun der Held.
In Leidenschaft und Wut gab er sich hin;
So hat er uns vollkommnen Sieg errungen.
Doch ach! wir hielten kaum des edlen Bluts,
Das uns errettet, heftgen Strom zurück. *Zu Amenaiden.*
Der hohe Geist, der sich von hinnen sehnt,
Verweilt, so scheint es, noch um deinetwillen;
Er nennet deinen Namen, alles weint,
Und wir bereuen unsern Teil der Schuld.
Indessen er spricht, bringt man Tancreden langsam hervor.
AMENAIDE *aus den Armen ihrer Frauen, wendet sich, mit Abscheu, gegen Loredan.*
Barbaren! mög euch ewge Reue plagen!
Sie eilt auf Tancreden los und wirft sich vor ihm nieder.
Tancred! Geliebter! grausam Zärtlicher!
In dieser letzten Stunde höre mich!
O! wende mir dein mattes Auge zu,
Erkenne mich im grenzenlosen Jammer!
O! gönne dann im Grab, an deiner Seite,

Mir, deiner Gattin, ehrenvollen Raum.
Ja, diesen Namen, den du mir versprachst,
Ich hab' ihn mir, durch Leiden, wohl verdient;
Ich habe wohl verdient, daß du nach mir,
Der hartgeprüften treuen Gattin, blickst. *Er sieht sie an.*
So wär' es denn zum letzten Male, daß
Du mich ins Auge fassest! Sieh mich an!
Kann ich wohl deinen Haß verdienen? Kann
Ich schuldig sein?

TANCRED *sich ein wenig aufrichtend*
                Ach! du hast mich verraten.

AMENAIDE. Ich dich? Tancred!

ARSIR, *der sich auf der andern Seite niederläßt, Tancreden umarmt, und dann wieder aufsteht.*   O höre, wenn ich nun
Für die so sehr verkannte Tochter spreche!
Um deinetwillen kam sie in Verdacht;
Wir straften sie, weil sie an dir gehangen.
Gesetz und Rat und Volk und Ritter, alles
Hat sich geirrt, sie war allein gerecht.
Das Unglücksblatt, das solchen Grimm erregt,
Es war für dich geschrieben, ihren Helden;
So waren wir getäuscht und täuschten dich.

TANCRED. Amenaide liebt mich? Ist es wahr?

AMENAIDE. Ich hätte Schmach und Schande wohl verdient
Und jenen Tod, aus dem du mich gerissen,
Wenn ich, unedel, deiner Liebe je
Und meiner Pflichten gegen dich vergessen.

TANCRED, *der seine Kräfte sammelt und die Stimme erhebt.*
Du liebst mich! Dieses Glück ist höher als
Mein Unstern. Ach! ich fühle nur zu sehr
Bei diesem Ton das Leben wünschenswert.
Ich glaubte der Verleumdung, ich verdiene
Den Tod. Ein traurig Leben bracht' ich zu
Und nun verlier' ich's, da das Glück sich mir,
An deiner Seite, grenzenlos eröffnet.

AMENAIDE. Und nur in dieser Stunde sollt' ich dich,

Die uns auf ewig trennt, noch einmal sprechen!
Tancred!

TANCRED. In deinen Tränen sollt' ich Trost
Und Lindrung fühlen; aber ach! von dir
Soll ich mich trennen! Herb ist solch ein Tod.
Ich fühl', er naht. Arsir, o höre mich.
Dies edle Herz hat seine Treue mir
Auf ewig zugesagt und mir erhalten,
Als Opfer selbst des traurigsten Verdachts;
O! laß denn meine blutig starre Hand,
Mit ihrer Hand, zuletzt, sich noch verbinden!
Laß mich als ihren Gatten sterben, dich
Als Vater noch umarmen!

ARSIR.   Teurer Sohn,
O könntest du für sie und alle leben!

TANCRED. Ich lebte, meine Gattin zu entsühnen,
Mein Vaterland zu rächen, sterbe nun
Umfaßt von beiden, und ich fühle mich
So würdig ihrer Liebe, wie geliebt.
Erfüllt sind meine Wünsche! Liebstes Weib!
Amenaide!

AMENAIDE. Komm!

TANCRED.   Du bleibst zurück!
Und schwörst mir, daß du leben willst — *Er sinkt nieder.*

RODERICH.   Er stirbt!
An seiner Bahre schäme sich der Tränen
Kein tapfrer Mann; der Reue schäme sich
Kein Edler, der zu spät ihn erst erkannt.

AMENAIDE, *die sich auf Tancredens Leichnam wirft.*
Er stirbt! Tyrannen, weint ihr? die ihr ihn
Mißhandelt, ihn dem Tode hingegeben!
Indem sie aufsteht und vorschreitet.
Verflucht sei der Senat! Verflucht ein Recht,
Das ränkevoll der herrschenden Partei
Gesetzlich Treu und Unschuld morden lehrt!
O! reißet euch gewaltsam auseinander,

Des Berges ungeheure Feuerschlünde,
Die ihr das reiche Feld Siziliens
Im Finstern unterwühlet, reißt euch auf!
Erschüttert Syrakus, daß die Paläste,
Die Mauern stürzen! Sendet Feuerquellen
Aus euren Schluchten, überschwemmt das Land,
Und schlingt den Rest des Volkes, die Ruinen
Der großen Stadt, zur Hölle mit hinab!
Sie wirft sich wieder auf den Leichnam.
O! mein Tancred! *Sie springt wieder auf.*
    Er stirbt! ihr aber lebt!
Ihr lebt! ich aber folg' ihm! — Rufst du mich?
Dein Weib vernimmt die Stimme seines Gatten.
In ewger Nacht begegnen wir uns wieder,
Und euch verfolge Qual, so dort, wie hier!
Sie wirft sich in Euphaniens Arme.
ARSIR. O! meine Tochter!
AMENAIDE.   Weiche fern hinweg!
Du bist nicht Vater, hast an uns, fürwahr,
Des heilgen Namens Würde nicht erprobt.
Zu diesen hast du dich gesellt! — Verzeih
Der kläglich Sterbenden! — Nur diesem hier
Gehör' ich an, im Tode bleib' ich sein.
Tancred! *Sie sinkt an der Bahre nieder.*
ARSIR. Geliebtes unglückselges Kind!
O! rufet sie ins Leben, daß ich nicht,
Der Letzte meines Stamms, verzweifelnd sterbe!

AUS MANZONIS CONTE DI CARMAGNOLA

[CARMAGNOLA *spricht*.]

Erlauchter Fürst und Doge! Senatoren!
Im Punkte steh ich, wo ich euch nicht könnte
Dankbar und treu sein, wenn ich nicht dagegen
Feind würde dem, der eine Zeit mein Herr war.
Glaubt ich, daß mich mit ihm der allerfeinste
Verbindungsfaden leis verpflichtete:
Den Ehrenschatten eurer hohen Fahnen
Flöh ich sogleich; im dunkelsten viel lieber
Lebt ich, als daß ich, ihn zerreißend, mir
Verächtlich vor den Augen würde. Keinen Zweifel
Ob des ergriffnen Schlusses fühl ich im Herzen,
Er ist gerecht und ehrvoll; nur allein
Die Furcht bedrängt mich wegen fremden Urteils.
O selig, wem das übergünstge Glück
Entschieden auf dem Lebensgang bezeichnet
Den Weg der Schmach und Ehre!

Mein Leben geb ich her, ich geb's im Felde,
Zu edlem Zweck, mit Ehre, nicht umschlungen
Dem Netz der Schlechten. So sind wir getrennt.
Ihr gabt mir das Asyl, und auch in diesem
Stellt er mir nach, und also bin ich ihm
Nichts weiter schuldig. Offenbarem Feinde
Bin offenbarer Feind. Und was euch nutzt,
Das fördre ich frei in meinem freien, eignen,
Entschiednen Sinne, wie der brave Mann
Gerechter Sache sich verpfändet. [1, 2]

AUS MANZONIS ADELCHI

SWARTO *allein.*

Vom Franken ein Gesandter! Groß Ereignis.
  Was es auch sei, tritt ein. — Im Grund der Urne,
Von tausend Namen überdeckt, liegt tief
Der meine; bleibt sie ungeschüttelt, immer
Liegt er im Grunde. So in meiner
Verdüstrung sterb ich, ohne daß nur jemand
Erführe, welch Bestreben mich durchglüht.
— Nichts bin ich. Sammelt auch dies niedre Dach
Die Großen bald, die sich's erlauben dürfen
Dem König feind zu sein, ward ihr Geheimnis
Nur eben, weil ich nichts bin, mir vertraut.
Wer denkt an Swarto? Wen bekümmert's wohl,
Was für ein Fuß zu dieser Schwelle tritt?
Wer haßt, wer fürchtet mich? — O! wenn Erkühnen
Den hohen Stand verlieh', den die Geburt
Voreilig zuteilt, wenn um Herrschaft man
Mit Schwertern würbe, sehen solltet ihr,
Hochmütige Fürsten, wem's von uns gelänge —
Dem Klügsten könnt es werden. Euch zusammen
Les ich im Herzen; meins verschloß ich. Welches
Entsetzen würd euch fassen, welch Ergrimmen,
Gewahrtet ihr, daß einzig ein Begehren
Euch allen mich verbündet, eine Hoffnung —
Mich einst euch gleich zu stellen! — Jetzt mit Golde
Glaubt ihr mich zu beschwichtigen. Gold! zu Füßen
Geringern hinzuwerfen, es geschieht,
Doch schwach demütig Hände hinzureichen,
Wie Bettler es zu haschen — [1, 7]

FÜRST ILDECHI. Heil dir, Swarto! [1, 8]

AUS BYRONS MANFRED
Bannfluch

[EINE STIMME]

Wenn der Mond ist auf der Welle,
 Wenn der Glühwurm ist im Gras
Und ein Scheinlicht auf dem Grabe,
Irres Licht auf dem Morast,
Wenn die Sterne fallend schießen,
Eule der Eul erwidernd heult
Und die Blätter schweigend ruhen
An des dunkeln Hügels Wand,
Meine Seel sei auf der deinen
Mit Gewalt und Zeichenwink!

Ist dein Schlummer noch so tief,
Kommt dein Geist doch nie zum Schlaf.
Da sind Schatten, die nicht schwinden,
Da Gedanken, die nicht bannest.
Die Gewalt, die du nicht kennest,
Läßt dich nimmermehr allein.
Bist ins Leichentuch gewindelt,
Eingehüllt in einer Wolke,
Und für immer, immer wohnst du
In dem Geiste dieses Spruchs.

Siehst mich nicht vorübergehen,
Fühlst mich doch in deinem Auge
Als ein Ding, das ungesehen
Nah dir sein muß, wie es war,
Und wenn du, geheim durchschaudert,
Deinen Kopf umwendend blickest,
Sollst dich wundern, daß nicht etwa
Wie ein Schatten bin zur Stelle;
Nein! die Kraft, die du empfunden,
Ist, was sich in dir verbirgt.

Und ein Zauberwort und Lied
Taufte dich mit einem Fluch,
Und schon hat ein Geist der Luft
Dich umgarnt mit einer Schlinge.
In dem Wind ist eine Stimme,
Die verbeut dir, dich zu freuen.
Und wenn dir die Nacht versagt
Ihres reinen Himmels Ruhe,
Bringt der Tag eine Sonn herauf,
Wär sie nieder! wünschest du.

Deinen falschen Tränen zog ich
Tödlichste Essenzen aus,
Deinem eignen Herzen sog ich
Blut, das schwärzeste, vom Quell,
Deinem Lächeln lockt ich Schlangen,
Dort geheim geringelt, ab,
Deinem Lippenpaar entsaugt ich
Allerschlimmstes aller Gifte.
Jedem Gift, das ich erprobet,
Schlimmer ist dein eignes doch.

Bei deiner kalten Brust, dem Schlangenlächeln,
Der Arglist unergründlichem Schlund,
Bei dem so tugendsam scheinenden Auge,
Bei der verschlossenen Seele Trug,
Bei der Vollendung deiner Künste,
Dem Wahn, du tragest ein menschliches Herz,
Bei deinem Gefallen an anderer Pein,
Bei deiner Kains-Bruderschaft
Beschwöre ich dich und nötige
Dich, selbst dir eigne Hölle zu sein!

Auf dein Haupt gieß ich die Schale,
Die dich solchem Urteil widmet;
Nicht zu schlafen, nicht zu sterben,
Sei dein dauernd Mißgeschick;

Scheinbar soll der Tod sich nahen
Deinem Wunsch, doch nur als Grauen.
Schau! der Zauber wirkt umher dir,
Dich geklirrlos fesselt Kette;
Über Herz und Hirn zusammen
Ist der Spruch ergangen — schwinde! [1, 1]

—

MANFRED *allein.*

Der Zeit, des Schreckens Narren sind wir! Tage
Bestehlend stehlen sie sich weg. Wir leben
In Lebens Überdruß, in Scheu des Todes.
In all den Tagen der verwünschten Posse —
Lebendige Last auf widerstrebendem Herzen,
In Sorgen stockt es, heftig schlägts in Pein,
Der Freud ein End ist Todeskampf und Ohnmacht —
In all den Tagen, den vergangnen, künftigen —
Im Leben ist nichts Gegenwart — du zählst
Wie wenig: — weniger als wenig, wo die Seele
Nicht nach dem Tod verlangt und doch zurück
Wie vor dem Winterstrome schreckt. Das Fröstlen
Wär nur ein Augenblick. — Ich hab ein Mittel
In meiner Wissenskraft: die Toten ruf ich
Und frage sie: was ist denn, das wir fürchten?
Der Antwort ernsteste ist doch das Grab.
Und das ist nichts, antworten sie mir nicht —

Antwortete begrabner Priester Gottes
Dem Weib zu Endor! Spartas König zog
Aus griechscher Jungfrau nie entschlafnem Geist
Antwort und Schicksal. Das Geliebteste
Hatt er gemordet, wußte nicht, wen er traf;
Starb ungesühnt. Wenn er auch schon zu Hülfe
Den milden Zeus berief, Phigaliens
Arkadische Beschwörer aufrief, zu gewinnen
Vom aufgebrachten Schatten sein Verzeihen,

Auch eine Grenze nur des Rächens. Die versetzte
Mit zweifelhaftem Wortsinn; doch erfüllt ward's.

Und hätt ich nie gelebt! das, was ich liebe,
Wäre noch lebendig; hätt ich nie geliebt!
Das, was ich liebe, wär noch immer schön
Und glücklich, glückverspendend. Und was aber,
Was ist sie jetzt? Für meine Sünden büßte sie —
Ein Wesen? Denk es nicht — vielleicht ein Nichts.
In wenig Stunden frag ich nicht umsonst,
In dieser Stunde fürcht ich, wie ich trotze,
Bis diese Stunde schreckte mich kein Schauen
Der Geister, guter, böser. Zittr' ich nun?
Und fühl am Herzen fremden kalten Tau!
Doch kann ich tun was mich im tiefsten widert,
Der Erde Schrecken ruf ich auf. — Es nachtet! [II, 2]

—

Fragmente aus dem Nachlaß

[MANFRED *allein*.]
Die Lampe will gefüllt sein doch auch dann
Brennt sie so lange nicht als ich wachen muß.
Mein Schlummer — Wenn ich schlummre, 's ist kein Schlaf
Nur ein Verfolgen daurender Gedanken
Dem ich nicht widerstehe. In meinem Herze[n]
Ists immer wach. Wie ich die Augen schließ[e],
Sie sehn hinein. Und lebe doch und führe
Das Ansehn, die Gestalt des Atmenden;
Doch sollte Kummer sein des Weisen Lehrer,
Sorgen sind Kenntnis: die am meisten kennen
Vertiefen sich bejammernd der verwünschten Wahrheit:
Erkenntnis Baum ist nicht der Baum des Lebens. [I, 1]

—

[MANFRED.]   Hör mich, Hör mich!
Astarte meine Liebste, sprich zu mir!
So viel hab ich geduldet, dulde noch —

Sieh her auf mich! Das Grab [veränderte]
Als ich für dich.

Todsündlichst, wie wir liebten

Antworteten mir — Manches antwortete mir,
Geister und Menschen. Du alleine schweigst

Doch sprich mir zu. Die Sterne überwacht ich,
Den Himmel überblick ich dich zu suchen —
Sprich mir! So hab ich doch die Welt durchwandert
Und deinesgleichen nie gefunden. Sprich doch!
Sieh diese Bösen — sie bedauren mich —
Sie fürcht ich nicht, für dich allein empfind ich —
Sprich mir, und wär's im Zorn, o rede nur,

Ich weiß nicht was — dich einmal nur zu hören
Das eine Mal eine Mal noch.
[ASTARTE.] Manfred.
[MANFRED.] Nur zu! Nur zu!
In diesem Tone leb ich — deine Stimme ist's.
ASTARTE. Zu Morgen Manfred schließt dein irdisch Leid.
Leb wohl.
[MANFRED.] Sag sehen wir uns wieder
[ASTARTE.] Leb wohl
[MANFRED.] Barmherzigkeit! Ein Wort! Du liebst mich?
[ASTARTE.] Manfred. [II, 2]

—

[MANFRED *allein*.]
— — — — — denn die Nacht
Bot mir ein freundlicher Gesicht
Als Menschen. [III, 4]

AUS MATURINS TRAUERSPIEL BERTRAM

Wall-Terrasse des Schlosses, dessen einen Teil man sieht, das übrige durch uralte hohe Bäume versteckt.
Imogine allein, sie schaut eine Zeitlang nach dem Monde, alsdann kommt sie langsam hervor.

IMOGINE.　　　　　　Mein eigenst liebes Licht!
Verehrt von jedem sanften tiefen Geiste,
So recht geliebt von Liebenden! Wie hold
Und selig selbst erfreust du dich am Einfluß
Auf Ebb' und Flut der tiefbewegten Seele.
Licht gönnst du dem Entzücken, der Verzweiflung
Und spiegelst von der Hoffnung Rosenwange,
Von bleichen Kummerzügen gleich zurück.

— — — — — — — — — — — —

BERTRAM *kommt langsam aus dem Grunde, Arme gefaltet, Augen zur Erde gerichtet. Sie erkennt ihn nicht.*
IMOGINE. Ein solch Gebild stürmt oft in meine Träume.
So finster wild, so ernst gefaßt und stolz!
Regt sich es jetzt im Wachen auf mich zu?
BERTRAM *tritt ganz hervor auf die Bühne und steht, ohne sie anzusehen.*
IMOGINE. Ich ließ dich rufen, Fremdling, denn das Volk,
Das wilde draußen, hetzt nur deine Wunde.
Du bist verwundet — scheiterte dein Gold,
Dein weltlich Wohl an unseres Felsens Roheit:
Das kann ich heilen — gleich mein Schatzbewahrer —
BERTRAM. Umsonst auf mich häufte der Welten Reichtum.
IMOGINE. So lese ich deinen Verlust — dein Herz versank
In schwarzen Wassers Unbarmherzigkeit.
Ein teurer Freund, ein Bruder, seelgeliebter,
Versank. Das jammert mich, mehr kann ich nicht —
Gold kann ich geben, kann nicht Tröstung geben,
Ich selbst bin trostlos! —
Doch wär' mein Atem regelhaft zu sammeln,
Zu solchem Trauerdienst wär ich geschickt:

Denn Kummer ließ mir keinen andern Klang.
BERTRAM *auf sein Herz schlagend.*
 Kein Tau erquickte den versengten Boden.
IMOGINE. Fremd ist dein Bildnis, deine Worte fremder.
 Mir wird es ängstlich, dieses Redewechseln.
 Sag' dein Geschlecht und Heimat!
BERTRAM. Und was hälf' es!
 Elend ist heimatlos, der Name Heimat
 Sagt Wohnung, Lieb', Verwandtschaft, treue Freunde,
 Gesetz und Schutz; das bindet Mann an Mann.
 Und nichts davon ist mein, bin ohne Heimat.
 Und mein Geschlecht — des Jüngsten Tags Posaune
 Erweckt, versammelt eher die zerstreuten
 Gebeine meiner Ahnen, als Trompetenschall
 Zu edlen Waffenreihen, unbefleckten Schilden
 Verlornen Enkel ruft.
IMOGINE. Sein Reden schreckt,
 Das fürchterliche Gellen seiner Stimme!
 Ein Geist vergangner Tage schrillt darein —
 Hilft meine Güte, meine Träne nicht,
 Fremdling, leb' wohl. Für dich im Elend betend,
 Reih' auch ein fremdes großes Elend an.
 Sie entfernt sich mit Entsetzen, er hält sie zurück.
BERTRAM. Du sollst nicht gehen.
IMOGINE. Soll nicht? sprich, wer bist du?
BERTRAM. Und soll ich sprechen — Eine Stimme war's,
 Die alle Welt vergessen durfte, nur nicht du. [II, 3]

―

Bertram tritt ein.

IMOGINE. Verbrechen ist's in mir, auf dich zu schauen;
 Doch was ich auch beginne, es ist Verbrechen —
 Unseliger Gedanke schwankt zu deiner Rettung —
 Flieh! meine Lippe warnt noch ohne Schuld.
 O! wärst du nie gekommen, gleich geschieden!

Gott! — er bemerkt mich nicht!? bin ich ihm nichts?
Was bringst du so? welch schrecklich Unternehmen?
Ich weiß, du kommst zum Bösen; um den Inhalt
Frag ich mein Herz umsonst.
BERTRAM.   Vermut's und schone!
Lange Pause, worin sie ihn aufmerksam ansieht.
In meinem Antlitz wär's zu lesen.
IMOGINE.   Darf nicht!
Da dunklen bös gemischt Gedankenschatten.
Doch was ich fürchtend unbestimmt vermute,
Vernichtet wär ich, es zu sehen.
                   Wendet sich ab. Pause
BERTRAM. Hörst du es nicht in meinem tiefen Schweigen?
Was keine Stimme nennt, das nennt sich selbst.
IMOGINE. Gehetzt ist mein Gedanke. Fürchterlich
Ist ihm allein, daß er nicht denken darf.
BERTRAM *wirft seinen Dolch auf den Boden.*
Sprich du für mich!—
Die Kammer zeige, wo dein Gatte ruht!
Der Morgen sieht uns beide nicht lebendig.
IMOGINE *schreit auf und ringt mit ihm.*
O! Schrecken, Schrecknis! Auf — mich hindere nicht.
Das Schloß erreg' ich, Tote rege ich auf
Zu Rettung des Gemahls.
BERTRAM.   So fahre hin!
Du rettest ihn und dich zu neuem Elend.
IMOGINE *ihm zu Füßen fallend.*
Ich elend, elend Weib! Durch wen? durch wen? —
Wurmgleich gekrümmt vor höhnender Behandlung.
Erbarme dich! Mir lastet große Schuld.
BERTRAM *den Dolch vom Boden aufreißend.*
Mein Herz ist wie der Stahl in meiner Hand.
IMOGINE *immer kniend.*
Hast mich herabgestoßen aus dem Licht,
Aus hoher Sphäre friedlich reinen Wandels,
Wo ich einherging offen und beglückt;

Nicht reiße mich zur letzten Finsternis.
BERTRAM *sie einen Augenblick mitleidig ansehend.*
Du schönste Blume! — Blume? Schön fürwahr! —
Was warfst du quer dich meinem Schreckenspfad,
Dich quetscht mein Tigerschritt in seiner Richtung,
Er stutzt nicht, dich zu schonen.
IMOGINE.   Doch! Du mußt!
Ich bin im Jammer stark, dich schalt ich nie,
Ich suche Recht durch Todeskampf und Tränen.
Freundlicher Bertram! Mein geliebter Bertram,
Einst warst du freundlich, einst — und noch geliebt
Erbarme dich — Das konntest du nicht denken.
Sie schaut auf, und als sie keine Teilnahme in seinem Gesicht erblickt, springt sie wild in die Höhe.
Beim Himmel und Himmelsheer! er soll nicht sterben!
BERTRAM. Bei Hölle und Höllenheer! er soll nicht leben!

[IV, 2]

DIE BACCHANTINNEN DES EURIPIDES

Semele, Tochter des thebaischen Herrschers Kadmus, in Hoffnung, dem Vielvater Zeus einen Sohn zu bringen, ward verderbt und aufgezehrt durch himmlisches Feuer, der Knabe gerettet, im Verborgenen aufgepflegt und erzogen, auch des Olymps und eines göttlichen Daseins gewürdigt. Auf seinen Erdewanderungen und Zügen in die Geheimnisse des Rheadienstes bald eingeweiht, ergibt er sich ihnen und fördert sie aller Orten, ingeheim einschmeichelnde Mysterien, öffentlich einen grellen Dienst unter den Völkerschaften ausbreitend.

Und so ist er im Beginn der Tragödie, von lydischen enthusiastischen Weibern begleitet, in Theben angelangt, seiner Vaterstadt, will daselbst als Gott anerkannt sein und Göttliches erregen. Sein Großvater Kadmus lebt noch, uralt; er und der Urgreis Tiresias sind der heiligen Weihe günstig und schließen sich an. Pentheus aber, auch ein Enkel des Kadmus, von Agave, jetzt Oberhaupt von Theben, widersetzt sich den Religionsneuerungen und will samt den Thebanern und Thebanerinnen einen göttlichen Ursprung des Bacchus nicht anerkennen. Zwar gibt man zu: er sei ein Sohn der Semele, diese aber, eben deswegen weil sie sich fälschlich als Geliebte Jupiters angegeben, vom Blitz und Feuerstrahl getroffen worden.

Pentheus behandelt nun daher die vom Bacchus als Chor eingeführten lydischen Frauen auf das schmählichste; dieser aber weiß sich und die Seinigen zu retten und zu rächen und dagegen Agaven mit ihren Schwestern und die andern ungläubigen Thebanerinnen zu verwirren, zu verblenden und, von begeisterter Wut angefacht, nach dem ominosen Gebirg Kithäron, woselbst der verwandte Aktäon umgekommen, hinauszutreiben. Dort halten sie sich für Jägerinnen, die nicht allein dem friedlichen Hochwild, sondern auch Löwen und Panthern nachzujagen berufen sind. Pentheus aber, auf eine abenteuerliche Weise gleichfalls verwirrt, von gleichem Wahnsinn getrieben, folgt ihrer Spur und wird, sie belauschend, von seiner Mutter und ihren Gefährten entdeckt, aufgejagt als Löwe, erschlagen und zerrissen.

Das Haupt, vom Körper getrennt, wird nun als würdige Beute auf einen Thyrsus gesteckt, den Agave ergreift und damit nach Theben triumphierend hereinzieht. Ihrem Vater Kadmus, der eben des Sohnes Glieder, kümmerlich aus den Gebirgsschluchten gesammelt, hereinbringt, begegnet sie, rühmt sich ihrer Taten, zeigt auf das Löwenhaupt, das sie zu tragen wähnt, und verlangt in ihrem Übermut ein großes Gastmahl angestellt; der Vater aber jammervoll beginnt:

KADMUS.

O Schmerzen! grenzenlose, nicht dem Blick zu schaun,
Totschlag geübt, ein jammervolles Händewerk.
Mag dies den Göttern hochwillkommnes Opfer sein;
Zum Gastmahl aber rufst du Theben, rufest mich.
O weh des Unheils, dir zuerst und mir sodann:
So hat der Gott uns, zwar gerecht, doch ohne Maß,
Obschon Verwandte, zugeführt dem Untergang.

AGAVE. So düster lustlos wird das Alter jeglichem
 Getrübten Auges. Aber möge doch mein Sohn
 Jagdglücklich sein, nach mütterlichem Vorgeschick,
 Wenn er, thebaisch jungem Volke zugesellt,
 Auf Tiere strebt. Mit Göttern aber liebt er sich
 Allein zu messen. Vater, warnen wir ihn doch!
 Mit grübelhaftem Übel nie befass' er sich.
 Wo ist er denn? Wer bringt ihn vor mein Auge her?
 O ruft ihn, daß er schaue mich Glückselige!
KADMUS. Weh! weh! Erfahrt ihr jemals, was ihr da getan;
 Schmerz wird euch schmerzen, grimmig! Bleibt ihr aber so
 Hinfort in diesem Zustand, welcher euch ergriff,
 Wenn auch nicht glücklich, glaubt ihr euch nicht unbe-
                                                glückt.
AGAVE. Was aber ist Unrechtes hier und Kränkendes?
KADMUS. So wende mir zuerst dein Auge ätherwärts.
AGAVE.
 Wohl denn! Warum befiehlst du mir hinaufzuschaun?
KADMUS. Ist er wie immer, oder siehst du Änderung?
AGAVE.
 Viel glänzender denn sonst, und doppelt leuchtet er.
KADMUS. So ist ein Aufgeregtes in der Seele dir.
AGAVE.
 Ich weiß nicht, was du sagen willst, doch wird es mir
 Als ein Besinnen, anders aber als es war.
KADMUS. Vernimmst mich also deutlich und erwiderst klug?
AGAVE. Vergessen hab' ich, Vater, was zuvor ich sprach.
KADMUS.
 In welches Haus denn kamst du, bräutlich eingeführt?
AGAVE.
 Dem Sohn des Drachenzahns ward ich, dem Echion.
KADMUS.
 Und welchen Knaben gabst dem Gatten du daheim?
AGAVE. Pentheus entsprang aus unser beiden Einigkeit.
KADMUS. Und wessen Antlitz führst du auf der Schulter hier?
AGAVE. Des Löwen, wie die Jägerinnen mir gereicht.

KADMUS. So blicke grad' auf, wenig Mühe kostet es.
AGAVE. Ach, was erblick' ich? trage was hier in der Hand?
KADMUS. Betracht' es nur, und lerne deutlich was es ist!
AGAVE. Das größte Leiden seh' ich Unglückselige.
KADMUS.
Dem Löwen doch vergleichbar nicht erscheint dir dies?
AGAVE.
Nein, nicht! Von Pentheus trag' ich jammervoll das Haupt.
KADMUS. Bejammert lange, früher als du's anerkannt.
AGAVE. Wer tötet' ihn? Wie kam er doch in meine Faust?
KADMUS.
Unsel'ge Wahrheit! wie erscheinst du nicht zur Zeit.
AGAVE.
Sprich nur, das Herz hat dafür auch noch einen Puls.
KADMUS.
Du, du erschlugst ihn, deine Schwestern würgten mit.
AGAVE. Wo aber kam er um? zu Hause, draußen, wo?
KADMUS. Von seinen Hunden wo Aktäon ward zerfleischt.
AGAVE. Wie zum Kithäron aber kam der Unglücksmann?
KADMUS.
Dem Gott zum Trotze, deiner auch, der Schwärmenden.
AGAVE. Wir aber dort gelangten an ihn welcher Art?
KADMUS. Ihr ras'tet, ras'te bacchisch doch die ganze Stadt.
AGAVE. Dionysos, er verdarb uns, dies begreif' ich nun.
KADMUS. Den ihr verachtet, nicht als Gott ihn anerkannt.
AGAVE. Allein der teure Leib des Sohnes, Vater, wo?

PHAETHON, TRAGÖDIE DES EURIPIDES
Versuch einer Wiederherstellung aus Bruchstücken

Ehrfurchtsvoll an solche köstliche Reliquien herantretend, müssen wir vorerst alles aus der Einbildungskraft auslöschen, was in späterer Zeit dieser einfach-großen Fabel angeheftet worden, durchaus vergessen, wie Ovid und Nonnus sich verirren, den Schauplatz derselben ins Universum erweiternd. Wir beschränken uns in einer engen,

zusammengezogenen Lokalität, wie sie der griechischen
Bühne wohl geziemen mochte; dahin ladet uns der

Prolog

Des Okeans, der Tethys Tochter, Klymenen
Umarmt als Gatte Merops, dieses Landes Herr,
Das von dem vierbespannten Wagen allererst
Mit leisen Strahlen Phöbus morgendlich begrüßt;
Die Glut des Königs aber wie sie sich erhebt,
Verbrennt das Ferne, Nahes aber mäßigt sie.
Dies Land benennt ein nachbar-schwarzgefärbtes Volk
Eos die glänzende, des Helios Rossestand.
Und zwar mit Recht, denn rosenfingernd spielt zuerst
An leichten Wölkchen Eos bunten Wechselscherz.
Hier bricht sodann des Gottes ganze Kraft hervor,
Der Tag und Stunden regelnd alles Volk beherrscht,
Von dieser Felsenküsten steilem Anbeginn
Das Jahr bestimmt der breiten ausgedehnten Welt.
So sei ihm denn, dem Hausgott unserer Königsburg,
Verehrung, Preis und jeden Morgens frisch Gemüt.
Auch ich, der Wächter, ihn zu grüßen hier bereit,
Nach diesen Sommernächten, wo's nicht nachten will,
Erfreue mich des Tages vor dem Tagesblick,
Und harre gern, doch ungeduldig, seiner Glut,
Die alles wieder bildet, was die Nacht entstellt.
So sei denn aber heute mehr als je begrüßt
Des Tages Anglanz! Feiert prächtig heute ja
Merops, der Herrscher, seinem kräftig einzigen Sohn
Verbindungsfest mit gottgezeugter Nymphenzier;
Deshalb sich alles regt und rührt im Hause schon.
Doch sagen andere — Mißgunst waltet stets im Volk —
Daß seiner Freuden innigste Zufriedenheit,
Der Sohn, den er vermählet heute, Phaethon,
Nicht seiner Lenden sei; woher denn aber wohl?
Doch schweige jeder, solche zarte Dinge sind
Nicht glücklich anzurühren, die ein Gott verbirgt.

Vers 5. 6. Hier scheint der Dichter durch einen Widerspruch den Widerspruch der Erscheinung auflösen zu wollen; er spricht die Erfahrung aus: daß die Sonne das östliche Land nicht versengt, da sie doch so nah und unmittelbar an ihm hervortritt, dagegen aber die südliche Erde, von der sie sich entfernt, so glühend heiß bescheint.

Vers 7. 8. Nicht über dem Ozean, sondern diesseits am Rande der Erde suchen wir den Ruheplatz der himmlischen Rosse, wir finden keine Burg, wie sie Ovid prächtig aufbaut, alles ist einfach und geht natürlich zu. Im letzten Osten also, an der Welt Grenze, wo der Ozean ans feste Land umkreisend sich anschließt, wird ihm von Tethys eine herrliche Tochter geboren, Klymene. Helios, als nächster Nachbar zu betrachten, entbrennt für sie in Liebe; sie gibt nach, doch unter der Bedingung, daß er einem aus ihnen entsprossenen Sohn eine einzige Bitte nicht versagen wolle. Indessen wird sie an Merops, den Herrscher jener äußersten Erde, getraut, und der ältliche Mann empfängt mit Freuden den im stillen ihm zugebrachten Sohn.

Nachdem nun Phaethon herangewachsen, gedenkt ihn der Vater standesgemäß irgendeiner Nymphe oder Halbgöttin zu verheiraten, der Jüngling aber, mutig, ruhm- und herrschsüchtig, erfährt zur bedeutenden Zeit, daß Helios sein Vater sei, verlangt Bestätigung von der Mutter und will sich sogleich selbst überzeugen.

Klymene · Phaethon

KLYMENE. So bist du denn dem Ehebett ganz abgeneigt?
PHAETHON.
  Das bin ich nicht, doch einer Göttin soll ich nahn
  Als Gatte, dies beklemmet mir das Herz allein.
  Der Freie macht zum Knechte sich des Weibs,
  Verkaufend seinen Leib um Morgengift.
KLYMENE. O Sohn! soll ich es sagen? dieses fürchte nicht.
PHAETHON. Was mich beglückt, zu sagen warum zauderst du?
KLYMENE. So wisse denn: auch du bist eines Gottes Sohn.

PHAETHON. Und wessen?
KLYMENE.   Bist ein Sohn des Nachbargottes Helios,
 Der Morgens früh die Pferde hergestellt erregt,
 Geweckt von Eos, hoch-bestimmten Weg ergreift;
 Auch mich ergriff. Du aber bist die liebe Frucht.
PHAETHON.
 Wie, Mutter, darf ich willig glauben was erschreckt?
 Ich bin erschrocken vor so hohen Stammes Wert,
 Wenn dies mir gleich den ewig innern Flammenruf
 Des Herzens deutet, der zum Allerhöchsten treibt.
KLYMENE.
 Befrag ihn selber: denn es hat der Sohn das Recht,
 Den Vater dringend anzugehn im Lebensdrang.
 Erinner' ihn, daß umarmend er mir zugesagt:
 Dir einen Wunsch zu gewähren, aber keinen mehr.
 Gewährt er ihn, dann glaube fest, daß Helios
 Gezeugt dich hat; wo nicht, so log die Mutter dir.
PHAETHON.
 Wie find' ich mich zur heißen Wohnung Helios'?
KLYMENE.
 Er selbst wird deinen Leib bewahren, der ihm lieb.
PHAETHON.
 Wenn er mein Vater wäre, du mir Wahrheit sprächst.
KLYMENE.
 O glaub' es fest! Du überzeugst dich selbst dereinst.
PHAETHON.
 Genug! Ich traue deines Worts Wahrhaftigkeit.
 Doch eile jetzt von hinnen! Denn aus dem Palast
 Nahn schon die Dienerinnen, die des schlummernden
 Erzeugers Zimmer säubern, der Gemächer Prunk
 Tagtäglich ordnen und mit vaterländischen
 Gerüchen des Palasts Eingang zu füllen gehn.
 Wenn dann der greise Vater von dem Schlummer sich
 Erhoben und der Hochzeit frohes Fest mit mir
 Im Freien hier beredet, eil' ich flugs hinweg,
 Zu prüfen, ob dein Mund, o Mutter, Wahres sprach. *Beide ab*

EURIPIDES: PHAETHON

Hier ist zu bemerken, daß das Stück sehr früh angeht, man muß es vor Sonnenaufgang denken und dem Dichter zugeben, daß er in einen kurzen Zeitraum sehr viel zusammenpreßt. Es ließen sich hievon ältere und neuere Beispiele wohl anführen, wo das Dargestellte in einer gewissen Zeit unmöglich geschehen kann, und doch geschieht. Auf dieser Fiktion des Dichters und der Zustimmung des Hörers und Schauers ruht die oft angefochtene und immer wiederkehrende dramatische Zeit- und Ortseinheit der Alten und Neuern.

Das nun folgende Chor spricht von der Gegend und was darin vorgeht ganz morgendlich. Man hört noch die Nachtigall singen, wobei es höchst wichtig ist, daß ein Hochzeitgesang mit der Klage einer Mutter um ihren Sohn beginnt.

CHOR DER DIENERINNEN.

> Leise, leise, weckt mir den König nicht!
> Morgenschlaf gönn' ich jedem,
> Greisem Haupt zu allererst.
> Kaum noch tagt es,
> Aber bereitet, vollendet das Werk.
> Noch weint im Hain Philomele
> Ihr sanft harmonisches Lied;
> In frühem Jammer ertönt
> «Itys, o Itys», ihr Rufen!
> Syrinx-Ton hallt im Gebirg,
> Felsanklimmender Hirten Musik;
> Es eilt schon fern auf die Trift
> Brauner Füllen mutige Schar;
> Zum wildaufjagenden Weidwerk
> Zieht schon der Jäger hinaus;
> Am Uferrande des Meers
> Tönt des melodischen Schwans Lied.
> Und es treibt in die Wogen den Nachen hinaus
> Windwehen und rauschender Ruderschlag;
> Aufziehn sie die Segel,
> Aufbläht sich bis zum mittlen Tau das Segel.

So rüstet sich jeder zum andern Geschäft;
Doch mich treibt Lieb' und Verehrung heraus,
Des Gebieters fröhliches Hochzeitfest
Mit Gesang zu begehn: denn den Dienern
Schwillt freudig der Mut bei der Herrschaft
Sich fügenden Festen —
Doch brütet das Schicksal Unglück aus,
Gleich trifft's auch schwer die treuen Hausgenossen.
Zum frohen Hochzeitfest ist dieser Tag bestimmt,
Den betend ich sonst ersehnt,
Daß mir am festlichen Morgen der Herrschaft das
Zu singen einst sei vergönnt.   [Brautlied
Götter gewährten, Zeiten brachten
Meinem Herrn den schönen Tag.
Drum tön', o Weihlied, zum frohen Brautfest!
Doch seht, aus der Pforte der König tritt
Mit dem heiligen Herold und Phaethon,
Her schreiten die dreie verbunden! O schweig
Mein Mund in Ruh!
Denn Großes bewegt ihm die Seel' anjetzt:
Hin gibt er den Sohn in der Ehe Gesetz,
In die süßen bräutlichen Bande.

DER HEROLD. Ihr, des Okeanos Strand Anwohnende,
Schweigt und höret!
Tretet hinweg vom Bereich des Palastes!
    Stehe von fern, Volk!
Ehrfurcht hegt vor dem nahenden Könige! —
    Heil entsprieße,
Frucht und Segen dem heitern Vereine,
    Welchem ihre Nähe gilt,
Des Vaters und des Sohns, die am Morgen heut
Dies Fest zu weihen beginnen. Drum schweige jeder
                                        Mund!

Leider ist die nächste Szene so gut wie ganz verloren; allein man sieht aus der Lage selbst, daß sie von herrlichem Inhalt sein könnte. Ein Vater, der seinem Sohne ein feierlich Hochzeitfest bereitet, dagegen ein Sohn, der seiner Mutter erklärt hat, daß er unter diesen Anstalten sich wegschleichen und ein gefährliches Abenteuer unternehmen wolle, machen den wirksamsten Gegensatz und wir müßten uns sehr irren, wenn ihn Euripides nicht auch dialektisch zur Sprache geführt hätte.

Und da wäre denn zu vermuten, daß wenn der Vater zugunsten des Ehestands gesprochen, der Sohn dagegen auch allenfalls argumentiert habe; die wenigen Worte, die bald auf den angeführten Chor folgen:

MEROPS. — — denn wenn ich Gutes sprach —

geben unserer Vermutung einiges Gewicht; aber nun verläßt uns Licht und Leuchte. Setzen wir voraus, daß der Vater den Vorteil, das Leben am Geburtsorte fortzusetzen, herausgehoben, so paßt die ablehnende Antwort des Sohns ganz gut:

PHAETHON. Auf Erden grünet überall ein Vaterland.

Gewiß wird dagegen der wohlhäbige Greis den Besitz, an dem er so reich ist, hervorheben und wünschen, daß der Sohn in seine Fußstapfen trete; da könnten wir denn diesem das Fragment in den Mund legen:

PHAETHON. Es sei gesagt! Den Reichen ist es eingezeugt,
Feige zu sein; was aber ist die Ursach des?
Vielleicht daß Reichtum, weil er selber blind,
Der Reichen Sinn verblendet wie des Glücks.

Wie es denn aber auch damit beschaffen mag gewesen sein, auf diese Szene folgte notwendig ein abermaliger Eintritt des Chors. Wir vermuten, daß die Menge sich hier zum Festzuge angestellt und geordnet, woraus schönere Motive hervorgehen als aus dem Zuge selbst. Wahrscheinlich hat hier der Dichter nach seiner Art das Bekannte, Verwandte, Herkömmliche in das Kostüm seiner Fabel eingeflochten.

Indes nun Aug und Ohr des Zuschauers freudig und feierlich beschäftigt sind, schleicht Phaethon weg, seinen göttlichen eigentlichen Vater aufzusuchen. Der Weg ist nicht weit, er darf nur die steilen Felsen hinabsteigen, an welchen die Sonnenpferde täglich heraufstürmen, ganz nah da unten ist ihre Ruhestätte; wir finden kein Hindernis, uns unmittelbar vor den Marstall des Phöbus zu versetzen.

Die nunmehr folgende, leider in dem Zusammenhang verlorne Szene war an sich vom größten Interesse und machte mit der vorhergehenden einen Kontrast, welcher schöner nicht gedacht werden kann. Der irdische Vater will den Sohn begründen wie sich selbst, der himmlische muß ihn abhalten, sich ihm gleichzustellen.

Sodann bemerken wir noch folgendes: wir nehmen an, daß Phaethon, hinabgehend, mit sich nicht einig gewesen, welches Zeichen seiner Abkunft er sich vom Vater erbitten solle; nur als er die angespannten Pferde hervorschnauben sieht, da regt sich sein kühner, des Vaters werter, göttlicher Mut und verlangt das Übermäßige, seine Kräfte weit Übersteigende.

Aus Fragmenten läßt sich vielleicht folgendes schließen: die Anerkennung ist geschehen, der Sohn hat den Wagen verlangt, der Vater abgeschlagen.

PHÖBUS. Den Toren zugesell' ich jenen Sterblichen,
  Den Vater, der den Söhnen, ungebildeten,
  Den Bürgern auch des Reiches Zügel überläßt.

Hieraus läßt sich mutmaßen, daß Euripides nach seiner Weise das Gespräch ins Politische spielt, da Ovid nur menschliche, väterliche, wahrhaft rührende Argumente vorbringt.

PHAETHON. Ein Anker rettet nicht das Schiff im Sturm,
  Drei aber wohl. Ein einziger Vorstand ist der Stadt
  Zu schwach, ein zweiter auch ist Not gemeinem Heil.

Wir vermuten, daß der Widerstreit zwischen Ein- und Mehrherrschaft umständlich sei verhandelt worden. Der Sohn, ungeduldig zuletzt, mag tätlich zu Werke gehn und dem Gespann sich nahen.

PHÖBUS. Berühre nicht die Zügel,
Du unerfahrner, o mein Sohn! Den Wagen nicht
Besteige, Lenkens unbelehrt.

Es scheint, Helios habe ihn auf rühmliche Taten, auf kriegerische Heldenübungen hingewiesen, wo so viel zu tun ist; ablehnend versetzt der Sohn:

PHAETHON.
Den schlanken Bogen hass' ich, Spieß und Übungsplatz.

Der Vater mag ihn sodann im Gegensatz auf ein idyllisches Leben hinweisen:
PHÖBUS.   Die kühlenden,
Baumschattenden Gezweige, sie umarmen ihn.

Endlich hat Helios nachgegeben. Alles Vorhergehende geschieht vor Sonnenaufgang; wie denn auch Ovid gar schön durch das Vorrücken der Aurora den Entschluß des Gottes beschleunigen läßt; der höchst besorgte Vater unterrichtet hastig den auf den Wagen stehenden Sohn.

PHÖBUS. So siehst du obenum den Äther grenzenlos,
Die Erde hier im feuchten Arm des Ozeans,
ferner:
So fahre hin! Den Dunstkreis Libyens meide doch,
Nicht Feuchte hat er, sengt die Räder dir herab.

Die Abfahrt geschieht, und wir werden glücklicherweise durch ein Bruchstück benachrichtigt, wie es dabei zugegangen; doch ist zu bemerken, daß die folgende Stelle Erzählung sei und also einem Boten angehöre.

ANGELOS. Nun fort! Zu den Plejaden richte deinen Lauf! —
Dergleichen hörend, rührte die Zügel Phaethon
Und stachelte die Seiten der Geflügelten.
So ging's, sie flogen zu des Äthers Höh'.
Der Vater aber, schreitend nah dem Seitenroß,
Verfolgte warnend: Dahin also halte dich!
So hin! Den Wagen wende dieserwärts!

Wer nun der Bote gewesen, läßt sich so leicht nicht bestimmen; dem Lokal nach könnten gar wohl die früh schon ausziehenden Hirten der Verhandlung zwischen Vater und Sohn von ihren Felsen zugesehen, ja sodann, als die Erscheinung an ihnen vorbeistürmt, zugehört haben. Wenn aber und wo erzählt wird, ergibt sich vielleicht am Ende.

Der Chor tritt abermals ein, und zwar in der Ordnung, wie die heilige Ehstandsfeier nun vor sich gehen soll. Erschreckt wird aber die Menge durch einen Donnerschlag aus klarem Himmel, worauf jedoch nichts weiter zu erfolgen scheint. Sie erholen sich, obgleich von Ahnungen betroffen, welche zu köstlichen lyrischen Stellen Gelegenheit geben mußten.

Die Katastrophe, daß Phaethon, von dem Blitze Zeus' getroffen, nah vor seiner Mutter Hause niederstürzt, ohne daß die Hochzeitfeier dadurch sonderlich gestört werde, deutet abermals auf einen enggehaltenen, lakonischen Hergang und läßt keine Spur merken von jenem Wirrwarr, womit Ovid und Nonnus das Universum zerrütten. Wir denken uns das Phänomen, als wenn mit Donnergepolter ein Meteorstein herabstürzte, in die Erde schlüge und sodann alles gleich wieder vorbei wäre. Nun aber eilen wir zum Schluß, der uns glücklicherweise meistens erhalten ist.

KLYMENE. *Dienerinnen tragen den toten Phaethon.*

Erinnys ist's, die flammend hier um Leichen webt,
Die Götterzorn traf; sichtbar steigt der Dampf empor!
Ich bin vernichtet! — Tragt hinein den toten Sohn! —
O rasch! Ihr hört ja, wie, der Hochzeit Feiersang
Anstimmend, mein Gemahl sich mit den Jungfraun naht.
Fort, fort! Und schnell gereinigt, wo des Blutes Spur
Vom Leichnam sich vielleicht hinab zum Boden stahl!
O eilet, eilet, Dienerinnen! Im Gemach
Will ich ihn bergen, wo des Gatten Gold sich häuft,
Das zu verschließen mir alleinig angehört.
O Helios, glanzleuchtender! Wie hast du mich
Und diesen hier vernichtet! Ja, Apollon nennt

EURIPIDES: PHAETHON

Mit Recht dich, wer der Götter dunkle Namen weiß.
CHOR. Hymen, Hymen!
　　Himmlische Tochter des Zeus, dich singen wir,
　　Aphrodite! Du, der Liebe Königin,
　　Bringst süßen Verein den Jungfrauen,
　　Herrliche Kypris, allein dir, holde Göttin,
　　Dank' ich die heutige Feier;
　　Dank auch bring' ich dem Knaben,
　　Den du hüllst in ätherischen Schleier,
　　Daß er leise vereint.
　　Ihr beide führt
　　Unserer Stadt großmächtigen König,
　　Ihr den Herrscher in dem goldglanzstrahlenden
　　Palast zu der Liebe Freuden.
　　Seliger du, o gesegneter noch als Könige,
　　Der die Göttin heimführt,
　　Und auf unendlicher Erde
　　Allein als der Ewigen Schwäher
　　Hoch sich preisen hört!
MEROPS. Du geh' voran uns! Führe diese Mädchenschar
Ins Haus und heiß mein Weib den Hochzeitreihen jetzt
Mit Festgesang zu aller Götter Preis begehn.
Zieht Hymnen singend um das Haus und Hestias
Altäre, welcher jedes frommen Werks Beginn
Gewidmet sein muß — — — — — — —
— — — — — — — aus meinem Haus
Mag dann der Festchor zu der Göttin Tempel ziehn.
DIENER. O König! Eilend wandt' ich aus dem Haus hinweg
Den schnellen Fuß; denn wo des Goldes Schätze du,
Die herrlichen, bewahrest, dort — ein Feuerqualm
Schwarz aus der Türe Fugen mir entgegendringt.
An leg' ich rasch das Auge; doch nicht Flammen sieht's,
Nur innen ganz geschwärzt vom Dampfe das Gemach.
O eile selbst hinein, daß nicht Hephästos' Zorn
Dir in das Haus bricht und in Flammen der Palast
Aufloht am frohen Hochzeittage Phaethons!

MEROPS.
 Was sagst du? Sieh denn zu, ob nicht vom flammenden
 Weihrauch des Altars Dampf in die Gemächer drang!
DIENER. Rein ist der ganze Weg von dort und ohne Rauch.
MEROPS. Weiß meine Gattin, oder weiß sie nichts davon?
DIENER. Ganz hingegeben ist sie nur dem Opfer jetzt.
MEROPS. So geh' ich; denn es schafft aus unbedeutendem
 Ursprunge das Geschick ein Ungewitter gern.
 Doch du, des Feuers Herrin, o Persephone,
 Und du, Hephästos, schützt mein Haus mir gnadenreich!
CHOR. O wehe, weh mir Armen! Wohin eilt
 Mein beflügelter Fuß? Wohin?
 Zum Äther auf? Soll ich in dunklem Schacht
 Der Erde mich bergen?
 O weh mir! Entdeckt wird die Königin,
 Die verlorene! Drinnen liegt der Sohn,
 Ein Leichnam geheim.
 Nicht mehr verborgen bleibt Zeus' Wetterstrahl,
 Nicht die Glut mehr, mit Apollon die Verbindung nicht.
 O Gottgebeugte! Welch ein Jammer stürzt auf dich?
  Tochter Okeans
  Eile zum Vater hin,
  Fasse sein Knie
  Und wende den Todesstreich von deinem Nacken!
MEROPS. O Wehe! — Weh!
CHOR. O hört ihr ihn, des greisen Vaters Trauerton?
MEROPS. O Weh! — Mein Kind!
CHOR. Dem Sohne ruft er, der sein Seufzen nicht vernimmt,
 Der seiner Augen Tränen nicht mehr schauen kann.

 Nach diesen Wehklagen erholt man sich, bringt den Leichnam aus dem Palast und begräbt ihn. Vielleicht daß der Bote dabei auftritt und nacherzählt, was noch zu wissen nötig; wie denn vermutlich die von Vers 144 bis 150 eingeschaltete Stelle hierher gehört.

KLYMENE. — — — Doch der Liebste mir
 Vermodert ungesalbt im Erdengrab.

PROSA UND PROSAFRAGMENTE

AUS DEM OSSIAN

Puail teud, a mhic Alpin na mfón,
Ambail solas a nclarsich na nieöl
Taom air Ossian, agus Ossun gu tróm
Ta anam a snamh a nceö.
Rühr Saite du Sohn Alpins des G'sangs
Wohnt Trost in de'n Harfen der Lüfte.
Wälz über Ossian, zu Ossian dem traurgen.
Seine Seel ist gehüllt in Nebel.

Son of Alpin strike the string. Is there ought of ioy in the Harp? Pour it then, on the Soul of Ossian: it is folded in mist

Vllin, a Charril, a Raono,
Guith amsair a dh'aom oshean,
Cluinim Siobh an dorchadas Shelma
Agus mosglibhse anam nan dan.
Ullin und Carril und Raono,
Stimmen vergangne der Tage vor Alters
Hört ich euch in Finsternus Shelma,
Bald erhubs die Seele des Lieds.

Ullin, Carril and Ryno, voices of the days of old, let me hear you, in the darkness of Selma, and awake the soul of songs.

Ni ncluinim siobh Shiol na mfón.
Cia an talla do neoil, m'bail ar suain
Na tribuail siobh, clarsach nach trom,
An truscan ceo-mandin's cruaim
Far an erich, gu fuaimar a ghrian
O Stuaigh na ncean glas.
Nicht hör 'ch euch Söhne des G'sangs.
In welcher Wohnung der Wolken ist eure Ruh

Nicht rühret ihr, Harfe die düstre,
Ein hüllen Nebel, 's Morgens tief.
Dort aufsteigt, mit Getön die Sonne,
Über Wellen die blau Häupter grün.

I hear You not, ye childern of music, in what hall of clouds is your rest? Do you touch the shadowy harp, robed with morning mist, where the sun comes sounding forth from his greenheaded wawes

O linna doir-choille na Leigo,
Air uair, eri' ceo taobh-ghórm nan tón
Nuair dhunas dorsa na hoicha
Von Wassern Buschwaldigen des Lego,
Drüber 'nüber steigen Nebel Busen — finster von Wellen.
Wenn geschlossen werden Tore der Nacht.
Air iulluir shuil greina nan speur.
Tomhail, mo Lara nan sruth
Thaomas du' — nial as doricha cruaim
Mar ghlas — Scia', roi taoma nan nial,
Snamh seachad, ta Gellach na hoicha,
Überm Adler-Aug der Sonn am Himmel
Weit nach Lara dem Fluß,
Wälzen düster — Nebel so dunkl' und tief.
Wie trüb — Schild stark rollt im Nebel.
Gehüllet siebenmal, der Mond der Nacht.

From the wood-skirted waters of Lego, ascend, at times, grey bosomed mists, when the gates of the west are closed on the suns eagle eye. Wide, over Lara's Stream, is poured the vapour dark and deep: the moon like a dim shield is swimming thro' its folds.

Le so edi taisin oshean
An dlu'-gleus, a measc na gaoith
'S iad leamnach, o osna gu osna,
Air du aghai oicha nan sian
An taobh oitaig, gu palin nan seoid,
Taomas iad ceäch nan speur

AUS DEM OSSIAN

Gorm-thalla do thannais nach beo,
Gu am eri fon marbh-ran nan teud.

—— —— —— —— —— —— —— ——

—— —— —— —— —— —— —— ——

Wenn sie gaukeln von Wind zu Wind,
Über's dunkle — Gesicht der Nacht des Sturms.
Auf düstern Lüften, zum Grab des Kriegers
Wälzen sie Nebel am Himmel

Finstre Wohnung denen Geistern nicht { mutigen / starken / lebendgen

Bis dass steige Gesang Toten- { Ruhm / Erinnerung

von Saiten

With this clothe the spirits of old their sudden gestures on the Wind, when they stride, from blast to blast, along the dusky face of the night. Often blended with the gale, to some warriors grave, they roll the mist, a grey dwelling to his ghost, until the songs arise

    An codalso don'fhear-phosda aig Clatho,
    Am bail coni do m'athair, an swain?
    Am bail cuina, 's mi'ntruscan nan nial,
    'S mi m 'aonar an ám na hoicha
    Wie schläft so hoher Mann der Clatho
    Ist Wohnend d'Stärke meines Vaters in Ruh?
    Bin 'ch wohnend in Vergessenheit, wie mich
    hüllen die Nebel

—— —— —— —— —— —— —— ——

Sleeps the husband of Clatho? dwells the father of the fallen in the rest? Am I forgot in the folds of darkness; lonely in the season of dreams

    Lumon na sruth!
    'Ta u dealra, air m 'anam fein,
    'Ta do ghrian, air do thaobh,
    Air carric nan cran, bu trom

Lumon der Flüss
des Fluss's
Du bist leuchtend über m' Seele fein,
'S ist deine Sonne, über deiner Seite,
Überm Felsen des Schalls der Bäume.

Lumon of foamy streams, thou risest on Fonars Soul!
Thy sun is on thy side, on the rock of thy bending trees.

DIE GESÄNGE VON SELMA

Stern der niedersinkenden Nacht! Schön ist dein Licht im Westen! Du hebest dein lockiges Haupt aus deiner Wolke: ruhig wandelst du über deinen Hügel. Was siehst du nach der Ebne? Es ruhen die stürmischen Winde. Das Murmeln der Ströme kommt aus der Ferne. Brüllende Wellen klettern den entlegenen Felsen hinan. Die Fliegen des Abends schweben auf ihren zarten Schwingen, das Summen ihres Zugs ist über dem Feld. Wonach blickst du, schönes Licht? Aber du lächlest und gehst. Fahre wohl, du schweigender Strahl. Daß das Licht in Ossians Seele heraufsteige.

Und es steigt herauf in seiner Stärke. Ich sehe meine verschiedenen Freunde. Ihre Versammlung ist auf Lora, wie in den Tagen, die vorüber sind. Fingal kömmt wie eine wäßrige Säule von Nebel; seine Helden sind um ihn her. Und sieh! Die Sänger der Lieder: grauhaariger Ullin! ansehnlicher Ryno! Alpin mit der melodischen Stimme! und die sanfte Klage von Minona! O wie habt ihr euch verändert, meine Freunde, seit den festlichen Tagen von Selma; da wir wetteiferten wie Lüfte des Frühlings, sie fliegen über den Hügel und beugen wechselnd das sanftlispelnde Gras.

Minona trat hervor in ihrer Schönheit, mit niedergeschlagenem Blick und weinendem Auge. Schwer flossen ihr die Locken am Wind, der nur manchmal vom Hügel her stieß. Die Seelen der Helden wurden trüb, da sie die liebliche Stimme erhub; denn oft hatten sie das Grab Salgars gesehen, und die dunkle Behausung der weißbusigen Colma. Colma blieb allein auf dem Hügel mit ihrer melodischen Stimme. Salgar hatte versprochen zu kommen, aber die Nacht stieg ringsumher nieder. Hört die Stimme von Colma, da sie allein saß am Hügel.

COLMA. Es ist Nacht; — Ich bin allein, verloren auf dem stürmischen Hügel. Der Wind braust zwischen dem Berge. Der Wasserfall saust den Felsen hinab. Keine Hütte nimmt mich vorm Regen auf. Ich bin verloren auf dem stürmischen Hügel.

Tritt, o Mond! hervor hinter deiner Wolke; Sterne der Nacht, erscheint. Ist denn kein Licht, das mich führe zum Platz, wo mein Liebster ausruht von der Mühe der Jagd! Sein Bogen neben ihm ohngespannt. Seine Hunde schnobend um ihn her. Aber hier muß ich allein sitzen an dem Felsen des moosigen Stroms. Und der Strom und der Wind saust, und ich kann nicht hören die Stimme meines Geliebten.

Und wie, mein Salgar, wie, der Sohn des Hügels hält sein Versprechen nicht? Hier ist der Felsen und der Baum, und hier der wilde Strom. Du verspachst mit der Nacht hier zu sein. Ach! wohin ist mein Salgar gangen? Mit dir wollt ich meinem Vater entfliehn, mit dir meinem stolzen Bruder. Unsre Stämme sind lange schon Feind, aber wir sind nicht Feinde, o Salgar.

Ruh eine Weile, o Wind! Strom, sei eine Weile still, daß meine Stimm über die Heide schalle, und mich mein Wandrer höre. Salgar! Ich bin's, das ruft. Hier ist der Baum und der Fels. Salgar, mein Liebster! ich bin hier. Warum zögerst du zu kommen?

Sieh! der Mond erscheint. Die Flut glänzt in dem Tal. Die Felsen sind grau an dem Hange des Hügels. Aber ich seh ihn nicht auf dem Pfad. Keine Hunde vor ihm her verkünden, daß er kommt. Hier muß ich sitzen allein.

Aber wer sind die, die vor mir auf der Heide liegen? Ist's

nicht mein Liebster und mein Bruder? Redet, o meine Freunde! Sie antworten nicht. Ach, ich fürchte — Ah! sie sind tot. Ihre Schwerter sind rot vom Gefecht. O mein Bruder! mein Bruder! warum hast du meinen Salgar erschlagen? warum, o Salgar, hast du meinen Bruder erschlagen? Lieb wart ihr mir beide! Was soll ich zu euerm Ruhm sagen? Du warst schön auf dem Hügel unter Tausenden; er war schröcklich in dem Gefecht. Redet; hört meine Stimme, Söhne meiner Liebe. Aber ach! sie sind stumm, stumm für ewig; ihr Busen ist kalt wie das Grab.

Oh! von dem Felsen des Hügels, von dem Gipfel des windigen Berges redet, ihr Geister der Toten! Redet, ich will nicht erschröcken. — Wohin seid ihr zu ruhen gegangen? In welcher Höhle des Hügels kann ich euch finden? Keine schwache Stimme vernehm ich im Wind, keine halbverwehte Antwort in den Stürmen des Hügels.

Ich sitze in meinem Jammer. Ich erwarte den Morgen in meinen Tränen. Erhebt das Grab, ihr Freunde der Toten; aber schließt es nicht, bis Colma kommt. Mein Leben fliegt weg wie ein Traum: wie könnt ich zurückbleiben? Hier will ich mit meinen Freunden ruhn, an dem Strom des schallenden Fels. Wenn die Nacht über den Hügel kommt, wenn der Wind über die Heide bläst, dann soll mein Geist im Winde stehn und meiner Freunde Tod betraurn. Der Jäger höret mich unter seinem Reiserdach, und fürchtet meine Stimme und liebet sie. Denn süß soll meine Stimme sein um meine Freunde, denn lieb waren sie beide mir.

So war dein Gesang, Minona, sanft errötendes Mädchen von Torman. Unsere Tränen flossen um Colma, und unsre Seelen waren trüb. Ullin kam mit der Harfe und sang Alpins Lied. Die Stimme Alpins war lieblich, die Seele Rynos war ein Feuerstrahl. Aber sie ruhten schon im engen Haus, und ihre Stimme hörte man nicht in Selma. Ullin kam einst zurück von der Jagd, eh die Helden fielen. Er vernahm ihren Streit am Hügel, ihr Gesang war sanft, aber traurig. Sie betrauerten den Fall Morars, des ersten der sterblichen Menschen. Seine Seele war wie die Seele Fingals; sein Schwert wie das Schwert Oskars. Aber er fiel, und sein Vater trauerte: seiner Schwester Augen waren voll Tränen.

Minonas Augen waren voll Tränen, der Schwester des edelgeborenen Morar. Sie wich zurück vor Ullins Gesang, wie der Mann im Westen, wenn er den Regen voraussieht und sein schönes Haupt in eine Wolke verbirgt. Ich rührte die Harfe mit Ullin, der Trauergesang begann.

RYNO. Der Wind und der Regen sind vorüber, still ist die Mitte des Tags. Die Wolken sind geteilt am Himmel. Über die grünen Hügel fliegt die unbeständige Sonne. Rot durch das steinige Tal kommt nieder der Strom von dem Hügel. Süß ist dein Gemurmel, o Strom, aber süßer ist die Stimme, die ich höre. Es ist die Stimme Alpins; der Sohn des Gesangs trauert um den Toten. Von Alter ist sein Haupt gebeugt und rot sein tränevoll Aug. Alpin, du Sohn des Gesangs, wie so allein auf dem schweigenden Hügel? Warum klagst du wie ein Windhauch im Wald, wie eine Well um das ferne Gestade?

ALPIN. Meine Tränen, o Ryno! sind für den Toten, meine Stimme für die Bewohner des Grabs. Schlank bist du auf dem Hügel, schön unter den Söhnen der Ebne. Aber du wirst fallen wie Morar; und auf deinem Grabe wird der Klagende sitzen. Die Hügel werden dich nicht mehr kennen; dein Bogen wird in deiner Halle liegen ohngespannt. Du warst leicht, o Morar! wie ein Reh auf dem Hügel, schröcklich wie ein feurig Meteor. Dein Grimm war wie der Sturm. Dein Schwert in der Schlacht wie das Wetterleuchten im Feld. Deine Stimme war wie ein Strom nach dem Regen, wie der Donner auf fernen Hügeln. Viele stürzten durch deinen Arm; sie wurden verzehrt in den Flammen deines Zorns.

Aber wenn du zurückkehrtest vom Krieg, wie friedlich war deine Stirne. Dein Gesicht war gleich der Sonne nach dem Regen, gleich dem Mond in dem Schweigen der Nacht; still wie der Busen des Teichs, wenn der laute Wind sich gelegt hat.

Eng ist nun deine Wohnung; finster der Platz deines Aufenthalts. Mit drei Schritten mess ich dein Grab, o du, der du sonst so groß warst. Vier Steine mit ihren moosigen Häuptern sind dein einziges Denkmal. Ein halbverdorrter Baum, langes Gras, das im Winde flüstert, zeigen dem Auge des Jägers das Grab des mächtigen Morars. Morar, fürwahr, du bist tief gesunken. Du hast keine Mutter, die dich beweinte, kein Mädchen mit ihren Tränen der Liebe. Tot ist sie, die dich gebar, gefallen ist die Tochter von Morglän.

Wer ist der auf seinem Stabe? Wer ist der, dessen Haupt von Alter so grau ist, dessen Augen von Tränen so rot sind, der bei jedem Schritte wankt? — Es ist dein Vater, o Morar! der Vater keines Sohns außer dir. Er hörte von deinem Ruhm in der Schlacht; er hörte von zerstreuten Feinden. Er hörte von Morars Ruhm, wie? und hörte nichts von seiner Wunde? Weine, du Vater von Morar! weine; aber dein Sohn hört dich nicht. Tief ist der Schlaf der Toten, tief ihr Küssen von Staub. Nimmer wird er deine Stimme vernehmen, nimmer wird er erwachen, wenn du ihm rufst. Wann wird es Morgen im Grabe werden, der den Schlummrer erwecke?

Fahre wohl, du edelster der Menschen, du Erobrer im Feld. Doch das Feld wird dich nimmermehr sehen; nimmer der Wald mehr erleuchtet werden vom Glanze deines Stahls. Du hast keinen Sohn hinterlassen; aber der Gesang soll deinen Namen erhalten. Künftige Zeiten sollen von dir hören, sie sollen hören von dem gefallenen Morar.

Nun erhub sich die Trauer der Helden, aber am meisten Armins berstender Seufzer. Er dacht an den Tod seines Sohns; er fiel in den Tagen seiner Jugend. Carmor saß nächst an den Helden, der Führer des schallenden Galmal. Warum birstet der Seufzer von Armin? sagt' er. Ist hier eine

Ursach zum Jammer? Der Gesang kömmt mit seiner Musik, die Seele zu schmelzen und zu vergnügen. Er ist wie der sanfte Nebel, der von einem Teiche heraufsteigt und über das schweigende Tal zieht; die grünen Blumen füllen sich mit Tau, aber die Sonne kehrt zurück in ihrer Stärke, und der Nebel ist weg. Warum bist du so trüb, o Armin, Führer des seeumgebenen Gorma?

Trüb! das bin ich fürwahr: und nicht gering die Ursach meines Jammers. Carmor, du hast keinen Sohn verloren; du hast keine Tochter verloren in ihrer Schönheit. Colgar, der tapfere, lebt und Annira, die schönste der Mädchen. Die Zweige deines Geschlechtes blühen, o Carmor! Aber Armin ist der Letzte seines Stamms. Dunkel ist dein Bett, o Daura! und tief dein Schlaf in dem Grabe. Wann wirst du erwachen mit deinem Gesang, mit deiner Stimme der Lieder? Auf, ihr Winde des Herbsts, auf, stürmt über die finstere Heide! Ihr Ströme der Berge, brüllt! heult, ihr Stürme in dem Gipfel der Eiche! wandele durch zerrissene Wolken, o Mond! Zeige manchmal dein blasses Gesicht! Bring vor meine Seele jene schröckliche Nacht, da alle meine Kinder fielen, Arindal, der mächtige, fiel, Daura, die liebe, dahinsank. Daura, meine Tochter, du warst schön, schön wie der Mond auf den Hügeln von Fura; weiß wie der gefallene Schnee; süß wie die atmende Luft. Arindal, dein Bogen war stark, dein Speer war schnell in dem Feld. Dein Blick war wie Nebel über der Welle, dein Schild eine rote Wolke im Sturm. Armar, berühmt im Kriege, kam und suchte Dauras Liebe, er ward nicht lang verschmäht; schön war die Hoffnung ihrer Freunde.

Erath, der Sohn von Odgal, ergrimmte; seinen Bruder hatte Armar erschlagen. Er kam verkleidet in einen Sohn der See: schön war sein Kahn auf der Welle; weiß seine Locken des Alters; ruhig seine ernstliche Stirne. Schönste der Mädchen, sprach er, liebliche Tochter von Armin! Ein Fels nicht weit in der See trägt an seiner Seite einen Baum, rot scheinet die Frucht aus der Ferne. Dort wartet Armar auf Daura. Ich kam, seine Liebe zu holen, hinüber die rollende See.

Sie ging; und rief nach Armar. Niemand antwortete als der *Sohn des Felsens. Armar! Mein Liebster! Mein Liebster? Wie lange ängstest du mich mit Furcht? Höre, Sohn von Ardnart, höre; es ist Daura, die dich ruft. Erath, der Verräter, floh lachend zurück nach dem Land. Sie hub ihre Stimme auf, und rief nach ihrem Bruder und ihrem Vater. Arindal, Armin! Keiner, seiner Daura zu helfen? Ihre Stimme kam über die See. Arindal, mein Sohn, stieg nieder vom Hügel, wild in der Beute der Jagd. Seine Pfeile rasselten an seiner Seite; sein Bogen war in seiner Hand: fünf dunkelgraue Doggen strichen um seine Tritte. Er sah den kühnen Erath an dem Ufer, ergriff und band ihn an eine Eiche. Fest mit Riemen rings um die Lenden gebunden, beladet er den Wind mit seinem Geheule.

Arindal besteigt in seinem Nachen die Welle, Dauren zum Lande zu bringen. Armar kam in seinem Grimm und schoß den graubefiederten Pfeil. Er klang; er sank in dein Herz, o Arindal, mein Sohn; für Erath, den Verräter, stirbst du. Das Ruder starrt' in seiner Hand, er sank über den Felsen und verschied. Ach, welcher Jammer, Daura, ringsher um deine Füße quillt deines Bruders Blut.

Den Nachen schlagen die Wellen entzwei. Armar stürzt sich in die See, seine Daura zu retten oder zu sterben. Ein Windstoß vom Hügel kömmt schnell über die Wellen. Er sank, ich sah ihn nicht mehr.

Allein, von dem seeumstürmten Felsen hörte man meine Tochter jammern. Viel und laut war ihr Schrein, und ihr Vater konnt sie nicht erlösen. Die ganze Nacht stund ich am Ufer. Ich sah sie beim schwachen Strahl des Monds. Die ganze Nacht hört ich ihr Geschrei. Laut war der Wind, und der Regen schlug hart an die Seite des Felsens. Eh der Morgen erschien, ward ihre Stimme schwach. Sie starb weg wie der Abendhauch, zwischen dem Gras auf dem Felsen. Ver-

* Das Echo.

zehrt von Jammer verschied sie. Und ließ dich, Armin, allein: hin ist meine Stärke im Krieg, gefallen mein Stolz unter den Mädchen.

Wenn die Stürme des Bergs kommen, wenn der Nord die Wellen in die Höh hebt, sitz ich am schallenden Gestad und schau auf den schröcklichen Felsen. Oft am niedersinkenden Mond seh ich die Geister meiner Kinder. Halb unsichtbar wandeln sie in traurigem Gespräch nebeneinander. Will keins von euch aus Mitleiden reden? Sie sehen ihren Vater nicht an. Ich bin trüb, o Carmor; aber nicht gering die Ursach meines Schmerzens!

So waren die Worte der Barden in den Tagen des Gesangs; da der König den Klang der Harfen hörte und die Geschichte vergangener Zeiten. Die Fürsten erschienen von allen ihren Hügeln, und hörten den lieblichen Ton. Sie priesen die Stimme von *Cona, des ersten unter tausend Barden. Aber das Alter ist nun auf meiner Zunge, mein Geist ist weggeschwunden. Ich höre manchmal die Geister der Barden und lerne ihren lieblichen Gesang. Aber das Gedächtnis schwindet in meiner Seele. Ich höre den Ruf der Jahre. Sie sagen, wie sie vorübergehn: wie? singt Ossian. Bald wird er liegen im engen Haus, kein Barde seinen Ruhm erheben. Rollt hin, ihr dunkelbraunen Jahre, ihr bringt mir keine Freude mehr in eurem Lauf. Eröffnet Ossian sein Grab, denn seine Stärke ist dahin. Die Söhne des Gesangs sind zur Ruhe gegangen, meine Stimme bleibt über, wie ein Hauch, der fern um den seeumgebenen Felsen saust, wenn sich der Sturm gelegt hat. Das finstere Moos rauscht, und aus der Ferne sieht der Schiffer die wallenden Bäume.

Warum weckst du mich, Frühlingsluft? Du buhlst und sprichst: Ich betaue mit Tropfen des Himmels. Aber die Zeit meines Welkens ist nah, nah der Sturm, der meine Blätter herabstört! Morgen wird der Wandrer kommen, kommen, der mich sah in meiner Schönheit, rings wird sein Aug im Felde mich suchen, und wird mich nicht finden. —

* Ossianen.

AUS DEM KORAN

VI. Sura: Das Vieh

Übersetzt aus dem Lateinischen des Maraccius

Abraham sprach zu seinem Vater Azar. Ehrst du Götzen für Götter? Wahrhaftig ich erkenne deinen und deines Volks offenbaren Irrtum. Da zeigten wir Abraham des Himmels und der Erde Reich daß er im wahren Glauben bestätigt würde. Und als die Nacht über ihm finster ward, sah er das Gestirn und sprach: Das ist mein Herrscher, da es aber niederging rief er: untergehende lieb ich nicht. Dann sah er den Mond aufgehen, sprach: Das ist mein Herrscher! Da er aber niederging sagt' er: Wenn mich mein Herr nicht leitet geh ich in der Irre mit diesem Volk. Wie aber die Sonne heraufkam sprach er: Das ist mein Herrscher. Er ist größer. Aber da sie auch unterging, sprach er: O mein Volk nun bin ich frei von deinen Irrtümern! Ich habe mein Angesicht gewendet zu dem der Himmel und Erde erschaffen hat. v. 75.

Versprochen — gute Wohnungen in den Lustgärten Edens. Und wird das Wohlgefallen Gottes an ihnen ihre fürtrefflichste Belohnung sein. v. 73.

X. Sura: Jonas

Ihr Gebet wird sein: Ehre sei Gott! Und ihr Gruß gegeneinander: Friede. Ihr Gebet wird endigen: Ehre sei Gott, dem Herrn der Ewigkeiten. v. 10.

XIII. Sura: Der Donner

Weiter sagen einige Ungläubige von dir: Ist dann nicht ein Wunderzeichen von seinem Herrn über ihn herabgeschickt worden? Doch du bist nur ein Prediger und ist einem jeden Volk sein Lehrer zur Unterweisung gegeben worden. 8.

XVII. Sura: Die Nachtreise

Verrichte dein Gebet bei dem Niedergang der Sonne, und bei der ersten Finsternis der Nacht, und bei der Anbrechung des Tags zu Lesung des Korans — Auch in der Nacht beim Aufwachen bringe einen Teil davon zu mit Beten. — So sage denn betend: O mein Herr, laß meinen Eingang sein in der Wahrheit, und laß auch meinen Ausgang sein einen Ausgang der Wahrheit, und lege mir von deinem Angesichte eine helfende Kraft zu. 80.

DAS HOHELIED SALOMONS
Nach dem Lateinischen der Vulgata und nach Luthers Verdeutschung

Küß er mich den Kuß seines Mundes! Trefflicher ist deine Liebe denn Wein. Welch ein süßer Geruch deine Salbe, ausgeoßne Salb ist dein Name, drum lieben dich die Mädchen. Zeuch mich! Laufen wir doch schon nach dir! Führte mich der König in seine Kammer, wir sprängen und freuten uns in dir. Priesen deine Lieb über den Wein.

Lieben dich doch die Edlen all!

Schwarz bin ich, doch schön, Töchter Jerusalems! Wie Hütten Kedars, wie Teppiche Salomos.

Schaut mich nicht an, daß ich braun bin, von der Sonne verbrannt. Meiner Mutter Söhne feinden mich an, sie stellten mich zur Weinberge-Hüterin. Den Weinberg, der mein war, hüt ich nicht.

Sage mir, du, den meine Seele liebt, wo du weidest? Wo du ruhest am Mittag? Warum soll ich umgehn an den Herden deiner Gesellen?

Weißt du's nicht, schönste der Weiber, folg nur den Tapfen der Herde, weide deine Böcke um die Wohnung der Hirten.

Meinem reisigen Zeug unter Pharaos Wagen vergleich ich dich, mein Liebchen. Schön sind deine Backen in den

Spangen, dein Hals in den Ketten. Spangen von Gold sollst du haben mit silbernen Böcklein.

Solang der König mich koset, gibt meine Narde den Ruch.

Ein Büschel Myrrhen ist mein Freund, zwischen meinen Brüsten übernachtend. Ein Trauben-Kopher ist mir mein Freund in den Wingerten Engedi.
Sieh, du bist schön, meine Freundin! Sieh, du bist schön! Tauben-Augen die deinen.

Sieh, du bist schön, mein Freund. Auch lieblich! Unser Bette grünt, unsrer Hütte Balken sind Zedern, unsre Zinnen Zypressen.

Ich bin die Rose im Tal! Bin ein Mai-Blümchen! Wie die Rose unter den Dornen, so ist mein Liebchen unter den Mädchen. Wie der Apfelbaum unter den Waldbäumen, ist mein Liebster unter den Männern. Seines Schatten begehr ich, nieder sitz ich, und süß ist meinem Gaum seine Frucht. Er führt mich in die Kelter, über mir weht seine Liebe. Stützet mich mit Flaschen, polstert mir mit Äpfeln, denn krank bin ich für Liebe. Seine Linke trägt mein Haupt, seine Rechte herzt mich. Ich beschwör euch, Töchter Jerusalems, bei den Rehen, bei den Hinden des Feldes, rühret sie nicht, reget sie nicht, meine Freundin, bis sie mag.

Sie ist's, die Stimme meines Freundes. Er kommt! Springend über die Berge! Tanzend über die Hügel! Er gleicht, mein Freund, einer Hinde, er gleicht einem Rehbock. Er steht schon an der Wand, siehet durchs Fenster, gucket durchs Gitter! Da beginnt er und spricht: Steh auf, meine Freundin, meine Schöne, und komm Der Winter ist vorbei, der Regen vorüber. Hin ist er! Blumen sprossen vom Boden, der Lenz ist gekommen, und der Turteltaube Stimme hört ihr im Lande. Der Feigenbaum knotet. Die Rebe duftet. Steh auf, meine Freundin, meine Schöne, und komm. Meine Taube in den Steinritzen, im Hohlhort des Felshangs. Zeig mir dein Antlitz, tön deine Stimme, denn lieblich ist deine Stimme, schön dein Antlitz. Fahet uns die Füchse, die kleinen Füchse, die die Wingerte verderben, die fruchtbaren Wingerte.

Mein Freund ist mein, ich sein, der unter Lilien weidet. Bis der Tag atmet, die Schatten fliehen, wende dich, sei gleich, mein Freund, einer Hinde, einem Rehbock, auf den Bergen Bether.

Auf meiner Schlafstätte zwischen den Gebürgen sucht ich, den meine Seele liebt, sucht ihn, aber fand ihn nicht. Aufstehen will ich und umgehen in der Stadt, auf den Märkten und Straßen. Suchen, den meine Seele liebt, ich sucht ihn, aber fand ihn nicht. Mich trafen die umgehenden Hüter der Stadt: den meine Seele liebt, saht ihr ihn nicht? Kaum da ich sie vorüber war, fand ich, den meine Seele liebt, ich fass ihn, ich lass ihn nicht. Mit mir soll er in meiner Mutter Haus, in meiner Mutter Kammer.

Wer ist, die herauf tritt aus der Wüsten wie Rauch-Säulen, wie Gerauch-Myrrhen und Weihrauch köstlicher Spezereien?

Schön bist du, meine Freundin, ja schön, Taubenaugen die deinen zwischen deinen Locken.

Dein Haar eine blinkende Ziegenherde auf dem Berge Gilead. Deine Zähne eine geschorene Herde, aus der Schwemme steigend, all zwillings-trächtig, kein Mißfall unter ihnen. Deine Lippen eine rosinfarbe Schnur, lieblich deine Rede! Wie der Ritz am Granatapfel deine Schläfe zwischen deinen Locken. Wie der Turn David dein Hals, gebauet zur Wehre, dran hängen tausend Schilde, alles Schilde der Helden. Deine beiden Brüste wie Rehzwillinge, die unter Lilien weiden. Völlig schön bist, meine Freundin, kein Flecken an dir.

Komm vom Libanon, meine Braut, komm vom Libanon. Schau her von dem Gipfel Amana, vom Gipfel Senir und Hermon, von den Wohnungen der Löwen, von den Bergen der Parden.

Gewonnen hast du mich, Schwester, liebe Braut, mit deiner Augen einem, mit deiner Halsketten einer. Hold ist deine Liebe, Schwester, liebe Braut! Trefflicher deine Liebe denn Wein, deiner Salbe Geruch über alle Gewürze.

Honig triefen deine Lippen, meine Braut, unter deiner Zunge sind Honig und Milch, deiner Kleider Geruch wie der Ruch Libanons. Schwester, liebe Braut, ein verschloßner Garten bist du, eine verschloßne Quelle, ein versiegelter Born. Dein Gewächse ein Lustgarten, Granatbäume mit der Würzfrucht, Cypern mit Narden, Narden und Safran, Kalmus und Cynnamen, allerlei Weihrauch-Bäume, Myrrhen und Aloe und all die trefflichsten Würzen. Wie ein Garten-Brunn, ein Born lebendiger Wasser, Bäche vom Libanon. Hebe dich, Nordwind, komm, Südwind, durchwehe meinen Garten, daß seine Würze triefen.

Er komme in seinen Garten, mein Freund, und esse die Frucht seiner Würze!

Schwester, liebe Braut, ich kam zu meinem Garten, brach ab meine Myrrhen, meine Würze. Aß meinen Seim, meinen Honig, trank meinen Wein, meine Milch.

Esset, Gesellen! Trinket, werdet trunken in Liebe.

Ich schlafe, aber mein Herz wacht. Horch! Die Stimme meines klopfenden Freundes: Öffne mir, meine Schwester, meine Freundin, meine Taube, meine Fromme, denn mein Haupt ist voll Taus und meine Locken voll Nachttropfen. Bin ich doch entkleidet, wie soll ich mich anziehen? hab ich doch die Füße gewaschen, soll ich sie wieder besudeln? Da reichte mein Freund mit der Hand durchs Schalter, und mich überlief's. Da stunde ich auf, meinem Freunde zu öffnen, meine Hände troffen von Myrrhen, Myrrhen liefen über meine Hände an dem Riegel am Schloß. Ich öffnete meinem Freund, aber er war weggeschlichen, hingegangen. Auf seine Stimme kam ich hervor, ich sucht ihn und fand ihn nicht, rief ihm, er antwortet' nicht. Mich trafen die umgehenden Wächter der Stadt. Schlugen mich, verwundeten mich, nahmen mir den Schleier, die Wächter der Mauern.

Ich beschwör euch, Töchter Jerusalems. Findet ihr meinen Freund, wollt ihr ihm sagen, daß ich für Liebe krank bin. Was ist dein Freund vor andern Freunden, du schönste der Weiber? was ist dein Freund vor andern Freunden, daß du uns so beschwörest? Mein Freund ist weiß und rot, auserkoren unter viel Tausenden. Sein Haupt das reinste Gold, seine Haarlocken schwarz wie ein Rabe. Seine Augen Taubenaugen an den Wasserbächen, gewaschen in Milch, stehend in Fülle. Würzgärtlein seine Wangen, volle Büsche des Weihrauchs, seine Lippen Rosen, träufelnd köstliche Myrrhen. Seine Hände Goldringe, mit Türkisen besetzt, sein Leib glänzend Elfenbein, geschmückt mit Saphiren. Seine Beine wie Marmorsäulen auf güldenen Sockeln. Seine Gestalt wie der Libanon, auserwählet wie Zedern. Seine Kehle voll Süßigkeit, er ganz mein Begehren. Ein solcher ist mein Liebster, mein Freund ist ein solcher, o Töchter Jerusalems.

Wohin ging dein Freund, du schönste der Weiber? Wohin wandte sich dein Freund? wir wollen ihn mit dir suchen. Mein Freund ging in seinen Garten hinab, zu den Würzbeeten, sich zu weiden im Garten, Lilien zu pflücken. Mein Freund ist mein, und ich bin sein, der unter Lilien sich weidet.

Schön bist du, meine Freundin, wie Thirza! Herrlich wie Jerusalem! Schrecklich wie Heerspitzen. Wende deine Augen ab von mir, sie machen mich brünstig.

Sechzig sind der Königinnen, achtzig der Kebsweiber, Jungfrauen unzählig. Aber Eine ist meine Taube, Eine meine Fromme. Die einzige ihrer Mutter, die köstliche ihrer

Mutter. Sie sahen die Mädchen, sie priesen die Königinnen und Kebsweiber, und rühmten sie.

Wer ist, die hervorblickt wie die Morgenröte? Lieblich wie der Mond, rein wie die Sonne, furchtbar wie Heerspitzen.

Zum Nußgarten bin ich gangen, zu schauen das grünende Tal. Zu sehen, ob der Weinstock triebe, ob die Granatbäume blühten.

Kehre! Kehre! Sulamith! Kehre! Kehre! Daß wir dich sehen. Seht ihr nicht Sulamith wie einen Reihen-Tanz der Engel? Schön ist dein Gang in den Schuhen, o Fürstentochter, deiner Lenden gleiche Gestalt wie zwo Spangen, Spangen des Künstlers Meisterstück. Dein Nabel ein runder Becher der Fülle, dein Leib ein Weizenhaufen, umsteckt mit Rosen. Dein Hals ein elfenbeinerner Turn, deine Augen wie die Teiche zu Hesbon am Tore Bathrabbim, deine Nase der Turn Libanon, schauend gegen Damaskus. Dein Haupt auf dir wie Karmel, deine Haarflechten wie Purpur des Königs in Falten gebunden. Wie schön bist du, wie lieblich! du Liebe in Wollüsten. Deine Gestalt ist palmengleich, Weintrauben deine Brüste. Ich will auf den Palmbaum steigen, sagt ich, und seine Zweige ergreifen. Laß deine Brüste sein wie Trauben am Weinstock, deiner Nasen Ruch wie Äpfel. Dein Gaum wie guter Wein, der mir glatt eingehe, der die Schlafenden geschwätzig macht.

Ich bin meinem Freunde, bin auch sein ganzes Begehren!

Komm, mein Freund, laß uns aufs Feld gehn, auf den Landhäusern schlafen. Früh stehn wir auf zu den Weinbergen, sehen, ob der Weinstock blühe, Beeren treibe, Blüten die Granatbäume haben. Da will ich dich herzen nach Vermögen.

Die Lilien geben den Ruch, vor unsrer Tür sind allerlei Würze, heurige, fernige. Meine Liebe bewahrt ich dir!

Hätt ich dich wie meinen Bruder, der meiner Mutter
Brüste saugt. Fänd ich dich draus, ich küßte dich, niemand
sollte mich höhnen. Ich führte dich in meiner Mutter Haus,
daß du mich lehrtest! Tränkte dich mit Würzwein, mit
Most der Granaten.

Wer ist, die heraufgeht aus der Wüsten, sich gesellet zu
ihrem Freund?

Unterm Apfelbaum weck ich dich, wo deine Mutter dich
gebar, wo dein pflegte, die dich zeugte.

Setze mich wie ein Siegel auf dein Herz, wie ein Siegel auf
deinen Arm. Denn stark wie der Tod ist die Liebe. Eifer gewaltig wie die Hölle. Ihre Glut Feuer-Glut, eine fressende
Flamme. Viel Wasser können die Liebe nicht löschen,
Ströme sie nicht ersäufen. Böt einer all sein Hab und Gut
um Liebe, man spottete nur sein.

VERSUCH, EINE HOMERISCHE DUNKLE STELLE ZU ERKLÄREN

ΟΔΥΣΣΕΙΑΣ Κ. σ. 81.

Ἑβδομάτῃ δ'ἱκόμεσθα Λάμου αἰπὺ πτολίεθρον,
Τηλέπυλον Λαιστρυγονίην, ὅθι ποιμένα ποιμὴν
Ἠπύει εἰσελάων, ὁ δέ τ' ἐξελάων ὑπακούει.
Ἔνθα κ' ἄυπνος ἀνὴρ δοιοὺς ἐξήρατο μισθούς,
Τόν μὲν βουκολέων, τὸν δ' ἄργυφα μῆλα νομεύων·
Ἐγγὺς γαρ νυκτός τε καὶ ἤματος εἰσι κέλευθοι.

BODMERISCHE ÜBERSETZUNG

So kamen
Wir am siebenten Tag nach Lamos; der Lästrügonen
Türmende Stadt und Pforten erschienen. Alldà ist es üblich
Daß ein Hirte das Vieh in die Fluren treibet, der andre
Sie in die Hürden sammlet; der muntre Hirte verdiente

Zweifachen Lohn, der des Nachts die Stiere, die Schafe des
                                                Tages
Hütete. Kurz ist der Weg von der Stadt und nahe die Triften.

VOSSISCHE ÜBERSETZUNG

Landeten wir bei der Veste der Laistrygonen, bei Lamos'
Stadt Tälepylos an. Hier wechseln Hirten mit Hirten;
Welcher heraustreibt, hört das Rufen des der hereintreibt.
Und ein Mann ohne Schlaf erfreute sich doppelten Lohnes,
Eines als Rinderhirte, des andern als Hirte der Schafe;
Denn nicht weit sind die Triften der Nacht und des Tages
                                                entfernet.

Voß hat sich nahe an den Text gehalten, und ist also eine Spur des wahren Sinnes in seiner Übersetzung geblieben, Bodmer dagegen hat das Original auf eine unbegreifliche Weise verlassen und völlig falsch übersetzt.

Nun lege ich meine Erklärung und Paraphrase zur Beurteilung vor:

Vers 81. Und am siebenten Tage erreichten wir Lamos, die hohe wohlbefestigte Stadt. Lamos ist hier der Name der Stadt, wie es auch Bodmer nimmt; der Genitivus steht wie: Agamemnons Kraft für Agamemnon der Starke.

Vers 82. 83. Der Stadt mit doppelten Toren, von Laistrügonen bewohnt. *Τηλέπυλος*, ein Beiwort, eine Stadt mit doppelten, voneinander abstehenden Toren zu bezeichnen, die durch einen engen Weg verbunden sind. Lamos hatte also ein äußeres und inneres Tor, und der Gang, der beide verband, war wahrscheinlich ein Hohlweg, wie die Zugänge gebürgiger Städte sind, nach dem Felde und nach der Stadt zu befestigt. Homer bezeichnet uns gleich durch dieses Wort eine feste Stadt und erklärt, erweitert nur dasselbe Bild, dieselbe Vorstellung in den folgenden Versen.

Vers 82. 83. Wo der Schäfer, der eintreibt, ruft oder pfeift. Warum ruft er? Er gibt ein Zeichen, daß der Heraustreibende halten soll, damit die Herden sich nicht in dem

EINE HOMERISCHR DUNKLE STELLE 331

langen Gange verwirren, damit kein Aufenthalt, kein Unglück geschehe. Und zwar scheint ἠπύει auszudrücken: er stimmt ein Lied an und setzt es fort, solang er durchtreibt, damit der andre sich darnach richten könne. Wie die Fuhrleute im Hohlweg klatschen.

Der heraustreiben will, hört. Er hört nicht allein, sondern er gehorcht, ὑπακόυει. Er hält an, bis der andre durchgetrieben hat.

Nun folgen die drei letzten Verse, zu denen ich den Übergang folgendermaßen verständlich mache:

Dieses ist (will der Dichter sagen) nicht ein Zufall, der manchmal vorkommt, nein es ist eine eingeführte Ordnung; denn sie müssen einander täglich zweimal begegnen.

Vers 86. Denn nahe folgt das Treiben der Nacht und des Tags aufeinander. Mit Sonnenuntergang und -aufgang wechseln beide Herden regelmäßig miteinander, dergestalt daß

Vers 84. 85. ein Mann, der niemals schliefe, doppelten Hirtenlohn verdienen könnte, wenn er sowohl die Rinder als die Schafe auf die Weide brächte. Diese beiden Verse sind ein Homerischer Pleonasmus, um uns das Dargestellte recht von allen Seiten sehn zu lassen, dergleichen in der Odyssee besonders viele vorkommen.

Ich wiederhole nun meine ganze Erklärung, indem ich die Paraphrase der Stelle hierhersetze.

Paraphrase

Und am siebenten Tage erreichten wir Lamos, die hohe befestigte Stadt der Laistrygonen, welche doppelte, voneinander abstehende Tore hat, die durch einen langen engen Weg verbunden werden. Hier gibt der Hirte, indem er hineintreibt, ein Zeichen durch Rufen oder Pfeifen, und der heraustreibende hört ihn und richtet sich darnach. Dies ist eine eingeführte Ordnung, damit sich die Herden in dem langen schmalen Wege zwischen den Toren nicht verwirren. Denn sie müssen einander täglich zweimal begegnen, weil mit jedem Sonnenunter- und -aufgang die Hirten mit den Herden auf die gemeine Trift wechseln und zu gleicher Zeit der eine herein-, der andre hinauszieht, so daß ein Mann, der niemals schliefe, doppelten Lohn verdienen könnte, indem er beständig eine Herde nach Hause brächte und die andre abholte.

Man lese nun wieder das Original und sehe, wie schön Homer mit wenigem uns erst eine befestigte Stadt und dann ein charakteristisches Kostüm derselben vor Augen stellt und mit dem ihm eignen Vortrag uns ein kompliziertes Bild sinnlich zu machen weiß.

Noch eins bemerke ich: daß man sich ja die alten Städte nicht nach Bodmerischer Art türmend und mit weit erscheinenden Pforten, sondern gar einfach denken müsse, wie mich der Anblick von Girgent und Pästum belehrt hat.

G.

ÜBER JOHANN JOACHIM ESCHENBURGS ÜBERSETZUNG VON HEINRICH FÜSSLIS VORLESUNGEN ÜBER DIE MALEREI

Unser Zweck erfodert, nunmehr noch einige Bemerkungen über das Verhältnis der Urschrift zur Übersetzung hinzuzufügen.

Wenn ein Mann wie Eschenburg eine solche Arbeit leistet, so möchte man sie immer ohne weitere Nachforschung für gut annehmen; allein er hatte hier mit Schwierigkeiten zu kämpfen, die ihn genugsam entschuldigen, wenn er sie nicht völlig überwinden konnte.

Der Verfasser bedient sich durchaus eines metaphorischen Stils, der ihm zwar sehr gut läßt, indem durch eine gewissermaßen poetische Diktion der Gegenstand genau umtastet wird, hingegen befindet sich der Übersetzer dabei in einer desto unbequemeren Lage.

Worte haben öfters in der einen Sprache ganz andere Bezüge zu den Gegenständen und unter sich selbst als in der anderen, welches vorzüglich von ihren verschiedenen Ableitungen herkommt und sich am auffallendsten zeigt, wenn sie metaphorisch gebraucht werden.

Das metaphorische Wort hat, gegen die einfache Darstellung, oder gegen den Begriff gehalten, immer etwas Trübes; metaphorische Redensarten und Perioden laufen noch größere Gefahr, den Gegenstand zu entstellen, und wenn bei Gleichnisreden vielleicht Subjekt, Prädikat, Zeitwort, Partikel in einer Sprache geschickt zusammentreffen, so wird man es doch in vielen Fällen für unmöglich erklären, eine solche Stelle in fremde Sprachen genau zu übersetzen.

Denn indem sich der Übersetzer bemüht, seine Metapher der Originalmetapher anzunähern, welche doch auch nur eine Annäherung zum Gegenstande oder Gedanken war, so entsteht aus dieser doppelten Annäherung gewöhnlich eine Entfernung, die nur dann vermieden werden kann, wenn der Übersetzer ebensogut Herr der Materie ist als der Verfasser.

Hier einige Beispiele solcher nicht ganz passend übertragenen Metaphern, mit Vorschlägen zur Veränderung, um der Kürze willen, begleitet. Man findet die Stellen Seite 56 und 57 des Originals, sowie Seite 88 und 89 der Übersetzung:

Mantegna, led by the contemplation of the antique, fragments of which he ambitiously scattered over his Works.

Mantegna hielt sich an das Studium der Antike, von welcher er seinen Werken überall Spuren einzuverleiben sich eifrig bestrebte.

Mantegna, geleitet durch die Betrachtung der Antike, deren Bruchstücke er mit Anmaßung über seine Werke zerstreute.

Hence in his figures of dignity or beauty we see not only the meagre forms of common models, but even

Daher sehen wir in seinen Figuren von Würde und Schönheit nicht nur die magern Formen gemeiner Ur-

> their defects tacked to ideal Torsos.

> bilder, sondern selbst ihre Fehler an idealischen Torsos angebracht.

Daher sehen wir an seinen Figuren, welche Schönheit oder Würde darstellen sollen, nicht allein die magern Formen gemeiner Urbilder, sondern selbst ihre Fehler an idealische Torsos angeflickt.

> His triumphs are a copious inventory of classic lumber, swept together with more industry than taste, but full of valuable materials.

> Seine Triumphe enthalten einen reichen Vorrat klassischen Kehrichts, mit mehr Fleiß als Geschmack zusammengefegt; aber reich an schätzbaren Materialien.

Seine Triumphe sind ein gehäuftes Inventarium klassischen Trödelkrams, mit mehr Fleiß als Geschmack zusammengeschoben; aber voll schätzbarer Materialien.

Man sieht aus diesen Stellen, daß der Verfasser den Mantegna als einen zusammenstoppelnden Künstler bezeichnen will (ob mit Recht, kommt hier nicht zur Frage). Der Übersetzer hingegen behandelt diesen Künstler erst zu gut, dann zu schlimm, und das bloß durch ein Zu- und Abrücken der Metaphern.

Wir enthalten uns, mehrere Stellen anzuführen, wo man, auf eine sehr interessante Weise, bald mit dem Verfasser, bald mit dem Übersetzer zu rechten hätte. Nur eines bemerken wir, worauf wir oben schon hindeuteten. Seite 86 der Übersetzung, in der Note, steht: Das Gemälde ist auf Holz; dagegen sollte es heißen: Das Kruzifix (des Brunelleschi) ist von Holz, wie auch das Original dieses alte Schnitzwerk bezeichnet.

Möchte es dem Übersetzer gefallen, vielleicht mit Beirat des Verfassers, zu einer zweiten Auflage die Arbeit nochmals durchzugehen, damit unsere teutschen Künstler und Kunstfreunde durch nichts abgehalten würden, ein so schätzbares Werk zu genießen und zu nutzen!

VERSUCH ÜBER DIE DICHTUNGEN
Aus dem Französischen der Madame de Staël

Keine seiner Fähigkeiten ist dem Menschen werter als die Einbildungskraft. Das menschliche Leben scheint so wenig auf Glück berechnet, daß man nur mit Hülfe einiger Schöpfungen und gewisser Bilder, nur durch glückliche Wahl unserer Erinnerungen die verteilten Freuden der Erde sammeln, und, nicht durch die Kraft der Philosophie, sondern durch die weit mächtigere Wirkung der Zerstreuungen gegen die Leiden zu kämpfen vermag, die uns das Schicksal auflegt.

Man hat viel von den Gefahren der Einbildungskraft gesprochen, und es wäre unnütz aufzusuchen, was eine unfähige Mittelmäßigkeit oder eine strenge Vernunft hierüber wiederholt haben. Die Menschen werden nicht aufgeben, sich interessieren zu lassen, und diejenigen, die das Talent besitzen, uns zu rühren, werden noch weniger Verzicht tun, es mit Glück auszuüben.

Die kleine Anzahl notwendiger und gewisser Wahrheiten wird niemals Geist und Herz völlig befriedigen; wer sie entdeckt, hat ohne Zweifel den höchsten Ruhm, aber auch nützlich für das menschliche Geschlecht haben die Verfasser solcher Werke gearbeitet, die uns rühren oder angenehm betrügen. Will man die Leidenschaften des Menschen mit metaphysischer Genauigkeit behandeln, so tut man seiner Natur Gewalt. Auf dieser Erde gibt es nur Anfänge; keine Grenze ist bezeichnet, die Tugend steht fest, aber das Glück schwebt im Weiten; und wenn es eine Untersuchung nicht aushält, wird es durch sie vernichtet, wie glänzende Nebelbilder, aus leichten Dünsten emporsteigend, für den verschwinden, der durch sie hindurch geht.

Demohngeachtet aber ist das Vergnügen, das die Dichtungen hervorbringen, nicht ihr einziger Vorteil; sie unterhalten, wenn sie zu den Augen sprechen, aber sie haben einen großen Einfluß auf das Moralische, wenn sie das Herz bewegen, und dies Talent ist vielleicht das mächtigste Mittel, um aufzuklären oder Richtungen zu geben.

In dem Menschen gibt es nur zwei deutlich zu unterscheidende Kräfte, die Vernunft und die Einbildungskraft; alle die andern, selbst die Empfindung, sind nur abhängig oder zusammengesetzt. Das Reich der Dichtungen ist deswegen wie das Reich der Einbildungskraft sehr ausgebreitet; auch die Leidenschaften, anstatt ihnen im Wege zu stehen, sind ihnen willkommen. Die Philosophie muß die unsichtbare Gewalt sein, die ihren Wirkungen die Richtung gibt, aber wenn sie sich zu bald zeigte, würde sie den Zauber zerstören.

Ich werde deswegen, indem ich von Dichtungen spreche, sowohl ihren Gegenstand als ihren Reiz betrachten; denn in dieser Art Werken kann die Anmut ohne Nutzen bestehn, niemals aber der Nutzen ohne Anmut. Die Dichtungen sind berufen uns zu verführen, und je fester man sich dabei einen moralischen oder philosophischen Zweck vorsetzte, desto mehr müßte man sie mit gefälligem Reiz ausstatten, um seinen Zweck zu erreichen, ehe ihn jemand gewahr werden könnte. In den mythologischen Dichtungen werde ich nur auf das Talent des Dichters sehen, da ihr religiöses Verhältnis nicht zu meiner Betrachtung gehört; ich werde von den Werken der Alten nach dem Eindrucke reden, den sie zu unsern Tagen machen, und ich werde nur von ihrem Talent, nicht von ihren Lehrsätzen mich unterhalten.

Die Dichtungen können in drei Klassen geteilt werden. 1. Die wunderbaren und allegorischen Dichtungen. 2. Die historischen. 3. Die Dichtungen, wo alles zugleich erfunden und nachgeahmt ist, in denen nichts wahr, aber alles wahrscheinlich ist.

Wollte man hierüber ausführlich schreiben, so würde man ein weitläufiges Werk hervorbringen, das die meisten dichterischen Arbeiten begriffe; fast alles würde darin zur Sprache kommen, denn Ein Gedanke kann nur vollkommen durch die Verbindung aller übrigen entwickelt werden. Aber meine Absicht ist nur zu Gunsten der Romane zu schreiben, und ich werde zu zeigen suchen, daß ein Roman, der mit Feinheit, Beredsamkeit, Tiefe und Moralität das Leben darstellt, wie es ist, die nützlichste von allen Dichtungen sei, und ich habe aus diesem Versuch alles, was dahin nicht zielen möchte, entfernt.

I

Die wunderbare Dichtung verursacht ein Vergnügen, das sich sehr bald erschöpft. Die Menschen müssen erst Kinder werden, um diese unnatürlichen Schilderungen zu lieben, um sich durch unwahre Darstellungen zu Schrecken und Neugierde reizen zu lassen.

Die Philosophen müssen erst wieder Volk werden, um nützliche Gedanken unter dem Schleier der Allegorie zu lieben. Die Mythologie der Alten enthält manchmal nur einfache Fabeln, wie sie die Leichtgläubigkeit, die Zeit und die Priester in allen abgöttischen Religionen fortgepflanzt haben, aber man kann sie auch öfter als eine Folge von Allegorien betrachten; man sieht personifizierte Leidenschaften, Talente oder Tugenden.

Ohne Zweifel gehört zu der Wahl dieser Dichtungen ein gewisses Glück, eine Gewalt der Einbildungskraft, die den Erfindern einen wahren Ruhm versichert. Sie haben eine Sprache geschaffen, dem Stile eine Gestalt gegeben und, um die poetischen Ideen in ihrer Würde zu erhalten, sie von der gemeinen Sprache gesondert. Werke, die zu diesen einmal angenommenen Fiktionen noch andere hinzutun wollten, würden gar keinen weitern Nutzen haben.

Wunderbare Dichtungen erkälten immer die Empfindungen, denen man sie beigesellt. Wenn man nur Bilder verlangt, die gefallen sollen, so ist es erlaubt auf tausend Arten zu blenden. Man hat gesagt: die Augen seien immer Kinder und es gilt noch vielmehr von der Einbildungskraft, sie verlangt nur unterhalten zu sein, ihr Zweck ist in ihrem Mittel, sie dient das Leben zu betrügen, die Zeit zu rauben, sie kann dem Tag die Träume der Nacht geben; ihre leichte Tätigkeit ist statt der Ruhe, indem sie zugleich alles was rührt und alles was beschäftigt, entfernt. Aber wenn man sich des Vergnügens dieser Einbildungskraft zu einem moralischen Zwecke mit Konsequenz bedienen will, so muß man sowohl mehr Folge als mehr Einheit in den Plan legen. Jene Verbindung der Helden und der Götter, der Leidenschaften der Menschen und der Gesetze des Schicksals schadet selbst den Gedichten Homers und Virgils; kaum verzeiht man dem Erfinder eine Gattung, deren Erfindung ihm so viel Ehre macht. Wenn Dido den Äneas liebt, weil sie unter den Zügen des Ascanius den Amor an ihren Busen gedrückt hat, so bedauert man das Talent, das die Geburt dieser Leidenschaft durch das Gemälde der Bewegungen des Herzens viel besser gezeigt hätte. Wenn die Götter den Zorn, den Schmerz und den Sieg Achills befehlen, so kann man weder Jupitern noch den Helden bewundern; der eine ist ein abstraktes Wesen, der andere ein Mensch, durch das Schicksal unterjocht; die Allmacht des Charakters wird durch das Wunderbare verdeckt, das ihn umgibt. Auch kommt bei dieser Art des Wunderbaren bald etwas Gewisses bald etwas Unerwartetes vor; wir können deshalb nicht nach unsern eigenen Empfindungen fürchten oder hoffen, und sehn uns auf diese Weise des schönsten Vergnügens beraubet. Wenn Priam den Leichnam Hektors von Achill zurück zu verlangen geht, so sollten mich die Gefahren, in die seine väterliche Liebe ihn stürzte, in Furcht setzen; ich sollte zittern, wenn ich ihn in das Zelt des schrecklichen Achills eintreten sehe, und sollte, in Ungewißheit bei allen Worten dieses unglücklichen Vaters, durch seine Beredsamkeit sowohl den Eindruck der Gefühle, die sie darlegt, als die Ahnung der Begebenheiten, die sie entscheiden wird, empfinden. Aber ich weiß schon, daß Merkur den Priam durch das Lager der Griechen führt, daß Thetis, auf Befehl des Jupiters, ihrem Sohn die Rückgabe des Leichnams befohlen hat, ich bin über Priams Unternehmen nicht mehr zweifelhaft, mein Geist ist nicht mehr aufmerksam und ohne den Namen des göttlichen Homers würde ich eine Rede nicht lesen, die erst auf die Situation folgt, anstatt sie herbei zu führen.

Wenn ich sagte, daß auch etwas Unerwartetes im Wunderbaren sei, das die ganz entgegengesetzte Wirkung der erst getadelten Gewißheit hervorbringt, und uns das Vergnügen raubt, was wir hoffen und wünschen voraus zu sehen, meinte ich die Fälle, wenn die Götter die bestverknüpften Maßregeln reißen, ihren Günstlingen einen unwiderstehlichen Schutz gegen die größten Mächte verleihen und alles Verhältnis der Begebenheiten, wie sie dem Menschen angemessen sind, aufheben.

Ich gestehe wohl, die Götter nehmen hier nur den Platz des Schicksals ein, sie sind der personifizierte Zufall; aber bei Dichtungen ist es besser seinen Einfluß zu entfernen. Alles was erfunden ist, soll wahrscheinlich sein, alles was uns in Erstaunen setzt, muß durch Verkettung moralischer Ursachen erklärt werden können; in solchen Werken entdeckt man alsdann ein philosophisches Resultat, und das Talent, das sie hervorbringt, übernimmt eine größere Arbeit; denn eingebildete oder wirkliche Situationen, aus denen man sich durch einen Machtstreich des Schicksals zieht, können keine Bewunderung erregen.

Ich wünschte, daß, indem man zum Menschen spricht, man auch die großen Wirkungen durch den Charakter des Menschen hervorbrächte. Hier ist die unerschöpfliche Quelle, aus der das Talent tiefe und schreckliche Schilderungen schöpfen kann, ja selbst Dante hat seine höllischen Bilder nicht so weit getrieben, als die blutigen Verbrechen unserer Tage sich einander übertroffen haben.

Sind nicht in den epischen Gedichten, die wir wegen des Wunderbaren ihrer Fiktionen schätzen, eben die Stellen die erhabensten, deren Schönheiten ganz unabhängig vom Wunderbaren sind? Was man in Miltons Satan bewundert, ist der Mensch, was von Achill übrig bleibt, ist sein Charakter, was man bei der Leidenschaft Reinalds zu Armiden vergessen möchte, ist die Zauberei, die sich zu den Reizen gesellt, die ihn entzündet haben. Was in der Äneis wirkt, sind die Empfindungen, die zu aller Zeit allen Herzen angehören, und unsere tragischen Dichter, die aus alten Schriftstellern Gegenstände wählten, haben sie fast ganz von den wunderbaren Maschinen abgesondert, die man meist an der Seite der großen Schönheiten, wodurch die Werke des Altertums sich auszeichnen, wirksam findet.

Die Ritterromane lassen noch mehr die Unbequemlichkeit des Wunderbaren fühlen; bei ihnen schadet es nicht allein dem Interesse der Begebenheiten, sondern es mischt sich auch in die Entwickelung der Charaktere und Empfindungen. Die Helden sind riesenmäßig, die Leidenschaften überschreiten die Wahrheit, und eine eingebildete moralische Natur hat noch weit mehr Unbequemlichkeiten als die Wunder der Mythologie und der Feerei. Das Falsche ist inniger mit dem Wahren verbunden, und die Einbildungskraft selbst wirkt weniger; denn es ist hier die Rede nicht, zu erfinden, sondern zu übertreiben was da ist, und eben was in der Wirklichkeit sehr schön ist, in einer Art von Karikatur darzustellen, wodurch sowohl Tapferkeit als Tugend lächerlich werden könnten, wenn Geschichtschreiber und Moralisten die Wahrheit nicht wieder herstellten.

Doch muß man die menschlichen Dinge nicht nach ausschließlichen Grundsätzen richten; ich weiß daher das schöpferische Genie zu ehren, das jene poetischen Dichtungen hervorgebracht hat, auf denen der Geist so lange ruht und die zu so viel glücklichen und glänzenden Vergleichungen gedient haben; aber man kann wünschen, daß künftige Talente einen andern Weg einschlagen, und ich möchte jene lebhaften Seelen, denen Gespenster so oft als wahre Bilder erscheinen können, auf die einzige Nachahmung des Wahren einschränken oder vielmehr zu ihr erheben.

Bei den Werken, wo die Heiterkeit herrscht, könnte man ungern die lieblichen Dichtungen vermissen, von denen Ariost einen so schönen Gebrauch gemacht hat, und wirklich ist auch in dem glücklichen Zufall, der die Anmut des Scherzes hervorbringt, keine Regel und kein Gegenstand. Der Eindruck kann nicht analysiert werden, das Nachdenken kann sich nichts davon zueignen. In dem Wahren findet man so wenig Ursache zur Fröhlichkeit, daß gewiß in den Werken, die ihr gewidmet sind, das Wunderbare manchmal nötig ist. Empfindung und Nachdenken erschöpfen sich nie, aber der Scherz ist ein Glück des Ausdrucks oder des Gewahrwerdens, dessen Rückkehr man nicht berechnen kann. Jede Idee, die Lachen erregt, könnte die letzte sein, die man jemals entdeckte, es ist kein Weg, der zu dieser Gattung führte; es gibt keine Quelle, aus der man mit Gewißheit schöpfen könnte. Man weiß sie existiert, weil sie sich immer erneuert, aber man kennt weder die Ursache noch die Mittel. Der Ton des Scherzes bedarf mehr Begeisterung als der erhöhte Enthusiasmus selbst. Diese Heiterkeit in dichterischen Werken, die nicht aus einem Gefühl von Glück entsteht, diese Heiterkeit, von der der Leser weit mehr Genuß als der Schriftsteller hat, ist ein Talent, zu dem man auf einmal gelangt, das sich ohne Abstufung verliert, dem man wohl eine Richtung geben, an dessen Stelle man aber keine Fähigkeit des größten Geistes setzen kann. Wenn also das Wunderbare oft zu den Werken, die immer heiter sind, paßt, so mag wohl die Ursache sein, weil sie niemals die Natur vollkommen malen; niemals kann eine Leidenschaft, ein Schicksal, eine Wahrheit munter sein; nur aus einigen flüchtigen Schattierungen solcher ernsthaften Ideen können lächerliche Kontraste hervorspringen.

Es gibt eine Gattung, weit über diejenige erhaben, von der ich eben sprach, die zwar auch scherzhafte Situationen hervorbringt, ich meine die Werke des komischen Talents; aber eben der Vorzug, daß seine ganze Stärke auf natürlichen Charakteren und Leidenschaften beruht, würde ganz verändert und geschwächt werden, wenn man dabei das Wunderbare brauchen wollte. Mischte sich in den Charakter des Gil Blas, des Tartuffe, des Menschenfeindes irgend etwas Wunderbares, so würde unser Geist durch diese Werke weniger getroffen, weniger verführt werden.

Die Nachahmung des Wahren bringt immer größere Wirkungen hervor als übernatürliche Mittel. Ohne Zweifel erlaubt uns die hohe Metaphysik anzunehmen, daß es über unsere Fassungskraft Gedanken, Gegenstände, Wahrheiten und Wesen gibt, die über alle unsere Begriffe reichen; aber da wir von diesen abstrakten Regionen nicht den mindesten Begriff haben, so können wir, selbst mit unserm Wunderbaren, ihnen nicht näher kommen; das Wunderbare bleibt vielmehr unter der Wirklichkeit, die wir kennen; übrigens begreifen wir nichts, als was mit der Natur des Menschen und der Dinge übereinstimmt. Alles also, was wir unsere Schöpfungen nennen, ist nichts als eine unzusammenhängende Versammlung von Ideen, die wir aus eben der Natur ziehen, von der wir uns zu entfernen suchen. In dem Wahren ist der göttliche Stempel. Man gibt zu, das Genie erfinde, und doch nur indem es entdeckt, vereinigt, darstellt das was ist, verdient es den Ehrennamen eines Schöpfers.

Es gibt noch eine andere Art von Dichtungen, deren Wirkung mir noch geringer scheint als die des Wunderbaren, es sind die Allegorien. Mir scheint, daß sie den Gedanken schwächen, wie das Wunderbare das Gemälde der Leidenschaften entstellt. Unter der Form der Fabel haben die Allegorien manchmal dienen können, nützliche Wahrheiten allgemein zu machen, aber selbst dieser Ursprung ist ein Beweis, daß, wenn man dem Gedanken diese Form gibt, man ihn herabzusenken glaubt, um ihn den Menschen überhaupt begreiflich zu machen. Wer Bilder braucht, um sich einen Begriff zu verschaffen, zeigt eine Schwäche des Geistes an; denn selbst einem Gedanken, den man auf diese Weise klar machen könnte, würde es doch, bis auf einen gewissen Grad, an Abstraktion und Feinheit mangeln. Die

Abstraktion ist weit über alle Bilder, sie hat eine geometrische Genauigkeit, und man kann sie nicht anders als mit ihren bestimmten Zeichen ausdrücken. Die vollkommene Feinheit des Geistes kann durch keine Allegorie fest gehalten werden; die Schattierungen der Darstellungen sind niemals so zart als metaphysische Ideen, und was man körperlich darstellen kann, wird niemals das Geistreich-Feinste des Gedankens sein. Aber außer dem daß die Allegorie dem Gedanken, welchen sie ausdrücken will, schadet, sind die Werke dieser Gattung fast ohne irgend eine Art von Anmut. Der Zweck ist doppelt; man will eine moralische Wahrheit anschaulich machen und durch ihr Bild, durch die Fabel, einnehmen; immer mißglückt eins durch das Bedürfnis, das andere zu erreichen. Der abstrakte Begriff ist unbestimmt dargestellt und das Gemälde hat keine dramatische Wirkung; es ist eine Fiktion in der Fiktion, an deren Begebenheiten wir keinen Anteil nehmen können, weil sie nur da sind um philosophische Resultate vorzustellen, die man weit mühsamer begreift, als wenn sie rein metaphysisch ausgedruckt wären; man muß in Allegorien das Abstrakte von dem, was dem Bilde zugehört, sondern, die Begriffe unter dem Namen der Personen, die sie vorstellen, entdecken und das Rätsel zu erraten suchen, ehe man den Gedanken begreift. Wenn man erklären will, was dem sonst so angenehmen Gedichte Telemach Einförmigkeit gibt, so wird man finden, daß es die Figur des Mentors ist, die, zugleich wunderbar und allegorisch, auf doppelte Weise beschwerlich ist. Als wunderbar benimmt sie uns alle Unruhe über Telemachs Schicksal, denn man ist gewiß, daß die Götter ihn aus allen Gefahren siegreich herausführen werden; als allegorisch zerstört sie die ganze Wirkung der Leidenschaften, die aus dem innern Streite derselben entspringt. Die zwei Gewalten, welche die Moralisten in dem Herzen des Menschen unterscheiden, sind in Fénelons Gedicht als zwei Personen aufgestellt. Mentors Charakter ist ohne Leidenschaft und Telemach ohne Herrschaft über sich selbst; der Mensch steht zwischen beiden und nun weiß man nicht, an welchem Gegenstand man teil nehmen soll.

Jene auffallenden Allegorien, wo, wie in Thélème und Macare, der Wille reist, um das Glück zu finden, diese verlängerten Allegorien, in denen, wie in Spensers Fairy Queen, jeder Gesang eine Tugend als Ritter im Streite gegen ein Laster vorstellt, können uns eigentlich nicht anziehen, von welcher Art auch das Talent sei, das sie verziert. Ermüdet von dem romanhaften Teil der Allegorie gelangt man zum Ende, und man hat nicht mehr Kraft den philosophischen Sinn zu fassen.

Die Fabeln, in denen man die Tiere reden läßt, dienten im Anfang zu einer Art Gleichnis, in welchem das Volk leichter den Sinn begriff, nachher hat man daraus eine eigene Gattung der Dichtkunst gemacht, in welcher viele Schriftsteller sich geübt haben. Es gab einen Mann, der sich einzig in dieser Laufbahn zeigte, dessen Naturell so vollkommen war, daß es weder zweimal entstehn noch einmal nachgeahmt werden konnte. Ein Mann, der die Tiere reden läßt, als wenn sie eine Art von denkenden Wesen wären, in einer Welt, in der weder Vorurteile noch Anmaßungen herrschen. Eben Lafontainens Talent entfernt von seinen Schriften die Idee der Allegorie, indem er den Charakter der Tierarten personifiziert und ihn nach seinen eigenen Verhältnissen ausmalt; das Komische seiner Fabeln kommt nicht aus Anspielungen, sondern es entspringt aus dem wahrhaften Bilde der Sitten der Tiere, die er auf den Schauplatz bringt. Notwendig war dieser Erfolg begrenzt, und alle andern Fabeln, die man in verschiedenen Sprachen versucht hat, teilen, indem sie zur Allegorie zurückkehren, auch ihre Unbequemlichkeit.

Die Werke voll Anspielungen sind auch eine Art Dichtung, deren Verdienst nur die Zeitgenossen recht lebhaft empfinden; die Nachwelt beurteilt diese Schriften, ohne auf das Verdienst der Wirkung zu sehen, die sie zu ihrer Zeit haben konnten, und ohne die Schwierigkeiten in Anschlag zu bringen, die ihre Verfasser zu überwinden hatten. Sobald das Talent in einem gewissen Bezuge arbeitet, verliert es seinen Glanz mit den Umständen, die es in Bewegung setzten. Hudibras zum Beispiel ist vielleicht eins von denen, worin man am meisten Witz findet, aber weil man immer in dem, was der Verfasser gesagt hat, aufsuchen muß, was er sagen wollte, weil Noten ohne Zahl nötig sind um seine Scherze zu verstehen, und weil man, ehe man lachen oder teil nehmen kann, sich vorläufig unterrichten muß, so kann der Wert dieses Gedichts nicht mehr allgemein empfunden werden. Ein philosophisches Werk kann fordern, daß man nachforsche, um es zu verstehen, aber eine Dichtung, von welcher Art sie sei, bringt keine entschiedene Wirkung hervor, als wenn sie in sich selbst alles enthält, wodurch sie allen Lesern, in allen Momenten, einen vollkommenen Eindruck geben kann. Je mehr eine Handlung zu den gegenwärtigen Umständen paßt, desto nützlicher ist sie, deswegen ist ihr Ruhm unsterblich; die Werke des Schriftstellers aber gewinnen nur, insofern sie sich von den gegenwärtigen Begebenheiten losmachen, um sich zur unveränderlichen Natur der Dinge zu erheben, und alles was die Schriftsteller für den Augenblick tun, ist, wie Massillon sich ausdrückt, verlorne Zeit für die Ewigkeit.

Einzelne Gleichnisse, die auch gewissermaßen Allegorien sind, zerstreuen die Aufmerksamkeit weniger, und der Gedanke, der vor ihnen meist vorausgeht, wird nur durch sie aufs neue entwickelt; aber selten ist ein Gefühl oder ein Gedanke in seiner ganzen Stärke, wenn man sie durch ein Bild ausdrücken kann, das «Sterben sollt' er!» des alten Horaz hätte kein Bild vertragen. Wenn man das Kapitel des Montesquieu lieset, wo er, um den Despotismus zu schildern, ihn mit den Wilden der Louisiane vergleicht, so wünschte man an der Stelle dieses Bildes einen Gedanken des Tacitus oder des Verfassers selbst zu lesen. Freilich würde es zu streng sein allen diesen Putz zu verbannen, dessen der menschliche Geist so notwendig hat, um von neuen Begriffen auszuruhen oder den bekannten Mannigfaltigkeit zu geben. Die Bilder, die Schilderungen bringen den Zauber der Poesie hervor und beleben alles was ihr ähnlich ist, aber was aus dem Nachdenken entspringt, erlangt eine größere Gewalt, eine weit mehr konzentrierte Kraft, wenn der Ausdruck des Gedankens seine Stärke nur aus ihm selbst nimmt.

Auch unter den Allegorien, wie unter den wunderbaren Dichtungen, finden wir Werke, die philosophische Ideen scherzhaft vortragen wollen, so ist das Märchen von der Tonne, Gulliver, Mikromegas, und so weiter. Ich könnte von dieser Gattung wiederholen, was ich von der andern gesagt habe: wenn man Lachen erregt, so ist der Zweck erfüllt; aber doch gibt es einen höhern Zweck in dieser Art von Schriften, man will einen philosophischen Gegenstand anschaulich machen, und es geschieht nur unvollkommen. Wenn die Allegorie an sich selbst unterhaltend ist, so merken die Menschen mehr auf die Fabel als auf das Resultat, und Gulliver hat mehr als Märchen gereizt, als seine Resultate unterrichtet und moralisch gebessert haben. Die Allegorie wandelt immer zwischen zwei Klippen. Ist ihr Zweck zu deutlich ausgesprochen, so wird er lästig; ist er verborgen, so vergißt man ihn; versucht man die Aufmerksamkeit zu teilen, so kommt man in Gefahr, gar keine zu erregen.

II

In dem zweiten Teil versprach ich von historischen Dichtungen zu reden, von Erfindungen nämlich, die auf wahre Begebenheiten gegründet sind.

Die Gegenstände der Tragödien sind meist aus der Geschichte genommen; doch wenn man so viele Empfindungen in einen Raum von vierundzwanzig Stunden und fünf Akten einschließen soll, oder wenn man seinen Helden in der Höhe der epischen Poesie erhalten will, so zeigt uns kein Mensch, keine Geschichte ein vollkommenes Muster. Hier ist Dichtung nötig, aber sie nähert sich nicht dem

Wunderbaren. Es ist keine andere Natur, hier ist eine Wahl aus der, die vor uns liegt. Wir dürfen alsdann der poetischen Sprache nur das, was ihr eigen ist, nachgeben, so ist unser Herz der beste Richter der schönsten Situationen und der epischen oder dramatischen Charaktere; sie sind von der Geschichte entlehnt, nicht aber entstellt; sie sind von dem, was sie Sterbliches hatten, abgesondert und so gewissermaßen vergöttert; nichts ist außer der Natur in dieser Dichtungsart; natürliche Verhältnisse, natürlicher Gang; und wenn ein Mensch, der zum Ruhme geboren ist, ein Meisterstück wie die Henriade, den Gengiskan, Mithridat oder Tancred anhört, wird er bewundern ohne zu staunen, er wird genießen ohne an den Verfasser zu denken und ohne hier die Schöpfung eines talentreichen Künstlers zu vermuten.

Aber es gibt eine andere Art von historischen Dichtungen, die ich völlig verbannt wünschte, es sind Romane auf die Geschichte gepfropft, wie die Anekdoten des Hofs Philipp Augusts und andere. Man könnte diese Romane artig finden, wenn man die bekannten Namen veränderte, aber jetzt stellen sich diese Erzählungen zwischen uns und die Geschichte, um uns Details zu zeigen, deren Erfindung, indem sie den gewöhnlichen Lauf des Lebens nachahmt, sich dergestalt mit dem Wahren verwirrt, daß man sie davon nicht wieder abscheiden kann.

Diese Gattung zerstört die Moralität der Geschichte, indem sie die Handlungen mit einer Menge Beweggründe, die niemals existiert haben, überladen muß, und reicht nicht an den Wert des Romans, weil sie, genötigt sich an ein wahres Gewebe zu halten, den Plan nicht mit Freiheit und mit der Folge ausbilden kann, wie es bei einem Werk von reiner Erfindung nötig ist. Das Interesse, das ein schon berühmter Name für den Roman erregen soll, gehört zu den Vorteilen der Anspielungen, und ich habe schon zu zeigen versucht, daß eine Dichtung, die Erinnerungen statt Entwickelungen zu Hülfe nimmt, niemals in sich selbst vollkommen sei.

Auch ist es übrigens gefährlich die Wahrheit so zu entstellen; man malt in solchen Romanen nur die Verwickelungen der Liebe. Die übrigen Begebenheiten der Epoche, die man wählt, sind alle schon durch den Geschichtschreiber dargestellt, nun will man sie durch den Einfluß der Liebe erklären, um den Gegenstand seines Romans zu vergrößern; und so stellt man ein ganz falsches Bild des menschlichen Lebens auf. Man schwächt durch diese Dichtung die Wirkungen, welche die Geschichte hervorbringen sollte, von der man den ersten Gedanken geborgt hat, wie ein übles Gemälde dem Eindruck des Originals schaden kann, woran es durch einige Züge unvollkommen erinnert.

III

Die dritte und letzte Abteilung dieses Versuchs soll von dem Vorzuge solcher Dichtungen handeln, in denen alles zugleich erfunden und nachgeahmt ist. Die Trauerspiele, deren Inhalt ganz erfunden ist, werden aber nicht in dieser Abteilung begriffen sein, sie malen eine erhöhtere Natur, einen hohen Stand und eine besondere Lage. Die Wahrscheinlichkeit dieser Stücke hängt von sehr seltenen Begebenheiten ab, aus denen nur wenig Menschen sich etwas zueignen können. Zwar nehmen die Dramen, die Komödien auf dem Theater denselben Rang ein, den die Romane unter den andern Dichtungsarten haben, auch hier erscheint das Privatleben und natürliche Umstände; aber die theatralischen Bedürfnisse hindern solche Entwickelungen, durch welche man das Beispiel zunächst auf sich beziehen kann. Man hat zwar dem Drama erlaubt, seine Personen anders woher als aus der Klasse der Könige und Helden zu wählen, aber man kann nur starke Verhältnisse malen, weil man nicht die Zeit hat die Schattierungen abzustufen. Das Leben ist nicht so eingeschränkt, nicht in Kontrasten, nicht theatralisch, wie ein Stück erfunden sein muß. Die dramatische Kunst hat andere Wirkungen, andere Mittel, andere Vorteile, von denen man besonders reden müßte; aber nur der neue Roman ist im Stande, auf unsere Bildung durch das Gemälde unserer gewohnten Empfindungen nützlich zu wirken.

Man hat eine besondere Klasse für die philosophischen Romane errichten wollen, und hat nicht bedacht, daß alle philosophisch sein sollen. Alle sollen, aus der innern Natur des Menschen geschöpft, wieder zu seinem Innern sprechen, und hierzu gelangt man weniger, wenn man alle Teile der Erzählung auf einen Hauptbegriff richtet, denn man kann alsdann weder wahr noch wahrscheinlich in der Verbindung der Begebenheiten sein; jedes Kapitel ist eine Art von Allegorie, deren Begebenheiten nichts als das Bild des Grundsatzes darstellen, der nun folgen soll. Die Romane Candide, Zadig und Memnon, die übrigens so allerliebst sind, würden viel tiefer auf uns wirken, wenn sie erstlich nicht wunderbar wären, wenn sie ein Beispiel und kein Gleichnis darstellten, und dann wenn die Geschichte nicht gewaltsam auf Einen Zweck hindeutete. Diesen Romanen geht es wie den Lehrmeistern, denen die Kinder nicht glauben, weil alles, was begegnet, zu der Lektion passen soll, die sie ihnen einschärfen wollen; da doch die Kinder schon ohngefähr merken, daß in dem wahren Gang der Begebenheiten weniger Regelmäßigkeit ist.

Aber in den Romanen Richardsons und Fieldings, die sich an der Seite des Lebens halten, um die Abstufungen, die Entwickelungen, die Inkonsequenzen der Geschichte des menschlichen Herzens darzustellen und doch dabei die beständige Rückkehr der Resultate aller Erfahrung zur Moralität der Handlungen und zum Vorteil der Tugend zu zeigen, sind die Begebenheiten erfunden, aber die Empfindungen dergestalt aus der Natur, daß der Leser oft glaubt, man rede mit ihm, und habe nur die kleine Rücksicht genommen, den Namen der Person zu verändern.

Die Kunst Romane zu schreiben steht nicht in dem Rufe, den sie verdient, denn eine Menge ungeschickter Verfasser haben mit ihren elenden Arbeiten eine Gattung erdrückt, in der die Vollkommenheit das größte Talent erfordert, und in welcher jedermann mittelmäßig sein kann. Diese unzählbare Menge geschmackloser Romane hat fast die Leidenschaft selbst, welche sie schildern, abgenutzt, und man fürchtet sich in seiner eigenen Geschichte das mindeste Verhältnis zu Situationen zu finden, welche sie beschreiben. Nur die Autorität großer Meister konnte diese Gattung wieder emporheben, ohngeachtet so viele Schriftsteller sie herunter gebracht hatten. Wie sehr zu bedauern ist es, daß man solche Werke erniedrigt, indem man die häßlichen Gemälde des Lasters hineinmischte, und, anstatt sich des Vorteils der Dichtung zu bedienen, um alles was in der Natur belehren und als Muster dienen könnte, um den Menschen zu sammeln, geglaubt hat, daß man die gehässigen Gemälde der verdorbenen Sitten nicht ohne gute Wirkung darstellen könne, eben als wenn ein Herz, das sie abstößt, so rein bliebe als das Herz, das sie niemals kannte.

Dagegen ist ein Roman, wie man sich davon einen Begriff machen kann, wie wir auch einige Muster haben, eine der schönsten Produktionen des menschlichen Geistes. Sie wirkt mit stiller Gewalt auf die Gesinnungen der Privatpersonen, aus denen nach und nach die öffentlichen Sitten sich bilden. Demohngeachtet ist aus gewissen Ursachen die Achtung für das Talent, das nötig ist um solche Werke hervorzubringen, nicht allgemein genug, da sie sich gewöhnlich der Liebe widmen, der gewaltsamsten, allgemeinsten und wahrsten aller Leidenschaften, diese aber ihren Einfluß nur über die Jugend ausübt und in den übrigen Epochen des Lebens nicht mehr zur Teilnahme aufruft.

Aber sind nicht alle tiefe und zärtliche Empfindungen von der Natur der Liebe? Wer ist zum Enthusiasmus der Freundschaft fähig? wer zur Ergebung im Unglück? wer zur Verehrung seiner Eltern? wer zur Leidenschaft für seine Kinder? als ein Herz das die Liebe gekannt oder verziehen hat. Man kann Ehrfurcht für seine Pflichten haben, aber niemals sie mit frohem Hingeben erfüllen, wenn man nicht mit allen Kräften der Seele geliebt hat, wenn man nicht Einmal aufgehört hat zu sein, um ganz in einem andern zu leben. Das Schicksal der Weiber, das Glück der Männer, die nicht berufen sind, Reiche zu regieren, hängt oft für das übrige Leben von dem Einfluß ab, den sie in der Jugend der Liebe auf ihre Herzen erlaubt haben; aber in einem gewissen Alter vergessen sie jene Eindrücke ganz und gar, sie nehmen einen andern Charakter an, beschäftigen sich mit andern Gegenständen und überlassen sich andern Leidenschaften.

Diese neuen Bedürfnisse müßte man auch zum Inhalt der Romane wählen, dann, scheint mir, würde sich eine neue Laufbahn denjenigen eröffnen, die das Talent besitzen zu schildern und durch die innerste Kenntnis aller Bewegungen des menschlichen Herzens uns anzulocken. Der Ehrgeiz, der Stolz, die Habsucht, die Eitelkeit könnten Gegenstände zu Romanen werden, deren Vorfälle neuer und deren Begebenheiten ebenso mannigfaltig sein würden als diejenigen, die aus der Liebe entspringen. Wollte man sagen, daß die Schilderung jener Leidenschaften schon in der Geschichte aufgestellt wird, und daß man sie eigentlich da aufsuchen müsse, so läßt sich antworten: daß die Geschichte niemals zu dem Privatleben der Menschen reicht, nicht bis zu den Empfindungen und Charakteren, woraus keine öffentlichen Begebenheiten entsprungen sind.

Auch wirkt die Geschichte nicht auf uns durch ein moralisches und unterhaltendes Interesse, das Wahre ist öfters unvollständig in seinen Wirkungen. Übrigens würde man durch Entwickelungen, die allein tiefe Eindrücke hinterlassen, den schnellen und notwendigen Gang der Erzählung aufhalten, und einem historischen Werk eine Art von dramatischer Form geben, da es doch ein ganz anderes Verdienst haben soll. Endlich ist die Moral der Geschichte niemals vollkommen ausgesprochen, entweder, weil man nicht beständig und mit Gewißheit die innern Empfindungen darstellen kann, wodurch die Bösen in der Mitte ihres Glücks gestraft werden und tugendhafte Seelen sich bei allem Unglück belohnt fühlen, oder weil das Schicksal des Menschen überhaupt in diesem Leben nicht zu seinem Ende gelangt.

Die praktische Moral, die auf die Vorteile der Tugend gegründet ist, wird durch das Lesen der Geschichte nicht immer gestärkt. Zwar versuchen die großen Geschichtschreiber, und besonders Tacitus, die Moralität aller Begebenheiten, die sie erzählen, zu zeigen; man beneidet den sterbenden Germanicus und verabscheut Tiberen auf seiner Höhe, aber doch können Geschichtschreiber nur diejenigen Empfindungen malen, von welchen die Handlungen zeugen, und das, was sich bei der Geschichte am lebhaftesten eindruckt, ist mehr das Übergewicht des Talents, der Glanz des Ruhms und der Vorteil der Macht, als eine stille Sittenlehre, die zart und sanft das Glück der einzelnen Menschen, in ihren nächsten Verhältnissen, hervorbringt.

Ich will dadurch keineswegs der Geschichte zu nahe treten, und ihr die Erfindungen ausschließlich vorziehen, denn diese müssen ja selbst aus der Erfahrung geschöpft werden. Die feinen Schattierungen, die uns der Roman vorlegt, fließen aus philosophischen Resultaten her, aus jenen Grundideen, die uns das große Bild der öffentlichen Begebenheiten gleichfalls darstellt. Aber die Moralität der Geschichte kann nur in ihrer gewissen Masse beruhen. Nur durch die Rückkehr einer großen Anzahl von Veränderungen lehrt uns die Geschichte wichtige Resultate, die jedoch nicht einzelne Menschen, wohl aber ganze Nationen sich zueignen können.

Ein Volk kann von den Regeln, welche die Geschichte aufstellt, Gebrauch machen, weil sie unveränderlich sind, und man sie auf allgemeine und große Verhältnisse immer anwenden kann, aber man sieht in der Geschichte nicht die Ursachen der vielfachen Ausnahmen und eben diese Ausnahmen können jeden einzelnen Menschen verführen; denn wenn wenn die Geschichte uns bedeutende Umstände bewahrt, so bleiben doch dazwischen ungeheure Lücken, in welchen vieles Unglück, viele Fehler Raum haben, woraus doch die meisten Schicksale der Privatpersonen bestehen. Dagegen können die Romane mit so viel Gewalt und so ausführlich Charaktere und Empfindungen malen, daß keine Lektüre einen so tiefen Haß gegen das Laster und eine so reine Liebe für die Tugend hervorbringen könnte. Die Moralität der Romane hängt mehr von der Entwickelung innerer Bewegungen der Seele als von den Begebenheiten ab, die man erzählt; nicht aus dem willkürlichen Umstand, den der Verfasser erfindet, um das Laster zu strafen, zieht man die nützliche Lehre; aber die Wahrheit der Gemälde, die Steigerung oder Verkettung der Fehler, der Enthusiasmus bei Aufopferungen, die Teilnahme am Elend läßt unauslöschliche Züge zurück. Alles ist in solchen Romanen so wahrscheinlich, daß man sich leicht überredet, alles könne so begegnen; es ist nicht die Geschichte des Vergangenen, aber man könnte oft sagen, es sei die Geschichte der Zukunft. Man hat behauptet, daß Romane eine falsche Idee vom Menschen geben, das ist von schlechten Romanen wahr, wie von Gemälden, welche die Natur übel nachahmen; aber nichts gibt eine so tiefe Kenntnis des menschlichen Herzens als diese Gemälde aller Umstände des gemeinen Lebens und der Eindrücke, die sie hervorbringen; nichts übt so sehr das Nachdenken, das in dem Einzelnen sehr viel mehr zu entdecken findet als in allgemeinen Ideen.

Die Schriften, welche uns die Denkwürdigkeiten einzelner Menschen überliefern, und die wir unter dem allgemeinen Namen der Memoiren begreifen, würden auch diesen Endzweck erreichen, wenn sie nicht auch, wie die Geschichte, nur berühmte Männer und öffentliche Angelegenheiten allein beträfen. Und wären auch die meisten Menschen geistreich und aufrichtig genug, um eine getreue und charakteristische Rechenschaft von dem zu geben, was sie im Lauf ihres Lebens erfahren haben, so könnten doch diese aufrichtigen Erzählungen nicht alle Vorteile des Romans in sich vereinigen, denn man würde in ihnen eine Art dramatischen Effekts vermissen, der die Wahrheit nicht entstellen darf, aber der sie, indem er sie zusammendrängt, auffallender macht; so wie die Kunst des Malers die Gegenstände nicht verändert, sondern sie nur fühlbarer darstellt. Die Natur läßt uns oft die Gegenstände ohne Abstufung sehen, sie zeigt Kontraste nicht auffallend; und indem man sie knechtisch nachahmte, würde man sie niemals darstellen; die genaueste Erzählung enthält zwar eine gewisse Wahrheit der Nachahmung; vom Bilde verlangt man aber eine Harmonie, die ihm eigen sei, und eine wahre Geschichte, merkwürdig durch ihre Schattierungen, durch Empfindungen und Charaktere, bedarf dennoch zu ihrer Darstellung eines Talents, das auch fähig wäre, eine Dichtung hervorzubringen.

Wenn uns nur nicht auch das Genie, das wir bewundern müssen, weil es uns in die Tiefen des menschlichen Herzens blicken läßt, manchmal durch so viele Details beschwerlich fiele, mit welchen die berühmtesten Romane gleichsam erdrückt sind. Der Autor glaubt, daß ein Gemälde dadurch an Wahrscheinlichkeit gewinne, und sieht nicht, daß alles, was das Interesse schwächt, die einzige Wahrheit der Fiktion zerstört, den Eindruck nämlich, den sie hervorbringt. Wenn man auf dem Theater alles, was in dem Zimmer vorgeht, vorstellen wollte, so würde man die theatralische Illusion völlig zerstören. So haben die Romane auch ihre dramatischen Bedingungen, und es gibt in der Erfindung nichts Notwendiges, als was die Wirkung des Erfundenen vergrößern kann. Wenn ein Blick, eine Bewegung, ein unbemerkter Umstand dienen kann, einen Charakter zu malen, eine Empfindung zu entwickeln, so hat man, je einfacher das Mittel ist, desto mehr Verdienst, es ergriffen zu haben; aber die genaue einzelne Darstellung einer gewöhnlichen Begebenheit vermindert die Wahrscheinlichkeit, anstatt sie zu vermehren. Wenn man zur positiven Idee des Wahren durch Details, die nur ihm gehören, zurückgeführt wird, so tritt man aus der Illusion heraus, und man ist bald ermüdet, weder den Unterricht der Geschichte, noch das Interesse des Romans zu finden.

In der Gabe zu bewegen liegt die große Gewalt der Dichtungen; man kann fast alle moralischen Wahrheiten fühlbar machen, wenn man sie in Handlung setzt. Die Tugend hat einen solchen Einfluß auf das Glück oder Unglück des Menschen, daß man die meisten Lagen des Lebens von ihr abhängig machen kann. Es gibt strenge Philosophen, die alle Rührung verdammen, die verlangen, daß die Sittenlehre ihre Gewalt allein durch den Ausspruch ihrer Pflichten ausübe, aber nichts paßt weniger zu der Natur des Menschen überhaupt als eine solche Meinung; man muß die Tugend beleben, wenn sie mit Vorteil gegen die Leidenschaften streiten soll, nur ein erhöhtes Gefühl findet Freude bei der Aufopferung. Man muß das Unglück auszieren, wenn es allen Gaukeleien verderblicher Verführungen vorgezogen werden soll. Ja die rührenden Dichtungen sind es, welche die Seele in großmütigen Leidenschaften üben und ihr darin eine Gewohnheit geben. Ohne es zu wissen, geht sie ein Bündnis mit sich selbst ein, und sie würde sich schämen, zurückzutreten, wenn ihr eine solche Lage persönlich werden könnte.

Aber je mehr die Gabe zu rühren eine wirkliche Gewalt hat, desto nötiger ist es, ihren Einfluß auf Leidenschaften eines jeden Alters, auf Pflichten einer jeden Lage auszudehnen; die Liebe ist meist der Gegenstand der Romane, und Charaktere, auf die sie nicht wirkt, sind nur wie Beiwerke angebracht. Wenn man einem andern Plan folgte, würde man eine Menge neuer Gegenstände entdecken. Tom Jones hat von allen Werken dieser Art die allgemeinste Moral, die Liebe erscheint darin nur als ein Mittel, damit das philosophische Resultat desto lebhafter hervortrete. Zu zeigen, wie ungewiß das Urteil sich auf den äußern Schein gründe, zu zeigen, welches Übergewicht die natürlichen Eigenschaften über jene Reputationen haben, denen nur die Rücksicht äußerer Verhältnisse zu Gute kommt, dieses hatte der Verfasser des Tom Jones vor Augen, und es ist einer der nützlichsten und mit Recht berühmtesten Romane. Neuerlich ist einer erschienen, dem man zwar hie und da Längen und Nachlässigkeiten vorwerfen kann, aber der genau die Idee der unerschöpflichen Gattung gibt, von der ich gesprochen habe, es ist Caleb Williams von Godwin. Die Liebe hat wenig Einfluß in diese Dichtung, nur eine grenzenlose Leidenschaft für äußeres Ansehn in dem Helden des Romans und in Caleb eine verzehrende Neugierde: ob auch Falkland die Achtung verdiene, die er erworben hat, bringt das Interesse der Erzählung hervor, und indem man von dieser romanhaften Darstellung hingerissen wird, wird man dabei zum tiefsten Nachdenken aufgefodert.

Einige unter Marmontels moralischen Erzählungen, einige Kapitel der empfindsamen Reise, einige abgesonderte Anekdoten aus dem Zuschauer und andern moralischen Schriften, einige Stücke aus der deutschen Literatur, welche sich täglich mehr erhebt, zeigen uns eine kleine Anzahl glücklicher Dichtungen, die uns die Verhältnisse anderer Leidenschaften als der Liebe darstellen. Aber ein neuer Richardson hat sich noch nicht gewidmet, die übrigen Leidenschaften der Menschen in einem Roman zu schildern, ihren Fortschritt, ihre Folgen ganz zu entwickeln; das Glück eines solchen Werks könnte nur aus der Wahrheit der Charaktere, aus der Stärke der Kontraste, der Energie der Situationen entstehen und nicht aus jener Empfindung, die so leicht zu malen ist, die uns so bald einnimmt, die den Weibern gefiele durch das, woran sie erinnert, wenn sie auch nicht durch Größe oder Neuheit der Bilder anzöge. Was für Schönheiten ließen sich nicht in einem ehrgeizigen Lovelace entdecken? Auf welche Entwickelungen würde man geraten, wenn man alle Leidenschaften zu ergründen und bis in ihre einzelnen Wirkungen zu kennen bemüht wäre, wie bisher die Liebe in den Romanen behandelt worden ist.

Man sage nicht, daß moralische Schriften zur Kenntnis unserer Pflichten vollkommen hinreichen; sie können nicht die Schattierungen einer zarten Seele verfolgen, sie können nicht zeigen, was alles in einer Leidenschaft liegt. Man kann aus guten Romanen eine reinere höhere Moral herausziehen als aus einem didaktischen Werk über Tugend; eine solche Schrift, indem sie trockner ist, muß zugleich nachsichtiger sein, und die Grundsätze, welche man im allgemeinen muß anwenden können, werden niemals den Heroismus der Zartheit erreichen, von dem man wohl ein Beispiel aufstellen, daraus aber mit Vernunft und Billigkeit niemals eine Pflicht machen kann.

Welcher Moralist hätte sagen dürfen: wenn deine Familie dich zwingen will, einen abscheulichen Menschen zu heiraten, und du dich durch diese Verfolgung verleiten lässest, einem Mann, der dir gefällt, nur einige Zeichen der reinsten Neigung zu geben, so wirst du dir Schande und Tod zuziehen! Und doch ist das der Plan von Clarissen, das ist's, was man mit Bewunderung liest, ohne sich gegen den Verfasser aufzulehnen, der uns rührt und gewinnt.

Welcher Moralist hätte zu behaupten gewagt, daß es besser sei, sich der tiefsten Verzweifelung zu überlassen, der Verzweifelung, die den Verstand angreift und das Leben bedroht, als den tugendhaftesten Mann zu heiraten, dessen Religion von der eurigen verschieden ist! Und doch rührt uns Clementinens Liebe, indem sie gegen Gewissensskrupel kämpft, wenn wir auch ihre abergläubischen Meinungen nicht billigen. Der Gedanke der Pflicht, die über Leidenschaft siegt, ist ein Anblick, der auch selbst diejenigen erweicht und rührt, deren Grundsätze nicht im mindesten streng sind, und die mit Verachtung ein solches Resultat verworfen hätten, wenn es sich vor der Schilderung als Grundsatz hätte aufdringen wollen, da es als Folge und Wirkung ganz natürlich aus ihr herfließt. So finden sich in Romanen einer weniger erhabenen Art die zartesten Grundsätze über das Betragen der Frauen; in den Meisterstücken, die unter dem Namen der Prinzessin von Cleve, des Grafen Comminge, Ceciliens bekannt sind, in den Romanen der Madame Riccoboni, in Karolinen, deren Reiz so allgemein empfunden wird, in der rührenden Episode von Kallisten, in Camillens Briefen, worin die Fehler einer Frau und das Unglück, das sie nach sich ziehen, ein sittlicheres, ein strengeres Bild sind als selbst der Anblick der Tugend, und wie viel französische, englische und deutsche Werke könnte ich anführen, um diese Meinung zu bestätigen. Ich wiederhole: die Romane haben das Recht, die strengste Tugend darzustellen, ohne daß wir uns dagegen auflehnen. Sie haben unser Gefühl gewonnen, und das allein spricht für die Nachsicht, und indessen moralische Schriften und ihre strengen Grundsätze durch das Mitleid gegen das Unglück oder durch den Anteil an der Leidenschaft bestritten werden, besitzen die Romane die Kunst, selbst diese Regungen auf ihre Seite zu ziehen und sie zu ihrem Endzweck zu gebrauchen.

Was man gegen die Romane, in welchen die Liebe behandelt wird, immer mit vielem Rechte sagen kann, ist, daß diese Leidenschaft darin so gemalt ist, daß sie dadurch erzeugt werden kann, und daß es Augenblicke des Lebens gibt, in welchen diese Gefahr größer ist als alle Vorteile, die man davon erwarten könnte; aber diese Gefahr würde niemals entstehn, wenn man andere Leidenschaften der Menschen zum Gegenstand wählte. Indem man die ersten flüchtigsten Symptome einer gefährlichen Leidenschaft charakteristisch zeichnete, könnte man sich und andere davor zu bewahren suchen; der Ehrgeiz, der Stolz, die Habsucht erzeugen sich oft ohne Wissen derer, die sich ihnen nach und nach ergeben, nur die Liebe wächst durch die Darstellung ihrer eignen Gefühle, aber das beste Mittel, die übrigen Leidenschaften zu bestreiten, ist, sie zu entdecken und aufzustellen. Wenn ihre Züge, ihre Triebfedern, ihre Mittel und ihre Wirkungen so an den Tag gebracht, so durch die Romane popularisiert würden, wie es mit der Geschichte der Liebe gegangen ist, so würde man, in der Gesellschaft, über alle Verhandlungen des Lebens, die Regeln weit sicherer und die Grundsätze zarter finden.

Aber wenn auch bloß philosophische Schriften, wie es Romane tun, alle möglichen Schattierungen unserer Handlungen voraussehen und aufstellen könnten, so würde die dramatische Moral doch noch immer den großen Vorteil haben, daß sie uns zur Indignation bewegen, unsere Seele erheben, und eine sanfte Melancholie über sie ausbreiten und, durch diese verschiedenen Wirkungen romanhafter Situationen, die Erfahrung gleichsam supplieren kann. Dieser Eindruck ist demjenigen ähnlich, den wir erhalten hätten, wenn wir Zeugen bei den Fällen selbst gewesen wären, aber, indem er immer auf Einen Zweck gerichtet ist, wird der Gedanke nicht zerstreut, wie es durch die unzusammenhängenden Gegenstände, die uns umgeben, geschieht; und, laßt uns noch eins bedenken, es gibt Menschen, über welche die Pflicht keine Gewalt hat, und die man vielleicht noch vom Laster abhalten könnte, wenn man ihnen zeigte, es sei möglich sie zu rühren. Zwar würden Charaktere, die nur durch Beihülfe der Rührung menschlich sein könnten, die, wenn ich mich so ausdrücken darf, des physischen Vergnügens der Seele bedürfen, um gut und edel zu sein, unsere Achtung wenig verdienen, aber wenn die Wirkung rührender Fiktionen allgemein und popular würde, dürfte man vielleicht hoffen, in einer Nation solche Wesen nicht mehr zu finden, deren Charakter eine unbegreifliche moralische Aufgabe bleibt. Der Stufengang vom Bekannten zum Unbekannten ist lange unterbrochen, ehe man begreifen kann, was für Empfindungen die Henker Frankreichs geleitet haben. Keine Beweglichkeit des Geistes, keine Erinnerung eines einzigen mitleidigen Eindrucks muß sich in ihrer Seele bei keiner Gelegenheit, durch keine Schrift entwickelt haben, daß es ihnen möglich ward, so anhaltend, so unnatürlich grausam zu sein und dem menschlichen Geschlecht zum erstenmal eine vollkommene grenzenlose Idee des Verbrechens zu geben.

Es gibt Werke, wie der Brief Abelards von Popen, Werther, die Portugiesischen Briefe; es gibt ein Werk in der Welt: die neue Heloïse, deren größtes Verdienst in der Beredsamkeit der Leidenschaften besteht, und obgleich der Gegenstand oft moralisch ist, so gewinnen wir doch eigentlich nur dadurch den Begriff von der Allmacht des Herzens. Man kann diese Art Romane in keine Klasse stellen. Es gibt in einem Jahrhundert Eine Seele, Ein Genie, das dahin zu reichen vermag, es kann keine Gattung werden, man kann dabei keinen Endzweck sehen; aber wollte man wohl diese Wunder der Sprache verbieten, diese tiefgeholten mächtigen Ausdrücke, die allen Bewegungen passionierter Charaktere genug tun? Leser, die ein solches Talent mit Enthusiasmus aufnehmen, sind nur in einer kleinen Anzahl, und solche Werke tun ihren Bewunderern immer wohl. Laßt brennenden und gefühlvollen Seelen diesen Genuß! Sie können ihre Sprache nicht verständlich machen; die Gefühle, von denen sie bewegt werden, begreift man kaum, und man verdammt sie immer. Sie würden sich auf der Welt ganz allein glauben, sie würden bald ihre Natur, die sie von allen Menschen trennt, verwünschen, wenn leidenschaftliche und melancholische Werke ihnen nicht eine Stimme in der Wüste des Lebens hören ließen, und in ihre Einsamkeit einige Strahlen des Glücks brächten, das ihnen in der Mitte der Welt entflieht. In diesen Freuden der Abgeschiedenheit finden sie Erholung von den vergeblichen Anstrengungen betrogner Hoffnung, und wenn die Welt sich fern von dem unglücklichen Wesen bewegt, so bleibt eine beredte und zärtliche Schrift bei ihm wie ein treuer Freund, der ihn genau kennt. Ja das Buch verdient unsern Dank, das nur einen einzigen Tag den Schmerz zerstreut; es dient gewöhnlich den besten Menschen, denn zwar gibt es Schmerzen, die aus Fehlern des Charakters entspringen, aber wie viele kommen nicht aus einer Superiorität des Geistes oder aus einer Fühlbarkeit des Herzens, und man würde das Leben viel besser ertragen, wenn man einige Eigenschaften weniger hätte. Eh' ich es noch kenne, hab' ich Achtung für das Herz, das leidet, und gebe solchen Dichtungen Beifall, wenn sie auch nur Linderung seiner Schmerzen zum Zweck hätten. In diesem Leben, wodurch man besser hindurchgeht, je weniger man es fühlt, sollte man nur den Menschen von sich und andern abzuziehen suchen, die Wirkung der Leidenschaften aufhalten und an ihre Stelle einen unabhängigen Genuß setzen. Wer es vermöchte, könnte für den größten Wohltäter des menschlichen Geschlechts gehalten werden, wenn der Einfluß seines Talents nicht auch verschwände.

LA GLOIRE DE FRÉDÉRIC

Discours prononcé à la Séance publique de l'Académie des Sciences, à l'occasion de l'anniversaire de Frédéric II le 29 Janvier 1807, par Jean de Muller, historiographe. Berlin, bei Sander 1807. 16 Seiten. 8º

Fragte sich ein gebildeter Redner deutscher Nation: wie würdest du dich benehmen, wenn du am 29. Januar 1807 in der Akademie der Wissenschaften zu Berlin von dem Ruhme Friedrichs zu sprechen hättest? gewiß, er würde unmittelbar empfinden, daß die ganze Kraft seines Geistes, die Zartheit seines Gemüts, der Umfang seines Talents und die Tiefe seiner Kenntnisse ihm in einem solchen Falle nötig sein würden. Ließe er sich dann von der Vorstellung des zu Leistenden hinreißen, würde er aufgeregt, sich zu prüfen, einen Versuch zu machen, zu erfinden, anzuordnen, so könnte ihn diese Beschäftigung wohl einige Zeit fesseln, aber gar bald würde er, wie aus einem schweren Traum erwachend, mit Zufriedenheit, daß ein solches Geschäft ihm nicht obliege, gewahr werden.

Teilen wir diese Empfindung mit ihm, so finden wir uns desto angenehmer überrascht, wenn wir sehen, daß einer von den Unsern diese Aufgabe so glücklich gelöst hat. Die kurze Rede, womit Johann von Müller jenen Tag feierte, verdient in der Ursprache und in Übersetzungen von Ausländern und Deutschen gelesen zu werden. Er hat in einer bedenklichen Lage trefflich gesprochen, so daß sein Wort dem Beglückten Ehrfurcht und Schonung, dem Bedrängten Trost und Hoffnung einflößen muß.

Nicht allein was gesagt ist, sondern auch wie es gesagt ist, verdient ungeteilten Beifall; und indem wir daher unseren Lesern jene Bogen selbst empfehlen, so ziehen wir, um doch etwas zu liefern, einige Stellen aus, die hier nicht bloß als einzelne tröstliche Worte abgesondert stehen, sondern auch zugleich den Gang der Ideen und die Ordnung des Vortrags einigermaßen bezeichnen sollen:

Mitten im Wechsel, in der Erschütterung, dem Einsturz verlangen preußische Männer, die sich der alten Zeiten erinnern, verlangen ausgezeichnete Fremde an diesem Tage zu erfahren, was wir jetzt von Friedrich zu sagen haben, ob die Empfindung seines glorreichen Andenkens nicht durch die neueren Begebenheiten gelitten habe. — Wenn mit jedem Jahre einer neuen Prüfung unterworfen, der Glanz eines Verdienstes durch keinen äußeren Wechsel, nicht durch den Ablauf der Jahrhunderte gemindert wird ... dann ist die Weihe vollbracht; ein solcher Mann gehört, wie die unsterblichen Götter, nicht einem gewissen Lande, einem gewissen Volke — diese können veränderliche Schicksale haben —, der ganzen Menschheit gehört er an, die so edler Vorbilder bedarf, um ihre Würde aufrecht zu erhalten. — Ohne Zweifel waltet ein zarter und unschätzbarer Bezug zwischen einem jeden Lande und den berühmten Männern, die aus seinem Schoße hervorgingen. — An jedem Volke, das großer Epochen und außerordentlicher Männer gewürdigt wurde, freut man sich, in der Gesichtsbildung, in dem Ausdruck des Charakters, in den Sitten überbliebene Spuren jener Einwirkungen zu erkennen. — Solche unzerstörliche, höchst achtungswerte Erinnerungen an die Tugenden der Altväter sind es, um derentwillen wir die Fehler der Nachkömmlinge verzeihen. — Also, Preußen, unter allen Abwechselungen des Glücks und der Zeiten, solange nur irgend fromm die Erinnerung an dem Geist und den Tugenden des großen Königes weilt, solange nur eine Spur von dem Eindrucke seines Lebens in euren Seelen bleibt, dürft ihr nie verzweifeln. Mit Teilnahme wird jeder Held Friedrichs Volk betrachten. — Das erste, was Friedrich mit einem heißen Willen ergriff, wovon er nie abließ, war die Überzeugung, er müsse, weil er König sei, der erste unter den Königen sein durch die Art seine Pflichten zu erfüllen. — Eine Krone, ein halbes Jahrhundert unumschränkter Herrschaft geben, wer wird es leugnen, sehr große Vorzüge; aber der Sinn, sich zur ersten Stelle zu erheben, liegt für jeden in seiner Laufbahn. Die moralische Größe entscheidet; die Mittel, die Gelegenheiten verteilt das Glück. — Das Geheimnis, sich immer seiner selbst würdig zu erhalten, immer vorbereitet zu sein, lag in der Art, wie er seine Zeit anwendete. — Die Ordnung, die er beobachtete, war bewundernswürdig: jeder Gegenstand hatte seine Zeit, seinen Platz, alles hatte sein Maß; nichts war unregelmäßig, nichts übertrieben. — Indem er alle Seiten eines Gegenstandes und ihre Bezüge zu kennen suchte, brachte er ebensoviel Ruhe in die Überlegung als Schnelligkeit und Nachdruck in die Ausführung. — Er hörte nicht auf, sich an der Geschichte zu bilden, die dem lebendigen Geist für Staatsverwaltung und Kriegskunst den Sinn aufschließt. — Eroberungen können verlorengehen; Triumphe kann man streitig machen ... aber der Ruhm und der Vorteil des Beispiels bleibt unzerstörlich, unverlierbar, der eine seinem Urheber eigentümlich, der andere zugesichert denen, die ihm nachahmen. Das Verdienst beruht in den Entschließungen, die uns angehören, in dem Mut der Unternehmung, in der Beharrlichkeit der Ausführung. — Die verschiedenen Nationen und die verschiedenen Klimaten müssen allmählich hervorbringen, was jede ihrer Natur nach Vollkommenstes haben können. — Niemals darf ein Mensch, niemals ein Volk wähnen, das Ende sei gekommen. Der Zweck bei der Feier großer Männer ist, sich vertraut zu machen mit großen Gedanken, zu verbannen, was zerknirscht, was den Aufschwung lähmt. Güterverlust läßt sich ersetzen; über andere tröstet die Zeit; nur ein Übel ist unheilbar, wenn der Mensch sich selbst aufgibt.

FRIEDRICHS RUHM

Vorlesung am 29. Januar 1807 durch Johann von Müller.
Intaminatis fulget honoribus. Aus dem Französischen.

Jener große König, Friedrich der Zweite, Überwinder, Gesetzgeber, der seinem Jahrhundert, seinem Volk zum Ruhm gedieh, wandelt längst nicht mehr unter den Sterblichen. Heute versammelt sich die Akademie, um seiner zu gedenken. Preußische Männer, die sich der Zeiten erinnern, wo die Wetter des Krieges, die Gesetze des Friedens, die erleuchtenden Strahlen des Genius wechselsweise von Sanssouci her sich verbreiteten, den Feinden Schrecken, Europen Achtung, bedeutenden Menschen Bewunderung einprägten, sie sind heute gekommen, unsre Worte über Friedrich zu vernehmen. Mitten im Wechsel, in der Erschütterung, im Einsturz verlangen ausgezeichnete Fremde an diesem Tage zu erfahren, was wir gegenwärtig von Friedrich zu sagen haben, und ob die Empfindung seines glorreichen Andenkens nicht durch neuere Begebenheiten gelitten habe.

Der gegenwärtig Redende hat es immer als eine weise Anordnung betrachtet, jährlich das Andenken erlauchter Männer zu erneuern, welche, den unsterblichen Ruhm eifrig und mühsam verfolgend, von einer wollüstigen Ruhe sich vorsätzlich entfernten. Wenn, mit jedem Jahre neuer Prüfung unterworfen, der Glanz ihres Verdienstes durch keinen äußern Wechsel, nicht durch den Ablauf mehrerer Jahrhunderte gemindert wird; wenn ihr Name hinreicht, ihrem Volk einen Rang unter Nationen zu behaupten, die in verschiedenen Perioden jede ihre Zeit gehabt haben; wenn immer neu, niemals zum Überdruß, eine solche Lobrede keiner Künste bedarf, um die Teilnahme großer Seelen zu wecken und die Schwachen tröstend abzuhalten, die im Begriff sind, sich selbst aufzugeben: dann ist die Weihe vollbracht; ein solcher Mann gehört wie die unsterblichen Götter nicht einem gewissen Land, einem gewissen Volk — diese können veränderliche Schicksale haben — der ganzen Menschheit gehört er an, die so edler Vorbilder bedarf, um ihre Würde aufrecht zu erhalten.

Diese Betrachtungen gründen sich auf die Erfahrung. Mit Ausnahme weniger beschränkten Köpfe, einiger Freunde seltsamen Widerspruchs, wer hat jemals das göttliche Genie, die großmütige Seele dem ersten der Cäsaren streitig gemacht? wer den ungeheuern Umfassungsgeist, die Kühnheit der Entwürfe dem großen Alexander? oder die vollendete Vortrefflichkeit des Charakters dem Trajan? Konstantin und Justinian haben mehr Lobredner und eifrigere gefunden. Als man aber in der Folge bemerkte, daß der erste nicht Stärke des Geistes genug besessen hatte, um die Parteien zu beherrschen, und daß er, statt sich der Hierarchie zu bedienen, sich von ihr unterjochen ließ; als man endlich einsah, daß an dem Größten und Schönsten, was zu Justinians Zeit geschehen war, dieser Kaiser fast ganz und gar keinen persönlichen Anteil gehabt hatte: da verloren diese Fürsten den ausgezeichneten Platz, den ihnen Schmeichelei und Ränkespiel in den Jahrbüchern der Welt anzuweisen gedachte. Der eine war Herr des ganzen römischen Reichs, der andre Herr der schönsten jener Provinzen. Konstantin erwarb Kriegslorbeern, Justinian war von glücklichen Feldherrn und weisen Rechtsgelehrten umgeben; doch sind Herrschaft und Glück nicht zuverlässige Pfänder eines unsterblichen Ruhmes. Wie vieler Königreiche und Länder bedürfte es, um sich dem armen und einfachen Bürger von Theben gleichzustellen, dem Erfinder der schrägen Schlachtordnung, dem Besieger bei Leuktra, bei Mantinea, dem Besieger seiner selbst! Und wer zieht nicht den Namen Mithridat dem Namen Pompejus vor?

Außer Verhältnis zu den Mitteln seines Staates ist der Ruhm des großen Mannes, dessen Andenken uns heute versammelt, wie der Ruhm Alexanders zu dem armen und beschränkten Nachlaß Philipps; und so bleibt dieser Ruhm ein geheiligtes Erbgut nicht allein für die Preußen, sondern auch für die Welt. Ohne Zweifel waltet ein zarter und unschätzbarer Bezug zwischen einem jeden Lande und den berühmten Männern, die aus seinem Schoße hervorgingen; und wie bedeutend muß ein solches Verhältnis werden, wenn solche Männer den Bau ihres Jahrhunderts gründeten, wenn sie als Hausväter für ihn Sorge trugen, ihn als Helden verteidigten oder auf das edelste vergrößerten; wenn sie uns als unvergleichliche Dämonen erscheinen, die, ähnlich den höchsten Gebirgsgipfeln, noch Lichtglanz behalten, indes hundert und hundert Menschengeschlechter augenblicklichen Rufs nach und nach hinschwinden, von der Nacht der Jahrhunderte verschlungen. Von jenen Hohen bleibt ein Eindruck, der Menschencharakter eignet sich ihn zu, durchdringt sich davon und stählt sich unwandelbar. Vor Philipp gab es unter den Mazedoniern nichts Ausgezeichnetes; sie kriegten mit den Illyriern, wie die alten Bewohner unsrer Marken mit den Wenden, wacker, ohne Glanz. Der Geist Philipps trat hervor und das Gestirn Alexanders. In der zweiten Geschlechtsreihe nach ihnen sahen sich die Mazedonier überwunden und in Gefahr der Auflösung ihres Reichs durch die hereindringenden Gallier. Und doch, als sie nach so vielen und so unglücklichen Jahrhunderten alles verloren hatten, behaupteten sie bis auf unsre Zeit den Ruf, die besten Soldaten des Reiches zu sein, dem sie angehören.

An jedem Volke, das eines neuen Zeitbeginns und außerordentlicher Männer gewürdigt wurde, freut man sich, in der Gesichtsbildung, in dem Ausdruck des Charakters, in den Sitten überbliebene Spuren jener Einwirkungen zu erkennen. Wer sucht nicht Römer in Rom? ja unter Lumpengewand Romanos rerum dominos? An allen Italienern studiert man die Züge dieses wunderhaften Volks, das zweimal die Welt überwand und länger als ein anderes beherrschte. Erfreuen wir uns nicht, wenn die Fruchtbarkeit glücklicher Ideen, die Reife wohlgefaßter Grundsätze, jene unerschütterliche Folge von Entwürfen, diese Kunst, die Gewalt sie auszuführen, uns im Leben begegnet? Und so fordern wir von allen Franzosen die Tüchtigkeit, das Selbstgefühl, den Mut ihrer germanischen Väter, jene Vorzüge veredelt durch die Anmut Franz des Ersten, die edle Freimütigkeit des großen Heinrichs und das Zeitalter Ludwigs des Vierzehnten. Ja was werden künftige Geschlechter nicht noch hinzufügen? Vergebens würde man die Denkmale helvetischer Tapferkeit zerstören; immer noch würde die Welt mit Liebe sich unter den Schweizern ein Bild Tellischer Einfalt, Winkelriedischer Aufopferung hervorzusuchen trachten, eine Spur des Ehrgefühls jenes Heeres, das, anstatt sich gefangen zu geben, lieber gesamt umkam.

Dergleichen unzerstörliche, höchst achtungswerte Erinnerungen an die Voreltern sind es, um derentwillen wir die Fehler der Nachkömmlinge verzeihen. Als Athen einst keine Schiffe mehr im Piräus, keine Schätze mehr in der Cekropischen Burg besaß, Perikles nicht mehr von der Bühne donnerte, Alcibiades nicht glorreich mehr die See beherrschend zurückkehrte, und Athen doch unklug leider! mit der ewigen Roma, der Weltherrscherin, zu kämpfen sich vermaß: was tat der Sieger, was tat Cornelius Sulla? Er gedachte des alten Ruhms, und Athen erfreute sich seiner Güte. Große Männer — und an Sulla fand man Züge, die den großen Mann bezeichnen — sie haben nicht wie andere Menschen in Leidenschaften und Verhältnissen etwas Besonderes, Einzelnes, Eigenes. Söhne des Genius, im Besitz angeerbten erhabenen Sinnes, brennend von dem göttlichen Feuer, das reinigt, das hervorbringt, anstatt zu zerstören, bilden sie alle zusammen einen Geschlechtskreis, in dem man sich wechselseitig anerkennt; ja sie achten gegenseitig das Andenken ihres Ruhms. Fimbrias rohe Natur konnte Ilium zerstören; Alexander opferte daselbst. Jedes Volk, das einem Heroen angehörte, hat auf das Herz eines andern Heroen vollkommene Rechte. Das Wirken der Menge beschränkt sich im Kreise des Augenblicks; der Tatenkreis eines großen Mannes erweitert sich im Gefühl seiner Verwandtschaft mit den Besten. Und daran erkennt man die Vorzüglichsten. Alexander rettete Pindars Haus; Pius der Fünfte zerstreute Tacitus' Asche. Also, Preußen, unter allen Abwechselungen des Glücks und der Zeiten, solange nur irgend fromm die Erinnerung an dem Geiste, den Tugenden des großen Königs weilt, solange nur eine Spur von dem Eindruck seines Lebens in euren Seelen sich findet, dürft ihr nie verzweifeln. Mit Teilnahme wird jeder Held Friedrichs Volk betrachten.

Zaghafte Geister, schwache Seelen fragen vielleicht: was haben wir denn gemein mit einem König, einem Krieger, einem unumschränkten Fürsten? und nachzuahmen einem solchen, wär' es nicht Torheit? Diese fragen wir dagegen: war er denn Friedrich durch Erbschaft? war er Friedrich durch Glück, das so oft in Schlachten entscheidet? war er's durch Gewalt, die so oft zu Irrtümern und Mißbräuchen verleitet? Nein, er ward so groß durch das was in ihm lag, das auch in uns liegt; möchten wir es fühlen!

Das erste, was er mit einem heißen Willen ergriff, wovon er niemals abließ, war die Überzeugung, er müsse, weil er König sei, der erste unter den Königen sein durch die Art seine Pflichten zu erfüllen. Er hätte die Künste des Friedens lieben mögen und führte doch zwölf Jahre lang schreckliche Kriege. Gern hätte er seine Zeit verteilt unter Studien, Musik und Freunde; und doch war in der Staatsverwaltung nichts Einzelnes, womit er sich nicht während seiner sechsundvierzigjährigen Regierung beschäftigt hätte. Er war von Natur nicht der Herzhafteste; und doch, wer hat sich in Schlachten mehr ausgesetzt? wer umgab sich weniger mit besorglichen Anstalten? wer war fester entschlossen, eher zu sterben als zu weichen? Er besaß über sich selbst die ungeheure Gewalt, die auch dem Glück gebietet. Diese Göttin wurde ihm untreu, er fühlte es wohl, doch ließ er sich's nicht merken und überwand sie wieder. Er überzeugte sich, das Haupt einer Monarchie müsse der erste Mann seines Landes sein, nicht bloß durch den Umfang und die Allgemeinheit der Kenntnisse und durch die Größe des Auffassens; sondern er müsse zugleich frei sein von Parteigeist, von entnervenden Leidenschaften, von unterjochenden Meinungen, von Vorurteilen des großen Haufens. Er wollte geliebt sein, und fürchten sollte man ihn doch auch, und sich dabei mit Zutrauen auf seine Gerechtigkeit, auf seine Großmut verlassen. Auf rufe ich alle, die ihm nahe waren, zu Zeugen, ob er nicht zugleich unwiderstehlich zu fesseln und die Seelen mit dem Eindruck einer Majestät zu erfüllen wußte, die rein persönlich war.

Eine Krone, ein halbes Jahrhunderts unumschränkter Herrschaft geben, wer wird es leugnen? sehr große Vorzüge. Aber der Sinn, sich zur ersten Stelle zu erheben, kann jeden in seiner Laufbahn begleiten. In einer solchen Denkweise liegt die Möglichkeit, allgemein und fortschreitend vollkommener zu werden; so wie die Quelle der Entwürdigung des Menschen und des größten Unheils in der sogenannten weisen Mittelmäßigkeit zu finden ist. Der Mensch, überhaupt weit entfernt, alles zu tun was er vermag, wenn er seinem Streben zu nahe Grenzen setzt, was wird er je sein? Johann Chrysostomus, in seiner schönen und treffenden Schreibart, pflegt alle Fehler und Mängel unter dem Namen der Trägheit ($ῥαθυμία$) zu begreifen. Denn nur die Anstrengung des Willens bleibt das, wovon die Auszeichnung eines jeden in seiner Lage abhängt.

Die sittliche Großheit entscheidet; die Mittel, die Gelegenheiten verteilt das Glück. Tausendmal verglich man Friedrich mit Cäsarn, und noch hatte er nur einen Teil Schlesiens erobert. Die Stunde großer Umwälzungen hatte zu seiner Zeit noch nicht geschlagen; aber wenn Europa sich gegen ihn sieben Jahre verschwor, hundert Millionen gegen fünf, das war mit dem Bürgerkrieg des Pompejus vergleichlich, und Hohenfriedberg deuchte nicht geringer als Pharsalus, und Torgau schien nicht weniger als Munda. Und so in allem. Jegliches wußte der große König zu schätzen. Er gab Leibnizen einen Platz neben sich, und indessen er über den größten Teil der Herrscher sich scherzhaft äußerte, deren Untergang zusamt dem Sturz ihrer Throne er voraussah, bemühte er sich um die Freundschaft Voltairens und war gewiß, mit ihm in der Nachwelt zu leben.

Das Geheimnis, sich immer seiner selbst würdig zu erhalten, immer vorbereitet zu sein, lag in der Art, wie er seine Zeit anwendete. Er hatte sich abgesondert von dem langweiligen Gepränge, unter welchem das Leben verloren geht; und so gewann er Zeit für alle Gedanken, für bedeutende Unterhaltung, für jede täglich erneuerte Anregung seines Geistes. Die sehr bescheidene Wohnung von Sanssouci hat einen besondern Vorzug vor den prächtigen Residenzschlössern aller Jahrhunderte in Europa und Asien; der Besitzer fühlte daselbst nie Langeweile. Hier kann man sich noch jetzt sein ganzes Leben ausführlich denken. Hier, an einem und demselben Tage, erschien zu verschiedenen Stunden in demselben Manne der Vater des Volks, der Verteidiger und Beschützer des Reichs, der Staatsmann, der Künstler, der Dichter, der Gelehrte, der Mensch, immer der große Friedrich, ohne daß eine dieser Eigenschaften der andern geschadet hätte. Frage man, ob er sein Leben besser angewendet oder glücklicher genossen habe. Denn wir leben nur, insofern wir uns unser bewußt sind. Man kannte das Leben anderer Könige, ihrer Staatsräte und Kanzleiverwandten; da war es leicht, den Vorzug desjenigen zu begreifen, der zwölf Stunden des Tags geistig arbeitete. Freilich nur Augenblicke bedarf der fruchtbare Geist, um das größte Tunliche zu fassen; aber die Zeit hat auch ihre Rechte. Arbeit und Einsamkeit rufen die glücklichsten Augenblicke hervor; der Funke springt, zündet; ein Gedanke tritt hervor, der den Staat rettet, der ein Gesetz wird, welches Jahrhunderte zu bezaubern vermag. Da waltete der Einsame von Sanssouci, umgeben von seinen Klassikern, in diesem geweihten Rundgebäu, dem Allerheiligsten von Friedrichs Genius; da wachte er, da rief er solchen Augenblick hervor, unvorhergesehen, unwiderruflich. Sie kommen nicht, wenn man Langeweile hat, oder wenn der Strudel der Welt uns betäubt. Sieht man in den Gewölben der Staatsurkunden seine Arbeiten, vergegenwärtigt man sich seine unendlichen Geistesschöpfungen, so sieht man, er hat keinen Tag verloren, als den wo er starb.

Die Ordnung, die er beobachtete, war bewunderungswürdig. Jeder Gegenstand hatte seine Zeit, seinen Platz; alles war abgemessen, nichts unregelmäßig, nichts übertrieben. Diese Gewohnheiten waren der Klarheit und Genauigkeit seiner Ideen förderlich und hinderten dagegen seine lebhafte Einbildungskraft und seine feurige Seele, sich hinreißen zu lassen, sich zu überstürzen. Indem er alle Seiten eines Gegenstandes und ihre Beziehungen zu kennen suchte, so brachte er ebensoviel Ruhe in die Überlegung als Schnelligkeit und Nachdruck in die Ausführung.

Er hörte nicht auf, sich an der Geschichte zu bilden. Höchlich wußte er diese gesammelten Erfahrungen zu schätzen, die dem lebendigen Geist für Staatsverwaltung und Kriegskunst den Sinn aufschließen. Er zog die Geschichtschreiber des Altertums vor: denn die mittäglichen Völker sind reicher an Ideen, ausgesprochener und glühender in der Art zu empfinden. Diese Menschen waren einer frischen und kräftigen Natur viel näher. Ihre Werke sollten zum Handeln führen, nicht etwa nur eitle Neugierde befriedigen. Friedrich liebte auch einige methodische Werke. Er wollte sich in der Gewohnheit erhalten, seine Gedanken in Ordnung zu stellen. Die rhetorischen Vorschriften des Cicero, die Lehrart von Port-Royal, von Rollin gefielen ihm lange Zeit. In den letzten Tagen, als er bemerkte, daß der Geist sich verwirre, trübe, schwach werde, nahm er die Anleitungen Quintilians wieder vor, die voll Verstand und Ordnung sind, und las dazu leichte Schriften von Voltaire, in welchen Lebhaftigkeit herrschend ist. Auf alle Art und Weise wollte er sich aufgeweckt erhalten; und so kämpfte er gegen das letzte Hinschlummern.

Eroberungen können verloren gehen, Triumphe kann man streitig machen. Jene des großen Pompejus wurden durch ein unedles Ende verfinstert; und auch der große Ludwig sah den Glanz der seinigen verdunkelt. Aber der Ruhm und der Vorteil, den das Beispiel gewährt, sind unzerstörlich, unverlierbar. Der eine bleibt seinem Urheber eigentümlich, der andere zugesichert allen denen, die ihm nachahmen. Das Verdienst beruht in den Entschließungen, die uns angehören, in dem Mut der Unternehmung, der Beharrlichkeit der Ausführung.

Man redet hier nicht von den einzelnen Zügen, durch die ein übler Wille Friedrichs Ruhm zu verdunkeln glaubte. Der Geschichtschreiber Dio, indem er von den Vorwürfen reden soll, die man dem Trajan gemacht hat, bemerkt, daß der beste der Kaiser keine Rechenschaft schuldig sei über das, was auf sein öffentliches Leben keinen Einfluß hatte. Wenn Friedrich das Wesen der Religion mißverstand und den Sinn ihrer Quellen, so wußte er doch die Vorsteher aller Gottesverehrungen in Grenzen zu halten, indem er sie beschützte und ihr Eigentum schonte. Spräche man vielleicht von der Verletzung einiger Grundsätze des Völkerrechts: hier zeigt er sich für uns nur in dem Falle, daß er dem Drange der Notwendigkeit nachgab und die einzige Gelegenheit, seine Macht zu gründen, benutzte. Machte er aufmerksam, wie wenig Sicherheit ein Pergament verleihe, so lehrte er uns zugleich desto besser kennen, was einem Staate wahrhaft Gewähr leiste. Das Mißverhältnis seines Heeres zu den Hülfsquellen seines Landes erscheint nicht so stark, wenn man bedenkt, daß der größte Teil, beinahe auf Weise der Nationalgarden, nur zum durchaus notwendigen Dienst berufen wurde. In einem Lande, wo Hervorbringen, Erwerb und Betrieb durch die Natur des Bodens eingeschränkt wird, ist es keine Unbequemlichkeit, kein Nachteil, daß der Militärgeist herrschend werde. In einer Lage, deren Sicherheit für ganz Europa bedeutend ist, zeigt sich dadurch ein gemeinsamer wünschenswerter Vorteil. Da wo mittelmäßige und künstliche Reichtümer von tausend Zufällen abhängig sind, welcher Zustand des Lebens könnte besser sein als der, in dem wir uns gewöhnen, alles missen zu können? Wenn Friedrich zu seiner Zeit die untern Stände von den obern Stufen der Kriegsbedienungen ausschloß, so geschah es vielleicht, weil er damals noch genug zu tun hatte, um dem Gewerbe bei sich aufzuhelfen; weil es zuträglich schien, den Mittelstand nicht von den eben erst aufkeimenden Künsten des bürgerlichen Lebens abzuziehen. Wollte man ihm sein unumschränktes Herrschen zum Vorwurf machen? Der höhere Mensch übt diese Gewalt aus durch das Übergewicht seiner Natur, und die freien Ansichten eines großen Mannes machen sie wohltätig; und so bildet sich nach und nach die Meinung, die sich endlich als Gesetz aufstellt. Die unvermeidliche Ungleichheit unter den Menschen macht den größeren Teil glücklich in der Unterwerfung. Das herrschende Genie, das sich Friedrich oder Richelieu nennt, nimmt seinen Platz ein, und die Talente für Krieg und Staatsverwaltung nehmen ihren Rang neben ihm ein, um es zu unterstützen.

Anstatt auf die Beschuldigungen des Neides zu antworten, begab sich der größte der Scipionen auf das Kapitol, um den Tag von Zama zu feiern. Sollen wir für Friedrich antworten, wie er, ungeachtet seiner Kriege und seine Eroberungen nicht mitgerechnet, die Bevölkerung seines Landes verdoppelte und, was ihm mehr Ehre macht, das Glück seines Volks vergrößerte, ein vollkommen ausgerüstetes Heer hinterließ, alle Vorratskammern, alle Zeughäuser und den Schatz füllte, wie er mit scheidendem Lichtblick seines Ruhms den deutschen Bund erleuchtete? Oder sollen wir uns seine Heldentaten zurückrufen, die ersten

Kriege, die seine Lehrjahre waren, wo er große Fehler beging, ohne sich jemals besiegen zu lassen? Erinnern wir uns bei Czaslau des Ruhms seiner werdenden Reiterei? bei Striegau der schrägen Schlachtordnung? bei Sorr, wie er sich dort aus der Sache zog? Sollen wir ihn malen in dem einzigen Krieg? fast immer ohne Land, sein Heer oftmals zerstört und unvollkommen wieder hergestellt, die Wundertaten des Heldensinnes und der Kunst umsonst verschwendet, im Kampf mit einer vernichtenden Mehrzahl, mit lastenden Unglücksfällen, ihn allein aufrecht gegen Europa und die lebendige Kraft seiner Seele gegen die Macht des Schicksals. Doch es sei genug! — ich halte mich zurück — ungern — o Erinnerungen! — Es ist genug. Wir hatten Friedrich, er war unser!

Verschiedene Völker, verschiedene Landstriche müssen allmählich hervorbringen, was jedes seiner Natur nach Vollkommenstes haben kann. Jedem Staate eigneten die alten Perser seinen Schutzgeist zu, der ihn vor dem Thron des Ewigen verträte. Ebenso muß in der Weltgeschichte jedes Volk seinen Anwalt haben, der das, was in ihm Vortreffliches lag, darstellt. Einige Völker haben dergleichen gehabt, andern werden sie entspringen, selten erzeugen sie sich in einer Folge. Allein, damit die Herabwürdigung nimmer zu entschuldigen sei, gibt es auch davon Beispiele. In dem fürchterlichen Jammer des Dreißigjährigen Krieges bewunderten unsere Väter in dem Wiederhersteller eines fast vernichteten Staats, in dem großen Kurfürsten Friedrich Wilhelm einen Mann, der allein zum Ruhme seines Landes hinreichte; und doch kam Friedrich nach ihm.

Niemals darf ein Mensch, niemals ein Volk wähnen, das Ende sei gekommen. Wenn wir das Andenken großer Männer feiern, so geschieht es, um uns mit großen Gedanken vertraut zu machen, zu verbannen, was zerknirscht, was den Aufflug lähmen kann. Güterverlust läßt sich ersetzen, über andern Verlust tröstet die Zeit; nur Ein Übel ist unheilbar: wenn der Mensch sich selbst aufgibt.

Und du, unsterblicher Friedrich, wenn von dem ewigen Aufenthalt, wo du unter den Scipionen, den Trajanen, den Gustaven wandelst, dein Geist, nunmehr von vorübergehenden Verhältnissen befreit, sich einen Augenblick herablassen mag auf das, was wir auf der Erde große Angelegenheiten zu nennen pflegen, so wirst du sehen, daß der Sieg, die Größe, die Macht immer dem folgt, der dir am ähnlichsten ist. Du wirst sehen, daß die unveränderliche Verehrung deines Namens jene Franzosen, die du immer sehr liebtest, mit den Preußen, deren Ruhm du bist, in der Feier so ausgezeichneter Tugenden, wie sie dein Andenken zurückruft, vereinigen mußte.

DIE PILGERNDE TÖRIN
Aus dem Französischen

Herr von Revanne, ein reicher Privatmann, besitzt die schönsten Ländereien seiner Provinz. Nebst Sohn und Schwester bewohnt er ein Schloß, das eines Fürsten würdig wäre; und in der Tat, wenn sein Park, seine Wasser, seine Pachtungen, seine Manufakturen, sein Hauswesen auf sechs Meilen umher die Hälfte der Einwohner ernähren, so ist er durch sein Ansehn und durch das Gute, das er stiftet, wirklich ein Fürst.

Vor einigen Jahren spazierte er an den Mauern seines Parks hin auf der Heerstraße und ihm gefiel in einem Lustwäldchen auszuruhen, wo der Reisende gern verweilt. Hochstämmige Bäume ragen über junges dichtes Gebüsch; man ist vor Wind und Sonne geschützt; ein sauber gefaßter Brunnen sendet sein Wasser über Wurzeln, Steine und Rasen. Der Spazierende hatte wie gewöhnlich Buch und Flinte bei sich. Nun versuchte er zu lesen, öfters durch Gesang der Vögel, manchmal durch Wanderschritte angenehm abgezogen und zerstreut.

Ein schöner Morgen war im Vorrücken, als jung und liebenswürdig ein Frauenzimmer sich gegen ihn her bewegte. Sie verließ die Straße, indem sie sich Ruhe und Erquickung an dem frischen Orte zu versprechen schien, wo er sich befand. Sein Buch fiel ihm aus den Händen, überrascht wie er war. Die Pilgerin mit den schönsten Augen von der Welt und einem Gesicht, durch Bewegung angenehm belebt, zeichnete sich an Körperbau, Gang und Anstand dergestalt aus, daß er unwillkürlich von seinem Platze aufstand und nach der Straße blickte, um das Gefolge kommen zu sehen, das er hinter ihr vermutete. Dann zog die Gestalt abermals, indem sie sich edel gegen ihn verbeugte, seine Aufmerksamkeit an sich, und ehrerbietig erwiderte er den Gruß. Die schöne Reisende setzte sich an den Rand des Quells, ohne ein Wort zu sagen und mit einem Seufzer.

Seltsame Wirkung der Sympathie! rief Herr von Revanne, als er mir die Begebenheit erzählte: dieser Seufzer ward in der Stille von mir erwidert. Ich blieb stehen, ohne zu wissen was ich sagen oder tun sollte. Meine Augen waren nicht hinreichend, diese Vollkommenheiten zu fassen. Ausgestreckt wie sie lag, auf einen Ellbogen gelehnt, es war die schönste Frauengestalt, die man sich denken konnte! Ihre Schuhe gaben mir zu eigenen Betrachtungen Anlaß; ganz bestaubt deuteten sie auf einen langen zurückgelegten Weg, und doch waren ihre seidenen Strümpfe so blank, als wären sie eben unter dem Glättstein hervorgegangen. Ihr aufgezogenes Kleid war nicht zerdrückt; ihre Haare schienen diesen Morgen erst gelockt; feines Weißzeug, feine Spitzen; sie war angezogen, als wenn sie zum Balle gehen sollte. Auf eine Landstreicherin deutete nichts an ihr, und doch war sie's; aber eine beklagenswerte, eine verehrungswürdige.

Zuletzt benutzte ich einige Blicke, die sie auf mich warf, sie zu fragen, ob sie allein reise. Ja, mein Herr, sagte sie, ich bin allein auf der Welt. — Wie? Madam, Sie sollten ohne Eltern, ohne Bekannte sein? — Das wollte ich eben nicht sagen, mein Herr. Eltern hab' ich, und Bekannte genug; aber keine Freunde. — Daran, fuhr ich fort, können Sie wohl unmöglich schuld sein. Sie haben eine Gestalt und gewiß auch ein Herz, denen sich viel vergeben läßt.

DIE PILGERNDE TÖRIN

Sie fühlte die Art von Vorwurf, den mein Kompliment verbarg, und ich machte mir einen guten Begriff von ihrer Erziehung. Sie öffnete gegen mich zwei himmlische Augen vom vollkommensten, reinsten Blau, durchsichtig und glänzend; hierauf sagte sie mit edlem Tone: sie könne es einem Ehrenmanne, wie ich zu sein scheine, nicht verdenken, wenn er ein junges Mädchen, das er allein auf der Landstraße treffe, einigermaßen verdächtig halte: ihr sei das schon öfter entgegen gewesen; aber, ob sie gleich fremd sei, obgleich niemand das Recht habe, sie auszuforschen, so bitte sie doch zu glauben, daß die Absicht ihrer Reise mit der gewissenhaftesten Ehrbarkeit bestehen könne. Ursachen, von denen sie niemanden Rechenschaft schuldig sei, nötigten sie, ihre Schmerzen in der Welt umherzuführen. Sie habe gefunden, daß die Gefahren, die man für ihr Geschlecht befürchte, nur eingebildet seien, und daß die Ehre eines Weibes, selbst unter Straßenräubern, nur bei Schwäche des Herzens und der Grundsätze Gefahr laufe.

Übrigens gehe sie nur zu Stunden und auf Wegen, wo sie sich sicher glaube, spreche nicht mit jedermann und verweile manchmal an schicklichen Orten, wo sie ihren Unterhalt erwerben könne durch Dienstleistung in der Art, wonach sie erzogen worden. Hier sank ihre Stimme, ihre Augenlider neigten sich, und ich sah einige Tränen ihre Wangen herabfallen.

Ich versetzte darauf, daß ich keineswegs an ihrem guten Herkommen zweifle, sowenig als an einem achtungswerten Betragen. Ich bedaure sie nur, daß irgend eine Notwendigkeit sie zu dienen zwinge, da sie so wert scheine Diener zu finden, und daß ich, ungeachtet einer lebhaften Neugierde, nicht weiter in sie dringen wolle, vielmehr mich durch ihre nähere Bekanntschaft zu überzeugen wünsche, daß sie überall für ihren Ruf ebenso besorgt sei als für ihre Tugend. Diese Worte schienen sie abermals zu verletzen, denn sie antwortete: Namen und Vaterland verberge sie, eben um des Rufs willen, der denn doch am Ende meistenteils weniger Wirkliches als Mutmaßliches enthalte. Biete sie ihre Dienste an, so weise sie Zeugnisse der letzten Häuser vor, wo sie etwas geleistet habe, und verhehle nicht, daß sie über Vaterland und Familie nicht befragt sein wolle. Darauf bestimme man sich und stelle dem Himmel oder ihrem Worte die Unschuld ihres ganzen Lebens und ihre Redlichkeit anheim.

Äußerungen dieser Art ließen keine Geistesverwirrung bei der schönen Abenteurerin argwohnen. Herr von Revanne, der einen solchen Entschluß in die Welt zu laufen nicht gut begreifen konnte, vermutete nun, daß man sie vielleicht gegen ihre Neigung habe verheiraten wollen. Hernach fiel er darauf, ob es nicht etwa gar Verzweiflung aus Liebe sei; und wunderlich genug, wie es aber mehr zu gehen pflegt, indem er ihr Liebe für einen andern zutraute, verliebte er sich selbst und fürchtete, sie möchte weiter reisen. Er konnte seine Augen nicht von dem schönen Gesicht wegwenden, das von einem grünen Halblichte verschönert war. Niemals zeigte, wenn es je Nymphen gab, auf den Rasen sich eine schönere hingestreckt; und die etwas romanhafte Art dieser Zusammenkunft verbreitete einen Reiz, dem er nicht zu widerstehen vermochte.

Ohne daher die Sache viel näher zu betrachten, bewog Herr von Revanne die schöne Unbekannte, sich nach dem Schlosse führen zu lassen. Sie macht keine Schwierigkeit, sie geht mit und zeigt sich als eine Person, der die große Welt bekannt ist. Man bringt Erfrischungen, welche sie annimmt, ohne falsche Höflichkeit und mit dem anmutigsten Dank. In Erwartung des Mittagessens zeigt man ihr das Haus. Sie bemerkt nur, was Auszeichnung verdient, es sei an Möbeln, Malereien, oder es betreffe die schickliche Einteilung der Zimmer. Sie findet eine Bibliothek, sie kennt die guten Bücher, und spricht darüber mit Geschmack und Bescheidenheit. Kein Geschwätz, keine Verlegenheit. Bei Tafel ein ebenso edles und natürliches Betragen und den liebenswürdigsten Ton der Unterhaltung. So weit ist alles verständig in ihrem Gespräch, und ihr Charakter scheint so liebenswürdig wie ihre Person.

Nach der Tafel machte sie ein kleiner mutwilliger Zug noch schöner, und indem sie sich an Fräulein Revanne mit einem Lächeln wendet, sagt sie: es sei ihr Brauch, ihr Mittagsmahl durch eine Arbeit zu bezahlen, und sooft es ihr an Geld fehle, Nähnadeln von den Wirtinnen zu verlangen. Erlauben Sie, fügte sie hinzu, daß ich eine Blume auf einem Ihrer Stickrahmen lasse, damit Sie künftig bei deren Anblick der armen Unbekannten sich erinnern mögen. Fräulein von Revanne versetzte darauf: daß es ihr sehr leid tue, keinen aufgezogenen Grund zu haben und deshalb das Vergnügen ihre Geschicklichkeit zu bewundern entbehren müsse. Alsbald wendete die Pilgerin ihren Blick auf das Klavier. So will ich denn, sagte sie, meine Schuld mit Windmünze abtragen, wie es auch ja sonst schon die Art umherstreifender Sänger war. Sie versuchte das Instrument mit zwei oder drei Vorspielen, die eine sehr geübte Hand ankündigten. Man zweifelte nicht mehr, daß sie ein Frauenzimmer von Stande sei, ausgestattet mit allen liebenswürdigen Geschicklichkeiten. Zuerst war ihr Spiel aufgeweckt und glänzend; dann ging sie zu ernsten Tönen über, zu Tönen einer tiefen Trauer, die man zugleich in ihren Augen erblickte. Sie netzten sich mit Tränen, ihr Gesicht verwandelte sich, ihre Finger hielten an; aber auf einmal überraschte sie jedermann, indem sie ein mutwilliges Lied mit der schönsten Stimme von der Welt, lustig und lächerlich vorbrachte. Da man in der Folge Ursache hatte zu glauben, daß diese burleske Romanze sie etwas näher angehe, so verzeiht man mir wohl, wenn ich sie hier einschalte.

> Woher im Mantel so geschwinde,
> Da kaum der Tag in Osten graut?
> Hat wohl der Freund beim scharfen Winde
> Auf einer Wallfahrt sich erbaut?
> Wer hat ihm seinen Hut genommen?

Mag er mit Willen barfuß gehn?
Wie ist er in den Wald gekommen
Auf den beschneiten wilden Höhn?

Gar wunderlich von warmer Stätte,
Wo er sich bessern Spaß versprach,
Und wenn er nicht den Mantel hätte,
Wie gräßlich wäre seine Schmach!
So hat ihn jener Schalk betrogen
Und ihm das Bündel abgepackt:
Der arme Freund ist ausgezogen,
Beinah wie Adam bloß und nackt.

Warum auch ging er solche Wege
Nach jenem Apfel voll Gefahr!
Der freilich schön im Mühlgehege
Wie sonst im Paradiese war.
Er wird den Scherz nicht leicht erneuen;
Er drückte schnell sich aus dem Haus,
Und bricht auf einmal nun im Freien
In bittre laute Klagen aus:

Ich las in ihren Feuerblicken
Doch keine Silbe von Verrat!
Sie schien mit mir sich zu entzücken,
Und sann auf solche schwarze Tat!
Konnt ich in ihren Armen träumen,
Wie meuchlerisch der Busen schlug?
Sie hieß den raschen Amor säumen,
Und günstig war er uns genug.

Sich meiner Liebe zu erfreuen,
Der Nacht, die nie ein Ende nahm,
Und erst die Mutter anzuschreien
Jetzt eben als der Morgen kam!
Da drang ein Dutzend Anverwandten

Herein, ein wahrer Menschenstrom!
Da kamen Brüder, guckten Tanten,
Da stand ein Vetter und ein Ohm!

Das war ein Toben, war ein Wüten!
Ein jeder schien ein andres Tier.
Da forderten sie Kranz und Blüten
Mit gräßlichem Geschrei von mir.
Was dringt ihr alle wie von Sinnen
Auf den unschuldgen Jüngling ein!
Denn solche Schätze zu gewinnen
Da muß man viel behender sein.

Weiß Amor seinem schönen Spiele
Doch immer zeitig nachzugehn:
Er läßt fürwahr nicht in der Mühle
Die Blumen sechzehn Jahre stehn. —
Da raubten sie das Kleiderbündel
Und wollten auch den Mantel noch.
Wie nur so viel verflucht Gesindel
Im engen Hause sich verkroch!

Da sprang ich auf und tobt und fluchte,
Gewiß durch alle durchzugehn,
Ich sah noch einmal die Verruchte,
Und ach! sie war noch immer schön.
Sie alle wichen meinem Grimme;
Doch flog noch manches wilde Wort,
So macht ich mich mit Donnerstimme
Noch endlich aus der Höhle fort.

Man soll euch Mädchen auf dem Lande
Wie Mädchen aus den Städten fliehn!
So lasset doch den Fraun von Stande
Die Lust, die Diener auszuziehn!
Doch seid ihr auch von den Geübten
Und kennt ihr keine zarte Pflicht,

So ändert immer die Geliebten,
Doch sie verraten müßt ihr nicht.

So singt er in der Winterstunde,
Wo nicht ein armes Hälmchen grünt.
Ich lache seiner tiefen Wunde,
Denn wirklich ist sie wohlverdient;
So geh es jedem, der am Tage
Sein edles Liebchen frech belügt,
Und nachts, mit allzukühner Wage,
Zu Amors falscher Mühle kriecht.

Wohl war es bedenklich, daß sie sich auf eine solche Weise vergessen konnte, und dieser Ausfall mochte für ein Anzeichen eines Kopfes gelten, der sich nicht immer gleich war. Aber, sagte mir Herr von Revanne, auch wir vergaßen alle Betrachtungen, die wir hätten machen können, ich weiß nicht wie es zuging. Uns mußte die unaussprechliche Anmut, womit sie diese Possen vorbrachte, bestochen haben. Sie spielte neckisch, aber mit Einsicht. Ihre Finger gehorchten ihr vollkommen und ihre Stimme war wirklich bezaubernd. Da sie geendigt hatte, erschien sie so gesetzt wie vorher, und wir glaubten, sie habe nur den Augenblick der Verdauung erheitern wollen.

Bald darauf bat sie um die Erlaubnis, ihren Weg wieder anzutreten; aber auf meinen Wink sagte meine Schwester: wenn sie nicht zu eilen hätte und die Bewirtung ihr nicht mißfiele, so würde es uns ein Fest sein sie mehrere Tage bei uns zu sehen. Ich dachte ihr eine Beschäftigung anzubieten, da sie sich's einmal gefallen ließ zu bleiben. Doch diesen ersten Tag und den folgenden führten wir sie nur umher. Sie verleugnete sich nicht einen Augenblick: sie war die Vernunft mit aller Anmut begabt. Ihr Geist war fein und treffend, ihr Gedächtnis so wohl ausgeziert und ihr Gemüt so schön, daß sie gar oft unsere Bewunderung erregte und alle unsere Aufmerksamkeit festhielt. Dabei kannte sie die Gesetze eines guten Betragens und übte sie gegen einen jeden von uns, nicht weniger gegen einige Freunde, die uns besuchten, so vollkommen aus, daß wir nicht mehr wußten, wie wir jene Sonderbarkeiten mit einer solchen Erziehung vereinigen sollten.

Ich wagte wirklich nicht mehr ihr Dienstvorschläge für mein Haus zu tun. Meine Schwester, der sie angenehm war, hielt es gleichfalls für Pflicht, das Zartgefühl der Unbekannten zu schonen. Zusammen besorgten sie die häuslichen Dinge, und hier ließ sich das gute Kind öfters bis zur Handarbeit herunter, und wußte sich gleich darauf in alles zu schicken, was höhere Anordnung und Berechnung erheischte.

In kurzer Zeit stellte sie eine Ordnung her, die wir bis jetzt im Schlosse gar nicht vermißt hatten. Sie war eine sehr verständige Haushälterin; und da sie damit angefangen hatte, bei uns mit an Tafel zu sitzen, so zog sie sich nunmehr nicht etwa aus falscher Bescheidenheit zurück, sondern speiste mit uns ohne Bedenken fort; aber sie rührte keine Karte, kein Instrument an, als bis sie die übernommenen Geschäfte zu Ende gebracht hatte.

Nun muß ich freilich gestehen, daß mich das Schicksal dieses Mädchens innigst zu rühren anfing. Ich bedauerte die Eltern, die wahrscheinlich eine solche Tochter sehr vermißten; ich seufzte, daß so sanfte Tugenden, so viele Eigenschaften verloren gehen sollten. Schon lebte sie mehrere Monate mit uns, und ich hoffte, das Vertrauen, das wir ihr einzuflößen suchten, würde zuletzt das Geheimnis auf ihre Lippen bringen. War es ein Unglück, wir konnten helfen; war es ein Fehler, so ließ sich hoffen, unsere Vermittelung, unser Zeugnis würden ihr Vergebung eines vorübergehenden Irrtums verschaffen können; aber alle unsere Freundschaftsversicherungen, unsre Bitten selbst waren unwirksam. Bemerkte sie die Absicht einige Aufklärung von ihr zu gewinnen, so versteckte sie sich hinter allgemeine Sittensprüche, um sich zu rechtfertigen, ohne uns zu belehren. Zum Beispiel, wenn wir von ihrem Unglücke sprachen: Das Unglück, sagte sie, fällt über Gute und Böse. Es ist eine wirksame Arzenei, welche die guten Säfte zugleich mit den üblen angreift.

Suchten wir die Ursache ihrer Flucht aus dem väterlichen Hause zu entdecken: Wenn das Reh flieht, sagte sie lächelnd, so ist es darum nicht schuldig. Fragten wir, ob sie Verfolgungen erlitten: Das ist das Schicksal mancher Mädchen von guter Geburt, Verfolgungen zu erfahren und auszuhalten. Wer über eine Beleidigung weint, dem werden mehrere begegnen. Aber wie hatte sie sich entschließen können, ihr Leben der Roheit der Menge auszusetzen, oder es wenigstens manchmal ihrem Erbarmen zu verdanken? Darüber lachte sie wieder und sagte: Dem Armen, der den Reichen bei Tafel begrüßt, fehlt es nicht an Verstand. Einmal, als die Unterhaltung sich zum Scherze neigte, sprachen wir ihr von Liebhabern und fragten sie: ob sie den frostigen Helden ihrer Romanze nicht kenne? Ich weiß noch recht gut, dieses Wort schien sie zu durchbohren. Sie öffnete gegen mich ein Paar Augen, so ernst und streng, daß die meinigen einen solchen Blick nicht aushalten konnten; und sooft man auch nachher von Liebe sprach, so konnte man erwarten, die Anmut ihres Wesens und die Lebhaftigkeit ihres Geistes getrübt zu sehen. Gleich fiel sie in ein Nachdenken, das wir für Grübeln hielten, und das doch wohl nur Schmerz war. Doch blieb sie im ganzen munter, nur ohne große Lebhaftigkeit, edel ohne sich ein Ansehn zu geben, gerade ohne Offenherzigkeit, zurückgezogen ohne Ängstlichkeit, eher duldsam als sanftmütig, und mehr erkenntlich als herzlich bei Liebkosungen und Höflichkeiten. Gewiß war es ein Frauenzimmer, gebildet einem großen Hause vorzustehn; und doch schien sie nicht älter als einundzwanzig Jahre.

So zeigte sich diese junge unerklärliche Person, die mich ganz eingenommen hatte, binnen zwei Jahren, die es ihr gefiel bei uns zu verweilen, bis sie mit einer Torheit schloß, die viel seltsamer ist als ihre Eigenschaften ehrwürdig und glänzend waren. Mein Sohn, jünger als ich, wird sich trösten können; was mich betrifft, so fürchte ich schwach genug zu sein sie immer zu vermissen.

Nun will ich die Torheit eines verständigen Frauenzimmers erzählen, um zu zeigen, daß Torheit oft nichts weiter sei, als Vernunft unter einem andern Äußern. Es ist wahr, man wird einen seltsamen Widerspruch finden zwischen dem edlen Charakter der Pilgerin und der komischen List, deren sie sich bediente; aber man kennt ja schon zwei ihrer Ungleichheiten, die Pilgerschaft selbst und das Lied.

Es ist wohl deutlich, daß Herr von Revanne in die Unbekannte verliebt war. Nun mochte er sich freilich auf sein fünfzigjähriges Gesicht nicht verlassen, ob er schon so frisch und wacker aussah als ein Dreißiger; vielleicht aber hoffte er durch seine reine kindliche Gesundheit zu gefallen, durch die Güte, Heiterkeit, Sanftheit, Großmut seines Charakters; vielleicht auch durch sein Vermögen, ob er gleich zart genug gesinnt war, um zu fühlen, daß man das nicht erkauft was keinen Preis hat.

Aber der Sohn von der andern Seite, liebenswürdig, zärtlich, feurig, ohne sich mehr als sein Vater zu bedenken, stürzte sich über Hals und Kopf in das Abenteuer. Erst suchte er vorsichtig, die Unbekannte zu gewinnen, die ihm durch seines Vaters und seiner Tante Lob und Freundschaft erst recht wert geworden. Er bemühte sich aufrichtig um ein liebenswürdiges Weib, die seiner Leidenschaft weit über den gegenwärtigen Zustand erhöht schien. Ihre Strenge mehr als ihr Verdienst und ihre Schönheit entflammte ihn; er wagte zu reden, zu unternehmen, zu versprechen.

Der Vater, ohne es selbst zu wollen, gab seiner Bewerbung immer ein etwas väterliches Ansehn. Er kannte sich, und als er seinen Rival erkannt hatte, hoffte er nicht über ihn zu siegen, wenn er nicht zu Mitteln greifen wollte, die einem Manne von Grundsätzen nicht geziemen. Dessen ungeachtet verfolgte er seinen Weg, ob ihm gleich nicht unbekannt war, daß Güte, ja Vermögen selbst, nur Reizungen sind, denen sich ein Frauenzimmer mit Vorbedacht hingibt, die jedoch unwirksam bleiben, sobald Liebe sich mit den Reizen und in Begleitung der Jugend zeigt. Auch machte Herr von Revanne noch andere Fehler, die er später bereute. Bei einer hochachtungsvollen Freundschaft sprach er von einer dauerhaften, geheimen, gesetzmäßigen Verbindung. Er beklagte sich auch wohl und sprach das Wort Undankbarkeit aus. Gewiß kannte er die nicht, die er liebte, als er eines Tages zu ihr sagte: daß viele Wohltäter Übles für Gutes zurückerhielten. Ihm antwortete die Unbekannte mit Geradheit: Viele Wohltäter möchten ihren Begünstigten sämtliche Rechte gern abhandeln für eine Linse.

Die schöne Fremde, in die Bewerbung zweier Gegner verwickelt, durch unbekannte Beweggründe geleitet, scheint keine andere Absicht gehabt zu haben, als sich und andern alberne Streiche zu ersparen, indem sie in diesen bedenklichen Umständen einen wunderlichen Ausweg ergriff. Der Sohn drängte mit der Kühnheit seines Alters und drohte, wie gebräuchlich, sein Leben der Unerbittlichen aufzuopfern. Der Vater, etwas weniger unvernünftig, war doch ebenso dringend; aufrichtig beide. Dieses liebenswürdige Wesen hätte sich hier wohl eines verdienten Zustandes versichern können: denn beide Herren von Revanne beteuern, ihre Absicht sei gewesen, sie zu heiraten.

Aber an dem Beispiele dieses Mädchens mögen die Frauen lernen, daß ein redliches Gemüt, hätte sich auch der Geist durch Eitelkeit oder wirklichen Wahnsinn verirrt, die Herzenswunden nicht unterhält, die es nicht heilen will. Die Pilgerin fühlte, daß sie auf einem äußersten Punkte stehe, wo es ihr wohl nicht leicht sein würde, sich lange zu verteidigen. Sie war in der Gewalt zweier Liebenden, welche jede Zudringlichkeit durch die Reinheit ihrer Absichten entschuldigen konnten, indem sie im Sinne hatten, ihre Verwegenheit durch ein feierliches Bündnis zu rechtfertigen. So war es, und so begriff sie es.

Sie konnte sich hinter Fräulein von Revanne verschanzen; sie unterließ es, ohne Zweifel aus Schonung, aus Achtung für ihre Wohltäter. Sie kommt nicht aus der Fassung, sie erdenkt ein Mittel, jedermann seine Tugend zu erhalten, indem sie die ihrige bezweifeln läßt. Sie ist wahnsinnig vor Treue, die ihr Liebhaber gewiß nicht verdient, wenn er nicht alle die Aufopferungen fühlt, und sollten sie ihm auch unbekannt bleiben.

Eines Tages, als Herr von Revanne die Freundschaft, die Dankbarkeit, die sie ihm bezeigte, etwas zu lebhaft erwiderte, nahm sie auf einmal ein naives Wesen an, das ihm auffiel. Ihre Güte, mein Herr, sagte sie, ängstigt mich; und lassen Sie mich aufrichtig entdecken warum. Ich fühle wohl, nur Ihnen bin ich meine ganze Dankbarkeit schuldig; aber freilich — Grausames Mädchen! sagte Herr von Revanne, ich verstehe Sie. Mein Sohn hat Ihr Herz gerührt. — Ach! mein Herr, dabei ist es nicht geblieben. Ich kann nur durch meine Verwirrung ausdrücken — Wie? Mademoiselle, Sie wären — Ich denke wohl ja, sagte sie, indem sie sich tief verneigte und eine Träne vorbrachte: denn niemals fehlt es Frauen an einer Träne bei ihren Schalkheiten, niemals an einer Entschuldigung ihres Unrechts.

So verliebt Herr von Revanne war, so mußte er doch diese neue Art von unschuldiger Aufrichtigkeit unter dem Mutterhäubchen bewundern, und er fand die Verneigung sehr am Platze. — Aber, Mademoiselle, das ist mir ganz unbegreiflich — Mir auch, sagte sie, und ihre Tränen flossen reichlicher. Sie flossen so lange, bis Herr von Revanne, am Schluß eines sehr verdrießlichen Nachdenkens, mit ruhiger Miene das Wort wieder aufnahm und sagte: Dies klärt mich auf! Ich sehe wie lächerlich meine Forderungen sind. Ich mache Ihnen keine Vorwürfe, und als einzige Strafe für den Schmerz, den Sie mir verursachen, verspreche ich Ihnen von seinem Erbteile soviel als nötig ist, um zu erfahren, ob er Sie so sehr liebt als ich. — Ach! mein Herr, erbarmen Sie sich meiner Unschuld und sagen ihm nichts davon.

Verschwiegenheit fordern ist nicht das Mittel sie zu erlangen. Nach diesen Schritten erwartete nun die unbekannte

Schöne, ihren Liebhaber voll Verdruß und höchst aufgebracht vor sich zu sehen. Bald erschien er mit einem Blicke, der niederschmetternde Worte verkündigte. Doch er stockte und konnte nichts weiter hervorbringen, als: Wie? Mademoiselle, ist es möglich? — Nun was denn? mein Herr, sagte sie, mit einem Lächeln, das bei einer solchen Gelegenheit zum Verzweifeln bringen kann. — Wie? was denn? Gehen Sie, Mademoiselle, Sie sind mir ein schönes Wesen! Aber wenigstens sollte man rechtmäßige Kinder nicht enterben; es ist schon genug, sie anzuklagen. Ja, Mademoiselle, ich durchdringe Ihr Komplott mit meinem Vater. Sie geben mir beide einen Sohn, und es ist mein Bruder, das bin ich gewiß!

Mit eben derselben ruhigen und heitern Stirne antwortete ihm die schöne Unkluge: Von nichts sind Sie gewiß; es ist weder Ihr Sohn, noch Ihr Bruder. Die Knaben sind bösartig; ich habe keinen gewollt; es ist ein armes Mädchen, das ich weiter führen will, weiter, ganz weit von den Menschen, den Bösen, den Toren und den Ungetreuen.

Darauf ihrem Herzen Luft machend: Leben Sie wohl! fuhr sie fort, leben Sie wohl, lieber Revanne! Sie haben von Natur ein redliches Herz; erhalten Sie die Grundsätze der Aufrichtigkeit. Diese sind nicht gefährlich bei einem gegründeten Reichtum. Sein Sie gut gegen Arme. Wer die Bitte bekümmerter Unschuld verachtet, wird einst selbst bitten und nicht erhört werden. Wer sich kein Bedenken macht, das Bedenken eines schutzlosen Mädchens zu verachten, wird das Opfer werden von Frauen ohne Bedenken. Wer nicht fühlt, was ein ehrbares Mädchen empfinden muß, wenn man um sie wirbt, der verdient sie nicht zu erhalten. Wer gegen alle Vernunft, gegen die Absichten, gegen den Plan seiner Familie, zugunsten seiner Leidenschaften Entwürfe schmiedet, verdient die Früchte seiner Leidenschaften zu entbehren und der Achtung seiner Familie zu ermangeln. Ich glaube wohl, Sie haben mich aufrichtig geliebt; aber, mein lieber Revanne, die Katze weiß wohl, wem sie

den Bart leckt; und werden Sie jemals der Geliebte eines
würdigen Weibes, so erinnern Sie sich der Mühle, der Mühle
des Ungetreuen. Lernen Sie an meinem Beispiel, sich auf die
Standhaftigkeit und Verschwiegenheit Ihrer Geliebten verlassen. Sie wissen, ob ich untreu bin, Ihr Vater weiß es auch.
Ich gedachte durch die Welt zu rennen und mich allen Gefahren auszusetzen. Gewiß diejenigen sind die größten, die
mich in diesem Hause bedrohen. Aber weil Sie jung sind,
sage ich es Ihnen allein und im Vertrauen: Männer und
Frauen sind nur mit Willen ungetreu; und das wollt' ich dem
Freunde von der Mühle beweisen, der mich vielleicht wieder sieht, wenn sein Herz rein genug sein wird zu vermissen,
was er verloren hat.

Der junge Revanne hörte noch zu, da sie schon ausgesprochen hatte. Er stand wie vom Blitz getroffen; Tränen
öffneten zuletzt seine Augen, und in dieser Rührung lief er
zur Tante, zum Vater, ihnen zu sagen: Mademoiselle gehe
weg, Mademoiselle sei ein Engel, oder vielmehr ein Dämon,
herumirrend in der Welt, um alle Herzen zu peinigen. Aber
die Pilgerin hatte so gut sich vorgesehen, daß man sie nicht
wiederfand. Und als Vater und Sohn sich erklärt hatten,
zweifelte man nicht mehr an ihrer Unschuld, ihren Talenten
und ihrem Wahnsinn. Soviel Mühe sich auch Herr von Revanne seit der Zeit gegeben, war es ihm doch nicht gelungen, sich die mindeste Aufklärung über diese schöne Person
zu verschaffen, die so flüchtig wie die Engel und so liebenswürdig erschienen war.

TEILNAHME GOETHES AN MANZONI

Von Manzonis Trauerspiel Il Conte di Carmagnola

The author of the Conte di Carmagnola, Alessandro Manzoni, in his preface, boldly declares war against the Uni-
ties. To ourselves, «chartered libertines», as we consider our-

selves on the authority of Shakespeare's example and Johnson's argument, little confirmation will be gained from this proselyte to our tramontane notions of dramatic liberty; we fear, however, that the Italians will require a more splendid violation of their old established laws, before they are led to abandon them. Carmagnola wants poetry; the parting scene between the unhappy Count and his family is indeed affecting, but with this praise and that of occasional simple and manly eloquence the drama itself might be dismissed. We cannot, however, refrain from making known to our readers the most noble piece of Italian lyric poetry which the present day has produced, and which occurs as a chorus at the end of the second act of his drama; and we confess our hopes that the author will prefer, in future, gratifying us with splendid odes, rather than offending us by feeble tragedy.

Was uns besonders bewog, das Original hier einzurükken, war, daß wir vorerst die Gedankenfolge jenes kritischen Vortrags ungestört dem Leser zur Beurteilung vorlegen wollten, indem wir zugunsten unserer Polemik die Übersetzung zu zerstücken und umzuwenden rätlich finden.

«Der Verfasser des Grafen Carmagnola erklärt in seiner Vorrede den angenommenen Theatereinheiten kühn den Krieg; wir aber, privilegierte Freidenker, wofür wir uns, und zwar auf Shakespeares Beispiel und Johnsons Gründe gestützt, selbst erklären, wir werden durch diesen Neubekehrten für unsere nordischen Begriffe von dramatischer Freiheit wenig Bestätigung gewinnen.»

Hierauf erwidern wir: Ein Engländer, der über zweihundert Jahre auf seiner Bühne die grenzenlosesten Freiheiten gewohnt ist, was erwartet er für Bestätigung von einem auswärtigen Dichter, der in ganz andern Regionen, in ganz anderm Sinne seinen Weg geht?

«Jedoch fürchten wir, daß die Italiener, ehe sie auf ihre alten herkömmlichen Gesetze Verzicht tun, eine bedeutendere Übertretung derselben verlangen werden.»

Keineswegs! wir loben dagegen den Autor, der vor einem strengen und, wie man am heftigen Widerstreite sieht, teilweise unbiegsamen Publikum handelt, wenn er als guter Kopf, Talent, Genie, durch sanftes Ausweichen versucht, eine löbliche Freiheit zu erlangen. Hiebei kann der Autor seine eigene Nation nicht einmal zu Rate ziehen, geschweige eine fremde; ebensowenig darf er fragen, was Entfernte, Andersgebildete für Vorteil aus seiner Arbeit gewinnen mögen.

Nun aber wird sich ausweisen, indem wir jenen kritischen Vortrag fernerhin zerlegen und umstellen, daß der nicht sonderlich gewogne Kritiker zu Ehren unseres Dichters dennoch günstige Zeugnisse abzulegen genötigt ist.

«Der Dichter verdient das Lob einer der Gelegenheit angemessenen Beredsamkeit.»

Kann man vom Dramatiker mehr fordern und ihm mehr zugeben? Was könnte denn Beredsamkeit sein, wenn sie nicht gelegentlich wäre? Das englische Rednertalent wird deshalb von der Welt bewundert, weil so viel erfahrne unterrichtete Männer bei jeder eintretenden Gelegenheit gerade das Rechte, Gehörige, Schickliche, im Parteisinn Wirksame auszusprechen verstehen. Dieses Bekenntnis also des Kritikers, nur in Eile hingeworfen, nehmen wir dienlich auf und geben ihm die eigentliche Bedeutung.

«Die Scheideszene des unglücklichen Grafen und seiner Familie ist wahrhaft herzergreifend.»

Also wahrhaft männliche Redekunst und herzergreifende gefühlvolle Behandlung, beides zu rechter Zeit, am passenden Ort, wird zugestanden. Wir verlangen nicht mehr, und der Autor wird es dankbar anerkennen. Wie muß uns nun aber folgendes erfreuen:

«Unterlassen können wir nicht, unsere Leser mit dem edelsten lyrischen Stücke, welches die neuere italienische Dichtkunst hervorgebracht, bekannt zu machen, es folgt als Chor dem zweiten Akte des Dramas.» Eine Übersetzung ist beigefügt.

Also auch das höchste lyrische Verdienst, zu dem rhetorischen und elegischen gesellt, wird dem Dichter zugestanden! Und doch hatte der Kritiker beliebt, seinen Vortrag mit den harten Worten anzufangen:

«Carmagnola fehlt es an Poesie.»

Diese so dürrhin ausgesprochene Ungerechtigkeit wird durch jene Nachsätze keineswegs bewährt und begründet, sie sagen vielmehr gerade das Gegenteil. Wie es uns denn auch scheint, daß sich der Kritiker zuletzt keineswegs gut aus der Sache ziehe, wenn er sagt:

«Und wir bekennen unsere Hoffnung: daß der Autor uns künftig durch glänzende Oden lieber befriedigen als durch schwache Tragödien verletzen werde.»

Manzoni an Goethe

Per quanto screditati siano i complimenti e i ringraziamenti letterari, io spero ch'Ella non vorrà disgradire questa candida espressione d'un animo riconoscente: Se, quando io stava lavorando la tragedia del Carmagnola, alcuno mi avesse predetto ch'essa sarebbe letta da Goethe, mi avrebbe dato il più grande incoraggiamento, e promesso un premio non aspettato. Ella può quindi immaginarsi ciò ch'io abbia sentito in vedere ch'Ella si è degnata di osservarla tanto amorevolmente, e di darne dinanzi al Pubblico un così benevolo giudizio.

Ma, oltre il prezzo che ha per qualunque uomo un tal suffragio, alcune circostanze particolari l'hanno renduto per me singolarmente prezioso: e mi permetto di brevemente esporgliele, per motivare la mia doppia gratitudine.

Senza parlare di quelli che hanno trattato il mio lavoro con aperta derisione, quei critici stessi che lo giudicarono più favorevolmente, in Italia e anche fuori, videro quasi ogni cosa in un aspetto affatto diverso da quello in cui io l'aveva immaginata, vi lodarono quelle cose alle quali io aveva dato meno d'importanza, e ripresero, come inavvertenze e come dimenticanze delle condizioni più note del poema drammatico, le parti che erano frutto della mia più sincera e più perseverante meditazione. Quel qualunque favore del Pubblico non fu motivato generalmente che sul Coro e sull'Atto quinto: e non parve che alcuno trovasse in quella tragedia ciò che io aveva avuto più intenzione di metterci — Di modo che io ho dovuto finalmente dubitare che, o le mie intenzioni stesse fossero illusioni, o ch'io non avessi saputo menomamente condurle ad effetto. Nè bastavano a rassicurarmi alcuni amici dei quali io apprezzo altamente il giudizio, perchè la comunicazione giornaliera e la conformità di molte idee toglievano alle loro parole quella specie di autorità che porta seco un estraneo, nuovo, non provocato, nè discusso parere. In questa noiosa ed assiderante incertezza, qual cosa poteva più sorprendermi e rincorarmi, che l'udire la voce del Maestro, rilevare ch'Egli non aveva credute le mie intenzioni indegne di essere penetrate da Lui, e trovare nelle sue pure e splendide parole la formola primitiva dei miei concetti? Questa voce mi anima a proseguire lietamente in questi studi, confermandomi nell'idea che per compire il meno male un'opera d'ingegno, il mezzo migliore è di fermarsi nella viva e tranquilla contemplazione dell'argomento che si tratta, senza tener conto delle norme convenzionali, e dei desideri per lo più temporanei della maggior parte dei lettori. Deggio però confessarle che la distinzione dei personaggi in istorici e in ideali è un fallo tutto mio, e che ne fu cagione un attaccamento troppo scrupoloso all'esattezza storica, che mi portò a separare gli uomini della realtà da quelli che io aveva immaginati per rappresentare una classe, un'opinione, un interesse. In un altro lavoro recentemente incominciato io aveva già ommessa questa distinzione, e mi compiaccio di aver così anticipatamente obbedito al suo avviso.

Ad un uomo avvezzo all'ammirazione d'Europa io non ripeterò le lodi che da tanto tempo gli risuonano all'orecchio, bensì approfitterò dell'occasione che mi è data di presentargli gli auguri i più vivi e più sinceri di ogni prosperità.

Piacciale di gradire l'attestato del profondo ossequio col quale ho l'onore di rassegnarmele.

Milano 23 Gennaio 1821

So sehr das literarische Verbeugen und Danksagen außer Kredit gekommen, so hoff ich doch, Sie werden diesen aufrichtigen Ausdruck eines dankbaren Gemütes nicht verschmähen; denn wenn während der Arbeit an der Tragödie des Grafen Carmagnola mir jemand vorausgesagt hätte, daß Goethe sie lesen würde, so wäre es mir die größte Aufmunterung gewesen, hätte mir die Hoffnung eines unerwarteten Preises dargeboten. Sie können sich daher denken, was ich fühlen mußte zu sehen, daß Sie meine Arbeit einer liebevollen Betrachtung würdigten, um derselben vor dem Publikum ein so wohlwollendes Zeugnis geben zu können.

Aber außer dem Wert, welchen eine solche Beistimmung für einen jeden hätte, machten einige besondere Umstände sie für mich unschätzbar. Und so sei mir vergönnt diese vorzutragen, um zu zeigen, wie meine Dankbarkeit doppelt sein müsse.

Ohne von denjenigen zu sprechen, welche meine Arbeit öffentlich mit Spott behandelten, so sahen doch auch solche Kritiker, welche günstiger davon urteilten, beinahe alles und jedes von einer andern Seite an, als ich es gedacht hatte; sie lobten Dinge, auf die ich weniger Wert legte, und tadelten mich, als hätt ich die bekanntesten Bedingungen einer dramatischen Dichtung übersehen oder vergessen, da ich doch eben in diesem Punkte die Frucht meines reinsten und beharrlichsten Nachdenkens zu erblicken glaubte. So war denn auch die etwanige Gunst des Publikums nur dem Chor und dem fünften Akt zugeteilt, und es wollte scheinen, als wenn niemand in dieser Tragödie dasjenige finden könne, was ich hineinzulegen beabsichtigte; so daß ich zuletzt zweifeln mußte, ob mein Vorsatz selbst nicht ein Wahn gewesen, oder mindestens, ob ich ihn habe zur Wirkung führen können. Selbst gelang es einigen Freunden nicht mich zu beruhigen, ob ich schon deren Urteil höchlich zu schätzen habe, denn die tägliche Mitteilung, die Übereinstimmung vieler Ideen nahmen ihren Worten jene Art von Autorität, welche ein auswärtiges, neues, weder hervorgerufenes noch durchgesprochenes Gutachten haben muß.

In dieser peinlichen und lähmenden Ungewißheit, was konnte mich mehr überraschen und aufmuntern als die Stimme des Meisters zu hören, zu vernehmen, daß er meine Absicht nicht unwürdig von ihm durchschaut zu werden geglaubt, und in seinen reinen und leuchtenden Worten den ursprünglichen Sinn meiner Vorsätze zu finden. Diese Stimme belebt mich, in solchen Bemühungen freudig fortzufahren und mich in der Überzeugung zu befestigen, daß ein Geisteswerk am sichersten durchzuführen das beste Mittel sei, festzuhalten an der lebhaften und ruhigen Betrachtung des Gegenstandes, den man behandelt, ohne sich um die konventionellen Regeln zu bekümmern und um die meist augenblicklichen Anforderungen des größten Teils der Leser.

Sodann muß ich aber bekennen, daß die Abteilung der Personen in geschichtliche und ideelle ganz mein Fehler sei, verursacht durch eine allzu große Anhänglichkeit an das genau Geschichtliche, welche mich bewog, die realen Personen von denjenigen zu trennen, die ich ersann, um eine Klasse, eine Meinung, ein Interesse vorzustellen. In einer neuern Arbeit hatte ich schon diesen Unterschied aufgegeben, und es freut mich, dadurch Ihrer Anmahnung zuvorgekommen zu sein.

Mailand, den 23. Januar 1821

INDICAZIONE
DI CIÒ CHE NEL 1819 SI È FATTO IN ITALIA
intorno alle lettere, alle scienze ed alle arti

Diese Jahresanzeige kommt uns eben, als wir Vorstehendes [Seite 124 von Band 14] zum Drucke bestimmen, vor Augen, und ob wir gleich das literarische Verdienst des trefflichen Verfassers schon längst zu schätzen gewußt, so finden wir uns doch diesmal mit ihm in einigem Widerspruch und entschließen uns daher zu nachstehender Übersetzung und Gegenrede.

«Im vorigen Jahrhunderte stärkte sich das italienische Theater auf einen hohen Grad an den Werken Goldonis und Alfieris. Durch sie ward es der Erniedrigung, worin es lag, entzogen, ein neues Leben erschien auf demselben. Unglücklicherweise fand der zweite dieser Autoren mehr Nachfolger als der erste, und wirklich steigen auf unserer Halbinsel hie und da kühne, glühende Geister auf, welche seine Spur betreten. Kein Jahr vergeht, daß man nicht aus den Pressen zwanzig oder dreißig Tragödien ans Tageslicht hervorgehen sähe, alle ohngefähr von gleichem Werte.

Auch in diesem Jahr behandelte Graf Gambara: Andrea Poncarale di Brescia; Mangili: Leonida; Marchisio: Mileto; zwei Autoren, Quaquarelli und Gasparinetti, jeder einzeln: Bibli; der Herzog von Ventignano: Ippolito und Ifigenia in Aulide; Ruffa: Teramene, Agave und die Beliden; Manzoni: den Carmagnola.

(Note. Der Graf Carmagnola, Trauerspiel von A. Manzoni; dieses Trauerspiel, welchem große Fehler nicht abgehn, hat auch viele Schönheiten und verdient, daß wir davon besonders handeln. Hier aber wollen wir auf keine Art unseren Meinungen vorgreifen.)

Wenige Städte gibt's, welche nicht einen oder mehrere Verfasser zählten von Tragödien, die völlig unter jenem Schutz und Schirm kompiliert worden. Aber sinnige Personen, eifersüchtig auf unsern Ruhm, finden wohl, daß sie sich nicht auf die Versicherungen der Autoren selbst verlassen können, sondern überzeugen sich, daß, wo die ganze Seele Alfieris nicht zu finden ist, seine Formen sich gar schlecht zu einem Empfinden schicken wollen, das nicht das eigene seinige sei, dergestalt, daß es mehr verdrießlich als zu verwundern ist, in solchen Werken weder gute Auswahl des Gegenstandes noch Regelmäßigkeit des Ganges, keine Wahrheit des Kostüms, aber wohl die Sittensprüche, die Wendungen und oft die eigensten Verse Alfieris zu finden.

(Note. Manzoni verdient den Tadel einer knechtischen Nachahmung keineswegs, er hat sich davon völlig losgelöst.)»

Insofern es möglich ist, den ganz eigenen, schwer zu bezeichnenden Stil der italienischen Prosa im Deutschen wiederzugeben, trugen wir den Landsleuten vor, was ein sehr tüchtiger, von uns höchlich anerkannter Mann über unsern Freund Manzoni gesprochen. Nach allem, was wir im vorigen Hefte über das Stück geäußert, dürfen wir hiezu nicht schweigen, und wenn sie es auch drüben über den Alpen nicht vernehmen sollten. Soviel ist gewiß, wir urteilende deutsche Literatoren würden so nicht zu Werke gehen. Denn erst heißt es: Alfieri habe leider mehr Nachfolger als Goldoni, dann werden ein halb Dutzend Autoren als solche unerfreuliche Nachtreter mit ihren Werken genannt, zuletzt Manzoni und sein Graf Carmagnola. Gleich aber in der Note werden diesem Stücke, neben großen Fehlern, viele Schönheiten zugestanden, allein für den Augenblick jedem Urteil ausgewichen. Hierauf enthält der Text durchgängige Mißbilligung solcher Arbeiten, nur in einer Note wird Manzoni abermals ausgenommen.

Diese Art kritischer Behandlung sei uns Deutschen fremd! Wenn über den Alpen der vortreffliche Literator am Ende einer Reihe von Autoren, die er nicht billigt, einen werten Manzoni nachbringt, um ihn etwas besser zu behandeln, so würden wir die zuerst genannten Dichter, einzeln, summarisch charakterisiert, diesen aber, als den vorzüglichsten, dem es am besten gelungen, ausgezeichnet und nicht dem Text widersprechende Noten nachgebracht haben. Nun sind wir äußerst neugierig, was denn dieser ehrenwerte Kritiker Herrn Manzoni als Fehler anrechnen will, da er ihm als Tugend zugestanden, daß er sich von dem alten

Wesen, welchem leider Alfieri, zu seinem eignen großen Schaden, zugetan blieb, völlig losgemacht.

Wir dürfen auch über Alfieri reden, denn wir haben uns genugsam an ihm herumgequält; unsere Freunde haben ihn treu übersetzt, wir taten das möglichste, ihn auf unser Theater zu bringen; aber der Widerspruch eines großen Charakters bei mächtigem Streben, eine gewisse Trockenheit der Einbildungskraft bei tiefem leidenschaftlichen Sinn, der Lakonismus in Anlage sowohl als Ausführung, das alles läßt den Zuschauer nicht froh werden.

Keineswegs denken wir hierdurch seine unsterblichen Verdienste zu schmälern; aber verwandelt er nicht zum Beispiel mehrere seiner Stücke dadurch in vollkommene Wüsteneien, daß er sie auf so wenig Personen zurückführt? Die Alten hatten den Chor zur Seite, da sie öffentlich lebten, die Neuern ließen sich im Innern Vertraute gefallen; und wer lebt denn so allein, daß ein geistreicher Dichter, aus notwendiger und wahrscheinlicher Umgebung, nicht einen Mitredenden hervorbilden sollte, um die Helden sowohl als die Zuhörer von den schrecklichen Monologen zu entbinden?

Hierin ist Manzoni gewiß musterhaft, wie jeder gleich einsehn wird, der unserer Entwickelung gefolgt ist; wie viel Theaterszenen haben wir denn, die sich der ersten des zweiten Aktes, im Zelte Malatestis vergleichen könnten?

Wär es noch gegenwärtig mein Geschäft, der Ausbildung eines Theaters vorzustehen, so sollte Graf Carmagnola bei uns wohl aufgenommen sein und, wenn auch nicht, als Liebling der Menge, oft wiederholt, doch immer auf dem Repertorium, als ein würdiges Männerstück in Ehren bleiben. Ja ich getraute mir zwei bis drei deutsche neuere Theaterstücke, welche sich jetzt nur einen mäßigen Besuch erbitten müssen, ungesäumt anzudeuten, welchen die Autoren, durch eine Behandlung nach Manzonis Vorgang, einen sichern und dauernden Beifall erwerben könnten.

MYTHOLOGIE, HEXEREI, FEEREI

Aus dem Französischen des Globe

«Mythologie, Hexerei, Feerei, was ist denn für ein Unterschied zwischen diesen drei Worten? Stellen sie nicht dieselbe Sache, nur unter verschiedenen Gestalten vor? und warum sollte man die eine verwerfen, wenn man die andere gelten läßt? In ihrer Kindheit haben alle Völker das Wunderbare geliebt, und in reiferen Jahren bedienten sie sich noch immer gern dieses Mittels, zu rühren und zu gefallen, ob sie gleich lange nicht mehr daran glaubten. So haben die Griechen ihre Hölle gehabt, ihren Olymp, ihre Eumeniden und die Verwandlungen ihrer Götter; die Orientalen hatten ihre Genien und Talismane, die Deutschen ihre Bezauberungen und Hexenmeister. Hat nun Frankreich, weniger als die andern Völker mit originalen Volksüberlieferungen versehn, durch zahlreiches Borgen und Aneignen die Allgemeinheit dieses Bedürfnisses anerkannt und diesen empfundenen Mangel durch blaue Märchen zu ersetzen getrachtet, die ganz gerüstet aus dem Gehirn ihrer Autoren hervortraten, ist man dadurch berechtigt, diejenigen zu verachten, welche, reich an eignem Vermögen, damit zu wuchern beschäftigt sind? Und Magie gegen Magie, so scheint uns, daß Fiktionen, gegründet auf alten nationalen Aberglauben, wohl solcher Märchen wert sind, welche nur zur Unterhaltung von Kindern und Ammen geschaffen waren. Aber Dame Schlendriane entscheidet ganz anders. Einer wird die drei verwünschten Kugeln mit dem Gewicht seiner Verachtung niederdrücken, für den die Siebenmeilenstiefeln des kleinen Däumerlings nichts Anstößiges haben. Und ich wiederhole: diese Hexerei, die man bei uns so lächerlich finden will, was ist sie denn als die Mythologie des Mittelalters; und im Grunde, hat man denn Ursache, die eine mehr als die andere lächerlich zu finden?»

«Aber, wendet man ein, an Mythologie sind wir gewöhnt, und Zauberei ist uns fast unbekannt. Sei es, und es wäre nichts darauf zu antworten, wenn Gewöhnung die einzige Regel unsrer Urteile sein dürfte. Freilich war es also, als die Nationen bei sich, sozusagen, eingepfercht waren; da ließe sich begreifen: alles, was ein Volk damals von seinen Begriffen, seinem Glauben entfernte, mußte regellos erscheinen. Ein jedes hatte nur ein Wahres, ein Gutes, ein Schönes, das ihm eigen gehörte; und die unbedeutendsten Dinge, einmal unter diese Rubriken geordnet, betrachteten sie als unwandelbar entschieden. Freilich war dieses die natürliche Folge jenes Zustandes, und niemanden fiel ein, sich deshalb zu beschweren; aber heutzutage, wo durch eine freiwillig einstimmende Bewegung die Völker alle Hindernisse beseitigen und sich wechselsweise zu nähern suchen, heutzutage, wo die Nationen geneigt sind, eine durch die andere sich bestimmen zu lassen, eine Art Gemeinde von gleichen Interessen, gleichen Gewohnheiten, ja sogar gleichen Literaturen unter sich zu bilden: da müssen sie, anstatt ewige Spöttereien untereinander zu wechseln, sich einander aus einem höhern Gesichtspunkte ansehen und deshalb aus dem kleinen Kreis, in welchem sie sich so lange herumdrehten, herauszuschreiten den Entschluß fassen.»

«Es gibt Engländer, die nur aufs feste Land kommen, um alles zu tadeln, was nicht buchstäblich wie bei ihnen geschieht. Kaum begreifen sie, daß nicht auch die ganze Welt vollkommen denkt wie sie. Am Freitage sich mit Fastenspeisen begnügen, scheint ihnen widerwärtiger Aberglaube; am Sonntage zu tanzen ein abscheulich Skandal. Sie stolzieren über ihre Boxkünste und entrüsten sich von Stiergefechten zu hören. Ohne Gabeln englischer Façon schmeckte kein Gericht ihrer Zunge, ihrem Gaumen kein Trank aus andern Karavinen, als sie in London gewohnt sind. — Ist das nicht, meine Freunde, völlig die Geschichte der Klassiker?»

«Diese Betrachtungen möchten vielleicht zu ernsthaft scheinen für den Gegenstand, worauf sie sich beziehen, und gewiß, wenn nur von Opern wie der Freischütz die Rede wäre, so hätten wir dergleichen lange Entwickelungen nicht unternommen; aber das Vorurteil, das wir bestreiten, umfaßt viel bedeutendere Werke, und ein Erzeugnis des menschlichen Geistes wie Goethes Faust kann ihm nicht entgehen. Gibt es nicht viele Menschen, welche bei dem Gedanken eines Bündnisses mit dem Teufel gefühllos werden für die Schönheiten dieser erhabenen Produktion. Sie begreifen nicht, wie man über eine solche Unwahrscheinlichkeit hinauskommen könne. Und doch sind es dieselbigen, welche seit ihrer Jugend den Agamemnon seine Tochter opfern gesehen, um Fahrwind zu erlangen; auch Medeen, wie sie auf geflügeltem Wagen nach den allerschrecklichsten Beschwörungen davonfliegt. Glauben sie denn mehr an das eine als an das andere? Oder könnte die Gewöhnung, diese zweite Natur der Gemeinheit, völlig über ihre Vernunft siegen? Und so würde denn das Mädchen von Orleans, begeistert, wirklich oder im Wahn, von jener Seite ein verächtliches Lächeln hervorrufen, und indessen sie Kassandras ahnungsvollen Prophezeiungen aufmerksam zuhörten, würde die Jungfrau, die Retterin von Frankreich, sie empören, wenn man sie mit den Farben darstellte, womit die gleichzeitige Geschichte sie geschmückt hat.»

«Glücklicherweise jedoch werden diese Gesinnungen nicht durchgehen; und wie bequem es auch sein mag, dem betretenen Pfade zu folgen, ohne rechts und links zu sehen, so finden wir uns doch in einem Jahrhundert, wo der Blick umsichtig und klar genug werden muß, um über die Grenze zu dringen, welche von der Gewöhnung gezogen worden. Ja, dann werden wir des Guten uns bemächtigen, wo wir es finden und unter welcher Gestalt es sich darstellt.»

Bemerkung des Übersetzers

Wenn uns Deutsche in jedem Fall interessieren muß zu sehen, wie ein geistreicher Franzos gelegentlich in unsere Literatur hineinblickt, so dürfen wir doch nicht allzu stolz werden über das Lob, was man uns dorther von Zeit zu Zeit erteilen mag. Die Freiheit, ja Unbändigkeit unserer Literatur ist jenen lebhaft tätigen Männern eben willkommen, welche gegen den Klassizismus noch im Streit liegen, da wir uns schon so ziemlich in dem Stande der Ausgleichung befinden und meistens wissen, was wir von allen Dichtarten aller Zeiten und Völker zu halten haben. Bewahren wir die längst errungenen Vorteile weislich im Auge, so dürfen wir uns an der Leidenschaftlichkeit unserer Nachbarn, welche mehr fordern und zugestehen als wir selbst, gar wohl ergötzen, erbauen und unsrer unbestrittenen Vorzüge genießen. Lassen wir uns ferner von den Einzelheiten in obengenannter Zeitschrift nicht hinreißen, so ist es höchst interessant, eine Gesellschaft gebildeter, erfahrner, kluger, geschmackreicher Männer zu bemerken, denen man nicht in allen Kapiteln beizustimmen braucht, um von ihren Einsichten Vorteil zu ziehen: wie sich denn gegen die mitgeteilte Stelle immer noch anführen ließe, daß die griechische Mythologie als höchst gestaltet, als Verkörperung der tüchtigsten reinsten Menschheit, mehr empfohlen zu werden verdiene als das häßliche Teufels- und Hexenwesen, das nur in düstern ängstlichen Zeitläufen aus verworrener Einbildungskraft sich entwickeln und in der Hefe menschlicher Natur seine Nahrung finden konnte.

Freilich muß es dem Dichter erlaubt sein, auch aus einem solchen Element Stoff zu seinen Schöpfungen zu nehmen, welches Recht er sich auf keine Weise wird verkümmern lassen. Und so haben denn auch jene freisinnigen Männer, uns zu Vorteil und Vergnügen, solchen Talenten die Bahn eröffnet, welche man sonst völlig zurückgedrängt, vielleicht vernichtet hätte. Daher fügt sich denn, daß die Stapferische Übersetzung meines Faust neu abgedruckt und, von lithographierten Blättern begleitet, nächstens erscheinen wird. Mit dieser Arbeit ist Herr Delacroix beschäftigt, ein Künstler, dem man ein entschiedenes Talent nicht ableugnet, dessen wilde Art jedoch, womit er davon Gebrauch macht, das Ungestüm seiner Konzeptionen, das Getümmel seiner Kompositionen, die Gewaltsamkeit der Stellungen und die Roheit des Kolorits keineswegs billigen will. Deshalb aber ist er eben der Mann, sich in den Faust zu versenken und wahrscheinlich Bilder hervorzubringen, an die niemand hätte denken können. Zwei Probedrücke liegen vor uns, die auf das Weitere begierig machen. Der eine davon stellt die auf Zauberpferden in der Nacht am Hochgericht vorbeistürmenden Gesellen dar, wo, bei aller der entsetzlichen Eile, Fausts ungestüme neugierige Frage und eine ruhig-abweisende Antwort des Bösen gar wohl ausgedrückt sind; der andere, wo der in Auerbachs Keller auf den Boden strömende Höllenwein flammend aufschlägt und eine sehr charakteristisch bewegte Gesellschaft von unten mit ängstlichen Lichtern und Widerscheinen sichtbar macht.

Beide Blätter sind zwar bloß flüchtige Skizzen, etwas roh behandelt, aber voll Geist, Ausdruck und auf gewaltigen Effekt angelegt. Wahrscheinlich gelingen dem Künstler die übrigen wilden, ahnungsvollen und seltsamen Situationen gleichfalls, und wenn er sich dem Zärtern auf irgendeine Weise zu fügen versteht, so haben wir ein wundersames, in jenes paradoxe Gedicht harmonisch eingreifendes Kunstwerk nächstens zu erwarten.

LE TASSE
Drame historique en cinq actes, par Monsieur Alexandre Duval

Ein auf dem Théâtre françois, der ersten und eine entschiedene Oberherrschaft behauptenden Bühne, vorgestelltes, mit Beifall erwidertes, neues Stück erregt die Aufmerksamkeit der ganzen Nation, und die sämtlichen Journalisten verfehlen nicht, jeder in seiner Art, davon Rechenschaft zu geben. Man gesteht, daß diese Produktion eine Nachbildung des Goethischen Tasso sei; nur über den Wert und das Verhältnis dieser beiden Bearbeitungen ist man nicht ganz einig. Das Journal du Commerce drückt sich darüber folgendermaßen aus:

«Das deutsche Stück ist kalt und ohne Interesse; es enthält eine Folge geistreicher Gespräche, in welchen die romanhaftesten Gesinnungen entwickelt und mit Kunst entfaltet sind, deren Eintönigkeit uns aber ganz unerträglich scheint. Es ist eine sittlich-weinerliche Salbaderei (du marivaudage en larmes), doch bemerkt man sehr gut gezeichnete Charaktere, wenn man den des Tasso ausnimmt, den der Verfasser als eine Art Besessenen (maniaque) vorgestellt hat. Die Szene, in welcher Tasso einen mißgünstigen Hofmann herausfordert, ist sehr schön, obgleich ein wenig zu lang. Die Liebeserklärung ist gleichfalls merkwürdig durch die Wärme der Empfindungen und den poetischen Ausdruck. Aber wir wiederholen: Tasso, als Held dieses Dramas, ist völlig entstellt, wir sehen nicht mehr den begeisterten Dichter, dessen Einbildungskraft die heroischen Gestalten Tancreds und Rinalds erschuf, ihn, der durch seinen Mut und die Schönheit seines Genies gleich bekannt war. Hier ist es ein verdrießlicher kranker Geist, der überall nur Feinde sieht, unfähig sich zu betragen, das Spielwerk eines Hofmanns, der ihn zugleich um die Gunst des Fürsten und die Teilnahme Eleonorens zu bringen weiß, und den er doch zuletzt um Schutz und Freundschaft anruft. Freilich erniedrigt sich Tasso auf diese Weise nur in augenblicklichem Wahnsinn, aber mit diesem Zug endigt der Deutsche sein Schauspiel. Kurz, es ist uns, wir bekennen, unmöglich gewesen, seinen Gedanken zu begreifen, noch weniger, hier eine Entwickelung zu finden.»

«Herr Duval ist viel besser begeistert und besonders viel kühner. Tasso wird von Eleonoren geliebt; er hat zwei Rivale, einen Herzog von Mantua, der nicht erscheint, welchem aber die Prinzessin verlobt ist, und einen Prinzen Belmonte, doppelt eifersüchtig als Liebhaber und Hofmann; er überrascht den Tasso im Augenblick, als dieser, nach einer der belebtesten Szenen, die Hand der Prinzessin küßt. Sogleich ist der Herzog von der Verwegenheit des Dichters unterrichtet; dieser glaubt sich verloren, aber Eleonore wendet das Ungewitter ab. Die beiden Rivale begegnen sich bald. Tasso, von Belmonte beleidigt, zieht den Degen, um sich zu rächen, als der Gouverneur des Palastes eintritt und ihn entwaffnen will. Tasso verweigert's, bekennt seinen Fehler, in dem Schloßbezirk den Degen gezogen zu haben, aber nur Eleonoren will er ihn einhändigen.»

«Man führt ihn ins Gefängnis; der Fehler, den er beging, ist nicht schwer, aber eine Unklugheit wird zunächst größere Schuld auf ihn häufen. Eleonore dringt ins Gefängnis, und da, von ihrer Leidenschaft mißgeleitet, verspricht sie ihrem Geliebten, mit ihm zu fliehen; sie empfängt seinen Ring als Zeichen der Treue. Belmonte überrascht sie noch einmal; der Herzog selbst kommt dazu, und wütend, wie man es denken kann, schwört er, den Dichter für die übrige Lebenszeit einzusperren, wenn Eleonore nicht verspricht, ihn zu vergessen und den Herzog von Mantua zu heiraten. Unter diesem letzten Unglück unterliegt Tassos Vernunft; von gewaltsamem Wahnsinn ergriffen, irrt er im Palast umher, indes man alles zur Verlobung der Prinzessin vorbereitet. Bald bricht seine Verzweiflung aus, bald wähnt er, diese Anstalten gelten seiner eignen Verheiratung, und er überläßt sich einer grenzenlosen Freude. In diesem Augenblick meldet man, daß der Papst ihm die Ehre des Triumphs der Dichterkrönung auf dem Kapitol zugeteilt habe. So viel verschiedenen Aufregungen jedoch kann der Unglückliche nicht widerstehen; er verscheidet, den Namen Eleonore auf den Lippen.»

«Dieses Drama, in welchem einige glückliche Nachahmungen des deutschen Stückes bemerklich sind, hat sich eines glänzenden Beifalls erfreut» und so weiter.

Im Globe [Tome IV. Nr. 63. Samedi, 6 janvier 1827] behandelt der Referent dieses Stück sehr ausführlich, und indem er die in dem Gegenstand liegenden Motive umständlich vorführt, behauptet er, der Autor hätte, da er doch einmal sein Stück ein historisches nenne, den vierten Akt nach Salerno, den fünften nach Rom versetzen sollen. Nachdem er sich auf diese Weise als Gegner zwei unnützer Einheiten bekannt, fährt er folgendermaßen fort:

«Aber zugegeben, daß unser Parterre die Theaterverwandlungen ungern vermehrt sehen würde, zugegeben, daß es die Geschichte eines ganzen Lebens nicht verfolgen mag, daß es, wie Buonaparte sagt, nur eine Krise haben will, gut! so versteht denn auch, eine solche Krise zu wählen, zu entwicklen, zu malen, wie sie vergangen, versteht besonders, euch in ihrer Grenze zu halten, und so werdet ihr in den Motiven, die sie euch anbietet, genugsame Mittel finden, ohne Fabeln dreinzumischen; und wenn ihr zum Beispiel Tassos Liebe zu Eleonoren und seinen Aufenthalt in Ferrara schildern wolltet, so beschränkt euch in diesen Rahmen. Die Aufgabe ist noch weit genug, noch reich genug an Situationen und Peripetien. Das Scheiden und die Abreise nach Rom sind eine schon hinlängliche dramatische Katastrophe.»

«Dies hat der deutsche Dichter empfunden und, ob er sich gleich nicht aller Vorteile bedient hat, von denen wir einen Begriff zu geben versuchten, ob er sich gleichsam willkürlich alle Schilderung äußerer Sitten untersagt hat, alle beiläufige Szenen, so hat ihm doch die Entwickelung des schwersinnigen Mißtrauns, der einzige Kontrast der dichterischen Einbildungskraft und des Hofgeistes zu fünf Akten hingereicht: fünf Akte freilich, welche nur für den Philosophen oder einen ausgesuchten Hörsaal genugsame Fülle haben. Hier finden wir ein genaues und tiefes Studium, das vielleicht der Menge nicht bemerklich wäre, das aber unser französischer Dichter gar leicht mit glänzenden und volksmäßigen Stickereien hätte ausschmücken können, ohne der Geschichte die mindeste Gewalt anzutun.»

«Vielleicht hat man nicht genug zu schätzen gewußt, was an Poesie und Wahrheit in Goethes Drama sich findet; durch das Ganze atmet Tassos Geist, und von Zeit zu Zeit entwickeln sich Wohlgerüche Italiens, welche entzücken. Die erste Szene, wo die Prinzessin und ihre Freundin sich in den Gärten von Belriguardo unterhalten, ist von einer Melancholie durchgossen, wie vom Balsamhauch der Blumen bei der ersten Frühlingssonne. Diese Haine, diese Kränze, für Virgil und Ariost geflochten, die Vertraulichkeit zweier jungen Frauen über Studien, Geschmack und Neigungen, die poetische Erhebung beim Anblick der Natur! Tassos Name und Andenken, die sich überall einmischen, die neugierigen aber zarten Forschungen, die eine jede in dem Herzen ihrer Freundin versucht: ist dies nicht eine Szene aus der Natur, und wie schön bereitet sie was folgt, wie führt sie uns zugleich in die Ideenwelt, in welcher der wunderbare Mann lebt, welcher die Hauptperson des Dramas werden soll.»

THOMAS CARLYLE AN GOETHE

Craigenputtoch, den 25. September 1828

Sie forschen mit so warmer Neigung nach unserem gegenwärtigen Aufenthalt und Beschäftigung, daß ich einige Worte hierüber sagen muß, da noch Raum dazu übrigbleibt. Dumfries ist eine artige Stadt mit etwa fünfzehntausend Einwohnern und als Mittelpunkt des Handels und der Gerichtsbarkeit anzusehen eines bedeutenden Distrikts in dem schottischen Geschäftskreis. Unser Wohnort ist nicht darin, sondern funfzehn Meilen (zwei Stunden zu reiten) nordwestlich davon entfernt, zwischen den Granitgebirgen und dem schwarzen Moorgefilde, welche sich westwärts durch Galloway meist bis an die Irische See ziehen. In dieser Wüste von Heide und Felsen stellt unser Besitztum eine grüne Oase vor, einen Raum von geackertem, teilweise umzäunten und geschmückten Boden, wo Korn reift und Bäume Schatten gewähren, obgleich ringsumher von Seemöwen und hartwolligen Schafen umgeben. Hier, mit nicht geringer Anstrengung, haben wir für uns eine reine dauerhafte Wohnung erbaut und eingerichtet; hier wohnen wir in Ermangelung einer Lehr- oder andern öffentlichen Stelle, um uns der Literatur zu befleißigen, nach eigenen Kräften uns damit zu beschäftigen. Wir wünschen, daß unsre Rosen und Gartenbüsche fröhlich heranwachsen, hoffen Gesundheit und eine friedliche Gemütsstimmung, um uns zu fördern. Die Rosen sind freilich zum Teil noch zu pflanzen, aber sie blühen doch schon in Hoffnung.

Zwei leichte Pferde, die uns überall hintragen, und die Bergluft sind die besten Ärzte für zarte Nerven. Diese tägliche Bewegung, der ich sehr ergeben bin, ist meine einzige Zerstreuung; denn dieser Winkel ist der einsamste in Britannien, sechs Meilen von einer jeden Person entfernt, die mich allenfalls besuchen möchte. Hier würde sich Rousseau ebensogut gefallen haben als auf seiner Insel Saint-Pierre.

Fürwahr, meine städtische Freunde schreiben mein Hierhergehen einer ähnlichen Gesinnung zu und weissagen mir nichts Gutes; aber ich zog hierher allein zu dem Zweck, meine Lebensweise zu vereinfachen und eine Unabhängigkeit zu erwerben, damit ich mir selbst treu bleiben könne. Dieser Erdraum ist unser, hier können wir leben, schreiben und denken, wie es uns am besten deucht, und wenn Zoilus selbst König der Literatur werden sollte.

Auch ist die Einsamkeit nicht so bedeutend, eine Lohnkutsche bringt uns leicht nach Edinburgh, das wir als unser britisch Weimar ansehen. Habe ich denn nicht auch gegenwärtig eine ganze Ladung von französischen, deutschen, amerikanischen, englischen Journalen und Zeitschriften, von welchem Wert sie auch sein mögen, auf den Tischen meiner kleinen Bibliothek aufgehäuft.

Auch an altertümlichen Studien fehlt es nicht. Von einigen unsrer Höhen entdeck' ich, ohngefähr eine Tagereise westwärts, den Hügel, wo Agricola und seine Römer ein Lager zurückließen; am Fuße desselben war ich geboren, wo Vater und Mutter noch leben, um mich zu lieben. Und so muß man die Zeit wirken lassen. Doch wo gerat' ich hin! Lassen Sie mich noch gestehen: ich bin ungewiß über meine künftige literarische Tätigkeit, worüber ich gern Ihr Urteil vernehmen möchte; gewiß schreiben Sie mir wieder und bald, damit ich mich immer mit Ihnen vereint fühlen möge.»

AUS DEM MATERIAL ZU WILHELM MEISTERS WANDERJAHREN

Nach Plotins Enneaden

«Da wir überzeugt sind, daß derjenige, der die intellektuelle Welt beschaut und des wahrhaften Intellekts Schönheit gewahr wird, auch wohl ihren Vater, der über allen Sinn erhaben ist, bemerken könne, so versuchen wir denn, nach Kräften einzusehen und für uns selbst auszudrücken — insofern sich dergleichen deutlich machen läßt —, auf welche Weise wir die Schönheit des Geistes und der Welt anzuschauen vermögen.»

«Nehmet an daher, zwei steinerne Massen seien nebeneinander gestellt, deren eine roh und ohne künstliche Bearbeitung geblieben, die andere aber durch die Kunst zur Statue, einer menschlichen oder göttlichen, ausgebildet worden. Wäre es eine göttliche, so möchte sie eine Grazie oder Muse vorstellen; wäre es eine menschliche, so dürfte es nicht ein besonderer Mensch sein, vielmehr irgendeiner, den die Kunst aus allem Schönen versammelte.»

«Euch wird aber der Stein, der durch die Kunst zur schönen Gestalt gebracht worden, alsobald schön erscheinen; doch nicht, weil er Stein ist — denn sonst würde die andere Masse gleichfalls für schön gelten—, sondern daher, daß er eine Gestalt hat, welche die Kunst ihm erteilte.»

«Die Materie aber hatte eine solche Gestalt nicht, sondern diese war in dem Ersinnenden früher, als sie zum Stein gelangte. Sie war jedoch in dem Künstler nicht, weil er Augen und Hände hatte, sondern weil er mit der Kunst begabt war.»

«Also war in der Kunst noch eine weit größere Schönheit; denn nicht die Gestalt, die in der Kunst ruhet, gelangt in den Stein, sondern dorten bleibt sie, und es gehet indessen eine andere geringere hervor, die nicht rein in sich selbst verharret, noch auch wie sie der Künstler wünschte, sondern insofern der Stoff der Kunst gehorchte.»

«Wenn aber die Kunst dasjenige, was sie ist und besitzt, auch hervorbringt und das Schöne nach der Vernunft hervorbringt, nach welcher sie immer handelt, so ist sie fürwahr diejenige, die mehr und wahrer eine größere und trefflichere Schönheit der Kunst besitzt, vollkommener als alles, was nach außen hervortritt.»

«Denn indem die Form, in die Materie hervorschreitend, schon ausgedehnt wird, so wird sie schwächer als jene, welche in einem verharret. Denn was in sich eine Entfernung erduldet, tritt von sich selbst weg: Stärke von Stärke, Wärme von Wärme, Kraft von Kraft, so auch Schönheit von Schönheit. Daher muß das Wirkende trefflicher sein als das Gewirkte. Denn nicht die Unmusik macht den Musiker, sondern die Musik, und die übersinnliche Musik bringt die Musik in sinnlichem Ton hervor.»

«Wollte aber jemand die Künste verachten, weil sie der Natur nachahmen, so läßt sich darauf antworten, daß die Naturen auch manches andere nachahmen, daß ferner die Künste nicht das geradezu nachahmen, was man mit Augen siehet, sondern auf jenes Vernünftige zurückgehen, aus welchem die Natur bestehet und wornach sie handelt.»

«Ferner bringen auch die Künste vieles aus sich selbst hervor und fügen andrerseits manches hinzu, was der Vollkommenheit abgehet, indem sie die Schönheit in sich selbst haben. So konnte Phidias den Gott bilden, ob er gleich nichts sinnlich Erblickliches nachahmte, sondern sich einen solchen in den Sinn faßte, wie Zeus selbst erscheinen würde, wenn er unsern Augen begegnen möchte.»

Man kann den Idealisten alter und neuer Zeit nicht verargen, wenn sie so lebhaft auf Beherzigung des Einen dringen, woher alles entspringt und worauf alles wieder zurückzuführen wäre. Denn freilich ist das belebende und ordnende Prinzip in der Erscheinung dergestalt bedrängt, daß es sich kaum zu retten weiß. Allein wir verkürzen uns an der andern Seite wieder, wenn wir das Formende und die höhere Form selbst in eine vor unserm äußern und innern Sinn verschwindende Einheit zurückdrängen.

Wir Menschen sind auf Ausdehnung und Bewegung angewiesen; diese beiden allgemeinen Formen sind es, in welchen sich alle übrigen Formen, besonders die sinnlichen offenbaren. Eine geistige Form wird aber keineswegs verkürzt, wenn sie in der Erscheinung hervortritt, vorausgesetzt, daß ihr Hervortreten eine wahre Zeugung, eine wahre Fortpflanzung sei. Das Gezeugte ist nicht geringer als das Zeugende, ja es ist der Vorteil lebendiger Zeugung, daß das Gezeugte vortrefflicher sein kann als das Zeugende.

Dieses weiter auszuführen und vollkommen anschaulich, ja, was mehr ist, durchaus praktisch zu machen, würde von wichtigem Belang sein. Eine umständliche folgerechte Ausführung aber möchte den Hörern übergroße Aufmerksamkeit zumuten.

BENVENUTO CELLINI

VORREDE
DES ITALIENISCHEN HERAUSGEBERS

Wenn umständliche Nachrichten von den Leben geschickter Künstler sich einer guten Aufnahme bei solchen Personen schmeicheln dürfen, welche die Künste lieben und treiben, dergleichen es in unsern gebildeten Zeiten viele gibt, so darf ich erwarten, daß man ein zweihundert Jahre versäumtes Unternehmen lobenswürdig finden werde; ich meine die Herausgabe der Lebensbeschreibung des trefflichen Benvenuto Cellini, eines der besten Zöglinge der florentinischen Schule. Eine solche Hoffnung belebt mich um so mehr, als man wenig von ihm in den bisherigen Kunstgeschichten erzählt findet, welche doch sonst mit großem Fleiße geschrieben und gesammelt sind.

Zu diesem Werte der Neuheit gesellt sich noch das höhere Verdienst einer besondern Urkundlichkeit: denn er schrieb diese Nachrichten selbst, in reifem Alter, mit besonderer Rücksicht auf Belehrung und Nutzen derjenigen, welche sich nach ihm den Künsten, die er auf einen so hohen Grad besaß, ergeben würden.

Dabei finden sich noch sehr viele Umstände, die auf wichtige Epochen der damaligen Zeitgeschichte Bezug haben; indem dieser Mann teils durch Ausübung seiner Kunst, teils durch fortdauernde Regsamkeit, Gelegenheit fand, mit den berühmtesten Personen seines Jahrhunderts zu sprechen, oder sonst in Verhältnisse zu kommen; wodurch dieses Werk um so viel bedeutender wird. Denn man hat schon oft bemerkt, daß sich der Menschen Art und wahrer Charakter aus geringen Handlungen und häuslichen Gesprächen besser fassen läßt, als aus ihrem künstlichen Betragen bei feierlichen Auftritten, oder aus der idealen Schilderung, welche die prächtigen Geschichtsbücher von ihnen darstellen.

Demohngeachtet ist nicht zu leugnen, daß unter diesen Erzählungen sich manches findet, das zum Nachteil anderer gereicht, und keinen völligen Glauben verdienen dürfte. Nicht als wenn der Autor seine brennende Wahrheitsliebe hie und da verleugne, sondern weil er sich zu Zeiten, entweder von dem unbestimmten und oft betrügerischen Rufe oder von übereilten Vermutungen hinreißen läßt, wodurch er sich denn ohne seine Schuld betrogen haben mag.

Aber diese bösen Nachreden nicht allein könnten das Werk bei manchem verdächtig machen, sondern auch die unglaublichen Dinge, die er erzählt, möchten viel hierzu beitragen, wenn man nicht bedächte, daß er doch alles aus Überzeugung gesagt haben könne, indem er Träume, oder leere Bilder einer kranken Einbildungskraft, als wahre und wirkliche Gegenstände gesehen zu haben glaubt. Daher lassen sich die Geistererscheinungen wohl erklären, wenn er erzählt, daß bei den Beschwörungen betäubendes Räucherwerk gebraucht worden; ingleichen die Visionen, wo durch Krankheit, Unglück, lebhafte, schmerzliche Gedanken, am meisten aber durch Einsamkeit und eine unveränderte elende Lage des Körpers der Unterschied zwischen Wachen und Träumen völlig verschwinden konnte. Und möchte man nicht annehmen, daß ein gleiches andern weisen und geehrten Menschen begegnet sei, auf deren Erzählung und Versicherung uns die Geschichtsbücher so manche berühmte Begebenheiten, welche den ewigen unveränderlichen Gesetzen der Natur widersprechen, ernsthaft überliefert haben?

Sodann ersuche ich meine Leser, daß sie mich nicht verdammen, weil ich eine Schrift herausgebe, worin einige Handlungen, teils des Verfassers, teils seiner Zeitgenossen, erzählt sind, woran man ein böses Beispiel nehmen könnte. Vielmehr glaube ich, daß es nützlich sei, wenn jeder sobald als möglich sowohl mit den menschlichen Lastern als mit der menschlichen Tugend bekannt wird. Ein großer Teil der Klugheit besteht darin, wenn wir den Schaden vermeiden, der uns daher entspringt, wenn wir an die natürliche Güte des menschlichen Herzens glauben, die von einigen mit Unrecht angenommen wird. Besser ist es, nach meiner Meinung, dieses gefährliche Zutrauen durch Betrachtung des Schadens, welchen andere erlitten haben, baldmöglichst loszuwerden, als abzuwarten, daß eine lange Erfahrung uns davon befreie.

Dieses leisten vorzüglich die wahren Geschichten, aus denen man lernt, daß die Menschen bösartig sind, wenn sie nicht irgendein Vorteil anders zu handeln bewegt. Ist nun diese Geschichte eine solche Meinung zu bestärken geschickt, so fürchte ich nicht, daß man mich, der ich sie bekannt mache, tadeln werde. Denn indem man so deutlich sieht, in welche Gefahr und Verdruß allzuoffnes Reden, rauhe gewaltsame Manieren und ein unversöhnlicher Haß, welche sämtlich unserm Verfasser nur allzueigen waren, den Menschen hinführen können, so zweifle ich nicht, daß das Lesen dieses Buchs einer gelehrigen Jugend zur sittlichen Besserung dienen, und ihr eine sanfte, gefällige Handelsweise, wodurch wir uns die Gunst der Menschen erwerben, empfehlen werde.

Ich habe genau, außer in einigen Perioden zu Anfang, die sich nicht wohl verstehen ließen, den Bau der Schreibart beibehalten, den ich im Manuskripte fand, ob er gleich an einigen Orten vom gewöhnlichen Gebrauche abweicht. Der Autor gesteht, daß ihm die Kenntnis der lateinischen Sprache mangle, durch welche man sich einen festen und sichern Stil zu eigen macht. Demohngeachtet aber, wenn man einige geringe Nachlässigkeiten verzeiht, wird man ihm das Lob nicht versagen, daß er sich mit vieler Leichtigkeit und Lebhaftigkeit ausdrückt; und obgleich sein Stil sich keineswegs erhebt, noch anstrengt, so scheint er sich doch von der gewöhnlichen Wohlredenheit der besten italienischen Schriftsteller nicht zu entfernen: ein eigner und natürlicher Vorzug der gemeinen florentinischen Redart, in welcher es unmöglich ist, roh und ungeschickt zu schreiben, da sie schon einige Jahrhunderte her durch Übereinstimmung aller übrigen Völker Italiens, als eine ausgebildete und gefällige Sprache vor andern hervorgezogen, und durch den Gebrauch in öffentlichen Schriften geadelt worden ist.

Soviel glaubte ich nötig anzuzeigen, um mir leichter euren Beifall zu erwerben. Lest und lebt glücklich!

ERSTES BUCH

ERSTES KAPITEL

Was den Autor bewogen die Geschichte seines Lebens zu schreiben. – Ursprung der Stadt Florenz. – Nachricht von des Autors Familie und Verwandtschaft. – Ursache warum er Benvenuto genannt worden. – Er zeigt einen frühen Geschmack für Nachbilden und Zeichnen, aber sein Vater unterrichtet ihn in der Musik. Aus Gefälligkeit, obgleich mit Widerstreben, lernt der Knabe die Flöte. – Sein Vater von Leo X. begünstigt. – Benvenuto kommt zu einem Juwelier und Goldschmied in die Lehre.

Alle Menschen von welchem Stande sie auch seien, die etwas Tugendsames oder Tugendähnliches vollbracht haben, sollten, wenn sie sich wahrhaft guter Absichten bewußt sind, eigenhändig ihr Leben aufsetzen, jedoch nicht eher zu einer so schönen Unternehmung schreiten, als bis sie das Alter von vierzig Jahren erreicht haben.

Dieser Gedanke beschäftigt mich gegenwärtig, da ich im achtundfunfzigsten stehe und mich hier in Florenz mancher vergangenen Widerwärtigkeiten wohl erinnern mag, da mich nicht, wie sonst, böse Schicksale verfolgen, und ich zugleich eine bessere Gesundheit und größere Heiterkeit des Geistes als in meinem ganzen übrigen Leben genieße.

Sehr lebhaft ist die Erinnerung manches Angenehmen und Guten, aber auch manches unschätzbaren Übels das mich erschreckt, wenn ich zurücksehe, und mich zugleich mit Verwunderung erfüllt, wie ich zu einem solchen Alter habe gelangen können, in welchem ich so bequem durch die Gnade Gottes vorwärts gehe. Unter solchen Betrachtungen beschließe ich mein Leben zu beschreiben.

Nun sollten zwar diejenigen, die bemüht waren, einiges Gute zu leisten und sich in der Welt zu zeigen, nur ihrer eigenen Tugenden erwähnen; denn deshalb werden sie als vorzügliche Menschen von andern anerkannt; weil man sich aber doch auch nach den Gesinnungen mehrerer zu richten hat, so kommt zum Anfange meiner Erzählung manches Eigne dieses Weltwesens vor, und zwar mag man gern vor allen Dingen jeden überzeugen, daß man von trefflichen Personen abstamme.

Ich heiße Benvenuto Cellini. Meinen Vater nannte man Meister Johann, meinen Großvater Andreas, meinen Urgroßvater Christoph Cellini. Meine Mutter war Maria Elisabetha, Stephan Granaccis Tochter. Ich stamme also väterlicher- und mütterlicherseits von florentinischen Bürgern ab.

Man findet in den Chroniken unserer alten glaubwürdigen Florentiner, daß Florenz nach dem Muster der schönen Stadt Rom gebaut gewesen. Davon zeugen die Überbleibsel eines Coliseum und öffentlicher Bäder, welche letzte sich zunächst beim heiligen Kreuz befinden. Der alte Markt war ehemals das Kapitol, die Rotonde steht noch ganz. Sie ward als Tempel des Mars erbaut und ist jetzt unserm heiligen Johannes gewidmet. Man schenkt also gern jener Meinung Glauben, obgleich diese Gebäude viel kleiner als die römischen sind.

Julius Cäsar und einige römische Edelleute sollen, nach Eroberung von Fiesole, eine Stadt in der Nähe des Arno gebaut und jeder über sich genommen haben, eines der ansehnlichen Gebäude zu errichten.

Unter den ersten und tapfersten Hauptleuten befand sich Florin von Cellino, der seinen Namen von einem Kastell herschrieb, das zwei Miglien von Monte Fiascone entfernt ist. Dieser hatte sein Lager unter Fiesole geschlagen, an dem Orte wo gegenwärtig Florenz liegt; denn der Platz nahe an dem Flusse war dem Heere sehr bequem. Nun sagten Soldaten und andere, die mit dem Hauptmann zu tun hatten: lasset uns nach Florenz gehen! teils weil er den Namen Florino führte, teils weil der Ort seines Lagers von Natur die größte Menge von Blumen hervorbrachte.

Daher gefiel auch dieser schöne Name Julius Cäsarn, als er die Stadt gründete. Eine Benennung von Blumen abzuleiten, schien eine gute Vorbedeutung, und auf diese Weise wurde sie Florenz genannt. Wobei der Feldherr zugleich seinen tapfern Hauptmann begünstigte, dem er um so mehr geneigt war, als er ihn von geringem Stande heraufgehoben und selbst einen so trefflichen Mann aus ihm gebildet hatte.

Wenn aber die gelehrten Untersucher und Entdecker solcher Namensverwandtschaften behaupten wollen: die Stadt habe zuerst Fluenz geheißen, weil sie am Flusse Arno liege, so kann man einer solchen Meinung nicht beitreten; denn bei Rom fließt die Tiber, bei Ferrara der Po, bei Lyon die Rhone, bei Paris die Seine vorbei, und alle diese Städte sind aus verschiedenen Ursachen verschieden benannt. Daher finden wir eine größere Wahrscheinlichkeit, daß unsere Stadt ihren Namen von jenem tugendsamen Manne herschreibe.

Weiter finden wir unsere Cellinis auch in Ravenna, einer Stadt, die viel älter als Florenz ist, und zwar sind es dort vornehme Edelleute. Gleichfalls gibt es ihrer in Pisa, und ich habe denselben Namen in vielen Städten der Christenheit gefunden; auch in unserm Land sind noch einige Häuser übriggeblieben.

Meistens waren diese Männer den Waffen ergeben, und noch ist es nicht lange, daß ein unbärtiger Jüngling, namens Lucas Cellini, einen geübten und tapfern Soldaten bekämpfte, der schon mehrmals in den Schranken gefochten hatte und Franziskus von Vicorati hieß. Diesen überwand Lucas durch eigne Tapferkeit und brachte ihn um. Sein Mut setzte die ganze Welt in Erstaunen, da man gerade das Gegenteil erwartete. Und so darf ich mich wohl rühmen, daß ich von braven Männern abstamme.

Auf welche Weise nun auch ich meinem Hause durch meine Kunst einige Ehre verschafft habe, das freilich nach unserer heutigen Denkart und aus mancherlei Ursachen nicht gar zu viel bedeuten will, werde ich an seinem Orte erzählen. Ja ich glaube, daß es rühmlicher ist, in geringem

Zustande geboren zu sein und eine Familie ehrenvoll zu gründen, als einem hohen Stamm durch schlechte Aufführung Schande zu machen. Zuerst also will ich erzählen, wie es Gott gefallen, mich auf die Welt kommen zu lassen.

Meine Vorfahren wohnten in Val d'Ambra, und lebten daselbst bei vielen Besitzungen wie kleine Herren. Sie waren alle den Waffen ergeben und die tapfersten Leute.

Es geschah aber, daß einer ihrer Söhne, namens Christoph, einen großen Streit mit einigen Nachbarn und Freunden anfing, so daß von einer sowohl als der andern Seite die Häupter der Familien sich der Sache annehmen mußten; denn sie sahen wohl, das Feuer sei von solcher Gewalt, daß beide Häuser dadurch hätten können völlig aufgezehrt werden. Dieses betrachteten die Ältesten und wurden einig, sowohl gedachten Christoph als den andern Urheber des Streites wegzuschaffen. Jene schickten den ihrigen nach Siena, die unsrigen versetzten Christoph nach Florenz und kauften ihm ein kleines Haus in der Straße Chiara, des Klosters Sankt Ursula, und verschiedene gute Besitzungen an der Brücke Rifredi. Er heiratete in Florenz und hatte Söhne und Töchter; diese stattete er aus, jene teilten sich in das übrige.

Nach dem Tode des Vaters fiel die Wohnung in der Straße Chiara mit einigen andern wenigen Dingen an einen der Söhne, der Andreas hieß; auch dieser verheiratete sich und zeugte vier Söhne. Den ersten nannte man Hieronymus, den zweiten Bartholomäus, den dritten Johannes, der mein Vater ward, und den vierten Franziskus.

Andreas Cellini, mein Großvater, verstand sich genugsam auf die Weise der Baukunst, die in jenen Zeiten üblich war, und lebte von dieser Beschäftigung. Johannes, mein Vater, legte sich besonders darauf, und weil Vitruv unter andern behauptet, daß man, um diese Kunst recht auszuüben, nicht allein gut zeichnen, sondern auch etwas Musik verstehen müsse, so fing Johannes, nachdem er sich zum guten Zeichner gebildet hatte, auch die Musik zu studieren an und lernte, nächst den Grundsätzen, sehr gut Viole und

Flöte spielen. Dabei ging er, weil er sehr fleißig war, wenig aus dem Hause.

Sein Wandnachbar, Stephan Granacci, hatte mehrere Töchter, alle von großer Schönheit, worunter, nach Gottes Willen, Johannes eine besonders bemerkte, die Elisabeth hieß und ihm so wohl gefiel, daß er sie zur Frau verlangte.

Diese Verbindung war leicht zu schließen, denn beide Väter kannten sich wegen der nahen Nachbarschaft sehr gut und beiden schien die Sache vorteilhaft. Zuerst also beschlossen die guten Alten die Heirat, dann fingen sie an vom Heiratsgute zu sprechen, wobei zwischen ihnen einiger Streit entstand. Endlich sagte Andreas zu Stephan: Johann, mein Sohn, ist der trefflichste Jüngling von Florenz und Italien, und wenn ich ihn hätte längst verheiraten wollen, so könnte ich wohl eine größere Mitgift erlangt haben, als unseresgleichen in Florenz finden mögen. Stephan versetzte: Auf deine tausend Gründe antworte ich nur, daß ich an fünf Töchter und fast ebensoviel Söhne zu denken habe. Meine Rechnung ist gemacht, und mehr kann ich nicht geben.

Johann hatte indes eine Zeitlang heimlich zugehört, er trat unvermutet hervor und sagte: Ich verlange, ich liebe das Mädchen und nicht ihr Geld. Wehe dem Manne, der sich an der Mitgift seiner Frau erholen will! Habt ihr nicht gerühmt, daß ich so geschickt sei! sollte ich nun diese Frau nicht erhalten und ihr verschaffen können, was sie bedarf, wodurch zugleich euer Wunsch befriedigt würde? Aber wißt nur, das Mädchen soll mein sein, und die Aussteuer mag euer bleiben.

Darüber ward Andreas Cellini, ein etwas wunderlicher Mann, einigermaßen böse, doch in wenigen Tagen führte Johann seine Geliebte nach Hause, und verlangte keine weitere Mitgift.

So erfreuten sie sich ihrer heiligen Liebe achtzehn Jahre, mit dem größten Verlangen Kinder zu besitzen. Nach Verlauf dieser Zeit gebar sie zwei tote Knaben, woran die Ungeschicklichkeit der Ärzte schuld war. Als sie zunächst wieder guter Hoffnung ward, brachte sie eine Tochter zur Welt, welche man Rosa nannte, nach der Mutter meines Vaters.

Zwei Jahre darauf befand sie sich wieder in gesegneten Umständen, und als die Gelüste, denen sie, wie andere Frauen in solchen Fällen, ausgesetzt war, völlig mit jenen übereinstimmten, die sie in der vorigen Schwangerschaft empfunden, so glaubten alle, es würde wieder ein Mädchen werden, und waren schon übereingekommen, sie Reparata zu nennen, um das Andenken ihrer Großmutter zu erneuern.

Nun begab sich's, daß sie in der Nacht nach Allerheiligen niederkam um vierundeinhalb Uhr im Jahr Fünfzehnhundert. Die Hebamme, welcher bekannt war, daß man im Hause ein Mädchen erwartete, reinigte die Kreatur und wickelte sie in das schönste weiße Zeug; dann ging sie, stille, stille, zu Johann, meinem Vater, und sagte: Ich bringe euch ein schönes Geschenk, das ihr nicht erwartet.

Mein Vater, der ein Philosoph war, ging auf und nieder und sagte: was mir Gott gibt, ist mir lieb, und als er die Tücher auseinander legte, sahe er den unerwarteten Sohn. Er schlug die alten Hände zusammen, hub sie und die Augen gen Himmel und sagte: Herr! ich danke dir von ganzem Herzen! dieser ist mir sehr lieb, er sei willkommen! Alle gegenwärtigen Personen fragten ihn freudig, wie ich heißen solle? Johannes aber antwortete ihnen nur: Er sei willkommen! (Benvenuto) Daher entschlossen sie sich, mir diesen Namen in der heiligen Taufe zu geben, und ich lebte mit Gottes Gnade weiter fort.

Noch war Andreas Cellini, mein Großvater, am Leben, als ich etwa drei Jahr alt sein mochte; er aber stand im hundertsten. Man hatte eines Tages die Röhre einer Wasserleitung verändert, und es war ein großer Skorpion, ohne daß ihn jemand bemerkte, heraus und unter ein Brett gekrochen. Als ich ihn erblickte, lief ich drauflos und haschte ihn. Der

Skorpion war so groß, daß, wie ich ihn in meiner kleinen Hand hielt, auf der einen Seite der Schwanz, auf der andern die beiden Zangen zu sehen waren. Sie sagen, ich sei eilig zu dem Alten gelaufen, und habe gerufen: Seht, lieber Großvater, mein schönes Krebschen! Der gute Alte, der sogleich das Tier für einen Skorpion erkannte, wäre fast für Schrecken und Besorgnis des Todes gewesen; er verlangte das Tier mit den äußersten Liebkosungen. Aber ich drückte es nur desto fester, weinte und wollte es nicht hergeben. Mein Vater lief auf das Geschrei herzu und wußte sich vor Angst nicht zu helfen; denn er fürchtete, das giftige Tier werde mich töten. Indessen erblickte er eine Schere, begütigte mich und schnitt dem Tiere den Schwanz und die Zangen ab, und, nach überstandener Gefahr, hielt er diese Begebenheit für ein gutes Zeichen.

Ungefähr in meinem fünften Jahr befand sich mein Vater in einem kleinen Gewölbe unsers Hauses, wo man gewaschen hatte, und wo ein gutes Feuer von eichnen Kohlen übriggeblieben war; er hatte eine Geige in der Hand, sang und spielte um das Feuer; denn es war sehr kalt. Zufälligerweise erblickte er mitten in der stärksten Glut ein Tierchen, wie eine Eidechse, das sich in diesen lebhaften Flammen ergötzte. Er merkte gleich was es war, ließ mich und meine Schwester rufen, zeigte uns Kindern das Tier und gab mir eine tüchtige Ohrfeige. Als ich darüber heftig zu weinen anfing, suchte er mich aufs freundlichste zu besänftigen und sagte: Lieber Sohn! ich schlage dich nicht, weil du etwas Übles begangen hast, vielmehr daß du dich dieser Eidechse erinnerst, die du im Feuer siehst. Das ist ein Salamander, wie man, soviel ich weiß, noch keinen gesehen hat. Er küßte mich darauf, und gab mir einige Pfennige.

Mein Vater fing an, mich die Flöte zu lehren, und unterwies mich im Singen; aber ungeachtet meines zarten Alters, in welchem die kleinen Kinder sich an einem Pfeifchen und anderm solchen Spielzeuge ergötzen, mißfiel mir's unsäglich, und ich sang und blies nur aus Gehorsam. Mein Vater machte zu selbiger Zeit wundersame Orgeln mit hölzernen Pfeifen, Klaviere, so schön und gut, als man sie damals nur sehen konnte, Violen, Lauten und Harfen, auf das beste.

Er war auch in der Kriegsbaukunst erfahren, und verfertigte mancherlei Werkzeuge, als: Modelle zu Brücken, Mühlen und andre Maschinen; er arbeitete wundersam in Elfenbein und war der erste, der in dieser Kunst etwas leistete. Aber da er sich in meine nachherige Mutter verliebt hatte, mochte er sich mehr als billig mit der Flöte beschäftigen, und ward von den Ratspfeifern ersucht, mit ihnen zu blasen. So trieb er es eine Weile zu seinem Vergnügen, bis sie ihn endlich festhielten, anstellten, und unter ihre Gesellschaft aufnahmen.

Lorenz Medicis und Peter, sein Sohn, die ihm sehr günstig waren, sahen nicht gern, daß er, indem er sich ganz der Musik ergab, seine übrigen Fähigkeiten und seine Kunst vernachlässigte und entfernten ihn von gedachter Stelle. Mein Vater nahm es sehr übel, er glaubte, man tue ihm das größte Unrecht.

Nun begab er sich wieder zur Kunst, und machte einen Spiegel, ungefähr eine Elle im Durchmesser, von Knochen und Elfenbein; Figuren und Laubwerk waren sehr zierlich und wohlgezeichnet. Das Ganze hatte er wie ein Rad gebildet, in der Mitte befand sich der Spiegel, rings herum waren sieben Rundungen angebracht, und in solchen die sieben Tugenden, aus Elfenbein und schwarzen Knochen geschnitten. Sowohl der Spiegel als die Tugenden hingen im Gleichgewicht, so daß, wenn man das Rad drehte, sich die Figuren bewegten: denn sie hatten ein Gegengewicht, das sie grad hielte; und da mein Vater einige Kenntnis der lateinischen Sprache besaß, setzte er einen Vers umher, welcher sagte, daß bei allen Umwälzungen des Glückrads die Tugend immer aufrecht bleibe.

Rota sum, semper, quò quò me verto, stat virtus.

Nachher ward ihm bald sein Platz unter den Ratspfeifern wiedergegeben. Damals, vor der Zeit meiner Geburt, wurden zu diesen Leuten lauter geehrte Handwerker genommen; einige davon arbeiteten Wolle und Seide im großen; daher verschmähte mein Vater auch nicht sich zu ihnen zu gesellen, und der größte Wunsch, den er in der Welt für mich hegte, war, daß ich ein großer Musikus werden möchte. Dagegen war mir's äußerst unangenehm, wenn er mir davon erzählte und mir versicherte: wenn ich nur wollte, könnte ich der erste Mensch in der Welt werden.

Wie gesagt, war mein Vater ein treuer und verbundener Diener des Hauses Medicis, und da Peter vertrieben wurde (1494), vertraute er meinem Vater viele Dinge von großer Bedeutung. Als nun darauf Peter Soderino Gonfaloniere ward (1498), und mein Vater unter den Ratspfeifern sein Amt forttat, erfuhr diese Magistratsperson, wie geschickt der Mann überhaupt sei, und bediente sich seiner zum Kriegsbaumeister in bedeutenden Fällen. Um diese Zeit ließ mein Vater mich schon vor dem Rate mit den andern Musikern den Diskant blasen, und da ich noch so jung und zart war, trug mich ein Ratsdiener auf dem Arme. Soderino fand Vergnügen, sich mit mir abzugeben und mich schwätzen zu lassen; er gab mir Zuckerwerk und sagte zu meinem Vater: Meister Johann, lehre ihn, neben der Musik, auch die beiden andern schönen Künste. Mein Vater antwortete: Er soll keine andere Kunst treiben als blasen und komponieren, und auf diesem Wege, wenn ihm Gott das Leben läßt, hoffe ich ihn zum ersten Mann in der Welt zu machen. Darauf sagte einer von den alten Herren: Tue nur ja, was der Gonfaloniere sagt: denn warum sollte er nichts anders als ein guter Musikus werden?

So ging eine Zeit vorbei, bis die Medicis zurückkamen (1512). Der Kardinal, der nachher Papst Leo wurde, begegnete meinem Vater sehr freundlich. Aus dem Wappen am Mediceischen Palast hatte man die Kugeln genommen, sobald die Familie vertrieben war, und das Wappen der Gemeine, ein rotes Kreuz, dagegen in das Feld malen lassen. Als die Medicis zurückkehrten, ward das Kreuz wieder ausgekratzt, die roten Kugeln kamen wieder hinein, und das goldne Feld ward vortrefflich ausstaffiert.

Wenige Tage nachher starb Papst Julius II. (1513), der Kardinal Medicis ging nach Rom und ward, gegen alles Vermuten, zum Papst erwählt. Er ließ meinen Vater zu sich rufen, und wohl hätte dieser getan, wenn er mitgegangen wäre; denn er verlor seine Stelle im Palast, sobald Jakob Salviati Gonfaloniere geworden war.

Nun bestimmte ich mich, ein Goldschmied zu werden, und lernte zum Teil diese Kunst, zum Teil mußte ich viel gegen meinen Willen blasen. Ich bat meinen Vater, er möchte mich nur gewisse Stunden des Tages zeichnen lassen, die übrige Zeit wollte ich Musik machen, wenn er es beföhle. Darauf sagte er zu mir: So hast du denn kein Vergnügen am Blasen? Ich sagte: Nein! Denn diese Kunst schien mir zu niedrig gegen jene, die ich im Sinne hatte.

Mein guter Vater geriet darüber in Verzweiflung und tat mich in die Werkstatt des Vaters des Cavalier Bandinello, der Michel Agnolo hieß, trefflich in seiner Kunst war, aber von geringer Geburt; denn er war der Sohn eines Kohlenhändlers. Ich sage das nicht, um den Bandinello zu schelten, der sein Haus zuerst gegründet hat. Wäre er nur auf dem rechten Weg dazu gelangt! Doch wie es zugegangen ist, davon habe ich nichts zu reden. Nur einige Tage blieb ich daselbst, als mein Vater mich wieder wegnahm, denn er konnte nicht leben, ohne mich immer um sich zu haben, und so mußte ich wider Willen blasen, bis ich funfzehn Jahr alt war. Wollte ich die sonderbaren Begebenheiten erzählen, die ich bis zu diesem Alter erlebt, und die Lebensgefahren, in welchen ich mich befunden, so würde sich der Leser gewiß verwundern.

Als ich funfzehn Jahr alt war, begab ich mich, wider den Willen meines Vaters, in die Werkstatt eines Goldschmiedes, der Antonio Sandro hieß. Er war ein trefflicher Arbeiter, stolz und frei in seinen Handlungen. Mein Vater wollte nicht, daß er mir Geld gäbe, wie es andere Unternehmer tun, damit ich, bei meiner freiwilligen Neigung zur Kunst, auch zeichnen könnte, wann es mir gefiele. Das war mir sehr angenehm, und mein redlicher Meister hatte große Freude daran. Er erzog einen einzigen, natürlichen Sohn bei sich, dem er manches auftrug, um mich zu schonen. Meine Neigung war so groß, daß ich in wenig Monaten die besten Gesellen einholte und auch einigen Vorteil von meinen Arbeiten zog. Demohngeachtet verfehlte ich nicht, meinem Vater zuliebe, bald auf der Flöte bald auf dem Hörnchen zu blasen, und so oft er mich hörte, fielen ihm, unter vielen Seufzern, die Tränen aus den Augen. Ich tat mein möglichstes zu seiner Zufriedenheit und stellte mich als wenn ich auch großes Vergnügen dabei empfände.

ZWEITES KAPITEL

Der Autor sieht seinen Bruder in einem Gefecht beinahe erschlagen und nimmt seine Partei; daraus entspringen einige unangenehme Vorfälle, und er wird deshalb von Florenz verbannt. – Er begibt sich nach Siena und von da nach Bologna, wo er in der Kunst auf der Flöte zu blasen zunimmt, mehr aber noch in der Profession des Goldschmieds. – Streit zwischen seinem Vater und Pierino, einem Tonkünstler; trauriges Ende des letztern. – Der Autor begibt sich nach Pisa und geht bei einem dortigen Goldschmied in Arbeit. – Er kommt krank nach Florenz zurück. Nach seiner Genesung tritt er bei seinem alten Meister Marcone in Arbeit.

Ich hatte einen Bruder, der zwei Jahre jünger als ich und sehr kühn und heftig war. Er galt nachher für einen der besten Soldaten, die in der Schule des vortrefflichen Herrn Johannes von Medicis, Vater des Herzogs Cosmus, gebildet wurden. Dieser Knabe war ungefähr vierzehn Jahre alt und bekam eines Sonntags zwei Stunden vor Nacht, zwischen den Toren Sankt Gallo und Pinti, mit einem Menschen von zwanzig Jahren Händel, forderte ihn auf den Degen, setzte ihm tapfer zu und wollte nicht ablassen, ob er ihn gleich schon übel verwundet hatte. Viele Leute sahen zu, und unter ihnen mehrere Verwandte des jungen Menschen. Da diese merkten, daß die Sache übel ging, griffen sie nach Steinen, trafen meinen armen Bruder an den Kopf, daß er für tot zur Erden fiel. Zufällig kam ich auch in die Gegend, ohne Freunde und ohne Waffen; ich hatte meinem Bruder aus allen Kräften zugerufen, er solle sich zurückziehen! Als er fiel, nahm ich seinen Degen und hielt mich, in seiner Nähe, gegen viele Degen und Steine. Einige tapfere Soldaten kamen mir zu Hülfe und befreiten mich von der Wut der Gegner. Ich trug meinen Bruder für tot nach Hause; mit vieler Mühe ward er wieder zu sich selbst gebracht und geheilt. Die Herren Achte verbannten unsere Gegner auf einige Jahre und uns auf sechs Monate zehn Miglien von der Stadt. So schieden wir von unserm armen Vater, der uns seinen Segen gab, da er uns kein Geld geben konnte.

Ich ging nach Siena, zu einem braven Manne, der Meister Francesco Castoro hieß. Ich war schon einmal meinem Vater entlaufen und hatte dort gearbeitet; nun erkannte er mich wieder, gab mir zu tun und freies Quartier, solange ich in Siena blieb, wo ich mich, mit meinem Bruder, mehrere Monate aufhielt.

Sodann ließ uns der Kardinal Medicis, der nachher Papst Clemens ward, auf die Bitte meines Vaters wieder nach Florenz zurückkehren. Ein gewisser Schüler meines Vaters sagte aus böser Absicht zum Kardinal, er solle mich doch nach Bologna schicken, damit ich dort von einem geschickten Meister das Blasen in Vollkommenheit lernen möchte. Der Kardinal versprach meinem Vater, mir Empfehlungsschreiben zu geben, mein Vater wünschte nichts Besseres, und ich ging gerne, aus Verlangen die Welt zu sehen.

In Bologna gab ich mich zu einem in die Lehre, der Meister Herkules, der Pfeifer, hieß. Ich fing an Geld zu verdienen, nahm zugleich täglich meine Lektionen in der Musik, und in kurzer Zeit brachte ich es weit genug in dem verfluchten Blasen. Aber weit mehr Vorteil zog ich von der Goldschmiedekunst; denn da mir der Kardinal keine Hülfe reichte, begab ich mich in das Haus eines Bologneser Miniaturmalers, der Scipio Cavalletti hieß; ich zeichnete und arbeitete für einen Juden, und gewann genug dabei.

ERSTES BUCH · ZWEITES KAPITEL

Nach sechs Monaten kehrte ich nach Florenz zurück, worüber der ehemalige Schüler meines Vaters, Peter der Pfeifer, sehr verdrießlich war; aber ich ging doch meinem Vater zuliebe in sein Haus, und blies mit seinem Bruder Hieronymus auf der Flöte und dem Hörnchen. Eines Tages kam mein Vater hin, um uns zu hören, er hatte große Freude an mir und sagte: Ich will doch einen großen Musikus aus dir machen, zum Trotz eines jeden, der mich daran zu verhindern denkt. Darauf antwortete Peter: Weit mehr Ehre und Nutzen wird euer Benvenuto davon haben, wenn er sich auf die Goldschmiedekunst legt, als von dieser Pfeiferei. Das war nun freilich wahr gesprochen, aber es verdroß meinen Vater um desto mehr, je mehr er sah, daß ich auch derselben Meinung war, und er sagte sehr zornig zu Petern: Ich wußte wohl, daß du der seist, der sich meinem so erwünschten Zwecke entgegensetzt; durch dich habe ich meine Stelle im Palast verloren, mit solchem Undank hast du meine große Wohltat belohnt, dir hab ich sie verschafft, mir hast du sie entzogen; aber merke diese prophetischen Worte: nicht Jahre und Monate, nur wenig Wochen werden vorbeigehen, und du wirst wegen deines schändlichen Undanks umkommen. Darauf antwortete Peter: Meister Johann, viele Menschen werden im Alter schwach und kindisch, wie es euch auch geht, man muß euch nichts übelnehmen, denn ihr habt ja alles verschenkt und nicht bedacht, daß eure Kinder etwas nötig haben dürften. Ich denke das Gegenteil zu tun, und meinen Söhnen so viel zu hinterlassen, daß sie den euern allenfalls zu Hülfe kommen können.

Darauf antwortete mein Vater: Kein schlechter Baum bringt gute Früchte hervor, und ich sage dir: da du bös bist, werden deine Söhne arm und Narren werden und werden bei meinen braven und reichen Söhnen in Dienst gehn.

So eilten wir aus dem Hause, und es fielen noch manche heftige Worte. Ich nahm die Partie meines Vaters und sagte im Herausgehen zu ihm, wenn er mich bei der Zeichenkunst ließe, so wollte ich ihn an dem unartigen Menschen rächen. Er sagte darauf: Lieber Sohn! ich bin auch ein guter Zeichner gewesen und habe es mir in meinem Leben sauer werden lassen; willst du nun nicht, um deinen Vater, der dich gezeugt und erzogen und den Grund zu so vieler Geschicklichkeit gelegt hat, manchmal zu erquicken, die Flöte und das allerliebste Hörnchen in die Hand nehmen? Darauf sagte ich, aus Liebe zu ihm wollte ich's gerne tun. Der gute Vater versetzte, mit solchen Geschicklichkeiten und Tugenden würde man sich am sichersten an seinen Feinden rächen.

Kein ganzer Monat war vorbei, und Pierino hatte in seinem Hause ein Gewölbe machen lassen, und war mit mehrern Freunden in einem Zimmer über dem Gewölbe, sprach über meinen Vater, seinen Meister, und scherzte über die Drohung, daß er zu Grunde gehen solle. Kaum war es gesagt, so fiel das Gewölbe ein, entweder weil es schlecht angelegt war, oder durch Gottes Schickung, der die Frevler bestraft. Er fiel hinunter, und die Steine und Ziegeln des Gewölbes, die mit ihm hinabstürzten, zerbrachen ihm beide Beine; aber alle, die mit ihm waren, blieben auf dem Rand des Gewölbes, und niemand tat sich ein Leid. Sie waren erstaunt und verwundert genug, besonders, da sie sich erinnerten, wie er kurz vorher gespottet hatte. Sobald mein Vater das erfuhr, eilte er zu ihm und sagte, in Gegenwart seines Vaters: Piero, mein lieber Schüler, wie betrübt mich dein Unfall! aber erinnerst du dich, wie ich dich vor kurzem warnte? und so wird auch das, was ich von deinen und meinen Söhnen gesagt habe, wahr werden. Bald darauf starb der undankbare Piero an dieser Krankheit; er hinterließ ein liederliches Weib und einen Sohn, der einige Jahre nachher in Rom mich um Almosen ansprach. Ich gab sie ihm, denn es ist in meiner Natur, und erinnerte mich mit Tränen an den glücklichen Zustand Pierins, zur Zeit, da mein Vater zu ihm die prophetischen Worte gesagt hatte.

Ich fuhr fort der Goldschmiedekunst mich zu ergeben und stand meinem Vater mit meinem Verdienste bei. Mein

Bruder Cecchino mußte anfangs Lateinisch lernen, denn, wie der Vater aus mir den größten Tonkünstler bilden wollte, so sollte mein Bruder, der jüngere, ein gelehrter Jurist werden; nun konnte er aber in uns beiden die natürliche Neigung nicht zwingen, ich legte mich aufs Zeichnen, und mein Bruder, der von schöner und angenehmer Gestalt war, neigte sich ganz zu den Waffen.

Einst kam er aus der Schule des Herrn Johann von Medicis nach Hause, wo ich mich eben nicht befand, und, weil er sehr schlecht mit Kleidern versehen war, bewegte er unsre Schwestern, daß sie ihm ein ganz neues Kleid gaben, das ich mir hatte machen lassen. Denn außer dem daß ich meinem Vater und meinen guten Schwestern durch meinen Fleiß beistand, hatte ich mir auch ein hübsches ansehnliches Kleid angeschafft. Ich kam und fand mich hintergangen und beraubt, mein Bruder hatte sich davongemacht, und ich setzte meinen Vater zur Rede, warum er mir so großes Unrecht geschehen ließe, da ich doch so gerne arbeitete, um ihm beizustehen. Darauf antwortete er mir, ich sei sein guter Sohn, was ich glaubte verloren zu haben, würde mir Gewinst bringen; es sei nötig, es sei Gottes Gebot, daß derjenige, der etwas besitzt, dem Bedürftigen gebe, und wenn ich dieses Unrecht aus Liebe zu ihm ertrüge, so würde Gott meine Wohlfahrt auf alle Weise vermehren.

Ich antwortete meinem armen, bekümmerten Vater wie ein Knabe ohne Erfahrung, nahm einen armseligen Rest von Kleidern und Geld, und ging gerade zu einem Stadttor hinaus; und da ich nicht wußte, welches Tor nach Rom führte, befand ich mich in Lucca. Von da ging ich nach Pisa, ich mochte ungefähr sechzehn Jahr alt sein, und blieb auf der mittelsten Brücke, wo sie es zum Fischstein nennen, bei einer Goldschmiedwerkstatt stehen und sah mit Aufmerksamkeit auf das, was der Meister machte. Er fragte, wer ich sei und was ich gelernt hätte? darauf antwortete ich, daß ich ein wenig in seiner Kunst arbeitete. Er hieß mich hereinkommen und gab mir gleich etwas zu tun, wobei er sagte:

Dein gutes Ansehn überzeugt mich, daß du ein wackrer Mensch bist. Und so gab er mir Gold, Silber und Juwelen hin. Abends führte er mich in sein Haus, wo er mit einer schönen Frau und einigen Kindern wohl eingerichtet lebte.

Nun erinnerte ich mich der Betrübnis, die mein Vater wohl empfinden mochte, und schrieb ihm, daß ich in dem Hause eines sehr guten Mannes aufgenommen sei und mit ihm große und schöne Arbeit verfertige; er möchte sich beruhigen, ich suche was zu lernen und hoffe mit meiner Geschicklichkeit ihm bald Nutzen und Ehre zu bringen. Geschwind antwortete er mir: Mein lieber Sohn! meine Liebe zu dir ist so groß, daß ich, wenn es nur schicklich wäre, mich gleich aufgemacht hätte, zu dir zu kommen; denn gewiß, mir ist es, als wenn ich des Lichts dieser Augen beraubt wäre, daß ich dich nicht täglich sehe, und zum Guten ermahnen kann. Diese Antwort fiel in die Hände meines Meisters, er las sie heimlich und gestand es mir dann mit diesen Worten: Wahrlich, mein Benvenuto, dein gutes Ansehn betrog mich nicht; ein Brief deines Vaters, der ein recht braver Mann sein muß, gibt dir das beste Zeugnis, rechne als wenn du in deinem Hause und bei deinem Vater seist.

Ich ging nun den Gottesacker von Pisa zu besehen und fand dort besonders antike Sarkophagen von Marmor und an vielen Orten der Stadt noch mehr Altertümer, an denen ich mich, sobald ich in der Werkstatt frei hatte, beständig übte. Mein Meister faßte darüber große Liebe zu mir, besuchte mich oft auf meiner Kammer und sah mit Freuden, daß ich meine Stunden so gut anwendete.

Das Jahr, das ich dort blieb, nahm ich sehr zu, arbeitete in Gold und Silber schöne und bedeutende Sachen, die meine Lust, weiter vorwärtszugehen, immer vermehrten.

Indessen schrieb mir mein Vater auf das liebreichste, ich möchte doch wieder zu ihm kommen; dabei ermahnte er mich in allen Briefen, daß ich doch das Blasen nicht unterlassen sollte, das er mich mit so großer Mühe gelehrt hatte. Darüber verging mir die Lust, jemals wieder zu ihm zurückzukehren, dergestalt haßte ich das abscheuliche Blasen; und wirklich, ich glaubte das Jahr in Pisa im Paradiese zu sein, wo ich niemals Musik machte.

Am Ende des Jahrs fand mein Meister Ursache nach Florenz zu reisen, um einige Gold- und Silberabgänge zu verkaufen; und weil mich, in der bösen Luft, ein kleines Fieber angewandelt hatte, so ging ich mit ihm nach meiner Vaterstadt, wo ihn mein Vater insgeheim und auf das inständigste bat, mich nicht wieder nach Pisa zu führen.

So blieb ich krank zurück, und mußte ungefähr zwei Monate das Bette hüten. Mein Vater sorgte für mich mit großer Liebe und sagte immer, es schienen ihm tausend Jahre, bis ich gesund wäre, damit er mich wieder könnte blasen hören. Als er nun zugleich den Finger an meinem Puls hatte, denn er verstand sich ein wenig auf die Medizin und auf die lateinische Sprache, so fühlte er, daß in meinem Blute, da ich vom Blasen hörte, die größte Bewegung entstand, und er ging ganz bekümmert und mit Tränen von mir. Da ich nun sein großes Herzeleid sah, sagte ich zu einer meiner Schwestern, sie sollte mir eine Flöte bringen, und ob ich gleich ein anhaltendes Fieber hatte, so machte mir doch dies Instrument, das keine große Anstrengung erfordert, nicht die mindeste Beschwerlichkeit; ich blies mit so glücklicher Disposition der Finger und der Zunge, daß mein Vater, der eben unvermutet hereintrat, mich tausendmal segnete und mich versicherte, daß ich in der Zeit, die ich auswärts gewesen, unendlich gewonnen habe: er bat mich, daß ich vorwärtsgehen und ein so schönes Talent nicht vernachlässigen solle.

Als ich nun wieder gesund war, kehrte ich zu meinem braven Marcone, dem Goldschmied, zurück, und mit dem, was er mir zu verdienen gab, unterstützte ich meinen Vater und mein Haus.

DRITTES KAPITEL

Peter Torrigiani, ein italienischer Bildhauer, kommt nach Florenz und sucht junge Künstler für den König von England. – Der Autor wird mit ihm bekannt und wirft einen Haß auf ihn. – Der Autor befleißigt sich nach den Kartonen von Michelangelo und Leonardo da Vinci zu studieren. – Um sich in seiner Kunst zu vervollkommnen, geht er nach Rom, begleitet von einem jungen Gesellen, namens Tasso. – Er findet in dieser Hauptstadt große Aufmunterung sowie mancherlei Abenteuer. – Nach zwei Jahren kehrt er nach Florenz zurück, wo er seine Kunst mit gutem Erfolg treibt. – Seine Mitkünstler werden eifersüchtig über seine Geschicklichkeit. – Streit zwischen ihm und Gerard Guasconti. – Verfolgt, weil er seinen Gegner geschlagen und verwundet, kleidet er sich in eine Mönchskutte und flieht nach Rom.

Zu dieser Zeit kam ein Bildhauer nach Florenz, der Peter Torrigiani hieß. Er hatte sich lange in England aufgehalten und besuchte täglich meinen Meister, zu dem er große Freundschaft hegte. Da er meine Zeichnungen und meine Arbeiten angesehen hatte, sagte er: Ich bin zurückgekommen, um so viel junge Leute als möglich anzuwerben, und da ich eine große Arbeit für meinen König zu machen habe, so will ich mir besonders meine Florentiner zu Gehülfen nehmen. Deine Arbeiten und deine Zeichnungen sind mehr eines Bildhauers, als eines Goldschmieds, und da ich große Werke von Erz zu machen habe, so sollst du bei mir zugleich geschickt und reich werden.

Es war dieser Mann von der schönsten Gestalt und von dem kühnsten Betragen. Er sah eher einem großen Soldaten als einem Bildhauer ähnlich; seine entschiedenen Gebärden, seine klingende Stimme, das Runzeln seiner Augbrauen hätten auch einen braven Mann erschrecken können, und alle Tage sprach er von seinen Händeln mit den Bestien, den Engländern. So kam er auch einmal auf Michelagnolo Buonarroti zu reden, und zwar bei Gelegenheit einer Zeichnung, die ich nach dem Karton dieses göttlichsten Mannes gemacht hatte.

Dieser Karton war das erste Werk, in welchem Michelagnolo sein erstaunliches Talent zeigte; er hatte ihn in die Wette mit Leonardo da Vinci gemacht, der einen andern in die Arbeit nahm; beide waren für das Zimmer des Conseils,

ERSTES BUCH · DRITTES KAPITEL

im Palast der Signorie, bestimmt; sie stellten einige Begebenheiten der Belagerung von Pisa vor, durch welche die Florentiner die Stadt eroberten. Der treffliche Leonardo da Vinci hatte ein Treffen der Reuterei unternommen, dabei einige Fahnen erobert werden, so göttlich gemacht, als man sich's nur vorstellen kann; Michelagnolo dagegen hatte eine Menge Fußvolk vorgestellt, die bei dem heißen Wetter sich im Arno badeten; der Augenblick war gewählt, wie unverhofft das Zeichen zur Schlacht gegeben wird, und diese nackten Völker schnell nach den Waffen rennen: so schön und vortrefflich waren die Stellungen und Gebärden, daß man weder von Alten noch Neuen ein Werk gesehen hatte, das auf diesen hohen und herrlichen Grad gelangt wäre; so war auch die Arbeit des großen Leonardo höchst schön und wunderbar. Es hingen diese Kartone, einer in dem Palast der Medicis, einer in dem Saale des Papstes, und solange sie ausgestellt blieben, waren sie die Schule der Welt. Denn obgleich der göttliche Michelagnolo die große Kapelle des Papstes Julius malte, so erreichte er doch nicht zur Hälfte die Vortrefflichkeit dieses ersten Werks, und sein Talent erhob sich niemals zur Stärke dieser früheren Studien wieder.

Um nun wieder auf Peter Torrigiani zu kommen, der meine Zeichnung in der Hand hatte und sagte: Dieser Buonarroti und ich gingen als Knaben in die Kirche del Carmine, um in der Kapelle des Masaccio zu studieren, und Buonarroti hatte die Art alle zu foppen, die dort zeichneten. Eines Tages machte er sich unter andern auch an mich, und es verdroß mich mehr als sonst; ich ballte die Faust, und schlug ihn so heftig auf die Nase, daß ich Knochen und Knorpel so mürbe fühlte, als wenn es eine Oblate gewesen wäre, und so habe ich ihn für sein ganzes Leben gezeichnet.

Diese Worte erregten in mir einen solchen Haß, da ich die Arbeiten dieses unvergleichlichen Mannes vor Augen hatte, daß ich, weit entfernt mit Torrigiani nach England zu gehen, ihn nicht wieder ansehen mochte.

Und so fuhr ich fort, mich nach der schönen Manier des Michelagnolo zu bilden, von der ich mich niemals getrennt habe, und zu gleicher Zeit ging ich mit einem liebenswürdigen jungen Menschen um, zu dem ich die größte Freundschaft faßte. Er war von meinem Alter, gleichfalls ein Goldschmied und der Sohn des trefflichen Malers Filippo di Fra Filippo. Wir liebten uns so sehr, daß wir uns weder tags noch nachts trennen konnten; sein Haus war voller schöner Studien, die sein Vater nach den römischen Altertümern gezeichnet hatte, die in mehreren Büchern aufbewahrt wurden. Von diesen Dingen war ich ganz hingerissen, und fast zwei Jahre arbeiteten wir zusammen.

Alsdann machte ich eine erhabene Arbeit in Silber, so groß wie eine kleine Kindshand; sie diente zum Schloß für einen Mannsgürtel, wie man sie damals zu tragen pflegte. Es war auf demselben, nach antiker Art, eine Verwicklung von Blättern, Kindern und artigen Masken zu sehen. Ich machte diese Arbeit in der Werkstatt eines Francesco Salimbeni, und die Gilde der Goldschmiede, der sie vorgezeigt wurde, erklärte mich für den geschicktesten Gesellen.

Zu der Zeit entzweite ich mich wieder mit meinem Vater über das Blasen; und ein gewisser Holzschneider, den man Tasso nannte, hatte sich auch mit seiner Mutter überworfen. Ich sagte zu ihm: Wenn du nur der Mensch wärst, anstatt vieler Worte, etwas zu unternehmen! Er antwortete mir: Hätte ich nur so viel Geld um nach Rom zu kommen, so wollte ich nicht einmal umkehren, um meine armselige Werkstatt zu verschließen. Darauf sagte ich: wenn ihn weiter nichts hindere, so hätte ich so viel bei mir, als wir beide bis Rom brauchten.

Da wir so im Gehen zusammen sprachen, fanden wir uns unvermutet am Tore Sankt Peter Gattolini. Darauf sagte ich: Mein Tasso, das ist göttliche Schickung, daß wir, ohne daran zu denken, an dies Tor gekommen sind! Nun da ich hier bin, ist mir's als wenn ich schon die Hälfte des Weges zurückgelegt hätte. Wir gingen weiter und sprachen zusammen: was werden unsere Alten diesen Abend sagen? Dann nahmen wir uns vor, nicht weiter daran zu denken, bis wir nach Rom gekommen wären, banden unsere Schurzfelle auf den Rücken und gingen stillschweigend bis nach Siena.

Tasso hatte sich wund gegangen, wollte nicht weiter und bat mich, daß ich ihm Geld borgen sollte, um wieder zurückzukehren; ich antwortete: Daran hättest du denken sollen, ehe du von Hause weggingst, ich habe nur noch so viel, um nach Rom zu kommen; kannst du zu Fuße nicht fort, so ist da ein Pferd, das zurück nach Rom geht, zu haben, und du hast keine weitere Entschuldigung. Ich mietete das Pferd, und da er mir nicht antwortete, ritt ich gegen das Römische Tor zu. Als er mich entschlossen sah, kam er murrend und hinkend hinter mir drein. Am Tore wartete ich mitleidig auf ihn, nahm ihn hinter mich und sagte zu ihm: Was würden morgen unsere Freunde von uns sagen, wenn wir den Entschluß, nach Rom zu gehen, nicht weiter als Siena hätten festhalten können? Er gab mir recht, und weil er ein froher Mensch war, fing er an zu lachen und zu singen, und so kamen wir immer lachend und singend nach Rom.

Ich zählte neunzehn Jahre wie das Jahrhundert, und begab mich gleich in die Werkstatt eines Meisters, der Firenzuola di Lombardia hieß und in Gefäßen und großen Arbeiten höchst geschickt war. Ich zeigte ihm das Modell des Schlosses, das ich gearbeitet hatte, es gefiel ihm außerordentlich, und er sagte zu einem Florentiner Gesellen, der schon einige Jahre bei ihm stand: Das ist ein Florentiner, der's versteht, und du bist einer von denen, die's nicht verstehen. Ich erkannte darauf den Menschen und wollte ihn grüßen, denn wir hatten ehemals oft miteinander gezeichnet und waren viel miteinander umgegangen; er aber, höchst mißvergnügt über die Worte seines Meisters, behauptete mich nicht zu kennen, noch etwas von mir zu wissen. Ich antwortete ihm mit Verdruß: O Gianotto! ehemals mein Hausfreund, mit dem ich da und da zusammen gezeichnet, auf dessen Landhaus ich gegessen und getrunken habe, ich brauche dein Zeugnis nicht bei diesem braven Manne, deinem Meister, und hoffe, daß meine Hände ohne deinen Beistand beweisen sollen, wer ich bin. Hierauf wendete sich Firenzuola, der ein lebhafter und wackrer Mann war, zu seinem Gesellen und sagte: Schlechter Mensch! schämst du dich nicht, einem alten Freund und Bekannten so zu begegnen! Und mit eben der Lebhaftigkeit wendete er sich zu mir und sagte: Komm herein und tue, wie du gesagt hast, deine Hände mögen sprechen wer du bist. Und sogleich gab er mir eine schöne Silberarbeit für einen Kardinal zu machen.

Es war ein Kästchen nach dem porphyrnen Sarg vor der Türe der Rotonde. Was ich von dem Meinen dazu tat, und womit ich die Arbeit bereicherte, die Menge schöner kleiner Masken, erfreuten meinen Meister höchlich, der das Werk überall zeigte, und sich rühmte, daß ein solches aus seiner Werkstatt ausgegangen sei. Das Kästchen war ungefähr eine halbe Elle groß und eingerichtet das Salzfaß bei Tafel aufzunehmen.

Das war mein erster Verdienst in Rom. Einen Teil schickte ich meinem Vater, von dem andern lebte ich, indessen ich nach den Altertümern studierte. Endlich, da mir das Geld ausging, war ich genötigt, mich wieder an die Arbeit zu begeben. Tasso aber, mein Geselle, kehrte bald nach Florenz zurück.

Da meine neue Arbeit geendigt war, kam mich die Lust an, zu einem andern Meister zu gehen. Ein gewisser Mailänder, Paul Arsago, hatte mich an sich gezogen. Darüber fing Firenzuola mit ihm große Händel an und sagte ihm in meiner Gegenwart beleidigende Worte. Ich nahm mich meines neuen Meisters an und versetzte, daß ich frei geboren sei und auch frei leben wolle, ich habe mich nicht über ihn, und er sich nicht über mich zu beklagen, vielmehr habe er mir noch einiges herauszuzahlen, und als ein freier Arbeiter wolle ich hingehen, wohin es mir gefiele, weil ich dadurch niemand ein Leid täte. Auch mein neuer Meister sagte ungefähr dasselbe, und versicherte, daß er mich nicht verleitet habe, und daß es ihm angenehm sein werde, wenn ich zu meinem ersten Meister zurückginge. Auf das sagte ich, ich wollte niemanden schaden, ich hätte meine angefangenen Arbeiten geendigt, würde immer nur mir selbst und niemand anders angehören, und wer mich brauchte, möchte mit mir übereinkommen.

Ich habe nichts mehr mit dir zu tun, versetzte Firenzuola, du sollst mir nicht mehr unter die Augen kommen! Da erinnerte ich ihn an mein Geld, worauf er mir spöttisch antwortete. Aber ich versetzte: Hab ich Stahl und Eisen gebraucht, um deine Arbeiten zu machen, so sollen sie mir auch zu meinem Lohn verhelfen. Als ich so sprach, blieb ein alter Mann am Laden stehen, der Meister Antonio von San Marino hieß, der erste, der vortrefflichste Goldschmied von Rom und Meister des Firenzuola; er hörte meine Gründe an, gab mir recht und verlangte, daß Firenzuola mich bezahlen solle.

Man stritt sich lebhaft, denn Firenzuola, ein weit besserer Fechter als Goldschmied, wollte nicht nachgeben, doch zuletzt fand die Vernunft ihren Platz, und meine Festigkeit verschaffte mir Recht; er bezahlte mich und in der Folge erneuerten wir unsere Freundschaft. Er bat mich sogar, bei ihm Gevatter zu stehn.

Unter meinem neuen Meister verdiente ich genug und schickte den größten Teil meinem guten Vater. Demohngeachtet lag dieser mir immer an, nach Florenz zurückzukehren, und am Ende von zwei Jahren tat ich ihm seinen Willen. Ich arbeitete wieder bei Salimbeni, verdiente viel und suchte immer zu lernen; ich erneuerte meinen Umgang mit Francesco di Filippo, und ob mir gleich das verwünschte Blasen viel Zeit verdarb, so unterließ ich doch nicht, gewisse Stunden des Tags und der Nacht zu studieren.

Ich machte damals ein silbernes Herzschloß; so nannte man einen Gürtel, drei Finger breit, den die Bräute zu tragen pflegten. Er war in halberhobener Arbeit gemacht und einige runde Figuren dazwischen, und ob ich gleich äußerst schlecht bezahlt ward, so war mir doch die Ehre, die ich dadurch erlangte, unschätzbar.

Indessen hatte ich bei verschiedenen Meistern gearbeitet und sehr wohldenkende Männer, wie zum Beispiel Marcone, darunter gefunden. Andere hatten einen sehr guten Namen und bevorteilten mich aufs äußerste. Sobald ich es merkte, machte ich mich von ihnen los und hütete mich vor diesen Räubern. Als ich nun fortfuhr zu arbeiten und zu gewinnen, besonders da ein Meister, Sogliani genannt, freundlich seine Werkstatt mit mir teilte, waren jene gehässigen Leute neidisch, und da sie drei große Werkstätten und viel zu tun hatten, druckten sie mich auf alle mögliche Weise. Ich beklagte mich darüber gegen einen Freund und sagte, es sollte ihnen genug sein, daß sie mich unter dem Schein der Güte beraubt hätten. Sie erfuhren es wieder und schwuren, ich sollte meine Worte bereuen; ich aber, der ich nicht wußte, was die Furcht für eine Farbe hatte, achtete ihre Drohungen nicht. Eines Tages trat ich an den Laden des einen, er hatte mich gerufen und wollte mich schelten und gegen mich großtun; dagegen sagte ich, sie möchten sich's selbst zuschreiben, denn ich hätte von ihren Handlungen gesprochen wie sie wären.

Indessen da ich so sprach paßte ein Vetter, den sie wahrscheinlich angestiftet hatten, heimtückisch auf, als ein Maultier mit Ziegeln vorbeigetrieben wurde, und schob mir den Korb so auf den Leib, daß mir sehr wehe geschah. Schnell kehrte ich mich um, sah daß er lachte, und schlug ihn mit der Faust so tüchtig auf den Schlaf, daß er für tot zur Erden fiel; dann rief ich seinen Vettern zu: So behandelt man feige Spitzbuben euresgleichen! Und da sie Miene machten, so viel ihrer waren, auf mich zu fallen, zog ich in der Wut ein Messer und rief: Kömmt einer zum Laden heraus, so laufe der andere zum Beichtvater, denn der Arzt soll hier nichts zu tun kriegen. Sie erschraken hierüber so sehr, daß keiner von der Stelle ging.

Als ich weg war, liefen Väter und Söhne zu dem Collegio der Achte und klagten, ich habe sie mit bewaffneter Hand angefallen, das in Florenz unerhört sei. Die Herren Achte ließen mich rufen und machten mich tüchtig herunter, sowohl weil ich in der Jacke gelaufen kam, da die andern Mäntel umgenommen hatten, als weil die Herren schon zu Hause einzeln durch meine Gegner eingenommen waren, welches ich, als ein unerfahrner Knabe, versäumt hatte, der ich mich auf mein vollkommenes Recht verließ.

Ich sagte: daß ich, aufgebracht durch die große Beleidigung, dem Gherardo nur eine Ohrfeige gegeben hätte, und deshalb keinen so heftigen Ausputzer verdiente.

Kaum ließ mich Prinzivalle della Stufa, der von den Achten war, das Wort Ohrfeige aussprechen, so rief er: Keine Ohrfeige, einen Faustschlag hast du ihm gegeben! Er zog darauf die Glocke, schickte uns alle hinaus und sprach, wie ich nachher vernahm, zu meinen Gunsten. Betrachtet, sagte er, ihr Herren! die Einfalt dieses armen Menschen, er klagt sich an eine Ohrfeige gegeben zu haben, da seine Gegner nur von einem Faustschlag reden. Eine Ohrfeige, auf dem neuen Markt, kostet fünfundzwanzig Scudi, ein Faustschlag wenig oder nichts. Er ist ein braver Junge und erhält sein Haus durch anhaltende Arbeit. Wollte der Himmel, es gäbe viel solche in unserer Stadt!

Es waren aber einige unter den Rotkappen durch Bitten und falsche Vorstellungen meiner Feinde bewegt, auch ohnedies von ihrer Partei, die mich gern ins Gefängnis geschickt und mir eine starke Strafe auferlegt hätten; aber der gute Prinzivalle gewann die Oberhand und verurteilte mich vier Maß Mehl, als Almosen, in ein Kloster zu geben. Man ließ uns wieder hereinkommen; er verbot mir, bei Strafe ihrer Ungnade, nicht zu reden und meine Buße sogleich zu erlegen. Sie wiederholten ihren derben Verweis und schickten uns zum Aktuarius; ich aber murmelte immer vor mich hin: Ohrfeige! keinen Faustschlag! so daß die Achte über mich lachen mußten. Der Aktuarius befahl uns, daß wir einander Bürgschaft leisten sollten. So gingen die andern frei aus und mich allein verdammten sie in die vier Maß Mehl, welches mir die größte Ungerechtigkeit schien. Ich schickte nach einem Vetter, der sich für mich verbürgen sollte, er aber wollte nicht kommen; darüber wurd ich ganz rasend, und giftig wie eine Otter, da ich bedachte, wie sehr dieser Mann meinem Hause verbunden sei. Ich faßte mich in meiner Wut so gut ich konnte und wartete, bis das Kollegium der Achte zu Tische ging. Da ich nun allein war, und niemand von den Gerichtsdienern auf mich acht gab, sprang ich wütend aus dem Palast, lief nach meiner Werkstatt, ergriff einen Dolch und rannte in das Haus meiner Gegner, die ich beim Essen fand. Gherardo, der Urheber des Streits, fiel gleich über mich her, ich stieß ihm aber den Dolch nach der Brust und durchbohrte Rock und Weste; sonst geschah ihm kein Leid, ob ich gleich dachte, er wäre schwer verwundet, weil der Stoß ein gewaltig Geräusch in den Kleidern machte, und er vor Schrecken zur Erde fiel. Verräter! rief ich aus, heute sollt ihr alle sterben!

Vater, Mutter und Schwester glaubten, der Jüngste Tag sei gekommen; sie warfen sich auf die Knie und flehten schreiend um Barmherzigkeit. Da sie sich nicht gegen mich verteidigten und der andere für tot auf der Erde lag, schien es mir niedrig, sie zu verletzen. Wütend sprang ich die Stiegen hinunter und fand auf der Straße die ganze Sippschaft beisammen. Mehr als zwölfe waren herbeigelaufen; einer hatte einen eisernen Stab, der andere einen Flintenlauf, die übrigen Hämmer und Stöcke; ich fuhr unter sie hinein wie ein wütender Stier und warf vier oder fünfe nieder, ich stürzte mit ihnen und führte meinen Dolch bald gegen diesen, bald gegen jenen. Die, welche noch standen, schlugen tüchtig auf mich zu, und doch lenkte es Gott, daß wir einander keinen Schaden taten. Nur blieb ihnen meine Mütze zurück, auf die sie, weil ich ihnen entgangen war, wacker zuschlugen; dann wollten sie nach ihren Verwundeten und Toten sehen, aber es war niemand beschädigt.

Ich ging in das Kloster Santa Maria Novella, und gleich begegnete ich dem Bruder Alexius Strozzi, dem ich mich empfahl, ohne ihn zu kennen. Ich bat ihn, mir das Leben zu retten, denn ich hätte einen großen Fehler begangen. Der gute Frater sagte zu mir, ich sollte mich nicht fürchten, denn wenn ich alles Übel in der Welt angestellt hätte, wäre ich doch in seiner Kammer vollkommen sicher. Ungefähr eine Stunde nachher hatten sich die Achte außerordentlich versammelt, sie ließen einen schrecklichen Bann ausgehen, und drohten dem die größten Strafen, der mich verbärge, oder von meinem Aufenthalt wisse, ohne Ansehn des Orts und der Person. Mein betrübter armer Vater kam zu den Achten hinein, warf sich auf die Knie und bat um Barmherzigkeit; da stand einer von ihnen auf und schüttelte die Quaste seines Käppchens und sagte, unter andern beleidigenden Worten, zu meinem Vater: Hebe dich weg und mache daß du fortkömmst! Morgen des Tags soll er seinen Lohn empfangen. Mein Vater antwortete: Was Gottes Wille ist, werdet ihr tun, und nicht mehr. Aber der andere sagte darauf: Das wird Gottes Wille sein. Mein Vater versetzte dagegen: Es ist mein Trost, daß ihr das gewiß nicht wißt.

Er kam sogleich mich aufzusuchen, mit einem jungen Menschen von meinem Alter, der Peter Landi hieß; wir liebten uns als leibliche Brüder. Dieser hatte, unter seinem Mantel, einen trefflichen Degen und das schönste Panzerhemd. Mein lebhafter Vater erzählte, wie es ihm bei den Achten ergangen sei, dann küßte er mir die Stirne und beide Augen, segnete mich von Herzen und sagte: Die Macht Gottes stehe dir bei! Und so reichte er mir Degen und Waffen und half mir, mit eignen Händen, sie anlegen. Dann fuhr er fort: Lieber Sohn! mit diesen in der Hand leb oder stirb.

Peter Landi hörte indessen nicht auf zu weinen und gab mir zehn Goldgulden. Ich ließ mir noch einige Barthaare wegnehmen, die eben hervorzukeimen anfingen. Frater

Alexius gab mir die Kleidung eines Geistlichen und einen Laienbruder zum Begleiter. Ich ging aus dem Kloster und längs der Mauer bis auf den Platz; nicht weit davon fand ich in einem Hause einen Freund, entmönchte mich sogleich und ward wieder Mann. Wir bestiegen zwei Pferde, die man bereit hielt, und ritten die Nacht auf Siena. Als mein Freund zurückkam und meinem Vater meldete, daß ich glücklich entkommen sei, hatte derselbe eine unendliche Freude und konnte nicht erwarten, den von den Achten zu finden, der ihn so angefahren hatte. Endlich begegnete er ihm und sagte: Seht, Antonio, Gott wußte besser als ihr, was aus meinem Sohne werden sollte. Jener antwortete: Er soll uns nur wieder unter die Hände kommen! Indes, versetzte mein Vater, will ich Gott danken, der ihn diesmal glücklich errettet hat.

In Siena erwartete ich die ordinäre römische Post und verdung mich darauf. Unterwegs begegnete uns ein Kurier, der den neuerwählten Papst Clemens ankündigte (1523).

VIERTES KAPITEL

Der Autor macht außerordentliches Glück in Rom. Er wird von einer edlen Dame, Porzia Chigi, höchlich aufgemuntert. – Besonderes Zutrauen dieser Dame. – Eifersucht zwischen ihm und Lucagnolo von Jesi. – Er bläst vor Papst Clemens VII., der mit ihm wohl zufrieden ist und ihn wegen der doppelten Fähigkeit, als Goldschmied und Musikus in Dienst nimmt. – Der Bischof von Salamanca gibt ihm, auf die Empfehlung des Franziskus Penni, Schülers von Raffael, Arbeit. – Seltsame Abenteuer zwischen ihm und dem Bischof.

In Rom arbeitete ich wieder in der Werkstatt des Meister Santi, der verstorben war, und dessen Sohn das Gewerb fortsetzte, nicht selbst arbeitete, sondern alles durch einen jungen Menschen besorgen ließ, der sich Lucagnolo von Jesi nannte. Er war Sohn eines mailändischen Bauern und hatte von Jugend auf bei Meister Santi gearbeitet, klein von Statur und wohlgebildet. Dieser junge Mensch arbeitete besser als irgendeiner, den ich bis dahin gekannt hatte, mit

ERSTES BUCH · VIERTES KAPITEL

der größten Leichtigkeit, und zwar nur große Gefäße, Becken und solche Dinge.

Ich übernahm für den Bischof von Salamanca, einen Spanier, Leuchter zu machen; sie wurden sehr reich gearbeitet, wie es für solche Werke gehört. Ein Schüler Raffaels, Johann Franziskus Penni, mit dem Zunamen il Fattore, ein trefflicher Maler und Freund des gedachten Bischofs, setzte mich bei ihm in Gunst, man gab mir viel zu arbeiten, und ich ward gut bezahlt.

Zu derselbigen Zeit ging ich an Festtagen manchmal in die Kapelle des Michelagnolo und manchmal in das Haus des Augustin Chigi von Siena, um zu zeichnen. Hier waren die schönsten Arbeiten, von der Hand des vortrefflichen Malers Raffael von Urbino. Gismondo Chigi, der Bruder, wohnte daselbst. Sie waren stolz darauf, wenn junge Leute meinesgleichen bei ihnen zu studieren kamen. Die Frau des gedachten Gismondo, welche sehr angenehm und äußerst schön war, hatte mich oft in ihrem Hause gesehen; sie trat eines Tages zu mir, besah meine Zeichnungen und fragte, ob ich Maler oder Bildhauer sei? Ich antwortete ihr, ich sei ein Goldschmied, worauf sie versetzte, daß ich zu gut für einen Goldschmied zeichnete. Sie ließ sich durch ihr Kammermädchen eine Lilie von schönen Diamanten bringen, die in Gold gefaßt waren, und verlangte daß ich sie schätzen sollte. Ich schätzte sie auf achthundert Scudi; sie sagte, ich habe es getroffen, und fragte, ob ich Lust hätte, sie recht gut umzufassen? Ich versicherte, daß ich es mit Freuden tun würde, und machte auf der Stelle eine kleine Zeichnung, die ich um desto besser ausführte, je mehr ich Lust hatte, mich mit dieser schönen und angenehmen Frau zu unterhalten.

Als die Zeichnung fertig war, kam eine andere schöne, edle Römerin aus dem Hause herunter und fragte ihre Freundin, was sie da mache? Porzia antwortete lächelnd: Ich sehe diesem wackern jungen Menschen mit Vergnügen zu, der so schön als gut ist. Ich ward rot und versetzte halb verschämt und halb mutig: Wie ich auch sei, bin ich bereit euch zu dienen. Die schöne Frau errötete auch ein wenig und sagte: Du weißt, daß ich deine Dienste verlange. Sie gab mir die Lilie und zwanzig Goldgulden, die sie in der Tasche hatte. Fasse mir die Steine nach deiner Zeichnung, sagte sie, und bringe mir das alte Gold zurück. Ihre Freundin sagte darauf: Wenn ich in dem jungen Menschen stäke, so ging ich in Gottes Namen durch. Porzia antwortete: Solche Talente sind selten mit Lastern verbunden, er wird das Ansehen eines braven Jünglings nicht zuschanden machen. Sie nahm ihre Freundin bei der Hand, und indem sie sich umwendete sagte sie mit dem freundlichsten Lächeln: Lebe wohl, Benvenuto!

Ich vollendete noch erst meine Zeichnung, die ich nach Raffaels Jupiter angefangen hatte, dann ging ich, ein kleines Wachsmodell zu machen, um zu zeigen, wie die Arbeit werden sollte. Ich wies es den beiden Damen, die mich so sehr lobten und mir so artig begegneten, daß ich kühn genug war zu versprechen, die Arbeit solle doppelt so schön als das Modell werden. So machte ich mich daran und endigte das Werk in zwölf Tagen; zwar wieder in Gestalt einer Lilie, aber mit so viel Masken, Kindern und Tieren gezieret und so sorgfältig emailliert, daß die Diamanten dadurch einen doppelten Wert erhielten.

Indessen ich daran arbeitete, war der geschickte Lucagnolo mit mir unzufrieden und versicherte, es würde mir zu viel mehr Nutzen und Ehre gereichen, wenn ich ihm an seinen silbernen Gefäßen hülfe; ich aber behauptete, daß Arbeiten, wie die meine, nicht alle Tage kämen und daß man damit ebensoviel Ehre und Geld erwerben könne. Er lachte mich aus und sagte: Wir wollen sehen! Ich habe dieses Gefäß zugleich mit dir angefangen, und denke auch mit dir zu endigen, wir können alsdann vergleichen, was wir beide gewinnen. Ich sagte, es würde mich freuen, mit einem so geschickten Manne in die Wette zu arbeiten, und so bückten wir, ein wenig verdrießlich, unsere Köpfe über die Arbeit und hielten uns beide so fleißig daran, daß, in zehn Tagen ungefähr, jeder mit aller Kunst und Reinlichkeit sein Werk geendigt hatte.

Das Gefäß des Lucagnolo sollte dem Papst Clemens bei Tafel dienen, um Knochen und Schalen der Früchte hinein zu werfen, überhaupt mehr zur Pracht als zur Notwendigkeit. Es war mit zwei schönen Henkeln geziert, mit vielen Masken, so großen als kleinen, und mit den schönsten Blättern; alles von solcher Zeichnung und Zierde als man nur wünschen konnte. Ich versicherte, in meinem Leben nichts Schöneres gesehen zu haben!

Lucagnolo glaubte, ich habe meinen Sinn verändert, lobte gleichfalls meine Arbeit, sagte aber: Den Unterschied werden wir bald sehen. Er trug sein Gefäß zum Papst und ward nach dem Maßstab dieser großen Arbeiten bezahlt: indessen trug ich meinen Schmuck zur Frau Porzia, die mich mit großer Verwunderung versicherte, daß ich mein Versprechen weit übertroffen habe; ich solle für meine Arbeit was ich wolle verlangen, denn sie glaube nicht mich belohnen zu können, auch wenn sie imstande wäre mir ein Landgut zu schenken. Ich versetzte, meine größte Belohnung sei ihr Beifall, ich verlange nichts weiter, und so wollte ich mich ihr empfehlen.

Porzia sagte darauf zu ihrer Freundin: Sehet, wie sich in Gesellschaft seiner Talente auch die Tugenden befinden! Und so schienen beide Frauen verwundert zu sein. Darauf sagte Porzia: Du hast wohl sagen hören, wenn der Arme dem Reichen schenkt, so lacht der Teufel. Ich versetzte, der Böse habe Verdruß genug, diesmal möchte er immer lachen. Darauf ging ich weg, und sie riefen mir nach, er solle den Spaß nicht haben!

Als ich in die Werkstatt zurückkam, zeigte Lucagnolo eine Rolle Geld und sagte: Laß nun einmal deinen Verdienst neben dem meinigen sehen. Ich ersuchte ihn, bis auf den nächsten Tag zu warten, da ich denn, weil ich mich in meiner Arbeit so brav, wie er in der seinigen, gehalten hätte, auch in Absicht der Belohnung nicht mit Schanden zu bestehen hoffte.

Den andern Tag kam ein Hausmeister der Frau Porzia, rief mich aus der Werkstatt, und gab mir eine Rolle Geld. Sie wolle nicht, sagte er, daß der Teufel sich gar zu lustig machen sollte; doch sei das, was sie mir schicke, weder mein ganzes Verdienst noch die ganze Belohnung. Er setzte noch mehr freundliche Worte hinzu, wie eine solche vortreffliche Dame sich ausdrückt. Lucagnolo konnte nicht erwarten, meine Rolle mit der seinigen zu vergleichen und brachte diese, sobald ich zurückkam, in Gegenwart von zwölf Arbeitern und andern Nachbarn, die, auf die Entscheidung des Streits neugierig, herbeigekommen waren, hervor, lachte verächtlich, sagte drei oder viermal: Au! und goß, mit vielem Lärm, sein Geld auf die Tafel aus. Es waren fünfundzwanzig Scudi in Münze. Mich hatten sein Geschrei, seine Blicke, die Späße und das Gelächter der Umstehenden ein wenig irregemacht, ich schielte nur in meine Hülse hinein, und da ich merkte, daß es lauter Gold war, hub ich, am andern Ende der Tafel, mit niedergeschlagenen Augen und ohne Geräusch, mit beiden Händen, meine Rolle stark in die Höhe und ließ das Geld, wie aus einem Mühltrichter, auf den Tisch laufen. Da sprangen noch die Hälfte so viel Stücke als bei ihm hervor, und alle Augen, die mich erst mit einiger Verachtung angeblickt hatten, wendeten sich auf ihn. Man rief: Hier sieht's viel besser aus; hier sind Goldstücke und die Hälfte mehr.

Ich dachte, er wollte für Neid und Verdruß auf der Stelle umkommen, und ob er gleich als Meister den dritten Teil meines Verdienstes erhielt, so kannte er sich doch nicht vor Bosheit. Auch ich war verdrießlich und sagte: Jeder Vogel singe nach seiner Weise. Er verfluchte darauf seine Kunst und den, der sie ihn gelehrt hatte, und schwur, er wolle keine großen Arbeiten mehr machen, sondern sich auf solche Lumpereien legen, da sie so gut bezahlt würden. Ich antwortete darauf, er möchte es immer versuchen, doch ich sagte ihm voraus, seine Arbeiten wollte ich wohl auch machen, aber diese Lumpereien würden ihm nicht gelingen. So ging ich erzürnt weg und schwur, ich wollte es ihm schon zeigen. Die Umstehenden gaben ihm laut unrecht und schalten ihn, wie er's verdiente; von mir aber sprachen sie, wie ich mich erwiesen hatte.

Den andern Tag ging ich Madame Porzia zu danken und sagte, daß sie, gerade umgekehrt, anstatt dem Teufel Gelegenheit zum Lachen zu geben, Ursache wäre, daß er nochmals Gott verleugnete. Wir lachten freundlich zusammen und sie bestellte bei mir noch mehr schöne und gute Arbeiten.

Zu derselben Zeit verschaffte mir Franz Penni abermals Arbeit beim Bischof von Salamanca. Dieser Herr wollte zwei große Wasserkessel, von gleicher Größe, auf die Kredenztische haben; den einen sollte ich, den andern Lucagnolo machen, und, wie es bei solchen Werken gebräuchlich war, gab uns Penni die Zeichnungen dazu.

So legte ich mit der größten Begierde Hand an das Gefäß. Ein Mailänder hatte mir ein Eckchen in seiner Werkstatt gegeben; dabei überschlug ich mein Geld und schickte, was ich entbehren konnte, meinem Vater, der, als es ihm in Florenz ausgezahlt wurde, zufällig jenem unfreundlichen Mitgliede der Achte begegnete, dessen Söhne sich sehr schlecht aufführten. Mein Vater ließ ihn sein Unrecht und mein Glück recht lebhaft empfinden, wie er es denn mir auch gleich mit Freuden schrieb und mich dabei um Gottes willen bat, daß ich doch von Zeit zu Zeit blasen und das schöne Talent, das er mich mit so vieler Mühe gelehrt hätte, nicht vernachlässigen sollte. Ich nahm mir vor, ihm noch vor seinem Ende die Freude zu machen, daß er mich recht gut sollte blasen hören, in Betrachtung, daß ja Gott selbst, wenn wir ihn darum bitten, uns ein erlaubtes Vergnügen gewährt.

Indessen ich an dem Gefäß des Salamanca arbeitete, hatte ich zu meiner Beihülfe nur einen Knaben, den ich auf inständiges Bitten meiner Freunde, halb wider Willen, zu meiner Aufwartung genommen hatte. Er war ungefähr vierzehn Jahr alt, hieß Paulin und war der Sohn eines römischen Bürgers, der von seinen Einkünften lebte. Paulin war so glücklich geboren, der ehrbarste und schönste Knabe, den ich im Leben gesehen hatte; sein gutes Wesen, sein angenehmes Betragen, seine unendliche Schönheit, seine Anhänglichkeit an mich waren die gerechten Ursachen, daß ich so große Liebe für ihn empfand, als die Brust eines Menschen fassen kann. Diese lebhafte Neigung bewog mich, um dieses herrliche Gesicht, das von Natur ernsthaft und traurig war, erheitert zu sehen, manchmal mein Hörnchen zur Hand zu nehmen. Denn wenn er mich hörte, so lächelte er so schön und herzlich, daß ich mich gar nicht mehr über jene Fabeln verwunderte, welche die Heiden von ihren Göttern des Himmels erzählten. Ja gewiß, wenn er zu jener Zeit gelebt hätte, so würde er die Menschen ganz außer sich gebracht haben. Er hatte eine Schwester, die so schön war wie er, und Faustina hieß; der Vater führte mich oft in seinen Weinberg, und ich konnte merken, daß er mich gern zu seinem Schwiegersohn gehabt hätte; durch diese Veranlassung blies ich mehr als gewöhnlich.

Um diese Zeit ließ mich ein gewisser Jakob von Cesena, ein trefflicher Musikus, der bei dem Papste in Diensten war, fragen, ob ich ihnen am ersten August helfen und den Sopran blasen wollte; sie hätten auf diesen Tag die schönsten Stücke zu des Papstes Tafelmusik ausgesucht.

So ein großes Verlangen ich trug, mein schönes angefangenes Gefäß zu endigen, so reizte mich doch die Musik, als eine wunderbare Sache an sich, wobei ich zugleich meinem Vater zu gefallen dachte, und ich nahm mir vor, von der Gesellschaft zu sein. Acht Tage vorher probierten wir täglich zwei Stunden und gingen sodann, am Festtage, ins Belvedere und bliesen bei Tafel die geübten Motetten, so daß der Papst sagte, er habe keine angenehmere Musik gehört. Er rief jenen Jakob von Cesena zu sich und fragte ihn, wie er es angefangen habe, um einen so guten Sopran zu finden, und fragte ihn genau, wer ich sei. Als er meinen Namen erfuhr, sagte er: Ist das ein Sohn des Meister Johannes? den will ich in meine Dienste haben! Jakob versetzte: Er wird schwer zu bereden sein, denn er ist ein Goldschmied, sehr fleißig bei seiner Kunst, in der er vortrefflich arbeitet, und die ihm mehr einbringt, als die Musik nicht tun würde. Desto besser, versetzte der Papst, daß er noch ein anderes Talent hat, das ich nicht erwartete; er soll seine Besoldung, wie die übrigen, empfangen und mir dienen; in seiner andern Profession will ich ihm auch schon zu arbeiten geben. Darauf reichte ihm der Papst ein Schnupftuch mit hundert Goldgulden, unter uns zu verteilen. Jakob wiederholte uns des Papstes Rede und teilte das Geld unter uns achte. Als er mir meinen Teil gab, sagte er: Ich will dich in unsere Zahl einschreiben lassen. Ich verlangte Bedenkzeit bis morgen.

Da ich allein war, dachte ich hin und her, ob ich die Stelle annehmen sollte; denn ich sah wohl, welchen Schaden meine Kunst darunter leiden würde. Die folgende Nacht erschien mir mein Vater im Traume, und bat mich, mit den liebevollsten Tränen, daß ich, um Gott und seinetwillen, doch das Anerbieten annehmen möchte. Ich glaubte ihm zu antworten, daß ich es auf keine Weise tun könne; schnell erschreckte mich seine fürchterliche Gestalt, er drohte mir mit seinem Fluch, wenn ich es ausschlüge, und versprach mir, wenn ich gehorchte, seinen ewigen Segen. Kaum war ich erwacht, so lief ich, mich einschreiben zu lassen und meldete es meinem Vater, der aus übergroßer Freude darüber beinahe den Tod gehabt hätte. Er schrieb mir, daß auch er beinah dasselbe geträumt habe, und ich glaubte nun, da ich das billige Verlangen meines Vaters erfüllt hatte, daß mir auch alles zu Glück und Ehre gereichen müsse.

Inzwischen arbeitete ich mit großer Sorgfalt, das angefangene Gefäß für den Bischof von Salamanca zu endigen. Er war ein trefflicher Mann, sehr reich, aber schwer zu befriedigen; er schickte täglich, um zu erfahren, was ich machte, und ward, wenn der Abgeordnete mich nicht fand, wütend und drohte, er wolle mir die Arbeit wegnehmen und sie durch einen andern endigen lassen. Daran war denn doch das verdammte Blasen schuld, denn übrigens arbeitete ich Tag und Nacht mit dem größten Fleiße, so daß ich dem Bischof das Gefäß wenigstens zeigen konnte.

Aber ich hatte es darum nicht besser; denn nun ward erst seine Lust so groß, daß ich viel Unbequemlichkeit davon empfand. Nach drei Monaten war das Gefäß endlich fertig, mit so viel schönen Tieren, Laubwerk und Masken, als man sich vorstellen kann. Sogleich schickte ich es, durch meinen Paulin, zu Lucagnolo, dem der Knabe mit seiner gewöhnlichen Zierlichkeit sagte: Hier schickt euch Benvenuto sein Versprechen und seine H****eien, er hofft von euch bald auch eure Lumpereien zu sehen. Lucagnolo nahm das Gefäß in die Hand und, nachdem er es lang genug betrachtet hatte, sagte er zu Paulin: Schöner Knabe, sage deinem Herrn, daß er ein trefflicher Mann ist, er soll mein Freund sein und das übrige auf sich beruhen lassen. Der gute Knabe brachte mir freudig die Botschaft; das Gefäß wurde zu Salamanca getragen, welcher verlangte, daß es geschätzt werden sollte. Lucagnolo kam dazu, seine Schätzung war ehrenvoll, und sein Lob weit größer, als ich's zu verdienen glaubte. Salamanca nahm das Gefäß, und sagte in spanischer Manier: Bei Gott, er soll so lange auf die Zahlung warten, als er mich mit der Arbeit hat warten lassen. Hierüber ward ich äußerst verdrießlich, ich verfluchte ganz Spanien und jeden der dem Volke wohlwollte.

Unter andern Zieraten daran war ein Henkel, von Einem Stücke, auf das zarteste gearbeitet, der, durch Hülfe einer gewissen Stahlfeder, grade über der Öffnung des Gefäßes gehalten wurde. Eines Tages zeigte der Bischof, mit großer Zufriedenheit, einigen seiner Spanier dieses Gefäß; einer der Edelleute mochte mit dem Henkel nicht auf das feinste umgegangen sein; die zarte Feder konnte seiner bäuerischen Gewalt nicht widerstehen, und der Henkel brach ab.

Der Bischof war schon weggegangen, und der Edelmann, äußerst erschrocken, bat den Mundschenken, er möchte doch geschwind das Gefäß zum Meister tragen, damit es schnell wiederhergestellt würde, es möchte kosten was es wollte. So kam mir dies Gefäß wieder in die Hände; ich versprach es schnell zu ergänzen und tat es auch, denn zu Mittag war es mir gebracht worden, und zwei Stunden vor Nacht hatte ich es schon fertig. Nun kam der Mundschenk wieder, eilig und im Schweiß; denn der Herr hatte es nochmals verlangt, um es andern Gästen zu zeigen. Der Mundschenk ließ mich nicht zum Worte kommen und rief: Nur schnell! schnell das Gefäß her! Ich, der ich keine Lust hatte, es herauszugeben, sagte nur: Ich habe keine Eile.

Er kam darüber in solche Wut, daß er mit der einen Hand nach dem Degen griff und mit der andern gewaltsam in die Werkstatt eindringen wollte. Ich widersetzte mich ihm, mit den Waffen in der Hand, und ließ es an heftigen Reden nicht fehlen. Ich geb es nicht heraus! rief ich, geh, sage deinem Herrn, daß ich Geld für meine Bemühung haben will, ehe es wieder aus meinem Laden kömmt. Da er sah, daß sein Drohen nichts half, bat er mich, wie man das heilige Kreuz anzurufen pflegt, und versprach, wenn ich es herausgäbe, wollte er mir zu meiner Bezahlung verhelfen. Ich veränderte darum meinen Vorsatz nicht, und da ich ihm immer dasselbe antwortete, verzweifelte er endlich und schwur mit so viel Spaniern wiederzukommen, daß sie mich in Stücken hauen sollten, und so lief er fort. Da ich sie nun wohl solcher Mordtat fähig hielte, setzte ich mir vor, mich lebhaft zu verteidigen, nahm meine Jagdbüchse zur Hand und dachte: Wenn mir jemand meine Sachen und meine Mühe rauben will, so kann ich ja wohl das Leben daran wagen. Da ich so mit mir zu Rate ging, erschienen viele Spanier, mit dem Haushofmeister, der auf ungestüme spanische Weise befahl, sie sollten hineindringen. Darauf zeigte ich ihm die Mündung der Büchse mit gespanntem Hahn und schrie mit lauter Stimme: Nichtswürdige Verräter und Meuchelmörder, stürmt man so die Häuser und Läden in Rom? Soviel sich von euch Spitzbuben dieser Tür nähern, soviel will ich mit der Büchse tot hinstrecken. Ich zielte sogleich nach dem Haushofmeister und rief: Du Erzschelm, der du sie anstiftest, sollst mir zuerst sterben. Schnell gab er seinem Pferd die Sporen und floh mit verhängtem Zügel davon.

Über diesem großen Lärm waren alle Nachbarn herausgekommen, und einige römische Edelleute, welche eben vorbeigingen, sagten zu mir: Schlag die Hunde nur tot, wir wollen dir helfen. Diese kräftigen Worte jagten meinen Gegnern große Furcht ein, sie sahen sich genötigt zu fliehen und ihrem Herrn den Fall mit allen Umständen zu erzählen. Der stolze Mann machte seine Bedienten und Offizianten heftig herunter, teils weil sie einen solchen Exzeß begangen, teils weil sie den Handel, den sie einmal angefangen hatten, nicht besser durchsetzten.

Franz Penni, der in der ganzen Sache den Mittelsmann gemacht hatte, kam dazu, und Monsignor sagte zu ihm, er könne mir nur melden, daß wenn ich ihm das Gefäß nicht geschwind brächte, so sollten meine Ohren das größte Stück sein, das an mir bliebe; brächte ich das Gefäß gleich, so sollte ich die Zahlung erhalten. Ich fürchtete mich keineswegs und ließ ihm wissen, daß ich die Sache gleich an den Papst bringen würde.

Indessen waren wir beide kälter geworden, einige römische Edelleute schlugen sich ins Mittel und verbürgten sich, daß er mich nicht beleidigen, vielmehr die Zahlung meiner Arbeit leisten würde. Darauf machte ich mich auf den Weg, in meinem Panzerhemde und mit einem großen Dolche; so kam ich in das Haus des Bischofs, der sein ganzes Gesinde hatte auftreten lassen. Ich hatte meinen Paulin an der Seite, der das Gefäß trug, und es war, als wenn ich durch den Tierkreis zu gehen hätte: einer sah aus wie der Löwe, einer wie der Skorpion, andere glichen dem Krebs, bis wir endlich vor den Pfaffen selbst kamen; der sprudelte äußerst pfäffische und überspanische Worte hervor. Ich hub den

Kopf nicht auf, ihn anzusehen, und antwortete nicht: darüber wurde er noch giftiger, ließ ein Schreibzeug bringen und befahl mir, ich sollte quittieren, daß ich bezahlt und mit ihm wohl zufrieden sei. Darauf hob ich den Kopf und sagte zu ihm: ich würde es gerne tun, wenn ich nur erst mein Geld hätte. Der Bischof ereiferte sich noch mehr und fuhr fort zu drohen und zu schreien; endlich zahlte man mir erst das Geld, dann schrieb ich, und munter und zufrieden ging ich von dannen.

Papst Clemens vernahm die Geschichte und freute sich sehr daran. Man hatte ihm vorher das Gefäß, aber nicht als meine Arbeit, gezeigt, und nun sagte er öffentlich, daß er mir sehr wohlwollte, so daß Monsignor Salamanca sein übles Betragen bereute und, um mich wieder anzukörnen, mir durch Franz Penni sagen ließ, daß er mir noch große Werke auftragen wolle. Ich antwortete, daß ich sie gerne übernehmen würde, aber voraus die Bezahlung verlangte.

Auch diese Worte kamen zu den Ohren des Papstes, der herzlich darüber lachte. Kardinal Cibo war eben gegenwärtig, dem der Papst die Händel zwischen mir und Salamanca erzählte; dann wandte er sich zu seinen Leuten und befahl, daß man mir immer sollte für den Palast zu tun geben. Kardinal Cibo selbst schickte zu mir, und nachdem er mir viel Angenehmes gesagt hatte, bestellte er ein Gefäß, größer als das für Salamanca. So gaben mir auch die Kardinäle Cornaro und besonders Ridolfi und Salviati vieles zu verdienen.

Madonna Porzia Chigi trieb mich, daß ich selbst eine Werkstatt eröffnen sollte: ich folgt ihr und fuhr fort, für diese treffliche Frau zu arbeiten; und vielleicht ist sie die Ursache, daß ich mich in der Welt als etwas gezeigt habe.

Ich gewann die Freundschaft des Herrn Gabriel Cesarini, der Gonfaloniere von Rom war; für diesen Herrn machte ich viele Werke, unter andern eine große Medaille von Gold, an einem Hute zu tragen. Darauf war Leda mit dem Schwane zu sehen. Sehr zufrieden mit meiner Arbeit, wollte er sie schätzen lassen, um mich nach Verdienst zu bezahlen. Sie war mit größter Sorgfalt gemacht, und die Meister schätzten sie viel höher, als er geglaubt hatte. So behielt er meine Arbeit in der Hand und zauderte, mich zu bezahlen. Fast wäre mir's damit wie mit dem Gefäße des Salamanca gegangen.

FÜNFTES KAPITEL

Der Autor findet Händel und nimmt eine Ausforderung eines der Leute des Rienzo da Ceri an. – Er arbeitet große Kardinalssiegel, nach Art des Lautizio. – Die Pest bricht in Rom aus; während derselben hält er sich viel in den Ruinen auf und studiert dort nach den architektonischen Zieraten. – Geschichte des Herrn Jakob Carpi, berühmten Wundarztes. – Begebenheiten mit einigen Vasen, welche Benvenuto gezeichnet. – Nachdem die Pestilenz vorbei war, treten mehrere Künstler zusammen, Maler, Bildhauer und Goldschmiede, sich wöchentlich zu vergnügen. – Angenehme Beschreibung eines dieser Bankette, welches der Autor durch einen glücklichen Einfall verherrlicht.

Da ich mein Leben beschreiben will, so muß ich andere Dinge, die sich zwar nicht auf meine Profession beziehen, doch im Vorbeigehen bemerken. Am Feste unsers Patrons Sankt Johann aßen viele Florentiner zusammen, von verschiedenen Professionen, Maler, Bildhauer und Goldschmiede; unter andern angesehenen Leuten war Rosso, der Maler, und Penni, Raffaels Schüler, dabei. Ich hatte sie eigentlich zusammengebracht. Sie lachten und scherzten, wie es geschieht, wenn viele Männer beisammen sind, die sich eines gemeinsamen Festes erfreuen. Zufällig ging ein tollköpfiger junger Mensch vorbei, der Travaccio hieß und Soldat unter Rienzo da Ceri war. Da er uns so lustig hörte, spottete er auf eine unanständige Weise über die florentinische Nation. Ich hielt mich für den Anführer so vieler geschickten und braven Leute und konnte das nicht hingehen lassen; still, und ohne daß es jemand bemerkte, erreichte ich ihn noch; er ging mit seiner Liebsten und um sie zum Lachen zu bringen, setzte er sein albernes Geschwätze fort. Ich stellte ihn zur Rede und fragte ihn, ob er der Freche sei, der schlecht von der florentinischen Nation spreche? Er antwortete schnell: Ich bin's! Drauf schlug ich ihn ins Gesicht und sagte: Das bin ich! und sogleich waren unsere Degen gezogen. Aber kaum war der Handel begonnen, als sich viele dazwischen legten und, da sie die Sache vernahmen, mir recht gaben.

Den andern Tag wurde mir eine Ausforderung von ihm zugestellt, ich nahm sie freudig an und sagte, damit wollte ich wohl eher als mit einem Werke meiner andern Kunst fertig werden. Sogleich ging ich zu einem Alten, der Bevilacqua hieß; er hatte den Ruf, der erste Degen von Italien gewesen zu sein, denn er hatte sich wohl zwanzigmal geschlagen und war immer mit Ehren aus der Sache geschieden. Dieser brave Mann hatte viel Freundschaft für mich, er kannte mich und mein Talent in der Kunst und hatte mir schon bei fürchterlichen Händeln beigestanden. Er pflegte zu sagen: Mein Benvenuto! wenn du mit dem Kriegsgott zu tun hättest, so bin ich gewiß, du würdest mit Ehren bestehen: denn so viel Jahre ich dich kenne, habe ich dich noch keinen ungerechten Handel anfangen sehen. So nahm er teil an meinem Unternehmen und führte uns auf den Platz, wo wir, doch ohne Blutvergießen, mit Ehren den Streit endigten. Ich übergehe viele schöne Geschichten dieser Art, um von meiner Kunst zu reden, um derentwillen ich eigentlich schreibe, und ich werde darin nur zu viel zu sagen haben.

Man weiß, wie ich, mit einem löblichen Wetteifer, die Art und Kunst des Lucagnolo zu übertreffen suchte und dabei die Geschäfte eines Juweliers nicht versäumte; ebenso bemühte ich mich, die Geschicklichkeiten anderer Künstler nachzuahmen. Es war zur selbigen Zeit in Rom ein trefflicher Peruginer, mit Namen Lautizio, der nur Eine Profession trieb, in dieser aber auch einzig war. Es ist gewöhnlich, daß in Rom jeder Kardinal sein Wappen im Siegel führt. Diese Siegel sind groß, wie die ganze Hand eines zehnjährigen Knaben, und da in dem Wappen viele Figuren vorkommen, so bezahlt man für ein solches hundert und mehr Scudi. Auch diesem braven Manne wünschte ich nachzueifern, obgleich seine Kunst sehr von den Künsten entfernt war, die ein Goldschmied auszuüben hat; auch verstand Lautizio nichts zu machen als nur diese Siegel. Ich aber befleißigte mich, nebst andern Arbeiten, auch dieser, und so schwer ich sie auch fand, ließ ich doch nicht nach, weil ich zu lernen und zu verdienen geneigt war.

Dann befand sich in Rom ein andrer trefflicher Künstler, von Mailand gebürtig, mit Namen Caradosso; er arbeitete bloß getriebene Medaillen von Metallblech und andere Dinge dieser Art. Er machte einige Friedensbilder in halberhobener Arbeit, auch Kruzifixe, einen Palm groß, von dem zartesten Goldblech auf das vortrefflichste gearbeitet, und ich wünschte ihn mehr als jemanden zu erreichen. Überdies fanden sich andere Meister, welche Stahlstempel, wodurch man die schönen Münzen hervorbringt, verfertigten. Alle diese verschiedenen Arbeiten übernahm ich und suchte sie unermüdet zur Vollkommenheit zu bringen. Die schöne Kunst des Emaillierens ließ ich mir gleichfalls angelegen sein, und nahm mir darin einen unserer Florentiner, der Amerigo hieß, den ich niemals persönlich gekannt hatte, zum Vorbild. Niemand hat sich, das ich wüßte, seiner göttlichen Arbeit genähert. Auch diese schweren Bemühungen legte ich mir auf, wo man sein Werk und die Frucht seines Fleißes zuletzt dem Feuer überlassen muß, das alles wieder verderben kann; aber die Freude, die ich daran hatte, machte, daß ich die großen Schwierigkeiten für ein Ausruhen ansahe. Denn Gott und die Natur haben mir die glücklichste Gabe, eine so gute und wohlproportionierte Komplexion gegeben, daß ich damit frei alles, was mir in den Sinn kam, ausrichten konnte. Was ich in diesen so ganz verschiedenen Professionen geleistet habe, werde ich an seinem Orte anzeigen.

Zu dieser Zeit, ich war ungefähr dreiundzwanzig Jahr alt, wütete in Rom eine pestilenzialische Krankheit, viele Tausende starben jeden Tag, und, dadurch geschreckt, gewöhnte ich mich zu einer gewissen Lebensart, die ich gemütlich fand, und zwar durch folgenden Anlaß. An Festtagen ging ich gewöhnlich nach Altertümern aus und studierte nach ihnen, entweder in Wachs, oder mit Zeichnen. Weil sich nun viele schöne Sachen in den Ruinen finden, und dabei viele Tauben nisten, fand ich Vergnügen, meine Büchse gegen sie zu brauchen. Nun gab ich öfters, aus Furcht vor der Pest und um allen menschlichen Umgang zu fliehen, meinem Paulin das Gewehr auf die Schulter. Wir gingen allein nach jenen Altertümern aus, und kamen gewöhnlich mit einer großen Beute nach Hause. Ich lud immer nur eine Kugel in das Gewehr und vergnügte mich, durch Kunst und Geschicklichkeit große Jagd zu machen. Ich hatte mir selbst meine Büchse eingerichtet, sie war von außen und innen spiegelglatt; dazu machte ich mir selbst das feinste Schießpulver, wobei ich Geheimnisse fand, die noch niemand entdeckt hatte; ich will nur diesen Wink geben, daß ich, mit dem fünften Teil des Gewichts der Kugel, von meinem Pulver auf zweihundert Schritte einen weißen Punkt traf, worüber sich die, welche das Handwerk verstehen, gewiß verwundern werden.

So ein großes Vergnügen fand ich an dieser Übung, daß sie mich manchmal von meiner Kunst und von meinen Studien zu entfernen schien; allein ich zog, von der andern Seite, daraus wieder großen Vorteil, denn ich verbesserte dadurch meine Lebenskräfte, und die Luft war mir sehr heilsam, da ich von Natur zur Melancholie geneigt bin. Dieses Vergnügen erfreute mir gleich das Herz, ich ward geschickter zur Arbeit, und mein Talent zeigte sich mehr, als wenn ich immer bei meinen Studien und Übungen blieb, so daß mir am Ende meine Büchse mehr zum Vorteil als zum Nachteil gereichte.

Bei dieser Gelegenheit hatte ich auch die Bekanntschaft mit Antiquitätensuchern gemacht, die den lombardischen Bauern aufpaßten, welche zu bestimmten Zeiten nach Rom kamen, um die Weinberge zu bearbeiten, und im Umwenden des Erdreichs immer alte Medaillen, Achate, Prasem,

Karneole und Kameen fanden; manchmal hatten sie sogar das Glück, Edelsteine, zum Beispiel Smaragde, Saphire, Diamanten und Rubinen auszugraben. Jene Aufsucher kauften gewöhnlich solche Dinge von den Bauern für geringes Geld, und indem ich sie öfters auf der Stelle antraf, zahlte ich ihnen wohl so viele Goldgulden, als sie Julier gegeben hatten. Ich verhandelte diese Dinge wieder, und ob ich dabei gleich wieder zehn für eins gewann, so machte ich mir doch dadurch fast alle Kardinäle zu Freunden.

Um nur von den seltensten Stücken zu reden, die mir in die Hand fielen, nenne ich den Kopf eines Delphins, groß, wie eine mäßige Bohne, in dem schöngefärbtesten Smaragd; einen Minervenkopf in Topas, einer starken Nuß groß; einen Kamee mit Herkules und Zerberus, ein Werk, das unser großer Michelagnolo höchlich bewunderte. Unter vielen Münzen erhielt ich einen Jupiterskopf, von der größten Schönheit, und auf der andern Seite waren einige gleich treffliche Figuren gebildet.

Daß ich hier noch eine Geschichte erzähle, die früher vorfiel! Es kam ein großer Chirurgus nach Rom, der Meister Jakob da Carpi hieß; dieser treffliche Mann kurierte unter andern besonders desperate französische Übel; er verstand sich sehr auf Zeichnung, und da er eines Tags vor meiner Werkstatt vorüberging, sah er zufälligerweise einige Handrisse, worunter sich wunderliche Vasen befanden, die ich zu meinem Vergnügen erfunden hatte; sie waren ganz verschieden von allem, was bis dahin gesehen worden war. Meister Jakob verlangte, ich sollte sie ihm von Silber machen, welches ich äußerst gern tat, weil ich dabei meinen Grillen folgen konnte; er bezahlte mir sie gut; aber hundertfach war die Ehre, die sie mir verschafften. Denn die Goldschmiede lobten die Arbeit über die Maßen, und ich hatte sie nicht sobald ihrem Herrn übergeben, als er sie dem Papst zeigte und den andern Tag verreiste. Er war sehr gelehrt, und sprach zum Erstaunen über die Medizin. Der Papst verlangte, er sollte in seinen Diensten bleiben, aber er sagte, er

ERSTES BUCH · FÜNFTES KAPITEL

wolle in keines Menschen Dienste treten, und wer ihn nötig hätte, sollte ihn aufsuchen. Es war ein verschlagener Mann, und er tat wohl von Rom wegzugehn, denn wenige Monate darauf befanden sich alle, die er kuriert hatte, viel schlimmer als vorher; sie hätten ihn umgebracht, wenn er geblieben wäre.

Er zeigte meine Gefäße dem Herzog von Ferrara und vielen andern Herren, auch unserm durchlauchtigsten Herzog, und sagte, er habe sie von einem großen Herrn in Rom erhalten, den er nur unter der Bedingung, daß er ihm diese Gefäße abträte, habe kurieren wollen; der Herr habe sich sehr geweigert, ihm versichert, daß sie antik seien, und habe ihn gebeten, er möchte lieber alles andere verlangen; er aber sei darauf bestanden und habe die Kur nicht eher begonnen, als bis er die Gefäße erhalten.

Dieses erzählte mir Alberto Bendidio, der mir mit großen Umständen einige Kopien wies, die in Ferrara in Ton gemacht worden waren. Ich lachte und sagte nichts weiter. Der stolze Mann erzürnte sich und rief: Du lachst, und ich sage dir, seit tausend Jahren ist keiner geboren, der sie nur zeichnen könnte. Ich war still, um ihnen den großen Ruf nicht zu rauben, und schien sie selbst zu bewundern.

Viele Herren in Rom, und darunter auch einige meiner Freunde, sprachen mit Verwunderung von diesen Arbeiten, die sie selbst für alt hielten: ich konnte meinen Stolz nicht verbergen und behauptete, daß ich sie gemacht habe; man wollte es nicht glauben, und zum Beweis machte ich neue Zeichnungen, denn die alten hatte Meister Jakob klüglich mitgenommen.

Die Pest war vorüber, und ich hatte mich glücklich durchgebracht, aber viele meiner Gesellen waren gestorben. Man suchte sich wieder auf und umarmte freudig und getröstet diejenigen, die man lebend antraf. Daraus entstand in Rom eine Gesellschaft der besten Maler, Bildhauer und Goldschmiede, die ein Bildhauer von Siena, namens Michelagnolo, stiftete; er durfte in seiner Kunst sich neben jedem andern zeigen, und man konnte dabei keinen gefälligern und lustigern Mann finden. Er war der älteste in der Gesellschaft, aber der jüngste nach der Gesundheit seines Körpers; wir kamen wöchentlich wenigstens zweimal zusammen; Julius Romano und Franziskus Penni waren von den Unsern.

Schon hatten wir uns öfters versammelt, als es unserm guten Anführer beliebte, uns auf den nächsten Sonntag bei sich zu Tische zu laden; jeder sollte sich seine Krähe mitbringen: das war der Name, den er unsern Mädchen gegeben hatte; und wer sie nicht mitbrächte, sollte zur Strafe die ganze Gesellschaft zunächst zu Tische laden. Wer nun von uns mit solchen Mädchen keinen Umgang hatte, mußte mit großen Kosten und Anstalten eine für den Tag sich aufsuchen, um nicht beschämt bei dem herrlichen Gastmahl zu erscheinen. Ich dachte wunder, wie gut versehen ich wäre, denn ein sehr schönes Mädchen, mit Namen Pantasilea, war sterblich in mich verliebt; ich fand mich aber genötigt, sie meinem besten Freunde Bachiacca zu überlassen, der gleichfalls heftig in sie verliebt war; darüber gab es einigen Verdruß, denn das Mädchen, als sie sah, daß ich sie so leicht abtrat, glaubte, daß ich ihre große Liebe schlecht zu schätzen wisse; darüber entstand mir ein böser Handel in der Folge, dessen ich an seinem Ort gedenken will.

Schon nahte sich die Stunde, da jeder mit seiner Krähe in die treffliche Gesellschaft kommen sollte. Bei einem solchen Spaße mich auszuschließen, hielt ich für unschicklich, und dann hatte ich wieder Bedenken, unter meinem Schutz und Ansehn irgendeinen schlechten, gerupften Vogel einzuführen. Alsbald fiel mir ein Scherz ein, durch den ich die Freude zu vermehren gedachte. So entschlossen rief ich einen Knaben von sechzehn Jahren, der neben mir wohnte, den Sohn eines spanischen Messingarbeiters; er hieß Diego, studierte fleißig Latein, war schön von Figur, und hatte die beste Gesichtsfarbe. Der Schnitt seines Gesichts war viel schöner als des alten Antinous; ich hatte ihn oft gezeichnet und in meinen Werken große Ehre dadurch eingelegt; er ging mit niemand um, so daß man ihn nicht kannte, war gewöhnlich sehr schlecht gekleidet, und nur in seine Studien verliebt; ich rief ihn in meine Wohnung und bat ihn, daß er die Frauenkleider anlegen möchte, die er daselbst vorfand. Er war willig, zog sich schnell an, und ich suchte mit allerlei Schmuck sein reizendes Gesicht zu verschönern; ich legte ihm zwei Ringe, mit großen schönen Perlen, an die Ohren; die Ringe waren offen und klemmten das Läppchen so, als wenn es durchstochen wäre; dann schmückte ich seinen Hals mit goldnen Ketten und andern Edelsteinen, auch seine Finger steckte ich voll Ringe, nahm ihn dann freundlich beim Ohr und zog ihn vor meinen großen Spiegel; er erstaunte über sich selbst und sagte mit Zufriedenheit: Ist's möglich! das wäre Diego?

Ja, versetzte ich, das ist Diego, von dem ich niemals eine Gefälligkeit verlangt habe, nur gegenwärtig bitt ich ihn, daß er mir den Gefallen tue, mit diesen Kleidern zu jener vortrefflichen Gesellschaft zu Tische zu kommen, von der ich ihm so oft erzählt habe. Der ehrbare, tugendsame und kluge Knabe schlug die Augen nieder und blieb eine Weile stille, dann hob er auf einmal sein himmlisches Gesicht auf und sagte: Mit Benvenuto komme ich! laß uns gehen! Darauf schlug ich ihm ein großes seidnes Tuch über den Kopf, wie die Römerinnen im Sommer tragen.

Als wir an dem Platz ankamen, waren schon alle beisammen und gingen mir sämtlich entgegen. Michelagnolo von Siena, zwischen Julius Roman und Penni, nahm den Schleier meiner schönen Figur ab, und wie er der allerlustigste und launigste Mann von der Welt war, faßte er seine Freunde zu beiden Seiten an und nötigte sie, sich so tief als möglich auf die Erde zu bücken. Er selbst fiel auf die Knie, flehte um Barmherzigkeit, rief alle zusammen und sagte: Sehet nur, so sehen die Engel im Paradiese aus! Man sagt immer nur Engel, aber da sehet ihr, daß es auch Engelinnen gibt. Dann mit erhobener Stimme sprach er: O schöner Engel, o würdiger Engel, beglücke mich, segne mich! Darauf erhob die

angenehme Kreatur lächelnd ihre Hand und gab ihm den
päpstlichen Segen. Michelagnolo erhub sich und sagte, dem
Papst küsse man die Füße, den Engeln die Wangen! und so
tat er auch. Der Knabe ward über und über rot, und seine
Schönheit erhöhte sich außerordentlich.

Als wir uns weiter umsahen, fanden wir in dem Zimmer
viele Sonette angeschlagen, die jeder von uns gemacht und
dem Michelagnolo zugeschickt hatte. Das schöne Kind
fing an sie zu lesen, und las sie alle mit so viel Ausdruck, daß
jedermann erstaunen mußte. Auf diese Weise wurde viel
gesprochen, und jeder zeigte seine Verwunderung, davon
ich nur die Worte des berühmten Julius erwähnen will.
Nachdem er alle die Anwesenden und besonders die Frauen
angesehen hatte, sagte er: Lieber Michelagnolo! wenn ihr
die Mädchen Krähen benennt, so habt ihr diesmal doppelt
recht, denn sie nehmen sich noch schlimmer aus als Krähen,
neben dem schönsten Pfau.

Die Speisen waren aufgetragen und Julius erbat sich die
Erlaubnis, uns die Plätze anzuweisen; als es ihm gestattet
war, nahm er die Mädchen bei der Hand und ließ sie alle an
einer Seite und die meinige in der Mitte niedersitzen, alsdann
die Männer an der andern Seite und mich in der Mitte, mit
dem Ausdruck, daß ich diese Ehre wohl verdiente. Im Rük-
ken unserer Frauenzimmer war eine Wand von natürlichen
Jasminen, worauf sich die Gestalten, und besonders meiner
Schönen, über alle Begriffe herrlich ausnahmen, und so genossen wir eines Gastmahls, das mit Überfluß und Zierlichkeit bereitet war. Gegen Ende des Tisches kamen einige
Singstimmen zugleich mit einigen Instrumenten, und da sie
ihre Notenbücher bei sich hatten, verlangte meine schöne
Figur gleichfalls mitzusingen. Sie leistete so viel mehr als
die andern, daß Julius und Michelagnolo nicht mehr, wie
vorher, munter und angenehm scherzten, sondern, ernsthaft, wichtige und tiefsinnige Betrachtungen anstellten.

Darauf fing ein gewisser Aurelius von Ascoli, der sehr
glücklich aus dem Stegreif sang, mit göttlichen und herr-

lichen Worten an, die Frauenzimmer zu loben. Indessen hörten die beiden Frauen, die meine schöne Figur in der Mitte hatten, nicht auf, zu schwätzen. Die eine erzählte, wie es ihr übel ergangen, und die andere fragte mein Geschöpfchen, wie sie sich geholfen hätte, wer ihre Freunde wären, wie lange sie sich in Rom befände, und andere Dinge der Art. Indessen hatte Pantasilea, meine Liebste, aus Neid und Verdruß, auch allerlei Händel erregt, die ich der Kürze willen übergehe. Endlich wurden meiner schönen Figur, welche den Namen Pomona führte, die abgeschmackten Zudringlichkeiten zur Last, und sie drehte sich verlegen bald auf die eine, bald auf die andere Seite. Da fragte das Mädchen, das Julius mitgebracht hatte, ob sie sich übel befinde? Mit einigem Mißbehagen sagte meine Schönheit: Ja! Und setzte hinzu, sie glaube seit einigen Monaten guter Hoffnung zu sein, und fürchte ohnmächtig zu werden. Sogleich hatten ihre beiden Nachbarinnen Mitleid mit ihr, und wollten ihr Luft machen; da ergab sich's, daß es ein Knabe war, sie schrien, schalten und standen vom Tische auf. Da erhub sich ein lauter Lärm und ein unbändiges Gelächter. Michelagnolo verlangte die Erlaubnis, mich bestrafen zu dürfen, und erhielt sie unter großem Geschrei. Er soll leben! rief der Alte aus; wir sind ihm Dank schuldig, daß er durch diesen Scherz unser Fest vollkommen gemacht hat. So endigte sich dieser Tag, von dem wir alle vergnügt nach Hause kehrten.

SECHSTES KAPITEL

Der Autor ahmt türkische mit Silber damaszierte Dolche nach. – Ableitung des Worts Groteske, von Zieraten gebraucht. – Des Autors Fleiß an Medaillen und Ringen. – Seine Wohltaten an Ludwig Pulci werden mit Undank belohnt. Leidenschaft des Pulci zu Pantasilea und tragisches Ende desselben. – Kühnes Betragen des Autors, der die Verliebten und ihr bewaffnetes Geleit angreift. – Der Autor entkommt und versöhnt sich mit Benvenuto von Perugia.

Wollte ich umständlich beschreiben, wie vielfach die Werke waren, welche ich für mehrere Personen vollendete, so hätte ich genug zu erzählen; gegenwärtig ist aber nur so viel notwendig zu sagen: daß ich mich mit Sorgfalt und Fleiß in allen den verschiedenen Künsten zu üben suchte, von denen ich oben gesprochen habe. Ich fuhr beständig fort, mancherlei zu unternehmen, und weil ich meiner merkwürdigsten Arbeiten zu erwähnen gedenke, so soll es von Zeit zu Zeit am gehörigen Orte, und zwar bald geschehen.

Obgedachter Michelagnolo von Siena, der Bildhauer, verfertigte zu selbiger Zeit das Grabmal des letztverstorbenen Papstes Adrian; Julius Roman, der Maler, war in des Marchese von Mantua Dienste getreten, und die andern Freunde begaben sich, nach und nach, dieser da-, der andere dorthin, je nachdem er zu tun hatte, so daß jene treffliche Gesellschaft fast ganz auseinanderging.

Zu der Zeit kamen mir einige kleine türkische Dolche in die Hände, wovon sowohl Griff und Scheide als auch die Klinge von Eisen war; zugleich fand sich auf diesem Gewehr das schönste Blätterwerk nach türkischer Art eingegraben, und auf das zierlichste mit Gold ausgelegt. Eine solche Arbeit reizte mich gewaltig, auch in dieser Profession etwas zu leisten, die doch so verschieden von meinen übrigen war; und als ich sah, daß sie mir aufs beste gelang, fuhr ich fort mehrere dergleichen Gewehre zu machen, welche schöner und dauerhafter als die türkischen selbst ausfielen, und zwar wegen verschiedener Ursachen. Erstlich, weil ich in meinem Stahl die Figuren tiefer untergrub, als es die türkischen Arbeiter zu tun pflegen; zweitens, weil jenes türkische Laubwerk eigentlich nur aus Arumsblättern mit einigen ägyptischen Blümchen besteht, die, ob sie gleich etwas weniges Grazie haben, dennoch auf die Dauer nicht wie unser Laubwerk gefallen.

Denn wir haben in Italien gar verschiedene Arten, und die Künstler selbst arbeiten verschieden. So ahmen die Lombarden den Efeu und wilden Wein nach, deren schöne Ranken sehr angenehm zu sehen sind; die Florentiner und Römer dagegen haben mit noch weit mehr Geschmack gewählt: denn sie bilden den Akanth mit seinen Blättern und Blumen, die sich auf verschiedene Weise herumschlingen, und zwischen gedachten Blättern werden gewisse Vögel und verschiedene Tiere angebracht, woran man erst sehen kann wer guten Geschmack habe. Manches kann man auch von der Natur und den wilden Blumen lernen, zum Beispiel von denen, die man Löwenmäuler nennt, und was dergleichen mehr sein mag; da denn die trefflichen Goldschmiede ihre eignen Erfindungen hinzufügen.

Solche Arbeiten werden von den Unkundigen Grotesken genannt; welche Benennung sich von den Neueren herschreibt, indem die aufmerksamen Künstler in Rom in manchen unterirdischen Höhlen dergleichen Zieraten fanden; weil diese Orte ehemals als Zimmer, Stuben, Studiensäle und sonst gebraucht wurden, nun aber, da durch den Ruin so großer Gebäude jene Teile in die Tiefe gekommen sind, gleichsam Höhlen zu sein scheinen, welche in Rom Grotten genannt werden; daher denn, wie gesagt, der Name Grotesken sich ableitet. Die Benennung aber ist nicht eigentlich. Denn wie die Alten sich vergnügten, Monstra zusammenzusetzen, indem sie die Gestalten der Ziegen, Kühe und Stuten verbanden, so sollten auch diese Verbindungen verschiedener Pflanzen und Blätterarten Monstra und nicht Grotesken genannt werden. Auf diese Weise machte ich solche wundersam zusammengesetzte Blätter, die viel schöner als die türkischen anzusehen waren.

Auch begab sich's, daß in dieser Zeit in einigen alten Graburnen unter der Asche gewisse eiserne Ringe gefunden wurden, von den Alten schön mit Gold eingelegt. In jedem war ein kleiner Onyx gefaßt. Die Gelehrten, die darüber Untersuchungen anstellten, behaupteten, daß man diese Ringe getragen habe, um in allen seltsamen Fällen des Lebens, sowohl glücklichen als unglücklichen, bei gesetztem Gemüte zu bleiben. Darauf machte ich verschiedene solche Ringe auf Verlangen einiger Herren, die meine großen Freunde waren. Ich nahm dazu den reinsten Stahl, und grub und legte die Zieraten mit großer Sorgfalt ein; sie sahen sehr gut aus, und ich erhielt manchmal mehr als vierzig Scudi bloß für meine Arbeit.

Ferner bediente man sich zu jener Zeit goldener Medaillen, worauf ein jeder Herr und Edelmann irgendeine Grille oder Unternehmung vorstellen ließ und sie an der Mütze trug. Dergleichen machte ich viele, ob es gleich eine sehr schwere Arbeit war. Bisher hatte sie der große geschickte Meister Caradosso, den ich schon genannt habe, verfertigt, und da gewöhnlich mehr als Eine Figur darauf bestellt wurde, verlangte er nicht weniger als hundert Goldgulden. Nun empfahl ich mich gedachten Herren, nicht weil jener so teuer, sondern weil er so langsam war, und arbeitete für sie unter andern eine Medaille mit ihm um die Wette, worauf vier Figuren zu sehen waren, an welche ich großen Fleiß anwendete.

Als die Herren beide Arbeiten verglichen, gaben sie meiner den Vorzug, und behaupteten, sie sei schöner und besser als die andre, verlangten den Preis zu wissen und sagten, weil ich ihnen so sehr Genüge geleistet habe, so wünschten sie mir auch ein Gleiches zu tun. Darauf antwortete ich: die größte Belohnung, nach der ich am meisten gestrebt habe, sei, die Kunst eines so vortrefflichen Mannes zu erreichen, und wenn mir, nach dem Urteil der Herren, diese Absicht geglückt sei, so fände ich mich überflüssig bezahlt. Als ich darauf fortging, schickten sie mir ein so freigebiges Geschenk nach, daß ich sehr zufrieden sein konnte, und meine Lust zu arbeiten dergestalt zunahm, daß die Folgen daraus entstanden, die man künftig vernehmen wird.

Nun muß ich mich aber ein wenig von meiner Profession entfernen, um einige unangenehme Zufälle meines mühseligen Lebens zu erzählen.

Man wird sich erinnern, daß ich oben, indem ich von jener trefflichen Gesellschaft und von den anmutigen Scherzen sprach, die bei Gelegenheit des verkleideten Knaben vorgekommen waren, auch einer Pantasilea gedachte, die erst eine falsche und beschwerliche Liebe zu mir zeigte, nun aber auf mich äußerst erzürnt war, weil sie glaubte, daß ich sie damals höchlich beleidigt habe. Sie hatte geschworen, sich zu rächen, und fand dazu Gelegenheit. Da ich denn beschreiben will, wie sich mein Leben in der größten Gefahr befand, und zwar verhielt es sich damit folgendermaßen:

Als ich nach Rom kam, fand ich daselbst einen jungen Menschen, der Ludwig Pulci hieß, Sohn desjenigen Pulci, dem man den Kopf abschlug, weil er sich seiner eignen Tochter nicht enthielt. Dieser junge Mensch hatte einen trefflichen poetischen Geist, schöne Kenntnisse der lateinischen Literatur, schrieb sehr gut und war über die Maßen schön und anmutig. Er hatte sich ich weiß nicht von welchem Bischof getrennt, und stak tief in den französischen Übeln. Meine Bekanntschaft mit ihm schrieb sich noch aus Florenz her, wo man sich in Sommernächten auf den Straßen häufig versammelte, und woselbst dieser Jüngling sich mit den besten Liedern aus dem Stegreif hören ließ. Sein Gesang war so angenehm, daß der göttlichste Michelagnolo Buonarroti, der trefflichste Bildhauer und Maler, immer ihn zu hören ging, sobald er ihn nur anzutreffen wußte; dabei war ein gewisser Goldschmied Piloto und ich in seiner Gesellschaft.

Da wir uns nun nach zwei Jahren in Rom fanden, entdeckte er mir seinen traurigen Zustand und bat mich um Gottes willen, ich möchte ihm helfen! Mich bewegten seine großen Talente, die Liebe des gemeinsamen Vaterlands und meine eigene, mitleidige Natur; ich nahm ihn ins Haus und ließ ihn heilen, so daß er, als ein junger Mensch, sehr bald wiederhergestellt war. Indessen studierte er sehr fleißig, und ich hatte ihn mit vielen Büchern, nach meinem Vermögen, versehen. Für diese große Wohltat dankte er mir oft mit Worten und Tränen, und sagte, wenn ihm nur Gott die Gelegenheit gäbe, so wolle er sich gewiß erkenntlich bezeigen. Darauf gab ich zur Antwort: Ich habe nur getan, was ich gekonnt, nicht was ich gewollt. Die Schuldigkeit der menschlichen Geschöpfe sei, einander zu Hülfe zu kommen. Er möchte nur die Wohltat, die ich ihm erzeigt, auch wieder einem andern erweisen, der seiner gleichfalls bedürfen könne. Übrigens solle er mein Freund sein und mich für den seinigen halten.

Darauf bemühte er sich um ein Unterkommen am römischen Hof, welches er auch bald fand. Er schloß sich an einen Bischof an, einen Mann von achtzig Jahren, den man den Bischof von Urgenis nannte. Dieser hatte einen Neffen, Herrn Johannes, einen venezianischen Edelmann, welcher sehr große Vorliebe für die Talente des Ludwig Pulci zeigte und ihn unter diesem Scheine ganz und gar an sich zog, so daß beide zusammen in der größten Vertraulichkeit lebten. Ludwig konnte ihm daher nicht verschweigen, wie sehr er mir wegen so vieler Wohltaten verbunden sei, deshalb mich Herr Johannes wollte kennenlernen.

Nun begab sich's, unter andern, daß ich eines Abends gedachter Pantasilea ein kleines Essen gab, wozu ich viele meiner kunstreichen Freunde eingeladen hatte. Eben als wir uns zu Tische setzen wollten, trat Herr Johannes mit gedachtem Ludwig herein, und nach einigen Komplimenten blieben sie bei uns.

Als das unverschämte Weib den schönen Jüngling sah, warf sie gleich die Augen auf ihn. Deswegen rief ich nach eingenommenem Essen sogleich Ludwig beiseite und sagte, wenn er bekenne, mir manches schuldig zu sein, so solle er sich auf keine Weise mit diesem Weibsbild einlassen. Darauf versetzte er: Wie, mein Benvenuto, haltet ihr mich denn für unsinnig? Nicht für unsinnig, sagte ich, aber für jung! Dabei schwur ich, daß mir an ihr nichts gelegen sei, aber wohl an ihm, und daß es mir leid tun sollte, wenn er um ihretwillen den Hals bräche. Darauf schwur er und bat Gott, daß er den Hals brechen möge, wenn er sich mit ihr einließe! Diesen Schwur mag er wohl von ganzem Herzen getan haben, denn dasselbe begegnete ihm, wie wir nachher vernehmen werden.

Leider entdeckte man bald an Herrn Johannes nicht eine tugendsame, sondern eine unreine Liebe zu dem jungen Menschen, denn dieser erschien fast alle Tage in neuen samt- und seidenen Kleidern. Man konnte leicht erkennen, daß er seine schönen Tugenden abgeschafft und sich ganz dem Verbrechen ergeben hatte. So tat er denn auch, als wenn er mich nicht sähe noch kenne; denn ich hatte ihn einmal zur Rede gestellt und ihm seine Laster vorgeworfen, worüber er nach seinen eigenen Worten den Hals brechen sollte. Unter andern hatte ihm auch Herr Johannes einen schönen Rappen gekauft und dafür hundertundfunfzig Scudi gegeben. Dieses Pferd war trefflich zugeritten, und Ludwig ließ es alle Tage vor den Fenstern der Pantasilea seine Männchen machen. Ich bemerkte es wohl, bekümmerte mich aber nicht darum und sagte vielmehr: jedes Ding wolle nach seiner Weise leben, und hielt mich an meine Arbeit.

Nun begab sich's, einen Sonntag abends, daß uns Michelagnolo von Siena, der Bildhauer, zu Tische lud; es war im Sommer, und Bachiacca, von dem ich schon gesprochen habe, war auch geladen. Dieser hatte die Pantasilea mitgebracht, als ihr alter Kunde. So saßen wir zu Tische. Auf einmal gab sie Leibschmerzen vor, stand auf und versprach sogleich wieder zu kommen. Indessen wir nun aufs anmutigste scherzten und speisten, blieb sie etwas länger als billig aus. Ich horchte zufälligerweise und es kam mir vor, als wenn ich auf der Straße, ganz leise, wispern hörte; ich hatte eben das Tischmesser in der Hand.

Da ich nah an dem Fenster saß, erhub ich mich ein wenig, sah den Ludwig mit Pantasilea zusammen und hörte jenen sagen: Wehe! wenn uns der Teufel Benvenuto sehen sollte. Darauf antwortete sie: Seid nur ruhig! hört, welchen Lärm sie machen! sie denken an ganz was anders als an uns. Kaum hatte ich diese Worte gehört, als ich mich zum Fenster hinaus auf die Straße warf, und Ludwig bei der Jacke erwischte, den ich gewiß würde mit meinem Messer ermordet haben, wenn er nicht seinen Schimmel gespornt und mir die Jacke in der Hand gelassen hätte. So rettete er sein Leben und flüchtete mit Pantasilea in eine benachbarte Kirche.

Sogleich standen alle Gäste vom Tische auf, folgten mir nach und baten mich, daß ich doch weder mich noch sie um so einer Kreatur willen beunruhigen sollte. Da sagte ich, um der Dirne willen würde ich mich nicht gerührt haben; aber der schändliche Jüngling bringe mich auf, der mir so wenig Achtung bezeige! Und so ließ ich mich durch die Worte dieser trefflichen Männer nicht bewegen, nahm meinen Degen und ging hinaus auf die Wiesen, denn das Haus, in dem wir speisten, war nahe am Tore des Kastells, das dahinaus führt. Es dauerte nicht lange, so ging die Sonne unter, und ich kehrte mit langsamen Schritten nach Rom zurück.

Schon war es Nacht und dunkel, und die Tore von Rom noch nicht geschlossen. Gegen zwei Uhr ging ich an dem Hause der Pantasilea vorbei und hatte mir vorgesetzt, wenn ich Ludwig bei ihr fände, beiden etwas Unangenehmes zu erzeigen. Da ich aber daselbst nur eine Magd antraf, die Corida hieß, ging ich nach meiner Wohnung, legte die Jacke und die Scheide des Degens weg und kehrte zu jenem Hause zurück, das hinter den Bänken an der Tiber lag. Gegenüber war der Garten eines Wirtes, der sich Romolo nannte, und zwar mit einer starken Hagebuttenhecke eingefaßt; in diese versteckte ich mich und wartete, daß das Mädchen mit Ludwig nach Hause kommen sollte.

Nach einiger Zeit kam mein Freund, der gedachte Bachiacca; er mochte sich's nun vorgestellt, oder es mochte ihm jemand meinen Aufenthalt verraten haben, genug er rief mich ganz leise: Gevatter! denn so nannten wir einander, im Scherze; er bat mich, um Gottes willen, und sagte fast weinend: Lieber Gevatter, tue doch dem armen Mädchen nichts zuleide, denn sie hat nicht die mindeste Schuld! Darauf versetzte ich: Wenn ihr euch nicht sogleich hinwegpackt, so schlage ich euch diesen Degen um die Ohren.

Mein armer Gevatter erschrak und es fuhr ihm in den Leib, so daß er nicht weit gehen konnte, ohne den Forderungen der Natur zu gehorchen.

Der Himmel stand voll Sterne, und die Hellung war sehr groß. Auf einmal hörte ich einen Lärm, von mehreren Pferden, die hüben und drüben vorwärts kamen. Es war Ludwig und Pantasilea, begleitet von einem gewissen Herrn Benvenuto von Perugia, Kämmerer des Papstes Clemens. Sie hatten noch vier tapfre Hauptleute aus gedachter Stadt bei sich, nicht weniger einige brave, junge Soldaten; es mochten mehr als zwölf Degen sein.

Da ich das merkte, betrachtete ich, daß kein Weg vor mir war zu entkommen; ich wollte in der Hecke verborgen bleiben, aber die Dornen stachen und hetzten mich so, daß ich fast einen Sprung zu tun und zu fliehen dachte. Zu gleicher Zeit hatte Ludwig die Pantasilea um den Hals gefaßt und sagte: Ich will dich doch in Einem Zug fortküssen, und wenn der Verräter Benvenuto darüber rasend werden sollte. Nun ärgerten mich die Worte des Burschen um desto mehr, als ich schon von den Hagebutten zu leiden hatte. Da sprang ich hervor und rief, mit starker Stimme: Ihr seid alle des Todes! Der erste Hieb meines Degens traf die Schulter Ludwigs, und weil sie den armen Jungen mit Harnischen und anderm solchen Eisenwerk überblecht hatten, tat es einen gewaltigen Schlag. Der Degen wandte sich, und traf die Pantasilea an Nase und Mund. Beide Personen fielen auf die Erde, und Bachiacca, mit halbnackten Schenkeln, schrie und floh. Sodann wendete ich mich mit Kühnheit gegen die andern. Diese wackern Leute, die den großen Lärm vernahmen, der im Wirtshaus indessen entstanden war, glaubten es sei ein Heer von hundert Mann daselbst und legten tapfer die Hand an den Degen. Indessen wurden ein paar Pferdchen unter der Truppe wild und warfen ihre Reiter, die von den bravsten waren, herab, und die übrigen ergriffen die Flucht. Ich ersah meinen Vorteil und entkam mit großer Schnelligkeit diesem Handel, von dem ich Ehre genug davon trug und das Glück nicht mehr als billig versuchen wollte.

In dieser unmäßigen Unordnung hatten sich einige Soldaten und Hauptleute selbst mit ihren Degen verwundet. Herr Benvenuto, der Kämmerer, war von seinem Maultiere herabgestoßen und getreten worden, und ein Diener, der den Degen gezogen hatte, fiel zugleich mit seinem Herrn und verwundete ihn übel an der Hand. Das war Ursache, daß dieser auf seine peruginische Weise schwur: Bei Gott, Benvenuto soll den Benvenuto Lebensart lehren!

Nun trug er einem seiner Hauptleute auf, mich herauszufordern. Dieser war vielleicht kühner als die andern; aber, weil er zu jung war, wußte er sich nicht zu benehmen. Er kam, mich in dem Hause eines neapolitanischen Edelmanns aufzusuchen, der mir bei sich gern eine Zuflucht erlaubte, teils weil er einige Sachen meiner Profession gesehen und zugleich die Richtung meines Körpers und Geistes zu kriegerischen Taten, wozu er auch sehr geneigt war, bemerkt hatte. Da er mir nun nach seiner großen Liebe recht gab und ich schon hartnäckig genug war, erteilte ich jenem Hauptmann eine solche Antwort, daß es ihm wohl gereuen mochte, vor mich getreten zu sein.

Wenige Tage darauf, als die Wunden Ludwigs, der Pantasilea und anderer sich einigermaßen geschlossen hatten, wurde gedachter, großer neapolitanischer Kavalier von Herrn Benvenuto, bei dem sich die Wut wieder mochte gelegt haben, ersucht, zwischen mir und Ludwig Frieden zu stiften. Dabei ward erklärt, daß die tapfern Soldaten, die nichts weiter mit mir zu tun hätten, mich nur wollten kennenlernen. Der Herr antwortete darauf, er wolle mich hinbringen, wohin sie verlangten, und würde mich gerne zum Frieden bewegen; aber man müsse von beiden Seiten nicht viel Worte machen, denn eine umständliche Erklärung würde ihnen nicht zur Ehre gereichen; es sei genug, zusammen zu trinken und sich zu umarmen, er wolle das Wort führen und wolle ihnen mit Ehren durchhelfen. So geschah es auch!

Einen Donnerstag abends führte er mich in das Haus des Herrn Benvenuto, wo sich alle die Kriegsleute befanden, die bei dieser Niederlage gewesen waren; sie saßen noch alle zu Tische. Im Gefolge meines Edelmanns waren dreißig tapfere, wohlbewaffnete Männer, worauf Herr Benvenuto nicht vorbereitet war. Der Edelmann trat zuerst in den Saal und ich nach ihm; darauf sagte er: Gott erhalte euch, meine Herren! hier sind wir, Benvenuto und ich, den ich wie meinen leiblichen Bruder liebe. Wir kommen hieher, um alles zu tun, was euch beliebt. Herr Benvenuto, der den Saal nach und nach mit so vielen Personen gefüllt sah, versetzte darauf: Friede wollen wir und nichts weiter! Ferner versprach er, daß der Gouverneur von Rom und seine Leute mir nichts in den Weg legen sollten. So war der Friede gemacht, und ich kehrte sogleich zu meiner Werkstatt zurück.

Nicht eine Stunde konnte ich ohne den gedachten Edelmann leben, denn entweder er schickte nach mir, oder er kam, mich zu besuchen. Indessen war Ludwig Pulci geheilt, und ließ sich alle Tage auf seinem Rappen sehen. Einst, als es ein wenig regnete, sollte das Pferd seine Künste vor Pantasileens Türe sehen lassen, es strauchelte und fiel, und stürzte auf den Reiter, er brach den Schenkel des rechten Fußes und starb im Hause der Pantasilea in wenig Tagen. So war der Schwur erfüllt, den er so ernstlich vor Gott getan hatte, und so sieht man, daß der Höchste die Guten, so wie die Bösen bemerkt und einem jeden nach seinen Verdiensten geschehen läßt.

SIEBENTES KAPITEL

Der Herzog von Bourbon belagert Rom. Es wird eingenommen und geplündert. – Der Autor tötet den Herzog von Bourbon, durch Büchsenschüsse von der Mauer. – Er flüchtet ins Kastell Sankt Angelo, wo er als Bombardier angestellt wird und sich außerordentlich hervortut. – Der Prinz von Oranien fällt auf einen Kanonenschuß des Autors. – Der Papst erkennt die Dienste des Benvenuto. – Das Kastell Sankt Angelo geht über durch Vertrag.

1527

Schon war alles in Waffen! Papst Clemens hatte sich vom Herrn Johann von Medicis einige Haufen Soldaten ausgebeten, welche auch ankamen; diese trieben so wildes Zeug in Rom, daß es gefährlich war, in öffentlichen Werkstätten zu arbeiten. Deswegen zog ich in ein gutes Haus hinter den Bänken, und arbeitete daselbst für alle meine Freunde; doch bedeuteten in der Zeit meine Arbeiten nicht viel, und ich schweige deshalb davon. Ich vergnügte mich damals viel mit Musik und an andern ähnlichen Lustbarkeiten.

Papst Clemens hatte indessen, auf Anraten des Herrn Jakob Salviati, die fünf Kompagnien des Johann von Medicis, der schon in der Lombardie umgekommen war, wieder verabschiedet. Bourbon, der erfuhr, daß keine Soldaten in Rom waren, drang mit seinem Heer gerade auf die Stadt. Bei dieser Gelegenheit griff jedermann zu den Waffen, und Alexander del Bene, dessen Freund ich war und dem ich schon einmal, zu der Zeit als die Colonneser nach Rom kamen, das Haus bewacht hatte, bat mich, bei dieser wichtigen Gelegenheit, daß ich fünfzig bewaffnete Männer aufbringen und an ihrer Spitze, wie vormals, sein Haus bewachen solle. Ich brachte fünfzig der tapfersten jungen Leute zusammen, und wir wurden bei ihm wohl unterhalten und bezahlt.

Schon war das Bourbonische Heer vor den Mauern von Rom, und Alexander bat mich, ich möchte mit ihm ausgehen. Wir nahmen einen der besten Leute mit, und unterwegs schlug sich noch ein junger Mensch zu uns, der Cecchino della Casa hieß. Wir kamen auf die Mauern beim Campo Santo und sahen das mächtige Heer das alle Gewalt anwendete, grade an diesem Flecke, in die Stadt zu dringen. Die Feinde verloren viel, man stritt mit aller Macht, und es war der dickste Nebel. Ich kehrte mich zu Alexandern und sagte: Laß uns so bald als möglich nach Hause gehen, hier ist kein Mittel in der Welt; jene kommen herauf, und diese fliehen. Alexander sagte erschrocken: Wollte Gott, wir wären gar nicht hergekommen! und wendete sich mit großer Heftigkeit, nach Hause zu gehen. Ich tadelte ihn und sagte: Da ihr mich hergeführt habt, müssen wir auch irgend etwas Männliches tun! Und so kehrte ich meine Büchse gegen den Feind und zielte in ein recht dichtes Gedräng nach einem, den ich über die andern erhoben sah; der Nebel aber ließ mich nicht unterscheiden, ob er zu Fuß oder zu Pferd sei. Ich wendete mich zu Alexandern und Cecchino, und sagte ihnen, wie sie auch ihre Büchsen abschießen und sich dabei vor den Kugeln der Feinde in acht nehmen sollten. So feuerten wir unsere Gewehre zweimal ab. Darauf schaute ich behutsam über die Mauer, und sah einen ganz außerordentlichen Tumult unter ihnen. Es war der Connetable von Bourbon von unsern Schüssen gefallen; denn, wie man nachher vernahm, so war es der gewesen, den ich über die andern erhoben gesehen hatte. Wir machten, daß wir über Campo Santo wegkamen, gingen durch Sankt Peter, und gelangten mit größter Schwierigkeit zu dem Tore der Engelsburg; denn die Herren Rienzo da Ceri und Oratio Baglioni verwundeten und erschlugen alle, die von der Verteidigung der Mauer zurückweichen wollten. Schon war aber ein Teil der Feinde in Rom, und wir hatten sie auf dem Leibe. Der Kastellan wollte eben das Fallgatter niederlassen, es ward ein wenig Platz, und wir vier kamen noch hinein. Sogleich faßte mich der Kapitän Pallone von den Mediceern an, als einen der zum Hause des Papstes gehörte, und führte mich hinauf auf die Bastei, so daß ich wider Willen Alexandern verlassen mußte.

Zu gleicher Zeit war Papst Clemens über die Galerien des Kastells gekommen; denn er wollte nicht früher aus seinem

Palaste gehen und glaubte nicht, daß die Feinde in die Stadt dringen würden. So war ich nun mit den andern eingesperrt und fand mich nicht weit von einigen Kanonen, die ein Bombardier von Florenz, namens Julian, in Aufsicht hatte. Dieser sah durch eine Öffnung des Mauerkranzes sein Haus plündern und Weib und Kinder herumschleppen; er unterstand sich nicht zu schießen, aus Furcht die Seinigen zu treffen, warf die Lunte auf die Erde und zerriß, heulend und schreiend, das Gesicht; ebenso taten einige andere Bombardiere. Deswegen nahm ich eine Lunte, ließ mir von einigen helfen, die nicht solche Leidenschaften hatten, richtete die Stücke dahin, wo ich es nützlich glaubte, erlegte viele Feinde und verhinderte, daß die Truppen, die eben diesen Morgen nach Rom hereinkamen, sich dem Kastell nicht zu nahe wagten; denn vielleicht hätten sie sich dessen in diesem Augenblicke bemächtigt, wenn man ihnen nicht das grobe Geschütz entgegengestellt hätte. So fuhr ich fort zu feuern, darüber mich einige Kardinäle und Herren von Herzen segneten und anfeuerten, so daß ich, voller Mut und Eifer, das möglichste zu tun, fortfuhr. Genug, ich war Ursache, daß diesen Morgen das Kastell erhalten wurde, und so hielt ich mich den ganzen Tag dazu, da denn nach und nach die übrigen Artilleristen sich wieder zu ihren Diensten bequemten.

Papst Clemens hatte einem großen römischen Edelmann, Herrn Antonius Santa Croce, die sämtlichen Artilleristen untergeben. Gegen Abend, während daß die Armee von der Seite di Trastevere hereinkam, trat dieser treffliche Mann zu mir, war sehr freundlich und stellte mich bei fünf Stücke auf den höchsten Ort des Schlosses, zunächst dem Engel; man kann daselbst rings herumgehen und sieht sowohl nach Rom hinein als hinauswärts. Er untergab mir so viel Leute als nötig war, reichte mir eine Löhnung voraus und wies mir Brot und ein wenig Wein an; dann bat er mich, ich möchte auf die Weise, wie ich angefangen, fortfahren. Nun hatte ich manchmal zu dieser Profession mehr Lust, als zu der meinen gehabt, und jetzt tat ich solche Dienste um so lieber, als sie mir sehr zustatten kamen. Da es Nacht wurde, sah ich, der ich ohnedem zu neuen und wunderbaren Sachen immer ein großes Verlangen trug, von der Zinne des Kastells, wo ich war, den schrecklichen und erstaunlichen Brand von Rom, den so viele, die in den übrigen Winkeln des Kastells steckten, nicht gewahr wurden.

So fuhr ich einen ganzen Monat fort, als so lange Zeit wir im Kastell belagert waren, die Artillerie zu bedienen, und ich erzähle nur die merkwürdigsten Vorfälle, die mir dabei begegneten. Obgedachter Herr Antonio von Santa Croce hatte mich vom Engel herunter gerufen, um nach Häusern in der Nachbarschaft des Kastells zu schießen, in die man einige Feinde hatte schleichen sehen. Indem ich schoß, kam eine Kugel von außen, traf die Ecke einer Zinne, und nahm ein großes Stück davon mit, das mich zwar traf, doch aber mir keinen großen Schaden tat. Die ganze Masse schlug mir auf die Brust, nahm mir den Atem, so daß ich für tot zur Erde fiel; doch hörte ich alles, was die Umstehenden sagten. Unter diesen beklagte sich Herr Santa Croce am meisten, und rief: O wehe! sie haben uns unsere beste Hülfe genommen! Auf solchen Lärm kam einer meiner Gesellen herbeigelaufen, der Franz der Pfeifer hieß, aber mehr auf die Medizin als auf die Musik studierte; dieser machte einen Ziegel heiß, streute eine gute Hand Wermut darauf, spritzte griechischen Wein darüber und legte mir den Stein auf die Brust, da wo der Schlag sichtbar war. Durch die Tugend des Wermuts erlangte ich sogleich meine verlornen Kräfte wieder; ich wollte reden, aber es ging nicht, denn einige dumme Soldaten hatten mir den Mund mit Erde verstopft, und glaubten mir damit die Kommunion gereicht zu haben. Wahrhaftig sie hätten mich dadurch beinahe exkommuniziert; denn ich konnte nicht wieder zu Atem kommen, und die Erde machte mir mehr zu schaffen als der Schlag.

Da ich mich nun erholt hatte, ging ich wieder mit aller Sorgfalt und Tapferkeit an meinen Dienst. Papst Clemens hatte nach dem Herzog von Urbino um Hülfe geschickt, der sich bei dem venezianischen Heere befand; der Abgesandte hatte den Auftrag, Seiner Exzellenz zu sagen, daß, solange das Kastell sich hielte, alle Abend drei Feuer auf dem Gipfel angezündet, und drei Kanonenschüsse dreimal wiederholt werden sollten. Ich hatte den Befehl, die Feuer zu unterhalten und die Stücke loszubrennen. Unterdessen fuhren die Feinde fort, übel zu hausen, und ich richtete bei Tage mein Geschütz dahin, wo es ihnen den meisten Schaden tat. Der Papst wollte mir deshalb besonders wohl, weil er sahe, daß ich mein Geschäft mit der größten Aufmerksamkeit betrieb; der Entsatz des Herzogs blieb außen, und es ist hier der Platz nicht, die Ursachen aufzuzeichnen.

Indessen ich das teuflische Handwerk trieb, kamen einige Kardinäle mich zu besuchen, am meisten der Kardinal Ravenna und de' Gaddi, denen ich öfters sagte, sie sollten nicht herauskommen, weil man ihre roten Käppchen von weitem sähe und man deswegen von den benachbarten Gebäuden, zum Beispiel von Torre de' Beni, uns das größte Übel zufügen könnte; am Ende ließ ich sie aussperren, welches sie mir äußerst übelnahmen.

Auch kam oft Herr Oratio Baglioni zu mir, der mir sehr wohl wollte. Eines Tages sah er, indem wir sprachen, in einem Wirtshause vor dem Tor des Kastells einige Bewegungen. An diesem Gebäude war das Zeichen der Sonne zwischen zwei Fenstern mit roter Farbe angemalt; die Fenster waren zu, und er glaubte, daß an der Wand hinter der Sonne eine Gesellschaft Soldaten bei Tische säße und schmauste. Deswegen sagte er: Benvenuto! wenn du Lust hättest, einen Schuß auf diese Sonne zu richten, so würdest du gewiß ein gutes Werk tun; denn es ist dort herum ein großer Lärm, es müssen Leute von Bedeutung sein. Ich antwortete darauf: Herr, es ist was Leichtes, den Schuß zu tun, aber die Mündung der Kanone kommt nahe an den Korb mit Steinen, der auf der Mauer steht, und die Heftigkeit des Feuers und der Luft werden ihn hinunterwerfen. Besinne dich nicht lange, antwortete er sogleich, und der Korb wird, wie er steht, nicht fallen; und fiel' er auch, und stünde der Papst drunten, so wäre das Übel kleiner als du denkst. Schieße! schieße! Ich dachte nicht weiter nach und traf, wie ich versprochen hatte, in die Mitte der Sonne; aber auch der Korb fiel, wie ich gesagt hatte, und stürzte grade zwischen den Kardinal Farnese und Herrn Jakob Salviati hinein und hätte sie erschlagen, wenn sie sich nicht eben glücklicherweise gezankt hätten. Denn der Kardinal warf Herrn Jakob vor, er sei schuld an der Verheerung Roms; darüber schimpften sie einander beide, und waren im Zorn ein wenig auseinander getreten. Als nun unten im Hofe der große Lärm entstand, eilte Herr Oratio schnell hinab, und ich schaute über die Mauer, wohin der Korb gefallen war, und hörte einige sagen, man sollte die Kanoniere gleich totschlagen. Deswegen rüstete ich zwei Falkonette grade auf meine Treppe, fest entschlossen, den ersten, der heraufkäme, mit meinem Feuer zu empfangen. Es kamen auch wirklich einige Diener des Kardinals Farnese und schienen Auftrag zu haben, mir etwas Unangenehmes zu erzeigen. Deswegen trat ich vor mit der Lunte in der Hand. Einige davon kannte ich und rief: Beim Himmel! wenn ihr euch nicht gleich wegmacht und sich einer untersteht, diese Treppe herauf zu kommen: hier habe ich zwei Falkonette ganz bereit, mit diesen will ich euch schlecht bewillkommen. Geht, sagt dem Kardinal, ich habe getan, was meine Obern mir befohlen haben, und was wir tun, geschieht zum Besten der Pfaffen, nicht um sie zu beleidigen.

Hierauf kam Herr Oratio Baglioni gleichfalls heraufgelaufen; ich traute nicht und rief ihm zu, er solle zurückbleiben oder ich würde nach ihm schießen. Er hielt an, nicht ohne Furcht, und sagte: Benvenuto! ich bin dein Freund — Ich versetzte: Wenn ihr allein seid, so kommt nur diesmal, wenn ihr wollt.

Dieser Herr war sehr stolz, besann sich einen Augenblick und sagte mit Verdruß: Ich hätte Lust nicht mehr zu dir hinaufzukommen und grade das Gegenteil zu tun von dem, was ich für dich im Sinn hatte. Ich sagte, wie ich hierher gesetzt sei andere zu verteidigen, so würde ich auch im Notfall mich selbst zu schützen wissen. Darauf sagte er: Ich komme allein! Und als er heraufstieg, sah ich, daß er sich mehr als billig verfärbt hatte; deswegen legte ich die Hand an den Degen und war auf meiner Hut. Darüber fing er an zu lachen; die Farbe kam in sein Gesicht zurück, und er sagte mir, auf die freundlichste Weise von der Welt: Mein Benvenuto! ich will dir so wohl, als ich vermag, und wenn mit Gottes Willen die Zeit kommt, sollst du es erfahren. Wollte Gott, du hättest die beiden Schurken erschlagen. Der eine ist schuld an so großem Unheil, und von dem andern ist vielleicht noch etwas Schlimmeres zu erwarten. Alsdann ersuchte er mich, ich solle nicht sagen, daß er im Augenblick da der Korb hinabgestürzt, bei mir gewesen sei, und übrigens ruhig bleiben. Der Lärm war groß und dauerte eine Weile fort.

Indessen tat ich alle Tage etwas Bedeutendes mit meinen Stücken und erwarb die gute Meinung und Gnade des Papstes. Er stand einst auf der runden Bastei und sah auf den Wiesen einen spanischen Hauptmann, den er, an einigen Merkmalen, für einen ehemaligen Diener erkannte, und sprach darüber mit seinen Begleitern. Ich war oben beim Engel und wußte nichts davon; aber ich sah einen Mann, der, mit einem Spieß in der Hand, an den Laufgräben arbeiten ließ und ganz rosenfarb gekleidet war. Ich überlegte was ich ihm anhaben könnte, wählte ein Stück, lud es mit Sorgfalt und richtete es im Bogen auf den roten Mann, der aus einer spanischen Großsprecherei den Degen quer vor dem Leibe trug. Meine Kugel traf den Degen, und man sah den Mann, in zwei Stücke geteilt, niederfallen.

Der Papst, der so etwas nicht erwartete, teils weil er nicht glaubte, daß eine Kugel so weit reichen könne, teils weil es ihm unbegreiflich war den Mann in zwei Stücke geteilt zu sehen, ließ mich rufen, und ich erzählte ihm umständlich, welche Sorgfalt ich beim Schießen gebraucht hatte; wie aber der Mann in zwei Teile geteilt worden, konnte ich so wenig als er erklären.

Ich kniete nieder, und bat ihn, er möchte mir diesen Totschlag und die übrigen, die ich von hier aus im Dienste der Kirche begangen hatte, vergeben. Darauf erhub er die Hand, und machte mir ein gewaltiges Kreuz über meine ganze Figur, segnete mich und verzieh mir alle Mordtaten, die ich jemals im Dienste der Apostolischen Kirche verübt hatte und noch verüben würde. Ich ging wieder hinauf, fuhr fort zu schießen und traf immer besser; aber mein Zeichnen, meine schönen Studien, meine angenehme Musik gingen mir alle im Rauch fort, und ich hätte wunderbare Sachen zu erzählen, wenn ich alle schönen Taten aufzeichnen wollte, welche ich in diesem grausamen Höllenwesen verrichtet habe. Ich will nur noch gedenken, daß ich den Feind durch anhaltendes Feuer verhinderte, seine Ablösungen durch den Porton von Santo Spirito zu führen, worauf er mit großer Unbequemlichkeit jedesmal einen Umweg von drei Miglien machen mußte.

Einige Zeit vorher hatte Papst Clemens, der die dreifachen Kronen und die sämtlichen schönen Juwelen der Apostolischen Kammer retten wollte, mich kommen lassen und schloß sich mit mir und seinem Kavalier in ein Zimmer ein. Dieses Kavalierchen war ein Franzos und diente sonst im Stall des Herrn Philipp Strozzi; der Papst hatte ihn aber wegen großer Dienste sehr reich gemacht und vertraute ihm, ob er gleich von der niedrigsten Herkunft war, wie sich selbst. Sie legten mir die Kronen und die sämtlichen Edelsteine vor und trugen mir auf, sie aus ihrer goldnen Fassung auszubrechen. Ich tat es, dann wickelten wir jeden Edelstein in ein Stückchen Papier und näheten sie dem Papst und dem Kavalier in die Falten der Kleider. Sie gaben mir darauf das Gold, das ungefähr zweihundert Pfund betrug, mit dem Auftrag, es aufs heimlichste zu schmelzen. Ich ging hinauf zum Engel, wo mein Zimmer war, das ich verschließen konnte, und erbaute sogleich einen Windofen, richtete unten einen ziemlich großen Aschenherd ein; oben lag das Gold auf Kohlen und fiel, so wie es schmolz, in den Herd herunter.

Indessen der Ofen arbeitete, paßte ich beständig auf, wie ich dem Feind einen Abbruch tun könnte und richtete in den Laufgräben großen Schaden an. Gegen Abend kam einer sehr schnell auf einem Maultier geritten, der mit den Leuten in der Tranchee sprach; ich und die Meinigen schossen so gut, daß das Maultier tot zur Erde fiel, und der Reiter verwundet weggetragen wurde. Darauf entstand ein großer Tumult in den Laufgräben, und ich feuerte noch einigemal hin. Es war der Prinz von Oranien, den sie bald darauf in ein nahes Wirtshaus trugen, und in kurzem versammelte sich daselbst der ganze Adel des Kriegsheeres.

Kaum hatte der Papst die Tat vernommen, als er mich rufen ließ und sich näher erkundigte. Ich erzählte ihm den Fall und fügte hinzu, es müsse ein Mann von großer Bedeutung sein, weil sich in dem gedachten Wirtshaus alles versammle. Der Papst, dem dies zu einem guten Gedanken Anlaß gab, ließ Herrn Santa Croce rufen und sagte, er solle uns andern Bombardieren befehlen, unser Geschütz auf gedachtes Haus zu richten, und wir sollten auf das Zeichen eines Flintenschusses sämtlich auf einmal losschießen, wodurch das Haus zusammenstürzen und die Häupter des feindlichen Heeres umkommen würden. Die Soldaten, ohne Anführer, würden sich alsdann zerstreuen, und so würde Gott sein Gebet erhören, das er so eifrig tue, ihn von diesen Räubern zu befreien. Wir richteten unser Geschütz nach dem Befehl des Herrn Santa Croce und erwarteten das Zeichen.

Dieses vernahm der Kardinal Orsino und fing an, sich mit dem Papste zu streiten. Man solle, sagte er, einen solchen Schlag nicht so leichtsinnig tun, sie wären eben im Begriff eine Kapitulation zu schließen, und die Truppen, wenn sie keine Anführer hätten, würden erst recht unbändig werden und das Kastell stürmen, darüber denn alles zugrunde gehen müßte. Der arme Papst, in Verzweiflung sich von innen und außen verraten zu sehen, widerrief seinen Befehl, ich aber konnte mich nicht halten, gab Feuer und traf einen Pfeiler des Hofes, an den sich viele Personen lehnten; ich muß ihnen dadurch viel Schaden zugefügt haben, denn sie verließen das Haus. Der Kardinal Orsino schwur, daß er mich wollte hängen oder auf irgendeine Weise umbringen lassen, aber der Papst verteidigte mich sehr lebhaft.

Sobald das Gold geschmolzen war, trug ich es zum Papste, er dankte mir aufs beste und befahl dem Kavalier, daß er mir fünfundzwanzig Scudi geben solle, entschuldigte sich zugleich, daß er gegenwärtig nicht mehr entbehren könne.

ACHTES KAPITEL

Der Autor kehrt nach Florenz zurück und kauft seinen Bann ab. – Horatio Baglioni möchte ihn zum Soldatenstand bereden, aber auf seines Vaters Bitten geht er nach Mantua. – Er findet seinen Freund Julius Romano daselbst, der seine Kunst dem Herzog empfiehlt. – Eine unvorsichtige Rede nötigt ihn von Mantua zu gehen. – Er kommt nach Florenz zurück, wo sein Vater indes und die meisten seiner Bekannten an der Pest gestorben. – Gutes Verhältnis zwischen ihm und Michelagnolo Buonarroti, durch dessen Empfehlung er bei seinen Arbeiten sehr aufgemuntert wird. – Geschichte Friedrichs Ginori. – Bruch zwischen Papst Clemens und der Stadt Florenz. – Der Autor folgt einem Rufe nach Rom.

Wenig Tage darauf kam die Kapitulation zustande, und ich machte mich mit Herrn Oratio Baglioni auf den Weg nach Perugia, wo mir derselbe die Kompagnie übergeben wollte. Ich mochte sie aber damals nicht annehmen, sondern verlangte meinen Vater zu besuchen und meine Verbannung von Florenz abzukaufen. Herr Oratio, der eben in florentinische Dienste getreten war, empfahl mich einem ihrer Abgeordneten, als einen von den Seinigen, und so eilte ich mit einigen andern Gesellen in die Stadt. Die Pest wütete gewaltsam in derselben, und meine Ankunft machte dem alten Vater große Freude; er glaubte, ich sei bei der Verheerung Roms umgekommen, oder würde doch wenigstens nackt zu ihm zurückkehren. Schnell erzählte ich ihm die Teufeleien von der Verheerung und Plünderung und steckte ihm eine Anzahl Scudi in die Hand, die ich auch auf gut soldatisch gewonnen hatte, und nachdem wir uns genug geliebkost, gingen wir zu den Achten, um den Bann abzukaufen. Es war derselbige Mann noch darunter, der mich ehemals verdammt und meinem Vater die harten Worte gesagt hatte. Mein Alter ließ nicht undeutlich merken, daß die Sache jetzt ganz anders stehe, und bezog sich auf die Protektion des Herrn Oratio, mit nicht geringer Zufriedenheit. Ich ließ mich dadurch verleiten, ihm zu erzählen, daß Herr Oratio mich zum Hauptmann erwählt habe und daß ich nun daran denken müsse, die Kompagnie zu übernehmen. Mein Vater, über diese Eröffnung bestürzt, bat mich um Gottes willen, von diesem Vorsatz abzulassen; er wisse zwar, daß ich hierzu, wie zu größern Dingen geschickt sei; sein anderer Sohn, mein Bruder, sei aber schon ein so braver Soldat, und ich möchte doch die schöne Kunst, die ich so viele Jahre getrieben, nicht auf einmal hintansetzen. Er traute mir nicht, ob ich gleich versprach ihm zu gehorchen; denn als ein kluger Mann sah er wohl ein, daß, wenn Herr Oratio käme, ich sowohl um mein Versprechen zu erfüllen als auch aus eigner Neigung mich in den Krieg begeben würde und so suchte er mich auf eine gute Art von Florenz zu entfernen. Er gab mir bei der entsetzlichen Pest seine Angst zu bedenken, er fürchte immer, mich angesteckt nach Hause kommen zu sehen; er erinnerte sich einiger vergnügter Jugendjahre in Mantua und der guten Aufnahme, die er daselbst gefunden; er beschwur mich, je eher je lieber, dorthin zu gehen, und der ansteckenden Seuche auszuweichen. Ich war niemals in Mantua gewesen und mochte überhaupt gern die Welt sehen, daher entschloß ich mich zu reisen, ließ den größten Teil meines Geldes dem Vater und empfahl ihn der Sorge einer Schwester, die Cosa hieß und die, da sie sich zum ehelichen Stand nicht entschließen konnte, als Nonne in das Kloster Sant' Orsola gegangen war; sie sorgte dabei für den alten Vater und

ERSTES BUCH · ACHTES KAPITEL

nahm sich einer jüngern Schwester an, die an einen Bildhauer verheiratet war. So empfing ich meines Vaters Segen und machte auf einem guten Pferde den Weg nach Mantua.

Ich hätte viel zu erzählen, wenn ich beschreiben wollte, wie es mir unterwegs gegangen ist; denn die Welt war voll Pest und Krieg, so daß ich diese kleine Reise nur mit vieler Schwierigkeit zurücklegte.

Sobald ich anlangte, sah ich mich nach Arbeit um und ward von Meister Nikolaus von Mailand, dem Goldschmiede des Herzogs, aufgenommen. Einige Tage hernach ging ich den trefflichen Julius Romano zu besuchen, den ich von Rom aus kannte, der mich auf das freundschaftlichste empfing und übelnahm, daß ich nicht bei ihm abgestiegen war. Er lebte als ein großer Herr und baute für den Herzog außen vor der Stadt ein herrliches Werk, das man noch immer bewundert.

Julius säumte nicht, mit dem Herzog von mir aufs ehrenvollste zu sprechen, der mir auftrug, ein Modell zu machen zu einem Kästchen, um das Blut Christi darin aufzunehmen, von welchem sie sagen, daß Longin es nach Mantua gebracht habe. Darauf wendete er sich zu Herrn Julius und sagte, er möchte mir eine Zeichnung zu gedachter Arbeit machen. Herr Julius aber antwortete: Benvenuto ist ein Mann, der keiner fremden Zeichnungen bedarf, und Sie werden es, gnädiger Herr, selbst gestehen, sobald Sie sein Modell sehen werden. Ich machte also zuerst eine Zeichnung zum Reliquienkästchen, in welches man die Ampulle bequem setzen konnte; dann machte ich ein Modellchen von Wachs für eine Figur obendrauf; sie stellte einen sitzenden Christus vor, der in der linken, erhöhten Hand ein Kreuz hielt, woran er sich lehnte; mit der rechten schien er die Wunde der Brust zu eröffnen. Dieses Modell gefiel dem Herzog außerordentlich; er bezeigte mir darüber die größte Gunst und gab mir zu verstehen, daß er mich in seinem Dienste zu behalten wünsche.

Indessen hatte ich seinem Bruder, dem Kardinal, meine Aufwartung gemacht; dieser erbat sich von dem Herzog, daß ich ihm sein großes Siegel machen dürfte, welches ich auch anfing. Unter der Arbeit überfiel mich das viertägige Fieber, und der Paroxysmus machte mich jederzeit rasend; da verfluchte ich Mantua und seinen Herrn und jeden der daselbst zu verweilen Lust habe. Diese Worte wurden dem Herzog durch einen Goldschmied hinterbracht, der ungern sah daß der Fürst sich meiner bediente; und über diese meine kranken Worte zürnte der Herr mit mir. Ich war dagegen auf seine Residenz verdrießlich, und wir hegten also beide einen Groll gegeneinander. In vier Monaten hatte ich mein Siegel geendigt, sowie andere kleine Arbeiten für den Herzog, unter dem Namen des Kardinals. Dieser bezahlte mich reichlich, bat mich aber, daß ich nach Rom, in jenes herrliche Vaterland zurückkehren möchte, wo wir uns erst gekannt hatten.

Mit einer guten Summe Scudi reiste ich von Mantua und kam nach Governo, wo der tapfere Herr Johann von Medicis umgekommen war. Hier ergriff mich ein kleiner Fieberanfall, der aber meine Reise nicht verhinderte, denn die Krankheit blieb an dem Ort und war mir nicht wieder beschwerlich.

In Florenz eilte ich sogleich nach meines Vaters Haus und klopfte stark an; da guckte ein tolles, bucklichtes Weib aus dem Fenster, hieß mich mit vielen Scheltworten fortgehen und beteuerte, daß ich angesteckt sei. Ich sagte darauf: Verruckter Buckel! ist niemand anders im Hause als du, so soll's dein Unglück sein. Laß mich nicht länger warten! rief ich mit lauter Stimme. Über diesen Lärm kam eine Nachbarin heraus, die mir sagte, mein Vater und alle vom Hause seien gestorben, meine jüngere Schwester Liberata, die auch ihren Mann verloren habe, sei nur noch allein übrig und sei von einer frommen Dame aufgenommen worden. Ich hatte schon so etwas vermutet und erschrak deswegen weniger.

ERSTES BUCH · ACHTES KAPITEL

Unterwegs nach dem Wirtshause fand ich zufälligerweise einen Freund, an dessen Hause ich abstieg. Wir gingen sodann auf den Markt, wo ich erfuhr, daß mein Bruder noch lebte und sich bei einem Bekannten aufhielt. Wir suchten ihn sogleich und hatten beide unendliche Freude uns wiederzusehen, denn jedem war die Nachricht von des andern Tod zugekommen. Alsdann lachte er, nahm mich bei der Hand und sagte: Komm! ich führe dich an einen Ort, den du nicht vermutest; ich habe Schwester Liberaten wieder verheiratet; sie hält dich auch für tot. Unterwegs erzählten wir einander die lustigsten Geschichten, die uns begegnet waren, und als wir zu meiner Schwester kamen, war sie über die unerwartete Neuigkeit dergestalt außer sich, daß sie mir ohnmächtig in die Arme fiel. Niemand sprach ein Wort, und der Mann, der nicht wußte, daß ich ihr Bruder war, verstummte gleichfalls. Mein Bruder erklärte das Rätsel; man kam der Schwester zu Hülfe, die sich bald wieder erholte, und nachdem sie den Vater, die Schwester, den Mann und einen Sohn ein wenig beweint hatte, machte sie das Abendessen zurecht. Wir feierten auf das anmutigste ihre Hochzeit und sprachen nicht mehr von Toten, sondern waren lustig und froh, wie es sich bei einem solchen Feste geziemet.

Bruder und Schwester baten mich gar sehr, in Florenz zu bleiben und mich von meiner Lust, nach Rom zu gehen, nicht hinreißen zu lassen. Auch mein alter Freund, Peter Landi, der mir in meinen Verlegenheiten so treulich beigestanden hatte, riet mir in meiner Vaterstadt zu verweilen, um zu sehen wie die Sachen abliefen; denn man hatte die Medicis wieder verjagt, und zwar Herrn Hippolyt, der nachher Kardinal, und Herrn Alexandern, der Herzog ward. Ich fing an, auf dem neuen Markt zu arbeiten, faßte viel Juwelen und gewann ein ansehnliches Geld.

Zu der Zeit war ein Saneser, Mazetti genannt, aus der Türkei, wo er sich lange aufgehalten hatte, nach Florenz gekommen. Er bestellte bei mir eine goldne Medaille, am Hute zu tragen. Er war ein Mann von lebhaftem Geist und verlangte, ich solle ihm einen Herkules machen, der dem Löwen den Rachen aufreißt. Ich schritt zum Werke, und Michelagnolo Buonarroti kam meine Arbeit zu sehen, und, teils weil ich mir alle Mühe gegeben hatte, die Stellung der Figur und die Bravour des Löwen auf eine ganz andere Weise als meine Vorgänger abzubilden, teils auch, weil die Art zu arbeiten dem göttlichen Michelagnolo gänzlich unbekannt war, rühmte er mein Werk aufs höchste, so daß bei mir das Verlangen etwas Wichtiges zu machen auf das äußerste vermehrt wurde. Darüber ward mir das Juwelenfassen verleidet, soviel Geld es auch eintrug.

Nach meinem Wunsche bestellte bei mir ein junger Mann, namens Friedrich Ginori, gleichfalls eine Medaille; er war von erhabenem Geiste, war viele Jahre in Neapel gewesen und hatte sich daselbst, als ein Mann von schöner Gestalt und Gegenwart, in eine Prinzessin verliebt. Er wollte den Atlas mit der Himmelskugel auf dem Rücken vorgestellt haben, und bat den göttlichsten Michelagnolo, ihm eine kleine Zeichnung zu machen. Dieser sagte: Gehet zu einem gewissen jungen Goldschmied, der Benvenuto heißt, der euch gut bedienen wird und meiner Zeichnung nicht bedarf; damit ihr aber nicht denkt, daß ich in einer solchen Kleinigkeit ungefällig sein könne, will ich euch eine Zeichnung machen, Benvenuto mag indessen ein Modell bossieren und das Beste kann man alsdann ins Werk setzen.

Friedrich Ginori kam zu mir und sagte mir seinen Willen, zugleich auch, wie sehr Michelagnolo mich gelobt hatte. Da ich nun vernahm, daß ich ein Wachsmodell machen sollte, indessen der treffliche Mann zeichnete, gab mir das einen solchen Trieb, daß ich mit der größten Sorgfalt mich an die Arbeit machte. Da sie geendigt war, brachte mir ein genauer Freund des Michelagnolo, der Maler Bugiardini, die Zeichnung des Atlas, alsdann wies ich ihm und Juliano mein Modell, das ganz verschieden von der Zeichnung des großen Mannes war, und beide beschlossen, daß das Werk nach dem Modell gemacht werden sollte. So fing ich es an,

Michelagnolo sah es und erteilte mir und meinem Werk das größte Lob. Die Figur war aus Goldblech getrieben und hatte den Himmel als eine Kristallkugel auf dem Rücken, auf welche der Tierkreis eingeschnitten war. Beides hatte einen Grund von Lapislazuli und nahm sich äußerst reizend aus. Unten standen die Worte: Summum tulisse juvat. Ginori war sehr zufrieden, bezahlte mich aufs freigebigste und machte mir die Bekanntschaft von Herrn Ludwig Alamanni, der sich eben in Florenz aufhielt, brachte ihn oft in mein Haus und war Ursache, daß ich mir dieses trefflichen Mannes Freundschaft erwarb.

Indessen hatte der Papst Clemens der Stadt Florenz den Krieg angekündigt. Man bereitete sich zur Verteidigung, und in jedem Quartier richtete man die Bürgermiliz ein. Ich equipierte mich reichlich und ging mit den größten Florentinischen von Adel um, die sich sehr bereit und einig zur Verteidigung der Stadt zeigten. Nun fanden sich die jungen Leute mehr als gewöhnlich zusammen, und man sprach von nichts als von diesen Anstalten. Einmal, um die Mittagsstunde, stand eine Menge Menschen, worunter sich die ersten jungen Edelleute befanden, um meine Werkstatt, als ich einen Brief von Rom bekam. Es schrieb mir ihn ein Mann, der Meister Jakob vom Kahn genannt wurde, weil er zwischen Ponte Sisto und Sant' Angelo die Leute übersetzte. Dieser Meister Jakob war ein sehr gescheiter Mann und führte die gefälligsten und geistreichsten Reden. Er war ehemals in Florenz ein Verleger beim Tuchmacherhandwerk gewesen. Papst Clemens war ihm sehr günstig und hörte ihn gerne reden. Als er sich eines Tages mit ihm unterhielt, kamen sie auch auf die Belagerung der Engelsburg zu sprechen, der Papst sagte viel Gutes von mir und fügte hinzu: wenn er wüßte wo ich wäre, möchte er mich wohl wieder haben. Meister Jakob sagte, ich sei in Florenz; der Papst trug ihm auf, mich einzuladen, und nun schrieb er mir, ich sollte wieder Dienste beim Papst nehmen, es würde mein Glück sein.

Die jungen Leute wollten wissen, was der Brief enthalte; ich aber verbarg ihn, so gut ich konnte, schrieb an Meister Jakob und bat ihn, er möchte mir, weder im Bösen noch im Guten schreiben und mich mit seinen Briefen verschonen. Darauf ward seine Begierde nur noch größer, und er schrieb mir einen andern Brief, der so ganz und gar das Maß überschritt, daß es mir übel bekommen wäre, wenn ihn jemand gesehen hätte. Es ward mir darin im Namen des Papstes gesagt, daß ich sogleich kommen solle! Meister Jakob meinte dabei, ich täte wohl, wenn ich alles stehen und liegen ließe und mich nicht mit den rasenden Narren gegen den Papst auflehnte.

Der Anblick dieses Briefes erregte in mir eine solche Furcht, daß ich schnell meinen lieben Freund Landi aufzusuchen eilte. Er sah mich mit Verwunderung an und fragte was ich habe, da ich ihm so sehr in Bewegung schien. Ich sagte, daß ich ihm mein Anliegen nicht eröffnen könne, ich bat ihn nur die Schlüssel zu nehmen, die ich ihm überreichte, und daß er Edelsteine und Gold, diesem und jenem, den er auf meinem Buch würde geschrieben finden, zurückgeben sollte. Dann möchte er meine Sachen zu sich nehmen und sie nach seiner gewöhnlichen liebevollen Art verwahren, in wenig Tagen wollte ich ihm melden, wo ich mich befände.

Vielleicht stellte er sich selbst die Sache ungefähr vor und sagte: Lieber Bruder, eile nur jetzt, dann schreibe mir, und wegen deiner Sachen sei völlig unbesorgt. So tat ich denn auch und hatte recht, mich ihm zu vertrauen; denn er war der treueste, weiseste, redlichste, verschwiegenste, liebevollste Freund, den ich jemals gehabt habe.

NEUNTES KAPITEL

Der Autor kehrt nach Rom zurück und wird dem Papst vorgestellt. Unterredung zwischen ihm und Seiner Heiligkeit. Der Papst überträgt ihm eine vortreffliche Goldschmied- und Juwelierarbeit. Nach des Papstes Wunsch wird er als Stempelschneider bei der Münze angestellt, ungeachtet sich die Hofleute und besonders Pompeo von Mailand, des Papstes Günstling, dagegensetzen. – Schöne Medaille nach seiner Erfindung. – Streit zwischen ihm und Bandinelli dem Bildhauer.

Von Rom aus gab ich ihm sogleich Nachricht. Ich hatte daselbst einen Teil meiner alten Freunde gefunden, von denen ich aufs beste aufgenommen ward. Ein alter Goldschmied, Raffael del Moro genannt, berühmt in seiner Kunst und übrigens ein braver Mann, lud mich ein in seiner Werkstatt zu arbeiten und ihm an einigen wichtigen Werken zu helfen, wozu ich mich gern entschloß und einen guten Verdienst fand.

Schon über zehen Tage war ich in Rom und hatte mich noch nicht bei Meister Jakob sehen lassen: er begegnete mir von ungefähr, empfing mich sehr gut und fragte, wie lange ich in Rom sei? Als ich ihm sagte: ungefähr vierzehn Tage, nahm er es sehr übel und sagte mir, es schien, daß ich mir aus einem Papste wenig mache, der mir schon dreimal habe angelegentlich schreiben lassen. Eben diese verwünschten Briefe hatten mich in Verdruß und Verlegenheit gesetzt, ich war böse darüber und gab ihm keine Antwort. Dieser Mann war unerschöpflich in Worten, es strömte nur so aus dem Munde; ich wartete daher, bis er müde war, und sagte dann ganz kurz, er möchte mich nur gelegentlich zum Papste führen! Darauf antwortete er, es sei immer Zeit, und ich versicherte ihn, daß ich immer bereit sei. So gingen wir nach dem Palaste, es war am Grünen Donnerstage, und wir wurden in die Zimmer des Papstes, er als bekannt und ich als erwartet, sogleich eingelassen.

Der Papst, nicht ganz wohl, lag im Bette, Herr Jakob Salviati und der Erzbischof von Capua waren bei ihm. Er freute sich außerordentlich mich wiederzusehen, ich küßte ihm die Füße, und so bescheiden als möglich trat ich etwas näher und gab ihm zu verstehen, daß ich etwas von Wichtigkeit ihm zu eröffnen hätte. Er winkte mit der Hand und die beiden Herren traten weit hinweg. Sogleich fing ich an: Heiligster Vater! seit der Plünderung habe ich weder beichten noch kommunizieren können: denn man will mir die Absolution nicht erteilen. Der Fall ist der: Als ich das Gold schmolz, und die Mühe übernahm, die Edelsteine auszubrechen, befahl Eure Heiligkeit dem Kavalier, daß er mir etwas weniges für meine Mühe reichen solle; ich erhielt aber nichts von ihm, vielmehr hat er mir unfreundliche Worte gegeben. Ich ging hinauf, wo ich das Gold geschmolzen hatte, durchsuchte die Asche, und fand ungefähr anderthalb Pfund Gold, in Körnern, so groß wie Hirsen. Nun hatte ich nicht so viel Geld, um mit Ehren nach Hause zu kommen, ich dachte mich dieses Goldes zu bedienen und den Wert zurückzugeben, sobald ich imstande wäre. Nun bin ich hier zu den Füßen Eurer Heiligkeit, des wahren Beichtigers, erzeigen Sie mir die Gnade mich frei zu sprechen, damit ich beichten und kommunizieren könne und, durch die Gnade Eurer Heiligkeit, auch die Gnade Gottes wieder erlangen möge.

Darauf versetzte der Papst, mit einem stillen Seufzer, vielleicht daß er dabei seiner vergangenen Not gedachte: Benvenuto! ich bin gewiß, daß du die Wahrheit redest: ich kann dich von allem, was du irgend begangen hast, freisprechen, und ich will es auch; deswegen bekenne mir, frei und offenherzig, alles was du auf dem Herzen hast, und wenn es den Wert einer meiner Kronen ausmachte, so bin ich ganz bereit, dir zu verzeihen.

Darauf antwortete ich: Mehr betrug es nicht, als was ich gesagt habe, denn es war nicht gar der Wert von hundertundfunfzig Dukaten; so viel zahlte man mir in der Münze von Perugia dafür, und ich ging damit meinen armen Vater zu trösten.

Der Papst antwortete: Dein Vater war ein geschickter, guter und braver Mann und du wirst auch nicht ausarten;

ERSTES BUCH · NEUNTES KAPITEL

es tut mir leid, daß es nicht mehr war; aber das, was du angibst, schenke ich dir und verzeihe dir. Sage das deinem Beichtvater, und wenn er Bedenken hat, so soll er sich an mich selbst wenden. Hast du gebeichtet und kommuniziert, so laß dich wieder sehen, es soll dein Schade nicht sein.

Da ich mich vom Papste zurückzog, traten Meister Jakob und der Erzbischof von Capua herbei. Der Papst sagte sehr viel Gutes von mir und erzählte, daß er mich Beichte gehört und losgesprochen habe; dann sagte er dem Erzbischof, er solle nach mir schicken und hören, ob ich sonst noch etwas auf dem Herzen habe, auch mich in allem absolvieren, wozu er ihm vollkommene Gewalt gebe, und solle mir überhaupt so freundlich sein als möglich.

Indem wir weggingen, fragte mich Meister Jakob sehr neugierig, was für Geheimnisse und für lange Unterhaltung ich mit dem Papst gehabt hätte; worauf ich ihm antwortete, daß ich es weder sagen wollte noch könnte und daß er mich nicht weiter fragen sollte.

Ich tat alles, was mir der Papst befohlen hatte, und als die beiden Festtage vorbei waren, ging ich ihn zu besuchen. Er war noch freundlicher als das erstemal und sagte: Wenn du ein wenig früher nach Rom kamest, so ließ ich dich die zwei Kronen machen, die wir im Kastell ausgebrochen haben; aber außer der Fassung der Juwelen gehört wenig Geschicklichkeit dazu, und ich will dich zu einer ganz andern Arbeit brauchen, wo du zeigen kannst, was du verstehst. Es ist der Knopf von dem Pluvial, der in Gestalt eines mäßigen Tellers, von einer halben, auch einer drittel Elle im Durchschnitt, gemacht wird; darauf will ich einen Gott Vater, in halb erhabener Arbeit sehen, und in der Mitte des Werks soll mein schöner Diamant, mit vielen andern kostbaren Edelsteinen, angebracht werden. Caradosso hat schon einen angefangen und wird niemals fertig; den deinigen mußt du bald enden, denn ich will auch noch einige Freude daran haben. So gehe nun und mache ein schönes Modell. Er ließ mir darauf die Juwelen zeigen, und ich ging ganz vergnügt hinweg.

Indessen daß Florenz belagert ward, starb Friedrich Ginori, dem ich die Medaille des Atlas gemacht hatte, an der Schwindsucht, und das Werk kam in die Hände des Herrn Ludwig Alamanni, der kurze Zeit darauf nach Frankreich ging und dasselbe, mit einigen seiner Schriften, dem Könige Franz dem Ersten verehrte. Die Medaille gefiel dem König außerordentlich, und der treffliche Herr Alamanni sprach mit Seiner Majestät so günstig von mir, daß der König den Wunsch bezeigte, mich kennenzulernen.

Indessen arbeitete ich mit größter Sorgfalt an dem Modell, das ich so groß machte, wie das Werk selbst werden sollte. Nun rührten sich bei dieser Gelegenheit viele unter den Goldschmieden, die sich für geschickt hielten ein solches Werk zu unternehmen. Es war auch ein gewisser Micheletto nach Rom gekommen, sehr geschickt im Steinschneiden und Goldarbeiten; er war ein alter Mann, hatte großen Ruf und war der Mittelsmann bei der Arbeit der zwei päpstlichen Kronen geworden. Als ich nun gedachtes Modell verfertigte, wunderte er sich sehr, daß ich ihn darum nicht begrüßte, da er doch die Sache verstand und bei dem Papst viel zu gelten sich bewußt war. Zuletzt, da er sah, daß ich nicht zu ihm kam, besuchte er mich und fragte, was ich mache? — Was mir der Papst befohlen hat, antwortete ich. Nun versetzte er: Der Papst hat mir befohlen, alles anzusehen was für Seine Heiligkeit gemacht wird. Dagegen sagte ich, ich würde den Papst darüber fragen und von ihm selbst erfahren, wem ich Red und Antwort zu geben hätte. Er sagte, es werde mich reuen, ging erzürnt weg und berief die ganze Gilde zusammen. Sie wurden eins, daß er die Sache einleiten solle. Darauf ließ er, als ein kluger Mann, von geschickten Zeichnern über dreißig Zeichnungen machen, alle denselben Gegenstand, jedesmal mit Veränderungen, darstellend.

Weil er nun von seiner Seite das Ohr des Papstes hatte, verband er sich noch mit einem andern der Pompeo hieß, einem Verwandten des Herrn Trajano, des ersten und sehr begünstigten Kämmerers des Papstes. Beide fingen an mit dem Papst zu sprechen. Sie hätten, sagten sie, mein Modell gesehen; aber es schien ihnen nicht, daß ich zu so einer wichtigen Unternehmung der Mann sei. Darauf antwortete der Papst, er wolle es auch sehen, und wenn ich nicht fähig sei, wolle er sich nach einem Bessern umtun. Sie sagten, daß sie schöne Zeichnungen von demselbigen Gegenstande besäßen. Der Papst sagte darauf, das wäre ihm sehr lieb, nur möchten sie warten bis mein Modell geendigt wäre, dann wolle er alles zusammen ansehn.

Nach einigen Tagen hatte ich mein Modell fertig und trug es eines Morgens zum Papst hinauf; Trajano ließ mich warten und schickte schnell nach Micheletto und Pompeo, mit der Anweisung, sie sollten ihre Zeichnungen bringen. Sie kamen, und wir wurden zusammen hineingelassen. Sogleich legten beide dem Papst die Zeichnungen sehr emsig vor; aber die Zeichner, die nicht zugleich Goldschmiede waren, hatten die Juwelen nicht geschickt angebracht, und die Goldschmiede hatten ihnen darüber keine Anweisung gegeben. Denn das ist eben die Ursache, warum ein Goldschmied selbst muß zeichnen können, um, wenn Juwelen mit Figuren zu verbinden sind, es mit Verstand zu machen. Alle diese Zeichner hatten den großen Diamanten auf der Brust Gott Vaters angebracht. Dem Papste, der einen sehr guten Geschmack hatte, konnte das keineswegs gefallen, und da er ungefähr zehen Zeichnungen gesehen hatte, warf er die übrigen auf die Erde und sagte zu mir, der ich an der Seite stand: Zeig einmal dein Modell her, Benvenuto, damit ich sehe, ob du auch in demselbigen Irrtum bist wie diese.

Als ich herbei trat und meine runde Schachtel öffnete, schien es als wenn eigentlich dem Papste etwas in die Augen glänzte, darauf er mit lebhafter Stimme sagte: Wenn du mir im Leibe gesteckt hättest, so hättest du es nicht anders machen können als ich's sehe; jene haben sich gar nicht in die Sache finden können. Es traten viele große Herren herbei und der Papst zeigte den Unterschied zwischen meinem Modell und ihren Zeichnungen. Als er mich genug gelobt und die andern beschämt hatte, wendete er sich zu mir und sagte: Es ist denn doch dabei noch eine Schwierigkeit zu bedenken, das Wachs ist leicht zu arbeiten, aber das Werk von Gold zu machen, das ist die Kunst. Darauf antwortete ich kecklich: Heiliger Vater! wenn ich es nicht zehnmal besser als mein Modell mache, so sollt ihr mir nichts dafür bezahlen. Darüber entstand eine große Bewegung unter den Herren, und sie behaupteten, daß ich zu viel verspräche. Unter ihnen aber war einer ein großer Philosoph, der zu meinen Gunsten sprach und sagte: Wie ich an diesem jungen Mann eine gute Symmetrie seines Körpers und seiner Physiognomie wahrnehme, so verspreche ich mir viel von ihm. Ich glaube es auch, sagte der Papst. Darauf rief er den Kämmerer Trajano und sagte, er sollte fünfhundert Golddukaten bringen.

Indessen, als man das Gold erwartete, besah der Papst nochmals, mit mehr Gelassenheit, wie glücklich Gott Vater mit dem Diamanten zusammengestellt war. Den Diamanten hatte ich grade in die Mitte des Werks angebracht, und darüber saß die Figur, mit einer leichten Bewegung, wodurch der Edelstein nicht bedeckt wurde, vielmehr eine angenehme Übereinstimmung sich zeigte. Die Gestalt hub die rechte Hand auf, um den Segen zu erteilen. Unter den Diamanten hatte ich drei Knaben angebracht, die mit aufgehobenen Händen den Stein unterstützten; der mittelste war ganz und die beiden andern nur halb erhoben, um sie her war eine Menge anderer Knaben, mit schönen Edelsteinen in ein Verhältnis gebracht; übrigens hatte Gott Vater einen Mantel, welcher flog, und aus welchem viele Kinder hervorkamen. Daneben andere Zieraten, die dem Ganzen ein sehr schönes Ansehen gaben. Die Arbeit war aus einer weißen Masse auf einem schwarzen Steine gearbeitet. Als das Gold kam, überreichte es mir der Papst mit eigner Hand und ersuchte mich, ich sollte nach seinem Geschmack und seinem Willen arbeiten, das werde mein Vorteil sein.

ERSTES BUCH · NEUNTES KAPITEL

Ich trug das Geld und das Modell weg und konnte nicht ruhen, bis ich an die Arbeit kam. Ich blieb mit großer Sorgfalt darüber, als mir nach acht Tagen der Papst durch einen seiner Kämmerer, einen bolognesischen Edelmann, sagen ließ, ich möchte zu ihm kommen und meine Arbeit, so weit sie wäre, mitbringen. Indessen wir auf dem Wege waren, sagte mir dieser Kämmerer, der die gefälligste Person am ganzen Hofe war, daß der Papst nicht sowohl meine Arbeit sehen, als mir ein anderes Werk von der größten Bedeutung übergeben wolle, nämlich die Stempel zu den Münzen, die in Rom geprägt werden sollten; ich möchte mich bereiten, Seiner Heiligkeit zu antworten, deswegen habe er mich davon unterrichtet.

Ich kam zum Papst und zeigte ihm das Goldblech, worauf schon Gott Vater im Umriß eingegraben war, welche Figur, auch nur so angelegt, schon mehr bedeuten wollte, als das Wachsmodell, so daß der Papst erstaunt ausrief: Von jetzt an will ich dir alles glauben, was du sagst, und ich will dir hiezu noch einen andern Auftrag geben, der mir so lieb ist wie dieser und lieber; das wäre, wenn du die Stempel zu meinen Münzen übernehmen wolltest. Hast du jemals dergleichen gemacht, oder hast du Lust, so etwas zu machen?

Ich sagte, daß es mir dazu an Mut nicht fehle, daß ich auch gesehen habe, wie man sie arbeite, daß ich aber selbst noch keine gemacht habe. Bei diesem Gespräch war ein gewisser Giovanni da Prato gegenwärtig, der Sekretär bei Seiner Heiligkeit und ein großer Freund meiner Feinde war. Er sagte: Heiligster Vater! bei der Gunst, die Ihro Heiligkeit diesem jungen Mann zeigen, wird er, der von Natur kühn genug ist, alles Mögliche versprechen. Ich sorge, daß der erste wichtige Auftrag, den ihm Ihro Heiligkeit gegeben, durch den zweiten, der nicht geringer ist, leiden werde.

Der Papst kehrte sich erzürnt zu ihm und sagte, er solle sich um sein Amt bekümmern; und zu mir sprach er, ich sollte zu einer goldenen Doppie das Modell machen; darauf wolle er einen nackten Christus mit gebundenen Händen sehen, mit der Umschrift: Ecce homo. Auf der Rückseite sollte ein Papst und ein Kaiser abgebildet sein, die ein Kreuz, das eben fallen will, aufrichten, mit der Unterschrift: Unus spiritus et una fides erat in eis.

Als mir der Papst diese schöne Münze aufgetragen hatte, kam Bandinello, der Bildhauer, hinein; er war damals noch nicht zum Kavalier gemacht, und sagte, mit seiner gewohnten, anmaßlichen Unwissenheit: Diesen Goldschmieden muß man zu solchen schönen Arbeiten die Zeichnungen machen. Ich kehrte mich schnell zu ihm und sagte, ich brauche zu meiner Kunst seine Zeichnungen nicht; ich hoffe aber mit meiner Arbeit und meinen Zeichnungen ihm künftig im Wege zu sein. Der Papst, dem diese Worte sehr zu gefallen schienen, wendete sich zu mir und sagte: Geh nur, Benvenuto, diene mir eifrig und laß die Narren reden. So ging ich geschwind weg und schnitt zwei Formen mit der größten Sorgfalt, prägte sogleich eine Münze in Gold aus, und eines Tages, es war an einem Sonntag, nach Tische, trug ich die Münze und die Stempel zum Papste. Da er sie sah, war er erstaunt und zufrieden, sowohl über die Arbeit, die ihm außerordentlich gefiel, als über die Geschwindigkeit, mit der ich ihn befriedigt hatte. Darauf ich, um die gute Wirkung meiner Arbeit zu vermehren, die alten Münzen vorzeigte, die von braven Leuten für die Päpste Julius und Leo gemacht worden waren. Da ich nun sah, daß ihm die meinigen über die Maßen wohlgefielen, zog ich einen Aufsatz aus dem Busen, in welchem ich bat, daß das Amt eines Stempelschneiders bei der Münze mir übertragen werden möchte, welches monatlich sechs Goldgulden eintrug; außerdem wurden die Stempel noch vom Münzmeister bezahlt. Der Papst nahm meine Bittschrift, gab sie dem Sekretär und sagte, er solle sie sogleich ausfertigen. Dieser wollte sie in die Tasche stecken und sagte: Eure Heiligkeit eile nicht so sehr! das sind Dinge, die einige Überlegung verdienen. Der Papst versetzte: Ich versteh euch schon, gebt das Papier mir her. Er nahm es zurück, unterzeichnete es auf der Stelle und sagte: Ohne Widerrede fertigt mir sogleich aus, denn die Schuhe des Benvenuto sind mir lieber als die Augen jener dummen Teufel. Ich dankte Seiner Heiligkeit und ging fröhlich wieder an meine Arbeit.

ZEHNTES KAPITEL

Die Tochter des Raffael del Moro hat eine böse Hand, der Autor ist bei der Kur geschäftig, aber seine Absicht sie zu heiraten wird vereitelt. – Er schlägt eine schöne Medaille auf Papst Clemens VII. – Trauriges Ende seines Bruders, der zu Rom in einem Gefecht fällt. Schmerz des Autors darüber, der seinem Bruder ein Monument mit einer Inschrift errichtet und den Tod rächt. – Seine Werkstatt wird bestohlen. – Außerordentliches Beispiel von der Treue eines Hundes bei dieser Gelegenheit. – Der Papst setzt großes Vertrauen auf den Autor und muntert ihn außerordentlich auf.

Noch arbeitete ich in der Werkstatt des Raffael del Moro, dessen ich oben erwähnte. Dieser brave Mann hatte ein gar artiges Töchterchen, auf die ich ein Auge warf und sie zu heiraten gedachte; ich ließ mir aber nichts merken und war vielmehr so heiter und froh, daß sie sich über mich wunderten. Dem armen Kinde begegnete an der rechten Hand das Unglück, daß ihm zwei Knöchelchen am kleinen Finger und eines am nächsten angegriffen waren. Der Vater war unaufmerksam und ließ sie von einem unwissenden Medikaster kurieren, der versicherte, der ganze rechte Arm würde dem Kinde steif werden, wenn nichts Schlimmeres daraus entstünde. Als ich den armen Vater in der größten Verlegenheit sah, sagte ich ihm, er solle nur nicht glauben, was der unwissende Mensch behauptete; darauf bat er mich, weil er weder Arzt noch Chirurgus kenne, ich möchte ihm einen verschaffen. Ich ließ sogleich den Meister Jakob von Perugia kommen, einen trefflichen Chirurgus. Er sah das arme Mädchen, das durch die Worte des unwissenden Menschen in die größte Angst versetzt war, sprach ihr Mut ein und versicherte, daß sie den Gebrauch ihrer ganzen Hand behalten solle, wenn auch die zwei letzten Finger etwas schwächer als die übrigen blieben. Da er nun zur Hülfe

schritt und etwas von den kranken Knochen wegnehmen
wollte, rief mich der Vater, ich möchte doch bei der Operation gegenwärtig sein! Ich sah bald, daß die Eisen des Meister Jakob zu stark waren, er richtete wenig aus, und machte
dem Kinde große Schmerzen. Ich bat, er möchte nur eine
Achtelstunde warten und innehalten. Ich lief darauf in die
Werkstatt und machte vom feinsten Stahl ein Eischen, womit er hernach mit solcher Leichtigkeit arbeitete, daß sie
kaum einigen Schmerz fühlte, und er in kurzer Zeit fertig
war. Deswegen, und um anderer Ursachen willen, liebte er
mich mehr als seine beiden Söhne und gab sich viele Mühe
das gute Mädchen zu heilen.

Ich hatte große Freundschaft mit einem Herrn Johann
Gaddi, der Kämmerer des Papstes und ein großer Freund
von Talenten war, wenn er auch selbst keine hatte. Bei ihm
fand man immer die gelehrten Leute, Johann Greco, Ludwig von Fano, Antonio Allegretti und auch Hannibal Caro,
einen jungen Fremden, Bastian von Venedig, einen trefflichen Maler, und mich. Wir gingen gewöhnlich des Tages
einmal zu ihm. Der gute Raffael wußte von dieser Freundschaft und begab sich deswegen zum Herrn Johann Gaddi,
und sagte ihm: Mein Herr! ihr kennet mich wohl, und da
ich gern meine Tochter dem Benvenuto geben möchte, so
wüßte ich mich an niemand besser als an eure Gnaden zu
wenden. Darauf ließ der kurzsichtige Gönner den armen
Mann kaum ausreden, und ohne irgendeinen Anlaß in der
Welt sagte er zu ihm: Raffael, denket mir daran nicht mehr,
ihr seid weiter von ihm entfernt als der Jänner von den
Maulbeeren. Der arme niedergeschlagene Mann suchte
schnell das Mädchen zu verheiraten, die Mutter und die
ganze Familie machten mir böse Gesichter, ich wußte nicht
was das heißen sollte, und verdrießlich, daß sie mir meine
treue Freundschaft so schlecht belohnten, nahm ich mir vor
eine Werkstatt in ihrer Nachbarschaft zu errichten. Meister
Johann sagte mir nichts, als nach einigen Monaten, da das
Mädchen schon verheiratet war.

ERSTES BUCH · ZEHNTES KAPITEL

Ich arbeitete immer mit großer Sorgfalt, mein Hauptwerk zu endigen, und die Münze zu bedienen, als der Papst aufs neue mir einen Stempel zu einem Stücke von zwei Karlinen auftrug, worauf das Bildnis Seiner Heiligkeit stehen sollte, und auf der andern Seite Christus auf dem Meer, der Sankt Petern die Hand reicht, mit der Umschrift: quare dubitasti? Die Münze gefiel so außerordentlich, daß ein gewisser Sekretär des Papstes, ein trefflicher Mann, Sanga genannt, sagte: Eure Heiligkeit kann sich rühmen, daß sie eine Art Münze hat wie die alten Kaiser mit aller ihrer Pracht nicht gesehen haben. Darauf antwortete der Papst: Aber auch Benvenuto kann sich rühmen, daß er einem Kaiser meinesgleichen dient, der ihn zu schätzen weiß. Nun war ich unausgesetzt an der großen goldnen Arbeit beschäftigt und zeigte sie oft dem Papste, der immer mehr Vergnügen daran zu empfinden schien.

Auch mein Bruder war um diese Zeit in Rom, und zwar in Diensten Herzogs Alexanders, dem der Papst damals das Herzogtum Penna verschafft hatte, zugleich mit vielen jungen tapfern Leuten aus der Schule des außerordentlichen Herrn Johann von Medicis, und der Herzog hielt so viel auf ihn als auf irgendeinen. Mein Bruder war eines Tages nach Tische unter den Bänken in der Werkstatt eines gewissen Baccino della Croce, wo alle die rüstigsten Brüder zusammen kamen; er saß auf einem Stuhle und schlief. Zu der Zeit gingen die Häscher mit ihrem Anführer vorbei und führten einen gewissen Kapitän Cisti, der auch aus der Schule des Herrn Giovanni war, aber nicht bei dem Herzog in Diensten stand. Als dieser vorbeigeführt wurde, sahe er den Kapitän Cattivanza Strozzi in der gedachten Werkstatt und rief ihm zu: Soeben wollt ich euch das Geld bringen, das ich euch schuldig bin; wollt ihr es haben, so kommt, ehe es mit mir ins Gefängnis spaziert. Kapitän Cattivanza hatte keine große Lust sich selbst aufs Spiel zu setzen, desto mehr, andere vorzuschieben, und weil einige von den tapfersten jungen Leuten gegenwärtig waren, die mehr Trieb als Stärke zu so großer Unternehmung hatten, sagte er ihnen, sie sollten hinzutreten und sich vom Hauptmann Cisti das Geld geben lassen. Wollten die Häscher widerstehn, so sollten sie Gewalt brauchen, wenn sie Mut hätten. Es waren vier unbärtige junge Leute. Der eine hieß Bertino Aldobrandi, der andere Anguillotto von Lucca, der übrigen erinnere ich mich nicht. Bertin war der Zögling und der wahre Schüler meines Bruders, der ihn über die Maßen liebte. Gleich waren die braven Jungen den Häschern auf dem Halse, die mehr als vierzig stark, mit Piken, Büchsen und großen Schwertern zu zwei Händen bewaffnet einhergingen. Nach wenig Worten griff man zum Degen, und hätte sich Kapitän Cattivanza nur ein wenig gezeigt, so hätten die jungen Leute das ganze Gefolge in die Flucht geschlagen, aber so fanden sie Widerstand und Bertino war tüchtig getroffen, so daß er für tot zur Erden fiel. Auch Anguillotto war auf den rechten Arm geschlagen, so daß er nicht mehr den Degen halten konnte, sondern sich, so gut als möglich, zurückziehen mußte. Bertino, gefährlich verwundet, ward aufgehoben.

Indessen diese Händel sich ereigneten, waren wir andern zu Tische, denn man hatte diesmal eine Stunde später gegessen; der älteste Sohn stand vom Tische auf, um die Händel zu sehen. Ich sagte zu ihm: Giovanni, ich bitte dich, bleib da! in dergleichen Fällen ist immer gewiß zu verlieren und nichts zu gewinnen. So vermahnte ihn auch sein Vater, aber der Knabe sah und hörte nichts, lief die Treppe hinunter und eilte dahin, wo das dickste Getümmel war. Als er sah, daß Bertino aufgehoben wurde, lief er zurück und begegnete Cecchino, meinem Bruder, der ihn fragte was es gebe? Der unverständige Knabe, ob er gleich von einigen gewarnt war, daß er meinem Bruder nichts sagen sollte, versetzte doch ganz ohne Kopf: die Häscher hätten Bertinen umgebracht. Da brüllte mein Bruder auf eine Weise, daß man es zehn Miglien hätte hören können, und sagte zu Giovanni: Kannst du mir sagen, wer mir ihn erschlagen hat? Der Knabe sagte: ja! es sei einer mit dem Schwert zu zwei Händen, und auf der Mütze trage er eine blaue Feder. Mein armer Bruder rannte fort, erkannte sogleich den Mörder am Zeichen, und mit seiner bewundernswerten Schnelligkeit und Tapferkeit drang er in die Mitte des Haufens, und ehe ein Mensch sich's versah, stach er dem Täter den Wanst durch und durch und stieß ihn mit dem Griff des Degens zur Erde. Alsdann wendete er sich gegen die andern mit solcher Gewalt, daß er sie alle würde in die Flucht gejagt haben, hätte er sich nicht gegen einen Büchsenträger gewendet, der zu seiner Selbstverteidigung losdrückte und den trefflichen, unglücklichen Knaben über dem Knie des rechten Fußes traf. Da er niederlag, machten sich die Häscher davon, denn sie fürchteten sich vor einem andern dieser Art.

Der Lärm dauerte immer fort, und ich stand endlich vom Tische auf, schnallte meinen Degen an, wie denn damals jedermann bewaffnet ging, und kam zu der Engelsbrücke, wo ich einen großen Zudrang von Menschen sah; einige die mich kannten, machten mir Platz, und ich sah, was ich, unerachtet meiner Neugierde, gerne nicht gesehen hätte. Anfangs erkannte ich ihn nicht, er hatte ein anderes Kleid an, als ich kurz vorher an ihm gesehen hatte, deswegen kannte er mich zuerst und sagte: Lieber Bruder! mein großes Übel beunruhige dich nicht, denn mein Beruf versprach mir ein solches Ende; laß mich schnell hier wegnehmen, ich habe nur noch wenig Stunden zu leben. Nachdem ich seinen Fall in aller Kürze vernommen hatte, sagte ich zu ihm: Das ist der schlimmste, traurigste Fall, der mir in meinem ganzen Leben begegnen konnte; aber sei zufrieden, denn ehe dir der Atem ausgeht, sollst du dich noch durch meine Hände an dem gerochen sehen, der dich in diesen Zustand versetzt hat.

Solche kurze Worte wechselten wir gegeneinander. Die Häscher waren funfzig Schritte von uns, denn Maffio, ihr Anführer, hatte vorher einen Teil zurückgeschickt, den Korporal zu holen, der meinen Bruder erschlagen hatte. Ich erreichte sie geschwind, drängte mich, in meinen Mantel gewickelt, mit möglichster Schnelligkeit durchs Volk und war schon zu der Seite des Maffio gelangt, und gewiß ich brachte ihn um, wenn nicht im Augenblick als ich den Degen schon gezogen hatte, mir ein Berlinghier in die Arme fiel, der ein tapferer Jüngling und mein großer Freund war. Vier seiner Gesellen waren mit ihm und sagten zu Maffio: Mache daß du wegkömmst, denn dieser allein bringt dich um. Maffio fragte: Wer ist es? Sie sagten: Es ist der leibliche Bruder von dem, der dort liegt. Da wollt er nichts weiter hören und machte, daß er sich eilig nach Torre di Nona zurückzog; die andern sagten zu mir: Benvenuto! wenn wir dich gegen deinen Willen verhinderten, so ist es aus guter Absicht geschehen; laß uns nun dem zu Hülfe kommen, der nicht lange mehr leben wird. So kehrten wir um und gingen zu meinem Bruder, den wir in ein Haus tragen ließen. Sogleich traten die Ärzte zusammen und verbanden ihn nach einiger Überlegung. Sie konnten sich nicht entschließen ihm den Fuß abzunehmen, wodurch man ihn vielleicht gerettet hätte. Gleich nach dem Verbande erschien Herzog Alexander selbst, der sich sehr freundlich und teilnehmend gegen ihn bezeigte. Mein Bruder war noch bei sich und sagte zu ihm: Ich bedaure nur, daß Sie, gnädiger Herr, einen Diener verlieren, den Sie wohl braver, aber nicht treuer und anhänglicher finden können.

Der Herzog sagte, er möge für sein Leben sorgen, er sei ihm als ein wackrer und braver Mann bekannt; dann kehrte er sich zu seinen Leuten und sagte: sie sollten es an nichts fehlen lassen. Man konnte das Blut nicht stillen, er fing an irre zu reden und phantasierte die ganze Nacht; außer da man ihm die Kommunion reichen wollte, sagte er: Ich hätte wohl getan früher zu beichten, denn gegenwärtig kann ich das heilige Sakrament in dieses schon zerstörte Gefäß nicht aufnehmen, es sei genug, daß ich es mit den Augen empfange, und durch diese soll meine unsterbliche Seele teil daran nehmen, die ihren Gott um Barmherzigkeit und Vergebung anfleht.

Sobald man das Sakrament weggenommen, fingen dieselben Torheiten wieder an, die aus den schrecklichsten Dingen, der ungeheuersten Wut und den fürchterlichsten Worten, die ein Mensch sich denken kann, zusammengesetzt waren, und so hörte er nicht auf, die ganze Nacht bis an den Morgen. Als die Sonne aufgegangen war, wendete er sich zu mir und sagte: Mein Bruder, ich will nicht länger hier bleiben, denn ich würde etwas tun, das jene bereuen sollten, die mir Verdruß gemacht haben. Alsbald warf er sich mit beiden Füßen herum, ob wir ihm gleich den einen in einen schweren Kasten gesteckt hatten, und gleichsam in der Bewegung eines der zu Pferde steigen will, sagte er mir dreimal Lebewohl, und so schied diese tapfre Seele von dannen.

Abends zu gehöriger Stunde ließ ich ihn mit den größten Ehren in der Kirche der Florentiner begraben und ihm nachher einen schönen Leichenstein von Marmor setzen, auf welchem Siegeszeichen und Fahnen gebildet waren.

Übergehen kann ich nicht, daß ein Freund meinen Bruder fragte, ob er wohl den Mann, der ihn verwundet, kenne, worauf denn der Sterbende hinter mir her einige Zeichen gab, die ich aber wohl bemerkte, und wovon ich die Folgen bald erzählen werde.

Einige vorzügliche Gelehrte, die mein Bruder wohl gekannt und die seine Tapferkeit bewundert hatten, gaben mir eine Inschrift mit der Versicherung, daß der außerordentliche Jüngling sie wohl verdiene. Sie lautete folgendermaßen:

Francisco Cellino Florentino, qui, quod in teneris annis ad Joannem Medicem Ducem plures victorias retulit et Signifer fuit, facile documentum dedit quantae fortitudinis et consilii vir erat futurus, ni crudelis fati archibuso transfossus quinto aetatis lustro jaceret. Benvenutus frater posuit. Obiit die XXVII. *Maii MDXXIX.*

Er war fünfundzwanzig Jahre alt, und ob er gleich Johann Franziskus Cellini hieß, so nannte man ihn doch, unter seinen Kameraden, Cecchin den Pfeifer. Diesen Kriegsnamen ließ ich denn auch auf den Grabstein setzen, mit schönen antiken Buchstaben, die ich alle zerbrochen vorstellen lassen, außer dem ersten und letzten. Als mich nun die gelehrten Verfasser der Inschrift darüber befragten, erklärte ich ihnen, daß ich durch diese zerbrochenen Buchstaben das wundersame Werkzeug seines Körpers, das nun zertrümmert sei, vorstellen wollen. Der erste ganze Buchstabe hingegen solle die von Gott uns geschenkte Seele bedeuten, welche, unzerstört, in Ewigkeit bleibe, so wie der letzte den dauerhaften Ruhm des Verstorbenen anzeige. Dieser Gedanke fand Beifall; auch hat ihn ein und der andere in der Folge nachgeahmt.

Sodann ließ ich auf gedachten Stein das Wappen der Cellini setzen, jedoch mit einiger Veränderung. In Ravenna, einer sehr alten Stadt, finden sich unsere Cellinis als die geehrtesten Edelleute, welche einen aufwärts gerichteten, zum Kampf geschickten goldenen Löwen, mit vorwärts geworfenen Pranken, in deren rechter er eine rote Lilie hält, im blauen Felde, führen. Das Haupt des Schildes, von Silber, trägt einen roten Turnierkragen von vier Lätzen, zwischen welchen drei rote Lilien stehen. Unser Haus aber führt die Löwenpranke ohne Körper, mit allem übrigen was ich erzählt habe: und so ließ ich auch das Wappen auf meines Bruders Grabstein setzen, nur daß ich statt der Lilie ein Beil anbrachte, um mich zu erinnern, daß ich ihn zu rächen habe.

Ich suchte nunmehr mit der größten Sorgfalt jene Arbeit in Gold, die der Papst so sehr verlangte, fertigzumachen; er ließ mich zwei-, dreimal die Woche rufen, und immer gefiel das Werk ihm besser. Öfters aber verwies er mir die große Traurigkeit um meinen Bruder. Eines Tages als er mich über die Maßen niedergeschlagen sah, sagte er: Benvenuto, ich glaube nicht, daß du so gar töricht wärest! Hast du denn nicht vorher gewußt, daß gegen den Tod keine Arznei ist? Du bist auf dem Wege, ihm nachzufolgen.

Indessen ich aber so an gedachter Arbeit und an den Stempeln für die Münze fortfuhr, hatte ich die Leidenschaft

ERSTES BUCH · ZEHNTES KAPITEL

gefaßt, den, der meinen Bruder geliefert hatte, wie ein geliebtes Mädchen nicht aus den Augen zu lassen. Er war erst Kavallerist gewesen und hatte sich nachher als Büchsenschütze unter die Zahl der Häscher begeben, und was mich gegen ihn am grimmigsten machte, war, daß er sich seiner Tat noch berühmt und gesagt hatte: Wäre ich nicht gewesen, der den braven Kerl aus dem Wege räumte, so hätte er uns alle, zu unserm größten Schaden, in die Flucht geschlagen. Ich konnte nun wohl bemerken, daß meine Leidenschaft, ihn so oft zu sehen, mir Schlaf und Appetit nahm, und mich den Weg zum Grabe führte; ich faßte also meinen Entschluß und scheute mich nicht vor einer so niedrigen und keineswegs lobenswürdigen Tat; genug, ich wollte eines Abends mich von diesem Zustande befreien.

Er wohnte neben einem Hause in welchem eine der stolzesten Kurtisanen sich aufhielt, die man jemals in Rom reich und beliebt gesehen hatte. Man hieß sie Signora Antäa. Es hatte eben vierundzwanzig geschlagen, als er, nach dem Nachtessen, den Degen in der Hand an seiner Tür lehnte. Ich schlich mich mit großer Gewandtheit an ihn heran, und mit einem großen pistojesischen Dolch holte ich rücklings dergestalt aus, daß ich ihm den Hals rein abzuschneiden gedachte. Er wendete sich schnell um, der Stoß traf auf die Höhe der linken Schulter und beschädigte den Knochen. Er ließ den Degen fallen und entsprang von Schmerzen betäubt. Mit wenig Schritten erreichte ich ihn wieder, hob den Dolch ihm über den Kopf, und da er sich niederbückte, traf die Klinge zwischen Hals und Nacken und drang so tief in die Knochen hinein, daß ich mit aller Gewalt sie nicht herausziehen konnte; denn aus dem Hause der Antäa sprangen viele Soldaten mit bloßen Degen heraus, und ich mußte also auch ziehen und mich verteidigen. Ich ließ den Dolch zurück und machte mich fort, und um nicht erkannt zu werden, ging ich zu Herzog Alexander, der zwischen Piazza Navona und der Rotonda wohnte. Ich ließ mit ihm reden, und er ließ mich bedeuten, daß wenn ich nicht verfolgt würde, sollte ich nur ruhig sein und keine Sorge haben; ich sollte mich wenigstens acht Tage inne halten und an dem Werke, das der Papst wünschte, zu arbeiten fortfahren.

Die Soldaten, die mich verhindert und den Dolch noch in Händen hatten, erzählten, wie die Geschichte gegangen war, und was sie für eine Mühe gehabt, den Dolch aus dem Nacken und dem Halse des Verwundeten heraus zu bringen, den sie weiter nicht kannten. Zu ihnen trat Johann Bandini und sagte: Das ist mein Dolch, ich habe ihn Benvenuto geborgt, der seinen Bruder rächen wollte. Da bedauerten die Soldaten, daß sie mich nicht ganz gewähren lassen, ob ich ihm gleich so schon in reichlichem Maß seinen Frevel vergolten hatte.

Es vergingen mehr als acht Tage, daß der Papst mich nicht nach seiner Gewohnheit rufen ließ; endlich kam der bolognesische Kämmerer mich abzuholen, der mich mit vieler Bescheidenheit merken ließ, daß der Papst alles wisse, aber mir demohngeachtet sehr wohl wolle. Ich solle nur ruhig sein und fleißig arbeiten.

Der Papst sah mich mit einem grimmigen Seitenblick an; das war aber auch alles, was ich auszustehen hatte; denn als er das Werk sah, fing er wieder an heiter zu werden und lobte mich, daß ich in kurzer Zeit so viel getan hätte. Alsdann sah er mir ins Gesicht, und sagte: Da du nun geheilt bist, so sorge für dein Leben. Ich verstand ihn und sagte, ich würde nicht fehlen.

Sodann eröffnete ich gleich eine schöne Werkstatt unter den Bänken, grad gegen Raffael del Moro über, und arbeitete an der Vollendung des oft gedachten Werks. Der Papst schickte mir alle Juwelen dazu, außer dem Diamanten, den er wegen einiger Bedürfnisse an Genueser Wechsler verpfändet und mir nur einen Abdruck davon gegeben hatte.

Durch fünf geschickte Gesellen, die ich hielt, ließ ich noch außerdem vieles arbeiten, so daß in meiner Werkstatt ein großer Wert an Juwelen, Gold und Silber sich befand.

Ich war eben neunundzwanzig Jahr alt, und hatte eine

Magd zu mir ins Haus genommen, von der größten Schönheit und Anmut; sie diente mir zum Modell in meiner Kunst, und ich brachte die meisten Nächte mit ihr zu; und ob ich gleich sonst den leisesten Schlaf von der Welt hatte, so überfiel er mich doch unter solchen Umständen dergestalt, daß ich nicht zu erwecken war. Dieses begegnete mir auch eine Nacht, als ein Dieb bei mir einbrach, der unter dem Vorwand, er sei ein Goldschmied, meine Kostbarkeiten gesehen, und den Plan gefaßt hatte, mich zu berauben. Er fand zwar verschiedene Gold- und Silberarbeiten vor sich, doch erbrach er einige Kästchen, um auch zu den Juwelen zu kommen.

Ein Hund, den mir Herzog Alexander geschenkt hatte, und der so brauchbar auf der Jagd, als wachsam im Hause war, fiel über den Dieb her, der sich mit dem Degen so gut verteidigte als er konnte. Der Hund lief durch das Haus hin und wider, kam in die Schlafzimmer meiner Arbeiter, deren Türen bei der Sommerhitze offen standen, und weckte die Leute teils durch sein Bellen, teils indem er ihre Decken wegzog, ja bald den einen, bald den andern bei dem Arme packte. Dann lief er wieder mit erschrecklichem Bellen weg, als wenn er ihnen den Weg zeigen wollte; sie wurden diesen Unfug müde, und weil sie auf meinen Befehl immer ein Nachtlicht brannten, so griffen sie voll Zorn nach den Stökken, verjagten den guten Hund und verschlossen ihre Türen. Der Hund, von diesen Schelmen ohne Hülfe gelassen, blieb fest auf seinem Vorsatze, und da er den Dieb nicht mehr in der Werkstatt fand, verfolgte er ihn auf der Straße und hatte ihm schon das Kleid vom Leibe gerissen. Der Dieb rief einige Schneider zu Hülfe, die schon auf waren, und bat sie um Gottes willen, sie möchten ihn von dem tollen Hund befreien; sie glaubten ihm, erbarmten sich seiner und verjagten den Hund mit großer Mühe.

Als es Tag ward, gingen meine Leute in die Werkstatt, und da sie die Tür erbrochen und offen und die Schubladen in Stücken fanden, fingen sie an mit lauter Stimme wehe über den Unfall zu schreien. Ich hörte es, erschrak und kam heraus. Sie riefen mir entgegen: Wir sind bestohlen, alles ist fort, die Schubladen sind alle erbrochen. Diese Worte taten so eine schreckliche Wirkung auf mich, daß ich nicht imstande war vom Fleck zu gehen und nach der Schublade zu sehen, in welcher die Juwelen des Papstes waren. Mein Schrecken war so groß, daß mir fast das Sehen verging; ich sagte, sie sollten die Schublade öffnen, um zu erfahren, was von den Juwelen des Papstes fehle. Mit großer Freude fanden sie die sämtlichen Edelsteine und die Arbeit in Golde dabei; sie riefen aus: Nun ist weiter kein Übel, genug, daß dieser Schatz unberührt ist, ob uns gleich der Schelm nur die Hemden gelassen hat, die wir auf dem Leibe tragen; denn gestern abend, da es so heiß war, zogen wir uns in der Werkstatt aus und ließen unsere Kleider daselbst.

Schnell kam ich wieder zu mir, dankte Gott und sagte: Gehet nur und kleidet euch alle neu, ich will es bezahlen. Ich konnte mich nicht genug freuen, daß die Sache so abgelaufen war; denn was mich so sehr, gegen meine Natur, erschreckte, war, daß die Leute mir gewiß würden schuld gegeben haben, ich habe die Geschichte mit dem Dieb nur ersonnen, um den Papst um seine Juwelen zu bringen. Gleich in den ersten Augenblicken erinnerte ich mich, daß der Papst schon vor mir gewarnt worden war. Seine Vertrautesten hatten zu ihm gesagt: Wie könnt ihr, heiligster Vater, die Juwelen von so großem Werte einem Jüngling anvertrauen, der ganz Feuer ist, mehr an die Waffen als an die Kunst denkt, und noch nicht dreißig Jahre hat.

Der Papst fragte, ob jemand von mir etwas wisse, das Verdacht erregen könne? Franziskus del Nero antwortete: Nein! er hat aber auch noch niemals solche Gelegenheit gehabt. Darauf versetzte der Papst: Ich halte ihn für einen vollkommen ehrlichen Mann, und wenn ich selbst ein Übel an ihm sähe, so würde ich es nicht glauben.

Ich erinnerte mich gleich dieses Gesprächs, brachte, so gut ich konnte, die Juwelen an ihre Plätze, und ging mit der

Arbeit geschwind zum Papste, dem Franziskus del Nero schon etwas von dem Gerüchte, daß meine Werkstatt bestohlen sei, gesagt hatte. Der Papst warf mir einen fürchterlichen Blick zu, und sagte mit heftiger Stimme: Was willst du hier? was gibt's? Sehet hier Eure Juwelen, sagte ich, es fehlt nichts daran. Darauf erheiterte der Papst sein Gesicht, und sagte: So sei willkommen! und indes er die Arbeit ansah, erzählte ich ihm die ganze Begebenheit, meinen Schrekken und was mich eigentlich in so große Angst gesetzt habe. Der Papst kehrte sich einigemal um, mir ins Gesicht zu sehen, und lachte zuletzt über alle die Umstände, die ich ihm erzählte. Endlich sprach er: Geh und sei ein ehrlicher Mann, wie ich dich gekannt habe!

ELFTES KAPITEL

Des Autors Feinde bedienen sich der Gelegenheit, daß falsche Münzen zum Vorschein kommen, um ihn bei dem Papste zu verleumden; allein er beweist seine Unschuld zu des Papstes Überzeugung. – Er entdeckt den Schelm, der seine Werkstatt bestohlen, durch die Spürkräfte seines Hundes. – Überschwemmung von Rom. – Er macht eine Zeichnung zu einem prächtigen Kelche für den Papst. – Mißverstand zwischen ihm und Seiner Heiligkeit. – Kardinal Salviati wird Legat von Rom in des Papstes Abwesenheit, beleidigt und verfolgt den Autor. – Eine Augenkrankheit verhindert diesen, den Kelch zu endigen. – Der Papst, bei seiner Rückkunft, ist über ihn erzürnt. – Außerordentliche Szene zwischen ihm und Seiner Heiligkeit. – Der Autor leidet an venerischen Übeln und wird durch das heilige Holz geheilt.

Indessen ich an dem Werke immer fortfuhr, ließen sich in Rom einige falsche Münzen sehen, die mit meinem eigenen Stempel geprägt waren. Schnell brachte man sie dem Papst und wollte ihm Verdacht gegen mich einflößen. Er sagte darauf zu dem Münzmeister: Suchet mit allem Fleiße den Täter zu entdecken; denn wir wissen, daß Benvenuto ein ehrlicher Mann ist. Jener, der mein großer Feind war, antwortete: Wollte Gott, daß es so wäre, wir haben aber schon einige Spur. Darauf gab der Papst dem Gouverneur von Rom den Auftrag, wo möglich den Täter zu entdecken; ließ mich kommen, sprach über mancherlei, endlich auch über die Münze, und sagte wie zufällig: Benvenuto! könntest du wohl auch falsche Münzen machen? Ich versetzte, daß ich sie besser machen wollte als alle die Leute, die so ein schändliches Handwerk trieben; denn es wären nur unwissende und ungeschickte Menschen, die sich auf solche schlechte Streiche einließen. Ich verdiente so viel mit meiner wenigen Kunst als ich nur brauchte und könnte dabei vor Gott und der Welt bestehen, und wenn ich falsche Münzen machen wollte, könnte ich nicht einmal so viel als bei meinem ordentlichen Gewerbe verdienen.

Ich muß hier bemerken, daß ich alle Morgen, wenn ich für die Münze arbeitete, drei Scudi gewann, denn so hoch wurde ein Stempel bezahlt, aber der Münzmeister feindete mich an, weil er sie gerne wohlfeiler gehabt hätte.

Der Papst merkte wohl auf meine Worte, und da er vorher befohlen hatte, daß man auf mich acht geben und mich nicht aus Rom lassen sollte, befahl er nunmehr die Untersuchung weiter fortzusetzen und sich um mich nicht zu bekümmern; denn er wollte mich nicht aufbringen, um mich nicht etwa zu verlieren. Diejenigen, welche die Sache näher anging und denen der Papst sie lebhaft aufgetragen hatte, fanden bald den Täter. Es war ein Arbeiter bei der Münze selbst, und zugleich mit ihm wurde ein Mitschuldiger eingezogen.

An demselbigen Tage ging ich mit meinem Hund über Piazza Navona. Als ich vor die Türe des obersten Häschers kam, stürzte mein Hund mit großem Gebelle ins Haus und fiel einen jungen Menschen an, den ein gewisser Goldschmied von Parma, namens Donnino, als des Diebstahls verdächtig, hatte einziehen lassen. Sie waren eben im Wortwechsel begriffen, der junge Mensch leugnete kecklich alles ab, und Donnino schien nicht Beweise genug zu haben; nun fiel noch gar der Hund mit solcher Gewalt den Beklagten an, daß die Häscher Mitleid mit ihm hatten und ihn wollten gehen lassen, um so mehr, als unter diesen ein Genueser war, der seinen Vater kannte. Ich trat hinzu, und der Hund zeigte keine Furcht, weder vor Degen noch vor Stöcken, und warf sich aufs neue dem Menschen an den Hals, so daß sie mir zuriefen: wenn ich den Hund nicht wegnähme, so würden sie mir ihn totschlagen.

Ich riß den Hund ab, so gut ich konnte, und als der Mensch weggehen wollte, fielen ihm einige Papierdüten aus der Jacke, die Donnino für sein Eigentum erkannte. Auch ich fand einen meiner Ringe darunter, da rief ich aus: Das ist der Dieb, der meine Werkstatt erbrochen hat, mein Hund erkennt ihn. Sogleich ließ ich das treue Tier wieder los, das ihn wieder anpackte. Der Schelm bat mich ihn zu schonen und versprach mir alles das Meinige zurückzugeben. Ich nahm den Hund wieder ab, und darauf gab er mir Gold, Silber und Ringe wieder, und in der Verwirrung fünfundzwanzig Scudi drüber; dabei bat er um Gnade; ich aber sagte, er sollte Gott um Gnade bitten, ich würde ihm weder etwas zuliebe noch zuleide tun. Ich kehrte zu meiner Arbeit zurück, und erlebte bald, daß der falsche Münzer vor der Türe der Münze aufgehenkt, sein Mitschuldiger auf die Galeere verbannt wurde, und der genuesische Dieb gleichfalls an den Galgen kam; ich aber behielt über Verdienst den Ruf eines ehrlichen Mannes.

Meine große Arbeit ging zu Ende, als die fürchterliche Wasserflut eintrat, durch welche ganz Rom überschwemmt wurde. Es war schon gegen Abend, als das Wasser noch immer wuchs; meine Werkstatt lag niedrig, wie die Bänke überhaupt, das Haus aber war hinterwärts an den Hügel gebaut. Ich dachte daher an mein Leben und an meine Ehre, nahm alle die Juwelen zu mir, ließ die Goldarbeit meinen Gesellen, stieg barfuß zu meinen hintersten Fenstern heraus, watete, so gut ich konnte, durch das Wasser und suchte auf Monte Cavallo zu kommen; daselbst bat ich Herrn Johann Gaddi, der mein großer Freund war, mir diesen Schatz aufzuheben.

Nach einigen Tagen verlief sich das Wasser, ich konnte endlich das große Werk fertigmachen, und ich erlangte, durch meine anhaltende Bemühung und durch die Gnade Gottes, großen Ruhm; denn man behauptete, es sei die schönste Arbeit, die noch jemals dieser Art in Rom gesehen worden.

Nun brachte ich sie dem Papst, der mich nicht genug rühmen und preisen konnte und ausrief: Wenn ich ein reicher Kaiser wär', wollte ich meinem Benvenuto so viel Land geben, als er mit den Augen erreichen könnte, so aber sind wir heutzutage nur arme bankrute Kaiser; doch soll er haben, soviel er bedarf.

Ich ließ den Papst seine übertriebenen Reden vollenden und bat ihn darauf um eine Stelle unter seinen Leibtrabanten, die eben vakant war. Er versetzte, daß er mir was Besseres zugedacht habe; ich aber antwortete, er möchte mir diese Stelle nur einstweilen zum Mietpfennig geben. Lachend versetzte der Papst, er sei es zufrieden; doch wolle er nicht, daß ich den Dienst tun solle, und um die übrigen darüber zu beruhigen, werde er ihnen einige Freiheiten zugestehn, um die sie ihn gebeten hätten. Dieser Trabantendienst brachte mir jährlich über zweihundert Scudi ein.

(1532 · 1533)

Nachdem ich dem Papst eine Weile mit verschiedenen kleinen Arbeiten gedient hatte, befahl er mir eine Zeichnung zu einem prächtigen Kelche zu machen, die ich sogleich, nebst einem Modell, zustande brachte. Das letztere war von Holz und Wachs; statt des Fußes hatte ich drei runde Figuren, Glauben, Hoffnung und Liebe, unter dem Kelche angebracht, sie standen auf einem Untersatze, auf welchem halb erhaben die Geburt und Auferstehung Christi, sodann die Kreuzigung Petri, wie man mir befohlen hatte, zu sehen war. Indem ich an dieser Arbeit fortfuhr, wollte der Papst sie öfters sehen; allein ich konnte leider bemerken, daß er nicht mehr daran dachte, mich irgend besser zu versorgen. Daher, als einst die Stelle eines Frate del Piombo vakant wurde, bat ich ihn eines Abends darum.

Der gute Papst, der sich nicht mehr der Entzückung erinnerte in die er über mein voriges vollendetes Werk geraten war, sagte zu mir: Eine Pfründe del Piombo trägt achthundert Scudi ein, wenn ich dir sie gäbe, würdest du nur deinem Leibe wohltun, deine schöne Kunst vernachlässigen, und man würde mich tadeln. Darauf antwortete ich sogleich: Die Katzen guter Art mausen besser wenn sie fett, als wenn sie hungrig sind; so auch rechtschaffene Männer, die Talent haben, bringen es viel weiter, wenn sie eines reichlichen Lebens genießen, und ein Fürst, der solche Männer in Wohlstand versetzt, pflegt und nährt die Künste selbst, die bei einer entgegengesetzten Behandlung nur langsam und kümmerlich fortwachsen. Und ich will Eurer Heiligkeit nur gestehn, daß ich mir auf diese Pfründe keine Hoffnung machte, glücklich genug, daß ich den armen Trabantendienst erhielt. Geben Eure Heiligkeit jene gute Stelle einem verdienten kunstreichen Manne, nicht einem unwissenden, der seinen Leib pflegt. Nehmen Sie ein Beispiel an Papst Julius, Ihrem in Gott ruhenden Vorfahren; er gab dem trefflichen Baumeister Bramante eine solche Pfründe. Und alsbald machte ich meine Verbeugung und ging weg.

Darauf trat Sebastian, der venezianische Maler, hervor und sagte: Wenn Eure Heiligkeit diese Pfründe jemanden zu geben gedenken, der sich in den Künsten Mühe gibt, so darf ich bitten, mich dadurch zu beglücken. Darauf antwortete der Papst: Läßt sich doch der verteufelte Benvenuto auch gar nichts sagen; ich war geneigt sie ihm zu geben, er sollte aber mit einem Papste nicht so stolz sein; doch weiß ich nicht, was ich tun soll. Hierauf bat der Bischof von Vasona für den gedachten Sebastian und sagte: Heiliger Vater! Benvenuto ist jung und der Degen an der Seite kleidet ihn besser als der geistliche Rock; geben Eure Heiligkeit diese Stelle dem geschickten Sebastian und Benvenuto kann immer noch etwas Gutes, das vielleicht schicklicher ist, erhalten. Da wandte sich Papst zu Herrn Bartholomäus Valori und sagte zu ihm: Wenn ihr Benvenuto begegnet, so sagt ihm, daß er dem Maler Sebastian die Pfründe verschafft hat; aber er soll wissen, daß die erste bessere Stelle, die aufgeht, ihm zugedacht ist. Inzwischen soll er sich gut halten und meine Arbeit endigen.

Die andere Nacht begegnete ich Herrn Valori auf der Straße, zwei Fackelträger gingen vor ihm her, er eilte zum Papst, der ihn hatte rufen lassen. Er blieb stehen und sagte mit großer Freundlichkeit alles, was ihm der Papst aufgetragen hatte. Darauf antwortete ich: Mit mehr Fleiß und Nachdenken als jemals werde ich diese Arbeit vollenden, ob ich gleich nicht die mindeste Hoffnung habe vom Papste etwas zu erhalten. Herr Bartholomäus verwies mir, daß ich die Anträge eines Papstes nicht besser zu schätzen wisse. Ich antwortete: da ich weiß, daß ich nichts haben werde, so wär' ich ein Tor, wenn ich hoffen wollte; und so schieden wir auseinander. Vermutlich hat Herr Bartholomäus dem Papst meine kühnen Reden und vielleicht noch mehr hinterbracht, denn ich ward in zwei Monaten nicht gerufen, und ich ging auf keine Weise nach dem Palaste.

Der Papst, der darüber ungeduldig war, gab Herrn Robert Pucci den Auftrag nachzusehen, was ich mache? Das gute Männchen kam alle Tage und sagte mir etwas Freundliches, und so tat ich auch gegen ihn. Endlich als der Papst nach Bologna verreisen wollte und sah, daß ich von freien Stücken nicht zu ihm kam, gab mir Herr Robert zu verstehen, daß ich meine Arbeit hinauftragen solle, denn er wollte sehen, wie weit ich gekommen sei. Ich trug die Arbeit hin und zeigte, daß ich nicht gefeiert hatte, und bat den Papst, daß er mir fünfhundert Scudi da lassen sollte, teils auf Rechnung meines Verdienstes, teils weil mir noch Gold fehlte, um das Werk zu vollenden; der Papst sagte darauf: mach's nur erst fertig; und ich antwortete im Fortgehen, wenn er mir Geld ließe, so sollte es nicht fehlen.

Bei seiner Abreise nach Bologna ließ der Papst den Kardinal Salviati als Legaten von Rom zurück und gab ihm den Auftrag, die Arbeit bei mir zu betreiben, indem er sagte:

Benvenuto ist ein Mann, der sich aus seinem Talent wenig macht und ebensowenig aus uns, deshalb müßt ihr ihn anfeuern, so daß ich das Werk vollendet finde, wenn ich wiederkomme. Da schickte nach Verlauf von acht Tagen diese Bestie von einem Kardinal zu mir und befahl, ich sollte meine Arbeit mitbringen; ich ging aber ohne Arbeit hin. Darauf sagte er zu mir: Wo hast du dein Zwiebelmus? ist's fertig? Darauf antwortete ich: Hochwürdigster Herr, mein Zwiebelmus ist nicht fertig, und wird nicht fertig werden, wenn ihr mir nicht die Zwiebeln dazu gebt. Darauf ward der Kardinal, der ohnehin mehr einem Esel als einem Menschen ähnlich sah, noch um die Hälfte häßlicher, fuhr auf mich los unf rief: Ich werde dich auf die Galeere setzen, daß du Zeit hast deine Arbeit zu vollenden. Da ward ich denn mit dieser Bestie auch bestialisch und sagte: Gnädiger Herr! wenn ich durch Übeltaten die Galeere verdiene, dann werdet ihr mich darauf setzen; aber gegenwärtig fürchte ich sie nicht! und was mehr ist, so beteuere ich, daß ich, eben um Eurer Gnaden willen, jetzt die Arbeit nicht endigen will. Schickt nicht mehr zu mir, denn ich komme nicht mehr her, ihr müßtet mich denn durch die Häscher holen lassen.

Darauf schickte der gute Kardinal einigemal zu mir, um mich im Guten zur Arbeit bereden zu lassen; dagegen ich ihm aber jederzeit nur antworten ließ, er möchte mir Zwiebeln schicken, damit mein Zwiebelmus fertig werden könnte, und so mußte er zuletzt an dieser Kur verzweifeln.

Der Papst kam von Bologna zurück und fragte sogleich nach mir; denn der Kardinal hatte schon das Schlimmste, was er konnte, von mir geschrieben. Der Papst war in unglaublicher Wut und befahl, ich sollte mit dem Werke zu ihm kommen, welches ich auch tat.

Hier muß ich bemerken, daß in der Zwischenzeit mich ein großes Augenübel befallen hatte, welches die vornehmste Ursache war, daß ich nicht weiter hatte arbeiten können, ich fürchtete wirklich blind zu werden und hatte darauf schon meine Rechnung gemacht. Da ich nun so zum Papste ging, dachte ich auf meine Entschuldigung, warum das Werk nicht weiter wäre, und wie ich sie vorbringen wollte, indes der Papst die Arbeit betrachtete; allein es gelang mir nicht, denn sobald ich zu ihm kam, fuhr er gleich mit wilden Worten heraus und sagte: Gib die Arbeit her! ist sie fertig? Schnell deckte ich sie auf, und er fuhr mit größerer Wut fort: Bei dem wahrhaftigen Gott schwöre ich dir; denn du glaubst dich nicht um mich bekümmern zu dürfen; hielt' mich nicht das Urteil der Welt zurück, ich ließ' dich und das Werk zu diesem Fenster hinauswerfen. Da ich nun sah, daß der Papst eine so schlimme Bestie geworden war, dachte ich darauf mich sachte wegzubegeben und nahm, indes er immer zu schelten fortfuhr, die Arbeit unter das Kleid und sagte murmelnd: Könnte doch die ganze Welt einem Blinden zu einer solchen Arbeit nicht das Vermögen geben. Darauf erhob der Papst seine Stimme noch mehr und rief: Komm her, was sagst du? Ich war im Begriff, fort und die Treppe hinunter zu springen; doch faßte ich mich, warf mich auf die Knie und, weil er zu schreien nicht aufhörte, schrie ich auch und rief: Wenn ich zu meinem größten Unglück blind werde, bin ich dann gebunden zu arbeiten? Darauf antwortete er: Du hast dich doch hierher finden können, und ich glaube nicht, daß etwas an deinem Vorgeben wahr sei. Da ich nun hörte, daß er seine Stimme mäßigte, versetzte ich: Lassen Sie es durch Ihren Arzt untersuchen, und Sie werden die Wahrheit finden. Darauf sagte er: Ich will schon erfahren, wie es mit dir steht. Da ich nun merkte, daß er mir Gehör gab, fuhr ich fort: An diesem großen Übel ist nur der Kardinal Salviati schuld; denn sobald Eure Heiligkeit verreist waren, ließ er mich rufen, nannte meine Arbeit ein Zwiebelmus und drohte mir mit der Galeere. Die Gewalt dieser niederträchtigen Worte war so groß, daß mir auf einmal, vor heftiger Leidenschaft, das ganze Gesicht brannte, und mir eine so unendliche Hitze in die Augen drang, daß ich den Weg nach Hause nicht finden konnte. Wenige Tage darauf fiel mir's wie ein Star vor beide

Augen, ich sah fast nichts und mußte die Arbeit stehen lassen.

Nachdem ich also gesprochen, stand ich auf und ging in Gottes Namen fort. Nachher erfuhr ich, der Papst habe gesagt: Ämter kann man ihnen geben, aber nicht Verstand und Betragen! Ich habe dem Kardinal nicht befohlen, daß er so hart verfahren sollte. Mein Leibarzt soll seine Augenkrankheit untersuchen, und wird sie wahr befunden, so muß man Nachsicht mit ihm haben.

Ein Edelmann von Bedeutung, ein Freund des Papstes und voller Verdienste, war eben gegenwärtig; er fragte wer ich sei? Heiliger Vater! sagte er, ich erkundige mich darum, weil ich Sie niemals in so großem Zorn und alsbald wieder in so großem Mitleiden und wahrer Teilnahme gesehen habe. Wer ist der Mann? und da Eurer Heiligkeit sehr viel an ihm gelegen scheint, so kann ich ihm ein Geheimnis lehren, wodurch seine Augen geheilt werden sollen. Der Papst antwortete: Das ist der größte Meister, der jemals in seiner Kunst geboren worden ist; ich will euch gelegentlich seine Arbeit zeigen, und es soll mir lieb sein, wenn etwas zu seinem Besten geschehen kann.

Nach drei Tagen ließ mich der Papst rufen, als er eben gespeist hatte; jener Edelmann war gegenwärtig, und ich zeigte meinen Kelch vor, worüber dieser mir viel Lob erteilte; da aber noch der Knopf herbeigebracht wurde, wuchs seine Verwunderung, er sah mir ins Gesicht und sagte: Er ist jung genug und kann es noch weiter bringen. Darauf erkundigte er sich nach meinem Namen. Benvenuto heiß ich, versetzte ich darauf. Er aber sagte: Diesmal bin ich für dich willkommen! Nimm Lilie, mit Stengel und Blume, und destilliere sie bei gelindem Feuer; mit dem Wasser, das du gewinnst, salbe dir die Augen mehrmals des Tages und du wirst gewiß von deinem Übel genesen; aber vor allen Dingen mußt du ein Reinigungsmittel brauchen und alsdann mit dem Wasser fortfahren. Der Papst sagte mir einige freundliche Worte, und ich ging halb getröstet weg.

Eigentlich aber mochte an meinem Augenübel das schöne Mädchen schuld sein, das ich bei mir hatte, als ich bestohlen ward. Mehr als vier Monate blieb die Krankheit verborgen, alsdann zeigte sie sich mit Gewalt auf einmal; sie äußerte sich aber nicht wie gewöhnlich, vielmehr war ich mit roten Bläschen, so groß wie Pfennige überdeckt. Die Ärzte wollten das Übel nicht für das anerkennen was es war, ob ich ihnen gleich die Ursache und meine Vermutung angab. Eine Zeitlang ließ ich mich nach ihrer Art behandeln, aber es half mir nichts; doch zuletzt entschloß ich mich das Holz zu nehmen, gegen den Willen dieser, welche man für die ersten Ärzte von Rom halten mußte. Nachdem ich diese Medizin eine Zeitlang mit großer Sorgfalt und Diät genommen hatte, fühlte ich große Linderung, so daß ich nach Verlauf von funfzig Tagen mich geheilt und gesund wie ein Fisch fühlte.

Darauf da es gegen den Winter ging, und ich mich von dem was ich ausgestanden hatte wieder einigermaßen erholen wollte, nahm ich meine Büchse hervor und ging auf die Jagd, setzte mich dem Regen und dem Winde aus und hielt mich in den Niederungen auf, so daß in wenig Tagen mich ein zehnfach größeres Übel befiel als das erste gewesen war. Nun gab ich mich wieder in die Hände der Ärzte und ward von ihren Arzneien abermals viel schlimmer. Es befiel mich ein Fieber, und ich nahm mir abermals vor, das Holz zu brauchen. Die Ärzte widersetzten sich und versicherten, wenn ich die Kur während des Fiebers anfinge, so würde ich in acht Tagen tot sein; ich tat es aber doch mit derselbigen Ordnung und Vorsicht wie das erstemal. Nachdem ich vier Tage dieses heilige Wasser des Holzes getrunken hatte, verlor sich das Fieber ganz und gar, und ich spürte die größte Besserung.

Unter dieser Kur arbeitete ich immer weiter an dem Modell des Kelchs, und es gelangen mir schönere Dinge und bessere Erfindungen in den Wochen dieser Fasten und Enthaltsamkeit als vorher in meinem ganzen Leben. Nach vierzig Tagen war ich wirklich rein von meinem Übel geheilt und suchte nun meine Gesundheit recht zu befestigen; dabei versäumte ich nicht, sowohl an dem bewußten Werke als für die Münze den gehörigen Fleiß anzuwenden.

ZWÖLFTES KAPITEL

Geschichte eines Goldschmieds von Mailand, der zu Parma als falscher Münzer zum Tode verdammt war und durch den Kardinal Salviati, Legaten dieser Stadt, gerettet wurde. – Der Kardinal sendet ihn nach Rom, als einen geschickten Künstler, der dem Autor das Gegengewicht halten könne. – Tobias wird von dem Papst in Arbeit gesetzt, welches dem Autor sehr unangenehm ist. – Pompeo von Mailand verleumdet ihn, er verliert seine Stelle bei der Münze. – Er wird verhaftet, weil er den Kelch nicht ausliefern will, und vor den Gouverneur von Rom gebracht. – Sonderbare Unterhaltung zwischen ihm und dieser Magistratsperson. – Der Gouverneur, durch einen Kunstgriff, überredet ihn den Kelch dem Papste auszuliefern, der ihn dem Autor zurückschickt, mit Befehl das Werk fortzusetzen.

Um diese Zeit ward Kardinal Salviati, der mich so sehr anfeindete, zum Legaten von Parma erwählt, und daselbst wurde eben ein mailändischer Goldschmied, Tobias genannt, als ein falscher Münzer eingezogen. Man hatte ihn zum Strick und Feuer verdammt, als der Kardinal, der davon hörte, sich diesen trefflichen Mann vorstellen ließ. Der Legat verschob darauf die Vollziehung, schrieb den Vorfall an den Papst, rühmte gedachten Tobias als den ersten Goldschmied von der Welt, und gab ihm das Zeugnis, er sei ein einfältiger guter Mann, der durch seinen Beichtvater, den er um Rat gefragt und der ihm diese Handlung erlaubt, eigentlich falsch geführt worden sei. Sodann könne der Papst, wenn er einen so geschickten Mann nach Rom zöge, den Stolz des Benvenuto am besten demütigen.

Der Papst ließ gedachten Tobias sogleich kommen, und nachdem er uns beide vor sich berufen hatte, trug er uns auf, eine Zeichnung zu machen, wie das Horn eines Einhorns am besten gefaßt werden könnte. Er besaß ein solches von der größten Schönheit, es war um siebzehntausend Kammerdukaten verkauft worden. Er wollte es dem Könige

Franz von Frankreich schenken, aber vorher reich mit Golde verzieren lassen.

Wir trugen beide unsere Zeichnungen, sobald sie fertig waren, zum Papste. Tobias hatte eine Art Leuchter vorgestellt, in welchen das Horn als eine Kerze eingesteckt werden sollte. Statt der Füße des Leuchters waren vier Einhornsköpfchen angebracht. Ich konnte mich nicht enthalten über diese schwache Erfindung auf eine bescheidene Weise zu lachen. Der Papst bemerkte es und sagte: Laß nur deine Zeichnung sehen! Ich hatte einen einzigen Einhornskopf vorgestellt, wozu ich teils die Bildung eines Pferdes, teils eines Hirsches genommen hatte; er war mit einer schönen Art von Schleier und andern gefälligen Zieraten bereichert. Darauf sollte das Horn eingepaßt werden. Jedermann, der diese Erfindung sah, gab ihr den Vorzug.

Aber leider waren einige Mailänder von großem Ansehn gegenwärtig, die dem Papst einredeten und vorstellten: er wolle ja das Werk nach Frankreich senden, die Franzosen seien rohe Leute und würden die Vortrefflichkeit der Arbeit des Benvenuto nicht einsehen, vielmehr würde ihnen die Art Kirchenputz der andern Zeichnung besser einleuchten, die auch geschwinder ins Werk gesetzt sein würde; mittlerweile könne Benvenuto sich an den Kelch halten, zwei Arbeiten würden auf einmal fertig, und Tobias wäre doch auch nicht umsonst berufen worden. Der Papst, der Verlangen hatte seinen Kelch vollendet zu sehen, folgte dem Rat, gab jenem das Horn in Arbeit und ließ mir sagen, ich möchte den Kelch fertigmachen. Darauf antwortete ich, daß ich in der Welt nichts mehr wünsche, und wenn er nur von einer andern Materie als von Gold wär', so wollte ich ihn wohl ohne weitere Beihülfe zustande bringen. Darauf versetzte der pöbelhafte Hofmann: Verlange nur kein Gold vom Papst; denn er gerät sonst in den größten Zorn und wehe dir danach! Ich antwortete darauf: Lehret mich ein wenig, mein Herr, wie man Brot ohne Mehl macht! Ohne Gold wird dieses Werk nicht fertig werden. Diese Worte verdrossen ihn, er drohte mir, dem Papst alles zu hinterbringen, und tat es auch; der Papst brach in eine bestialische Wut aus und sagte, er wolle doch sehen, ob ich so toll sei, mich dieser Arbeit zu weigern. So gingen zwei Monate vorbei, in denen ich, ungeachtet meiner Drohung, mit großer Liebe gearbeitet hatte. Da der Papst sah, daß ich die Arbeit nicht brachte, ward er mir äußerst ungünstig und drohte, mich auf jede Weise zu züchtigen.

Eben war ein gewisser mailändischer Goldschmied gegenwärtig, mit Namen Pompeo und ein naher Verwandter eines gewissen Herrn Trajans, eines sehr begünstigten Dieners des Papstes; beide sagten einstimmig: Wenn Eure Heiligkeit ihm die Münze nehmen, so wird ihm die Lust schon kommen, den Kelch zu endigen. Darauf versetzte der Papst: Es würden vielmehr daraus zwei Übel entstehen, ich würde bei der Münze übel bedient sein, und er würde den Kelch nicht mehr anrühren. Die beiden Mailänder ließen aber doch nicht ab und brachten es endlich dahin, daß er mir die Münze nahm und sie einem jungen Menschen von Perugia gab.

Pompeo kam selbst, mir im Namen Seiner Heiligkeit zu sagen, daß ich die Münze verloren habe, und wenn ich den Kelch nicht fertigmachte, sollte ich noch andere Dinge verlieren. Ich antwortete: Sagt Seiner Heiligkeit: die Münze hat er sich, nicht mir genommen, und so wird es auch mit den andern Dingen gehen; und sagt nur: wenn er mir die Münze auch wiedergeben wollte, würde ich sie nicht annehmen. Dieser abscheuliche mißgünstige Mensch eilte was er konnte, alles dem Papste wieder zu sagen, wobei er gewiß von dem Seinigen hinzutat.

Nach acht Tagen schickte der Papst denselbigen Menschen zu mir und ließ mir sagen, er wolle nunmehr den Kelch nicht von mir geendigt haben, er verlange die Arbeit, soweit wie sie gegenwärtig gekommen sei. Darauf antwortete ich: Das ist nicht wie mit der Münze, die er mir nehmen kann wenn er will. Fünfhundert Scudi habe ich von ihm empfangen, und die will ich sogleich zurückzahlen, das Werk ist aber mein, und ich will damit nach Vergnügen schalten; darauf sagte ich ihm noch einige beißende Worte, die sich auf ihn bezogen, und er eilte, dem Papst alles zu hinterbringen.

Nach Verlauf dreier Tage kamen zwei Kämmerlinge des Papstes zu mir, vornehme und von Seiner Heiligkeit sehr begünstigte Personen. Sie sagten zu mir: Benvenuto! du hast bisher gewagt den Papst aufzuziehen und willst keinen vernünftigen Vorstellungen Gehör geben, höre nun: gibst du ihm sein Werk nicht heraus, so haben wir Befehl, dich ins Gefängnis zu führen. Darauf sah ich ihnen fröhlich ins Gesicht und sagte: Meine Herren! wenn ich dem Papste dies Werk gebe, so gebe ich ihm mein Werk, und nicht das seinige, und ich habe nicht Lust, es herauszugeben; denn nachdem ich es mit Fleiß und Sorgfalt so weit geführt habe, will ich nicht, daß es etwa in die Hände einer unwissenden Bestie gerate, die es mit wenig Mühe verdürbe.

Es war bei dieser Unterredung auch jener Goldschmied Tobias gegenwärtig, der sich unterstand von mir sogar die Modelle des Werks abzufordern; ich aber sagte ihm, was solch ein elender Mensch zu hören verdiente und was ich hier nicht wiederholen mag.

Da aber die beiden Herren in mich drangen und verlangten, ich solle mich eilig entschließen, sagte ich ihnen, daß ich schon entschlossen sei, nahm mein Überkleid, und ehe ich aus dem Laden ging, wendete ich mich mit großer Verehrung gegen ein Kruzifix und sagte, mit der Mütze in der Hand: Gnädiger, unsterblicher, gerechter und heiliger Erlöser! Alles, was du tust und zulässest, geschieht nach deiner großen, unvergleichbaren Gerechtigkeit, du weißt, daß ich ungefähr in das Lebensalter gelange, welches du auch erreicht hast, und ich habe bisher um keiner Ursache willen mich ins Gefängnis begeben müssen; ist es aber gegenwärtig dein Wille, daß ich diese Schmach erdulde, so danke ich dir auch dafür und übernehme sie geduldig. Darauf wendete ich mich zu den Kämmerlingen und sagte mit einem spottenden Lächeln: Meinesgleichen verdiente wohl keine geringeren Häscher als ihr seid, meine Herren! so nehmt mich denn als Gefangenen in die Mitte und führt mich wohin ihr wollt.

Diese äußerst artigen und höflichen Männer begannen zu lachen, nahmen mich in die Mitte und führten mich unter gefälligen Gesprächen zum Gouverneur von Rom, der Magalotto hieß. Wir fanden bei ihm den Fiskal, sie hatten uns beide erwartet. Die beiden Herren Kämmerlinge sagten lachend: Hier bringen wir euch diesen Gefangenen, nehmt ihn wohl in acht! Wir haben uns genug erlustigt, indem wir euren Leuten ins Amt greifen mußten, wie uns denn auch Benvenuto zu erkennen gab, daß er, da dies seine erste Gefangenschaft sei, durch Häscher unserer Art abgeführt werden müsse. Sie eilten darauf zum Papst und erzählten ihm alle Umstände. Anfangs wollte er in Zorn geraten, nachher tat er sich aber Gewalt an und lachte, denn es waren viele Herren und Kardinäle gegenwärtig, die mich höchlich begünstigten.

Indessen beschäftigten sich der Gouverneur und der Fiskal mit mir; bald drohten sie, bald ermahnten sie, bald wollten sie mir raten. Sie sagten, es sei natürlich, daß wenn einer von einem andern eine Arbeit machen lasse, so könne er sie auch, nach seinem Belieben, auf jede Weise wieder zurücknehmen. Dagegen versetzte ich, daß das keineswegs gerecht sei und daß ein Papst das nicht tun könne; denn er sei nicht von der Art gewisser tyrannischer Herrchen, die ihrem Volk das Schlimmste, was sie nur können, anzutun fähig sind, und weder Gesetz noch Gerechtigkeit beobachten, dergleichen Dinge könne aber der Statthalter Christi nicht verüben. Darauf sagte der Gouverneur mit gewissen häschermäßigen Gebärden und Worten, die ihm eigen waren: Benvenuto! Benvenuto! du gehst darauf aus, daß ich dich nach Verdienst behandeln soll. — So werdet ihr mir alle Ehre und Höflichkeit widerfahren lassen! — Schicke sogleich nach der Arbeit und erwarte nicht das zweite Wort! Darauf sagte ich: Meine Herren! erlaubt mir, daß ich noch vier Worte für meine Sache vorbringe. Der Fiskal, der ein bescheidenerer Büttel als der Gouverneur war, wendete sich zu ihm und sagte: Gnädiger Herr! vergönnt ihm hundert Worte. Wenn er nur das Werk herausgibt, so haben wir genug. Darauf sagte ich: Wenn irgend jemand ein Gebäude aufmauern ließe, so könnte er zum Meister, der ihn schlecht bediente, mit Gerechtigkeit sagen: gib mir mein Haus, ich will nicht, daß du mir daran arbeiten sollst! er könnte ihm seine Arbeit bezahlen und ihn wegschicken. Auch wenn einer einen kostbaren Edelstein wollte fassen lassen, und der Juwelier bediente ihn nicht nach seinem Willen, der könnte sagen: gib mir mein Juwel heraus, ich mag deine Arbeit nicht; aber hier ist nicht von dieser Art die Rede, denn es ist weder ein Haus noch ein Edelstein, und mir kann man nichts weiter auferlegen, als daß ich die fünfhundert Scudi zurückgebe, die ich erhalten habe. Und so, gnädiger Herr, tut was ihr könnt, von mir erhaltet ihr nichts als die fünfhundert Scudi, und das mögt ihr dem Papst sagen, eure Drohungen machen mir nicht die mindeste Furcht; ich bin ein ehrlicher Mann und bei meinen Handlungen wird mir nicht bange.

Der Gouverneur und Fiskal standen auf und sagten mir, daß sie zum Papste gingen, und der Auftrag, mit dem sie wahrscheinlich wiederkämen, würde mir übel bekommen. So blieb ich verwahrt zurück, ging in einem Saal auf und ab, und sie verzogen fast drei Stunden. Indessen besuchten mich alle die vornehmsten florentinischen Kaufleute und baten mich inständig, ich solle nicht mit einem Papste rechten, denn das könne zu meinem völligen Verderben gereichen. Ich antwortete darauf, daß ich fest entschlossen sei und wisse, was ich zu tun habe.

Sobald der Gouverneur mit dem Fiskal zurückgekommen war, ließ er mich rufen und sagte: Der Auftrag, den ich vom Papste habe, tut mir selbst leid, schaffe das Werk sogleich her, oder erwarte was dir begegnen kann! Darauf antwortete ich: Bis auf diese Stunde habe ich nicht geglaubt, daß der Statthalter Christi eine Ungerechtigkeit begehen könne, auch glaube ich es nicht, bis ich es sehe; tut daher was ihr nicht lassen könnt. Der Gouverneur versetzte nochmals: Ich habe dir vorerst noch zwei Worte vom Papste zu sagen und dann werde ich meinen Auftrag vollbringen. Der Papst befiehlt, du sollst mir die Arbeit hieher bringen, sie soll vor meinen Augen in eine Schachtel gelegt und versiegelt werden, ich soll sie hinbringen, und er verspricht, bei Treue und Glauben, daß er sie nicht eröffnen, sondern sie dir sogleich zurückgeben will; aber so soll es sein um seiner eigenen Ehre willen. Darauf antwortete ich lächelnd: Herzlich gern will ich mein Werk auf diese Weise hingeben, denn ich möchte doch auch gern erfahren, wie Treu und Glaube eines Papstes beschaffen ist. So schickte ich nach meiner Arbeit, siegelte sie, wie er's verlangte, und gab sie hin.

Als der Gouverneur zum Papste zurückkam, nahm dieser die Schachtel, wie jener mir nachher selbst erzählte, wendete sie einigemal um und fragte sodann den Gouverneur, ob er die Arbeit gesehen habe? Darauf sagte dieser: ja! sie sei in seiner Gegenwart versiegelt worden, und versicherte dabei, die Arbeit habe ihm höchst bewundernswert geschienen. Darauf versetzte der Papst: Sage Benvenuto, die Päpste haben Gewalt viel größere Dinge denn dieses zu lösen und zu binden. Und indem er dieses mit einigem Verdruß zu sagen schien, nahm er Siegel und Bindfaden weg und öffnete die Schachtel.

Nachdem er die Arbeit genugsam betrachtet hatte, zeigte er sie Tobias dem Goldschmied, der sie sehr lobte, und als der Papst ihn fragte, ob er nunmehr, da er das Werk gesehen habe, ein ähnliches Unternehmen wolle, mit ja antwortete und vom Papste Befehl erhielt, sich ganz danach zu richten. Darauf wendete sich der Papst zum Gouverneur und sagte: Seht ob Benvenuto euch das Werk überlassen will, bezahlt es ihm so hoch als es ein Kenner schätzen mag; will er es selbst endigen und einen Termin setzen, so sucht mit ihm überein zu kommen und macht ihm die Bequemlichkeit, die er bedarf. Darauf sagte der Gouverneur: Heiliger Vater, ich kenne die fürchterliche Art dieses jungen Mannes, erlaubt mir, daß ich ihm nach meiner Weise zu Leibe gehe. Darauf erwiderte der Papst, mit Worten sollte er tun was er wolle, ob dadurch gleich die Sache noch schlimmer werden würde; wenn er aber gar nicht mit mir fertigwerden könnte, so sollte er mir befehlen, die fünfhundert Scudi an seinen Juwelier Pompeo zu bringen.

Der Gouverneur kam zurück, ließ mich in sein Zimmer rufen und sagte zu mir mit einem Häscherblick: Die Päpste haben Gewalt, die ganze Welt zu binden und zu lösen, und das wird sogleich im Himmel gutgeheißen. Hier ist dein Werk offen zurück, Seine Heiligkeit hat es gesehen. Darauf erhob ich die Stimme und rief: Nun weiß ich doch, wie Treue und Glaube der Päpste beschaffen ist! Darauf tat der Gouverneur einige ganz unvernünftige Ausfälle. Da er aber merkte, daß nichts auszurichten war, verzweifelte er an dem Unternehmen und sagte mit einer etwas sanftern Art: Benvenuto! es tut mir leid, daß du dein Bestes nicht einsehen willst, so gehe denn hin und bringe die fünfhundert Scudi dem Juwelier Pompeo. So trug ich mein Werk fort und brachte sogleich die fünfhundert Scudi an Ort und Stelle.

Nun hatte der Papst, begierig den Faden meiner Knechtschaft wieder anzuknüpfen, gehofft, ich sollte nicht imstande sein sogleich das Geld zu überliefern; als daher Pompeo lächelnd mit dem Gelde in der Hand vor ihn kam, schimpfte er und ärgerte sich, daß die Sache so abgelaufen war, dann sagte er: Geh und suche Benvenuto in seiner Werkstatt auf, sage ihm, er soll mir das Werk zu einer Monstranz fertigmachen, daß ich am Fronleichnam das Hochwürdige darin in Prozession tragen kann, er soll alle mögliche Bequemlichkeit haben, nur soll er arbeiten. Pompeo kam zu mir, rief mich heraus und machte mir, nach seiner Art, die ungeschicktesten Eselskaressen und sagte mir die

Worte des Papstes wieder. Darauf antwortete ich schnell: Ich kann mir keinen größern Schatz in der Welt wünschen, als wenn ich die Gnade eines so großen Papstes wiedererlange, die ich nicht durch meine Schuld verloren habe, sondern durch meine unglückliche Krankheit und durch die Bösartigkeit gewisser neidischer Menschen, denen es eine Freude macht, Böses zu stiften. Hat doch der Papst eine Menge Diener! er soll mir euch nicht mehr schicken, um eures Heils willen, und ihr könnt euch nur in acht nehmen. Ich aber werde Tag und Nacht an den Dienst des Papstes denken und alles tun, was ich vermag. Vergeßt nur nicht, was ihr dem Papst über mich gesagt habt, und mischt euch nicht in meine Angelegenheiten, denn eure Fehler sollen euch noch verdientermaßen gereuen. Alles dieses hinterbrachte der Mensch dem Papste, auf eine bestialische Weise, und so blieb die Sache eine Weile; ich arbeitete in meiner Werkstatt und trieb meine Geschäfte.

Tobias, der Goldschmied, hatte indessen jenes Einhorn garniert und die Verzierung nach seiner Art vollendet; dann befahl ihm der Papst, er solle einen Kelch, nach der Weise des meinen, den er gesehen hatte, sogleich anfangen, und ließ nach einiger Zeit sich die Arbeit zeigen, und als sie ihm mißfiel, war es ihm verdrießlich, mit mir gebrochen zu haben; er schalt auf die Werke des Tobias und auf alle, die ihn empfohlen hatten. Mehrmals schickte er mir darauf den Baccino della Croce und ließ mich wegen der Monstranz mahnen. Ich antwortete, Seine Heiligkeit möchte mich nur so lange ausruhen lassen bis ich mich von meiner Krankheit, von der ich noch nicht ganz geheilt sei, wieder erholt hätte; ich würde aber indessen doch zeigen, daß ich jede Stunde, in der ich zu arbeiten imstande sei, bloß Seinem Dienste widmen wolle. Denn ich hatte ihn heimlich porträtiert und arbeitete in meinem Hause an einer Medaille für ihn. In meiner Werkstatt aber hielt ich zu der Zeit einen Gesellen, der ehemals mein Lehrbursch gewesen war und sich Felix nannte.

ZWEITES BUCH

ERSTES KAPITEL

Der Autor verliebt sich in eine sizilianische Kurtisane, namens Angelica, welche von ihrer Mutter geschwind nach Neapel geführt wird. – Seine Verzweiflung über den Verlust seiner Geliebten. – Er wird mit einem sizilianischen Priester bekannt, der sich mit Zauberei abgibt. – Zeremonien, deren er sich bedient. – Der Autor ist bei den Beschwörungen gegenwärtig, in Hoffnung seine Geliebte wiederzuerlangen. – Wunderbare Wirkung der Beschwörung. – Ihm wird versprochen, er solle Angelica innerhalb eines Monats wieder sehen. – Streit zwischen ihm und Herrn Benedetto, den er tödlich mit einem Stein verwundet. – Pompeo von Mailand berichtet dem Papst, der Autor habe den Goldschmied Tobias umgebracht. Seine Heiligkeit befiehlt dem Gouverneur von Rom, den Mörder zu ergreifen und auf der Stelle hinrichten zu lassen. Er entflieht und begibt sich nach Neapel. Auf dem Wege trifft er einen Freund an, Solosmeo, den Bildhauer.

Zu der Zeit hatte ich mich, wie junge Leute pflegen, in eine Sizilianerin von der größten Schönheit verliebt; auch sie zeigte, daß sie mir sehr wohl wolle; die Mutter aber, welche unsere Leidenschaft bemerkt hatte und sich vor unsern Absichten fürchtete, denn ich wollte heimlich mit dem Mädchen nach Florenz fliehen, kam mir zuvor, ging nachts aus Rom und ließ mir vorspiegeln, als wenn sie nach Civitavecchia den Weg genommen hätte; sie begab sich aber auf Ostia und von da nach Neapel. Ich eilte grade auf Civitavecchia und beging unglaubliche Torheiten, um sie wieder zu finden. Es wär' zu umständlich diese Dinge hier zu erzählen, genug, ich war im Begriff toll zu werden oder zu sterben. Sie schrieb mir nach zwei Monaten, daß sie sich in Sizilien, sehr mißvergnügt, befinde. Indessen hatte ich mich allen denkbaren Vergnügungen ergeben und eine andere Liebe ergriffen, nur um jene loszuwerden.

Unter solchen Ausschweifungen hatte ich gelegentlich mit einem gewissen sizilianischen Geistlichen Freundschaft gemacht, er war von dem erhabensten Geiste und wohl im Lateinischen und Griechischen erfahren. Einsmals, durch eine besondere Wendung des Gesprächs, kamen wir auch auf die Zauberei zu reden, und ich sagte, wie sehr ich mein ganzes Leben durch verlangt hätte irgend etwas von dieser Kunst zu sehen oder zu spüren; darauf versetzte der Priester: Zu einem solchen Unternehmen gehört ein starkes und sichres Gemüt. Ich versetzte, daß ich Stärke und Sicherheit wohl zeigen wolle, wenn sich nur die Art und Weise fände, ein solches Werk zu unternehmen. Darauf antwortete der Priester: Wenn dir am Anschauen solcher Dinge genug ist, so will ich deine Neugierde sättigen. Wir wurden eins das Werk zu unternehmen, und eines Abends machte sich der Priester bereit, indem er mir sagte ich solle einen, auch zwei Gefährten suchen. Da rief ich Vincenzio Romoli, meinen besten Freund, welcher einen Pistojeser mit sich nahm, der sich auch auf die Schwarzkünstelei gelegt hatte. Wir gingen zusammen ins Colisee; dort kleidete sich der Priester nach Art der Zauberer, zeichnete Zirkel auf die Erde mit den schönsten Zeremonien, die man sich auf der Welt nur denken kann. Er hatte uns Zaffetika *(Assa foetida)* mitbringen lassen, kostbares Räucherwerk und Feuer, auch böses Räucherwerk.

Da alles in Ordnung war, machte er das Tor in den Zirkel und führte uns bei der Hand hinein; dem andern Schwarzkünstler befahl er, das Räucherwerk nach Bedürfnis ins Feuer zu werfen; uns überließ er die Sorge das Feuer zu unterhalten und die Spezereien darzureichen, dann fing er seine Beschwörungen an, welche über anderthalb Stunden dauerten. Darauf erschienen manche Legionen Teufel, so daß das Colisee ganz voll ward. Ich war mit den köstlichsten Spezereien beschäftigt, und als der Priester eine so große Menge Geister bemerkte, wendete er sich zu mir und sagte: Verlange was von ihnen! Ich versetzte: Sie sollen machen, daß ich mit meiner Sizilianerin wieder zusammenkomme.

Diese Nacht erhielten wir keine Antwort, ob ich gleich sehr zufrieden über diese Begebenheit war. Der Nekromant behauptete, wir müßten noch ein andermal hingehen und ich würde in allem, was ich verlangte, völlig befriedigt werden; aber ich müßte einen unschuldigen Knaben mitbringen. Ich nahm einen Lehrknaben, ungefähr zwölf Jahr alt, und berief von neuem Vincenzio Romoli, und da ein gewisser Agnolino Gaddi unser Hausfreund war, nahm ich auch diesen mit zu unserer Unternehmung. Wir kamen an den vorigen Ort; der Nekromant machte wieder seine Vorbereitung, und mit derselben, ja mit einer noch wundersamern Ordnung, brachte er uns in den Zirkel, den er von neuem mit mehr Kunst und Zeremonien bereitet hatte. Vincenz und Agnolino besorgten das Räucherwerk und das Feuer, mir gab er das Pentakel in die Hand und sagte, er würde mir die Gegenden zeigen, wohin ich's zu wenden hätte. Nun fing der Nekromant die schrecklichsten Beschwörungen an und rief bei ihren Namen eine Menge solcher Teufel, die Häupter der Legionen waren, und beschwur sie, im Namen und Gewalt Gottes, des unerschaffnen, lebendigen und ewigen, und das in hebräischen Worten, auch mitunter in genugsamen griechischen und lateinischen, so daß in kurzer Zeit einhundertmal mehr als bei der ersten Beschwörung erschienen und das ganze Colisee sich erfüllte. Vincenzio Romoli und Gaddi unterhielten das Feuer und sparten das kostbare Räucherwerk nicht, mir aber gab der Nekromant den Rat abermals zu verlangen, daß ich mit meiner Angelica sein möchte. Ich tat es, und er wendete sich zu mir und sagte: Hörst du, was sie sprechen? in Zeit eines Monats sollst du bei ihr sein. Darauf bat er mich von neuem, ich möchte nur fest halten, denn es wären wohl ein Tausend Legionen mehr, als er verlangt habe, und sie seien von der gefährlichsten Art; da sie aber doch mein Begehren erfüllt hätten, so müßte man ihnen freundlich tun und sie geduldig entlassen.

Nun fing das Kind, das unter dem Pentakel war, zu jammern an und sagte, es seien eintausend der tapfersten Männer beisammen, die uns alle drohten, dann sah es noch vier ungeheure Riesen, bewaffnet und mit der Gebärde, in den Kreis einbrechen zu wollen. Indessen suchte der Nekromant, der vor Furcht zitterte, sie auf die sanfteste und gefälligste Art, so gut er konnte, zu entlassen. Vincenzio Romoli, der über und über zitterte, hörte nicht auf zu räuchern; ich fürchtete mich so sehr als die andern, ließ mich es aber nur weniger merken und sprach ihnen allen Mut zu. Gewiß ich war halbtot, als ich den Nekromanten in so großer Angst sah. Das Kind hatte den Kopf zwischen die Knie gesteckt und sagte: So will ich sterben! denn wir kommen um, alle zusammen. Da sagte ich zum Knaben: Diese Kreaturen sind alle unter uns, und was du siehst ist Rauch und Schatten, hebe nur die Augen ohne Furcht auf! Das Kind blickte hin, und sagte von neuem: Das ganze Colisee brennt, und das Feuer kömmt auf uns los. Es hielt die Hände vors Gesicht, rief, es sei tot, und wollte nichts mehr sehen! Der Nekromant empfahl sich mir, bat, ich möchte nur fest halten, und stark mit Zaffetika räuchern. Ich wendete mich zu Vincenzio und sagte, er möge schnell Zaffetika aufstreuen! Indem so betrachtete ich den Agnolino, der so erschrocken war, daß ihm die Augen in die Quere stunden und er halbtot schien. Agnolo! rief ich, hier ist nicht Zeit sich zu fürchten; mache dir was zu tun, rühre dich und streue schnell die Zaffetika. Agnolo, indem er sich bewegen wollte, verunreinigte sich mit so heftigem Getöse, daß die Kraft der Zaffetika nur gering dagegen war; das Kind erhob bei diesem Schall und Gestank ein wenig das Gesicht, und da es mich lächeln sah, erholte es sich ein wenig von seiner Furcht und sagte, sie zögen sich mit Macht zurück.

So blieben wir bis die Morgenglocke zu läuten anfing, und das Kind sagte, nur wenige seien noch übriggeblieben und sie stünden von ferne. Der Nekromant vollbrachte nun seine Zeremonien, zog sich aus, nahm seinen großen Pack Bücher zusammen, und wir verließen mit ihm auf einmal den Kreis; einer drückte sich an den andern, besonders hatte sich das Kind in die Mitte gedrängt, indem es den Nekromanten bei der Weste und mich beim Überkleid hielt. Beständig, bis wir zu unsern Häusern unter den Bänken gelangt waren, versicherte es uns, zwei von denen, die es im Colisee gesehen habe, spazierten mit großen Sprüngen vor uns her, und liefen bald über die Dächer, bald über die Straßen. Der Nekromant sagte, so oft er auch schon in dem Kreis gewesen, sei ihm doch niemals so etwas Außerordentliches begegnet; er bat mich, daß ich ihm beistehen sollte, ein Buch zu weihen, das uns unendliche Reichtümer einbringen sollte: denn die Teufel müßten uns die Schätze zeigen, deren die Erde voll sei, und auf diese Weise müßten wir die reichsten Leute werden. Die Liebeshändel seien Eitelkeit und Narrheit, wobei nichts herauskomme. Ich versetzte darauf, daß ich ihm gerne beistehen wollte, wenn ich nur Latein verstünde; er aber versicherte mich, daß mir das Latein gar nichts helfen könne, er habe gar manchen vortrefflichen Lateiner angetroffen, aber niemand von so gesetztem Gemüt wie mich, und ich solle mich nur nach seinem Rate halten. So kamen wir nach Hause und träumten die folgende Nacht alle von Teufeln.

Sobald der Nekromant des Tages darauf mich wieder sah, sprach er mir zu, ich möchte doch auf jenes Unternehmen eingehen. Darauf fragte ich ihn, wie viel Zeit wir dazu brauchen würden, und an welchen Ort wir zu gehen hätten. Er sagte mir, in weniger als einem Monat würden wir fertig sein, und der geschickteste Ort wäre in den Bergen von Norcia. Zwar habe sein Meister auch hier in der Nähe, in den Gebirgen der Abtei Farfa, eine solche Weihe vorgenommen, es hätten sich aber doch solche Schwierigkeiten gefunden, die in den Bergen von Norcia wegfielen; auch seien die Bauern daselbst in der Nachbarschaft zuverlässige Leute, nicht ganz unerfahren in diesen Dingen, und könnten uns, im Notfall, wichtige Dienste leisten.

So überredete mich der Priester Nekromant um so leichter, als ich zu solchen Dingen schon geneigt war; aber ich sagte ihm, ich wollte zuerst die Medaille für den Papst fertig machen, denn er und niemand anders wußte um diese geheime Arbeit. Auch fragte ich ihn immer, ob ich nicht in der bestimmten Zeit meine Sizilianerin sehen würde. Denn der Termin kam näher heran, und es schien mir wunderbar, als ich nichts von ihr hörte. Der Nekromant versicherte mich, daß ich gewiß mit ihr zusammentreffen würde; denn jene hielten Wort, wenn sie auf solche Weise versprächen; ich sollte aber aufmerken und mich vor Händeln in acht nehmen, die sich dabei ereignen könnten; ich sollte lieber etwas gegen meine Natur erdulden, denn es läge eine große Gefahr nicht weit, es wäre besser für mich, wenn ich mit ihm ginge das Buch zu weihen, auf diese Weise würde die Gefahr vorübergehen, und wir würden beide die glücklichsten Menschen werden.

Ich fing an mehr Lust zu empfinden als er selbst und sagte zu ihm, es sei nur eben jetzt ein gewisser Meister nach Rom gekommen, namens Johann da Castello, ein Bologneser, ein trefflicher Mann Medaillen in Stahl zu schneiden, wie ich sie auch machte, und ich wünschte nichts mehr, als mit ihm in die Wette zu arbeiten, mich auch so der Welt zu zeigen, und mit einem solchen Talente lieber als mit dem Schwerte meine Feinde zu erlegen. Ich mochte aber sagen was ich wollte, so hörte doch der Priester nicht auf, mir anzuliegen und sagte: Mein Benvenuto, komm mit mir, fliehe die große Gefahr, die dir bevorsteht. Ich hatte mir aber ein für allemal vorgenommen meine Medaille zu endigen. Der Monat war bald verlaufen, und ich war in meine Arbeit so verliebt, daß ich weder an Angelica noch an irgend etwas dachte.

Eines Abends hatte ich mich, zur ungewöhnlichen Zeit, von meinem Hause nach meiner Werkstatt begeben, woselbst Felix, mein Geselle, alle Arbeiten besorgte; ich blieb nur einen Augenblick dort, denn ich erinnerte mich, daß ich mit Herrn Alexander del Bene etwas zu reden hatte. Da machte ich mich auf; und als ich unter die Bänke kam, begegnete mir ein sehr guter Freund, Herr Benedetto; er war

Notar, von Florenz gebürtig, Sohn eines Blinden, der in den Kirchen betete, eines Sanesers. Dieser Benedetto war lange in Neapel gewesen, hatte sich darauf in Rom niedergelassen und besorgte die Geschäfte gewisser Handelsleute von Siena. Mein Geselle hatte ihn öfters gemahnt, denn er war ihm Geld für einige anvertraute Ringe schuldig, an eben dem Tage waren sie einander wieder begegnet, und Felix hatte nach seiner Gewohnheit das Geld auf eine etwas rauhe Art verlangt, und zwar in Gegenwart der Herren des Benedetto, die zufällig dabei standen. Da sie vernahmen, wie sich die Sache verhalte, schalten sie ihren Faktor tüchtig aus und sagten, sie würden sich eines andern bedienen, denn dergleichen Händel wollten sie nicht haben. Benedetto entschuldigte sich so gut er konnte und behauptete, er habe den Goldschmied bezahlt, sagte aber dabei, er sei nicht imstande, die Tollheit eines Wahnsinnigen zu bändigen. Diese Herren nahmen sein Betragen übel und jagten ihn sogleich weg. Darauf eilte er wütend nach meiner Werkstatt, vielleicht um gedachtem Felix Verdruß zu machen. Nun begab sich's, daß wir uns grade in der Mitte von den Bänken begegneten, und ich, der von nichts wußte, grüßte ihn aufs freundlichste, er aber antwortete mir mit vielen groben Worten. Da erinnerte ich mich sogleich an alles, was mir der Nekromant gesagt hatte, und hielt an mich was ich konnte, um dasjenige nicht zu tun, wozu seine Worte mich nötigten. Herr Benedetto! sagte ich, Bruder! entrüstet euch nicht gegen mich, habe ich euch doch nichts zuleide getan! weiß ich doch nichts von dem Vorfall. Habt ihr was mit Felix zu tun, so geht doch, ich bitte euch, und macht's mit ihm aus, er weiß am besten was zu antworten ist; ihr tut mir Unrecht, da ich nichts davon weiß, mich dergestalt anzugreifen, um so mehr, da ihr wißt, daß ich der Mann nicht bin Beleidigungen zu erdulden.

Darauf antwortete Benedetto, ich wisse um alles, er sei der Mann, mit mir schon fertigzuwerden, Felix und ich seien zwei große Lumpe.

ZWEITES BUCH · ERSTES KAPITEL

Schon hatten sich viele Leute versammelt, diesen Streit anzuhören, und, gezwungen durch seine groben Worte, bückte ich mich schnell zur Erde, nahm eine Hand voll Kot, denn es hatte geregnet, und holte aus, ihn ins Gesicht zu treffen; aber er bückte sich, und ich traf ihn mitten auf den Schädel. In dem Kote stak ein frischer Stein, mit vielen scharfen Ecken, und mein Mann fiel ohnmächtig, für tot, auf die Erde, und jedermann, der das Blut so stark herabrieseln sah, hielt ihn wirklich für tot. Inzwischen daß einige Anstalt machten ihn wegzutragen, kam Pompeo, der Juwelier, dessen ich schon öfters erwähnt habe, und als er diesen Mann so übel zugerichtet sah, fragte er, wer ihn geliefert habe? Man sagte: Benvenuto! aber diese Bestie habe es an ihn gebracht. Sobald Pompeo zum Papst kam, denn er ging wegen einiger Geschäfte dahin, sagte er: Heiligster Vater! eben hat Benvenuto den Tobias erschlagen, ich habe es mit meinen eigenen Augen gesehen. Da wurde der Papst wütend und sagte zum Gouverneur, der eben gegenwärtig war, er solle mich fahen, und am Orte, da der Totschlag geschehen sei, sogleich aufhängen lassen.

Ich aber, da ich diesen Unglücklichen auf der Erde sah, dachte sogleich mich zu retten, denn ich betrachtete die Macht meiner Feinde und was mir bei dieser Gelegenheit gefährlich werden konnte. Ich flüchtete mich in das Haus des Herrn Johann Gaddi, um mich, so geschwind als möglich, mit Gott davonzumachen. Herr Johannes riet mir, ich sollte nicht so eilig sein, manchmal sei das Übel so groß nicht als man glaube. Er ließ Herrn Hannibal Caro rufen, der bei ihm wohnte, und ersuchte ihn hinzugehen, um sich nach der Sache zu erkundigen. Indessen erschien ein römischer Edelmann, aus dem Gefolge des Kardinal Medicis, rief mich und den Herrn Johannes beiseite, und sagte, sein Herr schicke ihn her, der selbst die Worte des Papstes gehört habe; es sei kein Mittel mir zu helfen, wenn ich dieser ersten Wut nicht entränne, ich solle mich ja auf kein Haus in Rom verlassen! Der Edelmann entfernte sich sogleich, und Herr Johannes sah mich mit tränenden Augen an und rief: Wie traurig, daß ich kein Mittel habe dir zu helfen! Darauf sagte ich: Mit der Hülfe Gottes will ich mir schon selbst helfen, nur bitt' ich euch, dient mir mit einem eurer Pferde.

Sogleich ließ er mir ein türkisches Pferd satteln, das schönste und beste, das in Rom war. Ich bestieg es und nahm eine Büchse vor mich, um mich im Falle zu verteidigen. Da ich nach Ponte Sisto kam, fand ich die sämtlichen Häscher zu Pferde und zu Fuß, ich mußte aus der Not eine Tugend machen, herzhaft frischte ich mein Pferd gelind an, und mit Gottes Hülfe, der ihre Augen verblendet hatte, kam ich frei durch, und so schnell ich konnte eilte ich nach Palombara, zu Herrn Savelli, und schickte von da das Pferd an Herrn Johannes zurück, ohne ihm jedoch wissen zu lassen wo ich mich befände. Herr Savelli bewirtete mich zwei Tage aufs freundlichste; dann riet er mir, ich solle mich aufmachen und auf Neapel zugehen, bis die erste Hitze vorüber sei. Er ließ mich begleiten und auf die Neapolitanische Straße bringen. Auf derselben fand ich einen Bildhauer, meinen Freund, der Solosmeo hieß und nach San Germano ging, um das Grab Peter von Medicis auf Monte Cassino fertigzumachen. Er sagte mir, daß noch selbigen Abend Papst Clemens einen seiner Kämmerer geschickt habe, um nachfragen zu lassen, wie sich gedachter Tobias befinde. Der Abgeordnete habe diesen Mann bei der Arbeit angetroffen, dem nichts begegnet war, und der auch von nichts wußte. Als dieses dem Papst hinterbracht wurde, wendete er sich zu Pompeo und sagte: Du bist ein schlechter Mensch; aber ich versichre dir, du hast eine Schlange gekneipt, die dich beißen und dir dein Recht antun wird! Dann sprach er mit dem Kardinal Medicis und trug ihm auf, daß er ein wenig nach mir sehen solle; denn um alles wollte er mich nicht verlieren. Wir aber ritten singend auf Monte Cassino.

ZWEITES KAPITEL

Der Autor gelangt glücklich nach Neapel. – Dort findet er seine geliebte Angelica und ihre Mutter. Sonderbare Zusammenkunft dieser Personen. – Er wird von dem Vizekönig von Neapel günstig aufgenommen, welcher versucht, ihn in seinen Diensten zu behalten. – Angelicas Mutter macht ihm zu harte Bedingungen. Er nimmt die Einladung des Kardinals von Medicis nach Rom an, da der Papst den Irrtum wegen Tobias' Tod schon entdeckt hat. – Besonderes und galantes Abenteuer auf der Straße. Er kommt glücklich nach Rom, wo er hört, daß Benedetto von seiner Wunde genesen ist. – Er schlägt eine schöne Medaille auf Papst Clemens und wartet Seiner Heiligkeit auf. – Was in dieser Audienz begegnet. – Der Papst vergibt ihm und nimmt ihn in seine Dienste.

Als nun Solosmeo daselbst die Arbeit durchgesehen hatte, machten wir uns auf und zogen gegen Neapel. Ungefähr eine halbe Miglie vor der Stadt kam uns ein Wirt entgegen, der uns in sein Gasthaus einlud, und versicherte, er sei lange Zeit mit Karl Ginori in Florenz gewesen, wenn wir bei ihm einkehrten, wolle er uns aufs beste bewirten. Wir wiederholten öfters, daß wir mit ihm nichts wollten zu schaffen haben; demohngeachtet war er bald vor, bald hinter uns und wiederholte seine Einladung, immer mit denselbigen Worten. Endlich war ich seiner Zudringlichkeit überdrüssig, und um ihn loszuwerden fragte ich, ob er mir nicht eine Sizilianerin, namens Beatrice, nachweisen könne, die eine Tochter habe, welche Angelica heiße, beide seien Kurtisanen. Der Wirt, welcher glaubte, ich hätte ihn zum besten, rief aus: Gott verdamme alle Kurtisanen und jeden, der ihnen wohl will! Darauf gab er seinem Pferde die Sporen und eilte von uns weg. Ich freute mich auf so gute Weise die Bestie losgeworden zu sein; aber zu gleicher Zeit machte mir die Erinnerung der großen Liebe, die ich zu dem Mädchen getragen hatte, nicht wenig Schmerzen. Indem ich nun mit meinem Gefährten, nicht ohne manchen verliebten Seufzer, von meinem Abenteuer sprach, sahen wir den Wirt im Galopp zurückkehren. Es sind zwei oder drei Tage, rief er aus, daß neben meinem Hause ein Weib und ein Mädchen eingezogen sind, die so heißen; ob sie Sizilianerinnen sind, kann ich nicht sagen. Darauf versetzte ich: Der Name Angelica hat so große Gewalt auf mich, daß ich nunmehr gewiß bei dir einkehren will. Wir folgten dem Wirt und stiegen bei ihm ab. Eiligst brachte ich meine Sachen in Ordnung, ging in das benachbarte Haus und fand meine Angelica wirklich daselbst, die mich mit unmäßigen Liebkosungen empfing: ich blieb bei ihr bis den andern Morgen und war glücklicher als jemals. Mitten in diesem Genusse fiel mir ein, daß an diesem Tage grade der Monat um sei, und daß ich, nach dem Versprechen der bösen Geister, meine Angelica nun besitze. Da bedenke nun jeder, der sich mit ihnen einläßt, die großen Gefahren, durch die ich hatte gehen müssen.

Ob ich gleich noch jung war, so kannte man mich in Neapel doch auch schon als einen Menschen von Bedeutung und empfing mich aufs beste, besonders Herr Domenico Fontana, ein trefflicher Goldschmied; er ließ mich die drei Tage, die ich in Neapel war, in seiner Werkstatt arbeiten, und begleitete mich, als ich dem Vizekönig aufwartete, der mich zu sehen verlangt hatte. Seine Exzellenz empfingen mich sehr gnädig, und es fiel ihm ein Diamant in die Augen, den ich eben an dem Finger hatte; zufälligerweise brachte ich ihn in meinem Beutel nach Neapel, denn er war mir zum Kauf angeboten worden. Der Vizekönig verlangte ihn zu sehen und wünschte ihn zu besitzen, wenn ich ihn entbehren könnte. Ich versetzte darauf, indem ich den Ring an seinen Finger steckte, der Diamant und ich seien zu seinem Befehl. Er versetzte, der Diamant sei ihm angenehm, noch angenehmer würde es ihm aber sein, wenn ich bei ihm bleiben wollte, er wolle mir Bedingungen machen, mit denen ich zufrieden sein würde. So ward viel Höfliches hin und wider gesprochen; zuletzt verlangte er den Preis des Edelsteins mit einem Worte zu wissen; ich verlangte zweihundert Scudi, und Seine Exzellenz fanden die Forderung billig und sagten, daß ihnen der Stein um so lieber sei, da ich ihn gefaßt habe, denn sonst könne er nicht eine so treffliche Wirkung tun. Ich versetzte darauf, der Stein sei nicht von mir gefaßt, ich getraute mir ihm durch eine andere Fassung noch einen viel größern Wert zu geben. Ich druckte sogleich mit dem Nagel den Stein aus dem Kästchen, putzte ihn und übergab ihn dem Vizekönig; er war zufrieden und erstaunt, und gab mir eine Anweisung, worauf mir zweihundert Scudi ausgezahlt wurden.

Als ich nach Hause kam fand ich Briefe vom Kardinal Medicis, worin mir gesagt wurde, ich solle wieder nach Rom kommen und gleich bei Seiner Eminenz Palast absteigen. Als ich meiner Angelica den Brief gelesen hatte, bat sie mich mit herzlichen Tränen, ich möchte entweder in Neapel bleiben, oder sie mit mir nehmen. Darauf antwortete ich, wenn sie mit mir ginge, so wollte ich ihr die zweihundert Scudi, die ich vom Vizekönig erhalten hatte, aufzuheben geben. Da die Mutter sah, daß wir Ernst machten, trat sie herbei und sagte: So laß mir hundert Scudi, damit ich niederkommen kann, und alsdann will ich euch nachfolgen. Ich antwortete der alten Kupplerin, dreißig wollte ich ihr geben, wenn sie meine Angelica mit mir ließe. Diese Bedingung ging sie ein, und Angelica bat mich, ich solle ihr ein Kleid von schwarzem Samt kaufen, der in Neapel wohlfeil war; auch das war ich zufrieden, ich schickte nach dem Samt und kaufte ihn. Da glaubte die Alte, ich sei nun völlig gekocht und gar, und verlangte für sich ein Kleid von feinem Tuche, und dergleichen für ihre Söhne, auch mehr Geld als ich ihr angeboten hatte. Darüber beklagte ich mich mit freundlichen Worten und sagte: Meine liebe Beatrice, ist dir das nicht genug, was ich dir angeboten habe? Sie sagte nein! darauf versetzte ich: so ist es mir genug! nahm Abschied von meiner Angelica, sie weinte und ich lachte; wir trennten uns, und ich kehrte nach Rom zurück.

Noch dieselbe Nacht reiste ich von Neapel weg, damit man mir nicht auflauern und mich berauben sollte, wie es die Gewohnheit von Neapel ist, und doch mußte ich mich, als ich auf den Steinweg kam, mit allen Leibes- und Geisteskräften, gegen mehrere Räuber wehren, die mir nachstellten. Einige Tage darauf ließ ich den Solosmeo bei seiner Arbeit auf Monte Cassino und stieg bei dem Gasthause von Adananni ab um zu Mittag zu essen; nicht weit von dem Hause schoß ich nach einigen Vögeln und erlegte sie; aber ein Stückchen Eisen, am Schloß meiner Büchse, verletzte mir bei dieser Gelegenheit die rechte Hand, und so wenig es bedeutete, so gefährlich sah es aus, weil das Blut sehr stark aus der Wunde strömte. Ich stellte mein Pferd in den Stall und stieg auf einen Altan, wo ich viele neapolitanische Edelleute fand, die sich eben zu Tische setzen wollten, und mit ihnen ein junges Fräulein von der größten Schönheit. Kaum war ich oben, so stieg hinter mir mein Diener, ein braver Pursche, mit einer großen Partisane in der Hand, herauf, so daß vor uns beiden, den Waffen und dem Blute, die guten Edelleute so erschraken, da ohnedem dieser Ort für ein Spitzbubennest bekannt war, daß sie vom Tische aufsprangen und mit großem Entsetzen Gott um Hülfe anriefen. Lachend sagte ich zu ihnen, Gott habe ihnen schon geholfen, denn ich sei der Mann, sie gegen jeden zu verteidigen, der sie angreifen wollte, und bitte nur um einigen Beistand, meine Hand zu verbinden. Das schöne Frauenzimmer nahm ihr Schnupftuch, das reich mit Gold gestickt war, und als ich damit nicht verbunden sein wollte, riß sie es sogleich in der Mitte durch und verband mich, mit der größten Anmut; sie beruhigten sich einigermaßen, und wir speisten fröhlich. Nach Tische stiegen wir zu Pferde, und reisten in Gesellschaft weiter. Die Edelleute waren noch nicht ganz ohne Furcht und ließen mich klugerweise durch das Frauenzimmer unterhalten, blieben aber immer etwas zurück. Da befahl ich meinem Diener, er sollte auch hinten bleiben; ich ritt auf meinem schönen Pferdchen neben dem Fräulein her; wir sprachen von Dingen mit denen kein Apotheker handelt, und so gelangte ich auf die angenehmste Weise nach Rom.

Sogleich stieg ich bei dem Palast Medicis ab, wartete dem Kardinal auf und dankte ihm für seine Vorsorge; dann bat ich ihn, er möchte mich vor dem Gefängnis und wo möglich, vor der Geldstrafe schützen. Dieser Herr empfing mich aufs beste und sagte mir, ich solle nur ruhig sein; dann wendete er sich zu einem seiner Edelleute, der Tecci hieß, und sagte ihm, er habe dem Bargell von seinetwegen zu bedeuten, daß er sich nicht unterstehen solle mich anzurühren; dann fragte er, wie sich der befinde, den ich mit dem Stein auf den Kopf getroffen. Herr Tecci sagte, er befinde sich schlimm und werde sich noch schlimmer befinden, denn er habe versichert, daß er mir zum Verdruß sterben wolle, sobald ich nach Rom käme. Darauf sagte der Kardinal unter großem Lachen: Konnte er uns denn auf keine andere Weise zeigen, daß er von Siena stamme? Alsdann wendete er sich zu mir und sagte: Beobachte, um meinet- und deinetwillen, den äußern Wohlstand und laß dich vier oder fünf Tage unter den Bänken nicht sehen, dann gehe hin, wohin du willst, und die Narren mögen nach Gefallen sterben. Ich ging nach Hause, um die angefangene Münze mit dem Bild des Papstes Clemens fertigzumachen; dazu hatte ich eine Rückseite erfunden, worauf ein Friedensbild zu sehen war. Es war ein Weibchen mit den feinsten Kleidern angetan, welche mit der Fackel in der Hand vor einem Haufen Kriegsrüstungen stand, die wie eine Trophäe verbunden waren; auch sah man Teile eines Tempels, in welchem die Wut gefesselt war, umher stand die Inschrift: *Clauduntur belli portae*. Inzwischen als ich diese Medaille fertigmachte, war der Verwundete genesen. Der Papst hörte nicht auf nach mir zu fragen, und ich nahm mich auch in acht, den Kardinal Medicis zu besuchen, denn so oft ich vor ihn kam, gab er mir etwas Bedeutendes zu tun, wodurch ich denn immer aufgehalten wurde.

Endlich nahm sich Herr Piero Carnesecchi, ein großer Günstling des Papstes, der Sache an und sagte mir auf eine geschickte Weise, wie sehr der Papst wünsche, daß ich ihm dienen möchte. Darauf antwortete ich, daß ich in wenig Tagen Seiner Heiligkeit zeigen wolle, daß ich das nie vergessen noch unterlassen habe. Einige Tage darauf ward die Medaille fertig, und ich prägte sie in Gold, Silber und Kupfer, zeigte sie dem Herrn Piero, der mich sogleich bei dem Papst einführte. Es geschah nach Tische an einem schönen Tage im April, der Papst war im Belvedere, und ich überreichte ihm die Münzen sowie die Stempel; er nahm sie und sah sogleich die große Gewalt der Kunst ein, zeigte sie Herrn Piero und sagte: Sind die Alten jemals so gut in Münzen bedient gewesen? Und indessen die Gegenwärtigen bald die Medaillen bald die Stempel beschauten, fing ich mit der größten Bescheidenheit zu reden an und sagte: Wenn das Geschick, das mir unglücklicherweise Eurer Heiligkeit Gnade entzog, nicht auch wieder die Folgen dieses Unwillens verhindert hätte, so verloren Eure Heiligkeit ohne Ihre und meine Schuld einen treuen und liebevollen Diener; die böse lügenhafte Zunge meines größten Feindes hat Eure Heiligkeit in so großen Zorn versetzt, daß Sie dem Gouverneur auf der Stelle befohlen haben, mich zu fahen und hängen zu lassen; wäre das geschehen, so hätten Eure Heiligkeit gewiß ein wenig Reue gefühlt, denn ein Herr, gleich einem guten und tugendhaften Vater, soll auf seine Diener nicht so übereilt den schweren Arm fallen lassen, da hinterdrein die Reue nichts helfen kann. Gott hat diesmal den ungünstigen Lauf der Sterne unterbrochen und mich Eurer Heiligkeit erhalten, ich bitte, künftig nicht so leicht auf mich zu zürnen.

Der Papst fuhr immer fort die Medaillen zu besehen und hörte mir mit der größten Aufmerksamkeit zu; da aber viele große Herren gegenwärtig waren, schämte sich der Papst ein wenig, und, um aus dieser Verlegenheit zu kommen, wollte er von einem solchen Befehle nichts wissen. Da ich das merkte, fing ich von etwas anderm an zu reden, und Seine Heiligkeit sprach von den Münzen und fragte mich, wie ich sie so künstlich hätte prägen können, da sie so groß seien, als er sie von den Alten niemals gesehen. Darüber ward eine Weile gesprochen; er aber schien zu fürchten, daß ich ihm noch einen schlimmeren Sermon halten möchte, und sagte, die Medaillen seien sehr schön und gefielen ihm wohl, nur möchte er noch eine andere Rückseite haben, wenn es anginge. Ich versetzte, daß solches gar wohl geschehen könne, und er bestellte sich die Geschichte Mosis, der Wasser aus dem Felsen schlägt, mit der Umschrift: Ut bibat populus. Darauf sagte er: Gehe, Benvenuto; sobald du fertig bist, soll auch an dich gedacht sein. Als ich weg war, versicherte der Papst, vor allen Gegenwärtigen, daß er mir reichlich wolle zu leben geben, ohne daß ich nötig hätte, für andere zu arbeiten. Ich aber war fleißig, die verlangte neue Rückseite fertigzumachen.

DRITTES KAPITEL

Papst Clemens wird krank und stirbt. – Der Autor tötet Pompeo von Mailand. – Kardinal Cornaro nimmt ihn in Schutz. – Paul III. aus dem Hause Farnese wird Papst. Er setzt den Verfasser wieder an seinen Platz, als Stempelschneider bei der Münze. – Peter Ludwig, des Papstes natürlicher Sohn, wird Cellinis Feind. Ursache davon. – Peter Ludwig bestellt einen korsikanischen Soldaten, den Autor zu ermorden, der die Absicht erfährt und nach Florenz geht.

Indessen ward der Papst krank, und da die Ärzte den Zustand für gefährlich hielten, vermehrte sich die Furcht meines Gegners Pompeo dergestalt, daß er einigen neapolitanischen Soldaten auftrug, mir nachzustellen; ich hatte viele Mühe mein armes Leben zu verteidigen. Als meine Arbeit fertig war, trug ich sie sogleich zum Papste, den ich im Bette und in sehr übeln Umständen fand; mit allem dem empfing er mich sehr freundlich und wollte Münzen und Stempel sehen. Er ließ sich Licht und Brille reichen, allein er konnte nichts erkennen; darauf tastete er ein wenig mit den Fingern, seufzte tief und sagte zu denen, die zunächst standen: Benvenuto dauert mich! wenn ich aber wieder gesund werde, so soll für ihn gesorgt sein. In drei Tagen starb der Papst, und ich hatte meine Arbeit umsonst getan; doch sprach ich mir Trost zu, denn ich war durch diese Medaillen so bekanntgeworden, daß ich hoffen konnte, jeder Papst werde mich brauchen und vielleicht besser belohnen. So beruhigte ich mich selbst und löschte in meinem Sinne alles das große Unrecht aus, das mir Pompeo angetan hatte, ging bewaffnet nach Sankt Peter, dem toten Papst die Füße zu küssen, welches nicht ohne Tränen abging, dann kehrte ich unter die Bänke zurück, um die große Verwirrung zu sehen, die bei solchen Gelegenheiten zu entstehen pflegt.

Ich saß daselbst mit vielen meiner Freunde, als Pompeo in der Mitte von zehn wohlbewaffneten Männern einherkam. Er blieb gegen mir über stehen, als wenn er Händel anfangen wollte. Meine Freunde, brave und willige Leute, winkten mir, daß ich Hand anlegen sollte, ich bedachte aber sogleich, daß, wenn ich zum Degen griffe, großer Schaden auch für die entstehen könnte, die nicht die mindeste Schuld hätten, und ich dachte, es sei besser, mein Leben allein daran zu wagen.

Pompeo blieb ungefähr zwei Ave Maria stehen, lachte verächtlich gegen mich, und da er wegging, lachten die Seinigen auch, schüttelten die Köpfe und forderten uns, durch noch mehr solche unartige Zeichen, heraus. Meine Gesellen wollten sogleich Hand ans Werk legen, ich aber sagte ihnen erzürnt: Um meine Händel auszumachen brauchte ich keinen Braven als mich selbst, ein jeder möchte sich um sich bekümmern, ich wüßte schon was ich zu tun hätte. Darüber wurden meine Freunde verdrießlich und gingen murrend hinweg. Unter ihnen war mein liebster Freund Albertaccio del Bene, ein trefflicher Jüngling, voller Mut, der mich wie sich selbst liebte; dieser wußte wohl, daß ich mich nicht aus Kleinmut geduldig gezeigt hatte, vielmehr erkannte er meine entschlossene Kühnheit sehr gut; deswegen bat er mich im Weggehen, ich möchte ihn doch ja an allem, was ich vorhätte, teilnehmen lassen. Ich antwortete ihm: Albertaccio, geliebtester unter allen meinen Freunden, es wird die Zeit kommen, da ich deiner Hülfe bedarf, aber in diesem Falle, wenn du mich liebst, bekümmere dich nicht um mich und mache daß du fortkömmst. Diese Worte sagte ich schnell. Indessen waren meine Feinde aus den Bänken langsam auf einen Kreuzweg gekomen, wo die Straße nach verschiedenen Gegenden führt, und das Haus meines Feindes Pompeo war in der Gasse die grade nach Campo di Fiore geht; er war wegen einiger Geschäfte bei einem Apotheker eingetreten, und ich hörte unterwegs, daß er sich seiner Aufführung gegen mich gerühmt habe.

Da war es denn auf alle Weise sein reines böses Schicksal, daß er, eben als ich an die Ecke kam, aus der Apotheke heraustrat; seine Braven hatten sich aufgetan und ihn schon in die Mitte genommen. Da drang ich durch alle hindurch, ergriff einen kleinen spitzigen Dolch und faßte ihn bei der Brust mit solcher Schnelle und Sicherheit des Geistes, daß ihm keiner zu Hülfe kommen konnte; ich stieß ihm nach dem Gesicht, das er vor Schrecken wegwendete, daher traf ich ihn unter dem Ohr, wohin ich ihm zwei einzige Stiche versetzte, so daß er beim zweiten mir tot in die Hände fiel. Das war nun freilich meine Absicht nicht, denn ich wollte ihn nur tüchtig zeichnen; aber wie man sagt: Wunden lassen sich nicht messen. Ich nahm den Dolch mit der linken Hand und zog mit der rechten den Degen, mein Leben zu verteidigen, — da waren alle seine Begleiter mit dem toten Körper beschäftigt, keiner wendete sich gegen mich, keiner zeigte das mindeste Verlangen mit mir zu rechten; so zog ich mich allein durch Strada Julia zurück und überlegte, wohin ich mich flüchten wollte.

Ich war kaum dreihundert Schritte gegangen, als mich Piloto der Goldschmied, mein großer Freund, einholte und sagte: Lieber Bruder! da das Übel geschehen ist, so laß uns sehen, wie wir dich retten können! Darauf sagte ich: Gehn wir zu Albertaccio del Bene, dem ich vor kurzem gesagt habe, es werde eine Zeit kommen, in der ich seiner bedürfe. Wir kamen zu ihm, und er empfing mich mit unschätzbaren Liebkosungen, und bald erschienen die vornehmsten Jünglinge aller Nationen, die nur in den Bänken wohnten, ausgenommen die Mailänder, und alle erboten sich ihr Leben zu meiner Rettung dranzusetzen; auch Herr Ludwig Rucellai schickte dringend zu mir, ich solle mich seiner auf alle Weise bedienen. Ebenso taten mehrere Männer seinesgleichen, denn alle segneten mich, sie waren sämtlich überzeugt, daß mir der Mann allzugroßen Schaden zugefügt habe, und hatten sich oft über die Geduld, womit ich seine Feindschaft ertrug, verwundert.

In demselben Augenblick hatte Kardinal Cornaro den Handel erfahren und schickte mir, aus eigner Bewegung, dreißig Soldaten, mit Partisanen, Piken und Büchsen, die mich sicher in mein Haus begleiten sollten. Ich nahm das Erbieten an und ging mit ihnen fort, und wohl noch einmal so viel junge Leute begleiteten mich. Sobald Herr Trajano, der Verwandte des Entleibten, erster Kämmerer des Papstes, die Sache erfuhr, schickte er zum Kardinal Medicis einen mailändischen Edelmann, der das große Übel, das ich angerichtet hatte, erzählen und Seine Eminenz auffordern sollte, mich nach Verdienst zu bestrafen. Der Kardinal antwortete sogleich: Sehr übel hätte Benvenuto getan, das geringe Übel nicht zu tun! dankt Herrn Trajano, daß er mich von dem, was ich nicht wußte, benachrichtigt hat. Dann wandte er sich zu dem Bischof von Trulli und sagte: Seht euch sorgfältig nach meinem Benvenuto um und bringt mir ihn hieher! ich will ihn verteidigen und schützen, und wer was gegen ihn unternimmt, hat es mit mir zu tun. Der Mailänder ging sehr beschämt weg, und der Bischof eilte mich aufzusuchen. Er ging zum Kardinal Cornaro und sagte, der Kardinal Medicis schicke nach Benvenuto und wolle ihn in seine Verwahrung nehmen. Der Kardinal Cornaro, der etwas seltsam und rauh wie ein Bär war, antwortete voll Zorn, daß er mich so gut als der Kardinal Medicis verwahren könne. Darauf sagte der Bischof, er wünsche mich nur über einige andere Angelegenheiten zu sprechen, der Kardinal aber versicherte ihn, daß heute daraus nichts werden könne.

Der Kardinal Medicis war hierüber äußerst aufgebracht; ich ging daher die folgende Nacht heimlich und wohlgeleitet zu ihm und bat ihn, er möchte gnädigst geruhen, mich in dem Haus des Cornaro zu lassen, da doch dieser sich so lebhaft meiner angenommen habe. Seine Eminenz würden mir dadurch einen neuen Freund in meinen Nöten erwerben, übrigens aber dächte ich Denenselben nichts vorzuschreiben. Er antwortete mir, ich möchte tun, was ich für gut hielte, und so kehrte ich in das Haus des Cornaro zurück.

(1534)

Wenig Tage darauf ward Kardinal Farnese zum Papste erwählt, und als er die wichtigsten Sachen besorgt hatte, verlangte er nach mir und sagte, ich allein solle ihm seine Münzen machen; darauf sagte einer seiner Edelleute, ich sei wegen eines Mordes flüchtig, den ich an einem Mailänder, Pompeo, begangen, und trug dabei die Ursachen, die mich zu dieser Tat bewogen hatten, sehr günstig vor. Ich wußte den Tod des Pompeo nicht, versetzte der Papst, aber die Ursachen des Benvenuto wußte ich wohl, deswegen fertigt mir sogleich einen Freibrief aus, der ihn völlig sicherstelle. Dabei war ein Mailänder, ein Freund des Pompeo, gegenwärtig, welcher zum Papste sagte: Es ist nicht ratsam, in den ersten Tagen Eurer Regierung solche Verbrechen zu begnadigen. Darauf wendete sich der Papst heftig zu ihm und sagte: Das versteht ihr nicht! ihr müßt wissen, daß Männer, wie Benvenuto, die einzig in ihrer Kunst sind, sich an die Gesetze nicht zu binden haben, um so mehr, als ich seine Ursachen weiß. So ward mir der Schutzbrief ausgestellt, und ich fing gleich an für ihn zu arbeiten.

Herr Latino Juvenale kam zu mir und trug mir auf, ich solle die Münzen für den Papst machen; da setzten sich alle meine Feinde in Bewegung, mich daran zu verhindern, ich aber ließ mich nicht stören und machte die Stempel zu den Scudi, worauf ich die halbe Figur Sankt Pauls abbildete, mit der Unterschrift: *Vas electionis*. Die Münze gefiel weit mehr als die andern, die man mit mir um die Wette gearbeitet hatte, so daß der Papst sagte: er wolle von keinem weiter hören, ich allein solle seine Münzen arbeiten; so war ich frisch daran, und Herr Latino Juvenale, der den Auftrag hatte, führte mich ein bei dem Papste. Ich hätte gern das Dekret wegen der Münze wieder gehabt, allein da ließ er sich einreden und sagte, ich müßte erst wegen des Totschlags begnadigt sein, und das könnte am Fest der heiligen Marien, im August, durch den Orden der Caporioni von Rom geschehen, denn man pflege diesem alle Jahre zu gedachtem Fest zwölf Verbannte zu schenken; indessen sollte mir ein anderer Freibrief ausgefertigt werden, damit ich bis auf jene Zeit ruhig sein könne.

Da meine Feinde sahen, daß sie mich auf keine Weise von der Münze abhalten konnten, so nahmen sie einen andern Ausweg. Pompeo hatte dreitausend Dukaten Aussteuer einer natürlichen Tochter hinterlassen, und man wußte es dergestalt einzuleiten, daß ein gewisser Favorit des Herrn Peter Ludwigs, des Sohns unsers neuen Papstes, sie zum Weibe nahm. Dieser Günstling war von geringer Herkunft und von gedachtem Herrn erzogen worden; wenig erhielt er daher von diesen Geldern, denn der Herr hatte Lust sich ihrer selbst zu bedienen; dagegen trieb die Frau ihren Mann, er sollte seinem Herrn anliegen, daß man mich einfinge. Der Herr versprach es zu tun, sobald nur die Gunst des Papstes sich ein wenig würde vermindert haben. So vergingen zwei Monate, der Diener verlangte seine Mitgift, der Herr wollte nichts davon hören, sagte aber desto öfter zu ihm, und besonders zu der Frau, daß er gewiß den Vater rächen wolle. Ich wußte zwar etwas davon, doch verfehlte ich nicht dem Herrn aufzuwarten, und er erzeigte mir die größte Gunst. Von der andern Seite hatte er dem Bargell befohlen, mich einzufangen oder mich durch irgend jemand umbringen zu lassen.

Um nun ein oder das andere zu erreichen, übertrug der Bargell einem seiner Soldaten, einem gewissen korsischen Teufelchen, die Sache sobald abzutun als möglich, und meine andern Feinde, besonders Herr Trajan, hatten dem kleinen Korsen ein Geschenk von hundert Scudi versprochen, der versicherte, daß er nicht leichter ein frisches Ei austrinken wolle. Als ich diesen Anschlag vernahm, war ich auf meiner Hut und ging meist in guter Gesellschaft und im Harnisch, wie ich dazu die Erlaubnis hatte. Der Korse, geizig genug, dachte das Geld nur so einzustreichen und die Sache für sich abzutun, so daß sie mich eines Tages, im Namen des Herrn Ludwigs, rufen ließen. Ich eilte, weil er mir von einigen silbernen Gefäßen gesprochen hatte, die er wollte machen lassen; doch hatte ich meine gewöhnlichen Waffen angelegt und ging schnell durch die Strada Julia, wo ich um diese Zeit niemand zu finden glaubte. Als ich am Ende war und mich nach dem Palast Farnese umwenden wollte, indem ich nach meiner Gewohnheit mich nach der mittlern Straße hielt, sah ich den Korsen, der aufstund sich mir in den Weg zu stellen. Ich war gefaßt, nahm mich zusammen, ging langsam und hielt mich nach der Mauer, um dem Korsen Platz zu machen und mich besser zu verteidigen. Auch er zog sich wieder gegen die Mauer, wir waren einander ziemlich nah, und ich sah in seinem ganzen Betragen, daß er mir etwas Unangenehmes erzeigen wollte und daß er glaubte, weil er mich allein sah, könne es ihm gelingen; deswegen fing ich an zu reden und sagte: Tapfrer Soldat, wenn es Nacht wäre, so könntet ihr sagen, ihr hättet mich für einen andern genommen, da es aber Tag ist, so wißt ihr wer ich bin. Einer der mit euch nichts zu tun gehabt hat, einer der euch nie etwas zuleide tat, der aber auch nicht viel vertragen kann. Darauf blieb er mit kühner Gebärde vor mir stehen und sagte, er verstehe nicht was ich sage. Darauf versetzte ich: Ich weiß recht gut, was ihr wollt und was ihr sagt, aber euer Vorhaben ist schwerer und gefährlicher als ihr glaubt und könnte euch vielleicht mißlingen; bedenkt, daß ihr mit einem Manne zu tun habt, der sich gegen hundert wehren würde, und daß euer Vorhaben sich für keinen braven Soldaten schickt. Indessen war ich auf meiner Hut, und wir hatten uns beide verfärbt. Schon waren viele Leute herzugetreten, welche wohl merkten, daß unsere Worte von Eisen waren, und da mein Gegner seine Gelegenheit nicht fand, sagte er: wir sehen uns ein andermal wieder. Darauf versetzte ich: Brave Leute sehe ich immer gerne wieder und den, der ihnen gleicht. So ging ich weg, den Herrn aufzusuchen, der aber nicht nach mir geschickt hatte.

Als ich in meine Werkstatt kam, ließ mir der Korse durch einen beiderseitigen Freund sagen, ich brauche mich vor ihm nicht mehr in acht zu nehmen, denn wir wollten gute Freunde sein! Aber ich könnte mich nicht genug vorsehen, denn es hätten mir wichtige Männer den Tod geschworen. Ich ließ ihm danken und nahm mich in acht, so gut ich konnte. Wenige Tage darauf vertraute mir ein Freund, Herr Peter Ludwig habe Befehl und Auftrag gegeben, daß man mich noch diesen Abend gefangennehmen solle. Darüber besprach ich mich mit einigen Freunden, die mir zur Flucht rieten, und weil man mich um ein Uhr in der Nacht gefangennehmen sollte, brach ich um dreiundzwanzig auf und eilte mit Postpferden nach Florenz.

Also hatte Herr Peter Ludwig, da dem Korsen der Mut gefallen war, die Sache auszuführen, aus eigner Macht und Gewalt den Befehl gegeben mich gefangenzunehmen, nur damit er die Tochter des Pompeo beruhigen möchte, die sich nach ihrer Mitgift erkundigte, und da nun auch dieser letzte Anschlag nicht gelang, so ersann er einen andern, von dem wir zu seiner Zeit reden wollen.

ZWEITES BUCH

VIERTES KAPITEL

Herzog Alexander nimmt den Autor sehr freundlich auf. — Dieser macht eine Reise nach Venedig mit Tribolo, einem Bildhauer. — Sie kommen nach Ferrara und finden Händel mit florentinischen Ausgewanderten. — Nach einem kurzen Aufenthalte in Venedig kehren sie nach Florenz zurück. — Wunderliche Geschichte, wie der Autor sich an einem Gastwirte rächt. — Nach seiner Rückkunft macht ihn Herzog Alexander zum Münzmeister und schenkt ihm ein vortreffliches Schießgewehr. — Oktavian Medicis macht dem Autor mancherlei Verdruß. — Papst Paul III. verspricht ihm Begnadigung und lädt ihn wieder nach Rom in seine Dienste. — Er nimmt es an und geht nach Rom zurück. — Großmütiges Betragen Herzog Alexanders.

Ich kam nach Florenz und wartete dem Herzog Alexander auf, der mir sehr freundlich begegnete und verlangte, daß ich bei ihm bleiben sollte. Es war aber in Florenz ein Bildhauer, namens Tribolo, mein Gevatter, ich hatte ihm einen Sohn aus der Taufe gehoben, der sagte mir, daß ein gewisser Jakob Sansovino, bei dem er in der Lehre gestanden, ihn verschrieben habe, und, weil er Venedig niemals gesehen, denke er hinzureisen, besonders, weil er daselbst etwas zu verdienen hoffe, und da er höre, daß ich auch nicht in Venedig gewesen sei, so bitte er mich, die Spazierreise mit ihm zu machen. Weil ich ihm nun dieses schon versprochen hatte, antwortete ich dem Herzog Alexander, ich wünschte erst nach Venedig zu gehen und würde nach meiner Rückkehr zu seinen Diensten sein. Er war es zufrieden, und des andern Tages ging ich reisefertig, mich nochmals zu beurlauben. Ich fand ihn in dem Palast der Pazzi, zu der Zeit, als die Frau und die Töchter des Herrn Lorenzo Cibo daselbst wohnten; ich ließ meine Absicht melden, und der Herr Cosmus Medicis, der jetzt Herzog ist, kam mit der Antwort zurück und sagte mir, ich solle Niccolò di Monte Aguto aufsuchen, der würde mir funfzig Goldgulden geben, diese schenke mir Seine Exzellenz der Herzog, ich solle sie auf seine Gesundheit verzehren und alsdann zu seinem Dienste zurückkommen.

Ich erhielt das Geld und ging zu Tribolo, der bereit war und mich fragte, ob ich meinen Degen aufgebunden hätte? Ich sagte ihm, wer zu Pferde sei, um zu verreisen, brauche den Degen nicht festzubinden. Er versetzte darauf, in Florenz sei das nun der Gebrauch; denn ein gewisser Fra Mauritio sei ein sehr strenger Aufseher und würde, um einer Kleinigkeit willen, Sankt Johann den Täufer selbst wippen lassen; wenigstens bis vor das Tor müßten wir die Degen aufbinden. Ich lachte, und wir machten uns auf den Weg, indem wir uns an den Konducteur der ordinären Post von Venedig anschlossen, der Lamentone hieß, und so zusammen weiterzogen.

Unter andern kamen wir nach Ferrara und traten in dem Wirtshaus auf dem Platz ein. Lamentone ging einige Ausgewanderte aufzusuchen, denen er Briefe und Aufträge von ihren Weibern brachte. Denn das hatte der Herzog erlaubt, daß der Conducteur allein mit ihnen sprechen durfte, sonst niemand, bei Strafe gleicher Verbannung, als die in welche sie verfallen waren. Um die Zeit, es war ungefähr zweiundzwanzig Uhr, ging ich mit Tribolo den Herzog von Ferrara auf seinem Rückwege zu sehen, der von Belfiore kam, wo man vor ihm turniert hatte. Wir fanden unter der Menge viele Ausgewanderte, die uns so starr in die Augen sahen, als wenn sie uns nötigen wollten mit ihnen zu sprechen. Tribolo, der der furchtsamste Mensch von der Welt war, lispelte mir immer zu: Sieh sie nicht an, rede nicht mit ihnen, wenn du wieder nach Florenz zurück willst. So sahen wir den Herzog einziehen und kehrten wieder in unsere Herberge, wo wir den Lamentone fanden. Gegen ein Uhr in der Nacht (nach Sonnenuntergang) kam Niccolò Benintendi mit Petern, seinem Bruder, und ein Alter, ich glaube es war Jakob Nardi, und noch mehrere junge Leute, alles Ausgewanderte. Der Conducteur sprach mit einem jeden von seinen Geschäften, Tribolo und ich hielten uns entfernt, um nicht mit ihnen zu reden. Nach einer Weile fing Niccolò Benintendi an: Ich kenne die beiden recht gut. Haben sie Quark im Maule, daß sie nicht mit uns reden können? Tribolo hielt mich an, ich sollte stille sein, und Lamentone sagte zu ihnen, er habe die Erlaubnis mit ihnen zu reden, und nicht wir. Benintendi antwortete, das sei eine Eselei! der Teufel könne uns holen! und andere dergleichen schöne Dinge. Da hub ich das Haupt auf und sagte, so bescheiden als ich nur wußte und konnte: Meine lieben Herren, bedenket, daß ihr uns viel schaden könnet und wir euch nicht zu helfen wüßten. Ihr habt zwar manches unschickliche Wort gesagt, aber wir wollen deshalb mit euch nicht zürnen. Der alte Nardi sagte, ich sei ein braver junger Mann und habe auch so gesprochen. Darauf versetzte Benintendi: Ich gebe nichts auf sie und ihren Herzog! Ich antwortete darauf, er habe sehr unrecht, und wir wollten weiter nichts von ihm wissen. Der alte Nardi hielt es mit uns und stellte ihm seine Unart vor; aber er fuhr mit Schimpfreden fort, und ich sagte ihm, wenn er nicht aufhörte, so sollte er es bereuen. Darauf rief er, er verwünsche den Herzog und uns, er und wir wären eine Handvoll Esel.

Darauf schalt ich ihn einen Esel und zog den Degen. Der Alte, der zuerst die Treppe hinunter wollte, stolperte auf den ersten Stufen, stürzte hinab, und die andern über ihn her; ich sprang vor und wetzte mit dem Degen an den Wänden und schrie wütend: Ich bringe euch alle zusammen um! Doch nahm ich mich wohl in acht jemand Leids zu tun, wie ich doch genug gekonnt hätte. Der Wirt schrie; Lamentone wollte mich abhalten; einige riefen: Wehe mein Kopf! andere: Laßt mich hinaus! Es war ein unschätzbarer Handel, es schien eine Herde Schweine durcheinander zu fahren. Der Wirt kam mit dem Lichte, ich ging wieder hinauf und steckte den Degen ein, Lamentone verwies dem Benintendi sein Unrecht, und auch der Wirt schalt ihn aus. Es steht das Leben darauf, sagte dieser, wenn hier jemand den Degen zieht, und wenn unserm Herzog eure Insolenzen bekannt wären, so ließ er euch alle aufhängen. Ihr verdientet wohl, daß ich es anzeigte, aber kommt mir nicht mehr ins Haus, sonst soll es euch übel gehen. Hernach kam der Wirt herauf zu mir, und als ich mich entschuldigen wollte, ließ er mich nicht zum Worte kommen und sagte, er wisse wohl, daß ich tausend Ursachen habe, ich solle mich nur auf der Reise vor ihnen in acht nehmen.

Da wir abgegessen hatten, kam ein Schiffer, uns nach Venedig zu führen. Ich fragte, ob wir das Schiff ganz frei für uns haben könnten? Er sagte ja, und darauf wurden wir einig.

Des Morgens, gut um achte, nahmen wir Pferde, um nach dem Hafen zu gehen, der einige Miglien von Ferrara entfernt ist. Als wir ankamen, fanden wir den Bruder des Niccolò Benintendi mit drei Gesellen, die mir aufpaßten, zwei von ihnen waren mit Spießen bewaffnet; ich hatte mich aber auch wohl versehen und mir einen Spieß in Ferrara gekauft, und so erschrak ich nicht im mindesten; Tribolo desto mehr, der ausrief: Gott helfe uns! diese werden uns totschlagen. Lamentone kehrte sich zu mir und sagte: Du wirst am besten tun, nach Ferrara zurückzugehen, denn ich sehe, die Sache ist gefährlich, mein Benvenuto, gehe der Wut dieser rasenden Bestien aus dem Wege. Da sagte ich: Nur getrost vorwärts! Dem der recht hat hilft Gott, und du sollst sehen, wie ich mir selbst helfen will. Ist dieses Schiff nicht uns allein versprochen? Lamentone sagte ja, und ich antwortete: So wollen wir auch allein darin abfahren, wenn meine Kraft meinem Willen gleich ist. Ich trieb mein Pferd vorwärts, und da wir ungefähr zehn Schritte entfernt waren, stieg ich ab und ging mit meinem Spieße kühn auf sie los. Tribolo war zurückgeblieben und hatte sich auf seinem Pferde zusammengekauzt, daß er wie der Frost selbst aussah, und Lamentone schnaubte und blies, daß man einen Wind zu hören glaubte, denn es war seine Angewohnheit, und diesmal tat er es stärker als gewöhnlich, denn er bedachte, was diese Teufelei für einen Ausgang haben möchte.

Als ich zum Schiffe kam, trat der Schiffer vor mich und sagte, daß diese florentinischen Edelleute, wenn ich es zufrieden wäre, mit in das Schiff steigen wollten. Darauf versetzte ich: Das Schiff ist für uns, nicht für andere gemietet, und es tut mir herzlich leid, daß ich sie nicht einnehmen kann. Darauf sagte ein tapfrer Jüngling, von den Magalotti: Benvenuto! du wirst wohl können, was wir wollen? Darauf antwortete ich: Wenn Gott, mein Recht und meine Kräfte wollen und können, so werde ich wohl nicht wollen und können wie ihr wollt und meint. Mit diesen Worten sprang ich sogleich in das Schiff, kehrte ihnen die Spitze der Waffen zu und sagte: Hiermit will ich euch zeigen, daß ich nicht kann. Der von den Magalotti zeigte einige Lust, zog den Degen und kam heran, da sprang ich auf den Rand des Schiffes und stieß so gewaltsam nach ihm, daß, wäre er nicht rücklings zur Erde gefallen, ich ihn durch und durch gestoßen hätte. Die andern Gesellen, anstatt ihm zu helfen, zogen sich zurück, ich hätte ihn auf der Stelle umbringen können; aber anstatt ihm eins zu versetzen, sagte ich: Stehe auf, Bruder, nimm deine Waffen und gehe fort; wohl hast du gesehen, daß ich nicht kann was ich nicht will. Dann rief ich Tribolo, den Schiffer, und Lamentone herein, und so fuhren wir gegen Venedig. Als wir zehn Meilen auf dem «Po» zurückgelegt hatten, kamen uns diese jungen Leute in einem Kahne nach, und als sie gegen uns über waren, sagte mir der dumme Peter Benintendi: Komm nur weiter, Benvenuto, es ist jetzt nicht Zeit, aber in Venedig wollen wir uns wiedersehen. Darauf versetzte ich: Laßt es nur gut sein, ich komme schon und ihr könnt mich überall wieder finden.

So kamen wir nach Venedig, und ich wartete dem Bruder des Kardinal Cornaro auf, den ich bat, daß er mir die Erlaubnis verschaffen möge, den Degen tragen zu dürfen. Er versetzte darauf, daß ich ihn nur frei und ohne Erlaubnis anstecken sollte, das Schlimmste, was mir begegnen könnte, wäre, daß mir die Polizei den Degen wegnähme.

So gingen wir bewaffnet und besuchten Jakob del Sansuino den Bildhauer, der den Tribolo verschrieben hatte. Er begegnete mir äußerst freundlich und behielt uns zum Essen. Da sagte er zu Tribolo, er könne ihm gegenwärtig keine Arbeit geben, er möge doch ein andermal wieder kommen. Da fing ich an zu lachen und sagte scherzend zu Sansovino: Sein Haus ist zu weit von dem eurigen, als daß er euch so ganz bequem besuchen könnte. Der arme Tribolo erschrak und zeigte den Brief vor, durch den er berufen war. Darauf antwortete Sansovino: Wackre und kunstreiche Männer meinesgleichen dürfen das und noch mehr tun. Tribolo zuckte die Achseln und sagte: Geduld, Geduld! Ich nahm darauf, ohne Rücksicht auf das herrliche Mittagsessen, die Partie meines Gesellen, auf dessen Seite das Recht war, und überdies hatte Sansovino bei Tische nicht aufgehört, von seinen großen Werken zu sprechen, von Michelagnolo und allen Kunstverwandten Übels zu reden und sich ganz allein übermäßig zu loben, so daß mir für Verdruß kein Bissen schmecken wollte. Da sagte ich nur die paar Worte: Wackre Männer zeigen sich durch wackre Handlungen, und die kunstreichen, welche schöne und gute Werke machen, lernt man besser durch das Lob aus fremdem Munde als aus ihrem eigenen kennen. Darauf stiegen wir verdrießlich vom Tische auf.

Noch selbigen Tag begegnete ich beim Rialto dem Peter Benintendi, der von verschiedenen begleitet war, und da ich merkte, daß sie Händel suchten, trat ich bei einem Apotheker ein und ließ den Sturm vorüberziehen. Darnach hörte ich, daß der junge von den Magalotti, dem ich artig begegnet war, sie tüchtig ausgescholten hatte, und so ging die Sache vorüber.

Einige Tage nachher machten wir uns wieder auf den Weg nach Florenz, wir kehrten in einem gewissen Ort ein, der diesseits Chioggia auf der linken Hand liegt, wenn man nach Ferrara geht. Der Wirt wollte bezahlt sein, ehe wir uns schlafen legten, und da wir ihm sagten, daß es an andern Orten gebräuchlich sei, erst morgens zu bezahlen, so sagte er: Ich will des Abends das Geld, es ist nun meine Art so. Darauf antwortete ich: die Leute, die alles nach ihrer Art haben wollten, müßten sich auch eine besondere Welt dazu schaffen, denn in dieser gehe das nicht an. Er versetzte, ich sollte ihm den Kopf nicht warm machen, denn er wollte es nun einmal so haben. Tribolo zitterte vor Furcht, stieß mich und sagte, ich sollte still sein, damit es nicht noch schlimmer würde! Wir bezahlten also den Kerl und legten uns schlafen. Wir hatten fürtreffliche Betten, alles neu und recht wie sich's gehört; mit allem dem aber schlief ich nicht und dachte nur die ganze Nacht, wie ich mich rächen wollte. Einmal kam mir's in Sinn ihm das Haus anzustecken, ein andermal ihm vier gute Pferde zu lähmen, die er im Stall hatte. So leicht das zu tun war, so schwer hätte ich mich darnach mit meinem Gesellen retten können. Zuletzt ließ ich unsere Sachen und die übrigen Gefährten einschiffen, und als die Pferde schon ans Seil gespannt waren, sagte ich, sie sollten stillhalten, bis ich wieder käme, denn ich hätte meine Pantoffeln im Schlafzimmer gelassen. So ging ich ins Wirtshaus zurück und rief nach dem Wirte, der rührte sich nicht und sagte, er bekümmere sich nicht um uns, wir möchten zum Henker gehen. Es war noch ein Knäbchen im Hause, ein Stallpursche, der sagte ganz schlaftrunken zu mir, selbst um des Papstes willen würde sich sein Herr nicht in Bewegung setzen; darneben verlangte er ein Trinkgeld. Ich gab ihm einige kleine venezianische Münzen und sagte ihm, er solle die Schiffleute noch so lange aufhalten, bis ich mit meinen Pantoffeln zurückkäme. So ward ich auch den los, und ging hinauf und nahm ein scharfes Messerchen und zerschnitt die vier Betten, so über und über, daß ich wohl einen Schaden von funfzig Scudi mochte getan haben, steckte darauf einige Fetzen des Zeuges ein, stieg in das Schiff und sagte eilig zu dem, der die Pferde führte, er möchte machen, daß er fortkäme. Kaum waren wir ein wenig von dem Wirtshause entfernt, als Gevatter Tribolo sagte, er habe ein paar Riemchen zurückgelassen, womit er seinen Mantelsack aufs Pferd zu binden pflegte, er wolle zurück, denn er könne sie nicht entbehren. Ich sagte ihm, er solle uns deswegen nicht aufhalten, ich wollte ihm Riemen machen lassen, so groß und soviel er wollte. Er sagte, ich solle nicht spaßen, er wolle nun ein für allemal seine Riemen wieder haben. Nun rief er man solle halten, und ich rief man solle fortfahren! Indessen erzählte ich ihm den großen Schaden, den ich dem Wirte versetzt hatte, und zeigte ihm ein Pröbchen von dem Bettzeuge. Da ergriff ihn ein solcher Schrecken, daß er nicht aufhörte zum Fuhrmann zu rufen nur zu! nur zu! und die Angst verließ ihn nicht, bis wir vor die Tore von Florenz kamen.

Da sagte Tribolo: Laßt uns um Gottes willen die Degen aufbinden und treibt's nur nicht weiter so fort; mir war's die ganze Zeit, als wenn meine Eingeweide im Kessel kochten. Darauf sagte ich: Gevatter Tribolo! wie solltet ihr den Degen aufbinden, da ihr ihn niemals losgebunden habt? Und das sagte ich, weil er auf der ganzen Reise kein Zeichen eines Mannes von sich gegeben hatte. Darauf sah er seinen Degen an und sagte: Bei Gott! ihr habt recht! Das Gehäng ist noch geflochten wie ich es zu Hause zurechtmachte. Und so mochte der Gevatter wohl glauben, daß ich ihm schlechte Gesellschaft geleistet habe, weil ich mich verteidigt und gerochen hatte, wenn man uns etwas Unangenehmes erzeigen wollte. Mir schien aber, er habe sich eigentlich schlecht gehalten, daß er mir in solchen Fällen nicht beistand. Das mag nun jeder beurteilen, wer ohne Leidenschaft die Sache betrachtet.

Sobald ich abgestiegen war, ging ich zum Herzog Alexander und dankte ihm für das Geschenk der funfzig Scudi und sagte, ich sei auf alle Weise bereit Seiner Exzellenz zu dienen. Er antwortete mir, ich solle die Stempel zu seinen Münzen schneiden. Die erste, die ich darauf fertig machte, war von vierzig Soldi, mit dem Bilde des Herzogs auf der einen und mit dem Wappen auf der andern Seite. Darnach schnitt ich den Stempel für die halben Julier und darauf den Kopf des heiligen Johannes im Vollgesichte, die erste Münze der Art, die in so dünnem Silber geprägt worden; wovon die Schwierigkeit nur diejenigen einsehen können, die es in dieser Kunst auf den höchsten Grad gebracht haben. Alsdann wurden die Stempel zu den Goldgülden fertig. Auf der einen Seite war ein Kreuz mit kleinen Cherubinen, auf der andern das Wappen des Herzogs.

Da ich mit so vielerlei Münzen fertig war, bat ich Seine Exzellenz sie möchten mir nun eine Besoldung auswerfen und mich in die Zimmer auf der Münze einweisen lassen, wenn ihnen meine Bemühungen gefielen. Darauf sagte er, er sei es zufrieden und werde die nötigen Befehle erteilen. Seine Exzellenz sprach mich damals in der Gewehrkammer; ich bemerkte eine fürtreffliche Büchse, die aus Deutschland gekommen war, und als der Herzog sah mit welcher Aufmerksamkeit ich das schöne Gewehr betrachtete, gab er mir es in die Hand und sagte, er wisse wohl wie viel Vergnügen ich an solchen Dingen fände, und zum Gottespfennig seines Versprechens sollte ich mir eine Büchse nach meinem Belieben wählen, nur diese nicht, und er versichre mich, es seien viele schönere und ebenso gute in seiner Gewehrkammer. Dankbar nahm ich das Erbieten an, und als er bemerkte, daß ich mit den Augen herumsuchte, befahl er dem Aufseher, der Pietro von Lucca hieß, er solle mich was ich wolle nehmen lassen. So ging er, mit den gefälligsten Worten, weg, und ich wählte die schönste und beste Büchse, die ich in meinem Leben gesehen hatte, und trug sie nach Hause.

Den andern Tag brachte ich ihm Zeichnungen, die er zu einigen Goldarbeiten bestellt hatte; er wollte sie seiner Gemahlin schicken, die noch in Neapel war; ich bat ihn bei der Gelegenheit nochmals, daß er meine Anstellung möge ausfertigen lassen. Darauf sagte Seine Exzellenz, ich sollte ihm den Stempel von seinem Bilde machen, so schön wie das vom Papst Clemens. Ich fing sogleich das Bildnis in Wachs an, und der Herzog befahl, daß, so oft ich käme ihn zu porträtieren, ich ohne weiteres eingelassen werden sollte. Da ich merkte, daß meine Angelegenheit sich ins Weite zog, wählte ich einen gewissen Peter Paul von Monteritondo, der als kleiner Knabe in Rom bei mir gewesen war; er hielt sich gegenwärtig bei einem Goldschmiede auf, der ihn nicht gut behandelte. Deswegen nahm ich ihn weg und lehrte ihn die Stempel zu den Münzen aufs beste verfertigen. Indessen porträtierte ich den Herzog, den ich öfters nach Tische, mit seinem Lorenz Medicis, schlummern fand, der ihn nachher umbrachte. Niemand war weiter zugegen, und ich verwunderte mich oft, daß ein solcher Fürst sich so vertrauen konnte.

Nun geschah es, daß Oktavian Medicis, der alles zu regieren schien, gegen den Willen des Herzogs, den alten Münzmeister begünstigen wollte; er hieß Bastian Cennini, ein altfränkischer Mann, der wenig verstand und beim Ausmünzen der Scudi seine dummen Stempel mit den meinigen durcheinanderschlagen ließ. Ich beklagte mich darüber beim Herzog und legte ihm die Münzen vor, worüber er sehr verdrießlich war, und sagte: Gehe zu Oktavian und zeig es ihm. Da ging ich schnell weg und wies diesem, wie man meine schönen Münzen verschändet hatte. Darauf antwortete er mir, recht eselmäßig: Das beliebt uns so! Ich antwortete aber, das gehöre sich nicht, und mir wolle das nicht gefallen. Darauf versetzte er: Und wenn es nun dem Herzog gefiele? Ich antwortete, auch da würde es mir nicht gefallen, denn es ist weder gerecht noch vernünftig. Darauf sagte er, ich solle mich wegpacken und sollte es hinunterschlucken, und wenn ich dran erwürgen sollte. Ich kehrte zum Herzog zurück, erzählte ihm das ganze verdrießliche Gespräch und bat ihn, daß er meine schönen Münzen nicht so möchte schänden lassen. Darauf sagte er: Oktavian will zu hoch hinaus; dein Wille soll geschehen, denn dadurch beleidigt man mich.

Denselben Tag, es war ein Donnerstag, erhielt ich von Rom einen umständlichen Freibrief vom Papste, damit ich nach Rom gehen, und den Ablaß durch die heiligen Marien im August erlangen, und mich von dem Flecken des Totschlags reinigen könnte. Ich ging zum Herzog und fand ihn, da er nicht wohl war, im Bette; ich brauchte noch zwei volle

Stunden zu dem Wachsbilde, zeigte es ihm vollendet, und es gefiel ihm gar sehr; dann brachte ich den Freibrief hervor und eröffnete ihm, wie der Papst mich zu gewissen Arbeiten bestellt habe, ich wolle deswegen wieder die schöne Stadt Rom gewinnen, und indessen an seiner Medaille arbeiten. Halb zornig sagte darauf der Herzog: Benvenuto, folge mir! verreise nicht, du sollst deine Besoldung und die Zimmer in der Münze haben, und mehr als du verlangen kannst. Denn das, was du verlangst, ist gerecht und billig, und wer sollte mir die schönen Münzen prägen, die du gemacht hast. Darauf sagte ich: Gnädiger Herr! auch daran habe ich gedacht; denn ich habe hier einen jungen Römer, der mein Schüler ist, den habe ich alles gelehrt, und der wird Eure Exzellenz recht gut bedienen können, bis ich mit der fertigen Denkmünze zurückkomme, um alsdann immer bei Ihnen zu bleiben. Denn ich habe auch noch in Rom eine offene Werkstatt, Arbeiter und verschiedene Geschäfte. Habe ich nur einmal erst den Ablaß, so will ich das ganze römische Wesen einem meiner Zöglinge überlassen und, mit Euer Exzellenz Erlaubnis, wieder zu Ihnen zurückkehren. Bei dieser Unterredung war auch Lorenz Medicis gegenwärtig; der Herzog winkte ihm einigemal, er solle mir doch auch zureden, er sagte aber nichts als: Benvenuto, du tätest besser da zu bleiben! Ich sagte aber, daß ich auf alle Weise nach Rom gehen wolle. Lorenz wiederholte immer dieselbigen Worte und sah beständig den Herzog mit einem fatalen Blick an.

Ich hatte indessen mein Modell geendigt und in die Schachtel geschlossen. Darauf sagte ich: Gnädiger Herr, ich versichre euch, eure Medaille soll besser werden als die des Papstes Clemens; denn jene war die erste, die ich machte, und ich versteh' es nun besser. Ich hoffe, Herr Lorenzo gibt mir eine treffliche Rückseite, er ist gelehrt und von schönem Geiste. Darauf antwortete Lorenz geschwind: Ich denke an nichts anders, als dir eine schöne Gegenseite zu geben, die Seiner Exzellenz wert sei. Der Herzog lächelte spöttisch, und sagte: Bring ihn auf die Gegenseite, und so verreist er nicht. Da sagte Lorenz: Ich will so geschwind als möglich fertig sein, es soll etwas werden, worüber die Welt erstaunt. Der Herzog, der ihn zum besten hatte und ihn überhaupt nicht achtete, kehrte sich im Bette herum und lachte über das was er ihm gesagt hatte. Ich ging fort ohne weitere Umstände und ließ sie allein. Der Herzog glaubte nicht, daß ich abreisen würde, und sagte nichts weiter. Da er aber erfuhr, daß ich weg war, schickte er mir einen Bedienten nach, der mich in Siena antraf und mir funfzig Golddukaten im Namen seines Herrn überbrachte mit den Worten, daß ich sie auf seine Gesundheit verzehren und sobald als möglich wieder kommen sollte; dann setzte er hinzu: Herr Lorenz läßt dir sagen, daß er zu der Schaumünze, die du machen wirst, eine wundersame Rückseite im Sinne habe. Übrigens hatte ich alles obgedachtem Peter Paul übergeben und ihn angewiesen, wie er mit den Münzen verfahren sollte; weil es aber außerordentlich schwer ist, so konnte er niemals ganz damit zurechte kommen. Mir aber blieb das Münzamt über siebzig Scudi für meine Stempel schuldig.

FÜNFTES KAPITEL

Der Autor, bald nach seiner Rückkunft, wird in seinem Hause, bei Nacht, von vielen Häschern angegriffen, die ihn wegen des an Pompeo von Mailand verübten Mordes einfangen sollen. – Er verteidigt sich tapfer und zeigt ihnen des Papstes Freibrief. – Er wartet dem Papst auf, und seine Begnadigung wird auf dem Kapitol eingezeichnet. – Er wird gefährlich krank. – Erzählung dessen, was während dieser Krankheit vorfällt. – Musterhafte Treue seines Dieners Felix.

So reiste ich nach Rom und hatte meine schöne Büchse mit dem Rade bei mir, die ich mit größtem Vergnügen unterweges oft gebrauchte, und mehr als einen wundernswürdigen Schuß damit tat. Weil mein Haus in Rom, das in Strada Julia lag, nicht eingerichtet war, so stieg ich bei Herrn Johann Gaddi ab, dem ich vor meiner Abreise meine schönen Waffen und viele andere Dinge, die ich sehr wert hielt, in Verwahrung gegeben hatte; denn an meiner Werkstatt wollte ich nicht absteigen und schickte nach Felix, meinem Gesellen, er sollte geschwind meine Wohnung aufs beste in Ordnung bringen. Den andern Tag schlief ich dort, machte meine Kleider und alles was ich bedurfte zurechte; denn ich wollte den andern Tag zum Papste gehen und ihm danken. Ich hatte zwei Knaben in meinem Dienste und unter mir wohnte eine Wäscherin, die mir sehr gut kochte.

Ich hatte des Abends einige meiner Freunde zu Tische gehabt, wir waren sehr vergnügt gewesen, und ich legte mich schlafen. Kaum war die Nacht vorbei, es mochte eine Stunde vor Tage sein, als ich mit entsetzlicher Wut an meine Türe schlagen hörte. Ein Schlag fiel auf den andern; ich rief meinen ältesten Diener, der Cencio hieß, eben den, der mit mir im Kreise des Nekromanten gewesen war, und sagte ihm, er solle sehen wer der Narr sei, der zu dieser Stunde so bestialisch poche. Der Knabe ging, und ich zündete noch ein Licht an, denn eins habe ich die Nacht immer brennen, warf ein vortreffliches Panzerhemd über und darüber eine Weste, wie sie mir in die Hand fiel. Cencio kam zurück und rief: O wehe, mein Herr! der Bargell mit allen Häschern ist vor der Tür und sagt, wenn ihr nicht geschwind macht, so werde er die Tür niederrennen, sie haben Fackeln und tausend Dinge bei sich. Darauf sprach ich: Sag ihnen, daß ich mich ankleide und sogleich komme.

Da ich vermutete, daß es ein Streich von Herrn Peter Ludwig sei, nahm ich in die rechte Hand einen vortrefflichen Dolch, in die linke meinen Freibrief, dann lief ich an die hintern Fenster, die auf gewisse Gärten gingen; auch da sah ich mehr als dreißig Häscher und begriff, daß ich auf dieser Seite nicht entfliehen konnte. Da nahm ich die beiden Kinder vor mich und sagte, sie sollten die Türe aufmachen, sobald ich's befähle, und so stellte ich mich in Ordnung, den Dolch in der Rechten, den Freibrief in der Linken, vollkommen im Verteidigungszustande. Dann sagte ich zu den Kindern: Fürchtet euch nicht und macht auf.

Sogleich sprang Vittorio, der Bargell, mit zwei andern herein; sie glaubten mich leicht in die Hände zu bekommen, da sie mich aber auf gedachte Weise bereit fanden, zogen sie sich zurück und sagten: Hier will's Ernst werden. Da sprach ich, indem ich den Freibrief hinwarf: Leset das! und da ihr mich nicht fangen könnt, so sollt ihr mich auch nicht einmal berühren. Der Bargell sagte darauf zu einigen, sie sollten mich greifen, und den Freibrief könnte man nachher sehen. Da hielt ich ihnen kühn den Dolch entgegen und rief: Lebend entkomm' ich, oder tot habt ihr mich! Der Platz war sehr enge, sie drohten jeden Augenblick gewaltsam auf mich einzudringen, und ich stand immer in Positur mich zu verteidigen. Da nun der Bargell wohl sah, daß sie mich nur auf solche Weise haben könnten, wie ich gesagt hatte, rief er den Aktuarius und gab, indessen dieser den Freibrief las, einigemal das Zeichen, daß sie mich fahen sollten, deswegen ich mich nicht aus meiner Stellung verrückte. Endlich gaben sie ihren Vorsatz auf, sie warfen mir den Freibrief auf die Erde und gingen ohne mich fort.

Als ich mich wieder hinlegte, fühlte ich mich sehr angegriffen und konnte nicht wieder einschlafen. Als es Tag war, hatt' ich mir vorgesetzt zur Ader zu lassen und fragte nur erst den Herrn Johann Gaddi um Rat, und der ließ so ein Hausärztlein rufen, das fragte mich, ob ich denn erschrocken sei. Nun sage einer, was soll man von dem Verstand eines Arztes denken, dem man einen so großen und außerordentlichen Fall erzählt und der so eine Frage tut? Es war eben ein Kauz, der gleichsam beständig über nichts lachte und mir auch lachend sagte, ich sollte einen guten Becher griechischen Weines trinken, mich lustig machen und weiter nicht erschrocken sein. Herr Johann sagte: Meister! und wenn einer von Erz und Marmor gewesen wär', so hätte er sich bei dieser Gelegenheit entsetzt, geschweige ein Mensch. Darauf sagte das Ärztlein: Monsignor! wir sind nicht alle nach einer Weise gebauet; dieser Mann ist nicht von Erz noch von Marmor, sondern von reinem Eisen. Somit legte er mir die Hand an den Puls und sagte, unter seinem unmäßigen Gelächter: Fühlt einmal hierher, Johannes, kein Mensch, kein erschrockener Mensch hat einen solchen Puls, das ist ein Löwe, ein Drache. Ich, der ich wohl wußte, daß mein Puls stark und über das rechte Maß schlug, wie das Affengesicht von Hippokrates und Galen nicht gelernt hatte, fühlte wohl mein Übel, zeigte mich aber munter, um nicht erschrockener zu scheinen als ich war.

Man ging eben zur Tafel und ich aß mit der ganzen Gesellschaft. Sie war sehr auserlesen: Herr Ludwig von Fano, Herr Johann Greco, Herr Antonio Allegretti, alles sehr gelehrte Personen, auch Herr Hannibal Caro, der noch sehr jung war. Man sprach von nichts als von meinem wackern Betragen, und dann ließen sie sich die Geschichte von meinem Diener Cencio, der sehr geistreich, lebhaft und von schöner Gestalt war, oftmals wiederholen, und so oft er die rasende Begebenheit erzählte und dabei meine Stellungen und meine Worte wiederholte, fiel mir immer ein neuer Umstand ein. Dabei fragten sie ihn oft, ob er erschrocken wäre. Er antwortete, sie sollten mich fragen, es wär' ihm geworden wie mir. Zuletzt ward mir das Geschwätz beschwerlich, und da ich mich sehr bewegt fühlte, stand ich vom Tische auf und sagte, ich wollte gehen und mich und meinen Diener in blaues Tuch und Seide neu kleiden, da ich in vier Tagen am Feste der heiligen Marien in Prozession zu gehen hätte, und Cencio sollte mir die weiße brennende Kerze tragen. So ging ich und schnitt die blauen Tücher, sodann ein Westchen von blauem Ermisin und ein Überkleid von demselbigen, Cencio aber sollte beides von blauem Taffent haben.

Da ich das alles zugeschnitten hatte, ging ich zum Papste, der mir sagte, ich sollte mit seinem Herrn Ambrosio reden, er habe befohlen, ich solle ein großes Werk von Gold machen. Ich ging zu Ambrosio, der recht gut um die Geschichte des Bargells wußte; denn er war mit meinen Feinden einverstanden und hatte den Bargell tüchtig ausgescholten, daß er mich nicht ergriffen hatte, der sich entschuldigte, daß sich gegen einen solchen Freibrief nichts tun lasse. Herr Ambrosio fing an von den Arbeiten zu sprechen, wie ihm der Papst befohlen hatte, dann sagte er, ich sollte die Zeichnungen machen, und er wolle sodann alles besorgen.

Inzwischen kam der Tag der heiligen Marien heran, und weil es die Gewohnheit mit sich bringt, daß die, welche einen solchen Ablaß erlangen wollen, sich vorher ins Gefängnis begeben müssen, so ging ich abermals zum Papste und sagte Seiner Heiligkeit, ich hätte nicht Lust, mich gefangen einzustellen, er möchte mir die Gnade erzeigen, bei mir eine Ausnahme zu machen. Der Papst antwortete mir, es sei die Gewohnheit so; da kniete ich von neuem nieder, dankte ihm nochmals für den Freibrief, den er mir ausgestellt hatte, und sagte, daß ich nun mit demselben zu meinem Herzog von Florenz, der mich mit so viel Liebe und Verlangen erwartete, zurückkehren wolle. Darauf wendete sich Seine Heiligkeit zu einem ihrer Vertrauten und sagte: Benvenuto mag den Ablaß ohne Gefängnis haben, setzt das Reskript auf und so mag's gut sein. Das geschah, der Papst unterzeichnete, auf dem Kapitol ward es registriert, und am bestimmten Tage ging ich, zwischen zwei Edelleuten, ehrenvoll in der Prozession und erhielt vollkommenen Ablaß.

Nach vier Tagen überfiel mich ein schreckliches Fieber, mit einem unglaublichen Frost. Ich legte mich gleich zu Bette und hielt die Krankheit für tödlich. Ich ließ sogleich die ersten Ärzte zusammenberufen. Darunter war Meister Franziskus von Norcia, ein sehr alter Arzt, der in Rom den größten Ruf hatte. Ich erzählte ihm, was ich für die Ursache meines großen Übels hielt, auch wie ich hatte wollen Blut lassen und wie ich daran verhindert worden war; ich bat, wenn es Zeit wär', möchten sie es noch tun. Meister Franziskus antwortete, es sei jetzt nicht Zeit Ader zu lassen, hätte man es damals getan, so hätte mich nicht das mindeste Übel befallen, jetzt müsse man einen andern Weg nehmen.

So fingen sie nun die Kur an mit allem Fleiß, wie sie nur wußten und konnten, und alle Tage wurde es wütend schlimmer, und am Ende der Woche war das Übel so groß, daß die Ärzte, an ihrem Unternehmen verzweifelnd, meinen Leuten auftrugen, man solle mich nur zufriedenstellen und mir geben was ich verlangte. Meister Franziskus sagte: Solange Atem in ihm ist, rufet mich zu jeder Stunde, denn es kann sich niemand vorstellen, was die Natur in einem jungen Mann dieser Art zu tun vermag, und wenn er ohnmächtig werden sollte, wendet mir diese fünf Mittel, eines hinter dem andern, an und ruft mich; ich will zu jeder Stunde der Nacht kommen, ich möchte diesen lieber durchbringen als irgendeinen Kardinal in Rom.

Auch kam täglich Herr Johann Gaddi, zwei- oder dreimal, zu mir, und jedesmal nahm er meine schönen Büchsen in die Hand, meine Panzerhemden und Degen, und sagte beständig: Wie ist das so schön, wie ist das noch schöner! Und so machte er es mit meinen Modellen und andern Kleinigkeiten, so daß er mir zuletzt recht zur Last ward. Mit ihm kam auch ein gewisser Matthäus, ein Franzose, der eben auch auf meinen Tod recht sehnlich zu hoffen schien, nicht weil er von mir etwas zu erwarten hatte, sondern wahrscheinlich, weil er Herrn Gaddis Verlangen befriedigt zu sehen wünschte.

Indessen stand Felix, mein Geselle, mir auf alle Weise bei und tat für mich, was ein Mensch für den andern tun kann. Meine Natur war äußerst geschwächt und so herunter, daß mir kaum so viel Kraft übrigblieb, wenn ich ausgeatmet hatte, wieder Atem zu schöpfen. Doch war mein Kopf so stark als in gesunden Tagen. Da ich nun so völlig bei mir war, kam ein schrecklicher Alter an mein Bette, der mich gewaltsam in seinen ungeheuren Kahn hineinreißen wollte, deswegen rief ich Felix, er sollte zu mir treten, und den abscheulichen Alten verjagen. Felix, der mich höchlich liebte, kam weinend gelaufen und rief: Fort, alter Verräter! du sollst mir mein Glück nicht rauben. Herr Johannes Gaddi, der auch gegenwärtig war, sagte: Der arme Narr faselt, es wird nicht lange mehr währen. Matthäus der Franzose versetzte: Er hat den Dante gelesen, und für großer Schwäche phantasiert er. Darauf sagte er lachend: Fort du alter Schelm! laß unsern Benvenuto ungehudelt! Da ich sah, daß man über mich spottete, wendete ich mich zu Herrn Johann Gaddi und sagte: Wißt nur, lieber Herr, daß ich nicht phantasiere, daß es mit dem Alten richtig ist, der mir so zur Last fällt; ihr tätet besser, mir den leidigen Matthäus zu entfernen, der über mein Unglück lacht, und da Eure Gnaden mir die Ehre Ihres Besuches erzeigt, so wünschte ich, ihr kämt mit Herrn Antonio Allegretti, Herrn Hannibal Caro und mit euren übrigen trefflichen Männern; das sind Personen von anderer Lebensart und anderm Geist als diese Bestie. Darauf sagte Herr Johannes im Scherze zu Matthäus, er solle ihm auf immer aus den Augen gehen; aber aus diesem Scherz ward Ernst, denn er sah ihn nachher nicht wieder. Darauf ließ er die Herren Allegretti, Ludwig und Caro rufen. Ihre Gegenwart diente mir zur größten Beruhigung; ich sprach ganz vernünftig mit ihnen und bat nur immer den Felix, er möchte mir den Alten wegjagen. Herr Ludwig fragte mich, was ich denn sehe, und wie er gestaltet sei. Indes ich ihn recht deutlich beschrieb, nahm mich der Alte beim Arme und riß mich in seinen schrecklichen Kahn. Kaum hatte ich ausgeredet, als ich in Ohnmacht fiel; mir schien als wenn mich der Alte wirklich in den Kahn würfe!

In dieser Ohnmacht soll ich mich herumgeworfen und gegen Herrn Gaddi harte Worte ausgestoßen haben, als wenn er mich zu berauben käm', als wenn er keine Barmherzigkeit gegen mich habe, und andere häßliche Reden, wodurch Herr Gaddi sehr beschämt war. Alsdann blieb ich, wie sie sagten, als ein Toter, und verharrte in solchem Zustande eine völlige Stunde. Als es ihnen deuchte, daß ich kalt würde, ließen sie mich für tot liegen, und als sie nach Hause kamen, erfuhr es Matthäus der Franzose, der schrieb sogleich nach Florenz an Benedetto Varchi, meinen liebsten

Freund, um welche Uhr der Nacht man mich habe sterben sehen. Auf diesen vermeinten Tod machte dieser treffliche Mann und Freund ein herrliches Sonett, das ich an seinen Platz einrücken werde.

Drei lange Stunden vergingen, ehe ich mich erholte, und da alle jene fünf Mittel des Meister Franziskus nicht helfen wollten und mein liebster Felix sah, daß ich kein Lebenszeichen von mir gab, lief er zum Hause des Arztes, pochte ihn heraus und bat ihn weinend, er möchte doch mitkommen, denn ich sei wahrscheinlich tot. Darauf sagte Meister Franz, der ein heftiger Mann war: Sohn! wozu soll ich kommen? ist er tot, so schmerzt es mich mehr als dich; denkst du, daß ich mit meiner Medizin ihm in den H*** blasen kann, um ihn wieder lebendig zu machen? Da er sah, daß der arme Knabe weinend wegging, rief er ihn zurück und gab ihm ein gewisses Öl, mir die Pulse und das Herz zu salben; dann, sagte er, sollten sie mir die kleinen Finger und Zehen recht fest halten; käm' ich wieder zu mir, so möchten sie ihn rufen. Felix lief und tat nach der Verordnung. Da es nun fast Tag war und ihm alle Hoffnung verloren schien, machten sie sich dran, um mich zu waschen. Auf einmal fühlte ich mich wieder und rief den Felix, daß er mir so bald als möglich den lästigen Alten wegjagen sollte. Felix wollte zu Meister Franzen laufen, da sagte ich ihm, er solle bleiben, denn der Alte habe Furcht vor ihm und mache sich fort. Felix näherte sich, ich berührte ihn und mir schien, daß der rasende Alte sogleich sich entfernte, deswegen bat ich den Knaben, immer bei mir zu bleiben. Nun kam auch der Arzt und sagte, er wolle mir auf alle Weise durchhelfen, er habe seine Tage in einem jungen Mann so viel Kraft nicht gefunden. Nun fing er an zu schreiben und verordnete mir Bähungen, Pflaster, Waschwasser, Salben und andere unschätzbare Dinge; inzwischen litt ich an mehr als zwanzig Blutigeln am H***. Ich war durchbohrt, gebunden und ganz geknetet. Meine Freunde kamen, das Wunder vom auferstandenen Toten zu sehen. Viele Männer von großer

Bedeutung besuchten mich, in deren Gegenwart ich sagte, das wenige Gold und meine Barschaft — es konnte ungefähr an Gold und Silber, Juwelen und Gelde achthundert Scudi sein — solle meiner armen Schwester in Florenz, namens Liberata, hinterlassen bleiben; alle meine übrigen Sachen, sowohl Waffen als was ich sonst besäß', sollten meinem armen Felix gehören, und noch funfzig Golddukaten, damit er sich kleiden könne. Auf diese Worte warf sich mir Felix um den Hals und sagte, er verlange nichts, als daß ich leben solle. Darauf sagte ich ihm: Wenn du mich lebendig erhalten willst, so halte mich auf diese Weise fest und schilt auf den Alten da, der sich vor dir fürchtet. Da erschraken einige von den Gegenwärtigen, denn sie sahen, daß ich nicht phantasierte, sondern bei mir war und vernünftig sprach. So ging es mit meinem großen Übel, das nach und nach sich ganz langsam besserte. Der vortreffliche Meister Franz kam vier- oder fünfmal des Tages. Herr Johann Gaddi schämte sich und ließ sich nicht wieder sehen.

Auf einmal erschien mein Schwager, der, um mich zu beerben, von Florenz gekommen war, aber, als ein braver Mann, sich außerordentlich freute, mich lebendig zu finden. Ihn wiederzusehen, war mir der größte Trost, er begegnete mir aufs freundlichste und versicherte mich, er sei nur gekommen, mich selbst zu warten. Das tat er auch mehrere Tage, dann entließ ich ihn, als ich fast sichre Hoffnung zur Genesung hatte, und da gab er mir das Sonett des Herrn Benedetto Varchi, dessen ich oben erwähnt habe.

Wer wird uns trösten, Freund? Wer unterdrückt
Der Klagen Flut bei so gerechtem Leide?
Ach ist es wahr, ward unsers Lebens Weide
So grausam in der Blüte weggepflückt?

Der edle Geist, mit Gaben ausgeschmückt,
Die nie die Welt vereint gesehn, vom Neide
Bewundert, seiner Zeitgenossen Freude,
Hat sich so früh der niedern Erd' entrückt?

O liebt man in den seligen Gefilden
Noch Sterbliches, so blick auf deinen Freund,
Der nur sein eignes Los, nicht dich beweint!

Wie du den ew'gen Schöpfer abzubilden
Hienieden unternahmst, mit weiser Hand,
So wird von dir sein Antlitz dort erkannt.

Indessen war meine Schwachheit außerordentlich, und es schien nicht möglich sie zu heben. Der brave Meister Franz gab sich mehr Mühe als jemals und brachte mir alle Tage neue Mittel, wodurch er das arme verstimmte Instrument wieder in Ordnung bringen wollte, und bei allen diesen unschätzbaren Bemühungen wollte sich diese Zerrüttung doch nicht wiederherstellen lassen, so daß alle Ärzte fast verzweifelten und nicht wußten, was sie tun sollten. Ich hatte einen unendlichen Durst und enthielt mich mehrere Tage des Trinkens, wie man mir verordnet hatte, und Felix, dem äußerst daran gelegen war mich zu erhalten, ging mir nicht von der Seite; der Alte war mir nicht mehr so beschwerlich, aber er kam manchmal im Traume zu mir.

Eines Tages war Felix ausgegangen; zu meiner Aufwartung war ein kleiner Knabe und eine Magd übriggeblieben, die Beatrix hieß. Ich fragte den Knaben, was aus Cencio, meinem andern Diener, geworden sei und was das heiße, daß er sich nicht sehen lasse. Das Kind sagte mir, Cencio habe sich noch schlimmer befunden als ich und liege am Tode; Felix habe ihm befohlen, mir nichts davon zu sagen. Ich hörte diese Nachricht mit dem größten Verdrusse; da rief ich die Magd und ersuchte sie, sie möchte mir helles, frisches Wasser in einem Kühlkessel bringen, der eben da stund. Gleich lief sie und brachte mir ihn ganz voll. Ich sagte, sie sollte mir ihn an den Mund heben, und wenn sie mich nach Herzenslust trinken ließ, wollte ich ihr eine Jacke schenken. Das Mädchen hatte mir einige Sachen von Wert gestohlen und hätte mich gerne tot gesehen, damit ihre Untreue verborgenbliebe, so ließ sie mich auf zweimal trinken soviel ich nur wollte, so daß ich wohl ein Maß Wasser verschluckt hatte; dann deckte ich mich zu, fing an auszudünsten und schlief ein. So hatte ich eine Stunde gelegen, als Felix zurückkam und das Kind fragte was ich mache. Dieses antwortete: Ich weiß es nicht, Beatrix hat ihm den Kühlkessel voll Wasser geholt, und er hat ihn fast ganz ausgetrunken, ich weiß nicht ob er tot oder lebendig ist.

Da wär' der arme Felix vor Schrecken fast umgefallen. Er ergriff sogleich einen Stock und schlug ganz unbarmherzig auf die Magd los und rief: Verräterin! du hast mir ihn umgebracht! Indessen Felix zuschlug und sie schrie, träumte mir, der Alte käm' mit Stricken in der Hand und wolle mich binden, Felix komme ihm zuvor und treffe ihn mit einem Beil. Der Alte floh und sagte: Laß mich gehen, ich komme eine ganze Weile nicht wieder.

Beatrix war mit entsetzlichem Geschrei in meine Kammer gelaufen; ich erwachte und sagte zu Felix: Laß es gut sein, vielleicht hat sie mir aus böser Absicht mehr genutzt, als du mit aller deiner Sorgfalt nicht imstande warst. Helft mir jetzt, da ich so außerordentlich geschwitzt habe, und kleidet mich schnell um. Felix faßte wieder Mut, trocknete und tröstete mich; ich fühlte große Erleichterung und fing an auf Gesundheit zu hoffen. Meister Franz war gekommen, sah meine große Besserung, wie die Magd weinte, der Knabe hin und wider lief und Felix lachte; da merkte der Arzt, daß etwas Außerordentliches vorgefallen sein müsse, wodurch ich auf einmal zu solcher Besserung hätte gelangen können. Indessen war auch Meister Bernhardin angekommen, jener, der mir anfangs kein Blut lassen wollte. Meister Franz, der vortreffliche Mann, rief aus: O Gewalt der Natur! sie kennt ihre Bedürfnisse, und die Ärzte verstehen nichts. Sogleich antwortete das andere Gehirnchen: Hätte er nur mehr als eine Flasche getrunken, so wäre er gleich völlig genesen. Meister Franz, dem sein Alter ein großes Ansehen gab, versetzte: Er wäre zum Henker gegangen, wohin ich euch wünsche. Dann fragte er mich, ob ich mehr hätte trinken können; ich sagte nein! denn mein Durst sei völlig gestillt. Da wandte er sich zu Meister Bernhardinen und sagte: Sehet, wie genau die Natur ihr Bedürfnis genommen hat, nicht mehr und nicht weniger, und dasselbe forderte sie auch damals, als der junge Mann verlangte, daß ihr ihm Blut lassen solltet; und hättet ihr wirklich eingesehen, daß er mit zwei Maß Wasser zu kurieren wäre, so hättet ihr es eher sagen und großen Ruhm dadurch erwerben können. Das fuhr dem Ärztlein vor den Kopf, er ging und kam nicht wieder. Darauf sagte Meister Franz, man solle mich aus meiner Stube auf einen von den römischen Hügeln bringen.

Als der Kardinal Cornaro von meiner Besserung hörte, ließ er mich in eine seiner Wohnungen, die er auf Monte Cavallo hatte, bringen; es geschah noch selbigen Abend: ich saß in einem Tragsessel wohl versorgt und bedeckt. Kaum war ich angekommen, als ich mich erbrechen mußte. Da ging ein haariger Wurm von mir, wohl eine Viertelelle lang; die Haare waren groß, und der Wurm abscheulich, gefleckt, mit verschiedenen Farben, grünen, schwarzen und roten. Man hub ihn für den Arzt auf, der versicherte, er habe so etwas nie gesehen. Dann sagte er zu Felix: Sorge für deinen Benvenuto, denn er ist genesen, und nun laß ihm weiter keine Unordnung zu; denn wenn ihm die eine durchhalf, so könnte die andere dir ihn umbringen; war er doch schon so weit, daß man sich ihm die Letzte Ölung nicht zu geben getraute, und jetzt wird er, mit ein wenig Zeit und Geduld, sich bald wieder erholen, daß er treffliche Arbeiten fertigen kann. Darauf wandte er sich zu mir und sagte: Mein Benvenuto, sei klug und halte dich ordentlich; und wenn du wieder völlig genesen bist, sollst du mir eine Mutter Gottes machen, die ich dir zuliebe immer anbeten will. Die versprach ich ihm und fragte, ob ich mich wohl dürfte nach Florenz bringen lassen. Er sagte, daß ich erst ein wenig stärker werden müsse; man werde sehen, was die Natur tue.

SECHSTES KAPITEL

Der Autor, nachdem er genesen, reist nach Florenz mit Felix, um der vaterländischen Luft zu genießen. – Er findet Herzog Alexandern, durch den Einfluß seiner Feinde, sehr gegen sich eingenommen. Er kehrt nach Rom zurück und hält sich fleißig an sein Geschäft. – Feuriges Luftzeichen, als er zu Nachtzeit von der Jagd nach Hause kehrt. – Seine Meinung darüber. – Nachricht von der Ermordung Herzog Alexanders, welchem Cosmus Medicis nachfolgt. – Der Papst vernimmt, daß Karl V., nach seinem glücklichen Zuge gegen Tunis, nach Rom kommen werde, schickt nach unserm Autor, ein kostbares Werk, zum Geschenke für Seine Kaiserliche Majestät, zu bestellen.

Acht Tage waren vorbei, und die Besserung so unmerklich, daß ich anfing, mir selbst zur Last zu werden, denn ich hatte wohl dreißig Tage die große Not ausgestanden; endlich entschloß ich mich, mietete ein paar Tragsessel und ließ mich und meinen lieben Felix nach Florenz, in das Haus meiner Schwester tragen, die mich zu gleicher Zeit beweinte und belachte.

Da kamen viele Freunde mich zu besuchen, unter andern Peter Landi, der beste und liebste, den ich auf der Welt gehabt hatte. Den andern Tag kam ein gewisser Niccolò da Monte Aguto, auch mein großer Freund, und erzählte, er habe den Herzog sagen hören: Er hätte besser getan zu sterben, denn ich werde ihm niemals verzeihen, und nun hab' ich ihn am Stricke. Ich antwortete meinem Freunde, der ganz außer sich vor Bangigkeit war: Meister Niccolò, erinnert Seine Exzellenz, daß Papst Clemens mich auch einmal übereilt bestrafen wollte; er solle mich beobachten lassen, und wenn ich gesund bin, wollte ich ihm zeigen, daß er nicht viel so treue Diener hat; irgendein Feind hat mir bei ihm diesen bösen Dienst geleistet.

Dieser Feind war, wie ich wohl erfuhr, Georg Vasellai (Vasari), Maler von Arezzo. Wahrscheinlich verleumdete er mich aus Dank für die Wohltaten, die ich ihm erzeigt hatte. Schon in Rom, wo ich ihn aufnahm und ihn unterhielt, kehrte er mein Haus das Oberste zuunterst. Er hatte so einen gewissen trocknen Ausschlag, und seine Hände waren immer gewohnt zu kratzen; da schlief er mit einem guten Knaben, den ich hatte, der sich Manno nannte, er glaubte sich zu kratzen, und hatte mit seinen schmutzigen Pfoten, an denen er niemals die Nägel abschnitt, seinem armen Schlafgesellen das ganze Bein abgeschunden. Manno ging aus meinen Diensten und schwur ihn totzuschlagen, ich aber suchte die Sache beizulegen. So versöhnte ich auch den Kardinal Medicis mit gedachtem Georg und half ihm auf alle Weise. Zum Dank erzählte er nun dem Herzog Alexander, daß ich von Seiner Exzellenz übel gesprochen habe; ich hätte mich vermessen, in Verbindung mit den Ausgewanderten, zuerst die Mauer von Florenz zu ersteigen. Nachher erfuhr ich wohl, daß der treffliche Herr Octaviano Medicis, der sich an mir wegen des Verdrusses über die Münze rächen wollte, den er nach meiner Abreise von Florenz mit dem Herzog gehabt hatte, ihm die Worte in den Mund gelegt habe.

Ich hatte an dieser Nachrede nicht die mindeste Schuld und fürchtete mich auch nicht im geringsten. Der geschickte Meister Franz da Monte Varchi sorgte für meine Gesundheit; ihn hatte mein liebster Freund Lukas Martini zu mir geführt, der den größten Teil des Tages bei mir zubrachte.

Indessen hatte ich meinen getreuen Felix wieder nach Rom geschickt, um meinen Sachen vorzustehen, und als ich mich nach vierzehn Tagen wieder ein wenig erholt hatte, ob ich gleich noch nicht auf den Füßen stehen konnte, ließ ich mich in den Palast Medicis, auf die Terrasse tragen, und setzte mich, um zu warten bis der Herzog vorbeiging. Da versammelten sich meine vielen Freunde, die ich am Hof hatte, und verwunderten sich, daß ich ohne meine Genesung abzuwarten mich dem Herzog vorstellen wollte. Alle verwunderten sich nicht sowohl, weil sie mich für tot gehalten hatten, sondern weil ich wie ein Toter aussah. Da sprach ich in aller Gegenwart: Es hat mich ein nichtswürdiger Mensch beim Herzog verleumdet, als wenn ich Übels von Seiner Exzellenz gesprochen und mich vermessen hätte, zuerst ihre Mauern zu übersteigen. Nun kann ich nicht leben noch sterben, ehe ich diese Schande von mir gewälzt habe und bis ich weiß, wer der Verräter ist.

Inzwischen hatten sich mehrere Edelleute versammelt, die mir alle großen Anteil bezeugten; der eine sagte dies, der andere jenes, und ich versetzte, daß ich nicht von hinnen gehen wollte, ohne meinen Ankläger zu kennen. Da trat zwischen sie alle Meister Augustin, der Schneider des Herzogs, hinein und sagte: Wenn du weiter nichts wissen willst, das kannst du bald erfahren. In demselben Augenblick ging Meister Georg, der obbenannte Maler, vorbei, da sagte Augustin: Hier ist dein Ankläger, nun magst du dich weiter erkundigen. Lebhaft, ob ich mich gleich nicht vom Platze bewegen konnte, fragte ich Georgen, ob es wahr sei? Dieser leugnete die ganze Sache. Augustin aber versetzte: Du Galgenschwengel, weißt du nicht wie genau ich davon unterrichtet bin? Sogleich ging Georg hinweg und verharrte auf seinem Leugnen. Kurz darauf ging der Herzog vorbei; ich ließ mich aufheben und unterstützen, und er blieb stehen. Ich sagte ihm, daß ich in diesem Zustande nur gekommen sei, um mich zu rechtfertigen. Der Herzog sah mich an und war verwundert mich lebendig zu sehen; dann sagte er, ich sollte redlich und brav sein und an meine Gesundheit denken.

Da ich nach Hause kam, besuchte mich Niccolò da Monte Aguto und sagte mir, ich sei für diesmal einer der größten und denklichsten Gefahren entgangen, er habe mein Unglück mit unauslöschlicher Tinte geschrieben gesehen, ich sollte nur suchen bald gesund zu werden und alsdann mit Gott mich davonmachen; denn es gedenke mir's ein Mann, der nicht leicht vergesse. Dann sagte er: Bedenk nur, was du dem Oktavian Medicis für Verdruß gemacht hast! Ich antwortete, daß ich ihm keinen, er wohl aber mir genug gemacht habe. Da erzählte ich ihm die Geschichte von der Münze, worauf er mir sagte: Gehe mit Gott so geschwind als du kannst und sei nur ruhig, denn geschwinder als du denkst wirst du dich gerochen sehen. Ich sorgte für meine Gesundheit und unterrichtete Peter Paulen weiters, wie er sich in verschiedenen Fällen wegen der Stempel zu verhalten habe; dann kehrte ich nach Rom zurück, ohne mich vom Herzog, oder sonst jemand, zu beurlauben.

Nachdem ich mich in Rom mit meinen Freunden genug ergötzt hatte, fing ich die Medaille des Herzogs an und hatte schon in wenig Tagen den Kopf in Stahl gegraben, das schönste Werk das mir jemals in dieser Art gelungen war. Da kam wenigstens alle Tage einmal ein gewisser alberner Mensch, Franziskus Soderini, ein florentinischer Emigrierter, zu mir und sagte, da er meine Arbeit sah: Grausamer, so willst du uns doch den rasenden Tyrannen unsterblich machen! an deiner vortrefflichen Arbeit sieht man wohl, daß du unser grimmiger Feind und ebensosehr Freund von jenem bist. Hat dich der Papst und er nicht zweimal ungerecht wollen aufhängen lassen? Jenes war der Vater, das ist der Sohn, nimm dich nun vorm heiligen Geist in acht. Denn man glaubte ganz gewiß, Herzog Alexander sei der Sohn vom Papst Clemens. Dabei schwur Herr Francesco, wenn er könnte, wollte er mir die Stempel der Medaille entwenden. Ich sagte ihm drauf, es wäre gut, daß ich es wüßte, ich wolle mich vor ihm schon in acht nehmen und er solle sie nicht wieder sehen.

In der Zeit ließ ich nach Florenz wissen, man möchte Lorenzinen an die Rückseite der Schaumünze erinnern, die er mir versprochen habe. Niccolò da Monte Aguto, dem ich geschrieben hatte, antwortete mir, er habe den närrischen, hypochondrischen Philosophen, den Lorenzin, gesprochen, der ihn versichert habe, er denke Tag und Nacht an nichts anders und wolle sobald als möglich die Rückseite liefern. Doch riet mir mein Freund, ich solle darauf nur nicht weiter hoffen, die Rückseite nach meiner Erfindung vollenden, und wenn ich fertig sei, dem Herzog Alexander die Arbeit freien Mutes überbringen. Ich machte darauf eine Zeichnung und arbeitete fleißig vorwärts. Da ich mich aber noch nicht ganz von meiner entsetzlichen Krankheit erholt hatte, ging ich manchmal mit meinem lieben Felix auf die Jagd, der zwar nichts von meiner Kunst verstand, weil wir aber Tag und Nacht beisammen waren, von einem jeden für einen großen und trefflichen Meister gehalten wurde. Er war sehr angenehm und munter, und wir lachten oft über den großen Ruf, den er sich erworben hatte. Besonders scherzte er manchmal mit einer Anspielung auf seinen Namen, indem er Felix Guadagni hieß, daß sein Gewinn gering sein würde, wenn ich ihn nicht zu einem so großen Gewinner gemacht hätte. Ich sagte ihm darauf, es gäbe zwei Arten zu gewinnen, einmal für sich und dann für andere; an ihm hätte ich die zweite Art zu loben, denn er habe mir das Leben gewonnen.

Auf diese Weise unterhielten wir uns öfters, und einmal vorzüglich, am Feste Epiphania (1537), da wir auf der Jagd waren, wo ich viel schoß und wieder recht krank hätte werden können, weil sich noch abends, indem ich eine getroffene Ente aus dem Graben holen wollte, mein rechter Stiefel mit Wasser füllte und mir bei der großen Kälte der Fuß erstarrt wär', wenn ich nicht sogleich den Stiefel mit Entenflaumen angefüllt hätte.

Wir ritten wieder nach Rom zurück, es war schon Nacht; und als wir auf eine kleine Höhe gelangten und nach der Gegend von Florenz hinsahen, riefen wir beide zugleich aus: Gott im Himmel, was ist das für ein Zeichen, das über Florenz steht? Es war wie ein großer Feuerbalke, der funkelte und den stärksten Glanz von sich gab. Ich sagte zu Felix: Wir werden bald hören, daß etwas Großes in Florenz vorgefallen ist. So kamen wir nach Rom in finstrer Nacht, ich stürzte noch über und über mit dem Pferde, das sehr brav war, und einen Schutthaufen hinaufsprang, den ich nicht bemerkt hatte; doch tat ich mir, durch Gottes Hülfe, keinen Schaden, speiste abends mit guten Freunden, da denn noch viel von unsern Jagdstückchen, besonders auch von dem Feuerbalken, gesprochen wurde. Jeder fragte, was das wohl bedeuten möchte, worauf ich sagte: Wir werden schon was Neues von Florenz hören.

Den folgenden Abend spät kam die Nachricht von dem Tode des Herzogs Alexander, und meine Bekannten wunderten sich, wie wahr ich gesprochen hatte. Da kam auf einem Maultiere, mit Bocksprüngen, Franziskus Soderini herbeigehüpft, lachte unterweges wie ein Narr und rief: Da hast du die Rückseite zur Medaille des schändlichen Tyrannen; Lorenzin hat sein Wort gehalten. Du wolltest die Herzoge verewigen, wir wollen keine Herzoge mehr! Und so trutzte er mir spöttisch, als wenn ich ein Haupt der Sieben gewesen wäre, welche den Herzog zu wählen pflegen. Nun kam auch noch ein gewisser Baccio Bettini dazu, der einen garstigen dicken Kopf, wie ein Korb, hatte und mich aufziehen wollte. Haben wir sie doch entherzogt! rief er; wir wollen keine Herzoge mehr und du wolltest sie unsterblich machen!

Diese und andere verdrießliche Reden wurden mir denn doch zuletzt lästig, und ich sagte: O, ihr albernen Menschen! Ich bin ein armer Goldschmied, ich diene jedem, der mich bezahlt, und ihr begegnet mir, als wenn ich das Haupt einer Partei wär'. Wollte ich euch Ausgewanderten jetzt eure ehemalige Unersättlichkeit, eure Narrheiten und euer ungeschicktes Betragen vorwerfen, so hätte ich viel zu tun. Aber so viel sollt ihr, bei eurem albernen Lachen, nur wissen, ehe zwei, oder höchstens drei Tage vergehen, werdet ihr einen neuen Herzog haben, der viel schlimmer ist als der letzte.

Den andern Tag kam Bettini wieder an meine Werkstatt und sagte: Wahrlich du brauchst kein Geld für Kuriere auszugeben, denn du weißt die Dinge, ehe sie geschehen; was für ein Geist offenbart dir das? Dann sagte er mir, daß Cosmus Medicis, Sohn des Herrn Johannes, Herzog geworden sei; doch nur unter gewissen Bedingungen, die ihn abhalten würden nach Belieben zu schalten und zu walten. Da kam nun die Reihe, über sie zu lachen, an mich, wobei ich sagte: Die florentinischen Bürger haben einen Jüngling auf ein herrliches Pferd gehoben, sie haben ihm die Sporen selbst angeschnallt und ihm den Zaum frei in die Hand gegeben, dann haben sie ihn in das schönste Feld geführt, wo Blumen, Früchte und unzählige Reizungen sind, und haben ihm dabei gesagt, er möchte nur gewisse bestimmte Grenzen nicht überschreiten. Nun sagt mir: wer will ihn halten, wenn er Lust hat darüber hinaus zu gehen? Kann man dem Gesetze geben, den man so zum Herrn macht? Von der Zeit an ließen sie mich in Ruh, ich war ihr verdrießlich Geschwätze losgeworden und arbeitete immer fleißig in meiner Werkstatt, aber keine bedeutenden Sachen; denn es lag mir vorzüglich an der Wiederherstellung meiner Gesundheit, die noch nicht ganz befestigt war.

Indessen kam der Kaiser siegreich von seiner Unternehmung auf Tunis zurück, und der Papst schickte nach mir, um sich zu beraten, was er für ein würdiges Geschenk dem Kaiser machen könnte. Ich versetzte, daß ich für sehr schicklich hielt Seiner Majestät ein goldenes Kreuz mit einem Christusbilde zu verehren, wozu ich die Zieraten gewissermaßen schon fertig hätte; dadurch würden mir Seine Heiligkeit auch eine besondere Gnade erzeigen, denn drei runde Figürchen von Gold, ungefähr einen Palm groß, stünden schon da. Es waren jene Figuren, die ich für den Kelch des Papst Clemens gearbeitet hatte, die Glaube, Hoffnung und Liebe vorstellten. Sogleich fügte ich alles übrige von Wachs dazu, nicht weniger das Modell von dem Christusbilde, und andere sehr schöne Zieraten. Der Papst war alles sehr wohl zufrieden, und wir verglichen uns wie es gemacht werden sollte; auch wurden wir einig über den Preis. Das war vier Uhr in der Nacht, und der Papst hatte Herrn Latino Juvenale Befehl und Auftrag gegeben, mir des andern Morgens das Geld auszahlen zu lassen. Diesem Herrn Latino, der eine gewaltige Narrenader im Leibe hatte, fiel es ein, eine eigene Erfindung dem Papst aufzudrungen, und so zerstörte er alles was ausgemacht war.

Des Morgens, da ich das Geld von ihm zu erhalten dachte, sagte er mit seinem bestialischen Dünkel: Uns gehört die Erfindung, und ihr mögt immerhin ausführen; ehe ich gestern abend vom Papste wegging, haben wir uns Besseres ausgedacht. Da ließ ich ihn gleich nicht weiter reden und versetzte: Weder ihr noch der Papst könnt was Besseres erdenken, als wo Christus und sein Kreuz gegenwärtig ist. So sagt denn aber euer höfisches Geträtsch nur heraus. Zornig, und ohne ein Wort zu reden, ging er fort und suchte die Arbeit einem andern zuzuwenden; der Papst ließ sich aber darauf nicht ein, schickte nach mir und sagte, daß ich wohl gesprochen hätte; sie wollten aber ein kleines Brevier, zu Ehren der Mutter Gottes, das ganz herrlich gemalt sei, dem Kaiser zum Geschenk bestimmen. Dem Kardinal Medicis habe die Miniatur mehr als zweitausend Scudi gekostet, man müsse sich gegenwärtig nach der Zeit richten, denn der Kaiser werde in sechs Wochen erwartet, nachher könne man ihm noch immer das Geschenk, das ich vorgeschlagen hätte, und das seiner würdig sei, verehren. Das Büchlein sollte einen Deckel von massivem Golde habe, reich gearbeitet und mit vielen Edelsteinen geziert, sie mochten ungefähr sechstausend Scudi wert sein. Ich erhielt sie und das Gold, legte fleißig Hand an, und in wenig Tagen erschien das Werk schon von solcher Schönheit, daß der Papst sich verwunderte und mir außerordentliche Gunst bezeigte. Besonders war ausgemacht, daß die Bestie, der Juvenal, mir nicht zu nahe kommen sollte.

SIEBENTES KAPITEL

Kaiser Karl V. hält einen prächtigen Einzug in Rom. – Schöner Diamant, den dieser Fürst dem Papste schenkt. – Herr Durante und der Autor werden von Seiner Heiligkeit befehligt, die Geschenke dem Kaiser zu bringen. – Diese waren zwei türkische Pferde und ein Gebetbuch mit einem goldenen Deckel. – Der Autor hält eine Rede an den Kaiser, der sich mit ihm freundlich bespricht. – Ihm wird aufgegeben den Diamanten zu fassen, den der Kaiser dem Papste geschenkt hatte. – Herr Latino Juvenale erfindet einige Geschichten, um Seine Heiligkeit gegen den Verfasser einzunehmen, der, als er sich vernachlässigt hält, nach Frankreich zu gehen den Entschluß faßt. – Wunderbare Geschichte seines Knaben Ascanio.

Ich hatte das Werk fast vollendet, als der Kaiser eintraf, dem man die herrlichsten Triumphbogen erbauet hatte. Die Pracht seines Einzuges mögen andere beschreiben; denn ich will mich nur auf das, was mich selbst angeht, einschränken. Gleich bei seiner Ankunft schenkte er dem Papst einen vortrefflichen Diamanten, den er für zwölftausend Scudi gekauft hatte. Der Papst übergab mir ihn sogleich, daß ich ihn in einen Ring nach dem Maß des Fingers Seiner Heiligkeit fassen sollte, doch wollte er erst das Büchelchen sehen, und wie weit ich damit sei? Als ich es brachte, war der Papst sehr damit zufrieden, und befragte mich, was man wohl für eine gültige Entschuldigung finden könnte, da man das Werk dem Kaiser unvollendet überreichen müsse? Ich versetzte darauf, daß ich wohl nur meine Krankheit anführen dürfte, und Seine Majestät, wenn sie mich so blaß und mager sähen, würden diese Entschuldigung wohl gelten lassen. Darauf versetzte der Papst, das sei ganz recht, ich sollte aber, wenn ich dem Kaiser das Geschenk brächte, hinzusetzen, der Papst mache Seiner Majestät ein Geschenk mit mir selbst, und darauf sagte er mir die Worte vor, wie ich mich ausdrücken sollte. Ich wiederholte sie ihm sogleich und fragte, ob es so recht sei? Er versetzte: Das wäre wohl gut und schön, wenn du auch das Herz hättest, dich vor einem Kaiser so auszudrücken. Darauf antwortete ich, es solle mir nicht an Mut fehlen noch viel mehrers zu sagen, denn der Kaiser sei nur gekleidet wie ich, und ich würde glauben mit einem Menschen von meiner Art zu reden, aber so gehe es mir nicht, wenn ich mit Seiner Heiligkeit spräch', in der ich eine höhere Gottheit erblickte, sowohl wegen der Würde der geistlichen Kleidung und Zierde als wegen des schönen Alters Seiner Heiligkeit, wodurch ich weit mehr in Verlegenheit gesetzt würde, als die Gegenwart des Kaisers jemals über mich vermöchte. Darauf sagte der Papst: Gehe, mein Benvenuto, du bist ein tüchtiger Mann, mache uns Ehre, und es soll dir fruchten.

Der Papst bestimmte noch zwei türkische Pferde für den Kaiser, die seinem Vorfahren Clemens gehört hatten, keine schönern waren jemals in die Christenheit gekommen. Er gab Durante, seinem Kämmerer, den Auftrag, er solle sie hinunter in die Galerie des Palastes führen und sie dort dem Kaiser verehren. Zugleich legte er ihm die Worte in den Mund, die er zu sagen hatte. Wir gingen zusammen hinunter, und als wir vor den Kaiser kamen, führte man die beiden Pferde herein, die mit solcher Majestät und Geschick durch die Zimmer schritten, daß der Kaiser und jedermann darüber erstaunt war. Da trat nun auch Herr Durante hervor, mit den ungeschicktesten Manieren, und verwickelte sich mit gewissen brescianischen Redensarten die Zunge dergestalt im Munde, daß man nichts Schlimmeres hätte hören noch sehen können und der Kaiser einigermaßen zum Lachen bewegt wurde.

Inzwischen hatte ich auch meine Arbeit aufgedeckt, und da ich merkte, daß der Kaiser auf die gefälligste Weise sich nach mir umsah, trat ich hervor und sagte: Geheiligte Majestät, unser heiligster Papst Paul läßt dieses Brevier Eurer Majestät überreichen, es ist geschrieben und gemalt von der Hand des größten Mannes, der jemals diese Kunst getrieben. Der reiche Deckel von Gold und Edelsteinen ist, wegen meiner Krankheit, unvollendet, deswegen übergibt Seine Heiligkeit auch mich zugleich mit dem Buche, damit ich es bei Eurer Majestät vollende, wie alles übrige was sie sonst zu befehlen haben möchte, und ihr diene, solange ich lebe. Darauf antwortete der Kaiser: Das Buch ist mir angenehm und ihr seid es auch; aber ihr sollt es mir in Rom vollenden. Ist es fertig und seid ihr geheilt, so kommt und bringt mir's. Indem er nun weiter mit mir sprach, nannte er mich beim Namen, worüber ich mich sehr verwunderte: denn mein Name war bisher in der Unterredung nicht vorgekommen. Er sagte darauf, er habe den Knopf des Pluvials gesehen, worauf ich für Papst Clemens so wundernswürdige Figuren gemacht habe. So sprachen wir umständlich eine ganze halbe Stunde, von verschiedenen trefflichen und angenehmen Gegenständen uns unterhaltend; und da mir weit größere Ehre widerfahren war, als ich mir versprochen hatte, ergriff ich eine kleine Pause des Gesprächs, neigte mich und ging weg.

Der Kaiser soll gesagt haben, man zahle sogleich fünfhundert Goldgulden an Benvenuto; und der, der sie hinauftrug, fragte, wo der Diener des Papstes sei, der mit dem Kaiser gesprochen habe. Da zeigte sich Herr Durante, und entwendete mir die fünfhundert Gulden. Ich beklagte mich darüber beim Papste, der mir sagte, ich sollte ruhig sein! Er wisse, wie gut ich mich bei meiner Unterredung mit dem Kaiser gehalten habe, und von dem Gelde solle mir gewiß mein Teil nicht fehlen.

Ich kehrte in meine Werkstatt zurück und arbeitete mit großer Sorgfalt, den Diamanten zu fassen. Da schickte mir der Papst die vier ersten Juweliere von Rom zu, denn man hatte ihm gesagt der Stein sei durch den ersten Goldschmied der Welt, Meister Milano Targhetta in Venedig, gefaßt worden, und da der Diamant ein wenig zart sei, so müsse man beim Fassen mit vieler Vorsicht zu Werke gehn. Unter diesen vier Meistern war ein Mailänder, Cajo genannt, eine eingebildete Bestie. Was er am wenigsten verstand, glaubte er eben am besten zu verstehen. Die übrigen waren bescheidene und geschickte Leute. So fing denn auch der Cajo vor allen andern an zu reden und sagte: Bleibe ja bei der Folie des Milano, denn vor der mußt du die Mütze abnehmen.

Beim Fassen ist es die größte Kunst, die rechte Folie zu finden. Milano ist der größte Juwelier, und das ist der gefährlichste Diamant.

Darauf versetzte ich: Desto größer ist die Ehre, in einer solchen Kunst mit einem so trefflichen Manne zu wetteifern. Dann wendete ich mich zu den andern Meistern und sagte: Seht! hier verwahre ich die Folie des Milano; ich will nun einige selbst versuchen und sehen, ob ich sie besser machen kann. Gelingt es mir nicht, so will ich diese unterlegen. Nun, sagte Cajo, wenn dir das gerät, so will ich gern selbst die Mütze abziehen.

Nun fing ich mit großem Fleiß an, verschiedene Folien zu machen, deren Bereitung ich euch an einem andern Orte lehren will. Gewiß ist es, dieser Diamant war der bedenklichste, der mir vor- und nachher in die Hand kam, und die Folie des Mailänders war trefflich gemacht; doch ließ ich nicht nach, schärfte die Werkzeuge meines Verstandes und erreichte jene nicht nur, sondern übertraf sie wirklich. Da ich nun meinen Vorgänger übertroffen hatte, ging ich darauf aus mich selbst zu übertreffen, und es gelang mir, auf einem neuen Wege, noch eine vollkommnere Folie zu finden.

Da ließ ich die Goldschmiede berufen und zeigte ihnen den Diamant mit der Folie des Milano, und hernach mit der meinen; darauf sagte Raffael del Moro, der geschickteste unter ihnen: Benvenuto hat die Folie des Milano übertroffen! Cajo wollte es nicht glauben, und kaum hatte er den Diamanten in der Hand, so rief er: Der Stein ist zweitausend Dukaten mehr wert als vorher! Nun versetzte ich: Da ich einen solchen Meister übertroffen habe, laßt sehen, ob ich mich selbst übertreffen kann. Darauf bat ich, sie möchten einen Augenblick verziehen, ging auf meinen Altan und schob die andere Folie unter. Als ich den Stein zurückbrachte, rief Cajo: So etwas habe ich in meinem Leben nicht gesehen, der Stein ist jetzt mehr als achtzehntausend wert, da wir ihn vorher nur auf zwölftausend geschätzt hatten. Die andern Goldschmiede sagten darauf: Benvenuto ist die

Ehre unserer Kunst, und wir müssen vor ihm und seinen Folien die Mütze wohl abnehmen. Cajo sagte: Jetzt will ich gleich zum Papste gehen, er soll tausend Goldgulden für die Fassung zahlen. Auch lief er wirklich sogleich hin und erzählte alles. Darauf schickte der Papst desselbigen Tages dreimal, ob der Ring nicht fertig wäre?

Um dreiundzwanzig trug ich den Ring hinauf und, weil ich freien Eintritt hatte, so hub ich den Vorhang an der Türe bescheiden auf. Ich sah den Papst mit dem Marchese del Guasto sprechen, sie schienen über gewisse Dinge nicht einig zu sein, und ich hörte den Papst sagen: Es geht nun einmal nicht, ich muß neutral bleiben, sonst hab' ich nichts zu tun. Ich zog mich sogleich zurück; der Papst rief mich. Schnell trat ich hinein, und da ich ihm den schönen Diamant überreichte, zog er mich ein wenig beiseite und der Marchese entfernte sich. Indem der Papst den Diamant ansah, sagte er leise: Benvenuto, fange etwas mit mir zu reden an, das wichtig aussieht, und höre nicht auf, solange der Marchese im Zimmer ist. Nun ging er mit mir auf und ab, es gefiel mir, daß ich mich bei dieser Gelegenheit zeigen konnte, und ich fing nun an dem Papst zu erzählen, wie ich mich benommen hätte, dem Diamant die schöne Folie zu geben.

Der Marchese lehnte sich zur Seite an die Tapeten und wiegte sich von einem Fuß auf den andern; nun hatte ich zu meinem Diskurs ein solches Thema, daß ich drei ganze Stunden hätte reden können, um es recht auszuführen. Der Papst hörte mir mit Vergnügen zu und schien die unangenehme Gegenwart des Marchese zu vergessen. Ich hatte denn auch in meinen Vortrag den Teil von Philosophie gemischt, der zu dieser Kunst nötig ist, und hatte so beinahe eine Stunde gesprochen; endlich fing es an den Marchese zu verdrießen, und er ging halb erzürnt hinweg. Da erzeigte mir der Papst die vertrautesten Liebkosungen und sagte: Sei nur fleißig, Benvenuto, ich will dich anders belohnen als mit den tausend Gulden, die mir Cajo vorgeschlagen hatte.

ZWEITES BUCH · SIEBENTES KAPITEL

Als ich weg war, lobte mich der Papst vor seinen Leuten, worunter denn auch Latino Juvenale sich befand. Der war nun mein abgesagter Feind geworden und suchte mir auf alle mögliche Weise zu schaden. Als er sah, daß der Papst mit so vieler Neigung und Kraft von mir sprach, versetzte er: Es ist kein Zweifel, Benvenuto ist ein Mann von außerordentlichen Talenten und es ist ihm nicht zu verargen, daß er von seinen Landsleuten vorteilhaft denkt, nur sollte er auch wissen, wie man von einem Papste spricht; denn es ist doch unvorsichtig, wenn er sagt, Clemens sei der schönste Fürst gewesen, und dabei der würdigste, nur habe er leider kein Glück gehabt; bei Eurer Heiligkeit sei es ganz umgekehrt, die Krone scheine sich auf Ihrem Haupte zu betrüben, man glaube nur einen gekleideten Strohmann zu sehen und nur Ihr gutes Glück sei zu rühmen. Diese Worte brachte er mit einer so ungezwungenen Art vor, daß sie leider nur eine zu starke Wirkung taten und der Papst ihnen Glauben beimaß, da ich sie doch weder jemals gesagt, noch auch irgend so etwas gedacht hatte. Wäre es dem Papste möglich gewesen, mir mit Ehren etwas Unangenehmes zu erzeigen, so hätte er es wohl getan; aber als ein Mann von großem Geiste schien er darüber zu lachen. Demohngeachtet behielt er einen unversöhnlichen Haß gegen mich, wie ich bald merkte; denn ich konnte nur mit großer Mühe in die Zimmer gelangen. Da sah ich nun, als einer der an diesem Hofe viele Jahre gelebt hatte wohl ein, daß mir jemand einen schlechten Dienst geleistet habe. Ich erkundigte mich auf geschickte Weise darnach und erfuhr die üble Nachrede, aber nicht den Urheber. Ich konnte mir auch damals nicht vorstellen, wer es gewesen sein könnte; hätte ich es gewußt, so hätte ich ihm die Rache mit dem Kohlenmaße zugemessen.

Als das Büchelchen fertig war, brachte ich es dem Papst, der, als er es erblickte, sich nicht enthalten konnte, mich höchlich zu loben; darauf bat ich ihn, er möchte mich es auch, wie er es mir versprochen, hinbringen lassen. Er versetzte, ich hätte meine Arbeit getan, und er wolle nun tun was ihm gefiele. Und so befahl er, ich sollte gut bezahlt werden. Ich erhielt fünfhundert Goldgulden, so viel hatte ich ungefähr in zwei Monaten verdient, und alles übrige, was er mir versprochen hatte, war zunichte. Man rechnete den Ring für hundertundfünfzig Gulden, das übrige war für das Büchelchen, woran ich mehr als tausend verdient hatte; denn die Arbeit war äußerst reich an Figuren, Laubwerk, Schmelz und Juwelen. Ich nahm eben was ich haben konnte, und setzte mir vor, mit Gott, Rom zu verlassen. Der Papst schickte Herrn Sforza, einen seiner Nepoten, mit dem Büchelchen zum Kaiser, der es sehr lobte und äußerst zufrieden war, auch sogleich nach mir fragte. Der junge Sforza, den man schon abgerichtet hatte, versetzte, wegen meiner Krankheit sei ich nicht selbst gekommen; das erfuhr ich alles wieder.

ACHTES KAPITEL

Der Autor zieht mit Ascanio nach Frankreich und kommt über Florenz, Bologna und Venedig nach Padua, wo er sich einige Zeit bei dem nachherigen Kardinal Bembo aufhält. — Großmütiges Betragen dieses Herrn gegen Cellini. — Dieser setzt bald seine Reise fort, indem er durch die Schweiz geht. — Mit großer Lebensgefahr schifft er über den Wallenstädter See. — Er besucht Genf, auf seinem Wege nach Lyon, und nachdem er sich vier Tage in gedachter Stadt befunden, gelangt er glücklich nach Paris.

Indessen machte ich Anstalt nach Frankreich zu gehen, und ich hätte die Reise wohl allein unternommen, wäre nicht ein junger Mensch namens Ascanio gewesen, der sich schon eine Zeitlang in meinen Diensten befand. Er war sehr jung und der beste Diener von der Welt. Er hatte vorher bei einem gewissen spanischen Goldschmied namens Francesco gedient, und ich sagte ihm mehr als einmal, daß ich ihn nicht zu mir nehmen wollte, um mit seinem Meister nicht in Streit zu geraten. Der Knabe, der aber nun einmal Verlangen zu mir hatte, trieb es so lange, bis mir sein Meister selbst ein Billet schrieb, worin er mir den Jungen willig überließ. So blieb er mehrere Monate bei mir, und war mager und eingefallen; wir nannten ihn nur unser Altchen, und man hätte wirklich denken sollen, daß er alt sei, denn er diente fürtrefflich, war so vernünftig und kaum schien es möglich, daß jemand im dreizehnten Jahre so viel Verstand haben könnte. In kurzer Zeit hatte sich der Knabe wieder erholt, und indem sein Körper zunahm, ward er der schönste Jüngling von Rom, und neben seinen übrigen Tugenden ward er auch in der Kunst fürtrefflich; ich liebte ihn wie meinen Sohn und hielt ihn auch so in der Kleidung. Als der Knabe sich wieder hergestellt sah, war er ganz entzückt über das Glück, das ihn in meine Hände geführt hatte, und ging oft seinem Meister zu danken, der sich in dieser Sache hatte so willig finden lassen. Nun hatte der Meister eine schöne junge Frau, die sagte zum Knaben: Wie bist du nun so schön geworden? Darauf antwortete Ascanio: Es ist mein Meister der mich schön, der mich aber auch gut gemacht hat. Das mochte dem Weibe gar nicht gefallen, und da sie es mit ihrem guten Rufe gar nicht genau nahm, mochte sie den Jüngling mit allerlei Liebreizungen an sich locken, die eben nicht die ehrbarsten waren, und ich merkte wohl, daß er anfing, mehr als gewöhnlich seine ehemalige Meisterin zu besuchen.

Nun begab sich's, daß er eines Tages einen meiner Lehrpursche ohne Ursache geschlagen hatte, der sich, als ich nach Hause kam, darüber beklagte und versicherte, Ascanio habe nicht die mindeste Ursache dazu gehabt. Darauf sagte ich zu diesem: Mit oder ohne Ursache sollst du niemand in meinem Hause schlagen, oder du sollst sehen, wie ich dich treffen will. Als er darauf etwas einwenden wollte, warf ich mich gleich über ihn her und versetzte ihm mit Fäusten und Füßen so rauhe Stöße, als er wohl jemals gefühlt haben mochte. Sobald er nur aus meinen Händen zu entkommen wußte, floh er ohne Jacke und Mütze aus der Werkstatt, und ich wußte zwei Tage nicht wo er war, auch bekümmerte ich mich nicht um ihn. Nach Verlauf derselben kam ein spanischer Edelmann zu mir, der Don Diego hieß und der liberalste Mann war den ich je gekannt habe. Ich hatte für ihn einige Arbeiten vollendet und noch einige unter der Hand, so daß er mein großer Freund war. Er sagte mir, Ascanio sei zu seinem alten Meister zurückgekehrt, und ich möchte doch so gut sein, ihm seine Mütze und Weste wieder zu geben. Ich antwortete, Meister Francesco habe sich übel betragen, und es sei dieses die rechte Art nicht; hätte er mir gleich angezeigt, daß Ascanio sich in seinem Hause befinde, so hätte ich ihm gern den Abschied gegeben, da er ihn aber zwei Tage im Hause gehalten habe, ohne mir es anzuzeigen, so würde ich nicht leiden, daß er bei ihm bliebe, und sie sollten es nur nicht darauf ankommen lassen, daß ich ihn einmal dort erblickte. Alles das überbrachte Don Diego und Francesco spottete nur darüber.

Den andern Morgen sah ich Ascanio, der an der Seite seines Meisters einige Lappalien arbeitete; er grüßte mich, da ich vorbeiging, der Meister aber schien mich beinahe zu verlachen und ließ mir durch Don Diego sagen, wenn mir's beliebte, so möchte ich Ascanio die Kleider schicken, die ich ihm geschenkt hätte; tät' ich's auch nicht, so hätte es nichts zu sagen, Ascanio solle doch Kleider finden. Darauf wendete ich mich zu Diego und sagte: Mein Herr! ich habe keinen edlern und rechtschaffnern Mann gekannt als euch, und davon ist der nichtswürdige Francesco gerade das Gegenteil; sagt ihm von meinetwegen, daß, wenn er mir vor der Nachtglocke nicht den Ascanio hierher in meine Werkstatt bringt, so ermorde ich ihn ohne Umstände, und dem Ascanio sagt, wenn er nicht in der bestimmten Stunde von seinem Meister weggeht, so soll es ihm gleichfalls übel bekommen.

Ohne hierauf etwas zu antworten, ging Don Diego fort, richtete umständlich aus was ich gesagt hatte, und Francesco erschrak dergestalt, daß er nicht wußte was er tun solle. Inzwischen hatte Ascanio seinen Vater aufgesucht, der nach Rom gekommen war, und, nachdem er den Handel erfuhr, dem Francesco gleichfalls riet, den Ascanio zu mir zu führen. Darauf sagte Francesco: So gehe denn nur, Ascanio! dein Vater mag dich begleiten. Darauf versetzte Don

Diego: Francesco, ich befürchte irgendein großes Unglück. Du kennst Benvenuto besser als ich, führe ihn sicher zurück, ich gehe mit dir. Indessen hatte ich mich zu Hause vorbereitet, ging in meiner Werkstatt auf und ab und erwartete den Schlag der Abendglocke, völlig entschlossen, die fürchterlichste Handlung meines Lebens zu begehen. Endlich traten herein Don Diego, Francesco, Ascanio, und der Vater, den ich nicht kannte; ich sah sie alle mit einem fürchterlichen Blick an. Francesco, ganz blaß, sagte: Siehe, hier ist Ascanio, den ich bisher bei mir gehabt habe, ohne daß es meine Absicht war, dir Mißvergnügen zu machen. Ascanio sagte voll Ehrfurcht: Meister! verzeiht mir, ich bin hier, alles zu tun was ihr befehlet. Darauf versetzte ich: Bist du gekommen, deine versprochene Zeit bei mir auszuhalten? Ja, sagte er, und ich will niemals wieder von euch weichen. Darauf wendete ich mich und befahl dem Lehrpurschen, den er geschlagen hatte, das Bündel Kleider zu holen; hier ist, sagte ich zu Ascanio, was ich dir geschenkt hatte, nimm zugleich deine Freiheit und gehe wohin du willst. Don Diego, der ganz etwas anderes erwartete, stand verwundert, indessen bat mich Ascanio, ich möchte ihm verzeihen, und ihn wieder nehmen; das gleiche tat der fremde Mann, der dabei stund. Ich fragte ihn, wer er sei, er sagte, daß er der Vater wär', und fuhr zu bitten fort; endlich versetzte ich: Aus Liebe zu euch mag's geschehen.

Nun hatte ich mich, wie schon oben erwähnt ist, entschlossen nach Frankreich zu gehen. Da der Papst mich nicht, wie sonst, mit günstigen Augen ansah, durch böse Zungen mein gutes Verhältnis gestört worden war, und ich sogar befürchten mußte, daß es noch schlimmer werden könnte, so wollte ich in ein besseres Land, und mit Gottes Hülfe ein besseres Glück suchen, und gedachte mich allein auf den Weg zu machen.

Als ich eines Abends meine Reise für den andern Morgen beschlossen hatte, sagte ich meinem treuen Felix, er sollte sich aller meiner Sachen bis zu meiner Rückkunft bedienen, und wenn ich außen bliebe, sollte alles sein gehören. Nachher setzte ich mich noch mit einem Peruginer Gesellen auseinander, der mir geholfen hatte die Arbeit für den Papst zu endigen; ich entließ ihn und bezahlte seine Arbeit, er aber bat mich, ich möchte ihn mit mir nehmen, er wolle die Reise auf seine Kosten machen. Nun war er freilich, wenn ich in Frankreich Arbeit finden sollte, der beste von den Italienern, die ich kannte, um mir zu helfen und beizustehen; da ließ ich mich denn überreden und nahm ihn mit, auf die Bedingungen, die er mir vorgeschlagen hatte. Ascanio, der bei diesem Gespräche gegenwärtig war, sagte halb weinend: Ihr habt mich wieder genommen, ich habe versprochen, lebenslang bei euch zu bleiben und das will ich auch tun. Ich sagte ihm, diesmal könne ich ihn nun nicht mitnehmen; darauf machte er Anstalt, mir zu Fuße zu folgen. Da ich diesen Entschluß sah, nahm ich ein Pferd auch für ihn, ließ ihn einen Mantelsack aufbinden, und so hatte ich mich viel mehr belästigt, als zuerst meine Absicht war.

So zog ich auf Florenz, nach Bologna, Venedig und von da nach Padua. Aus dem Wirtshause holte mich Herr Albertaccio del Bene, mein werter Freund. Den andern Tag ging ich Herrn Peter Bembo die Hand zu küssen, der damals noch nicht Kardinal war; er empfing mich mit außerordentlichen Liebkosungen, dann wendete er sich zu Albertaccio und sagte: Benvenuto soll mit allen seinen Leuten bei mir wohnen, und wenn es hundert wären; auch ihr bleibt nur gleich in meinem Hause, denn auf andere Weise kann ich ihn euch nicht überlassen. Und so genoß ich des Umgangs dieses trefflichsten Herrn.

Er hatte mir ein Zimmer eingeräumt, das zu ehrenvoll für einen Kardinal gewesen wär', und verlangte, daß ich beständig an Seiner Gnaden Seite speisen sollte; sodann zeigte er, auf die bescheidenste Weise, im Gespräche sein Verlangen von mir abgebildet zu sein, und ich, der ich nichts mehr in der Welt wünschte, bereitete mir sogleich in ein Schächtelchen die weißeste Masse und fing an diesen geistreichen

Kopf mit so guter Art zu entwerfen, daß Seine Gnaden ganz erstaunt darüber waren.

Nun war er in den Wissenschaften der größte Mann und außerordentlich in der Poesie; aber von meiner Kunst verstanden Seine Gnaden auch gar nichts, so daß sie glaubten, ich wäre fertig, als ich kaum angefangen hatte, und ich konnte ihm nicht begreiflich machen, daß man viel Zeit brauche, um so etwas gut zu machen. Ich aber entschloß mich, so viel Zeit und Mühe anzuwenden, als ein solcher Mann verdiente, und da er einen kurzen Bart nach venezianischer Art trug, hatte ich viele Not einen Kopf zu machen, der mir genug tat. Doch ward ich endlich fertig und es schien mir die schönste Arbeit die ich jemals gemacht hatte, was meine Kunst betraf. Er aber war ganz verwirrt, denn er hatte geglaubt, ich würde das Modell in zwei Stunden und den Stempel vielleicht in zehn fertig machen, nun aber sah er wohl, daß ich verhältnismäßig über zweihundert brauchen würde, und noch gar Urlaub nahm, nach Frankreich zu gehen. Da wußte er gar nicht, was er sagen sollte, und verlangte, daß ich nur noch zur Rückseite einen Pegasus, innerhalb eines Myrtenkranzes, abbilden sollte. Das tat ich in drei Stunden und die Arbeit sah sehr gefällig aus. Er war äußerst zufrieden und sagte: Das Pferd scheint mir zehnmal schwerer zu machen als das Köpfchen mit dem ihr euch so sehr gequält habt; ich kann die Schwierigkeit nicht einsehen. Dann bat er mich, ich solle ihm doch noch den Stempel schneiden. Ich weiß, sagte er, ihr macht das so geschwind, als ihr nur wollt. Dagegen versetzte ich, daß ich sie hier nicht machen könne, sobald ich aber irgendwo eine Werkstatt errichtete, sollte es nicht fehlen.

Mittlerweile hatte ich auch um drei Pferde gehandelt, er aber ließ alle meine Schritte beobachten, denn er stand zu Padua in dem größten Ansehn. Als ich nun die Pferde bezahlen wollte, die man mir um funfzig Dukaten überlassen hatte, sagte der Besitzer: Trefflicher Mann! ich verehre euch diese drei Pferde. Darauf antwortete ich: Du verehrst sie mir nicht, und von dem, der sie mir verehrt, darf ich sie nicht annehmen; denn ich habe ihm nichts leisten können. Darauf sagte der gute Mann: Wenn ihr diese Pferde nicht nehmt, so wird man euch gewiß in Padua keine andern geben, und ihr würdet genötigt sein zu Fuße wegzugehn. Darauf ging ich zu Herrn Pietro, der von nichts wissen wollte, und mich aufs freundlichste ersuchte, in Padua zu bleiben. Ich aber, der ich auf alle Weise fort wollte, war genötigt die Pferde anzunehmen, und so reiste ich weiter.

Ich nahm den Weg zu Land durch Graubünden, denn die übrigen waren wegen des Krieges nicht sicher. Wir kamen über den Berg Alba und Merlina nur mit großer Lebensgefahr; denn ob es schon der achte Mai war, lag noch ein außerordentlicher Schnee. Jenseit der Berge blieben wir in einem Orte, der, wenn ich mich recht erinnere, Wallenstadt hieß, und nahmen Quartier daselbst. Die Nacht kam ein florentinischer Kurier zu uns, der sich Burbacca nannte; ich hatte von ihm vormals als von einem wackern Manne reden hören, der in seiner Profession sehr tüchtig sei; ich wußte aber nicht, daß er durch seine Schelmstreiche heruntergekommen war. Als er mich im Wirtshause erblickte, nannte er mich beim Namen und sagte zu mir, er gehe in wichtigen Geschäften nach Lyon, ich solle ihm Geld zur Reise borgen. Darauf antwortete ich: Zum Verborgen habe ich kein Geld, wenn ihr aber mit mir in Gesellschaft kommen wollt, so werde ich bis Lyon für euch bezahlen. Darauf weinte der Schelm, verstellte sich aufs beste und sagte, daß in wichtigen Angelegenheiten der Nation, wenn einem armen Kurier das Geld ausgehe, unsereiner verbunden sei ihm zu helfen. Ferner setzte er hinzu, daß er die wichtigsten Dinge von Herrn Philipp Strozzi bei sich habe, zeigte mir eine lederne Kapsel eines Bechers und sagte mir ins Ohr: in diesem Becher sei ein Edelstein, viele tausend Dukaten an Wert, auch die wichtigsten Briefe von gedachtem Herrn. Darauf sagte ich, ich wollte ihm die Edelsteine in seine Kleider verbergen, wo sie sichrer wären als in diesem Becher, den Becher aber solle er mir lassen, der ungefähr zehn Scudi wert war, ich wollte ihm mit fünfundzwanzig dienen. Darauf versetzte er, wenn es nicht anders gehe, so wollte er mit mir kommen, denn es würde ihm nicht zur Ehre gereichen, wenn er den Becher zurückließe, und dabei blieb's.

Des Morgens zogen wir ab und reisten von Wallenstadt nach Weesen, über einen See, der funfzehn Meilen lang ist. Als ich die Kähne des Sees erblickte, fürchtete ich mich, denn sie sind von Tannenholz, weder groß, noch stark, noch verpicht, und wenn ich nicht in einem andern ähnlichen Schiffe vier deutsche Edelleute mit ihren vier Pferden gesehen hätte, so wär' ich lieber zurückgekehrt, als daß ich mich hätte bewegen lassen einzusteigen. Ja ich mußte denken, als ich die Bestialität jener Reisenden sah, daß die deutschen Wasser nicht ersäuften wie unsere italienischen.

Doch meine beiden jungen Leute sagten zu mir: Benvenuto, es ist eine gefährliche Sache, mit vier Pferden in das Schiff zu steigen. Darauf versetzte ich: Sehet ihr nicht, ihr feigen Memmen, daß jene vier Edelleute vor euch eingestiegen sind und lachend fortfahren? Wenn der See, statt Wasser, Wein wäre, so würde ich sagen, sie reisen so lustig, um darin zu ersaufen; da es aber Wasser ist, so seid versichert, die Deutschen haben sowenig Lust davon zu schlucken als wir.

Der See war funfzehn Miglien lang und ungefähr drei breit. An der einen Seite war ein hoher höhlenvoller Berg, an der andern das Ufer flach und grün. Als wir ungefähr vier Miglien zurückgelegt hatten, fing der See an stürmisch zu werden, so daß die Männer, welche ruderten, uns um Beistand anriefen, wir sollten ihnen an der Arbeit helfen, und so taten wir eine Weile. Ich verlangte und deutete ihnen, sie sollten uns auf jene Seite bringen, sie aber behaupteten es sei unmöglich, denn es sei nicht Wasser genug, das Schiff zu tragen, und es befänden sich dort einige Untiefen, an denen wir sogleich scheitern und alle ersaufen würden;

dann verlangten sie wieder, wir sollten ihnen rudern helfen, und riefen einander zu und ermunterten sich zur Arbeit. Da ich sie dergestalt verlegen sah, legte ich den Zaum meines braunen Pferdes um dessen Hals zurecht und faßte die Halfter mit der linken Hand. Sogleich schien es als verstehe mich das Tier, wie sie denn manchmal sehr gescheit sind, und wisse was ich tun wollte, denn ich hatte ihm das Gesicht gegen die frischen Wiesen gekehrt und meine Absicht war, daß es schwimmend mich mit sich fortziehen sollte. In diesem Augenblick kam eine große Welle welche über das Schiff schlug; Ascanio schrie: Barmherzigkeit, lieber Vater! helft mir! und wollte sich an mir halten. Darauf zog ich meinen Dolch und sagte, sie sollten tun was ich ihnen gezeigt habe, denn die Pferde würden ihnen ebensogut das Leben retten, als ich auf diese Weise hoffte davonzukommen; wer sich aber an mir halten wollte, den würde ich umbringen. So fuhren wir in dieser Todesgefahr einige Miglien weiter. Ungefähr auf dem halben See fanden wir ein wenig niedriges Ufer, wo man ausruhen konnte, und ich sah daselbst die vier deutschen Edelleute ausgestiegen. Als wir ein Gleiches zu tun verlangten, wollte der Schiffer es keinesweges zugeben. Darauf sagte ich: Meine Kinder, nun ist es Zeit etwas zu versuchen! Ziehet die Degen und zwingt sie, daß sie uns ans Land setzen! Das erlangten wir mit großer Beschwerde, denn sie widersetzten sich was sie konnten. Als wir aber ans Land gestiegen waren, mußten wir zwei Miglien einen Berg hinauf, schlimmer als hätten wir über eine Leiter steigen sollen. Ich hatte ein schweres Panzerhemd an, starke Stiefeln, und es regnete, was Gott nur schicken konnte. Die Teufel von deutschen Edelleuten taten Wunder mit ihren Pferden, aber die unsrigen taugten nicht dazu und wollten vor Anstrengung umkommen, als wir sie diesen beschwerlichen Berg hinaufzwingen mußten.

Als wir ein wenig hinauf waren, strauchelte das Pferd des Ascanio, das ein trefflicher Unger war. Ein wenig hinter ihm ging Burbacca der Kurier, dem Ascanio seinen Spieß zu tragen gegeben hatte. Als nun das Pferd fiel und sich überschlug, war der Schurke von Kurier nicht so behend die Spitze wegzuwenden, das Pferd stürzte vielmehr darauf und stach sich den Hals durch und durch und blieb für tot liegen.

Mein anderer Geselle wollte seinem Rappen gleichfalls ein wenig helfen, aber er strauchelte gegen den See zu und hielt sich nur noch an einer dünnen Weinrebe. Das Tier trug ein paar Mantelsäcke, worin all mein Geld war; denn ich hatte es darein getan, um es nicht bei mir zu tragen, und alles was ich nur von Wert mit mir führte, hatte ich dazugesteckt. Ich rief dem Jüngling zu, er solle sein Leben retten und das Pferd zum Henker fallen lassen. Der Sturz war über eine Miglie, der Fels hing über und es mußte in den See fallen, und grade da unten hatten unsere Schiffer angelegt, so daß wenn das Pferd fiel, so stürzte es ihnen auf den Hals.

Ich war allen voraus, wir sahen das Pferd straucheln und arbeiten, und es schien als wenn es gewiß zu Grunde gehen müßte. Ich sagte aber zu meinen Gesellen: Bekümmert euch um nichts! wir wollen uns retten und Gott für alles danken, nur jammert mich der arme Burbacca, der seine Edelsteine auch auf dem Pferde hat, in seinem Becher, die einige tausend Dukaten wert sind; er hat sie an den Sattel gebunden und glaubte, da seien sie am sichersten; das meinige ist nicht viel über hundert Scudi, und ich fürchte nichts auf der Welt, wenn ich die Gnade Gottes habe. Burbacca versetzte: Ums meine ist mir's nicht, wohl aber ums eure! Da sagte ich zu ihm: Warum betrübst du dich um mein weniges und nicht um dein vieles? Voller Verdruß versetzte er darauf: In Gottes Namen, da wir einmal in solchen Umständen und in solcher Lage sind, so muß ich die Wahrheit sagen. Ich weiß recht gut, daß eures wahrhafte Taler sind, aber in meinem Becherfutteral, das so viel erlogner Juwelen enthalten sollte, ist nichts als Kaviar. Da ich das hörte, mußte ich lachen, meine Gesellen lachten auch, und er weinte. Das Pferd half sich aber, weil es sich selbst überlassen war, und so kamen unter dem Lachen unsere Kräfte wieder und wir stiegen weiter bergauf.

Die vier deutschen Edelleute, welche eher als wir auf den Gipfel dieses steilen Berges gekommen waren, schickten einige Personen, uns zu helfen, so daß wir endlich bei dem allereinsamsten und wildesten Wirtshause ankamen, durchweicht, müde und hungrig. Man nahm uns freundlich auf; wir ruhten aus, trockneten uns und stillten unsern Hunger, auch wurden dem verwundeten Pferde gewisse Kräuter aufgelegt. Man zeigte uns eine solche Pflanze, die häufig an Zäunen wuchs, und sagte uns, daß wenn wir die Wunde immer damit vollstopften, das Pferd nicht allein heilen, sondern uns auch indessen dienen würde als wenn es kein weiteres Übel hätte. Wir befolgten den Rat, dankten den Edelleuten und reiseten weiter, recht wohl wiederhergestellt. So zogen wir hin und priesen Gott, daß er uns aus so großer Gefahr gerettet hatte.

Nun kamen wir in eine Stadt jenseit Weesen, wo wir die Nacht ruhten und alle Stunden einen Wächter hörten, der recht angenehm sang; weil aber daselbst die Häuser alle von Fichtenholz sind, so enthielt das Lied gar nichts anders, als daß man aufs Feuer acht haben sollte. Burbacca war noch vom Tage her in schreckhafter Bewegung und schrie im Traume: O Gott! ich ersaufe! Und da er sich, außer dem Schrecken des vergangenen Tages, noch des Abends betrunken hatte, weil er es mit den Deutschen aufnehmen wollte, rief er manchmal: Ich brenne! Manchmal wieder glaubte er in der Hölle zu sein, mit dem Kaviar am Halse. So hatten wir eine sehr lustige Nacht und alle unsere Not war in Lachen verkehrt.

Des Morgens stiegen wir beim schönsten Wetter auf und hielten Mittag in einem fröhlichen Örtchen, Lachen genannt, wo wir trefflich bewirtet wurden. Darauf nahmen wir Führer, die eben nach einer Stadt zurückkehrten, welche Zürich heißt. Der Bote, der uns führte, ritt auf einem Damm über den das Wasser ging, so daß der bestialische Führer strauchelte und mit dem Pferde ins Wasser stürzte. Ich war gerade hinter ihm, hielt mein Pferd an und sah die Bestie aus dem Wasser kommen. Er fing wieder an zu singen, als wenn nichts gewesen wär', und machte mir ein Zeichen, daß ich ihm folgen sollte; ich warf mich aber auf die rechte Hand, durchbrach gewisse Zäune, und so führte ich meine Leute und den Burbacca.

Der Bote schrie, und rief mir auf deutsch, wenn die Leute mich sähen, so würden sie mich tot schlagen. So ritten wir weiter und kamen auch durch diesen Sturm. Wir gelangten nach Zürich, einer wundernswürdigen Stadt, so nett wie ein Edelstein; wir ruhten daselbst einen ganzen Tag. Des andern Morgens machten wir uns beizeiten auf und kamen in eine andere schöne Stadt, die Solothurn heißt, und gelangten ferner nach Lausanne, Genf und Lyon. Daselbst ruhten wir vier Tage. Wir waren singend und lachend hingekommen. Ich ergötzte mich sehr mit einigen meiner Freunde, und man bezahlte mir die Kosten, die ich gehabt hatte. Am Ende von vier Tagen nahm ich meinen Weg nach Paris. Das war eine angenehme Reise, außer daß in der Gegend von Palissa uns eine Bande Räuber anfiel, von der wir uns mit nicht geringer Tapferkeit losmachten; von da aber reisten wir nach Paris ohne irgendein Hindernis, und immer lachend und singend gelangten wir in Sicherheit.

NEUNTES KAPITEL

Undankbares Betragen Rosso des Malers. – Der Autor wird dem Könige Franz I. zu Fontainebleau vorgestellt und sehr gnädig empfangen. – Der König verlangt ihn in Dienste zu nehmen, er aber, da ihn eine schnelle Krankheit heimsucht, mißfällt sich in Frankreich und kehrt nach Italien zurück. – Große Gefälligkeit des Kardinals von Ferrara gegen den Autor. – Was ihm auf dem Wege zwischen Lyon und Ferrara begegnet. – Der Herzog nimmt ihn freundlich auf. – Er kommt nach Rom zurück, wo er seinen treuen Diener Felix wiederfindet. – Merkwürdiger Brief des Kardinals von Ferrara über das Betragen des Kardinals Gaddi. – Er wird fälschlich von einem Gesellen angeklagt, als wenn er einen großen Schatz von Edelsteinen besitze, den er damals entwandt, als ihm der im Kastell belagerte Papst die Krone auszubrechen gegeben. – Er wird gefangengenommen und auf die Engelsburg gebracht.

Als ich ein wenig ausgeruhet hatte, ging ich Rosso den Maler aufzusuchen, der sich im Dienste des Königs Franziskus befand. Ich hielt diesen Mann für meinen größten Freund auf der Welt: denn ich hatte ihm in Rom alle Gefälligkeit erzeigt, die ein Mensch von dem andern erwarten kann, und weil sich mit kurzen Worten erzählen läßt, was er mir für Verbindlichkeiten schuldig war, so will ich nicht verfehlen es anzuzeigen und die Undankbarkeit eines heimtückischen Freundes öffentlich darstellen. Als er in Rom war, hatte er so viel Übles von den Werken des Raffael von Urbino gesagt, daß die Schüler dieses trefflichen Mannes ihn auf alle Weise ermorden wollten; davon errettete ich ihn und bewachte ihn Tag und Nacht mit der größten Müh. Ferner hatte er auch von Herrn Antonio von San Gallo, einem herrlichen Architekten, Böses gesprochen, der ihm dagegen eine Arbeit nehmen ließ, die ihm Herr Agnolo von Cesi aufgetragen hatte, und so fuhr gedachter Meister gegen Rosso fort zu handeln, daß er bald vor Hunger umgekommen wär'; deswegen borgte ich ihm manche zehen Scudi um zu leben, die ich noch nicht wieder erhalten hatte.

Nun, da ich wußte, daß er im Dienste des Königs war, ging ich ihn, wie gesagt, zu besuchen, nicht sowohl um mein Geld wieder zu haben, aber weil ich hoffte, er solle mir helfen und beistehen, daß ich in den Dienst des großen Königs käm'. Als der Mann mich erblickte, verwirrte er sich sogleich und sagte: Benvenuto! du hast auf diese Reise zu großes Geld verwendet, besonders gegenwärtig, wo man an den Krieg denkt und nicht an Possen, wie wir machen können. Darauf versetzte ich, ich habe so viel Geld mitgebracht, um wieder nach Rom auf eben diese Weise zurückzukehren, wie ich nach Paris gekommen sei, ich habe für meine Müh mit ihm eine andere Begegnung erwartet, und fast fange ich an zu glauben, daß Herr Antonio von San Gallo wahr von ihm gegen mich geredet habe. Er wollte darauf meine Worte in Scherz verkehren, denn er merkte, daß er sich vergangen hatte. Ich zeigte ihm einen Wechselbrief von fünfhundert Scudi, auf Riccardo del Bene. Da schämte sich der Bösewicht und wollte mich gleichsam mit Gewalt festhalten, ich aber lachte ihn aus und ging mit einem andern Maler weg, der eben gegenwärtig war; er hieß Sguazzella, war auch ein Florentiner, und ich wohnte in seinem Hause, mit drei Pferden und Dienern, für ein Gewisses die Woche. Er verköstigte mich gut und ich bezahlte ihn noch besser.

Darauf suchte ich den König zu sprechen, bei welchem mich ein gewisser Herr Julian Buonaccorsi, sein Schatzmeister, einführte. Ich eilte nicht damit, denn ich wußte nicht, daß Rosso sich mit allem Fleiß bemühte, mich von einer Unterredung mit dem König abzuhalten. Da aber Herr Julian dieses bemerkte, führte er mich schnell nach Fontainebleau und stellte mich vor den König, der mir eine ganze Stunde die gnädigste Audienz gab, und weil er eben im Begriff war nach Lyon zu gehen, sagte er zu Herrn Julian, er solle mich mit sich nehmen, unterwegens wolle man von einigen schönen Werken sprechen die Seine Majestät in Gedanken habe. So zog ich im Gefolge des Hofes nach und unterweges wartete ich dem Kardinal von Ferrara beständig auf, der damals den Hut noch nicht hatte. Dieser ließ sich alle Abend in große Unterredungen mit mir ein, und sagte einsmals, ich möchte in Lyon, in einer seiner Abteien bleiben, wo ich vergnügt leben könne, bis der König aus dem Krieg zurückkomme; er selbst gehe nach Grenoble, und in seiner Abtei zu Lyon sollte ich alle Bequemlichkeiten finden. Als wir in dieser Stadt anlangten, war ich krank geworden, und mein Geselle Ascanio hatte das viertägige Fieber, so daß mir die Franzosen und ihr Hof äußerst zuwider waren, und ich die Zeit nicht erwarten konnte, wieder nach Rom zu kommen.

Als der Kardinal meine feste Entschließung sah, wieder zurückzukehren, gab er mir so viel Geld, daß ich ihm in Rom ein Becken und einen Becher von Silber machen sollte, und so reisten wir fort auf den besten Pferden.

Als wir über die Gebirge des Simplons kamen, gesellte ich mich zu gewissen Franzosen, mit denen wir eine Zeitlang reisten, Ascanio mit seinem viertägigen und ich mit einem geheimen Fieber, das mich nicht einen Augenblick zu verlassen schien. Ich hatte mir den Magen so verdorben, daß ich kaum ein ganzes Brot die Woche verzehren mochte. Äußerst verlangte ich nach Italien zu kommen. Ich wollte in meinem Vaterlande und nicht in Frankreich sterben. Als wir den Berg Simplon zurückgelegt hatten, fanden wir einen Fluß, nahe bei einem Ort der Isdevedro hieß; das Wasser war sehr breit und tief, und darüber ging ein langer, schmaler Steg ohne Geländer. Des Morgens war ein starker Reif gefallen und ich befand mich vor allen andern an der Brücke. Ich sah wie gefährlich sie war und befahl meinen Gesellen sie sollten absteigen und ihre Pferde an der Hand führen. So kam ich glücklich über die Brücke und ging, mit einem der Franzosen, der ein Edelmann war, im Gespräch begriffen, weiter fort. Der andere, ein Notarius, war noch zurück und spottete über den Edelmann und mich, daß wir uns aus leerer Furcht die Mühe gegeben hätten, zu Fuße zu gehen. Da wendete ich mich und als ich ihn mitten auf der Brücke sah, bat ich ihn, er möchte sachte kommen, denn er sei auf einer sehr gefährlichen Stelle. Dieser Mensch, der seine französische Natur nicht ablegen konnte, sagte mir in seiner Sprache, ich sei ein Mann von wenig Herz, hier sei gar keine Gefahr. Indessen er diese Worte sprach, wollte er das Pferd ein wenig anspornen, das sogleich strauchelte und neben einen großen Stein fiel. Weil aber Gott sich oft der Narren erbarmet, so tat diese Bestie, mit der andern Bestie, seinem Pferde, einen großen Sturz, beide unters Wasser. Als ich das sah, eilte ich und lief und sprang mit großer Beschwerlichkeit auf den Felsen, hing mich an denselben und erwischte den Zipfel eines Oberrocks, den der Mann anhatte, daran zog ich ihn herauf, als er schon ganz vom Wasser bedeckt war. Er hatte viel geschluckt und wenig fehlte, so wär' er ersoffen. Als ich ihn außer Gefahr sah, bezeigte ich ihm meine Freude, ihm das Leben gerettet zu haben; aber er antwortete mir auf französisch und sagte, er danke mir nicht dafür, seine Schriften seien die Hauptsache, die manche zehen Scudi wert wären. Er sagte das gleichsam im Zorn, ganz durchweicht, sprudelnd und triefend. Da wendete ich mich zu einigen Boten, die wir bei uns hatten, und verlangte sie sollten der Bestie helfen, ich wolle sie bezahlen. Einer davon bemühte sich recht eifrig und fischte ihm seine Schriften wieder auf, so daß nichts verlorenging, der andere aber wollte auf keine Weise zugreifen, so daß er auch keine Bezahlung verdiente.

Nachdem wir an obgedachtem Orte angekommen waren, zog ich nach Tische die Börse, die wir gemeinschaftlich gemacht hatten, aus der ich die Auslage bestritt, und gab dem Boten, der jenem beigestanden hatte, einiges Geld aus diesem gemeinschaftlichen Beutel. Da verlangte aber der Notarius ich sollte den Mann von dem meinigen bezahlen und ihm aus der Kasse nicht mehr als den ausgemachten Botenlohn reichen. Darauf schimpfte ich ihn aber wacker aus. Bald darauf trat der andere Bote vor mich, der gar nichts getan hatte, und verlangte, daß ich ihn auch bezahlen sollte. Ich sagte darauf: jener verdient den Lohn, der das Kreuz getragen hat; er antwortete, er wollte mir bald ein Kreuz zeigen, bei dem ich weinen sollte; ich versetzte, daß ich ihm zu dem Kreuz eine Kerze anzünden wolle, wobei er wohl zuerst weinen würde. Wir waren auf der Grenze zwischen dem Venezianischen und Deutschen, so lief er nach Leuten und kam mit ihnen, einen großen Spieß in der Hand. Ich saß auf meinem guten Pferde und öffnete die Pfanne meiner Büchse. Darauf wendete ich mich zu meinen Gesellen und sagte: Diesen bring' ich zuerst um, und ihr andern tut eure Schuldigkeit; denn das sind Straßenräuber, welche nur diesen geringen Anlaß ergreifen, uns zu überfallen.

Der Wirt, bei dem wir gegessen hatten, rief einen von den Anführern, einen Alten, und bat ihn er möchte einem so großen Übel vorbeugen; denn, sagte er, das ist ein tapfrer, junger Mann und bis ihr ihn in Stücken haut, bringt er einen Teil von euch um; vielleicht entwischt er euch gar und schießt den Boten tot. Da ward alles ruhig und der Alte, ihr Anführer, sagte zu mir: Gehe in Frieden! du würdest mit uns zu tun haben und wenn du hundert bei dir hättest. Ich wußte wohl, daß er die Wahrheit sagte, denn ich war schon entschlossen und hatte mich für tot gegeben; da ich aber nichts weiter Schimpfliches vernahm, schüttelte ich den Kopf und sagte: Ich würde mein möglichstes getan haben, um euch zu zeigen, daß ich ein lebendiges Geschöpf und ein Mensch sei. Darauf reisten wir weiter. Abends in der ersten Herberge zählten wir unsere Kasse, und ich trennte mich von dem bestialischen Franzosen, mit dem andern aber, dem Edelmann, hielt ich Freundschaft und kam mit meinen drei Pferden allein nach Ferrara.

Sobald ich abgestiegen war, ging ich an den Hof des Herzogs, um Seiner Exzellenz aufzuwarten; denn ich wollte morgens nach Loreto verreisen. Ich wartete bis zwei Stunden in der Nacht, da erschien der Herzog und empfing mich aufs gnädigste. Er befahl, als er zur Tafel ging, man solle mir auch das Handwasser reichen. Darauf antwortete ich aufs anmutigste: Gnädigster Herr, es sind über vier Monate, daß ich weniger gegessen habe als man zum Lebensunterhalt nötig glauben sollte, deswegen weiß ich wohl, daß mich auch selbst die königlichen Speisen Ihrer Tafel nicht stärken würden; erlauben Sie mir unterdessen, daß ich mich mit den Ihrigen unterhalte, und vielleicht haben wir beide davon mehr Vergnügen, als wenn ich an der Tafel säß'. So fingen wir das Gespräch an, das bis fünf Uhr dauerte; dann beurlaubte ich mich, ging zu meinem Wirtshause und fand einen trefflichen Tisch, den der Herzog mir hatte von seinen Speisen ablegen lassen, dabei viel guten Wein. Da ich nun mehr als zwei Stunden meine gewöhnliche Tischzeit ausgesetzt hatte, aß ich mit großem Appetit, das erstemal seit vier Monaten.

Morgens verreiste ich zur heiligen Mutter von Loreto, und als ich daselbst meine Andacht verrichtet hatte, ging ich nach Rom, wo ich meinen getreuen Felix fand, dem ich meine Werkstatt mit allem Geräte und Zieraten überließ und eine andere, weit größer und geräumiger, neben Sugarell, dem Parfümeur, eröffnete. Und weil ich dachte, der große König Franziskus würde sich meiner nicht weiter erinnern, nahm ich mehrere Arbeiten von vielen Herren an und arbeitete indessen an dem Becher und Becken, die ich für den Kardinal von Ferrara unternommen hatte.

Viele Gesellen arbeiteten bei mir, ich hatte viel in Gold und Silber zu tun. Indessen bekam ich mit meinem Peruginer Gesellen Verdruß, der mir alles, was er auf seine Kleidung und sonstige eigne Bedürfnisse verwendet hatte, auf meine Rechnung schrieb, so daß er mir mit den Reisekosten ungefähr siebenzig Scudi schuldig war. Wir hatten ausgemacht, er solle sich deswegen drei Scudi monatlich abziehen lassen, da ich ihn mehr als acht Scudi verdienen ließ. Nach Verlauf von zwei Monaten ging dieser Schelm aus meiner Werkstatt, ließ mich mit vieler Arbeit beladen und sagte, er wolle mir nichts weiter zahlen. Deshalb riet man mir, ihn gerichtlich zu belangen; ich aber hatte mir in den Kopf gesetzt ihm einen Arm abzuhauen, und ich hätte es gewiß getan; doch meine Freunde sagten es wäre nicht gut; ich verlör' mein Geld und vielleicht Rom noch einmal, denn die Wunden lassen sich nicht abmessen und ich könne ihn ja auf seine Schrift, die ich in Händen habe, sogleich einstecken lassen. Ich folgte ihrem Rate, aber ich wollte die Sache großmütiger behandeln, ich klagte auf meine Schuld vor dem Auditor der Kammer und gewann den Prozeß, nachdem er verschiedene Monate gedauert hatte, dann ließ ich den Burschen ins Gefängnis bringen.

Meine Werkstatt war nun mit den größten Arbeiten beladen, unter andern hatte ich allen Schmuck, von Gold und Edelsteinen, für die Gemahlin des Herrn Hieronymus Orsino in der Arbeit; dieser war der Vater Herrn Pauls, der gegenwärtig Schwiegersohn unsers Herrn Herzogs Cosmus ist. Diese Werke waren sämtlich dem Ende nah und immer wuchsen mir neue zu. Ich hatte acht Arbeiter und mußte noch vier anstellen, und so arbeitete ich, der Ehre und des Nutzens wegen, Tag und Nacht.

Indessen ich nun so aufs eifrigste meine Arbeiten zu befördern bemüht war, erhielt ich einen Brief, den mir der Kardinal Ferrara aus Frankreich, mit besonderer Eile schickte, des Inhalts:

«Benvenuto, lieber Freund! in diesen vergangenen Tagen hat sich der große, allerchristlichste König deiner erinnert und dich abermal in seine Dienste begehret; worauf ich ihm antwortete, du habest mir versprochen, daß du, sobald ich dich zum Dienst Seiner Majestät verlangte, sogleich kommen wolltest. Seine Majestät antwortete darauf: Ich will, man soll ihm so viel Geld schicken als ein Mann seinesgleichen zu einer bequemen Reise braucht. Darauf befahl er dem Admiral, er solle mir tausend Goldgulden aus dem Schatz der Ersparnisse zahlen lassen. Bei dieser Unterredung war auch Kardinal Gaddi zugegen, der sogleich hervortrat und sagte, ein solcher Befehl sei nicht nötig, denn er habe dir Geld genug angewiesen und du müßtest auf dem Wege sein. Verhielte sich nun die Sache nicht so, du hättest kein Geld erhalten, wärest nicht unterweges, und es wäre dir von allem keine Nachricht zugekommen, sondern es wäre eine bloße Aufschneiderei des Kardinals, um zu zeigen, daß er sich auch um geschickte Leute bekümmere nach denen der König fragt, wie ich fast glaube, so antworte mir sobald du meinen Brief empfängst, der die reine Wahrheit enthält, damit ich ein andermal, wenn ich vor diesen großen König komme, in Gegenwart des Prahlhansen, das Gespräch nach und nach auf dich leiten und sagen kann, daß du das Geld, welches dir der Kardinal Gaddi geschickt haben wolle, nicht erhalten hast, daß du nicht auf der Reise, sondern in Rom bist. Es wird sich zeigen, daß der Kardinal dies alles nur aus Eitelkeit gesagt hat, und ich will einen neuen Befehl an den Admiral und den Schatzmeister auswirken, daß du das Geld zur Reise, welches dir der großmütige König zugedacht hat, endlich erhalten mögest.»

Nun mag die Welt bedenken, was ein ungünstiges Geschick über uns Menschen vermag! Ich hatte nicht zweimal in meinem Leben mit dem närrischen Kardinälchen Gaddi gesprochen, und er prahlte auch diesmal nicht um mir Schaden zu tun, sondern es war eine Wirkung seines leeren und ungeschickten Gehirns, weil es auch scheinen sollte als bekümmere er sich um talentreiche Leute, die der König in seinen Dienst wünschte, er wollte darin dem Kardinal von Ferrara gleichen. Wenn er nur nachher so klug gewesen wär' und mir den Vorfall gemeldet hätte, so würde ich doch, um so einen dummen Strohmann nicht steckenzulassen, aus Patriotismus irgendeine Entschuldigung gefunden und seiner törichten Prahlerei einigermaßen nachgeholfen haben. Sobald ich den Brief des hochwürdigsten Kardinals von Ferrara erhielt, antwortete ich sogleich, mir sei vom Kardinal Gaddi nichts in der Welt bekannt, und wenn er mich auch hätte bereden wollen, so würde ich mich ohne Vorwissen Seiner Hochwürden Gnaden nicht aus Italien bewegt haben, besonders da ich in Rom mehr Arbeit als jemals finde; indessen würde ich mich auf ein Wort Seiner allerchristlichsten Majestät, das mir durch so einen Herrn zukäm', sogleich auf den Weg machen und alles andere beiseite werfen.

In dieser Zeit dachte mein Geselle von Perugia, der Verräter, eine Bosheit aus, die ihm auch sehr gut gelang. Denn er erregte den Geiz des Papstes Paul Farnese, oder vielmehr seines natürlichen Sohnes, den man damals Herzog von Castro nannte. Nun ließ mein gedachter Gesell einem der Sekretarien des Herrn Peter Ludwig merken, daß er, da er mehrere Jahre bei mir gearbeitet habe, wohl wisse und sich verbürgen könne, daß ich ein Vermögen von achtzigtausend Dukaten besitze, davon der größte Teil in Juwelen bestehe, die eigentlich der Kirche angehörten. Denn ich habe sie damals, bei der Verheerung Roms, im Kastell Sant' Angelo beiseite gebracht. Sie sollten mich nur einmal schnell und ohne Geräusch wegfangen lassen.

Ich hatte einmal eines Morgens sehr früh über drei Stunden an obgedachtem Brautschmucke gearbeitet, und indes man meine Werkstatt eröffnete und kehrte, warf ich meine Jacke über, um mir ein wenig Bewegung zu machen. Ich ging durch Strada Julia und wandte mich an der Ecke nach der Chiavica um, da begegnete mir Crispin, der Bargell, mit seiner ganzen Häscherei und sagte: Du bist ein Gefangener des Papstes! Darauf antwortete ich: Crispin, du irrst dich in der Person! Nein, versetzte er, du bist der brave Benvenuto, ich kenne dich recht gut, ich habe dich nach Kastell Sant' Angelo zu führen, wohin treffliche Männer und Herren deinesgleichen zu gehen pflegen.

Da nun hierauf viele seiner Leute sich auf mich warfen, und mir mit Gewalt einen Dolch von der Seite und einige Ringe vom Finger reißen wollten, sagte er zu ihnen: Keiner unterstehe sich ihn anzurühren! genug, daß ihr eure Schuldigkeit tut und ihn nicht entwischen laßt. Dann trat er zu mir und verlangte mit höflichen Worten meine Waffen. Als ich sie ihm gab, fiel mir ein, daß ich an derselben Stelle den Pompeo ermordet hatte. Darauf führten sie mich ins Kastell und schlossen mich in eins der Zimmer oben auf den Turm. Das war das erstemal, daß ich das Gefängnis schmeckte, und war eben siebenunddreißig Jahr alt.

ZEHNTES KAPITEL

Herr Peter Ludwig, des Papstes natürlicher Sohn, in Hoffnung gedachten Schatz zu erhalten, überredet seinen Vater, mit der äußersten Strenge gegen den Autor zu verfahren. — Er wird von dem Gouverneur und andern obrigkeitlichen Personen verhört. — Treffliche Rede zur Verteidigung seiner Unschuld. — Peter Ludwig tut alles mögliche, ihn zu verderben, indessen der König von Frankreich sich für ihn verwendet. — Freundliches Betragen des Kastellkommandanten gegen ihn. — Geschichte des Mönchs Pallavicini. — Der Autor macht Anstalten zur Flucht. — Der Papst, ungehalten über das Fürwort des Königs in Frankreich, beschließt, den Autor in lebenslänglichem Gefängnis zu halten.

Herr Peter Ludwig, ein Sohn des Papstes, bedachte die große Summe wegen welcher ich angeklagt war, und bat sogleich bei seinem Vater für mich um Gnade, unter der Bedingung, daß ich ihm ein Geschenk davon machte. Der Papst gewährte ihm seine Bitte und versprach zugleich, daß er ihm behülflich sein wolle das Geld zu erlangen. So hielten sie mich acht Tage im Gefängnis, nach Verlauf derselben sie mich, um der Sache einige Gestalt zu geben, zum Verhör holen ließen. Man brachte mich in einen der Säle des Kastells, der Ort war sehr ehrbar, und als Examinatoren fand ich daselbst den Gouverneur von Rom, Herrn Benedetto Conversini von Pistoja, der nachher Bischof von Jesi wurde, sodann den Fiskal, dessen Namen ich vergessen habe, und den Kriminalrichter Herrn Benedetto Galli. Diese drei fingen an mich zu befragen, erst mit freundlichen Worten, dann mit heftigen und fürchterlichen Ausdrücken, denn ich hatte zu ihnen gesagt: Meine Herren, schon über eine Stunde fragt ihr mich über Fabeln und leere Dinge, ihr sprecht hin und wider, ohne daß ich weiß was das heißen soll. Ich bitte euch, sagt was ihr von mir verlangt, und laßt mich aus eurem Munde gründliche Worte hören und nicht eitel Fabeln und Geschwätze.

Hierauf konnte der Gouverneur, der von Pistoja war, seine grimmige Natur nicht mehr verbergen und versetzte: Du sprichst sehr sicher, ja allzukühn, dafür soll dein Stolz so klein wie ein Hündchen werden, wenn du meine gründlichen Worte hören wirst, die weder Geschwätz noch Märchen sind, wie du sagst, sondern eine Folge von Gründen, die du Mühe genug haben wirst gründlich zu widerlegen. Und zwar wissen wir ganz gewiß, daß du zur Zeit der unglücklichen Verheerung von Rom gegenwärtig in dem Kastell Sant' Angelo warst und man sich deiner als eines Artilleristen bediente. Da du nun eigentlich Goldschmied und Juwelier bist, und Papst Clemens dich vorher gekannt hatte, auch kein anderer von dieser Profession in der Nähe war, ließ er dich insgeheim rufen, vertraute dir dergestalt, daß er die Juwelen seiner Kronen, Bischofsmützen und Ringe durch dich ausbrechen und in die Falten seiner Kleider nähen ließ. Bei dieser Gelegenheit hast du für achtzigtausend Scudi heimlich entwendet. Dieses hat uns einer deiner Gesellen gesagt, gegen den du dich dessen im Vertrauen gerühmt hast. Nun erklären wir dir freimütig, schaffe die Juwelen und ihren Wert herbei, so magst du alsdann frei wieder hingehen.

Als ich diese Worte hörte, konnte ich mich des lauten Lachens nicht enthalten, und erst nachdem ich mich eine Weile ausgeschüttet, sagte ich: Gott sei gedankt, daß ich das erstemal, da es ihm gefallen hat mich gefänglich einziehen zu lassen, so glücklich bin, nicht etwa wegen einer geringen Sache verhaftet zu werden, wie es öfters jungen Leuten zu begegnen pflegt. Wenn auch alles wahr wär' was ihr sagt, so ist dabei nicht die geringste Gefahr für mich, daß ich etwa am Körper gestraft werden sollte; denn in jener Zeit hatte das Gesetz alle seine Kraft verloren und ich könnte mich daher entschuldigen und sagen, daß ich, als Diener, diesen Schatz dem heiligen apostolischen Sitz aufgehoben habe, mit der Absicht, solche Kostbarkeiten einem guten Papste wieder zuzustellen, oder demjenigen, der mir sie wieder abfordern ließ', wie es nun durch euch geschähe, wenn sich die Sache so verhielt'.

Hierauf ließ mich der rasende Pistojeser keine weitern Gründe vorbringen, und versetzte wütend: Verziere du die Sache wie du willst, Benvenuto! Uns ist genug, das Unsere wiedergefunden zu haben, und mache nur geschwind, wenn wir nicht auf andere Weise als mit Worten verfahren sollen. Zugleich wollten sie aufstehn und weggehen, worauf ich zu ihnen sagte: Meine Herren! mein Verhör ist nicht geendet, deswegen hört mich an, und dann geht, wohin es euch gefällt. Sogleich nahmen sie wieder in völligem Zorne Platz, als wenn sie entschieden wären nichts zu hören was ich vorbringen könnte, ja sie verbargen eine Art von Zufriedenheit nicht, denn sie glaubten alles schon gefunden zu haben, was sie zu wissen verlangten. Ich fing daher auf folgende Weise zu reden an:

Wißt, meine Herren, daß ich ungefähr zwanzig Jahr in Rom wohne, und daß ich weder hier noch anderswo jemals eingekerkert worden bin.

Darauf sagte der Häscher von Gouverneur: Und du hast hier doch Menschen umgebracht! Darauf versetzte ich: Das sagt ihr und nicht ich. Denn wenn einer käm' euch umzubringen, so würdet ihr euch schnell genug verteidigen, und wenn ihr ihn erschlügt, würden es die heiligen Gesetze euch nachsehen. Und nun laßt mich auch meine Gründe vorbringen, wenn ihr dem Papst die Sache gehörig vorzutragen und ein gerechtes Urteil über mich zu sprechen gedenkt. Ich sage euch von neuem, es sind ungefähr zwanzig Jahre, daß ich das wundersame Rom bewohnt und hier die größten Arbeiten meiner Profession vollendet habe, und weil ich weiß, daß Christus hier wohnt und regieret, so hätte ich mich darauf mit der größten Sicherheit verlassen, ja wenn ein weltlicher Fürst versucht hätte mir einigen Schaden zuzufügen, so würde ich meine Zuflucht zu dem Heiligen Stuhle und zu dem Statthalter Christi genommen haben, damit er mich beschützt hätte. Wehe mir, wo soll ich nun jetzo hingehen? Zu welchem Fürsten soll ich mich wenden, der mich vor diesen schändlichen Absichten rette? Hättet ihr nicht, ehe ihr mich gefangennahmt, untersuchen sollen, wo ich dann auch diese achtzigtausend Scudi verwahren könnte? Hättet ihr nicht das Verzeichnis der Juwelen durchsehen sollen, das man bei unsrer apostolischen Kammer seit fünfhundert Jahren fleißig fortsetzt? Hätte sich dann irgendeine Lücke gefunden, so hättet ihr meine Bücher und mich nehmen und die Vergleichung anstellen sollen. Ich muß euch nur sagen: die Bücher, in welchen die Juwelen des Papstes und der Kronen verzeichnet stehen, sind noch alle vorhanden, und ihr werdet finden, daß alles was Papst Clemens besessen hat, sorgfältig aufgeschrieben ist. Das einzige könnte sein: als der arme Mann, Papst Clemens, sich mit jenen kaiserlichen Freibeutern vergleichen wollte, die ihm Rom geplündert und die Kirche geschmäht hatten, da kam einer zu dieser Vergleichshandlung, der, wenn ich mich recht erinnere, Cäsar Iscatinaro hieß. Man hatte sich beinahe über alle Punkte mit dem bedrängten Papste vereinigt, der doch dem Abgeordneten auch etwas Angenehmes erzeigen wollte, und einen Diamanten vom Finger fallen ließ, der ungefähr viertausend Scudi wert sein konnte. Iscatinaro bückte sich, ihn aufzuheben, worauf der Papst sagte, er möchte sich des Rings aus Liebe zu ihm bedienen. Bei diesem war ich gegenwärtig, und wenn dieser Diamant fehlen sollte, so sag' ich euch, wo er hin ist, ob ich gleich überzeugt bin, auch dieses wird bemerkt sein. Und nun könnt ihr an eurer Stelle euch schämen, einen Mann meinesgleichen so behandelt zu haben, der so vieles ehrenvoll für diesen apostolischen Sitz unternommen hat. Denn wißt nur: war ich jenen Morgen, als die Kaiserlichen in den Borgo drangen, nicht so tätig, so überrumpelten sie ohne Hindernis das Kastell. Niemand hatte mich dazu gedungen, und ich machte mich wacker an die Artillerie, welche von den Bombardierern und Soldaten ganz verlassen dastand. Ich sprach noch dabei einem meiner Bekannten Mut ein, der Raffael da Monte Lupo hieß und ein Bildhauer war, auch er hatte seinen Posten verlassen und sich ganz erschrocken in eine Ecke verkrochen; ich weckte ihn aus seiner Untätigkeit, und wir beide allein töteten, von oben herunter, so viele Feinde, daß die Truppen einen andern Weg nahmen. Auch ich war es selbst, der nach dem Iscatinaro schoß, weil er in der Konferenz mit dem Papste ohne die mindeste Ehrfurcht sprach, und, als ein Lutheraner und Ketzer, wie er war, gegen Seine Heiligkeit eine grobe Verachtung zeigte. Papst Clemens ließ darauf eine Untersuchung anstellen und wollte den Täter hängen lassen. Auch ich war es, der den Prinzen von Oranien an den Kopf traf, als er die Laufgräben visitieren wollte. Dann habe ich der heiligen Kirche so viel Schmuck und Zierde von Silber, Gold und Juwelen, und so viel schöne und treffliche Medaillen und Münzen gearbeitet. Und das soll nun die freche pfäffische Belohnung sein, die man einem Manne zudenkt, der euch mit so viel Treue und Anstrengung gedient und geliebt hat? Und geht nur, hinterbringt was ich gesagt habe alles dem Papste, sagt ihm, daß er seine sämtlichen Juwelen besitzt, und daß ich, zur Zeit jener Verheerung, von der Kirche nichts anders erhalten habe als hundert Wunden und Beulen. Ich habe immer auf eine kleine Vergeltung gehofft, die Papst Paul mir versprochen hatte, nun bin ich aber ganz klar über Seine Heiligkeit und über euch, seine Diener.

Indessen ich so redete, hörten sie mir mit Erstaunen zu, sahen einander ins Gesicht und verließen mich mit Verwunderung. Alle drei zusammen gingen dem Papste alles zu hinterbringen was ich gesagt hatte. Der Papst schämte sich und befahl eiligst, man solle die sämtlichen Rechnungen der Juwelen durchsehen. Es fand sich, daß nichts fehlte, aber sie ließen mich im Kastell sitzen, ohne etwas weiter zu fragen. Herr Peter Ludwig besonders, als er sah, daß er so übel gehandelt hatte, suchte meinen Tod zu beschleunigen.

Diese Unruhe und Verwirrung dauerte nicht lange, als der König Franz schon, mit allen Umständen, vernommen hatte, daß der Papst mich so widerrechtlich gefangenhielt, und er gab seinem Gesandten an diesem Hofe, Herrn von Morluc, in einem Schreiben den Auftrag, er solle mich als einen Diener Seiner Majestät vom Papste zurückfordern. Der Papst, der sonst ein verständiger und außerordentlicher

Mann war, betrug sich doch in dieser meiner Sache sehr unüberlegt und albern. Er antwortete dem Gesandten, Seine Majestät möchten sich doch nicht weiter meiner annehmen, ich sei ein wilder und gefährlicher Mensch, er habe mich einziehen lassen wegen verschiedener Totschläge und anderer solcher Teufeleien. Der König antwortete aufs neue, auch in seinem Reiche pflege man der besten Gerechtigkeit. Seine Majestät wisse die wackern Leute zu belohnen und zu begünstigen, und ebenso die Übeltäter zu bestrafen. Seine Heiligkeit habe den Benvenuto gehen lassen, ohne nach dessen Arbeiten weiter zu fragen. Als er, der König, diesen Mann in seinem Reiche gesehen, habe er ihn mit Vergnügen in seine Dienste genommen und verlange ihn nun als den seinigen zurück.

Dieser Schritt des Königs brachte mir großen Verdruß und Schaden, so ehrenvoll mir auch der Anteil war, den er an mir nahm; denn der Papst war in rasende Verlegenheit geraten, ich möchte nun, wenn ich hinging, die verruchte Nichtswürdigkeit erzählen, die sie an mir begangen hatten, deswegen sann er nach, wie er mich, ohne seine Ehre zu verletzen, aus der Welt schaffen könnte.

Der Kastellan des Kastells Sant' Angelo war einer von unsern Florentinern, mit Namen Herr Georg Ugolini. Dieser brave Mann behandelte mich auf das gefälligste von der Welt, und weil er das große Unrecht kannte, das mir geschah, ließ er mich auf mein Wort frei umhergehen. Ich hatte ihm, um die Erlaubnis zu erhalten, Bürgschaft leisten wollen, allein er versetzte, er könne sie nicht annehmen, denn der Papst sei über meine Sache zu sehr entrüstet; auf mein Wort hingegen wolle er trauen, denn er höre von jedem, was ich für ein zuverlässiger Mann sei. Da gab ich ihm mein Wort, und er verschaffte mir zugleich die Bequemlichkeit, daß ich kleine Arbeiten machen konnte. Nun bedachte ich, daß dieser Verdruß des Papstes, sowohl wegen meiner Unschuld als wegen der Gunst des Königs, doch vorübergehen müsse, und erhielt meine Werkstatt offen.

Ascanio, mein Gesell, kam und brachte mir Arbeit. Vor Verdruß über das Unrecht, was mir geschah, konnte ich zwar wenig tun, doch machte ich aus der Not eine Tugend und ertrug so heiter als ich konnte mein widriges Geschick, indem ich mir zugleich alle Wachen und Soldaten des Kastells zu Freunden gemacht hatte.

Manchmal speiste der Papst im Kastell, und unter der Zeit waren die Tore nicht bewacht, sondern standen einem jeden frei, wie an einem gewöhnlichen Palast. Man fand alsdann nötig, die Gefängnisse mit mehr Sorgfalt zu verschließen; aber ich ward immer gleich gehalten, und konnte auch zu solchen Zeiten frei herumgehen. Öfters rieten mir einige Soldaten, ich solle mich davonmachen, sie wollten mir durch die Finger sehen, weil ihnen das große Unrecht bekannt sei das mir geschehe. Darauf antwortete ich nur, ich habe dem Kastellan mein Wort gegeben, der ein so braver Mann sei, und der mir so viel Gefälligkeit erzeigt habe.

Unter andern war ein tapfrer und geistreicher Soldat, der zu mir sagte: Wisse, mein Benvenuto, daß ein Gefangener nicht verbunden ist, und sich auch nicht verbinden kann sein Wort zu halten, oder irgendeine andere Bedingung zu erfüllen. Tue was ich dir sage, fliehe vor diesem Schurken von *** und vor dem Bastard seinem Sohn, die dir auf alle Weise nach dem Leben stehen. Aber ich, der ich lieber sterben wollte, als daß ich dem würdigen Kastellan mein Wort gebrochen hätte, ertrug diesen ungeheuren Verdruß so gut ich konnte, in Gesellschaft eines Geistlichen aus dem Hause Pallavicini der ein großer Prediger war. Man hatte ihn als einen Lutheraner eingezogen; er war ein sehr guter Gesellschafter, aber als Mönch der ruchloseste Kerl von der Welt, der zu allen Arten von Lastern geneigt war. Seine schönen Gaben bewunderte ich, und seine häßlichen Laster mußte ich aufs höchste verabscheuen. Auch unterließ ich nicht ihn darüber ganz freimütig zu tadeln und zu schelten; dagegen wiederholte er mir immer, ich sei als Gefangener nicht verbunden, dem Kastellan mein Wort zu halten; darauf antwortete ich, als Mönch sage er wohl die Wahrheit, nicht als Mensch, denn wer Mensch und nicht Mönch wäre, müßte sein Wort unter allen Umständen halten, in die er geraten könnte, und so wollte ich auch mein einfaches und tugendsames Wort nicht brechen. Da er hieraus sah, daß er mich durch seine feinen und künstlichen Argumente, so geschickt er sie auch vorbrachte, nicht bewegen konnte, gedachte er mich auf einem andern Wege zu versuchen. Er schwieg viele Tage ganz von dieser Sache, las mir indessen die Predigten des Bruder Hieronymus Savonarola, und machte so eine vortreffliche Auslegung dazu, die mir viel schöner vorkam als die Predigten selbst, und mich ganz bezauberte. Ich hätte alles in der Welt für den Mann getan, nur nicht, wie schon gesagt, mein Wort gebrochen. Da er nun sah, daß ich vor seinen Talenten eine solche Ehrfurcht hatte, fing er an mit guter Art mich zu fragen, auf welche Weise ich mich denn hätte flüchten wollen, wenn mir die Lust dazu gekommen wär', und wie ich, wenn man mich enger eingeschlossen hätte, das Gefängnis hätte eröffnen wollen. Diese Gelegenheit wollte ich nicht vorbeilassen, um diesem klugen Manne zu zeigen, daß ich auch Geschicklichkeit und Feinheit besitze; ich sagte ihm, daß ich jedes Schloß, selbst das schwerste, gewiß eröffnen wolle, und besonders die von diesem Gefängnisse sollten mich nicht mehr Mühe gekostet haben, als ein Stückchen frischen Käse zu verzehren. Der Mönch, der mein Geheimnis zu erfahren wünschte, verspottete mich und sagte: Die Menschen, die sich einmal in den Ruf gesetzt haben, daß sie geistreich und geschickt sind, rühmen sich gar vieler Dinge; wollte man sie immer beim Wort halten, so würde manches zurückbleiben, und sie würden einen guten Teil ihres Kredits verlieren; so möchte es auch wohl euch gehen, ihr sagt so unwahrscheinliche Dinge, und wenn man die Ausführung verlangte, würdet ihr wohl schwerlich mit Ehre bestehen.

Das verdroß mich von dem Teufelsmönche, und ich antwortete, daß ich immer viel weniger verspräche, als ich auszuführen verstünde; das was ich wegen der Schlüssel behauptet hätte, sei eine geringe Sache, mit wenig Worten solle er vollkommen einsehen, daß alles wahr sei. Darauf zeigte ich ihm, unbesonnenerweise, mit großer Leichtigkeit alles, was ich behauptet hatte. Der Mönch, ob es gleich schien, als wenn er sich um die Sache nichts bekümmere, lernte mir, als ein fähiger Mann, alles in der Geschwindigkeit ab.

Nun ließ mich, wie ich schon oben erwähnt habe, der wackre Kastellan des Tages frei herumgehen, auch ward ich des Nachts nicht wie die übrigen eingeschlossen. Ich konnte dabei in Gold, Silber und Wachs arbeiten was ich wollte, und so hatte ich auch einige Wochen mich mit einem Becken für den Kardinal von Ferrara beschäftigt; zuletzt verlor ich über meinen eingeschränkten Zustand alle Lust, und arbeitete nur, um mich zu zerstreuen, an einigen kleinen Wachsfiguren. Von diesem Wachs entwandte mir der Mönch ein Stück und führte das alles wegen der Schlüssel damit aus, was ich ihn unbedachtsamerweise gelehrt hatte. Er nahm zum Gesellen und Helfer einen Schreiber, namens Ludwig, einen Paduaner; allein als man die Schlüssel bestellte, tat der Schlosser sogleich die Anzeige. Der Kastellan, der mich einigemal in meinem Zimmer besucht und meiner Arbeit zugesehen hatte, erkannte mein Wachs und sagte: Wenn man schon diesem armen Benvenuto das größte Unrecht von der Welt getan hat, so hätte er sich doch gegen mich solche Handlungen nicht erlauben sollen, da ich ihm alle mögliche Gefälligkeit erzeigt habe. Gewiß ich will ihn fester halten und alle Nachsicht soll aufhören. So ließ er mich mit einigem Unmut einschließen, und mich verdrossen besonders die Worte, welche mir seine vertrautesten Diener hinterbrachten, deren einige mir sehr wohl wollten und sonst von Zeit zu Zeit erzählten, wie sehr der Herr Kastellan sich zu meinem Besten verwendet habe. Nun aber hinterbrachten sie mir, daß er mich einen undankbaren, eitlen und treulosen Menschen schelte.

Da nun einer dieser Leute mir auf eine etwas harte und unschickliche Art diese Scheltworte ins Gesicht sagte, fühlte ich mich beleidigt in meiner Unschuld und antwortete, ich hätte niemals mein Wort gebrochen, und ich wollte das mit der ganzen Kraft meines Lebens behaupten, und wenn er oder ein anderer wieder solche ungerechte Worte gegen mich brauchte, so würde ich ihn auf alle Fälle der Lügen strafen. Er entrüstete sich darüber, lief in das Zimmer des Kastellans, brachte mir das Wachs und meine Zeichnung des Schlüssels. Als ich das Wachs sah, sagte ich ihm, wir hätten beide recht, allein er solle mir eine Unterredung mit dem Herrn Kastellan verschaffen, und ich wollte ihm eröffnen, wie sich die Sache befänd', die von größerer Bedeutung sei, als sie glaubten. Sogleich ließ der Kastellan mich rufen. Ich erzählte den ganzen Vorfall, der Mönch ward enger eingeschlossen, und bekannte auf den Schreiber, der dem Galgen sehr nahe kam. Doch unterdrückte der Kastellan die Sache, die schon bis zu den Ohren des Papstes gekommen war, rettete seinen Schreiber von dem Strick, und ließ mir wieder so viel Freiheit als vorher.

Da ich sah, daß man sich bei diesem Falle mit so vieler Strenge benahm, fing ich doch auch an, an mich selber zu denken und sagte bei mir, wenn nun ein andermal eine solche Verwirrung entstünde, und der Mann traute mir nicht mehr, so würde ich ihm auch nicht mehr verbunden sein, und möchte mir wohl alsdann ein wenig mit meinen Erfindungen helfen, die gewiß besser als jene Pfaffenunternehmung ausfallen sollten. So fing ich nun an mir neue, starke Leintücher bringen zu lassen und die alten schickte ich nicht wieder zurück. Wenn meine Diener darnach fragten, so sagte ich, sie sollten still sein, denn ich hätte sie einigen armen Soldaten geschenkt, die in Gefahr der Galeere gerieten, wenn so etwas herauskäm', und so hielten sie mir alle, besonders aber Felix, die Sache geheim. Indessen leerte ich einen Strohsack aus und verbrannte das Stroh im Kamine, das in meinem Gefängnis war, und fing an von den Leintüchern Binden zu schneiden, ein Drittteil einer Elle breit; und als ich so viel gemacht hatte, als ich glaubte, daß genug sei mich von der großen Höhe des Turms herunterzulassen, sagte ich meinen Dienern, ich habe genug verschenkt, sie sollten nun, wenn sie mir neue Leintücher brächten, die alten immer wieder mitnehmen. Und so vergaßen meine Leute gar bald die ganze Sache.

Die Kardinäle Santiquattro und Cornaro ließen mir die Werkstatt zuschließen und sagten frei heraus, der Papst wolle nichts von meiner Loslassung wissen; die große Gunst des Königs habe mir mehr geschadet als genutzt; denn die letzten Worte, welche Herr von Morluc von seiten des Königs dem Papste hinterbracht habe, seien gewesen: er solle mich in die Hände der ordentlichen Hofrichter geben, und wenn ich gefehlt habe, solle man mich züchtigen, aber habe ich nicht gefehlt, so verlange die Vernunft, daß er mich loslasse. Diese Worte hatten den Papst so sehr verdrossen, daß er sich vorsetzte, mich niemals wieder frei zu geben. Was den Kastellan betrifft, der half mir von seiner Seite, so gut er konnte.

ELFTES KAPITEL

Streit zwischen dem Autor und Ascanio. – Seltsame kranke Phantasie des Schloßhauptmanns, wodurch sein Betragen gegen Cellini verändert wird. – Dieser wird enger als jemals eingeschlossen und mit großer Strenge behandelt. – Kardinal Cornaro nimmt ihn auf und verbirgt ihn eine Zeitlang.

Als in dieser Zeit meine Feinde sahen, daß meine Werkstatt verschlossen war, sagten sie alle Tage mit Verachtung irgendein beleidigendes Wort zu meinen Dienern und Freunden, die mich noch im Gefängnis besuchten; unter andern begegnete mit Ascanio folgende Geschichte. Er besuchte mich alle Tage zweimal und verlangte eines Tages, ich solle ihm aus einer blauen Samtweste, die ich nicht mehr trug und die mir nur ein einziges Mal bei der Prozession gedient hatte, ein Westchen machen lassen. Ich sagte ihm dagegen, es sei weder Zeit noch Ort, solche Kleider zu tragen.

Das nahm der junge Mensch so übel, daß er zu mir sagte, er wolle nun auch nach Tagliacozzo zu den Seinigen gehen. Ich sagte ihm voll Verdruß, er mache mir großes Vergnügen, wenn er mir aus den Augen ginge. Darauf schwur er, mit heftiger Leidenschaft, daß er mir niemals mehr vors Gesicht kommen wolle. Als wir dieses sprachen, gingen wir eben um den Turm des Kastells spazieren. Es begab sich, daß der Kastellan uns eben begegnete, als Ascanio zu mir sagte: Nun gehe ich fort, leb wohl für immer! Und ich antwortete ihm: So sei es denn für immer! und damit es wahr bleibe, will ich der Wache sagen, daß sie dich nicht mehr hereinlassen soll. Dann wendete ich mich zum Kastellan und bat ihn von ganzem Herzen, er möge der Wache befehlen, daß Ascanio nicht wieder hereindürfe, und setzte hinzu: Dieser Knabe vergrößert noch mein großes Übel; deswegen bitte ich euch, Herr Kastellan, laßt ihn nicht wieder herein. Dem Kastellan tat das sehr leid, denn er wußte, daß es ein Junge von viel Fähigkeiten war; dabei hatte er eine so schöne Gestalt, daß jeder, der ihn nur einmal gesehen hatte, ihn ganz besonders liebgewann.

Der junge Mensch ging weinend fort und hatte einen kleinen Säbel bei sich, den er manchmal heimlich unter seinen Kleidern trug. Als er aus dem Kastell mit so verweintem Gesicht kam, begegnete er zwei meiner größten Feinde, dem obgedachten Hieronymus von Perugia und einem gewissen Michael, zwei Goldschmieden. Michael, weil er Freund von jenem Schelm von Perugia und Feind von Ascanio war, sagte: Was will das heißen, daß Ascanio weint? vielleicht ist sein Vater gestorben, ich meine den Vater im Kastell. Ascanio versetzte: Er lebt, aber du sollst sterben! und so hieb er ihn zweimal über den Kopf. Mit dem erstenmal streckte er ihn auf die Erde, mit dem zweiten hieb er ihm die Finger der rechten Hand ab und traf ihm doch noch den Kopf; der Mann blieb für tot liegen. Sogleich erfuhr es der Papst, der denn mit bedeutenden Worten sagte: Weil denn doch der König ein Urteil verlangt, so gebt ihm drei

Tage Zeit seine Gründe beizubringen. Alsbald kamen sie und besorgten das Geschäft, das ihnen der Papst aufgetragen hatte. Der brave Kastellan ging sogleich zum Papste und zeigte, daß ich von dieser Sache nichts wissen könne, indem ich den Knaben in dem Augenblick weggejagt habe. So verteidigte mich der Mann mit aller Kraft und rettete mir das Leben in diesem wilden Augenblick. Ascanio entfloh nach Tagliacozzo zu den Seinigen, schrieb mir von da, und bat tausendmal um Vergebung. Er bekannte sein Unrecht, daß er mir bei meinem großen Unglück noch Verdruß gemacht habe, wenn mir aber Gott die Gnade erzeigte, daß ich wieder aus dem Gefängnis käm', so wolle er mich nicht mehr verlassen. Ich ließ ihm wissen, daß er fortfahren sollte etwas zu lernen; wenn doch Gott mir die Freiheit gäb', wollte ich ihn gewiß wieder zu mir berufen.

Der Kastellan, der mich übrigens sehr gut behandelte, ward alle Jahre von einer gewissen Krankheit befallen, die ihm ganz und gar den Kopf verrückte, und wenn er davon angegriffen wurde, pflegte er sehr viel zu schwatzen, und es waren seine grillenhaften Vorstellungen alle Jahre verschieden. Denn einmal glaubte er ein Ölkrug zu sein, ein andermal ein Frosch, und da hüpfte er auch nach Art dieses Tieres; hielt er sich für tot, so mußte man ihn begraben, und so hatte er alle Jahr eine neue Einbildung. Diesmal stellte er sich vor, er sei eine Fledermaus, und wenn er so spazieren ging, zischte er manchmal leise wie diese Geschöpfe, bewegte sich auch ein wenig mit den Händen und dem Körper, als wollte er fliegen. Die Ärzte, die ihn wohl kannten, sowie seine alten Diener, suchten ihm alle Art von Unterhaltung zu verschaffen, und weil sie glaubten, er habe großes Vergnügen mich diskurrieren zu hören, so holten sie mich alle Augenblicke und führten mich zu ihm. Ich mußte manchmal vier bis fünf Stunden bei diesem armen Manne bleiben und durfte nicht aufhören zu reden. Er verlangte, daß ich an seiner Tafel gegen ihm über sitzen sollte, und dabei wurde von beiden Seiten unaufhörlich gesprochen. Bei dieser Gelegenheit aß ich sehr gut, aber er, der arme Mann, aß nicht und schlief nicht, und ermüdete mich dergestalt, daß ich nicht mehr vermochte. Manchmal, wenn ich ihn ansah, konnte ich bemerken, daß seine Augen ganz falsch gerichtet waren, das eine blickte dahin, das andere dorthin. Unter andern fing er auch an mich zu fragen, ob mir wohl niemals die Lust zu fliegen angekommen sei. Darauf versetzte ich, eben diejenigen Dinge, die dem Menschen am schwersten vorkämen, hätte ich am liebsten zu vollbringen gewünscht und vollbracht, und was das Fliegen betreffe, so habe mir Gott und die Natur einen Körper sehr geschickt zum Laufen gegeben, und wenn ich nun noch einige mechanische Vorteile dazu täte, so sollte mir das Fliegen sicher glücken.

Darauf fragte er mich, auf welche Weise ich es anfangen wollte, und ich versetzte: Wenn ich die Tiere, welche fliegen, betrachte, um das, was ihnen die Natur gegeben hat, durch Kunst nachzuahmen, so finde ich nur die Fledermaus, die mir zum Muster dienen kann.

Kaum hatte er den Namen Fledermaus gehört, als seine diesjährige Narrheit bei ihm aufwachte und er mit lauter Stimme rief: Das ist wahr! das ist das rechte Tier! Und dann wendete er sich an mich und sagte: Benvenuto, nicht wahr, wenn man dir die Gelegenheit gäb', so würdest du auch Mut haben zu fliegen? Ich versetzte, er solle mir nur die Erlaubnis geben, so getraute ich mich bis hinaus auf die Wiesen zu fliegen, wenn ich mir ein paar Flügel von feiner gewichster Leinwand machen wollte. Darauf versetzte er: Das könnte ich wohl zugeben, aber der Papst hat mir befohlen, dich aufs genauste in acht zu nehmen, auch weiß ich, daß du ein künstlicher Teufel bist, und imstand wärst mir zu entfliehen, darum will ich dich mit hundert Schlüsseln verschließen lassen, damit du aushalten mußt.

Nun fing ich an ihn zu bitten, und brachte ihm ins Gedächtnis, daß ich also ihm ja schon hätte entfliehen können, daß ich aber mein Wort gegen ihn niemals gebrochen haben würde. Ich bat ihn um Gottes willen und bei allen denen Gefälligkeiten die er mir schon erzeigt hatte, daß er das Übel, das ich ohnedies leiden mußte, nicht noch vergrößern möchte.

Indem ich also sprach, befahl er ausdrücklich, daß sie mich binden und mich in meinem Gefängnisse wohl einschließen sollten. Da ich nun sah, daß nichts anders zu hoffen war, sagte ich ihm in Gegenwart aller der Seinigen: So verschließt mich nur wohl, denn ich werde euch auf alle Weise zu entkommen suchen. So führten sie mich weg und sperrten mich mit der größten Sorgfalt ein.

Nun fing ich an die Art und Weise zu überlegen, wie ich entkommen könnte. Sobald ich eingeschlossen war, untersuchte ich das Gefängnis, und da ich sicher glaubte den Weg gefunden zu haben, wie ich herauskommen könnte, so bedachte ich wie ich von dem hohen Turm herunterkommen wollte, nahm meine Leintücher, die ich, wie gesagt, schon zerschnitten hatte, nähte sie wohl zusammen und bedachte, wie viel Öffnung ich brauchte, um durchzukommen, und bereitete überhaupt alles, was mir nur dienen konnte. Ich holte eine Zange hervor, die ich einem Savoyarden genommen hatte, der sich unter der Schloßwache befand. Er sorgte für die Wasserfässer und Brunnen und arbeitete dabei allerlei in Holz. Unter verschiedenen Zangen, die er brauchte, war auch eine sehr starke und große; ich überlegte, daß sie mir sehr nützlich sein könnte, nahm sie weg und verbarg sie in meinem Strohsack. Als nun die Zeit herbeikam, daß ich mich ihrer bedienen wollte, so fing ich an damit die Nägel zu untersuchen, wodurch die Bänder der Tür befestigt waren; weil aber die Tür doppelt war, so blieb auch der umgeschlagene Teil der Nägel ganz verborgen, so daß ich mit der größten Mühe von der Welt endlich einen herausbrachte. Darauf überlegte ich wie ich's nun anzufangen hätte, daß man es nicht merke, und vermischte ein wenig rostigen Eisenfeil mit Wachs, welches dadurch die Farbe der Nägelköpfe erhielt, die ich nun, so wie ich einen herauszog, wieder auf den Bändern vollkommen nachahmte. So hatte ich die Bänder nur oben und unten befestigt, indem ich einige Nägel abstutzte und sie leicht wieder einsteckte, damit sie mir die Bänder nur festhalten sollten.

Dieses alles vollbrachte ich mit großer Schwierigkeit, denn der Kastellan träumte jede Nacht ich sei entflohen, und schickte alle Stunden ins Gefängnis. Der Mensch, der jedesmal kam, betrug sich wie ein Häscher; man nannte ihn Bozza; er brachte immer einen andern mit sich, der Johannes hieß, mit dem Zunamen Pedignone, dieser war Soldat, jener Aufwärter. Johannes kam niemals in mein Gefängnis, ohne mir etwas Beleidigendes zu sagen; der andere war von Prato, und daselbst bei einem Apotheker gewesen. Er betrachtete genau jene Bänder und überhaupt das ganze Gefängnis, und ich sagte zu ihm: Nehmet mich wohl in acht, denn ich gedenke auf alle Weise zu entfliehen. Über diese Worte entstand zwischen mir und ihm die größte Feindschaft, so daß ich mein Eisenwerk, die Zange nämlich und einen ziemlich langen Dolch, auch andere dergleichen Dinge, sorgfältig in meinem Strohsack verbarg.

Sobald es Tag ward, kehrte ich das Behältnis selbst, und ob ich gleich von Natur mich an der Reinlichkeit ergötzte, so trieb ich sie zu jener Zeit aufs äußerste. Sobald ich gekehrt hatte, machte ich mein Bett aufs zierlichste und putzte es mit Blumen, die ich mir fast alle Morgen vom Savoyarden bringen ließ, dem ich die Zange entwendet hatte. Wenn nun Bozza und Pedignone kamen, so sagte ich ihnen gewöhnlich, sie sollten mir vom Bette bleiben, ich wollte es weder beschmutzt noch eingerissen haben, und wenn sie es ja einmal, um mich zu necken, nur leicht berührt hatten, rief ich: Ihr schmutzigen Lumpen! werd' ich doch gleich an einen eurer Degen meine Hand legen, und euch so zurichten, daß ihr euch verwundern sollt; glaubt ihr wohl wert zu sein, das Bett von meinesgleichen anzurühren? Wahrhaftig ich werde mein Leben nicht achten, da ich gewiß bin, euch das eure zu nehmen. Ist es nicht genug an meinem Verdruß und meiner Not, wollt ihr mich noch ärger quälen? Hört ihr nicht auf, so will ich euch zeigen, was ein verzweifelter Mensch tun kann.

Das sagten sie alles dem Kastellan wieder, der ihnen ausdrücklich befahl, sie sollten sich meinem Bette nicht nähern und übrigens aufs beste für mich sorgen. Da ich nun mein Bett gesichert hatte, glaubte ich schon alles getan zu haben, weil in demselben alle Hülfsmittel zu meinem Unternehmen verborgen lagen, und ich freute mich um so mehr, weil ich schon Aufsehen erregt hatte.

Am Abend eines Festtages, unter andern, war der Kastellan in einem sehr üblen Zustand, seine Krankheit hatte sich verschlimmert, und er wollte nun von nichts anders wissen, als daß er eine Fledermaus sei. Er befahl seinen Leuten, wenn sie hörten, daß Benvenuto weggeflogen wäre, sollten sie ihn nur gewähren lassen, er wolle mich gewiß wieder einholen; denn bei Nacht würde er stärker fliegen als ich. Benvenuto, pflegte er zu sagen, ist nur eine nachgemachte Fledermaus, ich aber bin es wahrhaftig. Mir ist er anbefohlen, ich will seiner schon wieder habhaft werden. So war es viele Nächte fortgegangen, er hatte alle seine Diener ermüdet, ich erfuhr was vorging auf verschiedenen Wegen, besonders durch den Savoyarden, der mir sehr wohl wollte.

An eben diesem Abend hatte ich mich entschlossen, es koste was es wolle, zu entfliehen. Ich wendete mich vor allen Dingen zu Gott und bat seine göttliche Majestät, in so einem gefährlichen Unternehmen mich zu beschützen und mir beizustehen. Hernach legte ich Hand ans Werk, und arbeitete die ganze Nacht an den Sachen, die ich brauchen wollte. Zwei Stunden vor Tage nahm ich die Bänder mit großer Mühe herunter, denn das Türgewände und der Riegel hinderten mich dergestalt, daß ich nicht aufmachen konnte, und ich mußte daher das Holz zersplittern, doch brachte ich sie endlich auf, und nahm die Binden auf den Rücken, die ich auf zwei Hölzer nach Art der Hanfspindeln gewunden hatte. Nun ging ich hinaus und an der rechten Seite des Turms herum, deckte von innen zwei Ziegel des Dachs auf und hub mich mit Leichtigkeit hinauf. Ich hatte ein weißes Nachtwestchen an, auch weiße Beinkleider und Halbstiefeln, und in die Stiefeln hatte ich meinen Dolch gesteckt. Nachher nahm ich ein Ende meiner Binden und hing es an ein Stück Ziegel, das in den Turm gemauert war und ungefähr vier Finger herausstand. Die Binde hatte ich auf Art eines Steigbügels zubereitet. Darauf wendete ich mich zu Gott und sagte: Hilf mir nun, weil ich recht habe, wie du weißt, und weil ich mir selbst zu helfen gedenke.

Nun ließ ich mich sachte hinab, und indem ich mich durch die Gewalt der Arme erhielt, kam ich endlich bis auf den Boden. Es war kein Mondenschein, aber eine schöne Helle. Da ich unten war, betrachtete ich die große Höhe, von der ich so kühn heruntergekommen war, und ging vergnügt weg, denn ich glaubte befreit zu sein. Es fand sich aber anders; denn der Kastellan hatte an dieser Seite zwei hohe Mauern aufführen lassen, wo er seine Ställe und seinen Hühnerhof hatte, und es waren die Türen von außen mit großen Riegeln verschlossen. Da ich sah, daß ich nicht hinaus konnte, ging ich hin und wider und überlegte, was zu tun sei. Unversehens stieß ich wider eine große Stange die mit Stroh bedeckt war, richtete sie mit großer Schwierigkeit gegen die Mauer, und half mir mit der Gewalt meiner Arme in die Höhe; weil aber die Mauer sehr scharf war, so konnte ich nicht ganz hinauf kommen, und entschloß mich ein Stück meiner neuen Binden von der andern Spindel dazu anzuwenden, denn die andere war am Turm des Schlosses hängengeblieben. Da ich sie nun an den Balken gebunden hatte, ließ ich mich auch diese Mauer hinunter, doch hatte ich dabei große Mühe, und war sehr ermüdet, denn die Hände waren mir inwendig aufgeschunden und bluteten. Ich ruhte deshalb ein wenig aus und wusch mir die Hände mit meinem eignen Wasser. Als ich nun glaubte meine Kräfte wären wiederhergestellt, griff ich zu meinen noch übrigen Binden und wollte sie um einen Zacken des Mauerkranzes winden, um, wie von der größern Höhe, so auch von der kleinern herunter zu kommen. Da bemerkte mich eine Schildwache, und in dieser Gefahr, meinen Zweck vereitelt und mein Leben ausgesetzt zu sehen, nahm ich mir vor die Wache anzugreifen, die, als sie meinen entschiedenen Vorsatz bemerkte, und wie ich ihr mit gewaffneter Hand zu Leibe ging, größere Schritte machte und mir auswich.

Ich kehrte schnell zu meinen Binden zurück, und ob ich gleich wieder eine andere Schildwache sah, so wollte doch diese mich diesmal nicht sehen. Nun hatte ich meine Binden am Mauerkranz befestigt, und ließ mich hinab. Ob ich nun zu früh glaubte, daß ich schon nahe genug an der Erde sei, und die Hände auftat, um hinabzuspringen, oder ob sie mir zu müde waren und die Anstrengung nicht ausdauern konnten, weiß ich nicht zu sagen, genug ich fiel, verletzte mir den Kopf und blieb betäubt liegen.

Es mochten ungefähr anderthalb Stunden vergangen sein, als der Tau, der einige Stunden vor Sonnenaufgang fällt, mich wieder erfrischte und munter machte; doch war ich noch immer wie schlaftrunken, ob ich gleich einen Versuch machte mich aufzuheben. Noch immer war ich nicht bei mir, es kam mir vor, als hätte man mir das Haupt abgeschlagen und ich befände mich im Fegfeuer. So kamen mir nach und nach die Kräfte wieder, und der Gebrauch der Sinne stellte sich her; dann sah ich, daß ich außerhalb des Kastells war, und ich erinnerte mich alles dessen, was ich getan hatte; vor allem andern fühlte ich die Verletzung meines Hauptes, und als ich es mit den Händen befühlte, brachte ich sie ganz blutig wieder herunter. Darauf betastete ich mich überall und glaubte mich nicht sonderlich beschädigt zu haben, als ich mich aber von der Erde aufheben wollte, fand ich, daß ich meinen rechten Fuß gebrochen hatte, drei Finger über dem Knöchel, worüber ich sehr erschrak. Ich zog meinen Dolch aus dem Stiefel zusamt der Scheide; diese hatte leider an der Spitze des Ortbandes ein ziemlich großes Kügelchen, und da sich nun der Fuß deshalb auf keine Weise biegen konnte, so war es die Ursache, daß er an dieser Stelle brach. Darauf warf ich die Scheide des Dolches weg, und schnitt mit demselben ein Stück von der Binde, die mir übriggeblieben war, herunter, womit ich den Fuß, so gut ich konnte, zusammenband, dann kroch ich auf allen vieren mit dem Dolche nach dem Tor, das noch verschlossen war. Genau unter demselben bemerkte ich einen Stein, den ich nicht für sehr stark hielt, ich gedachte ihn loszubringen, deswegen legte ich Hand an, und als ich eine Bewegung fühlte, kam ich leicht zustande, zog den Stein heraus und schlüpfte hinein. Es mochten mehr als fünfhundert Schritte sein vom Orte, da ich herunterfiel, bis zum Tore.

Kaum war ich wieder nach Rom hinein, als einige große Hunde sich auf mich warfen, die mich übel bissen. Da sie nun verschiedene Male mich zu quälen wieder kamen, stach ich mit meinem Dolche unter sie und traf einen so tüchtig, daß er laut aufschrie und davonlief. Die andern Hunde, wie es ihre Art ist, liefen ihm nach, und ich gedachte die nächste Kirche zu erreichen, immer auf allen vieren. Als ich nun an das Ende der Straße gekommen war, wo man sich nach Sant' Angelo umkehrt, veränderte ich meinen Vorsatz und ging gegen Sankt Peter, und da es hell genug um mich wurde, betrachtete ich die Gefahr, in der ich schwebte. Da begegnete mir ein Wasserhändler mit seinem beladenen Esel und gefüllten Krügen. Ich rief ihn zu mir, und bat ihn er sollte mich aufheben und mich auf die Höhe der Treppe von Sankt Peter tragen, dabei sagte ich ihm: Ich bin ein armer Jüngling, der bei einem Liebeshandel sich zum Fenster herunterlassen wollte; ich bin gefallen und habe mir einen Fuß gebrochen, und da der Ort, von dem ich komme, von großer Bedeutung ist, so bin ich in Gefahr, in Stücken zerhauen zu werden, deswegen bitte ich dich, hebe mich schnell auf, du sollst einen Goldgülden haben.

Ich griff sogleich nach dem Beutel, in welchem eine gute Menge sich befanden. Er faßte mich unverzüglich an, nahm mich auf den Rücken und trug mich auf die Stufen von Sankt Peter, da sagte ich ihm, er solle mich nur lassen und zu seinem Esel zurücklaufen; alsdann kroch ich nach dem Hause der Herzogin, Gemahlin des Herzogs Ottavio, einer natürlichen Tochter des Kaisers, die vorher Gemahlin Herzog Alexanders von Florenz gewesen war. Ich wußte gewiß, daß bei dieser großen Fürstin viele von meinen Freunden sich befanden, die mit ihr von Florenz gekommen waren; auch hatte sie schon gelegentlich Gutes von mir gesprochen.

Denn als sie ihren Einzug in Rom hielt, war ich Ursache, daß ein Schade von mehr als tausend Scudi verhindert wurde: es regnete sehr stark, und der Kastellan war äußerst verdrießlich, ich aber sprach ihm Mut ein und sagte ihm, wie ich mehrere Kanonen nach der Gegend gerichtet hätte, wo die stärksten Wolken wären; und als ich mitten in einem dichten Regen anfing die Stücke abzufeuern, hörte es auf, und viermal zeigte sich die Sonne, und so war ich Ursache, daß dieses Fest aufs glücklichste vorbeiging. Das hatte der Kastellan dem Papst erzählt, um etwas zu meinen Gunsten vorzubringen. Als es die Herzogin hörte, sagte sie: Der Benvenuto ist einer von den geschickten Leuten, die mit meinem seligen Herrn waren, und ich werde es ihm immer gedenken, wenn es Gelegenheit gibt. Auch hatte sie von mir mit ihrem jetzigen Gemahl gesprochen. Deswegen ging ich gerade nach Ihro Exzellenz Wohnung, die im alten Borgo, in einem sehr schönen Palaste war; da wär' ich nun ganz sicher gewesen und der Papst hätte mich nicht angerührt, aber weil das, was ich bisher getan hatte, zu außerordentlich für einen sterblichen Menschen war, so wollte Gott nicht, daß ich mich dieses eignen Ruhms überheben sollte, vielmehr sollte ich zu meinem Besten noch größere Prüfungen ausstehn, als jene waren, die ich schon erlitten hatte.

Daher begab sich, daß, als ich so auf Händen und Füßen die Treppe hinunterkroch, ein Bedienter des Kardinals Cornaro mich erkannte; dieser lief sogleich zu seinem Herrn, der im vatikanischen Palast wohnte, weckte ihn und sagte: Hochwürdigster Herr! da ist euer Benvenuto aus dem Kastell geflohen, und kriecht ganz blutig auf allen vieren; soviel sich bemerken läßt, hat er ein Bein gebrochen, und wir wissen nicht wo er hin will. Darauf sagte der Kardinal: Sogleich lauft und tragt mir ihn hierher, in mein Zimmer. Als ich vor ihn kam, sagte er, ich solle nur ruhig sein! und schickte sogleich nach den ersten Ärzten von Rom, die mich in die Kur nahmen. Unter denselben war Meister Jakob von Perugia, der trefflichste Chirurgus, der richtete mir den Fuß ein, verband mich und ließ mir selbst zur Ader; da nun die Gefäße übermäßig aufgetrieben waren, er auch die Öffnung etwas groß gemacht hatte, so fuhr eine Menge Bluts dergestalt gewaltsam heraus, ihm ins Gesicht, und bedeckte ihn über und über, daß er sich entfernen mußte. Er nahm die Sache für ein böses Anzeigen und kurierte mich mit großem Widerwillen, ja einige Male wollte er mich gar verlassen; denn er fürchtete diese Kur könnte ihm sehr übel bekommen. Der Kardinal ließ mich in ein geheimes Zimmer legen und ging in der Absicht weg, mich vom Papste zu erbitten.

ZWÖLFTES KAPITEL

Allgemeines Erstaunen über des Autors Entkommen. – Geschichte einer ähnlichen Flucht Paul III., in seiner Jugend, aus dem Kastell. – Peter Ludwig tut sein möglichstes, um seinen Vater abzuhalten, daß er dem Verfasser nicht die Freiheit schenke. – Kardinal Cornaro verlangt eine Gefälligkeit vom Papst und muß dagegen den Autor ausliefern. – Er wird zum zweitenmal in die Engelsburg gebracht und von dem verrückten Schloßhauptmann mit äußerster Strenge behandelt.

Indessen war in der Stadt ein entsetzlicher Lärm entstanden, man hatte die Binden am großen Turme hängen sehen, und ganz Rom lief, um diese unschätzbare Begebenheit zu betrachten. Der Kastellan war in seine größten Tollheiten verfallen, wollte mit aller Gewalt sich von seinen Dienern losreißen, und auch am Turme herunterfliegen, denn er behauptete, es könne mich niemand erreichen als er, wenn er mir nachflöge.

Um diese Stunde war Herr Robert Pucci, Vater des Herrn Pandolfo, da er diese große Sache vernommen, selbst gegangen um sie zu sehen; er kam darauf in den Palast, wo er dem Kardinal begegnete, der ihm den ganzen Erfolg erzählte, und wie ich mich in einem seiner Zimmer schon verbunden befänd'. Diese zwei braven Männer gingen zusammen, sich zu den Füßen des Papstes zu werfen, der sie nicht zum Worte kommen ließ, sondern sogleich sagte: Ich weiß was ihr von mir wollt. Herr Robert Pucci versetzte: Heiligster Vater! wir bitten um Gnade für den armen Mann der wegen seiner Geschicklichkeit einiges Mitleiden verdient, und der außerdem so viel Mut und Verstand gezeigt hat, daß es gar keine menschliche Sache zu sein scheint. Wir wissen nicht wegen welcher Vergehungen er so lange im Gefängnis war; sind sie allzu groß und schwer, so wird Eure Heiligkeit, heilig und weise wie sie ist, nach Gefallen verfahren; aber sind es Dinge, die läßlich sind, so bitten wir um Gnade für ihn. Der Papst schämte sich und sagte, er habe mich auf Ansuchen einiger der Seinigen inne behalten, weil ich ein wenig gar zu verwegen sei. Da er aber meine guten Eigenschaften kenne, so wolle er mich bei sich behalten, und mir so viel Gutes erzeigen, daß ich nicht Ursache haben sollte wieder nach Frankreich zu gehen. Sein großes Übel tut mir leid, setzte er hinzu, er soll für seine Gesundheit sorgen, und wenn er genesen ist, gedenken wir ihn von seinen andern Übeln zu heilen. Sogleich kamen die beiden wackern Männer und brachten mir diese gute Nachricht.

Mittlerweile nun der römische Adel mich besuchte, junge, alte und von aller Art, ließ sich der Kastellan, noch ganz zerstört, zum Papste tragen, und als er vor ihn kam, schrie er, wenn Seine Heiligkeit den Benvenuto nicht wieder ins Gefängnis stellten, so geschähe ihm das größte Unrecht. Er ist, rief er aus, gegen sein gegebenes Wort geflohen, wehe mir! er ist davongeflogen, und hat mir doch versprochen nicht wegzufliegen. Der Papst sagte lachend: Geht nur, geht! ihr sollt ihn auf alle Fälle wieder haben. Dann bat noch der Kastellan und sagte: Sendet doch den Gouverneur zu ihm, daß er vernehme, wer ihm geholfen hat, denn wenn es einer von meinen Leuten ist, so soll er an der Zinne hangen, von der sich Benvenuto herunterließ.

Als der Kastellan weg war, rief der Papst lächelnd den Gouverneur und sagte: Das ist ein braver Mann, und die Sache ist wundersam genug, doch als ich jung war, habe ich mich auch da oben heruntergelassen.

Daran sagte er nun freilich die Wahrheit, denn er hatte gefangen im Kastell gesessen, weil er als Abbreviator ein Breve verfälscht hatte; Papst Alexander ließ ihn lange sitzen, und weil die Sache gar zu arg war, wollte er ihm den Kopf nach dem Fronleichnamsfeste abschlagen lassen. Farnese wußte das alles, und ließ Peter Chiavelluzzi mit Pferden bestellen, bestach einige der Wache, so daß, am Fronleichnamstage, indessen der Papst in Prozession zog, Farnese in einem Korb an einem Seile zur Erde gelassen wurde. Damals war das Kastell noch nicht mit Mauern umgeben, sondern der Turm stand frei, und er hatte keinesweges die großen Hindernisse bei seiner Flucht, als ich, auch saß er mit Recht und ich mit Unrecht gefangen; genug er wollte gegen den Gouverneur sich rühmen, daß er auch in seiner Jugend brav und lebhaft gewesen sei, und bemerkte nicht, daß er zu gleicher Zeit seine Niederträchtigkeit verriet. Darauf sagte er zu dem Gouverneur: Gehet und sagt ihm, er soll bekennen, wer ihm geholfen hat. Es mag sein wer es will, genug ihm ist's verziehen, das könnt ihr ihm frei versprechen.

Der Gouverneur, der einige Tage vorher Bischof von Jesi geworden war, kam zu mir, und sagte: Mein Benvenuto! wenn schon mein Amt die Menschen erschreckt, so komme ich doch diesmal dich zu beruhigen, und ich habe dazu den eigensten Befehl und Auftrag vom Papste. Er hat mir gesagt, daß er auch von dort entflohen sei, und es wär' ihm nicht ohne viele Helfer und Gesellen möglich gewesen. Ich schwöre dir bei dem Eid, den ich auf mir habe, denn ich bin seit zwei Tagen Bischof, daß dir der Papst vergibt, und dich freispricht, ja sogar dein Übel bedauert. Sorge für deine Gesundheit, und nimm alles zum besten. Selbst dieses Gefängnis, in das du ohne die mindeste Schuld gekommen bist, wird auf immer zu deinem Wohl gereichen; denn du wirst der Armut entgehen und nicht nötig haben wieder nach Frankreich zurückzukehren, und dir's dann dort sauer werden zu lassen. Daher gestehe mir frei, wie die Sache zugegangen ist, und wer dir beigestanden hat; dann sei getrost und ruhig und genese.

Da fing ich an und erzählte ihm die ganze Geschichte, wie sie sich ereignet hatte, und gab ihm die genausten Merkzeichen, sogar von dem Wassermanne, der mich getragen hatte. Darauf sagte der Gouverneur: Wahrlich, das ist zu viel für einen Mann, und keines Menschen als deiner würdig. Darauf ließ er mich die Hand ausstrecken und sagte: Sei munter und getrost; bei dieser Hand, die ich berühre, du bist frei, und solange du lebst wirst du glücklich sein.

Da er weg war, traten viele große Edelleute und Herren herein, die solange gewartet hatten, denn jeder wollte den Mann sehen, der so viele Wunder täte. Dieser Besuch blieb lange bei mir, manche boten mir Unterstützungen an, manche brachten mir Geschenke. Indessen war der Gouverneur zum Papste gekommen und fing an die Geschichte zu erzählen, wie er sie von mir gehört hatte, und zufälligerweise war Herr Peter Ludwig, sein Sohn, gegenwärtig. Alle verwunderten sich höchlich, und der Papst sagte: Wahrhaftig, diese Begebenheit ist allzugroß. Darauf versetzte Herr Peter Ludwig: Heiligster Vater, wenn ihr ihn befreit, so wird er euch noch größere sehen lassen, denn er ist ein allzukühner Mann, ich will euch etwas andres erzählen, was ihr noch nicht wißt. Euer Benvenuto, ehe er noch gefangengesetzt wurde, hatte einen Wortwechsel mit einem Edelmann des Kardinals Santa Fiore, über eine Kleinigkeit. Benvenuto antwortete so heftig und kühn, beinahe als wenn er ihn herausfordern wollte; alles das hinterbrachte der Edelmann dem Kardinal, welcher sagte, wenn Benvenuto zu Tätigkeiten käm', so wollte er ihm den Narren schon aus dem Kopfe treiben. Benvenuto hatte das vernommen, gleich hielt er seine kleine Büchse parat, mit der er jedesmal einen Pfennig trifft; seine Werkstatt ist unter den Fenstern des Kardinals, und als dieser eines Tages heraus sah, ergriff jener seine Büchse, um nach dem Kardinal zu schießen, der, weil man ihn warnte, sogleich zurücktrat; Benvenuto, damit es keinen Anschein haben sollte, schoß nach einer Feldtaube, die auf der Höhe des Palastes in einer Öffnung nistete, und traf sie an den Kopf, was kaum zu glauben ist. Nun tue Eure Heiligkeit mit ihm was Ihnen beliebt, ich habe es wenigstens sagen wollen, denn es könnte ihm einmal die Lust ankommen nach Eurer Heiligkeit zu schießen, da er glaubt man habe ihn unschuldig gefangengesetzt. Es ist ein zu wildes, ein allzu sichres Gemüt. Als er den Pompeo ermordete, gab er ihm zwei Stiche in den Hals, in der Mitte von zehn Männern, die ihn bewachten, und rettete sich sogleich, worüber jene, die doch brave und zuverlässige Leute waren, nicht wenig gescholten wurden. Der Edelmann des Kardinals Santa Fiore, der soeben gegenwärtig war, bekräftigte dem Papst alles, was sein Sohn gesagt hatte; der Papst schien verdrießlich und sagte nichts.

Nun will ich aber das wahre Verhältnis dieser Sache genau und treulich erzählen. Gedachter Edelmann kam eines Tages zu mir, und zeigte mir einen kleinen goldnen Ring, der von Quecksilber ganz verunreinigt war, und sagte: Reinige mir den Ring! und mach geschwind! Ich hatte viel wichtige Werke und Arbeiten von Gold und Edelsteinen vor mir, und da mir jemand so geradezu befahl, den ich niemals weder gesprochen noch gesehen hatte, sagte ich ihm, ich hätte das Putzzeug soeben nicht bei der Hand, er möchte

ZWEITES BUCH · ZWÖLFTES KAPITEL

zu einem andern gehen. Darauf sagte er mir, ohne irgendeinen Anlaß, ich sei ein Esel! Darauf antwortete ich, er rede nicht die Wahrheit, ich sei in jedem Betracht mehr als er, wenn er mich aber anstieße, so wollte ich ihm Tritte geben ärger als ein Esel! Das hinterbrachte er dem Kardinal und malte ihm eine Hölle vor. Zwei Tage darauf schoß ich nach einer wilden Taube in ein hohes Loch an dem Palast; sie hatte dort genistet, und ich hatte einen Goldschmied, Johann Franziskus della Tacca, einen Mailänder, schon oft danach schießen sehen, der sie nie getroffen hatte. Diesmal sah die Taube nur mit dem Kopf heraus, da ihr verdächtig vorkam, daß man schon einigemal nach ihr geschossen hatte. Franziskus und ich waren auf der Jagd mit der Büchse Nebenbuhler, und einige Edelleute, meine Freunde, die an meiner Werkstatt lehnten, sagten zu mir: Siehe, da droben ist die Taube, nach der Francesco so lange geschossen und sie niemals getroffen hat; siehe nur, wie das arme Tier in Furcht ist, kaum läßt es den Kopf sehen. Da hob ich die Augen in die Höhe und sagte, der Kopf allein wäre mir genug, um das arme Tier zu erlegen; wenn es nur warten wollte, bis ich meine Büchse angelegt hätte, gewiß ich wollte nicht fehlen. Darauf sagten meine Freunde, dem Erfinder der Büchse selbst würde ein solcher Schuß nicht gelingen; ich aber versetzte: Wetten wir einen Becher griechischen Weins von dem guten des Wirtes Palombo! wartet sie auf mich, bis ich meinen wundersamen Broccardo anlege (denn so nannte ich meine Büchse), so will ich sie auf das bißchen Kopf treffen, das sie mir zeigt. Sogleich zielte ich aus freier Hand ohne irgendwo anzulehnen, und hielt mein Wort. Ich dachte dabei weder an den Kardinal noch an irgendeinen Menschen, vielmehr hielt ich den Kardinal Santa Fiore für meinen großen Gönner. Daraus kann man nun sehen, was das Glück für mancherlei Wege nimmt, wenn es einen einmal beschädigen und zu Grunde richten will.

So war der Papst innerlich voll Ärger und Verdruß und

bedachte was ihm sein Sohn gesagt hatte. Nun begehrte zwei Tage nachher der Kardinal Cornaro ein Bistum für einen seiner Edelleute, welcher Andrea Centano hieß. Der Papst erinnerte sich wohl, daß er gedachtem Manne das erste zu erledigende Bistum versprochen hatte, und war auch bereit es ihm zu geben, nur verlangte er eine Gegengefälligkeit, und zwar wollte er mich wieder in seine Hände haben. Darauf sagte der Kardinal: Da Eure Heiligkeit ihm schon verziehen haben, was wird die Welt sagen, und da Sie ihn frei in meine Hände gaben, was werden die Römer von Eurer Heiligkeit und von mir denken? Darauf antwortete der Papst: Ich verlange den Benvenuto, wenn ihr das Bistum verlangt, und jeder denke was er will. Der gute Kardinal versetzte: Seine Heiligkeit möchte ihm das Bistum geben, dabei aber die Sache doch bedenken, und übrigens nach Belieben verfahren. Darauf antwortete der Papst, der sich doch einigermaßen seines schändlich gebrochenen Worts schämte: Ich werde den Benvenuto holen lassen, und zu meiner kleinen Satisfaktion soll man ihn unten in die Zimmer des geheimen Gartens bringen, wo er völlig genesen mag; ich will nicht verbieten, daß ihn alle seine Freunde besuchen können, und für seinen Unterhalt sorgen, bis ihm alle Grillen wieder aus dem Kopfe sind.

Der Kardinal kam nach Hause und ließ mir durch den, der das Bistum erwartete, sogleich sagen, der Papst wolle mich wieder in seine Hände haben, ich sollte aber in einem untern Zimmer des geheimen Gartens bleiben, wo mich jedermann besuchen könnte, so wie bisher in seinem Zimmer. Darauf bat ich Herrn Andreas er möge dem Kardinal sagen, daß er mich dem Papst doch ja nicht ausliefern sollte. Wenn er mich gewähren ließe, so wollte ich mich, in eine Matratze gewickelt, außerhalb Rom an einen sichern Ort bringen lassen; denn wenn ich wieder in die Hände des Papstes geriet', würde ich gewiß umkommen.

Wären meine Worte dem Kardinal hinterbracht worden, so glaube ich er hätte es wohl getan, aber der Herr Andreas,

ZWEITES BUCH · ZWÖLFTES KAPITEL

der das Bistum erwartete, entdeckte die Sache. Der Papst schickte geschwind nach mir und ließ mich, wie er gesagt hatte, in eines der untersten Zimmer seines geheimen Gartens bringen. Der Kardinal ließ mir sagen, ich sollte nichts von den Speisen essen, die mir der Papst schicke, er wolle mir Essen senden. Was er getan habe, sei aus Notwendigkeit geschehen, ich solle gutes Muts sein, er wolle mir schon beistehen und mich befreien helfen.

Während dieses Aufenthalts hatte ich täglich Besuch, und große Dinge wurden mir von den Edelleuten angeboten. Vom Papst kam das Essen, das ich aber nicht anrührte, vielmehr nur das genoß, was der Kardinal mir schickte, und so ging es eine Weile. Unter andern Freunden hatte ich einen griechischen Jüngling von fünfundzwanzig Jahren, derselbe war sehr munter, focht besser als irgendein anderer in Rom, dabei war er kleinmütig, äußerst treu, redlich und leichtgläubig. Nachdem ich vernommen hatte, wie der Papst von Anfang, und wie er nachher das Gegenteil gesprochen, vertraute ich mich dem jungen Griechen und sagte zu ihm: Lieber Bruder, sie wollen mich umbringen, und es wird Zeit, daß ich mich rette; sie denken, ich merke es nicht, und erzeigen mir deswegen solche besondere Gunst, das alles nur lauter Verräterei ist. Der gute Jüngling sagte zu mir: Mein Benvenuto! in Rom erzählt man, der Papst habe dir eine Stelle von fünfhundert Scudi gegeben, ich bitte dich, bringe dich nicht durch deinen Verdacht um ein solches Glück. Ich aber bat ihn mit den Armen auf der Brust, er möchte mir forthelfen, ich wisse wohl, daß ein Papst mir viel Gutes tun könne, es sei aber leider nur zu gewiß, daß mir dieser, insofern er es nur mit Ehren tun dürfe, heimlich alles mögliche Böse zufügen werde. So beschwur ich meinen Freund, er solle mir das Leben retten, und wenn er mich wegbrächte, wie ich ihm die Mittel dazu angeben wollte, so würde ich anerkennen, daß ich ihm mein Leben schuldig sei, und es im Notfall auch wieder für ihn verwenden.

Der arme Jüngling sagte weinend zu mir: Lieber Bruder, du willst dein eigenes Verderben, und doch kann ich dir das was du befiehlst nicht versagen; zeige mir die Art und Weise, und ich will alles verrichten, obschon wider meinen Willen.

So waren wir entschlossen. Ich hatte ihm die Art gesagt und alles bestellt, so daß es leicht hätte gehen müssen. Er kam, und ich glaubte, er werde nun ins Werk richten, was ich angeordnet hatte. Da sagte er, um meines eignen Heils willen wolle er ungehorsam sein, er wisse wohl, was er von Leuten gehört habe, die immer um den Papst seien, und denen mein wahres Verhältnis bekannt sei. Da ich mir nun nicht anders zu helfen wußte, war ich höchst verdrießlich und voller Verzweiflung.

Unter diesem Zwist war der ganze Tag vergangen, es war Fronleichnam 1539, und man brachte mir aus der Küche des Papstes reichliches Essen, nicht weniger gute Speisen aus der Küche des Kardinals. Es kamen verschiedene Freunde und ich bat sie zu Tische, hielt meinen verbundenen Fuß auf dem Bette und aß fröhlich mit ihnen. Sie gingen nach ein Uhr hinweg, zwei meiner Diener brachten mich zu Bette und legten sich darauf ins Vorzimmer.

Ich hatte einen Hund, wie ein Mohr so schwarz, von der zottigen Art, der mir auf der Jagd trefflich diente und der keinen Schritt von mir wich. Er lag unter meinem Bette, und ich rief meinen Diener wohl dreimal, er solle ihn hervorholen, denn das Tier heulte erschrecklich. Sobald meine Diener kamen, warf er sich auf sie und biß um sich, meine Leute fürchteten sich, sie glaubten der Hund sei toll, weil er beständig heulte. So brachten wir zu bis vier Uhr in der Nacht; wie die Stunde schlug, trat der Bargell mit vielen Gehülfen in mein Zimmer, da fuhr der Hund hervor und fiel grimmig über sie her, zerriß ihnen Jacke und Strümpfe und jagte ihnen solche Furcht ein, daß sie ihn auch für wütend hielten. Deswegen sagte der Bargell, als ein erfahrner Mann: Das ist die Art der guten Hunde, daß sie das Übel, das ihren Herrn bevorsteht, raten und voraussagen, wehrt euch mit ein paar Stöcken gegen das Tier, bindet mir Benvenuto auf diesen Tragsessel und bringt ihn an den bewußten Ort. Das war nun, wie ich schon sagte, am Fronleichnamstage, ungefähr um Mitternacht. So trugen sie mich verdeckt und verstopft, und viere gingen voraus, die wenigen Menschen, die noch auf der Straße waren, beiseite zu weisen. Sie trugen mich nach Torre di Nona und brachten mich in das Gefängnis auf Leben und Tod, legten mich auf eine schlechte Matratze und ließen mir einen Wächter da, welcher die ganze Nacht mein übles Schicksal beklagte, und immer ausrief: Armer Benvenuto, was hast du diesen Leuten getan? Da begriff ich wohl, was mir begegnen konnte, teils weil man mich an einen solchen Ort gebracht hatte, teils weil der Mensch solche Worte wiederholte.

Einen Teil dieser Nacht quälte mich der Gedanke, aus was für Ursache Gott mir eine solche Buße auflege, und da ich sie nicht finden konnte, war ich äußerst unruhig. Indessen bemühte sich die Wache, mich so gut sie wußte zu trösten und zu stärken; ich aber beschwor sie um Gottes willen, sie sollte schweigen und nichts zu mir sprechen, denn ich würde selbst am besten einen Entschluß zu fassen wissen, und sie versprach mir auch meinen Willen zu tun. Dann wendete ich mein ganzes Herz zu Gott, und bat ihn inbrünstig, er möge mir beistehn, denn ich habe mich allerdings über mein Schicksal zu beklagen. Meine Flucht sei eine unschuldige Handlung nach den Gesetzen, wie die Menschen solche erkennten. Habe ich auch Totschläge begangen, so habe mich doch sein Statthalter aus meinem Vaterlande zurückgerufen und mir, kraft der göttlichen Gesetze, verziehn, und was ich auch getan habe, sei zur Verteidigung des Leibes geschehen, den mir seine göttliche Majestät geliehen habe, so daß ich nicht einsehe, wie ich nach den Einrichtungen, die wir auf der Welt befolgen, einen solchen Tod verdiene; vielmehr schien es, daß es mir wie unglücklichen Personen begegne, die auf der Straße von einem Ziegel totgeschlagen werden. Daran sehe man eben die Macht der Gestirne, nicht daß sie sich etwa verbänden, um uns Gutes oder Böses zu erzeigen, sondern weil sie durch ihr Zusammentreffen solches Übel bewirkten. Ich erkenne zwar recht gut an, daß ich einen freien Willen habe und daß, wenn mein Glaube recht geübt wär', die Engel des Himmels mich aus diesem Gefängnisse heraustragen, und mich von jedem Unglück retten könnten; allein weil ich einer solchen göttlichen Gnade nicht wert sei, so würden jene astralischen Einflüsse wohl ihre Bösartigkeit an mir beweisen. Nachdem ich das so ein wenig durchgedacht hatte, faßte ich mich und schlief sogleich ein.

Als es Tag ward, weckte mich die Wache auf und sagte: Unglücklicher guter Mann, es ist nicht mehr Zeit zu schlafen, denn es ist einer gekommen, der dir eine böse Neuigkeit zu bringen hat. Darauf antwortete ich: Je geschwinder ich aus diesem irdischen Gefängnis befreiet werde, desto angenehmer ist es mir, besonders da ich sicher bin, daß meine Seele gerettet ist, und daß ich widerrechtlich sterbe. Christus, unser herrlicher und göttlicher Erlöser, gesellt mich zu seinen Schülern und Freunden, die, auch unschuldig, den Tod erduldeten, und ich habe deswegen Gott zu loben. Warum tritt der nicht hervor, der mir das Urteil anzukündigen hat? Darauf sagte die Wache: Er bedauert dich gar zu sehr und weint. Darauf nannte ich ihn beim Namen, er hieß Herr Benedetto da Cagli, und sagte zu ihm: Kommt näher, mein Herr Benedetto; denn ich bin gegenwärtig sehr gut gefaßt und entschlossen. Es ist mir rühmlicher, daß ich unschuldig sterbe, als wenn ich schuldig umkäm'. Tretet herbei, ich bitte euch, und gebt mir einen Priester, mit dem ich wenige Worte reden kann, denn meine fromme Beichte habe ich schon meinem Herrn und Gott abgelegt; allein ich möchte doch auch die Befehle unsrer heiligen Mutter, der Kirche, erfüllen, der ich von Herzen das abscheuliche Unrecht, das sie mir antut, verzeihe. So kommt nur, mein Herr Benedetto, und vollzieht euer Amt, ehe ich etwa wieder kleinmütig werde.

Als ich diese Worte gesprochen, entfernte sich der gute Mann und sagte zur Wache, sie sollte die Tür verschließen, denn ohne ihn könne nichts vorgehn. Er eilte darauf zur Gemahlin des Herrn Peter Ludwig, die bei obgedachter Herzogin war, und sagte, indem er vor die Damen trat: Erlauchte Frau, erzeigt mir um Gottes willen die Gnade den Papst bitten zu lassen, daß er einen andern schicke das Urteil an Benvenuto zu vollstrecken und mein Amt zu verrichten, dem ich auf immer entsage. Und so ging er mit großen Schmerzen hinweg. Die Herzogin, welche gegenwärtig war, verzog das Gesicht und sagte: Das ist eine schöne Gerechtigkeit, die der Statthalter Gottes in Rom ausübt! Der Herzog, mein Gemahl, wollte diesem Manne sehr wohl wegen seiner Kunst und seiner Tugenden und sah nicht gern, daß er nach Rom zurückkehrte, er hätte ihn viel lieber bei sich behalten. Und so ging sie mit vielen verdrießlichen Worten hinweg. Die Gemahlin des Herrn Peter Ludwig, welche Frau Hieronyma hieß, ging sogleich zum Papste, warf sich, in Gegenwart vieler Kardinäle, ihm zu Füßen, und sagte so große Dinge, daß der Papst sich schämen mußte. Er versetzte darauf: Euch zuliebe mag es hingehen! Auch sind wir niemals übel gegen ihn gesinnt gewesen. So äußerte sich der Papst, weil so viel Kardinäle die Worte dieser kühnen, bewundernswerten Frau gehört hatten.

Ich aber befand mich in den schlimmsten Umständen. Das Herz schlug mir in einem fort, und auch diejenigen, die den bösen Auftrag verrichten sollten, waren mißbehaglich. Es ward immer später und endlich Tischzeit, da ging jeder seiner Wege, und mir brachte man auch zu essen. Darüber verwunderte ich mich und sagte: Hier hat die Wahrheit mehr vermocht als der schlimme Einfluß der himmlischen Gestirne, und ich bitte Gott, daß er, nach seinem Gefallen, mich von diesem Unheil errette. Nun fing ich an zu essen, und wie ich mich vorher in mein großes Übel gegeben hatte, schöpfte ich gleich wieder gute Hoffnung. Ich speiste mit viel Appetit, und sah und hörte nichts weiter, bis in der ersten Stunde der Nacht, da kam der Bargell, mit mehrern seiner Leute, setzte mich wieder in den Sessel, worauf sie mich abends vorher an diesen Ort getragen hatten, und sagte mir mit vielen freundlichen Worten, ich sollte ruhig sein; und den Häschern befahl er, sie sollten mich wohl in acht nehmen und nicht an meinen zerbrochenen Fuß stoßen. So trugen sie mich ins Kastell wieder zurück, und da wir auf der Höhe des Turms waren, wo ein kleiner Hof ist, hielten sie still.

DREIZEHNTES KAPITEL

Erzählung der grausamen Mißhandlung, die er während seiner Gefangenschaft erduldet. – Große Ergebung in sein trauriges Schicksal. – Wunderbare Vision, die eine baldige Befreiung verkündigt. – Er schreibt ein Sonett auf sein Elend, wodurch das Herz des Kastellans erweicht wird. – Der Kastellan stirbt. – Durante versucht den Cellini zu vergiften. Dieser entkommt dem Tode, durch den Geiz eines armen Juweliers.

Darauf ließ sich der Kastellan, krank und elend, wie er war, gleichfalls an diesen Ort tragen und sagte: Nicht wahr, ich habe dich wieder? Ja, versetzte ich, aber nicht wahr, ich bin euch entkommen, und wäre ich nicht unter päpstlicher Treue, um ein Bistum, zwischen einem venezianischen Kardinal und einem Römer Farnese, verhandelt worden, welche beide den heiligen Gesetzen sehr das Gesicht zerkratzt haben, so hättest du mich nicht wieder erwischen sollen. Weil sie sich aber so schlecht betragen haben, so tue nun auch das Schlimmste was du kannst; denn ich bekümmere mich um nichts mehr in der Welt. Da fing der arme Mann an gewaltig zu schreien und rief: Wehe mir! dem ist Leben und Sterben einerlei, und er ist noch kühner, als da er gesund war. Bringt ihn unter den Garten und redet mir nicht mehr von ihm, denn er ist Ursache an meinem Tode.

Man trug mich unter den Garten, in ein dunkles Behältnis, das sehr feucht war, voll Taranteln und giftiger Würmer. Man warf mir eine Matratze von Werg auf die Erde, gab mir diesen Abend nichts zu essen und verschloß mich mit vier Türen. So blieb ich bis neunzehn Uhr des andern Tages, da brachte man mir zu essen, und ich verlangte einige meiner Bücher zum Lesen. Ohne mir zu antworten, hinterbrachten sie es dem Kastellan, welcher gefragt hatte, was ich denn sagte. Den andern Morgen reichten sie mir eine Bibel und die Chronik des Villani. Ich verlangte noch einige andere Bücher, aber sie sagten mir, daraus würde nichts werden, ich hätte an diesen schon zu viel. So lebte ich, elend genug, auf der ganz verfaulten Matratze, denn in drei Tagen war alles naß geworden. Wegen meines zerbrochenen Fußes konnte ich mich nicht regen, und wenn ich um einer Notdurft willen aus dem Bette mußte, so hatte ich mit großer Not auf allen vieren zu kriechen, um den Unrat nur nicht nahe zu haben.

Ungefähr anderthalb Stunden des Tages drang ein wenig Widerschein durch ein kleines Loch in die unglückseligste Höhle; nur diese kurze Zeit konnte ich lesen, übrigens war ich Tag und Nacht in der Finsternis, und nicht ohne Gedanken an Gott und unsere menschliche Gebrechlichkeit. Ja es schien mir gewiß, daß ich in wenigen Tagen mein unglückliches Leben auf diese Weise endigen würde. Ich tröstete mich so gut ich konnte und betrachtete, wie viel trauriger es gewesen wäre, dieses Leben durch den schmerzlichen Tod des Henkerbeiles zu endigen, als jetzt, da ich durch eine Art von Traum hinausgehen würde, den ich nach und nach angenehm fand. Denn ich fühlte meine Kräfte von Zeit zu Zeit abnehmen, bis meine gute Natur sich an dieses Fegefeuer gewöhnte.

Da ich nun einmal so weit gekommen war, faßte ich Mut das unglaubliche Elend so lange zu erdulden, als meine Kräfte noch hinreichten. Ich fing die Bibel von Anfang an, und so fuhr ich täglich mit Lesen und frommen Betrachtungen fort, und ich war so verliebt darein, daß ich nichts anders getan haben würde: aber sobald mir das Licht mangelte, fiel der Verdruß mich wieder an und quälte mich so, daß ich mehr als einmal entschlossen war, mich selbst umzubringen. Weil sie mir aber kein Messer gelassen hatten, so war die Sache schwer zu verrichten. Doch hatte ich unter andern einmal ein großes Holz zurechte gestellt und wie eine Falle unterstützt, und wollte es auf meinen Kopf schlagen lassen, so daß ich gewiß gleich tot geblieben wär'. Als ich nun das Gestelle zurechte gemacht hatte, und eben um loszudrücken die Hand hineinsteckte, ward ich von einem unsichtbaren Wesen ergriffen und vier Ellen weit weggeworfen, worüber ich so erschrak, daß ich für tot liegen blieb.

Dieser Zustand dauerte von Tagesanbruch bis neunzehn Uhr, da sie mir das Essen brachten. Sie mochten oft hin und her gegangen sein, ehe ich sie bemerkte, denn zuletzt als ich zu mir kam, hörte ich den Kapitän Sandrino Monaldi, der im Hereintreten sagte: Welches Ende haben so seltne Tugenden genommen! Als ich diese Worte vernahm, schlug ich die Augen auf und sah die Priester in ihren Chorhemden, welche ausriefen: Ihr habt ja gesagt, daß er tot sei. Darauf antwortete Bozza: Für tot habe ich ihn gefunden, und so sagte ich's auch. Schnell huben sie mich auf, nahmen die Matratze weg, die ganz faul und wie Nudeln geworden war, warfen sie vor die Tür und erzählten den Vorfall dem Kastellan, der mir eine andere Matratze geben ließ.

Da ich nun überlegte, was das wohl gewesen sein könnte, das mich von meinem Vorsatz abgehalten hatte, so konnte ich wohl denken, daß es eine göttliche Kraft sei, die sich meiner annähm'. Die Nacht darauf erschien mir eine wundersame Gestalt im Traume; es war der schönste Jüngling, er sagte mir mit zorniger Stimme: Weißt du, wer dir den Körper geliehen hat, den du vor der Zeit verderben wolltest? Mir schien als antwortete ich, daß ich alles nur Gott und der Natur schuldig sei. Nun, versetzte er, du verachtest seine Werke, indem du sie zerstören willst. Laß dich von ihm führen und verliere die Hoffnung nicht auf seine Macht. Er fügte noch viele der herrlichsten Worte hinzu, deren ich mich nicht den tausendsten Teil erinnere. Nun fing ich an zu betrachten, daß diese Engelsgestalt mir die Wahrheit gesagt habe. Ich sah mich im Gefängnis um und erblickte einen verwitterten Ziegel, ich rieb die Stücke gegeneinander und machte eine Art Teig daraus, alsdann kroch ich an die Tür und arbeitete mit den Zähnen so lange, bis ich einen Splitter ablöste, und erwartete die Stunde, da mir das Licht ins Gefängnis kam, welches gegen Abend war. Dann fing ich an, so gut ich konnte, auf weiße Blätter, die an die Bibel angebunden waren, zu schreiben. Ich schalt meine Seelenkräfte, daß sie nicht mehr in diesem Leben bleiben wollten, sie antworteten meinem Körper, daß sie so viel dulden müßten, und der Körper gab ihnen Hoffnung besserer Tage, und so brachte ich ein Gespräch in Versen zustande.

Nachdem ich mich also selbst gestärkt hatte, fühlte ich neue Kraft, fuhr fort meine Bibel zu lesen und hatte meine Augen so an die Dunkelheit gewöhnt, daß ich nunmehr statt anderthalb Stunden schon drei lesen konnte. Ich betrachtete mit Erstaunen die Gewalt des göttlichen Einflusses auf diese einfältigen Menschen, die mit so großer Inbrunst glaubten, daß Gott ihnen alles zu Gefallen tun würde, was sie sich nur ausgedacht hatten, und so versprach ich mir auch die Hülfe Gottes, sowohl weil er so erhaben und gnädig als auch weil ich so unschuldig sei. Beständig, bald mit Gebet, bald mit Gespräch, wendete ich mich zu Gott, und fühlte ein so großes Vergnügen bei diesen Gedanken, daß ich mich keines andern Verdrusses erinnerte, den ich gehabt haben möchte. So sang ich auch den ganzen Tag Psalmen und viele andre meiner Gedichte, alle an Gott gerichtet. Nur machten mir meine Nägel, die immer fortwuchsen, das größte Übel. Ich konnte mich nicht anrühren, ohne daß sie mich verwundeten, noch mich ankleiden, ohne daß sie inwendig oder auswendig hängenblieben und mir große Schmerzen verursachten; auch fingen mir die Zähne an im Munde abzusterben, und weil sie sich an den gesunden stießen, so wurden sie endlich ganz los in der Kinnlade, und die Wurzeln wollten nicht mehr in ihren Einfassungen bleiben. Wenn ich das merkte, zog ich sie heraus, wie aus einer Scheide, ohne Schmerz und Blut, und so hatte ich leider viele verloren. Indessen schickte ich mich auch in diese neuen Übel, bald sang ich, bald betete ich, auch fing ich ein Gedicht zum Lob des Gefängnisses an, und erzählte in demselben alle die Vorfälle, die mir begegnet waren.

Der gute Kastellan schickte oft heimlich zu vernehmen, was ich mache, und ich hatte mich, eben den letzten Juli, mit mir selbst ergötzt und mich des großen Festes erinnert, das man in Rom am ersten August feiert; ich sagte zu mir: Alle vergangenen Jahre habe ich dieses angenehme Fest mit der vergänglichen Welt gefeiert, diesmal will ich es mit der Gottheit des Herrn zubringen. O, wie viel erfreulicher ist dieses, als jenes. Die Abgeschickten des Kastellans hörten diese Worte und sagten ihm alles wieder. Dieser versetzte mit unglaublichem Verdrusse: Bei Gott, soll dieser, der in so großem Elend lebt, noch triumphieren, indessen ich bei aller Bequemlichkeit mich abzehre und bloß um seinetwillen sterbe? Gehet geschwind und werft ihn in die unterste Höhle, wo man den Prediger Fojano verhungern ließ, vielleicht wird sich ihm alsdann in diesem elenden Zustande der Mutwill' aus dem Kopf verlieren.

Sogleich kam Kapitän Sandrino Monaldi, mit ungefähr zwanzig Dienern des Kastellans, in mein Gefängnis. Sie fanden mich auf meinen Knien, und ich kehrte mich nicht nach ihnen um, vielmehr betete ich einen Gott Vater an, von Engeln umgeben, und einen auferweckten triumphierenden Christus, die ich mit einem Stückchen Kohle an die Mauer gezeichnet hatte, das ich in meinem Kerker von Schutt bedeckt fand.

Nachdem ich vier Monate rücklings auf dem Bette wegen des zerbrochenen Fußes gelegen, und so oft geträumt hatte die Engel kämen mich zu heilen, so war ich zuletzt ganz gesund geworden, als wenn ich niemals beschädigt gewesen wär'. Nun kamen so viele Bewaffnete zu mir und schienen sich zu fürchten, wie vor einem giftigen Drachen. Darauf sagte der Kapitän: Du hörst doch, daß wir Leute genug sind, und mit großem Geräusch zu dir kommen; und du wendest dich nicht zu uns. Als ich diese Worte vernahm, dachte ich mir recht gut das Schlimmste was mir begegnen konnte, und indem ich mich sogleich mit dem Übel bekanntmachte, und mich dagegen stärkte, sagte ich zu ihm: Zu diesem Gott und König des Himmels habe ich meine Seele gewendet, meine Betrachtung und alle meine Lebensgeister, und euch habe ich gerade das zugekehrt, was euch angehört. Was gut an mir ist, seid ihr nicht wert zu sehen, deswegen macht nun mit dem, was euer ist, alles was ihr könnt.

Der Kapitän, der nicht wußte was ich tun wollte, schien furchtsam und sagte zu vier der stärksten unter allen: Legt eure Waffen ab! Als sie es getan hatten, rief er: Schnell, packt ihn an und faßt ihn, und wenn er der Teufel wär', so sollten wir uns so sehr nicht vor ihm fürchten; haltet ihn fest, daß er euch nicht entwische. So ward ich von ihnen überwältigt und übel behandelt, und dachte mir viel was Schlimmeres als das, was mir zubereitet war; da hub ich die Augen zu Christus auf und sagte: Gerechter Gott! der du auf dem hohen Holze alle unsere Schulden bezahlt hast, warum soll meine Unschuld für Schulden büßen, die ich nicht kenne? doch dein Wille geschehe!

Indessen trugen sie mich fort, beim Scheine der Fackel, und ich glaubte sie wollten mich in die Fallklappe des Sammalo stürzen; so heißt ein fürchterlicher Ort, der Lebendige genug verschlungen hat, denn sie fallen in den Grund des Kastells hinunter, in einen Brunnen. Aber das begegnete mir nicht, und ich glaubte nun recht gut davonzukommen, weil sie mich in die gedachte häßliche Höhle hineinschleppten, wo Fojano verhungert war. Dort verließen sie mich und taten mir weiter kein Leids. Da sang ich ein de Profundis, ein Miserere, ein in te Domine, und feierte den ganzen ersten August mit Gott, und mein Herz jauchzte voll Hoffnung und Glauben.

Den zweiten Tag zogen sie mich aus diesem Loche und trugen mich dahin zurück, wo die Zeichnungen der Bilder Gottes waren, und als ich diese wieder sah, weinte ich in ihrer Gegenwart vor süßer Freude. Nun wollte der Kastellan alle Tage wissen, was ich mache und was ich zu sagen hätte. Der Papst hatte den ganzen Vorgang vernommen; nicht weniger, daß die Ärzte dem Kastellan schon den Tod verkündigt hätten. Darauf sagte er: Ehe mein Kastellan stirbt, soll er auch den Benvenuto, der schuld an seinem Tode ist, nach seiner Art aus der Welt schaffen. Als der Kastellan diese Worte aus dem Munde des Herrn Peter Ludwigs hörte, sagte er zu diesem: So will also der Papst, daß ich meine Rache an Benvenuto nehmen soll? Er schenkt mir ihn? Gut, er soll nur ruhig sein und mich gewähren lassen.

So schlimm nun die Gesinnungen des Papstes gegen mich waren, so übel dachte auch der Kastellan in diesem Augenblicke gegen mich, und sogleich kam das Unsichtbare, das mich vom Selbstmord abgehalten hatte, wieder unsichtbar zu mir, ließ sich aber mit lauter Stimme vernehmen, stieß mich an, daß ich mich aufrichtete, und sagte sodann: Wehe, mein Benvenuto! eilig, eilig! wende dich mit deinem gewohnten Gebet zu Gott und schreie heftig zu ihm. Ich erschrak, warf mich auf die Knie und sagte viele meiner Gebete, dann den ganzen Psalm: qui habitat in auditorio. Darauf sprach ich mit Gott ein wenig, und auf einmal sagte eine helle und deutliche Stimme: Ruhe nunmehr und fürchte dich nicht. Dieser Vorfall aber deutete darauf, daß der Kastellan, der den abscheulichsten Auftrag wegen meines Todes schon gegeben hatte, augenblicklich seinen Entschluß wieder veränderte und ausrief: Ist das nicht Benvenuto, den ich so sehr verteidigt habe, von dem ich so gewiß weiß, daß er unschuldig ist, und dem alles dieses Übel widerrechtlich begegnet? Wie soll Gott Barmherzigkeit mit mir und meinen Sünden haben, wenn ich denen nicht verzeihe, die auch mich äußerst beleidigen? Warum soll ich einen guten und unschuldigen Mann verletzen, der mir Dienst und

Ehre erwiesen hat? Nein! anstatt ihn zu töten, will ich ihm Leben und Freiheit verschaffen, und in meinem Testamente will ich verordnen, daß ihm niemand etwas wegen seines hiesigen Aufenthaltes abfordern soll, denn er hätte sonst eine große Zeche zu bezahlen. Das vernahm der Papst und war darüber sehr ungehalten.

Ich indessen setzte meine gewöhnlichen Gebete fort, und meine Träume waren alle Nacht angenehmer und gefälliger, so daß sie alle Einbildungskraft überstiegen. Mir träumte immer, daß ich mich sichtlich bei dem befinde, den ich unsichtbar empfunden hatte und noch oft empfand; ich verlangte von ihm zur einzigen Gnade und bat ihn dringend, er möchte mich dahin führen, wo ich die Sonne sehen könnte, das sei das einzige Verlangen, das ich habe; ich wollte alsdann zufrieden sterben und allen Verdruß dieses Gefängnisses vergessen. Auch war der Jammer mein Freund und Gesell geworden, und nichts konnte mich mehr irre machen. Anfangs erwarteten die Anhänger des Kastellans, er solle mich nach seiner Drohung an den Mauerzacken hängen lassen, von dem ich mich heruntergelassen hatte. Da sie aber seine entgegengesetzte Entschließung sahen, waren sie verdrießlich, suchten mir auf alle Weise Furcht einzujagen und mich in Besorgnis für mein Leben zu setzen. Das war ich aber, wie gesagt, alles so gewohnt, daß ich nichts fürchtete, daß nichts mich rührte. Das einzige Verlangen blieb mir, daß ich möchte im Traum die Sonnenscheibe erblicken.

Darauf waren stets meine großen Gebete gerichtet, in welchen ich Christum inbrünstig anrief und immer sagte: O wahrhaftiger Sohn Gottes! ich bitte dich bei deiner Geburt, bei deinem Tod am Kreuze, bei deiner herrlichen Auferstehung, daß du mich wert achtest die Sonne wiederzusehen, wo nicht wirklich, wenigstens im Traume. Aber solltest du mich würdig halten, daß ich sie mit meinen sterblichen Augen wieder sähe, so verspreche ich, dich an deinem heiligen Grabe zu besuchen. Diesen Vorsatz faßte ich, und tat unter großen Gebeten dieses Gelübde am zweiten Oktober 1539.

Den andern Morgen war ich, bei Anbruch des Tages, etwa eine Stunde vor Sonnenaufgang, von meinem unglückseligen Lager aufgestanden und hatte ein schlechtes Kleid angezogen, denn es fing an kalt zu werden. Ich stand und betete andächtiger als sonst, und sagte zu Christo, er möchte mir wenigstens durch göttliche Eingebung wissen lassen, für welche Sünde ich so schwer zu büßen hätte? denn da seine göttliche Majestät mich nicht einmal wert hielte, die Sonne nur im Traume zu sehen, so bät' ich ihn bei aller seiner Kraft und Macht, daß er mir wenigstens die Ursache meiner Leiden entdecken möchte. Kaum hatte ich diese Worte ausgesprochen, als der Unsichtbare nach Art eines Windes mich ergriff und mich in ein Zimmer führte, wo er sich mir sichtbar in menschlicher Gestalt darstellte, als ein Jüngling, dem der Bart keimt, von wundersamer und schöner Bildung, aber ernst, nicht wollüstig. Er deutete mir auf die vielen Menschen in dem Saal, und sagte: Du siehst hier, die bisher geboren und gestorben sind! Ich fragte ihn, warum er mich hierher führe; er sagte: Komm nur mit mir und du wirst es bald sehen. Ich hatte in der Hand einen Dolch und ein Panzerhemd über dem Leibe. So führte er mich durch den großen Saal, und zeigte mir diejenigen, die zu unendlichen Tausenden darin hin und wider gingen. Er brachte mich immer vorwärts, ging endlich zu einer kleinen Tür hinaus, und ich hinter ihm drein. Wir kamen in eine Art von engem Gäßchen, und als er mich hinter sich da hinein aus dem Saale zog, fand ich mich entwaffnet, ich hatte ein weißes Hemd an, nichts auf dem Haupte, und stand zur rechten Seite meines Gefährten. Da ich mich auf diese Weise fand, verwunderte ich mich, denn ich kannte die Straße nicht, und als ich die Augen erhob, sah ich den Teil einer Mauer, wider den die Sonne schien, es war als wenn ich nahe an einem großen Gebäude stünde. Da sagte ich: O! mein Freund, wie mache ich es wohl, um mich so hoch in die

Höhe zu heben, daß ich die Scheibe der Sonne selbst sehen kann? Da zeigte er mir einige Stufen, die zu meiner Rechten waren, und sagte mir: Steige du nur allein da hinauf. Ich entfernte mich von ihm ein wenig und stieg einige Stufen rückwärts hinauf, und nach und nach entdeckte ich die Nähe der Sonne; so eilte ich auf gedachte Art immer höher zu steigen und entdeckte zuletzt den ganzen Kreis der Sonne. Die Gewalt der Strahlen nötigte mich, wie gewöhnlich, die Augen zu schließen, aber ich erholte mich bald, öffnete die Augen wieder, sah unverwandt nach ihr und sagte: O meine Sonne! nach der ich so lange mich gesehnt habe, ich will nun nichts weiter sehen, wenn auch deine Strahlen mich blind machen sollten. Und so blieb ich mit festem Blick stehen.

Nach einer kurzen Zeit bemerkte ich, daß die ganze Gewalt der Strahlen sich auf die linke Seite der Sonne warf und die Scheibe ganz rein und klar blieb, ich betrachtete sie mit dem größten Erstaunen und Vergnügen, und mir schien es die wundersamste Sache von der Welt, daß sich die Strahlen auf diese Weise weggewendet hatten. Ich betrachtete die besondere Gnade, welche Gott mir diesen Morgen erzeigte, und sagte mit starker Stimme: Wie wunderbar ist deine Macht! wie herrlich deine Kraft! und wie viel größer ist deine Gnade, als ich nie erwartete! Mir schien die Sonne, ohne ihre Strahlen, vollkommen wie ein Bad des reinsten Goldes. Indessen ich diesen merkwürdigen Gegenstand betrachtete, sah ich, daß die Mitte des Kreises sich aufblähte und in die Höhe strebte; auf einmal erzeugte sich ein Christus am Kreuz aus derselben Materie, woraus die Sonne war, so schön und gefällig gebildet und von dem gütigsten Anblick, so daß der menschliche Geist ihn nicht den tausendsten Teil so schön hätte ersinnen können. Indessen ich ihn betrachtete, rief ich laut: Wunder! o Wunder! gnädiger und allvermögender Gott, was machst du mich würdig diesen Morgen zu sehen? Indessen ich nun so betrachtete und sprach, bewegte sich Christus nach der Gegend, wo sich vorher die Strahlen hingezogen hatten, und die Mitte der Sonne fing abermals an sich aufzublähen. Diese Bewegung wuchs eine Weile, und verwandelte sich schnell in die Gestalt der schönsten heiligen Jungfrau. Sie saß erhaben, ihren Sohn auf dem Arm, in der gefälligsten Stellung und gleichsam lächelnd. An beiden Seiten standen zwei Engel, von solcher Schönheit als die Einbildungskraft nicht erreicht. Auch sah ich in der Sonne zur rechten Hand eine Gestalt, nach Art eines Priesters gekleidet, der mir den Rücken zukehrte und gegen jene Mutter Gottes hinblickte. Alles dieses sah ich klar und wirklich, und dankte beständig Gott mit lauter Stimme.

Nachdem ich diese wunderbaren Dinge, etwas über den achten Teil einer Stunde, vor den Augen gehabt hatte, entfernten sie sich, und ich ward wieder auf mein Lager zurückgetragen. Sogleich rief ich mit lauter Stimme: Die Kraft Gottes hat mich gewürdigt mir seine ganze Herrlichkeit zu zeigen, wie sie vielleicht kein anderes sterbliches Auge gesehen hat. Nun erkenne ich, daß ich frei und glücklich bin, und in der Gnade Gottes stehe, und ihr andern Bösewichter werdet unglücklich und in seiner Ungnade bleiben. Wißt nur, ich bin ganz gewiß! am Allerheiligentage, als an meinem Geburtstage, genau den ersten November, nachts um Viere, werdet ihr genötigt sein, mich aus diesem finstern Kerker zu befreien. Weniger werdet ihr nicht tun können, denn ich habe es mit meinen Augen an dem Throne Gottes gesehen. Der Priester, welcher gegen den Herrn gekehrt stand und mir den Rücken wies, war Sankt Peter selbst, der für mich sprach und sich schämte, daß man in seinem Hause Christen so schändlich begegne. Sagt es nur wem ihr wollt! Niemand hat Gewalt mir weiter ein Übel anzutun; sagt nur eurem Herrn, er soll mir Wachs oder Papier geben, daß ich die Herrlichkeit Gottes ausdrücken kann, die ich gesehen habe. Wahrlich ich will es tun!

Der Kastellan, obgleich die Ärzte keine Hoffnung mehr zu seiner Genesung hatten, war doch wieder ganz zu sich

ZWEITES BUCH · DREIZEHNTES KAPITEL   659

gekommen, und die Launen seiner jährlichen Tollheit hatten ihn ganz und gar verlassen. Da er nun allein für seine Seele besorgt war, machte ihm sein Gewissen Vorwürfe, und er überzeugte sich, daß man mir, sowohl vorher als bis auf diesen Augenblick, großes Unrecht angetan hatte. Er ließ deswegen den Papst von den großen Dingen berichten, die ich verkündigte. Der Papst als einer der nichts glaubte, weder an Gott noch an sonst was, ließ ihm antworten, ich sei toll geworden, und er solle nur, so gut er könne, für seine Gesundheit sorgen. Als der Kastellan diese Antwort hörte, ließ er mich trösten, schickte mir Schreibzeug, Wachs und Bossierstäbchen, mit vielen freundlichen Worten, die mir einer seiner Diener hinterbrachte, der mir wohl wollte. Dieser war ganz das Gegenteil von den andern sieben Schelmen, die mich gerne tot gesehen hätten. Ich nahm das Papier und das Wachs, fing an zu arbeiten, und schrieb dabei folgendes Sonett, das ich an den Kastellan richtete:

> *Um vor die Seele dir, mein Herr, zu bringen*
> *Welch Wunder diese Tage Gott mir schickte,*
> *Welch herrliches Gesicht mich hoch entzückte,*
> *Wünscht' ich die Kraft ein himmlisch Lied zu singen.*
>
> *O! möchte nur zum Heiligen Vater dringen,*
> *Wie mich die Macht der Gottheit selbst beglückte,*
> *Aus meiner dumpfen Wohnung mich entrückte,*
> *Er würde meine große Not bezwingen,*
>
> *Die Tore sprängen auf, ich könnte gehen,*
> *Und Haß und Wut entflöhn, die grimmig wilden,*
> *Sie könnten künftig meinen Weg nicht hindern.*
>
> *Ach! laß mich nur das Licht des Tages sehen,*
> *Mit meiner Hand die Wunder nachzubilden!*
> *Schon würden meine Schmerzen sich vermindern.*

Den andern Tag brachte mir derselbe Diener zu essen, ich gab ihm das Gedicht, das er heimlich, ohne daß es die übrigen bösartigen Leute bemerken konnten, dem Kastellan überbrachte, der mich gern losgelassen hätte, denn er glaubte, das Unrecht, das er mir angetan habe, sei die eigentliche Ursache seines Todes. Er las das Sonett mehr als einmal, das weder Begriffe noch Worte eines Wahnsinnigen, vielmehr eines guten und braven Mannes enthielt, und sogleich befahl er seinem Sekretär, es dem Papste zu bringen, es in seine eignen Hände zu geben, und ihn zugleich um meine Freiheit zu bitten.

Hierauf schickte mir der Kastellan Licht für Tag und Nacht, mit allen Bequemlichkeiten, die man an solchem Orte verlangen konnte, und so fing ich an das Ungemach meines Lebens zu verbessern, das auf das höchste gestiegen war. Der Papst las das Sonett und ließ dem Kastellan sagen, er werde bald etwas tun, das ihm angenehm sein würde. Und gewiß der Papst hätte mich gerne gehen lassen, hätte ich nicht um Herrn Peter Ludwigs willen, selbst gegen die Neigung des Vaters, müssen verwahrt bleiben.

Ich hatte jenes wunderbare Wunder gezeichnet und bossiert; indessen nahte sich der Tod des Kastellans, und er schickte mir, am Allerheiligentage, des Morgens, durch Peter Ugolino seinen Neffen, einige Juwelen zu beschauen. Als ich sie erblickte, sagte ich sogleich: Das ist das Wahrzeichen meiner Freiheit! Darauf versetzte der Jüngling, der sehr wenig zu sprechen pflegte: Daran denke nur nicht, Benvenuto! Darauf versetzte ich: Trage deine Juwelen weg, denn ich bin so zugerichtet, daß ich nur in der Dämmerung dieser finstern Höhle sehen kann, in welcher sich die Eigenschaft der Juwelen nicht erkennen läßt; aber ich werde bald aus diesem Gefängnis herausgehen, denn der ganze Tag wird nicht verstreichen, so werdet ihr mich abholen, das soll und muß geschehen, und ihr werdet nicht weniger tun können. Da ging jener weg und ließ mich wieder einschließen. Nach Verlauf etwa zweier Stunden kam er wieder zu mir, ohne Bewaffnete, mit zwei Knaben, die mich unterstützen sollten, und so führte er mich in die weiten Zimmer, in denen ich vorher gewesen war, nämlich im Jahr 1538, und verschaffte mir daselbst alle Bequemlichkeit, die ich verlangte.

Wenige Tage darauf unterlag der Kastellan, der mich in Freiheit glaubte, seinem großen Übel und verließ das gegenwärtige Leben. An seine Stelle kam Herr Antonio Ugolini, sein Bruder, der ihm vorgespiegelt hatte, als habe er mich gehen lassen. Dieser Herr Antonio, so viel ich nachher vernahm, hatte Befehl vom Papste, mich in diesem weiten Gefängnis zu behalten, bis er ihm sagen würde, was mit mir geschehen sollte.

Obgedachter Herr Durante von Brescia hatte sich dagegen mit jenem Soldaten, dem Apotheker von Prato, verabredet, mir irgendeinen Saft in dem Essen beizubringen, der mich nicht gleich, sondern etwa in vier bis fünf Monaten tötete. Nun dachten sie sich aus, sie wollten mir gestoßene Diamanten unter die Speisen mischen, was an und für sich keine Art von Gift ist, aber wegen seiner unschätzbaren Härte die allerschärfsten Ecken behält, und nicht etwa, wie die andern Steine, wenn man sie stößt, gewissermaßen rundlich wird. Kommt er nun mit den übrigen Speisen so scharf und spitzig in den Körper, so hängt er sich bei der Verdauung an die Häute des Magens und der Eingeweide, und nach und nach, wenn andere Speisen darauf drücken, durchlöchert er die Teile mit der Zeit und man stirbt daran, anstatt daß jede andere Art von Steinen oder Glas keine Gewalt hat sich anzuhängen, und mit dem Essen fortgeht.

Wie gesagt gab Herr Durante einen Diamanten von einigem Werte einer Wache, die sollte ihn, wie ich nachher vernahm, einem gewissen Lione von Arezzo, einem Goldschmied, meinem großen Feinde, um den Stein in Pulver zu verwandeln, gebracht haben. Da nun dieser Lione sehr arm war, und der Diamant doch noch manche zehen Scudi wert sein mochte, gab er ein falsches Pulver anstatt des gestoßenen Steins, das sie mir denn auch sogleich zu Mittage an alle Essen taten, an den Salat, an das Ragout und die Suppe. Ich speiste mit gutem Appetit, denn ich hatte den Abend vorher gefastet, und es war ein Sonntag, und ob ich gleich etwas unter den Zähnen knirschen fühlte, so dachte ich doch nicht an solche Schelmstücke. Nach Tische, als ein wenig Salat in der Schüssel übriggeblieben war, betrachtete ich einige Splitterchen, die sich daran befanden. Sogleich ergriff ich sie und brachte sie ans helle Fenster; ich erinnerte mich, indem ich sie betrachtete, wie außerordentlich die Speisen geknirscht hatten, und, so viel meine Augen urteilen konnten, glaubte ich schnell, es sei gestoßener Diamant. Ich hielt mich nun entschieden für ein Kind des Todes, und wendete mich schmerzlich zum heiligen Gebete, und da ich mich in mein Schicksal ergeben hatte, betete ich zu Gott und dankte ihm für einen so leichten Tod. Da doch einmal meine Sterne es so bestimmt hatten, so schien es mir ein gutes Los, auf eine so bequeme Weise aus der Welt zu gehn. Als ich nun die Welt und meine Lebenszeit gesegnet hatte, wendete ich mich mit meinen Gedanken zu dem bessern Reiche, das ich mit der Gnade Gottes erlangt zu haben hoffte, und in diesen Gedanken rieb ich einige sehr feine Körner zwischen den Fingern, die ich ganz gewiß für Diamant hielt.

Wie nun die Hoffnung nimmer stirbt, so regten sich auch bei mir wieder einige eitle Lebensgedanken. Ich legte die gedachten Körnchen auf eine eiserne Fensterstange und drückte stark mit dem flachen Messer darauf. Da fühlte ich, daß der Stein sich zerrieb, und als ich recht genau daraufsah, fand ich auch, daß es sich also verhielt, und sogleich erquickte ich mich wieder mit neuer Hoffnung. Die Feindschaft des Herrn Durante sollte mir nicht schaden; es war ein schlechter Stein, der mir nicht das geringste Leid zufügen konnte, und wie ich vorher entschlossen war ruhig zu sein und auf diese Weise in Frieden zu sterben, so machte ich nun aufs neue meine Plane, und überlegte, was zu tun sei. Aber ich hatte vor allen Dingen Gott zu loben und die Armut zu segnen, die, wie sie öfters den Menschen den Tod bringt, nun die Ursache meines Lebens war. Denn Herr

ZWEITES BUCH · DREIZEHNTES KAPITEL

Durante, mein Feind, oder wer es auch sein mochte, hatte seinen Endzweck nicht erreicht. Lione hatte den Stein nicht gestoßen, sondern ihn aus Armut für sich behalten, für mich aber zerrieb er einen geringen Beryll von wenigem Wert; vielleicht dachte er, weil es auch ein Stein sei, tue er dieselbigen Dienste.

Zu der Zeit war der Bischof von Pavia, Bruder des Grafen San Secondo, Monsignor de Rossi von Parma genannt, gleichfalls Gefangener im Kastell; ich rief ihm mit lauter Stimme und sagte, daß die Schelmen, mich umzubringen, mir einen gestoßenen Diamanten unter das Essen gemischt hätten. Ich ließ ihm durch einen seiner Diener etwas von dem übergebliebenen Pulver zeigen, und sagte ihm nicht, daß ich es für keinen gestoßenen Diamanten erkenne, vielmehr, daß sie mich gewiß nach dem Tode des guten Kastellans vergiftet hätten. Ich bat ihn, er möchte mir für meine wenige Lebenszeit nur des Tages eins von seinen Broten geben, denn ich hätte mir vorgenommen, nichts zu essen, was von ihnen käme, und er versprach mir, von seinem Essen zu schicken. Dieser Bischof war gefangen wegen einer Art von Verschwörung, die er in Pavia gemacht hatte, und ich, weil er so sehr mein Freund war, vertraute mich ihm.

Herr Antonio, der neue Kastellan, der gewiß nichts von der Sache wußte, machte großen Lärm, und auch er wollte den gestoßenen Stein sehen, den er gleichfalls für Diamant hielt, doch, da er glaubte, der Anschlag käm' vom Papste, ging er leicht darüber weg, und die Sache ward als ein Zufall behandelt.

Ich aß nunmehr die Speisen, welche mir der Bischof sandte, schrieb beständig an meinem Gedichte über das Gefängnis, und setzte täglich Punkt vor Punkt die Begebenheiten hinzu, die sich zutrugen. Inzwischen schickte mir der Kastellan mein Essen durch jenen Johannes, den ehemaligen Apothekersjungen von Prato, der nun hier Soldat war. Dieser, mein größter Feind, hatte mir eben den gestoßenen

Diamant gebracht, und ich sagte ihm, daß ich nicht eher von seinen Speisen essen würde, ehe er sie mir kredenzt hätte. Er sagte darauf, das geschähe wohl dem Papste! Ich versetzte ihm, wie eigentlich Edelleute verbunden seien, einem Papst zu kredenzen, so sei er, Soldat, Apotheker und Bauer von Prato, schuldig, einem Florentiner meinesgleichen aufzuwarten. Darüber sagte er mir harte Worte und ich erwiderte sie. Nun schämte sich Herr Antonio einigermaßen über das was vorgegangen war, und weil er Lust hatte mich alle Kosten zahlen zu lassen, die mir von dem guten verstorbenen Kastellan schon geschenkt waren, wählte er unter seinen Dienern einen andern, der mir wohl wollte, und schickte mir das Essen durch ihn, der mir mit vieler Gefälligkeit jedesmal kredenzte. Auch sagte er mir alle Tage, daß der Papst beständig vom Herrn von Morluc angegangen werde, der von seiten des Königs mich unablässig zurückverlangte, wobei der Papst wenig Lust zeige, mich herauszugeben, ja daß sogar Kardinal Farnese, sonst mein so großer Freund und Patron, sollte gesagt haben, ich würde wohl noch eine Weile mich gedulden müssen. Worauf ich versetzte: Und ich werde ihnen allen zum Trutz doch frei werden. Der gute Mensch bat mich ich möchte still sein, daß niemand so etwas hörte, denn es könne mir großen Schaden bringen, und mein Vertrauen auf Gott möchte ich doch ja im stillen erhalten und mich damit stärken. Ich antwortete ihm darauf: Die Kraft Gottes hat keine Furcht vor der bösartigen Ungerechtigkeit.

DRITTES BUCH

ERSTES KAPITEL

Der Kardinal von Ferrara kommt aus Frankreich nach Rom zurück. – Als er sich mit dem Papst bei Tafel unterhält, weiß er die Freiheit des Autors zu erbitten. – Gedicht in Terzinen, welches Cellini in der Gefangenschaft schrieb.

So vergingen wenige Tage, als der Kardinal von Ferrara in Rom erschien, der, als er dem Papst seine Aufwartung machte, so lange bei ihm aufgehalten wurde, bis die Stunde des Abendessens kam. Nun war der Papst ein sehr kluger Mann, und wollte bequem mit dem Kardinal über die Franzosereien sprechen, weil man bei solchen Gelegenheiten sich freier über viele Dinge als sonst herausläßt. Der Kardinal, indem er von der großmütigen und freigebigen Art des Königs, die er genugsam kannte, sehr ausführlich sprach, gefiel dem Papste außerordentlich, der sich, wie er alle Woche einmal tat, bei dieser Gelegenheit betrank, von welchem Rausch er sich denn gewöhnlich sogleich befreite, indem er alles wieder von sich gab.

Da der Kardinal die gute Disposition des Papstes bemerkte, bei welcher wohl eine gnädige Gewährung zu hoffen war, verlangte er mich von seiten des Königs auf das nachdrücklichste und versicherte, daß Seine Majestät auf das lebhafteste nach mir begehre. Da nun der Papst sich nahe an der Zeit fühlte wo er sich zu übergeben pflegte, auch sonst der Wein seine Wirkungen äußerte, so sagte er mit großem Lachen zum Kardinal: Nun sollt ihr ihn gleich mit euch nach Hause führen! Darauf gab er seinen besondern Befehl und stand vom Tische auf. Sogleich schickte der Kardinal nach mir, ehe es Herr Peter Ludwig erführe; denn der hätte mich auf keine Weise aus dem Gefängnis gelassen. Es kam der Befehl des Papstes und zwei der ersten Edelleute des Kardinals Ferrara; nach vier Uhr in der Nacht befreiten sie mich aus dem Gefängnisse, und führten mich vor den Kardinal, der mich mit unschätzbarer Freundlichkeit empfing, mich gut einquartieren und sonst aufs beste versorgen ließ. Herr Antonio, der neue Kastellan, verlangte, daß ich alle Kosten, nebst allen Trinkgeldern für den Bargell und dergleichen Leute bezahlen sollte, und wollte nichts von alle dem beobachtet wissen, was sein Bruder, der Kastellan, zu meinen Gunsten verordnet hatte. Das kostete mich noch manche zehn Scudi.

Der Kardinal aber sagte mir, ich solle nur gutes Mutes sein und mich wohl in acht nehmen, wenn mir mein Leben lieb sei; denn wenn er mich nicht selbigen Abend aus dem Gefängnis gebracht hätte, so wär' ich wohl niemals herausgekommen; er höre schon, daß der Papst sich beklage, mich losgelassen zu haben.

Nun muß ich noch einiger Vorfälle rückwärts gedenken, damit verschiedene Dinge deutlich werden, deren ich in meinem Gedicht erwähne.

Als ich mich einige Tage in dem Zimmer des Kardinals Cornaro aufhielt, und nachher, als ich in dem geheimen Garten des Papstes war, besuchte mich unter andern werten Freunden ein Kassier des Herrn Bindo Altoviti, der Bernhard Galluzzi hieß, dem ich den Wert von einigen hundert Scudi vertraut hatte. Er kam zu mir im geheimen Garten des Papstes und wollte mir alles zurückgeben; ich aber versetzte, ich wüßte meine Barschaft keinem liebern Freunde zu geben, noch sie an einen Ort zu legen wo sie sicherer stünde; da wollte er mir das Geld mit Gewalt aufdringen, und ich hatte Not ihn zu bewegen daß er es behielt. Da ich nun aus dem Kastell befreit wurde, fand sich's, daß er verdorben war, und ich verlor meine Barschaft.

Ferner hatte ich noch im Gefängnis einen schrecklichen Traum, als wenn mir jemand mit der Feder Worte von der größten Bedeutung an die Stirn schrieb, und mir dreimal sagte, ich sollte schweigen und niemand nichts davon entdecken.

So erzählte man mir auch, ohne daß ich wußte wer es war, alles was in der Folge Herrn Peter Ludwig begegnete so deutlich und genau, daß ich nicht anders glauben konnte, als ein Engel des Himmels habe es mir offenbaret.

Dann muß ich noch eine Sache nicht zurücklassen, die größer ist als daß sie einem andern Menschen begegnet wäre, ein Zeichen, daß Gott mich losgesprochen, und mir seine Geheimnisse selbst offenbaret hat. Denn seit der Zeit, daß ich jene himmlischen Gegenstände gesehen, ist mir ein Schein ums Haupt geblieben, den jedermann sehen konnte, ob ich ihn gleich nur wenigen gezeigt habe.

Diesen Schein sieht man des Morgens über meinem Schatten, wenn die Sonne aufgeht und etwa zwei Stunden darnach. Am besten sieht man ihn, wenn ein leichter Tau auf dem Grase liegt, ingleichen abends bei Sonnenuntergang. Ich bemerkte ihn in Frankreich, in Paris, weil die Luft in jener Gegend viel reiner von Nebeln ist, so daß man den Schein viel ausdrücklicher sah als in Italien wo die Nebel viel häufiger sind; demohngeachtet aber seh' ich ihn auf alle Weise und kann ihn auch andern zeigen, nur nicht so gut wie in jenen Gegenden.

ZWEITES KAPITEL

Der Autor, nach seiner Befreiung, besucht den Ascanio zu Tagliacozzo. – Er kehrt nach Rom zurück und endigt einen schönen Becher für den Kardinal von Ferrara. – Modell zu einem Salzfaß mit Figuren. – Er verbindet sich zu den Diensten des Königs von Frankreich Franz I. und verreist mit dem Kardinal von Ferrara nach Paris. – Böses Abenteuer mit dem Postmeister von Siena. – Er kommt nach Florenz, wo er vier Tage bei seiner Schwester bleibt.

Als ich nun so im Palast des Kardinals von Ferrara mich befand, gern von jedermann gesehen und noch weit mehr besucht als vorher, verwunderten sich alle, daß ich aus so unglaublichem Unglück, in welchem ich gelebt hatte, wieder gerettet sei. Indessen ich nun mich wieder erholte, machte es mir das größte Vergnügen meine Verse auszuarbeiten; dann, um besser wieder zu Kräften zu kommen, nahm ich mir einst vor, wieder der freien Luft zu genießen, wozu mir mein guter Kardinal Freiheit und Pferde gab, und so ritt ich mit zwei römischen Jünglingen, deren einer von meiner Kunst war, der andere aber uns nur gern Gesellschaft leistete, von Rom weg und nach Tagliacozzo, meinen Lehrling Ascanio zu besuchen. Ich fand ihn mit Vater, Geschwistern und Stiefmutter, welche mich zwei Tage auf das freundschaftlichste bewirteten. Ich kehrte darauf nach Rom zurück und nahm den Ascanio mit mir. Unterweges fingen wir an von der Kunst zu sprechen, dergestalt, daß ich die lebhafteste Begierde fühlte, wieder nach Rom zu kommen, um meine Arbeiten anzufangen. Nach meiner Rückkunft schickte ich mich auch sogleich dazu an, und fand ein silbernes Becken, das ich für den Kardinal angefangen hatte, ehe ich eingekerkert wurde, daran ließ ich obgedachten Paul arbeiten; ein schöner Pokal aber, den ich zugleich mit diesem Becken in Arbeit genommen hatte, war mir indessen, mit einer Menge anderer Sachen von Wert, gestohlen worden. Ich fing ihn nun wieder von vorn an. Er war mit runden halb erhabenen Figuren geziert, desgleichen hatte ich auch auf dem Becken runde Figuren und Fische von halb erhabener Arbeit vorgestellt, so daß jeder, der es sah, sich verwundern mußte, sowohl über die Gewalt des Geistes und der Erfindung als über die Sorgfalt und Reinlichkeit, welche die jungen Leute bei diesen Werken anwendeten.

Der Kardinal kam wenigstens alle Tage zweimal mit Herrn Ludwig Alamanni und Herrn Gabriel Cesano, und man brachte einige Stunden vergnügt zu, ob ich gleich genug zu tun hatte. Er überhäufte mich mit neuen Werken und gab mir sein großes Siegel zu arbeiten, welches die Größe der Hand eines Knaben von zwölf Jahren hatte; darein grub ich zwei Geschichten, einmal wie Sankt Johannes in der Wüsten predigte, und dann wie Sankt Ambrosius die Arianer verjagte; er war auf einem Pferde vorgestellt mit der Geißel in der Hand, von so kühner und guter Zeichnung und so sauber gearbeitet, daß jedermann sagte, ich habe den großen Lautizio übertroffen, der sich nur allein mit dieser Art Arbeiten abgab. Der Kardinal war stolz, sein Siegel mit den Siegeln der übrigen Kardinäle zu vergleichen, welche gedachter Meister fast alle gearbeitet hatte.

So ward mir auch von dem Kardinal und den zwei obgedachten Herren aufgetragen, ein Salzgefäß zu machen, es sollte sich aber von der gewöhnlichen Art entfernen. Herr Ludwig sagte bei Gelegenheit dieses Salzfasses viele verwundernswürdige Dinge, so wie auch Herr Gabriel Cesano die schönsten Gedanken über denselben Gegenstand vorbrachte; der Kardinal hörte gnädig zu, und, sehr zufrieden von den Zeichnungen, welche die beiden Herren mit Worten gemacht hatten, sagte er zu mir: Benvenuto! die beiden Vorschläge gefallen mir so sehr, daß ich nicht weiß, von welchem ich mich trennen soll, deswegen magst du entscheiden, der du sie ins Werk zu setzen hast. Darauf sagte ich: Es ist bekannt, meine Herren, von welcher großen Bedeutung die Söhne der Könige und Kaiser sind und in was für einem göttlichen Glanz sie erscheinen. Demohngeachtet, wenn ihr einen armen geringen Schäfer fragt, zu wem er mehr Liebe und Neigung empfinde, zu diesen Prinzen oder zu seinen eigenen Kindern, so wird er gewiß gestehen, daß er diese letztern vorziehe; so habe ich auch eine große Vorliebe für meine eigenen Geburten, die ich durch meine Kunst hervorbringe, daher was ich euch zuerst vorlegen werde, hochwürdigster Herr und Gönner, das wird ein Werk nach meiner eigenen Erfindung sein, denn manche Sachen sind leicht zu sagen, die nachher, wenn sie ausgeführt werden, keinesweges gut lassen. Und so wendete ich mich zu den beiden trefflichen Männern und versetzte: Ihr habt gesagt, und ich will tun. Darauf lächelte Herr Ludwig Alamanni und erwiderte mit der größten Anmut viele treffliche Worte zu meiner Gunst, und es stand ihm sehr wohl an, denn er war schön anzusehen, von Körper wohlgestaltet, und hatte eine gefällige Stimme; Herr Gabriel Cesano war gerade das Gegenteil, so häßlich und ungefällig, und nach seiner Gestalt sprach er auch.

Herr Ludwig hatte mit Worten gezeichnet, daß ich Venus und Cupido vorstellen sollte, mit allerlei Galanterien umher, und alles sehr schicklich; Herr Gabriel hatte angegeben, ich solle eine Amphitrite vorstellen mit Tritonen und mehreren Dingen, alle gut zu sagen, aber nicht zu machen. Ich hingegen nahm einen runden Untersatz, ungefähr zwei Drittel einer Elle, und darauf, um zu zeigen, wie das Meer sich mit der Erde verbindet, machte ich zwei Figuren einen guten Palm groß, die mit verschränkten Füßen gegeneinander saßen, so wie man die Arme des Meeres in die Erde hineinlaufen sieht. Das Meer, als Mann gebildet, hielt ein reich gearbeitetes Schiff, welches Salz genug fassen konnte, darunter hatte ich vier Seepferde angebracht und der Figur in die rechte Hand den Dreizack gegeben; die Erde hatte ich weiblich gebildet, von so schöner Gestalt und so anmutig, als ich nur wußte und konnte. Ich hatte neben sie einen reichen, verzierten Tempel auf den Boden gestellt, der den Pfeffer enthalten sollte. Sie lehnte sich mit einer Hand darauf, und in der andern hielt sie das Horn des Überflusses, mit allen Schönheiten geziert, die ich nur in der Welt wußte. Auf derselben Seite waren die schönsten Tiere vorgestellt, welche die Erde hervorbringt, und auf der andern, unterhalb der Figur des Meeres, hatte ich die besten Arten von Fischen und Muscheln angebracht, die nur in dem kleinen Raum stattfinden konnten; übrigens machte ich an dem Oval ringsum die allerherrlichsten Zieraten.

Als nun darauf der Kardinal mit seinen zwei trefflichen Begleitern kam, brachte ich das Modell von Wachs hervor, worüber sogleich Herr Gabriel Cesano mit großem Lärm herfiel und sagte: Das Werk ist in zehen Menschenleben nicht zu vollenden, und ihr wollt, hochwürdigster Herr, es doch in eurem Leben noch fertig sehen? Ihr werdet wohl vergebens darauf warten. Benvenuto will euch von seinen

Söhnen zeigen, nicht geben; wir haben doch wenigstens Dinge gesagt, die gemacht werden konnten, er zeigt Dinge, die man nicht machen kann. Darauf nahm Herr Ludwig Alamanni meine Partie; der Kardinal aber sagte, er wolle sich auf ein so großes Unternehmen nicht einlassen; da versetzte ich: Hochwürdigster Herr! ich sage voll Zuversicht, daß ich das Werk für den zu endigen hoffe, der es bestellen wird. Ihr sollt es alle, noch hundertmal reicher als das Modell, vor Augen sehen, und ich hoffe, mit der Zeit noch mehr als das zu machen. Darauf versetzte der Kardinal mit einiger Lebhaftigkeit: Wenn du es nicht für den König machst, zu dem ich dich führe, so glaube ich nicht, daß du es für einen andern zustande bringst. Sogleich zeigte er mir den Brief, worin der König in einem Absatze schrieb, er solle geschwind wiederkommen und Benvenuto mitbringen! Da hub ich die Hände gen Himmel und rief: O wann wird das Geschwinde doch kommen? Der Kardinal sagte, ich sollte mich einrichten und meine Sachen in Rom in Ordnung bringen, und zwar innerhalb zehen Tagen.

Als die Zeit der Abreise herbeikam, schenkte er mir ein schönes und gutes Pferd, das Tornon hieß, weil der Kardinal dieses Namens es ihm geschenkt hatte; auch Paul und Ascanio, meine Schüler, wurden mit Pferden versehen. Der Kardinal teilte seinen Hof, der sehr groß war; den einen edlern Teil nahm er mit sich auf den Weg nach der Romagna, um die Madonna von Loreto zu besuchen und alsdann nach Ferrara in sein Haus zu gehen; den andern Teil schickte er gegen Florenz, das war der größte, und dabei seine schönste Reiterei. Er sagte mir, wenn ich auf der Reise sicher sein wollte, so sollte ich sie mit ihm zurücklegen, wo nicht, so könnte ich in Lebensgefahr geraten. Ich gab mein Wort, daß ich mit ihm gehen wollte; aber weil alles geschehen muß, was im Himmel beschlossen ist, so gefiel es Gott, daß mir meine arme leibliche Schwester in den Sinn kam, die so viele Betrübnis über mein großes Übel gehabt hatte; auch erinnerte ich mich meiner Nichten, die in Viterbo Nonnen waren, die eine Äbtissin, die andere Schaffnerin, so daß sie die reiche Abtei gleichsam beherrschten. Sie hatten auch um meinetwillen so viele schwere Leiden erduldet und für mich so viel gebetet, daß ich für gewiß glaubte, meine Befreiung habe ich der Frömmigkeit dieser guten Mädchen zu verdanken.

Da ich das alles bedachte, beschloß ich nach Florenz zu gehen, und statt daß ich auf diesem Wege, so wie auf dem andern, mit den Leuten des Kardinals die Reise hätte umsonst machen können, so gefiel es mir noch besser, für mich und in andrer Gesellschaft zu gehen. Den heiligen Montag reisten wir zu drei von Rom ab; in Monterosi traf ich Meister Cherubin, einen trefflichen Juwelier, meinen sehr guten Freund, und glaubte, weil ich öffentlich gesagt hatte, ich würde mit dem Kardinal gehen, keiner meiner Feinde würde mir weiter aufgepaßt haben; und doch hätte es mir bei Monterosi übel bekommen können; denn man hatte vor uns einen Haufen wohlbewaffneter Leute hergeschickt, mir etwas Unangenehmes zu erzeigen, und indes wir bei Tische saßen, hatten jene, nachdem sie vernommen, daß ich nicht im Gefolge des Kardinals reiste, alle Anstalt gemacht mich zu beschädigen. Da wollte Gott, daß das Gefolge soeben ankam, und ich zog mit ihm fröhlich und gesund nach Viterbo. Da hatte ich nun keine Gefahr mehr zu befürchten und ritt manchmal mehrere Meilen voraus, und die trefflichsten unter diesen Truppen bezeigten mir viele Achtung.

Als ich nun so, durch Gottes Gnade, gesund und wohl nach Viterbo kam, empfingen meine Nichten mich mit den größten Liebkosungen, so wie das ganze Kloster; dann reiste ich weiter mit meiner Gesellschaft, indem wir uns bald vor, bald hinter dem Gefolge hielten, so daß wir am Grünen Donnerstage um zweiundzwanzig nur ungefähr eine Post von Siena entfernt waren. Da fand ich einige Pferde, die eben von gedachter Stadt kamen, der Postillon aber wartete auf irgendeinen Fremden, der für ein geringes Geld darauf allenfalls nach Siena zurückritte. Da stieg ich von meinem Pferde Tornon, legte mein Kissen und meine Steigbügel auf die gedachte Poststute, gab dem Knechte einen Julier, ließ meinen jungen Leuten mein Pferd, die es mir nachführen sollten, und machte mich auf den Weg, um eine halbe Stunde früher nach Siena zu kommen, sowohl weil ich einen Freund besuchen, als auch weil ich einige Geschäfte verrichten wollte. Und zwar ging es geschwind genug, doch ritt ich keinesweges postmäßig. Ich fand eine gute Herberge in Siena, besprach Zimmer für fünf Personen und schickte das Pferd nach der Post, die vor dem Tor zu Camollia angelegt war; ich hatte aber vergessen, mein Kissen und meine Steigbügel herunterzunehmen.

Wir brachten den Abend sehr lustig zu. Karfreitag morgens erinnerte ich mich meines Pferdezeuges, und als ich darnach schickte, wollte der Postmeister es nicht wieder herausgeben, weil ich seine Stute zuschanden geritten hätte. Die Boten gingen oft hin und her, und er versicherte beständig, daß er die Sachen nicht wieder herausgeben wolle, mit vielen beleidigenden und unerträglichen Worten. Da sagte der Wirt, wo ich wohnte: Ihr kommt noch gut weg, wenn er euch nichts Schlimmeres antut als daß er Kissen und Steigbügel behält, denn einen solchen bestialischen Mann hat es noch nicht in unserer Stadt gegeben, und er hat zwei Söhne bei sich, die tapfersten Leute, und als Soldaten noch weit bestialischer denn er. Drum kauft nur wieder, was ihr bedürft, und reitet eurer Wege ohne euch weiter mit ihm einzulassen. Ich kaufte ein paar Steigbügel und dachte mein Kissen durch gute Worte wieder zu erlangen, und weil ich sehr gut beritten, mit Panzerhemd und Armschienen bewaffnet war, auch eine treffliche Büchse auf dem Sattel hatte, erregten die großen Bestialitäten, die der tolle Mensch mir hatte sagen lassen, in mir nicht die geringste Furcht; auch waren meine jungen Leute gewöhnt, Panzerhemde und Ärmel zu tragen, und auf meinen römischen Burschen hatte ich ein besonderes Vertrauen, denn ich wußte, daß er, solange wir in Rom waren, die Waffenstücke nicht abgelegt hatte. Auch Ascanio, ungeachtet seiner Jugend, trug dergleichen, und da es Karfreitag war, dachte ich, die Tollheit der Tollen sollte doch auch ein wenig feiern.

So kamen wir auf die gedachte Post Camollia, und ich erkannte den Mann gleich an den Wahrzeichen, die man mir gegeben hatte, denn er war am linken Auge blind; da ließ ich meine zwei jungen Leute und die andere Gesellschaft hinter mir, ritt auf ihn los, und sagte ganz gelassen: Postmeister, wenn ich euch versichre, daß ich euer Pferd nicht zuschanden geritten habe, warum wollt ihr mir Kissen und Steigbügel, die doch mein sind, nicht wieder geben? Darauf antwortete er mir, wirklich auf eine tolle bestialische Weise, wie man mir vorher hinterbracht hatte, worauf ich versetzte: Wie, seid ihr nicht ein Christ und wollt am heiligen Karfreitage euch und mir ein solches Ärgernis geben? Er versetzte, daß er sich weder um Gottes noch um des Teufels Freitag bekümmere, und wenn ich mich nicht gleich wegmachte, wollte er mich mit einem Spieße, den er indessen ergriffen hatte, zusamt mit meinem Schießgewehr zu Boden schlagen.

Auf die heftigen Worte kam ein alter sanesischer Edelmann herbei, der eben von einer Andacht, wie man sie an selbigem Tage zu halten pflegt, zurückkam; er hatte von weitem recht deutlich meine Gründe vernommen und trat herzhaft hinzu, gedachten Postmeister zu tadeln, indem er meine Partei nahm. Er schalt auch auf die beiden Söhne, daß sie nicht nach ihrer Schuldigkeit die Fremden bedienten, vielmehr durch ihre Schwüre und gotteslästerlichen Reden der Stadt Siena Schande brächten. Die beiden Söhne sagten nichts, schüttelten den Kopf und gingen ins Haus. Der rasende Vater aber, der auf die Worte des Ehrenmanns noch giftiger geworden war, fällte unter schimpflichen Flüchen seinen Spieß und schwur, daß er mich gewiß ermorden wolle.

Als ich diese bestialische Resolution bemerkte, ließ ich ihn die Mündung meines Gewehrs in etwas sehen, um ihn einigermaßen zurückzuhalten; er fiel mir aber nur desto rasender auf den Leib. Nun hatte ich die Büchse noch nicht gerade auf ihn gerichtet, wie ich doch zur Verwahrung und Verteidigung meiner Person hätte tun können, sondern die Mündung war noch in der Höhe, als das Gewehr von selbst losging; die Kugel traf den Bogen des Tors, schlug zurück und traf den Mann gerade in den Hals, so daß er tot zur Erde fiel. Seine Söhne liefen schnell herbei, der eine mit einem Rechen, der andere mit der Partisane des Vaters, und fielen über meine jungen Leute her. Der mit dem Spieße griff meinen Paul, den Römer, auf der linken Seite an, der andere machte sich an einen Mailänder, der närrisch aussah und nicht etwa sich aus der Sache zog, denn er hätte nur sagen dürfen, ich gehe ihn nichts an, vielmehr verteidigte er sich gegen die Spitze jenes Spießes mit einem Stöckchen, das er in der Hand hatte, und konnte denn freilich damit nicht zum besten parieren, so daß ihn sein Gegner am Ende ein wenig an den Mund traf.

Herr Cherubin war als Geistlicher gekleidet, denn ob er gleich ein trefflicher Goldschmied war, so hatte er doch viele Pfründen von dem Papste mit guten Einkünften erhalten. Ascanio, gut bewaffnet, gab kein Zeichen von sich, als wenn er fliehen wollte, und so wurden die beiden nicht angerührt. Ich hatte dem Pferde die Sporen gegeben und, indem es geschwind galoppierte, mein Gewehr wieder geladen. Ich kehrte darauf wütend zurück und dachte erst aus dem Spaße Ernst zu machen; denn ich fürchtete, meine Knaben möchten erschlagen sein, und da wollte ich auch mein Leben wagen. Ich war nicht weit zurückgeritten, als ich ihnen begegnete. Da fragte ich, ob ihnen ein Leids widerfahren wär', und Ascanio sagte, Paul sei tödlich mit einem Spieße verwundet. Darauf versetzte ich: Paul, mein Sohn, so ist der Spieß durch das Panzerhemd gedrungen? Er sagte: Ich habe es in den Mantelsack getan. Da antwortete ich: Wohl erst diesen Morgen? so trägt man also die Panzerhemden in Rom, um sich vor den Damen sehen zu lassen! und an gefährlichen Orten, wo man sie eigentlich braucht, hat man sie im Mantelsack. Alles Übel, was dir widerfährt, geschieht dir recht und du bist schuld, daß ich auch hier umkommen werde. Und indem ich so sprach, ritt ich immer rasch wieder zurück. Darauf baten Ascanio und er mich um Gottes willen, ich möchte sie und mich erretten, denn wir gingen gewiß in den Tod. Zu gleicher Zeit begegnete ich Herrn Cherubin und dem verwundeten Mailänder; jener schalt mich aus, daß ich so grimmig sei, denn niemand sei beschädigt, Pauls Wunde sei nicht tief, der alte Postmeister sei tot auf der Erde geblieben, und die Söhne nebst andern Leuten seien dergestalt in Bereitschaft, daß sie uns sicher alle in Stücken hauen würden; er bat mich, daß ich das Glück, das uns beim ersten Angriffe gerettet hätte, nicht wieder versuchen möchte, denn es könnte uns diesmal verlassen. Darauf versetzt' ich: Da ihr zufrieden seid, so will ich mich auch beruhigen; und, indem ich mich zu Paul und Ascanio wendete, fuhr ich fort: Gebt euren Pferden die Sporen und laßt uns ohne weitern Aufenthalt nach Staggia galoppieren, und da werden wir sicher sein. Darauf sagte der Mailänder: Der Henker hole die Sünden! das Übel begegnet mir nur, weil ich gestern ein wenig Fleischsuppe gegessen habe, da ich nichts anders zu Mittage hatte. Darüber mußten wir, ungeachtet der großen Not, in der wir uns befanden, laut lachen, denn die Bestie hatte gar zu dummes Zeug vorgebracht; wir setzten uns darauf in Galopp und ließen Herrn Cherubin und den Mailänder nach ihrer Bequemlichkeit langsam nachreiten.

Die Söhne des Toten waren sogleich zu dem Herzog von Melfi gelaufen und hatten ihn um einige leichte Reiterei gebeten, um uns zu erreichen und zu fahen. Der Herzog, als er erfuhr, daß wir dem Kardinal von Ferrara angehörten, wollte weder Pferde noch Erlaubnis geben. Indessen kamen wir nach Staggia in Sicherheit; ich rief einen Arzt, so gut man ihn daselbst haben konnte, und ließ Paulen besichtigen, da sich denn fand, daß es nur eine Hautwunde war, die nichts zu sagen hatte, und wir bestellten das Essen. Hierauf erschien Meister Cherubin und der närrische Mailänder, der nur immer sagte: Hole der Henker alle Händel! Er betrübte sich, daß er exkommuniziert sei, weil er diesen heiligen Morgen seinen Rosenkranz nicht hätte beten können. Der Mann war erstaunend garstig, hatte von Natur ein großes Maul, und durch die Wunde war es ihm mehr als drei Finger gewachsen; da nahm sich erst seine wunderliche mailändische Sprache, die abgeschmackten Redensarten und die dummen Worte, die er hervorbrachte, recht närrisch aus und gaben uns so viel Gelegenheit zu lachen, daß wir, anstatt über den Vorfall zu klagen, uns bei jedem seiner Worte lustig machten. Nun wollte der Arzt ihm das Maul heften, und da derselbe schon drei Stiche getan hatte, sagte der Patient, er möchte innehalten und sollte ihm nicht etwa gar aus bösem Willen das Maul ganz zunähen. Darauf nahm er einen Löffel und verlangte, gerade so viel sollte man offenlassen, daß der Löffel durchkönne, und er lebendig zu dem Seinigen käme.

Bei diesen Worten, die er mit allerlei wunderlichen Bewegungen des Kopfes begleitete, ging erst das Lachen recht los, und so kamen wir mit der größten Lust nach Florenz. Wir stiegen beim Hause meiner armen Schwester ab, die uns sowohl als ihr Mann aufs beste empfing und bewirtete. Herr Cherubin und der Mailänder gingen ihren Geschäften nach, wir aber blieben vier Tage in Florenz, in welchen Paul geheilt wurde. Dabei war es die sonderbarste Sache, daß wir, so oft vom Mailänder gesprochen wurde, in eine ausgelassene Lustigkeit verfielen, dagegen uns das Andenken der Unfälle, die wir ausgestanden, äußerst rührte, so daß wir mehr als einmal zugleich lachen und weinen mußten.

DRITTES KAPITEL

Der Verfasser kommt nach Ferrara, wo ihn der Herzog sehr wohl aufnimmt und sein Profil von ihm bossieren läßt. – Das Klima ist ihm schädlich und er wird krank. Er speist junge Pfauen und stellt dadurch seine Gesundheit her. – Mißverständnisse zwischen ihm und des Herzogs Dienern, von manchen verdrießlichen Umständen begleitet. – Nach vielen Schwierigkeiten und erneuertem Aufschub reist er weiter und kommt glücklich nach Lyon, von dannen er sich nach Fontainebleau begibt, wo der Hof sich eben aufhielt.

Hierauf zogen wir nach Ferrara und fanden unsern Kardinal daselbst, der alle unsere Abenteuer gehört hatte, sich darüber beschwerte und sagte: Ich bitte nur Gott um die Gnade, daß ich dich lebendig zu dem König bringe, wie ich es ihm versprochen habe. Er wies mir darauf einen seiner Paläste in Ferrara, den angenehmsten Aufenthalt, an; der Ort hieß Belfiore, nahe an der Stadtmauer, und ich mußte mich daselbst zur Arbeit einrichten. Dann machte er Anstalt, nach Frankreich zu gehen, aber keine mich mitzunehmen, und als er sah, daß ich darüber sehr verdrießlich war, sagte er: Benvenuto! alles was ich tue, geschieht zu deinem Besten. Denn ehe ich dich aus Italien wegnehme, will ich erst gewiß sein, was in Frankreich mit dir werden wird; arbeite nur fleißig am Becken und am Becher, und ich befehle meinem Kassier, daß er dir geben soll, was du nötig hast. Nun verreiste er, und ich blieb höchst mißvergnügt zurück. Oft kam mir die Lust an, in Gottes Namen davonzugehen; denn nur der Gedanke, daß er mich aus den Händen des Papstes befreit hatte, konnte mich zurückhalten; übrigens war sein gegenwärtiges Betragen zu meinem großen Verdruß und Schaden. Deswegen hüllte ich mich in Dankbarkeit, suchte mich zur Geduld zu gewöhnen und den Ausgang der Sache abzuwarten. Ich arbeitete fleißig mit meinen jungen Leuten, und Becher und Becken näherten sich immer mehr der Vollendung.

Unsere Wohnung, so schön sie war, hatte ungesunde Luft, und da es gegen den Sommer ging, wurden wir alle ein wenig krank. Um uns zu erholen, gingen wir in dem

Garten spazieren, der zu unserer Wohnung gehörte und sehr groß war; man hatte fast eine Meile Landes dabei als Wildnis gelassen, wo sich unzählige Pfauen aufhielten und daselbst im Freien nisteten. Da machte ich meine Büchse zurechte und bediente mich eines Pulvers, das keinen Lärm machte, dann paßte ich den jungen Pfauen auf und schoß alle zwei Tage einen. Dergestalt nährten wir uns reichlich, und fanden die Speise so gesund, daß unsere Krankheiten sich gleich verloren; wir arbeiteten noch einige Monate freudig fort und hielten uns immer zu den beiden Gefäßen, als an eine Arbeit, die viel Zeit kostete.

Der Herzog von Ferrara hatte soeben mit dem Papst Paul einige alte Streitigkeiten verglichen, die schon lange wegen Modena und anderer Städte dauerten. Das Recht war auf der Seite der Kirche, und der Herzog erkaufte den Frieden mit schwerem Gelde. Ich glaube, er gab mehr als dreimalhunderttausend Kammerdukaten dafür. Nun hatte der Herzog einen alten Schatzmeister, einen Zögling seines Herrn Vaters, der Hieronymus Gigliolo hieß; dieser konnte das Unglück nicht ertragen, daß so großes Geld zum Papste gehen sollte; er lief und schrie durch die Straßen, Herzog Alfons der Vater hätte mit diesem Gelde eher Rom weggenommen, als daß es der Papst sollte gesehen haben; dabei rief er: Ich werde auf keine Weise zahlen. Endlich, als ihn der Herzog dennoch zwang, ward der Alte an einem Durchfall so heftig krank, daß er fast gestorben wär'.

Zu der Zeit ließ mich der Herzog rufen und verlangte, daß ich sein Bildnis machen sollte. Ich arbeitete es auf einer runden Schiefertafel, so groß wie ein mäßiger Teller, und ihm gefiel meine Arbeit sowie meine Unterhaltung sehr wohl, deswegen er mir auch öfters vier bis fünf Stunden saß und mich manchmal abends zur Tafel behielt. In Zeit von acht Tagen war ich mit dem Kopfe fertig, dann befahl er mir die Rückseite zu machen, wo eine Frau als Friede mit der Fackel in der Hand Trophäen verbrannte. Ich machte diese Figur in freudiger Stellung mit dem feinsten Gewande und der größten Anmut, und unter ihr stellte ich die Wut vor, traurig und schmerzlich und mit vielen Ketten gebunden. Diese Arbeit machte ich mit großer Sorgfalt und sie brachte mir viel Ehre, denn der Herzog konnte mir nicht ausdrücken wie zufrieden er sei, als er mir die Umschrift sowohl um den Kopf als um die Rückseite zustellte. Auf dieser stand: Pretiosa in conspectu Domini. (Kostbar vor den Augen des Herrn.) Und wirklich war ihm der Friede teuer genug zu stehen gekommen.

Zu der Zeit als ich daran arbeitete, hatte mir der Kardinal geschrieben, ich solle mich bereithalten: denn der König habe nach mir gefragt und er, der Kardinal, habe seinen Leuten geschrieben, alles mit mir in Ordnung zu bringen. Ich ließ mein Becken und meinen Pokal einpacken, denn der Herzog hatte sie schon gesehen. Damals besorgte die Geschäfte des Kardinals ein Edelmann von Ferrara, der Herr Albert Bendidio hieß. Dieser Mann war zwölf Jahre wegen einer Unpäßlichkeit zu Hause geblieben. Er schickte eines Tages mit großer Eile zu mir und ließ mir sagen, ich sollte geschwind aufsitzen und nach Frankreich Post reiten, um dem König aufzuwarten, der nach mir mit großem Verlangen gefragt habe und glaube, daß ich schon in Frankreich sei. Der Kardinal, sich zu entschuldigen, habe gesagt, ich sei in einer seiner Abteien zu Lyon ein wenig krank geblieben, er wolle aber sorgen, daß ich Seiner Majestät bald aufwartete; deswegen sei es nun nötig, daß ich Post nehme. Herr Albert war ein sehr redlicher Mann, aber dabei sehr stolz, und seine Krankheit machte ihn gar unerträglich. Als er mir nun sagte, daß ich mich geschwind fertig machen und Post nehmen sollte, so antwortete ich, meine Arbeit mache sich nicht auf der Post, und wenn ich hinzugehen hätte, so wollte ich den Weg in bequemen Tagreisen zurücklegen, auch Ascanio und Paul, meine Kameraden und Arbeiter, mitnehmen, die ich schon von Rom gebracht habe; und dabei verlangte ich noch einen Diener zu Pferd, der mir aufwartete, und Geld, so viel nötig wäre. Der alte kranke Mann antwortete mir mit stolzen Worten, auf die Art und nicht anders reisten die Söhne des Herzogs. Ich antwortete ihm, die Söhne meiner Kunst reisten nun einmal so; wie aber die Söhne eines Herzogs zu reisen pflegten, wüßte ich nicht, denn ich sei nie einer gewesen. Auf alle Weise würde ich jetzt nicht hingehen.

Da mir nun der Kardinal sein Wort nicht gehalten hatte und ich noch gar solche unartige Reden hören sollte, so entschloß ich mich mit den Ferraresern nichts weiter zu tun zu haben, wendete ihm den Rücken und ging brummend fort, indem er nicht nachließ, harte und unanständige Reden zu führen. Ich ging nun, dem Herzog die geendigte Medaille zu bringen, und er begegnete mir mit den ehrenvollsten Liebkosungen und hatte Herrn Hieronymus Gigliolo befohlen, er solle mir einen Ring von mehr als zweihundert Scudi kaufen und ihn Fraschino, seinem Kämmerer, geben, der ihn mir bringen möchte. Und so geschah es auch, noch denselben Abend. Um ein Uhr kam Fraschino und überreichte mir einen Ring mit einem Diamanten, der viel Schein hatte, und sagte von seiten des Herzogs diese Worte: mit diesem solle die einzig kunstreiche Hand gezieret werden, die so trefflich zum Andenken Seiner Exzellenz gearbeitet habe. Als es Tag ward, betrachtete ich den Ring und fand einen flachen Stein von ungefähr zehn Scudi an Wert, und es war mir ungelegen, daß die herrlichen Worte, die mir der Herzog hatte sagen lassen, mit so einer geringen Belohnung sollten verbunden sein, da der Herzog doch glauben könnte, er habe mich vollkommen zufriedengestellt. Auch dachte ich wohl, daß der Streich von dem Schelm, dem Schatzmeister herkomme und gab den Ring daher einem Freunde, mit Namen Bernhard Salitti, der ihn dem Kämmerer wieder geben sollte, es möchte kosten was es wolle, und das Geschäft wurde trefflich ausgerichtet. Da kam Fraschino eilig zu mir, in großer Bewegung, und sagte, wenn der Herzog wissen sollte, daß ich ein Geschenk zurückschicke, das er mir so gnädig zugedacht habe, so möchte er es sehr übel nehmen und es dürfte mich gereuen. Darauf antwortete ich, dieser Ring sei ungefähr zehen Scudi wert und meine Arbeit dürfte ich wohl auf zweihundert Scudi schätzen; mir sei bloß an einem Zeichen seiner Gnade gelegen, und er möchte mir nur einen von denen Krebsringen schicken, wie sie aus England kommen, und wovon einer ungefähr einen Paul wert ist, den wollte ich mein ganzes Leben zum Andenken Seiner Exzellenz tragen, mich dabei jener ehrenvollen Worte erinnern und mich dann für meine Arbeit hinlänglich belohnt fühlen, anstatt daß jetzt der geringe Wert des Edelsteins meine Arbeit erniedrige. Diese Worte mißfielen dem Herzog so sehr, daß er den Schatzmeister rufen ließ und ihn mehr als jemals ausschalt. Mir ließ er bei Strafe seiner Ungnade befehlen, nicht aus Ferrara ohne seine Erlaubnis zu gehen, dem Schatzmeister aber befahl er, für mich einen Diamant aufzusuchen, der gegen dreihundert Scudi wert wäre. Aber der alte Geizhals fand einen aus, den er höchstens für sechzig bezahlt hatte, und machte den Herzog glauben, daß er weit über zweihundert zu stehen komme.

Indessen hatte Herr Albert sich eines Bessern besonnen und mir alles gegeben was ich nur verlangte, und ich wär' gleich des Tages von Ferrara weggegangen, wenn nicht der geschäftige Kämmerer mit Herrn Albert ausgemacht hätte, daß er mir keine Pferde geben solle.

Schon hatte ich mein Maultier mit vielen Gerätschaften beladen und auch Becken und Kelch für den Kardinal eingepackt, da kam nun eben ein ferraresischer Edelmann zu uns, der Herr Alfonso de Trotti hieß; er war alt und sehr angenehm, dabei liebte er die Künste außerordentlich, war aber einer von denen Personen, die schwer zu befriedigen sind, und wenn sie zufälligerweise sich auf etwas werfen, das ihnen gefällt, so malen sie sich's nachher so trefflich in ihrem Gehirn aus, daß sie niemals glauben wieder so etwas Herrliches sehen zu können. Als er hereintrat, sagte Herr Albert zu ihm: Es ist mir leid, daß ihr so spät kommt, denn schon sind Becken und Becher eingepackt, die wir dem Kardinal nach Frankreich schicken. Herr Alfonso antwortete, daß ihm nichts daran gelegen sei, und schickte einen Diener fort, der ein Gefäß von weißer Erde, wie man sie in Faenza macht, das sehr sauber gearbeitet sei, herbeiholen sollte. Indessen sagte Herr Alfonso: Ich will euch sagen, warum ich mich nicht kümmere, mehr Gefäße zu sehen, denn es ist mir einmal ein antikes silbernes zu Gesichte gekommen, so schön und wunderbar, daß der menschliche Geist so was Herrliches sich nicht vorstellen kann. Ein trefflicher Edelmann besaß es, der nach Rom wegen einiger Geschäfte gegangen war, man zeigte ihm heimlich das alte Gefäß, und er bestach mit großem Gelde den der es besaß, und so brachte er es hierher, hielt es aber geheim, damit der Herzog nichts davon erfahren sollte, denn der Besitzer war in großer Furcht es zu verlieren.

Indes Herr Alfonso seine langen Märchen erzählte, gab er auf mich nicht acht, denn er kannte mich nicht. Endlich kam das herrliche Modell und ward mit großem Prahlen und Prangen aufgesetzt. Kaum hatt' ich es angesehn, als ich mich zu Herrn Albert kehrte und sagte: Wie glücklich bin ich, so was gesehen zu haben! Herr Alfonso fing an zu schimpfen und sagte: Wer bist denn du? du weißt nicht was du sagst. Darauf versetzte ich: Höret mich an, es wird sich zeigen, wer von uns beiden besser weiß was er sagt. Dann wendete ich mich zu Herrn Albert, einem sehr ernsthaften und geistreichen Manne, und sagte: Dieses Modell ist von einem silbernen Becher genommen, der so und so viel wog, den ich zu der und der Zeit jenem Marktschreier Meister Jakob, Chirurgus von Capri, machte, der nach Rom kam, sechs Monate daselbst blieb und mit seiner Salbe manche Dutzend Herren und arme Edelleute beschmierte, von denen er mehrere tausend Dukaten zog. Da arbeitete ich ihm dieses Gefäß und noch ein anderes, verschieden von diesem. Er hat mir beide schlecht bezahlt, und noch sind in Rom die Unglücklichen, die er gesalbt und elend gemacht hat; mir aber gereicht es zur großen Ehre, daß meine Werke bei euch reichen Leuten so einen großen Namen haben. Aber ich versichre euch, seit der Zeit habe ich mir noch Mühe gegeben, was zu lernen, so daß ich denke, das Gefäß, das ich nach Frankreich bringe, soll ganz anders des Königs und des Kardinals wert sein als dieser Becher eures Medikasters.

Als ich mich so herausgelassen hatte, wollte Herr Alfonso für Verlangen nach meiner neuen Arbeit schier vergehen, ich aber bestand darauf, sie nicht sehen zu lassen. Als wir uns eine Weile gestritten hatten, sagte er, er wolle zum Herzog gehen, und Seine Exzellenz werde ihm schon dazu verhelfen. Darauf versetzte Herr Albert, der, wie ich schon gesagt habe, der stolzeste Mann war: Herr Alfonso, eh' ihr von hier weggeht, sollt ihr die Arbeit sehen, ohne dazu die Gunst des Herzogs zu bedürfen. Da ging ich weg und ließ Paul und Ascanio zurück, um ihm die Gefäße zu zeigen; die jungen Leute erzählten mir nachher, daß man die größten Sachen zu meinem Lobe gesagt hätte. Nun wollte Herr Alfonso, daß ich sein Hausgenosse werden sollte, und eben deswegen schienen mir's tausend Jahre, bis ich von Ferrara weg und ihm aus den Augen kam.

Was ich übrigens Gutes und Nützliches an diesem Orte genossen hatte, war ich dem Umgang des Kardinals Salviati und des Kardinals von Ravenna schuldig. Auch hatte ich Bekanntschaft mit einigen geschickten Tonkünstlern gemacht und mit niemand sonst; denn die Ferrareser sind die geizigsten Leute, und was andern gehört, gefällt ihnen gar zu wohl, sie suchen es auf alle Weise zu erhaschen; und so sind sie alle.

Um zweiundzwanzig kam Fraschino, überreichte mir den Ring von ungefähr sechzig Scudi und sagte mit kurzen Worten, ich möchte den zum Andenken Seiner Exzellenz tragen. Ich antwortete: Das will ich; und setzte sogleich den Fuß in den Steigbügel und ritt in Gottes Namen fort. Er hinterbrachte meine Worte und mein Betragen dem Herzog, der sehr erzürnt war und große Lust hatte mich zurückholen zu lassen.

Ich ritt den Abend wohl noch zehn Meilen, immer im Trott, und war sehr froh, den andern Tag aus dem Ferraresischen zu sein; denn außer den jungen Pfauen, die ich gegessen und mich dadurch kuriert hatte, war mir dort nichts Gutes geworden. Wir nahmen den Weg durchs Monzanesische und berührten die Stadt Mailand nicht, aus obgedachter Ursache, und so kamen wir glücklich und gesund nach Lyon, Paul, Ascanio und ein Diener, alle vier auf guten Pferden. In Lyon erwarteten wir einige Tage das Maultier, worauf unser Gepäck und die Gefäße waren, und wohnten in einer Abtei des Kardinals. Als unsere Sachen ankamen, packten wir sie sorgfältig um und zogen nach Paris. Wir hatten auf dem Wege einige Händel, aber nicht von großer Bedeutung.

VIERTES KAPITEL

Der Autor wird von dem König in Frankreich sehr gnädig empfangen. — Gemütsart dieses wohldenkenden Monarchen. — Der Autor begleitet den König auf seiner Reise nach Dauphiné. — Der Kardinal verlangt von Cellini, er solle sich für einen geringen Gehalt verbinden. — Der Autor, darüber sehr verdrießlich, entschließt sich aus dem Stegreife, eine Pilgrimschaft nach Jerusalem anzutreten. — Man setzt ihm nach und bringt ihn zum König zurück, der ihm einen schönen Gehalt gibt und ein großes Gebäude in Paris zu seiner Werkstatt anweist. — Er begibt sich nach dieser Hauptstadt, findet aber großen Widerstand, indem er Besitz von seiner Wohnung nehmen will, welches ihm jedoch zuletzt vollkommen glückt.

Den Hof des Königs fanden wir zu Fontainebleau. Wir meldeten uns beim Kardinal, der uns sogleich Quartier anweisen ließ; und diesen Abend befanden wir uns recht wohl. Den andern Tag erschien der Karrn, und da wir nun unsere Sachen hatten, sagte es der Kardinal dem König, der uns sogleich sehen wollte. Ich ging zu Seiner Majestät mit dem Pokal und Becher; als ich vor ihn kam, küßte ich ihm das Knie, und er hub mich gnädig auf. Indessen dankte ich Seiner Majestät, daß er mich aus dem Kerker befreit habe, und sagte, es sei eigentlich die Pflicht eines so guten und einzigen Fürsten, nützliche Menschen zu befreien und zu beschützen, besonders wenn sie unschuldig seien wie ich; solche Wohltaten seien in den Büchern Gottes obenan geschrieben, vor allem andern was man in der Welt tun und wirken könne. Der gute König hörte mich an bis ich geendigt und meine Dankbarkeit mit wenigen Worten, die seiner wert waren, ausgedrückt hatte. Darauf nahm er Gefäß und Becken und sagte: Wahrhaftig ich glaube nicht, daß die Alten jemals eine so schöne Art zu arbeiten gesehen haben; denn ich erinnere mich wohl vieler guten Sachen, die mir vor Augen gekommen sind, und auch dessen, was die besten neuern Meister gemacht haben, aber ich habe niemals ein Werk gesehen, das mich so höchlich bewegt hätte als das gegenwärtige. Diese Worte sagte der König auf französisch zum Kardinal von Ferrara, mit noch größern Ausdrücken. Dann wendete er sich zu mir, sprach mich italienisch an und sagte: Benvenuto! bringt eure Zeit einige Tage fröhlich zu, dann wollen wir euch alle Bequemlichkeit geben, irgendein schönes Werk zu verfertigen. Der Kardinal von Ferrara bemerkte wohl das große Vergnügen des Königs über meine Ankunft und daß Seine Majestät sich aus meinen wenigen Arbeiten schon überzeugt hatte, von mir seien noch weit größere Dinge zu erwarten, die er denn auszuführen Lust hatte.

Nun mußten wir aber gleich dem Hofe folgen, und das war eine rechte Qual. Denn es schleppt sich hinter dem König beständig ein Zug von zwölftausend Pferden her, und das ist das Geringste; denn wenn in Friedenszeiten der Hof beisammen ist, so sind es achtzehntausend Mann und darunter mehr als zwölftausend berittene. Nun kamen wir manchmal an Orte, wo kaum zwei Häuser waren, und man schlug nach Art der Zigeuner Hütten von Leinwand auf, und hatte ich oft gar viel zu leiden. Ich bat den Kardinal, er möchte den König bewegen, daß er mich zu arbeiten wegschickte; ich erhielt aber zur Antwort, das beste in einem solchen Falle sei, wenn der König selbst meiner gedächte, ich sollte mich manchmal sehen lassen, wenn Seine Majestät speiste. Das tat ich denn eines Mittags: der König rief mich und sprach italienisch mit mir und sagte, er habe im Sinne, große Werke durch mich arbeiten zu lassen, er wolle mir bald befehlen, wo ich meine Werkstatt aufzuschlagen hätte, auch wolle er mich mit allem, was ich bedürfe versorgen; dann sprach er noch manches von angenehmen und verschiedenen Dingen.

Der Kardinal von Ferrara war gegenwärtig, denn er speiste fast beständig mittags an der kleinen Tafel des Königs, und da er alle die Reden vernommen, sprach er, als der König aufgestanden war, zu meinen Gunsten, wie man mir hernach wieder erzählte, und sagte: Heilige Majestät! dieser Benvenuto hat große Lust zu arbeiten, und man könnte es fast eine Sünde nennen, wenn man einen solchen Künstler Zeit verlieren läßt. Der König versetzte, er habe wohl gesprochen und solle nur mit mir ausmachen, was ich für meinen Unterhalt verlange.

Noch denselben Abend nach Tische ließ mich der Kardinal rufen und sagte mir, im Namen des Königs, Seine Majestät sei entschlossen, mir nunmehr Arbeit zu geben; er wolle aber zuerst meine Besoldung bestimmt wissen. Der Kardinal fuhr fort: Ich dächte, wenn euch der König des Jahrs dreihundert Scudi Besoldung gibt, so könntet ihr recht gut auskommen, und dann sage ich euch, überlaßt mir nur die Sorge; denn alle Tage kömmt Gelegenheit, in diesem großen Reiche etwas Gutes zu stiften, und ich will euch immer trefflich helfen.

Sogleich antwortete ich: Als ihr mich in Ferrara ließet, hochwürdigster Herr! verspracht ihr mir, ohne daß ich es verlangte, mich niemals aus Italien nach Frankreich zu berufen, wenn nicht Art und Weise, wie ich mich bei dem König stehen solle, schon bestimmt wär'. Anstatt mich nun hievon zu benachrichtigen, schicktet ihr besondern Befehl, ich solle auf der Post kommen, als wenn eine solche Kunst sich postmäßig behandeln ließ'; hättet ihr mir damals von dreihundert Scudi sagen lassen, wie ich jetzt hören muß, so hätte ich mich nicht vom Platze bewegt, nicht für sechshundert! Aber ich gedenke dabei, daß Gott Euer Hochwürden als

Werkzeug einer so großen Wohltat gebraucht hat, als meine Befreiung aus dem Kerker war, und ich versichere Euer Hochwürden, daß wenn ihr mir auch das größte Übel zufügtet, so würde doch dadurch nicht der tausendste Teil des großen Guten aufgewogen werden, das ich durch Dieselben erhalten habe. Ich bin von ganzem Herzen dankbar, nehme meinen Urlaub, und wo ich auch sein werde, will ich, so lange ich lebe, Gott für euch bitten.

Der Kardinal versetzte zornig: Gehe hin, wohin du willst; denn mit Gewalt kann man niemanden wohltun. Darauf sagten gewisse Hofleute, so einige von den Semmelschindern: Der dünkt sich auch recht viel zu sein, da er dreihundert Dukaten Einkünfte verschmäht! Die Verständigen und Braven dagegen sagten: Der König wird nie seinesgleichen wieder finden und unser Kardinal will ihn erhandeln, als wenn es eine Last Holz wäre. Das sagte Herr Ludwig Alamanni, jener, der zu Rom den Gedanken über das Modell des Salzfasses vortrug. Er war ein sehr gefälliger Mann und äußerst liebevoll gegen alle Leute von Talenten. Man erzählte mir, daß er es vor vielen andern Herren und Hofleuten gesagt hatte. Das begab sich in Dauphiné in einem Schlosse, dessen Namens ich mich nicht mehr erinnere, wo man jenen Abend eingekehrt war.

Ich verließ den Kardinal und begab mich in meine Wohnung; denn wir waren immer etwas entfernt von dem Hof einquartiert, diesmal mocht' es etwa drei Miglien betragen. Ich ritt in Gesellschaft eines Mannes, der Sekretär beim Kardinal und gleichfalls daselbst einquartiert war. Er hörte den ganzen Weg nicht auf, mit unerträglicher Neugierde zu fragen, was ich denn anfangen wollte, wenn ich nun zurückging', und was ich denn allenfalls für eine Besoldung verlangt hätte? Ich war halb zornig, halb traurig, und voll Verdruß, daß man mich nach Frankreich gelockt hatte, um mir nun dreihundert Scudi des Jahres anzubieten, daher antwortete ich nichts, und wiederholte nur immer: ich wisse schon alles.

Als ich in das Quartier kam, fand ich Paul und Ascanio, die auf mich warteten. Sie sahen, daß ich sehr verstört war, und da sie mich kannten, fragten sie, was ich habe? Die armen Jünglinge waren ganz außer sich. Deswegen sagte ich zu ihnen: Morgen früh will ich euch so viel Geld geben, daß ihr reichlich wieder nach Hause kommen könnt; denn ich habe das wichtigste Geschäft vor, zu dem ich euch nicht mitnehmen kann; ich hatte es lange schon im Sinne, und ihr braucht es nicht zu wissen. Neben unserer Kammer wohnte gedachter Sekretär, und es ist möglich, daß er meine Gesinnung und meinen festen Entschluß dem Kardinal gemeldet habe, ob ich es gleich nicht für gewiß sagen kann.

Keinen Augenblick schlief ich die ganze Nacht, und es schienen mir tausend Jahre, bis es Tag wurde, um den Entschluß auszuführen, den ich gefaßt hatte. Als der Tag graute, ließ ich die Pferde besorgen und setzte mich schnell in Ordnung. Ich schenkte den jungen Leuten alle Sachen, die ich mitgebracht hatte, und mehr als funfzig Goldgülden; ebensoviel behielt ich für mich und überdies den Diamant, den mir der Herzog geschenkt hatte. Ich nahm nur zwei Hemden mit, und einen schlechten Reitrock, den ich auf dem Leibe hatte. Nun konnte ich mich aber von den jungen Leuten nicht losmachen, die ein für allemal mit mir kommen wollten; daher schalt ich sie aus und sagte: Der eine hat schon einen Bart und dem andern fängt er an zu wachsen, ihr habt von mir diese arme Kunst gelernt, so gut als ich sie euch zeigen konnte und so seid ihr am heutigen Tage die ersten Gesellen von Italien. Schämt euch doch, daß ihr nicht aus dem Kinderwägelchen herauswolltet! Soll es denn euch immer fortschleppen? das ist schimpflich! Und wenn ich euch gar ohne Geld gehen ließ', was würdet ihr sagen? Geht mir aus dem Gesichte! Gott segne euch tausendmal und so lebt wohl.

Ich wendete mein Pferd um und verließ sie weinend. Ich nahm den schönsten Weg durch einen Wald und dachte mich diesen Tag wenigstens vierzig Miglien zu entfernen.

Ich wollte an den unbekanntesten Ort gehen, den ich mir nur ausdenken konnte. Indem ich ungefähr einen Weg von zwei Miglien zurücklegte, hatte ich mir fest vorgenommen, mich an keinem Orte aufzuhalten, wo ich bekannt wär', und wollte auch nichts weiter arbeiten als einen Christus von drei Ellen, wobei ich mich der unendlichen Schönheit zu nähern hoffte, welche er mir selbst gezeigt hatte. So war ich völlig entschlossen, nach dem Heiligen Grabe zu gehen, und dachte schon so weit zu sein, daß mich niemand mehr einholen könnte. Auf einmal hörte ich Pferde hinter mir, und ich war nicht ohne Sorgen. Denn in jenen Gegenden schwärmten gewisse Haufen herum, die man Abenteurer nennt, und die gar gern auf der Straße rauben und morden, und ob man gleich alle Tage genug von ihnen aufhängt, so scheint es doch, als wenn sie sich nicht darum bekümmern.

Da sie mir näher kamen, fand ich, daß es ein Abgeordneter des Königs sei, der den Ascanio bei sich hatte. Er sagte zu mir: Im Namen des Königs befehle ich euch zu ihm zu kommen. Ich antwortete: Du kömmst vom Kardinal Ferrara, und deswegen werde ich dir nicht folgen! Der Mann sagte, wenn ich ihm nicht gutwillig folgen wolle, so habe er die Macht, seinen Leuten zu befehlen, mich als einen Gefangenen zu binden. Nun bat mich Ascanio, was er konnte, und erinnerte mich, daß der König, wenn er jemanden ins Gefängnis setzte, sich wenigstens fünf Jahre besänne, ehe er ihn wieder losließ. Das Wort Gefängnis erschreckte mich dergestalt, denn ich dachte an mein römisches Unglück, daß ich geschwind das Pferd dahin wendete, wohin es der Abgeordnete des Königs verlangte, der immer auf französisch murmelte, und auf der ganzen Reise nicht einen Augenblick still war, bis er mich nach Hofe gebracht hatte. Bald trotzte er mir, bald sagte er dieses, bald jenes, so daß ich der Welt hätte entsagen mögen.

Als wir zu dem Quartier des Königs kamen, gingen wir bei der Wohnung des Kardinals vorbei. Dieser stand unter der Tür und sagte: Unser allerchristlichster König hat aus eigner Bewegung euch dieselbe Besoldung ausgesetzt, die er Leonardo da Vinci dem Maler gab, nämlich siebenhundert Scudi des Jahrs; daneben bezahlt er euch alle Arbeit, die ihr machen werdet, und zum Antritt schenkt er euch fünfhundert Goldgülden, die euch ausgezahlt werden sollen, ehe ihr von hier weggeht. Darauf antwortete ich: Das sind Anerbieten eines so großen Königs würdig! Als der Abgeordnete, der mich nicht gekannt hatte, diese großen Anerbieten von seiten des Königs hörte, bat er mich tausendmal um Vergebung. Paul und Ascanio sagten: Gott hat uns geholfen in ein so ehrenvolles Wägelchen wieder zurückzukommen.

Den andern Tag ging ich dem König zu danken, und er befahl mir, daß ich zwölf Modelle zu silbernen Statuen machen solle, um als zwölf Leuchter um seinen Tisch zu dienen; er wolle sechs Götter und sechs Göttinnen vorgestellt haben, gerade so groß wie er selbst; und er war beinahe drei Ellen hoch. Als er mir diesen Auftrag gegeben hatte, wendete er sich zum Schatzmeister der Ersparnisse und fragte, ob man ihm befohlen habe, daß er mir fünfhundert Goldgülden zahlen solle? Dieser antwortete darauf, es sei nicht geschehen. Das empfand der König sehr übel, denn er hatte dem Kardinal aufgetragen, dem Schatzmeister seinen Willen zu sagen. Ferner befahl er mir, ich solle nach Paris gehen und mir eine Wohnung aussuchen, die zu solchen Arbeiten bequem sei, und ich sollte sie haben.

Da nahm ich meine fünfhundert Goldgülden und ging nach Paris, in ein Quartier des Kardinals von Ferrara, woselbst ich, im Namen Gottes, zu arbeiten anfing, und vier Modelle, jedes von einem Fuß, verfertigte. Sie stellten Jupiter und Juno, Apoll und Vulkan vor. Indessen kam der König nach Paris, und ich eilte ihm aufzuwarten, nahm meine Modelle mit mir, auch die jungen Leute Ascanio und Paul. Der König war zufrieden und befahl mir, ich sollte ihm zuerst den Jupiter von Silber machen, von obengedachter Höhe. Darauf stellte ich Seiner Majestät die beiden Jünglinge vor und sagte, ich habe sie zum Dienste Seiner Majestät mit mir gebracht, denn da ich mir sie auferzogen hätte, so würden sie mir wohl mehr Dienste leisten als die, die ich in Paris finden könnte; darauf sagte der König, ich solle beiden eine Besoldung auswerfen, die hinreichend wär', sie erhalten zu können. Ich sagte, daß hundert Goldgülden für jeden genug sei. Auch habe ich einen Ort gefunden, der mir zu einer Werkstatt höchst tauglich scheine. Das Gebäude gehörte Seiner Majestät eigen und hieß Klein Nello, der König hatte es dem Prevost von Paris eingegeben, der sich aber dessen nicht bediente, und so konnte mir's der König ja wohl einräumen, da ich es zu seinem Dienst bedurfte. Darauf antwortete der König: Das Haus ist mein und ich weiß recht gut, daß der, dem ich es gegeben habe, dasselbe nicht bewohnt noch gebraucht; deswegen sollt ihr euch dessen zu unserer Arbeit bedienen. Sogleich befahl er einem seiner Offiziere, er solle mich in das gedachte Nello einführen. Dieser weigerte sich einen Augenblick und sagte, er könne das nicht tun. Da antwortete der König zornig, er wolle die Dinge vergeben, wie es ihm gefiele, jener bediene sich dessen nicht, und ich sei ein nützlicher Mann, der für ihn arbeite; er wolle von keinem weitern Widerspruch hören. Da versetzte der Offizier, es werde wohl nötig sein, ein bißchen Gewalt zu brauchen. Darauf antwortete der König: Jetzt geht, und wenn kleine Gewalt nicht hilft, so gebraucht große! Eilig führte der Mann mich zu dem Gebäude, und es war Gewalt nötig, um mich in Besitz zu setzen. Dann sagte er mir, ich sollte nun wohl sorgen, daß ich drin nicht totgeschlagen würde.

Ich ging hinein, nahm sogleich Diener an, kaufte verschiedene Spieße und lebte mehrere Tage mit größtem Verdruß. Denn mein Gegner war ein französischer Edelmann, und die übrigen Edelleute waren sämtlich meine Feinde und insultierten mich auf alle Weise, so daß es mir unerträglich schien. Hier muß ich noch bemerken, daß, als ich in Seiner Majestät Dienste ging, man 1540 schrieb, und ich also eben vierzig Jahr alt wurde. Nun ging ich, diese Beleidigung und meinen Verdruß dem König zu klagen, und bat ihn, er möchte mich an einem andern Orte einrichten lassen. Darauf sagte der König: Wer seid ihr, und wie heißt ihr? Ich war äußerst erschrocken, denn ich wußte nicht, was der König meinte, und als ich so still war, wiederholte er seine Frage; darauf versetzte ich, daß ich Benvenuto hieße. Da sagte der König: Seid ihr der Benvenuto, von dem ich gehört habe, so handelt nach eurer Weise, und ich gebe euch völlige Erlaubnis! Ich versetzte darauf, daß mir allein seine Gnade hinreichend sei, übrigens kenne ich keine Gefahr. Der König lächelte ein wenig und sagte: So geht nur, an meiner Gnade soll es euch niemals fehlen. Sogleich befahl er einem seiner Sekretäre, welcher Villeroi hieß, er solle mich mit allem versehen und meine Bedürfnisse vollkommen einrichten lassen. Dieser Mann war ein großer Freund vom Prevost von Paris, der zuerst das kleine Nello besessen hatte. Dieses Gebäude war in dreieckiger Form an die Mauer der Stadt angelehnt, eigentlich ein altes Schloß von guter Größe, man hielt aber keine Wache daselbst. Herr von Villeroi riet mir, ich sollte mich ja nach einem andern Platz umsehen und diesen seinem alten Besitzer wieder einräumen, denn es sei ein sehr mächtiger Mann, und er werde mich gewiß totschlagen lassen. Darauf sagte ich, ich sei aus Italien nach Frankreich gegangen, bloß um diesem wundersamen König zu dienen, und was das Totschlagen betreffe, so wisse ich recht gut, daß ich sterben müsse, ein bißchen früher oder später, daran sei nichts gelegen.

Dieser Villeroi war ein Mann von großem Geiste, bewundernswert in allen Dingen und sehr reich; nun war nichts in der Welt, was er mir nicht zum Verdruß getan hätte, aber er ließ sich nichts merken. Es war ein ernsthafter Mann von schönem Anblick und sprach langsam. Die Besorgung meiner Sache trug er einem andern Edelmann auf, welcher Herr von Marmagna hieß und Schatzmeister von Languedoc war; das erste was dieser tat, war, daß er die besten Zimmer des Gebäudes für sich selbst einrichten ließ.

Da sagte ich ihm, der König habe mir diesen Ort zu seinem Dienste gegeben, und ich wolle nicht, daß jemand außer mir und den Meinigen hier seine Wohnung haben sollte. Dieser stolze, kühne und heftige Mann sagte zu mir, er wolle tun, was ihm beliebte; ich renne nur mit dem Kopf gegen die Mauer, wenn ich ihm widerstehen wolle, er habe Befehl von Villeroi, das tun zu dürfen. Dagegen versetzte ich: Habe ich doch den Auftrag vom König, und weiß ich doch, daß weder ihr noch Villeroi so etwas unternehmen sollt. Hierauf sagte mir der stolze Mann in seiner französischen Sprache viele häßliche Worte, worauf ich denn in der meinigen versetzte, daß er lüge. Erzürnt griff er nach seinem kleinen Dolch, und ich legte Hand an meinen großen Dolch, den ich immer an der Seite zu meiner Verteidigung trug, und sagte zu ihm: Bist du kühn genug zu ziehen, so stech' ich dich auf der Stelle tot. Er hatte zwei Diener mit sich und meine zwei Gesellen standen dabei. Marmagna schien einen Augenblick unentschlossen, doch eher zum Bösen geneigt, und sagte murmelnd: Das werde ich nie ertragen. Ich befürchtete das Schlimmste und sagte entschlossen zu Paul und Ascanio: Sobald ihr seht, daß ich meinen Dolch ziehe, so werft euch gleich über die Diener her, und erschlagt sie, wenn ihr könnt. Dieser soll gewiß zuerst fallen, und dann wollen wir uns mit Gott davonmachen. Marmagna vernahm diesen Entschluß und war zufrieden, nur lebendig vom Platze zu kommen. Diese Begebenheit schrieb ich mit etwas gelinderen Ausdrücken an den Kardinal, der sie augenblicklich dem König erzählte. Seine Majestät war verdrießlich, und gab einem andern, der Vicomte d'Orbec hieß, die Aufsicht über mich; dieser Mann sorgte mit der größten Gefälligkeit für alle meine Bedürfnisse.

DRITTES BUCH

FÜNFTES KAPITEL

Der König bestellt bei unserm Autor lebensgroße Götterstatuen von Silber. – Indessen er am Jupiter arbeitet, verfertigt er für Seine Majestät Becken und Becher, von Silber, nicht weniger ein Salzgefäß von Gold, mit mancherlei Figuren und Zieraten. – Der König drückt seine Zufriedenheit auf das großmütigste aus. – Der Autor verliert aber den Vorteil durch ein sonderbares Betragen des Kardinals von Ferrara. – Der König, begleitet von Madame d'Estampes und dem ganzen Hof, besucht unsern Autor. – Der König läßt ihm eine große Summe Goldes zahlen. – Als er nach Hause geht, wird er von vier bewaffneten Freibeutern angefallen, die er zurückschlägt. – Streit zwischen ihm und einigen französischen Künstlern, bei Gelegenheit des Metallgießens. Der Ausgang entscheidet für ihn.

Da ich nun Haus und Werkstatt vollkommen eingerichtet hatte, so daß ich bequem an meine Arbeit gehen konnte, und dabei sehr ehrenvoll wohnte, arbeitete ich sogleich an den drei Modellen, in der Größe wie die Statuen von Silber werden sollten, und zwar stellten sie Jupiter, Vulkan und Mars vor; ich machte sie von Erde, inwendig sehr wohl mit eisernen Stäben verwahrt. Als ich fertig war, ging ich zum König, der mir, wenn ich mich recht erinnere, dreihundert Pfund Silber geben ließ, damit ich die Arbeit anfangen könnte. Indessen ich nun alles dazu vorbereitete, ward das Gefäß und das ovale Becken fertig, die mir verschiedene Monate wegnahmen. Als sie vollendet waren, ließ ich sie trefflich vergolden, und man konnte wohl sagen, daß es die schönste Arbeit sei, die man je in Frankreich gesehen hatte. Sogleich trug ich sie zum Kardinal von Ferrara, der mir über die Maßen dankte, hernach aber ohne mich zum König ging, und demselben damit ein Geschenk machte. Der König hielt sie sehr wert und lobte mich übermäßiger als jemals ein Mensch meiner Art gelobt worden ist und machte dem Kardinal ein Gegengeschenk mit einer Abtei, die siebentausend Scudi Einkünfte hatte, und ließ die Absicht merken, mir auch etwas zu verehren, woran ihn der Kardinal verhinderte und sagte, Seine Majestät verfahre zu geschwind, denn ich habe für ihn ja noch keine Arbeit vollendet. Da versetzte der freigebigste König mehr als jemals entschlossen: Ich will ihm eben Lust und Mut zu seiner Arbeit machen. Da schämte sich der Kardinal und sagte: Ich bitte, laßt mich gewähren: denn sobald ich die Abtei in Besitz genommen habe, will ich ihm eine Pension von wenigstens dreihundert Scudi aussetzen! Davon ist mir aber nie etwas geworden, und es wär' zu weitläufig, alle Teufeleien dieses Kardinals zu erzählen, besonders da ich wichtigere Dinge vor mir habe.

Ich kehrte nach Paris zurück und jedermann verwunderte sich über die Gunst, die mir der König bezeigte, ich erhielt das Silber und fing an, die Statue des Jupiters zu bearbeiten. Ich nahm viele Gesellen und fuhr mit großer Sorgfalt Tag und Nacht fort; Jupiter, Vulkan und Mars waren im Modell fertig, auch den ersten hatte ich in Silber schon weit gebracht, so daß meine Werkstatt reich genug aussah. Um diese Zeit erschien der König in Paris. Ich wartete ihm auf, und als er mich sah, rief er mir fröhlich zu, wenn ich ihm in meinem Hause etwas Schönes zu zeigen hätte, so wolle er hinkommen. Da erzählte ich alles, was ich gemacht hatte, und er bezeigte großes Verlangen, die Arbeit zu sehen. Gleich nach Tafel machte er sich auf mit Madame d'Estampes, dem Kardinal von Lothringen, dem König von Navarra, seinem Vetter, und der Königin, seiner Schwester; auch kam der Dauphin und die Dauphine, so daß der ganze Adel des Hofes sich in Bewegung setzte.

Ich war wieder nach Hause gegangen und hatte mich an die Arbeit begeben. Als nun der König vor das Tor meines Schlosses kam und so viele Hämmer pochen hörte, befahl er, ein jeder solle still sein; so war in meinem Hause alles in Arbeit, und der König überfiel mich, eh' ich es dachte. Er trat in meinen Saal und erblickte zuerst mich mit einem großen Silberblech in der Hand, das zum Leibe Jupiters bestimmt war, ein anderer machte den Kopf, ein dritter die Füße, so daß der Lärm außerordentlich war. Zufälligerweise hatte mir eben in diesem Augenblick ein französischer Knabe, der bei der Arbeit um mich war, irgend etwas nicht recht gemacht, deswegen ich ihm einen Tritt gab, der glücklicherweise nur zwischen die Beine traf; doch hatte ich den Jungen über vier Ellen weit weggestoßen, der Knabe wollte fallen und hielt sich am König, der eben hereintrat. Der König lachte überlaut, und ich war sehr verlegen. Dann fing er an zu fragen, was ich mache, und verlangte, daß ich in seiner Gegenwart arbeiten sollte. Darauf sagte er, es wäre ihm lieber, wenn ich mich nicht so anstrengen wollte; ich sollte doch soviel Leute nehmen, als mir beliebte, und diese arbeiten lassen, und mich gesund erhalten, um ihm desto länger dienen zu können. Da antwortete ich, daß ich eben krank werden würde, wenn ich nicht arbeitete, auch würden die Werke nicht von der Art werden, wie ich sie für Seine Majestät zu fertigen hoffte. Der König konnte das nicht einsehen und glaubte, es sei nur Großsprecherei von mir, und der Kardinal von Lothringen mußte mir's nochmals wieder sagen, dem ich aber so offen und umständlich meine Gründe vorlegte, daß er mich vollkommen begriff; er beruhigte daher den König und bat ihn, er möchte mich nur viel oder wenig, nach meinem Belieben, arbeiten lassen.

So zufrieden mit meinen Werken begab sich der König nach seinem Palaste zurück und überhäufte mich dergestalt mit Gunst, daß ich nicht alles erzählen kann. Den andern Tag nach Tafel ließ er mich rufen; der Kardinal von Ferrara speiste mit ihm. Als ich kam, war der König eben an der zweiten Tracht; ich trat herzu, und Seine Majestät fing sogleich mit mir zu reden an. Da er einen so schönen Becher und so ein vortreffliches Becken von mir besitze, so wünsche er dazu auch ein ähnliches Salzfaß zu haben, ich sollte ihm eine Zeichnung machen, und zwar so geschwind als möglich. Darauf versetzte ich: Eure Majestät sollen eine solche Zeichnung geschwinder sehen, als Sie denken, denn als ich Ihre beiden Gefäße verfertigte, überlegte ich wohl, daß diesen zur Gesellschaft auch ein Salzfaß gearbeitet werden müsse; darum habe ich so was dergleichen schon aufgestellt, und wenn Seine Majestät einen Augenblick warten wollen, so könnte ich die Sache gleich vorzeigen. Das hörte der König mit vieler Zufriedenheit, und wendete sich zu den gegenwärtigen Herren, als dem König von Navarra, den Kardinälen von Lothringen und Ferrara und sagte: Das ist wahrhaftig ein Mann, den alle Welt lieben und wünschen muß. Dann sagte er zu mir, er würde gern die Zeichnung sehen, die ich zu einem solchen Werke gemacht. Da eilte ich fort, ging und kam geschwind, denn ich hatte nur die Seine zu passieren, und brachte das Modell von Wachs mit, das ich auf Verlangen des Kardinals schon in Rom gemacht hatte. Als ich es aufdeckte, verwunderte sich der König und sprach: Das ist hundertmal göttlicher als ich gedacht habe. Das ist ein großes Werk dieses Mannes, er sollte niemals feiern. Dann wendete er sich zu mir, mit sehr freundlichem Gesichte, und sagte, das Werk gefalle ihm außerordentlich, er verlange, daß ich es ihm von Gold mache. Der Kardinal sah mir in die Augen und gab mir durch einen Wink zu verstehen, daß er das Modell recht gut wieder erkenne; darauf sagte ich: Ich habe wohl von diesem Modell schon gesagt, daß ich das Werk gewiß vollenden wollte, wenn es nur jemand bestellte. Der Kardinal erinnerte sich dieser meiner Worte, und weil es ihm schien als habe ich mich rächen wollen, so sagte er mit einiger Empfindlichkeit zum König: Sire! das Unternehmen ist groß, und ich fürchte nur, wir sehen es niemals geendigt; denn diese braven Künstler, die so trefflicher Erfindungen fähig sind, fangen gar gern an sie ins Werk zu stellen, ohne zu denken, wann sie geendigt werden können; wenn ich so etwas bestellte, so wollte ich doch auch wissen, wann ich es haben sollte. Der König antwortete, wenn man sich so ängstlich um das Ende der Arbeit bekümmere, so würde man sie niemals anfangen! Das sagte er auf eine Weise, daß man merken konnte, er wolle anzeigen, zu solchen Werken gehöre ein mutiger Geist. Ich versetzte darauf: Alle Fürsten, die, wie Eure Majestät, durch Handlungen und Reden ihren Dienern Mut machen, erleichtern sich und ihnen die größten Unternehmungen, und da Gott mir einen so außerordentlichen Herrn gegeben hat, so hoffe ich auch, große und außerordentliche Werke für ihn zu vollenden. Ich glaube es! erwiderte der König und stand von der Tafel auf.

Da ließ er mich auf sein Zimmer rufen, und fragte mich, wieviel ich Gold zu diesem Salzfasse brauchte. Tausend Scudi, versetzte ich sogleich. Da rief er seinen Schatzmeister, den Vicomte d'Orbec, und befahl ihm, er solle mir tausend alte, gewichtige Goldgülden auszahlen lassen. Ich ging weg und schickte nach den beiden Notarien, durch die ich auch das Silber für den Jupiter und viele andere Sachen erhalten hatte, dann holte ich zu Hause ein kleines Körbchen, das mir meine Nichte, die Nonne, als ich durch Florenz reiste, geschenkt hatte, und nahm es, zu meinem Glück, statt eines Sackes, und weil ich dieses Geschäft noch bei Tage zu endigen dachte, auch meine Leute nicht in der Arbeit stören mochte, nahm ich nicht einmal einen Diener mit.

Ich fand den Schatzmeister zu Hause, der schon das Geld vor sich hatte, und die vollwichtigen Stücke nach dem Befehl des Königs aussuchte, und indem mir schien, daß der Spitzbube mit Fleiß die Auszahlung des Geldes bis drei Stunden in die Nacht verzögerte, so wollte ich mich auch vorsehen, und schickte nach einigen meiner Arbeiter, sie sollten kommen und mich begleiten, denn es sei eine Sache von Bedeutung. Als sie in einer gewissen Zeit nicht kamen, fragte ich den Schelm von Bedienten, den ich abgeschickt hatte; er versicherte mir, daß er sie gerufen habe, sie aber könnten nicht kommen, hingegen erbiete er sich, mir das Geld zu tragen. Ich antwortete, das könne ich selbst.

Indessen war der Kontrakt ausgefertigt, das Geld ward in das Körbchen gelegt, und ich schob den Arm durch die zwei Henkel; weil sie nun sehr eng waren, so drückte mein Arm fest auf das Geld, und ich trug es bequemer und sicherer, als wenn es ein Säckchen gewesen wär'. Ich war gut bewaffnet mit Panzerhemd und Ärmeln, hatte Degen und Dolch an der Seite, und machte mich schnell auf den Weg. Da bemerkte ich, daß einige Diener zusammen lispelten, gleichfalls das Haus verließen, und einen andern Weg nahmen, als den ich zu gehen hatte. Ich ging schnell und kam über der Brücke auf ein Mäuerchen am Flusse, das mich zu meiner Wohnung führte.

Eben befand ich mich bei den Augustinern, an einem sehr gefährlichen Orte, der zwar nur fünfhundert Schritte von meinem Schlosse entfernt war, weil aber inwendig die Wohnung fast noch einmal so weit ablag, so würde man, wenn ich auch hätte rufen wollen, mich doch nicht gehört haben. Als ich nun vier Degen hinter mir bemerkte, entschloß ich mich sogleich, bedeckte das Körbchen mit der Jacke, zog den Degen und rief, als sie mir näher kamen: Bei Soldaten ist nichts zu holen als die Jacke und der Degen, und ihr sollt wenig gewinnen, wenn ihr mir sie abnehmt! Da stritt ich heftig gegen sie, und breitete öfters die Arme auseinander, damit, wenn sie auch von den Bedienten gehört hätten, daß ich so vieles Geld empfangen habe, sie vermuten sollten, es müsse ein anderer sein, der ledig ging. Das Gefecht dauerte kurz, sie zogen sich nach und nach zurück, und sagten untereinander in ihrer Sprache: Das ist ein braver Italiener, und gewiß der nicht, den wir suchen, und wenn er's ist, so hat er nichts bei sich. Ich sprach italienisch, und mit vielen Stößen und Stichen ging ich ihnen zu Leibe, und da sie sahen, daß ich den Degen sehr gut führte, glaubten sie, ich sei eher Soldat als was anders; sie hielten zusammen und entfernten sich langsam. Sie murmelten immer in ihrer Sprache, und ich wiederholte auch mit einer gewissen gleichgültigen Bescheidenheit, wer Waffen und Jacke von mir haben wollte, solle sie teuer bezahlen. Ich fing an stärker zu gehen, und sie kamen immer langsam hinter mich drein; deswegen vermehrte sich meine Furcht, denn ich dachte, vielleicht lägen noch andere vor mir im Hinterhalt, so daß sie mich hätten in die Mitte nehmen können.

Da ich nun noch ungefähr hundert Schritte von meinem Hause war, fing ich an zu laufen, und rief mit lauter Stimme: Waffen, Waffen heraus! man bringt mich um. Sogleich sprangen vier von meinen jungen Leuten mit Spießen aus dem Schlosse und wollten jenen nach, die man noch wohl sehen konnte. Da hielt ich sie an, und sagte laut: Die vier Memmen haben nicht einmal einem einzigen Mann die Beute von tausend Goldgülden abnehmen können, da mir doch dieser Schatz bald den Arm zerbrach, den wollen wir nur erst in Sicherheit bringen, dann will ich euch Gesellschaft leisten mit meinem Schwert zu zwei Händen, wohin ihr wollt. Wir gingen hinein, verschlossen das Geld, und meine jungen Leute beklagten die große Gefahr in die ich mich begeben hatte, machten mir Vorwürfe und sagten: Ihr traut euch selbst zu sehr, und wir werden euch doch noch einmal zu beweinen haben. Nachdem wir uns lange darüber gestritten hatten, waren meine Widersacher verschwunden. Wir hielten uns nun vergnügt und fröhlich ans Abendessen und lachten über die sonderbaren Begebenheiten, die uns das Glück im Guten und Bösen zusendet, und nahmen uns das Vergangene nicht zu Herzen. Es war, als wenn es nichts gewesen wär'. Zwar sagt man: Du wirst nun lernen ein andermal klüger sein; aber ich finde den Spruch nicht richtig, denn was uns begegnet, kommt immer auf eine so verschiedene Weise, wie wir es uns nicht haben einbilden können.

Den folgenden Morgen machte ich sogleich den Anfang mit dem großen Salzfasse, und ich ließ sowohl an diesem als an andern Werken mit großer Sorgfalt fortarbeiten. Ich hatte viele Gesellen angenommen, Bildhauer und Goldschmiede, es waren Italiener, Franzosen und Deutsche. Manchmal war eine große Menge beisammen, wenn ich sie gut und tauglich fand; doch ich machte jeglichen Tag mit ihnen eine Veränderung, weil ich nur die besten behielt; diese trieb ich lebhaft an, besonders durch mein Beispiel, denn ich hatte eine stärkere Natur als sie. Da wollten einige, von der großen Anstrengung ermüdet, sich durch vieles Essen und Trinken wiederherstellen, besonders verschiedene Deutsche, welches die besten Arbeiter waren, zeigten den größten Eifer mir nachzuahmen; allein sie konnten die Arbeit nicht ertragen, so daß sie ihren Fleiß mit dem Leben bezahlen mußten.

Als nun mein silberner Jupiter vorwärts ging, bemerkte ich, daß mir noch Silber genug übrigblieb, und ohne Vorwissen des Königs legte ich Hand an ein großes Gefäß mit zwei Handhaben ungefähr anderthalb Ellen hoch, auch kam mir die Lust an, mein großes Modell zum Jupiter in Erz gießen zu lassen.

Bei dieser neuen Unternehmung, da ich dergleichen selbst noch nicht gemacht hatte, überlegte ich die Sache mit einigen alten Pariser Meistern, und sagte ihnen die ganze Art, wie man in Italien bei solchen Werken zu verfahren pflegte. Sie antworteten mir darauf, dieser Weg sei ihnen unbekannt, aber wenn ich sie auf ihre Weise gehen ließ', so wollten sie mir das Bild so schön und glatt gießen, als es jetzt von Ton sei. Ich machte einen Akkord mit ihnen, damit sie ganz die Sache übernähmen, und über ihre Forderungen versprach ich ihnen noch einige Scudi mehr. Sie legten Hand ans Werk, und als ich sah, daß sie auf einem falschen Wege waren, fing ich die Büste des Julius Cäsar mit bewaffneter Brust an, und zwar viel größer als die Natur. Ich arbeitete nach einem kleinen Modell, das ich in Rom nach der herrlichsten Antike gearbeitet hatte. Zugleich modellierte ich einen Frauenkopf von derselben Größe, nach einem außerordentlich schönen Mädchen, das ich zu meiner Lust bei mir hatte. Ich nannte dieses Bildnis Fontainebleau, gleichsam als wenn es die Nymphe jener Quelle wäre, bei welcher der König sich seinen Lustort ausgewählt hatte.

Das Öfchen zum Schmelzen des Erzes war aufs beste gebaut, alles in Ordnung und unsere drei Formen ausgebrannt; da sagte ich zu den Leuten: Ich glaube nicht, daß euer Jupiter gut ausfallen wird, denn ihr habt ihm nicht genug Lufttröhren von unten gelassen; die Zirkulation in euren Formen wird nicht gehörig vor sich gehn, und ihr werdet eure Zeit verlieren. Das alles wurde in Gegenwart der

Schatzmeister und anderer Edelleute gesprochen, die auf Befehl des Königs mich zu beobachten kamen und alles was sie sahen und hörten Seiner Majestät hinterbringen mußten. Die beiden Alten, welche den Jupiter gießen wollten, verlangten, man solle mit der ganzen Anstalt innehalten, weil sie notwendig an meinen Formen etwas verändern müßten, denn auf die Art, wie ich sie eingerichtet habe, sei es nicht möglich, daß der Guß gerate, und es wäre schade, daß so schöne Arbeit verlorenginge. Als sie dieses dem König beibringen ließen, antwortete Seine Majestät, sie sollten lieber aufmerken und lernen, als dem Meister Lehren geben; da brachten sie mit großem Lachen ihr Werk in die Grube, und ich, ganz ruhig, ohne Freude oder Verdruß zu beweisen, stellte meine Formen zu beiden Seiten des Jupiters. Als unser Metall geschmolzen war, ließen wir es mit dem größten Vergnügen fließen: die Form des Jupiters füllte sich aufs beste, ebenso meine beiden Köpfe; die Meister waren froh und ich zufrieden, daß es besser gegangen war, als ein beiderseitiges Mißtrauen uns hatte vermuten lassen. Da verlangten sie auf französische Weise mit großer Fröhlichkeit zu trinken, und ich gab ihnen sehr gern einen guten Schmaus. Nun verlangten sie zunächst das Geld von mir, das ich ihnen noch zu geben hatte, sowie auch den versprochenen Überschuß. Darauf sagte ich: Ihr habt gelacht, aber ich fürchte, daß ihr noch weinen werdet, denn ich habe überlegt, daß in eure Form weit mehr Masse als nötig geflossen ist, deswegen werde ich euch weiter kein Geld geben, bis morgen früh. Nun fingen die armen Leute meine Worte zu bedenken an, und ohne was weiter zu sagen, gingen sie nach Hause. Frühmorgens kamen sie, stille stille, die Arbeit aus der Grube zu nehmen, und weil sie zu der großen Form nicht kommen konnten, ohne zuerst meine Köpfe herauszunehmen, so brachten sie diese hervor; sie waren trefflich geraten, und als man sie aufstellte, hatten sie ein sehr gutes Ansehen. Da sie nun, mit vier Arbeitern, noch zwei Ellen tiefer gegraben hatten, taten sie einen großen Schrei, den ich auf fünfhundert Schritte in meinem Zimmer hörte. Ich hielt es für ein Zeichen der Freude und lief herbei; als ich näher kam, fand ich sie an der Grube, wie man diejenigen abbildet, die in das Grab Christi schauten, bekümmert und erschrocken. Ich tröstete mich, als ich meine beiden Köpfe so wohl geraten erblickte, so mißvergnügt ich übrigens war; sie aber entschuldigten sich und sagten: Da seht unser Unglück! Ich versetzte: Euer Glück war gut genug, aber schlecht euer geringes Wissen. Hätte ich gesehen, wie ihr den Kern in die Form brachtet, so hätte ich euch mit einem einzigen Worte belehrt, und eure Figur wäre aufs beste gekommen, ich hätte große Ehre und ihr großen Nutzen davon gehabt. Was meine Ehre betrifft, die wird durch diese Köpfe gerettet; aber euch wird weder Ehre noch Geld zuteil werden, deswegen lernt ein andermal arbeiten und eure Späße laßt beiseite. Demohngeachtet empfahlen sie sich mir und sagten, ich habe recht; wenn ich ihnen aber nicht beistünde, und sie sollten allen Aufwand und Schaden tragen, so würden sie und ihre Familien zu Grunde gehen; darauf antwortete ich, wenn die Schatzmeister des Königs ihnen den Überrest noch bezahlen wollten, so wollte ich ihnen auch mein Versprechen halten, denn ich hätte wohl gesehen, daß sie mit gutem Willen nach ihrer besten Einsicht gehandelt hätten. Hierüber wurden mir die Schatzmeister und die Diener des Königs dergestalt günstig, daß es nicht auszusagen war; man schrieb alles Seiner Majestät, und dieser einzig freigebigste König befahl, daß man für mich alles tun sollte, was ich nur verlangte.

SECHSTES KAPITEL

Der Autor wird vom König aus eigner Bewegung naturalisiert und mit dem Schloß, worin er wohnt, Klein Nello genannt, beliehen. – Der König besucht ihn zum andernmal, begleitet von Madame d'Estampes, und bestellt treffliche Zieraten für die Quelle zu Fontainebleau. – Auf diesen Befehl verfertigt er zwei schöne Modelle und zeigt sie Seiner Majestät. – Beschreibung dieser Verzierung. – Merkwürdige Unterredung mit dem Könige bei dieser Gelegenheit. – Madame d'Estampes findet sich beleidigt, daß der Autor sich nicht um ihren Einfluß bekümmert. – Um sich bei ihr wieder in Gunst zu setzen, will er ihr aufwarten und ihr ein Gefäß von Silber schenken; aber er wird nicht vorgelassen. – Er überbringt es dem Kardinal von Lothringen. – Der Autor verwickelt sich selbst in große Verlegenheit, indem er einen Begünstigten der Madame d'Estampes, der im Schlößchen Klein Nello eine Wohnung bezogen, herauswirft. – Sie versucht ihm die Gunst des Königs zu entziehen; aber der Dauphin spricht zu seinem Vorteil.

Zu derselben Zeit kam der bewundernswürdige, tapfre Herr Peter Strozzi an den Hof, und erinnerte die Briefe seiner Naturalisation. Der König ließ solche sogleich ausfertigen und sagte: Laßt sie auch zugleich für Benvenuto schreiben, bringt sie ihm in sein Haus und nehmt ihm nichts dafür ab. Den großen Strozzi kosteten die seinigen einige hundert Dukaten, die meinigen brachte einer der ersten Sekretarien, der Herr Antonio Massene hieß. Dieser Edelmann überreichte mir das Dokument mit außerordentlichen Gnadenbezeigungen von seiten Seiner Majestät und sagte: Dieses verehrt euch der König, damit ihr mit desto mehrerer Lust ihm dienen möget; durch dieses Dokument seid ihr naturalisiert. Er erzählte mir, daß nur nach langer Zeit und nur als eine besondere Gunst Herr Peter Strozzi ein Gleiches erhalten habe, daß der König mir dieses aus eigner Bewegung schicke, und daß eine solche Gnade in diesem Reiche unerhört sei. Darauf erwiderte ich eine umständliche Danksagung gegen den König, bat aber sodann gedachten Sekretär, mir zu sagen, was denn eigentlich ein solcher Naturalisationsbrief zu bedeuten habe. Dieser Mann, der voller Kenntnis und Anmut war und gut italienisch sprach, lachte zuerst laut, dann nahm er seinen Ernst wieder an und sagte zu mir auf italienisch was es zu bedeuten habe: daß es eine der größten Würden sei, die man einem Fremden geben könne, und daß es ganz was anders heiße, als zum venezianischen Edelmann erhoben zu werden. Dieses alles erzählte er dem König, der auch nicht wenig lachte und alsdann sprach: Nun soll er erst erfahren, warum ich ihm diese Briefe geschickt habe, geht und macht ihn sogleich zum Herrn von Klein Nello, dem Schlosse, das er besitzt, denn es ist mein Eigentum; da wird er eher begreifen, welch ein Vorteil es sei, naturalisiert zu werden. Nun kam ein anderer Abgeordneter mit gedachtem Geschenke, dem ich dagegen ein Gratial geben wollte, der es aber ausschlug, denn der König habe es so befohlen. Beide Briefe, sowohl der Naturalisation als des Geschenkes, das mir der König mit dem Schlosse machte, nahm ich mit, als ich nach Italien zurückging, und wo ich auch sein und mein Leben endigen werde, sollen sie immer bei mir bleiben.

Nun wende ich mich wieder zu der übrigen Geschichte meines Lebens und meiner Arbeiten. Alles Angefangene ging gleichen Schrittes fort, der Jupiter von Silber, das goldene Salzgefäß, das große Gefäß von Silber und die zwei Köpfe von Erz; auch schickte ich mich an, das Fußgestell zum Jupiter aus Erz zu gießen, aufs reichste verziert. Ich stellte daran den Raub des Ganymedes, nicht weniger Leda mit ihrem Schwane vor, und beide halberhobene Arbeiten gelangen aufs beste. Zugleich machte ich ein anderes Fußgestell, um die Statue der Juno darauf zu setzen; denn ich dachte diese sogleich anzufangen, sobald mir der König Silber dazu aushändigen ließe. Schon war der silberne Jupiter und das goldene Salzfaß zusammengesetzt, das silberne Gefäß weit vorwärts und die beiden Köpfe von Erz schon geendigt; kleine Arbeiten hatte ich für den Kardinal von Ferrara gemacht und ein reichgearbeitetes, kleines Gefäß, welches ich Madame d'Estampes schenken wollte. Sodann hatte ich für viele italienische Herren, als für Peter Strozzi, für die Grafen von Anguillara, Pitigliano, Mirandola und andere, mehrere Werke verfertigt.

Endlich als mein großer König nach Paris zurückkam, besuchte er mich den dritten Tag in meiner Wohnung, mit einer Menge des größten Adels seines Hofes; er verwunderte sich über so viele Werke, die ich vor mir hatte, und die schon so weit waren; seine Madame d'Estampes war bei ihm, und sie fingen an von Fontainebleau zu sprechen. Sie sagten, Seine Majestät solle mich etwas zur Zierde dieses Lustortes arbeiten lassen. Der König versetzte, das sei wohl gesprochen, und er wolle sich sogleich entschließen. Darauf wendete er sich zu mir und fragte mich, was ich wohl, um jene schöne Quelle zu zieren, erfinden würde. Ich brachte darauf einige meiner Einfälle vor, und der König sagte auch seine Gedanken. Dann fügte er hinzu, er wolle auf vierzehn bis zwanzig Tage eine Reise nach Saint Germain en Laye machen, das zwölf Meilen von Paris lag; in der Zeit sollte ich ein Modell für seine schöne Quelle fertigen, so reich an Erfindungen, als es mir möglich sei; denn dieser Ort sei die größte Lust, die er in seinem Reiche habe; deswegen befehle und wünsche er, daß ich mein möglichstes tun möge, um etwas Schönes hervorzubringen, und ich versprach es.

Der König betrachtete die vielen Sachen noch einmal und sagte zu Madame d'Estampes: Ich habe niemanden von dieser Profession gesehen, der mir besser gefallen hätte und der mehr verdiente belohnt zu werden als dieser. Wir müssen suchen ihn festzuhalten, er verzehrt viel Geld, ist ein guter Geselle und arbeitet genug. Wir müssen auch seiner gedenken um so mehr, Madame, als er niemals, er mochte zu mir oder ich hierher kommen, mir auch nur das geringste abgefordert hat; man sieht wohl, sein Gemüt ist ganz auf die Arbeit gerichtet, und wir müssen ihm bald etwas zugute tun, damit wir ihn nicht verlieren. Madame d'Estampes sagte: Ich will euch an ihn erinnern. So gingen sie weg, und ich arbeitete mit großem Fleiße an meinen angefangenen Werken. Auch begann ich das Modell zum Brunnen und brachte es mit Eifer vorwärts.

In Zeit von anderthalb Monaten kam der König nach

Paris zurück, und ich, der ich Tag und Nacht gearbeitet hatte, machte ihm meine Aufwartung und brachte das Modell mit, so sauber ausgeführt, daß man alles klärlich verstehen konnte. Schon waren die Teufeleien zwischen ihm und dem Kaiser wieder angegangen, so daß ich ihn sehr verwirrt antraf, doch sprach ich mit dem Kardinal von Ferrara und sagte zu ihm, daß ich gewisse Modelle bei mir habe, die mir von Seiner Majestät aufgetragen worden; ich bat ihn, wenn er einen Augenblick fänd', ein Wort darüber fallen zu lassen, es doch ja zu tun, weil ich überzeugt sei, der König würde viel Vergnügen daran finden wenn ich sie ihm vorstellen könnte. Der Kardinal tat's und sogleich kam der König dahin, wo ich mich mit den Modellen befand. Erst hatte ich das Modell zu einem Portal des Schlosses Fontainebleau gemacht, wobei ich so wenig als möglich die Anlage des gegenwärtigen zu verändern dachte. Es war nach ihrer französischen Manier groß und doch zwergenmäßig, seine Proportion wenig über ein Viereck und oben drüber ein halbes Rund, gedruckt, nach Art eines Korbhenkels. In diese Öffnung verlangte der König eine Figur, welche die Nymphe der Quelle vorstellen sollte. Nun gab ich zuerst dem obern Teil ein schönes Verhältnis, zeichnete einen reinen Halbzirkel darein und machte gefällige Vorsprünge an den Seiten. Dem untern Teile gab ich einen Sockel und Gesims, und weil wegen dieser Teile und Glieder an der Seite ein paar Säulen erforderlich schienen, machte ich anstatt derselben ein paar Satyren, höher als halb erhoben. Der eine schien mit der Hand das Gebälk zu tragen, und hielt im andern Arm einen großen Stab; sein Gesicht war mutig und wild und konnte dem Anschauenden Furcht einjagen; der zweite hatte eine ähnliche Stellung, doch waren der Kopf und einige Nebenumstände abgeändert; er hielt eine Geißel in der Hand mit drei Kugeln, die an ebensoviel Ketten festhingen. Diese Figuren hatten sonst nichts vom Satyr als ein paar kleine Hörner und etwas Ziegenmäßiges im Gesichte, das übrige war alles menschliche Gestalt.

In dem halben Rund hatte ich eine weibliche Figur in angenehmer liegender Stellung abgebildet; diese legte den linken Arm über den Hals eines Hirsches, so hatte es der König verlangt; auf einer Seite hatte ich Rehe, wilde Schweine und anderes Wildbret vorgestellt, wie solches der schöne Wald, wo der Brunnen entspringt, in großer Menge ernährt. Auf der andern Seite sah man Doggen und Windhunde, um das Vergnügen der Jagd abzubilden. Dieses Werk hatte ich in ein Viereck eingeschlossen und in die beiden Ecken, über dem halben Rund, zwei Siegesgöttinnen von halberhabner Arbeit angebracht, mit kleinen Fackeln in der Hand nach dem Gebrauch der Alten. Noch hatte ich über das obere Viereck einen Salamander abgebildet, als des Königs eigenes Sinnbild, mit verschiedenen angenehmen Zieraten, wie sie sich zum Werke schickten, das eigentlich der ionischen Ordnung sich näherte.

Als der König das Modell sah, machte es ihn gleich vergnügt und zerstreute ihn von dem verdrießlichen Gespräch, das er einige Stunden geführt hatte. Als ich ihn auf diese Weise in guter Laune sah, deckte ich das andere Modell auf, das er wohl nicht erwartete, denn er dachte schon in dem ersten Arbeit genug gesehen zu haben. Das andere Modell war größer als zwei Ellen, und ich hatte einen Brunnen in vollkommenem Viereck vorgestellt; umher waren die schönsten Treppen, die einander durchschnitten, eine Art, wie man sie niemals in Frankreich und selten in Italien gesehen hatte. In der Mitte war ein Fußgestell, ein wenig höher als das Gefäß des Brunnens, darauf eine nackte Figur von großer Anmut stand; sie hielt mit der rechten Hand eine zerbrochene Lanze in die Höhe, die linke lag auf dem Griff eines Schwertes von der schönsten Form; die Figur ruhte auf dem linken Fuß, den rechten setzte sie auf einen Helm, der so reich als möglich gearbeitet war. Auf den vier Ecken des Brunnens hatte ich sitzende Figuren vorgestellt, eine jede mit angenehmen Sinnbildern. Da fragte der König, was das für eine schöne Erfindung sei, die ich ihm gemacht habe? Alles was ich am Tore vorgestellt, sei ihm verständlich, aber das größere Modell, so schön es ihm vorkomme, wisse er nicht auszulegen, und ihm sei wohl bekannt, daß ich nicht, wie manche unverständige Künstler, zu Werk gehe, die, wenn sie auch allenfalls etwas mit einiger Anmut zu machen verstünden, dennoch ihren Vorstellungen keine Bedeutung zu geben wüßten.

Darauf nahm ich mich zusammen, denn da meine Arbeit dem König gefallen hatte, so wollte ich, es sollte ihm auch meine Rede angenehm sein, und sagte deshalb zu ihm: Heilige Majestät! diese ganze kleine Arbeit ist sehr genau nach kleinen Fußen gemessen, so daß, wenn sie ausgeführt wird, sie eben auch im großen die gefällige Wirkung tun wird: die mittelste Figur soll vierundfunzig Fuß hoch werden. Hier gab der König ein Zeichen großer Verwunderung von sich. Sie ist, fuhr ich fort, bestimmt den Kriegsgott vorzustellen; diese vier übrigen Figuren stellen die Künste vor, an denen sich Eure Majestät ergötzt und die bei Eurer Majestät alle Unterstützung finden. Diese zur Rechten ist die Wissenschaft der Wissenschaften, hier ist das Sinnbild woran man die Philosophie erkennt und alle die Eigenschaften, welche sie begleiten; die andere Figur stellt die bildenden Künste vor, nämlich Bildhauerkunst, Malerei und Baukunst; die dritte ist die Musik, welche sich gern zu jenen Künsten und Wissenschaften gesellt; aber die letzte, welche so angenehm und gütig aussieht, stellt die Freigebigkeit vor, weil ohne diese keines jener verwundersamen Talente ausgeübt werden kann; die Figur in der Mitte soll Eure Majestät selbst abbilden, denn Ihr seid der Kriegsgott und der einzige Tapfre in der Welt, und Eure Tapferkeit wendet Ihr gerecht und fromm zur Erhaltung Eures Ruhmes an.

Kaum hatte der König soviel Geduld mich ausreden zu lassen, als er mit lauter Stimme sprach: Wahrlich, in dir habe ich einen Mann nach meinem Herzen gefunden! Er rief die Schatzmeister und befahl, sie sollten mir geben, was ich bedürfte; der Aufwand möchte so groß sein, als er nur wollte. Dann schlug er mir mit der Hand auf die Schulter und sagte: Mon ami, (das heißt: mein Freund) ich weiß nicht wer das größte Vergnügen haben mag: ein Fürst, der einen Mann nach seinem Herzen gefunden hat, oder ein Künstler, der einen Fürsten findet, von dem er alle Bequemlichkeit erwarten kann, seine großen und schönen Gedanken auszuführen. Ich versetzte darauf, wenn ich der sei, den er meine, so sei mein Glück immer das größte. Darauf versetzte er: Wir wollen sagen, es sei gleich.

Ich ging mit großer Freudigkeit fort und machte mich an meine Arbeit. Unglücklicherweise erinnerte mich niemand, daß ich eben diese Komödie mit Madame d'Estampes hätte spielen sollen. Diese hörte alles was vorgefallen war abends aus dem Munde des Königs, und darüber erzeugte sich so eine giftige Wut in ihrem Busen, daß sie verdrießlich sagte: Hätte mir Benvenuto seine schönen Arbeiten gezeigt, so hätte ich wohl auch Gelegenheit gefunden seiner zu denken. Der König wollte mich entschuldigen, aber es half nichts.

Das hörte ich erst vierzehn Tage darauf, als sie nach einer Reise durch die Normandie wieder nach Saint Germain en Laye zurückgekehrt war. Ich nahm das schönste Gefäßchen das ich auf ihr Verlangen gemacht hatte und dachte, wenn ich es ihr schenkte, könne ich ihre Gunst wieder erlangen. Ich zeigte es einer ihrer Kammerfrauen und sagte derselben, daß ich es als Geschenk brächte; diese begegnete mir mit unglaublicher Freundlichkeit und versprach mir ihrer Frau ein Wort zu sagen, die noch nicht angekleidet sei, und ich würde sodann gewiß eingelassen werden; sie sagte auch alles ihrer Dame, die verdrießlich antwortete: Sag ihm, er soll warten. Da ich das vernahm, hüllte ich mich in Geduld, welches mir äußerst schwer ankam, und so wartete ich, bis sie zur Tafel ging.

Weil es nun schon spät war, machte mich der Hunger so toll, daß ich nicht mehr widerstehen konnte. Ich verwünschte sie von Herzen und eilte fort, dem Kardinal von

Lothringen aufzuwarten, dem ich das Gefäß verehrte und ihn bloß bat, mich in der Gnade des Königs zu erhalten. Darauf antwortet er, es sei das nicht nötig, und wenn es nötig wäre, so wollte er es gern tun; dann rief er seinen Schatzmeister und sagte ihm etwas ins Ohr. Der Schatzmeister wartete bis ich vom Kardinal wegging, dann sagte er zu mir: Benvenuto, kommt, ich will euch einen Becher guten Weins geben. Weil ich nicht wußte daß er damit was anders sagen wollte, versetzte ich: Laßt mich ums Himmels willen einen Becher Wein trinken und gebt mir ein Stückchen Brot dazu; fürwahr ich werde ohnmächtig, denn ich habe diesen Morgen, von acht Uhr bis jetzt, nüchtern an der Türe der Madame d'Estampes gestanden, um ihr das schöne vergoldete Gefäß zu schenken. Ich ließ ihr alles hineinsagen, aber sie, um mich zu quälen, ließ mir immer antworten, ich solle warten; nun kömmt der Hunger dazu, und meine Kräfte wollen mir ausgehen. Gott hat nun gewollt, daß ich das Werk meiner Arbeit einem Manne schenken sollte, der es weit mehr verdienet, so gebt mir nur ein wenig zu trinken; denn da ich etwas cholerisch bin, so ist mir der Hunger dergestalt schmerzlich, daß ich auf der Stelle umfallen könnte. Indessen ich nun mit Not diese Worte hervorbrachte, war vortrefflicher Wein erschienen und sonst noch ein angenehmes Frühstück, so daß ich mich völlig wiederherstellte, und da meine Lebensgeister wieder kamen, verging auch der Ärger.

Darnach überreichte mir der Schatzmeister hundert Goldgülden, die ich ein für allemal nicht annehmen wollte. Er ging, dem Kardinal meine Weigerung zu hinterbringen, der ihn tüchtig ausschalt und ihm sagte, er solle mir das Geld mit Gewalt aufdringen, oder ihm nicht mehr vor die Augen kommen. Der Schatzmeister kehrte erzürnt zurück und sagte, so arg habe der Kardinal ihn noch niemals ausgescholten; und da ich noch immer ein wenig Widerstand leistete, so sagte er mir mit lebhaftem Verdruß, er würde mir das Geld mit Gewalt aufnötigen. Darauf nahm ich das Geld, und als ich dem Kardinal deshalb danken wollte, ließ er mir durch einen seiner Sekretäre sagen, er würde zu jeder Zeit gern etwas zu meinem Vergnügen tun. Ich kehrte noch selbigen Abend nach Paris zurück. Der König erfuhr die ganze Sache und plagte Madame d'Estampes scherzend darüber, die nur deshalb noch giftiger gegen mich ward, und mich in große Lebensgefahr setzte, wie ich an seinem Ort erzählen werde.

Nun muß ich aber auch der Freundschaft eines trefflichen liebevollen, geselligen und wackeren Mannes gedenken, wie ich viel eher hätte tun sollen; dieses war Herr Guido Guidi, ein sehr geschickter Arzt und florentinischer Edelmann. Bei dem Aufzeichnen der mancherlei Begebenheiten, die mir ein ungünstiges Geschick in den Weg legte, habe ich seiner zu erwähnen unterlassen, denn ich dachte, wenn ich ihn immer im Herzen hätte, so wäre es hinreichend; da ich aber wohl sehe, daß mein Leben ohne ihn nicht vollständig beschrieben werden kann, so will ich hier zwischen meinen sonderbaren Begebenheiten auch von ihm reden, daß, wie er mir damals Trost und Hülfe war, auch hier sein Andenken aufbewahrt werde.

Als derselbe nach Paris kam und ich ihn hatte kennenlernen, nahm ich ihn in mein Kastell und gab ihm freie Wohnung, da wir denn mehrere Jahre miteinander vergnügt zubrachten. Auch kam der Bischof von Pavia, Monsignor de Rossi, Sohn des Grafen San Secondo; diesen Herrn nahm ich aus dem Gasthofe und gab ihm gleichfalls in meinem Schlosse freie Wohnung, wo er und seine Diener und Pferde mehrere Monate gut bewirtet wurden; auch nahm ich Herrn Ludwig Alamanni mit seinen Söhnen einige Monate zu mir, und dankte Gott für die Gnade, daß ich großen und talentreichen ‚Männern' einigermaßen gefällig sein konnte. Mit Herrn Guido Guidi dauerte meine Freundschaft so lange, als ich in Paris war, und wir rühmten untereinander oft das Glück, daß jeder in seiner Kunst auf Kosten eines so großen und wundernswürdigen Fürsten seine Talente vermehren konnte; denn ich kann wahrhaft sagen, was ich auch sei und was ich Gutes und Schönes gewirkt habe, daran war dieser außerordentliche König allein Ursache; deswegen ergreife ich wieder den Faden, von ihm und von den großen Werken zu sprechen, die ich für ihn gearbeitet habe.

Es war in meinem Kastell auch ein Ballspiel, von dem ich manchen Nutzen zog, indem ich diese Übung verstattete. Es waren auch dabei einige kleine Zimmer, worin verschiedene Menschen wohnten, darunter ein geschickter Buchdrucker. Dieser hatte fast seinen ganzen Laden in meinem Schlosse und druckte Herrn Guidos erstes schönes Buch über die Medizin; da ich mich aber seiner Wohnung bedienen wollte, schickte ich ihn fort, jedoch nicht ohne Schwierigkeit. Auch wohnte dabei ein Salpeterfabrikant, und als ich dessen Wohnung für einige meiner deutschen Arbeiter verlangte, wollte er nicht ausziehen. Ich hatte ihm etlichemal sehr gelassen gesagt, er solle meine Zimmer räumen, denn ich brauchte sie für meine Arbeiter zum Dienste des Königs. Je demütiger ich sprach, desto kühner und stolzer antwortete mir die Bestie. Zuletzt gab ich ihm drei Tage Zeit, worüber er lachte und sagte, in drei Jahren wollte er daran zu denken anfangen. Ich wußte zwar nicht daß dieser Mann Zutritt zu Madame d'Estampes hatte; aber ich war überhaupt seit jenen Händeln mit dieser Dame etwas vorsichtiger geworden, sonst hätte ich ihn gleich fortgejagt. Nun hatte ich die drei Tage Geduld. Wie sie vorbei waren, sagte ich weiter nichts, sondern bewaffnete meine deutschen, italienischen und französischen Arbeiter und nahm noch die vielen Handlanger dazu, die ich hatte, und in kurzer Zeit riß ich das ganze Haus nieder und warf seine Sachen zum Kastell hinaus. Zu diesem in etwas strengem Verfahren bewegten mich seine unverschämten Worte, denn er hatte gesagt, es möchte wohl kein Italiener so kühn sein, ihm nur einen Span vom Orte zu rücken. Nachdem nun die Sache geschehen war und er herbeilief, sagte ich zu ihm: Ich bin der geringste Italiener und habe dir noch nichts angetan, wozu ich doch große Lust hätte und das du erfahren sollst, wenn du nur ein Wörtchen sprichst! So sagte ich zu ihm mit vielen andern schimpflichen Worten.

Erstaunt und erschrocken machte dieser Mann seine Sachen so gut zusammen als er konnte, lief sogleich zu Madame d'Estampes und malte ihr eine Hölle vor, und diese, meine Hauptfeindin, schilderte mit ihrer außerordentlichen Beredsamkeit die Begebenheit dem König. Dieser war, wie man mich versichert hat, im Begriff äußerst gegen mich aufgebracht zu werden und strenge zu verfügen; aber Heinrich der Dauphin, jetziger König von Frankreich, war von jener kühnen Frau beleidigt worden, desgleichen die Königin von Navarra, Schwester des Königs; diese beiden standen mir mit so vielem Ernste bei, daß der König zuletzt die Sache ins Lächerliche wendete, und so entkam ich mit der Hülfe Gottes einem großen Übel.

SIEBENTES KAPITEL

Madame d'Estampes muntert den Maler Primaticcio, sonst Bologna genannt, auf, durch Wetteifer den Autor zu quälen. – Er wird in einen verdrießlichen Prozeß verwickelt, mit einer Person, die er aus Klein Nello geworfen. – Beschreibung der französischen Gerichtshöfe. – Der Verfasser, durch diese Verfolgungen und durch die Advokatenkniffe aufs äußerste gebracht, verwundet die Gegenpartei und bringt sie dadurch zum Schweigen. – Nachricht von seinen vier Gesellen und seiner Magd Katharine. – Ein heuchlerischer Geselle betrügt den Meister und hält's mit Katharinen. – Der Meister ertappt sie auf der Tat und jagt Katharinen mit ihrer Mutter aus dem Hause. – Sie verklagen ihn wegen unnatürlicher Befriedigung. – Dem Autor wird's bange. – Nachdem er sich gefaßt und sich kühnlich dargestellt, verficht er seine eigne Sache und wird ehrenvoll entlassen.

Nun hatte ich freilich mit einem andern Manne denselben Fall, wobei ich aber das Haus nicht ruinierte, sondern ihm nur seine Sachen hinauswarf. Bei dieser Gelegenheit war Madame d'Estampes so kühn dem Könige zu sagen: Ich denke dieser Teufel wird euch einmal Paris umkehren. Darauf antwortete der König erzürnt: Er tut wohl sich gegen jene Canaillen zu verteidigen, die ihn an meinem Dienst verhindern wollen. Durch dergleichen Vorfälle wuchs die Raserei dieses grausamen Weibes immer mehr. Sie rief einen Maler zu sich, der in Fontainebleau wohnte, wo der König sich immer aufhielt; es war ein Italiener und Bologneser und ward gewöhnlich nur Bologna genannt, doch hieß er eigentlich Franz Primaticcio. Zu diesem sagte Madame d'Estampes, er solle von dem König die Arbeit verlangen welche Seine Majestät mir zugedacht habe, sie wolle ihm mit ihrer ganzen Gewalt beistehen, und so wurden sie einig.

Als Bologna diese Arbeit schon so gut als gewiß vor sich sah, erfreute er sich über die Maßen, ob es gleich seine Profession nicht war, sondern er nur, da er gut zeichnete, einige Arbeiter an sich gezogen hatte, die von unserm florentinischen Maler Rosso gebildet worden. Dieser wirklich sehr geschickte Künstler war schon tot, und was Bologna Gutes hatte, war aus der verwundernswürdigen Manier seines Vorgängers genommen.

Nun brachten sie Tag und Nacht dem König ihre künstlichen Argumente vor, bald lag ihm Madame, bald Bologna in den Ohren. Wodurch aber eigentlich zuletzt der König bewogen wurde, war die Geschicklichkeit, mit der sie einstimmig und wiederholt zu ihm sagten: Eure Majestät will, daß Benvenuto zwölf Statuen von Silber machen soll, und er hat noch nicht eine vollendet; verwickelt ihr ihn in ein so großes Unternehmen, so beraubt ihr euch aller übrigen Arbeiten, welche ihr so sehr zu sehen wünscht. Hundert der geschicktesten Künstler könnten nicht so große Werke vollenden, als dieser wackre Mann begonnen hat, er ist voll vom besten Willen zu arbeiten; aber eben weil er soviel unternimmt, werden Eure Majestät ihn und die Arbeit verlieren. Durch solche und ähnliche Worte ließ der König sich bewegen in ihr Begehren zu willigen, und hatte weder eine Zeichnung noch ein Modell zur Arbeit von Bolognas Hand gesehen.

In derselbigen Zeit erregte jener zweite Einwohner, den ich aus meinem Schlosse vertrieben hatte, einen Prozeß gegen mich, indem er behauptete, ich habe ihm zu jener Zeit als ich ihn hinauswarf, viele seiner Sachen gestohlen. Dieser Prozeß machte mir das größte Leiden und nahm mir soviel Zeit, daß ich mich öfters beinahe der Verzweiflung ergeben hätte und auf und davon gegangen wär'.

Sie haben die Gewohnheit in Frankreich, daß sie einen Prozeß für ein Kapital halten, sie mögen ihn nun mit einem Fremden oder mit einer andern Person anfangen, von der sie merken daß sie nicht ganz mit dem Gang ihrer Rechtstreite bekannt ist. Sobald sie nun sich einigermaßen im Vorteil sehen, finden sie Gelegenheit den Prozeß zu verkaufen, ja manchmal hat man sie als Mitgift den Töchtern mitgegeben, wenn sie Männer heirateten, die ein Handwerk daraus machen, Prozesse zu kaufen.

Ferner haben sie noch eine andere häßliche Gewohnheit: der größte Teil der Leute in der Normandie nämlich treibt es als ein Gewerb, daß sie falsch Zeugnis geben, so daß diejenigen die einen Prozeß kaufen, sogleich vier oder sechs Zeugen, nach Bedürfnis, abrichten. Weiß nun der Gegenteil nicht dasselbe zu tun, indem die Gewohnheit ihm nicht bekannt ist, so hat er gleich ein Urteil gegen sich. Mir begegnete beides, und indem ich die Sache für schändlich hielt, erschien ich in dem großen Saale zu Paris, um meine Gründe selbst vorzubringen. Da sah ich den Richter, einen Zivillieutenant des Königs, erhoben auf einem großen Richterstuhle; dieser Mann war groß, stark und dick, und von dem finstersten Ansehn. Zu seiner einen Seite standen viele Leute, zur andern Prokuratoren und Advokaten, sämtlich in Ordnung, zur Rechten und zur Linken; einige traten auf und brachten ihm eine Sache vor. Die Advokaten, die auf der Seite standen, redeten manchmal alle zusammen, und ich war höchst verwundert, daß dieser seltene Mann, der ein wahrhaft plutonisches Ansehn hatte, mit merklicher Gebärde bald diesem bald jenem zuhörte und gehörig antwortete, und weil ich immer gern alle Arten von Geschicklichkeiten gesehen und genossen habe, so schien mir dieser

Mann so wundersam, daß ich für vieles seinen Anblick nicht hingegeben hätte.

   Der Saal war sehr groß und voller Menschen, daher war man besorgt, niemanden hereinzulassen, als wer darin zu tun hatte; die Tür war verschlossen und es stand Wache dabei. Nun geschah es manchmal, daß die Wache einigen Personen widerstand, die sie nicht hereinlassen wollte, und durch ihren Lärm dem seltenen Richter beschwerlich ward, welcher äußerst zornig auf die Wache schimpfte. Dieser Fall kam öfters vor, und ich merkte besonders auf die Worte des Richters bei dieser Gelegenheit. Als nun einmal zwei Edelleute bloß als Zuschauer hereindringen wollten, tat ihnen jener Türhüter den stärksten Widerstand. Da sah der Richter hin und rief: Stille, stille! Satan, fort, stille! und zwar klingen diese Worte im Französischen folgendermaßen: Paix, paix, Satan, allez, paix. Ich, der ich die französische Sprache sehr wohl gelernt hatte, erinnerte mich bei diesem Spruche eines Ausdrucks, welchen Dante gebraucht, als er mit Virgil, seinem Meister, in die Tore der Hölle tritt; und ich verstand nun den dunkeln Vers; denn Dante war mit Giotto dem Maler in Frankreich und am längsten in Paris gewesen, und wahrscheinlich hat er auch diesen Ort, den man wohl eine Hölle nennen kann, besucht, und hat diesen hier gewöhnlichen Ausdruck, da er gut Französisch verstand, auch in seinem Gedichte angebracht. Nun schien es mir sonderbar, daß man diese Stelle niemals verstanden hat. Wie ihn überhaupt seine Ausleger wohl manches sagen lassen, was er weder gedacht noch geträumt hat.

   Daß ich nun wieder von meinen Angelegenheiten spreche, so wurde mir, durch die Kunst dieser Advokaten, mehr als ein ungünstiges Urteil gegeben; als ich nun keine Mittel sah, mir weiter zu helfen, nahm ich meine Zuflucht zu einem großen Dolche, den ich besaß; denn ich liebte von jeher schöne Waffen zu haben. Nun griff ich zuerst den Prinzipal an, der einen so ungerechten Prozeß gegen mich angefangen hatte, und, indem ich mich hütete, ihn zu ermorden, gab ich ihm soviel Stiche auf Arme und Schenkel, daß ich ihn des Gebrauchs beider Beine beraubte. Alsdann suchte ich den andern auf, der den Prozeß gekauft hatte, und auch den traf ich so, daß er die Klage nicht weiter fortsetzte, und dafür dankte ich Gott, wie für jede andere Wohltat, und hoffte dann doch nun eine Zeitlang in Ruhe zu bleiben.

Da sagte ich meinen Hausgesellen, besonders den Italienern, jeder solle um Gottes willen sich zu seiner Arbeit halten, und mir einige Zeit aufs beste beistehen, damit ich nur, sobald als möglich, die angefangenen Werke zustande brächte, alsdann wollte ich nach Italien zurückkehren; denn die Schelmstreiche der Franzosen wären mir unerträglich. Und sollte ja der gute König einmal auf mich erzürnt werden, so könnte mir es sehr übel gehen, da ich zu meiner Verteidigung doch manche solcher Handlungen vorgenommen habe.

Unter den Italienern, welche ich bei mir hatte, war der erste und liebste Ascanio, aus dem neapolitanischen Städtchen Tagliacozzo; der andere, Paul, ein Römer, von sehr geringer Geburt, man kannte seinen Vater nicht; diese hatte ich schon in Rom bei mir gehabt und sie mit nach Frankreich gebracht. Dann war noch ein anderer Römer, der gleichfalls Paul hieß, ausdrücklich mich aufzusuchen nach Paris gekommen. Sein Vater war ein armer Edelmann, aus dem Hause der Maccherani; dieser verstand nicht viel von der Kunst, hielt sich aber äußerst brav in den Waffen. Ferner arbeitete ein Ferrareser bei mir, mit Namen Bartholomäus Chioccia; sodann ein anderer, ein Florentiner, der Paul Micceri hieß. Ein Bruder von diesem, mit dem Zunamen Gatta, war trefflich in der Feder, nur hatte er ein wenig zu viel ausgegeben, als er die Handlung des Thomas Guadagni, eines sehr reichen Kaufmanns, führte. Gatta richtete mir gewisse Bücher ein, in denen ich die Rechnung des großen allerchristlichsten Königs und anderer, für die ich Arbeit unternahm, einzuzeichnen pflegte. Nun führte gedachter Paul Micceri, nach Art und Weise seines Bruders, meine Bücher fort, und ich gab ihm dafür eine sehr gute Besoldung. So schien er mir auch ein gutartiger Jüngling; denn ich sah ihn immer sehr andächtig, und da ich ihn bald Psalmen, bald den Rosenkranz murmeln hörte, so versprach ich mir viel von seiner verstellten Güte.

Ich rief ihn beiseite und sagte ihm: Paul, liebster Bruder! du siehst, wie gut du bei mir stehst, und weißt, daß du sonst keine Aussicht hattest, auch bist du ein Landsmann und ich vertraue dir, besonders weil ich sehe, du bist andächtig und beobachtest die Gebräuche der Religion; das gefällt mir sehr wohl, und ich vertraue dir mehr als allen andern. Deswegen bitte ich dich sorge mir vor allem für diese beiden ersten Dinge, damit ich keinen Verdruß habe. Zuvörderst gib wohl auf meine Sachen acht, daß mir nichts entwendet wird, und du selbst rühre mir nichts an; dann habe ich da das arme Mädchen, die Katharine, die ich besonders wegen meiner Kunst bei mir habe, denn ohne sie könnte ich nichts vollbringen. Nun habe ich freilich, weil ich ein Mensch bin, auch sinnliche Vergnügungen mit ihr gepflogen, und es könnte geschehen, daß sie mir ein Kind von einem andern brächte, und mir einen Schimpf antät', den ich nicht ertragen würde; wär' jemand in meinem Hause kühn genug, dergleichen zu unternehmen, so glaube ich gewiß, ich würde das eine wie das andere totschlagen; deswegen bitte ich dich, Bruder, stehe mir bei, und wenn du irgend etwas bemerkst, so entdecke mir's, denn ich schicke sie, die Mutter und ihren Verführer, an Galgen; deswegen nimm dich vor allem selbst in acht.

Da machte der Schelm das Zeichen des Kreuzes, daß es ihm vom Kopf bis zu den Füßen reichte, und sagte: Gebenedeiter Jesus! Gott bewahre mich, daß ich an so was denken sollte, denn ich bekümmere mich um dergleichen Zeug nicht. Und glaubt ihr denn, daß ich die große Wohltat verkenne die ich bei euch genieße? Diese Worte sagte er auf eine einfache und liebevolle Weise, so daß ich sie ihm buchstäblich glaubte.

Zwei Tage hernach, an einem Sonntage, hatte Herr Matthäus del Nasaro, auch ein Italiener, ein Diener des Königs und ein trefflicher Mann in meiner Kunst, mich und einige meiner Gesellen in einen Garten eingeladen; es war mir angenehm, mich nach jenen verdrießlichen Prozessen ein wenig zu erholen, und ich sagte zu Paulen, er solle auch mit mir gehen.

Dieser Mensch sagte zu mir: Wahrhaftig es wäre ein großer Fehler, das Haus so allein zu lassen! Seht wieviel Gold, Silber und Juwelen darin sind, und da wir uns in einer Stadt von Spitzbuben befinden, so muß man Tag wie Nacht Wache halten; ich will einige Gebete verrichten, indem ich das Haus bewahre, geht nur ruhig und macht euch einen guten Tag! ein andermal mag ein anderer diesen Dienst tun. Nun ging ich mit beruhigtem Gemüt mit Paul, Ascanio und Chioccia, mich in gedachtem Garten zu vergnügen; und wir waren den größten Teil des Tages daselbst sehr lustig. Als es gegen Abend kam, überfiel mich eine böse Laune, und ich gedachte jener Worte die mir der Unglückliche mit unendlicher Einfalt gesagt hatte. Da stieg ich zu Pferde, und begab mich mit zwei meiner Diener auf mein Schloß. Ich ertappte Paulen und die abscheuliche Katharine fast auf der Tat; denn als ich ankam, rief die französische, kupplerische Mutter: Paul und Katharine, der Herr ist da! Da sie nun beide erschrocken herankamen und ganz verworren vor mich traten, und weder wußten, was sie sagten, noch wo sie sich hinwenden sollten, so sah ich ganz deutlich, daß sie das Verbrechen begangen hatten.

Da ward meine Vernunft durch den Zorn überwältigt, ich zog den Degen und beschloß sie auf der Stelle beide zu ermorden. Er floh und sie warf sich auf die Knie und schrie um alle Barmherzigkeiten des Himmels. Ich hätte gern den Burschen zuerst getroffen, konnte ihn aber sobald nicht erreichen, indessen hatte ich denn doch überdacht, daß es besser sei, beide wegzujagen; denn da ich kurz vorher verschiedene andre Dinge der Art vorgenommen hatte, so wär' ich diesmal schwerlich mit dem Leben davongekommen. Deswegen sagte ich zu Paulen, als ich ihn erreichte: Hätten meine Augen gesehen, du Schelm, was ich glauben muß, so stäch' ich dir den Degen zehnmal durch den Leib; mache, daß du fortkömmst und bete, du Heuchler, dein letztes Paternoster unter dem Galgen. Darauf jagte ich Mutter und Tochter weg mit Stößen, Tritten und Faustschlägen.

Sie dachten darauf sich zu rächen und hielten einen Rat mit einem normännischen Advokaten. Der gab an, sie solle sagen, ich habe mich mit ihr auf italienische Weise vergnügt, das heißt gegen die Natur, und sagte dabei: Sobald der Italiener das vernimmt und die große Gefahr bedenkt, so gibt er euch ein paar hundert Scudi, damit ihr nur schweiget! denn die Strafe ist groß, die in Frankreich auf dieses Vergehen gesetzt ist. Und so wurden sie einig, verklagten mich und ich ward gefordert.

Leider je mehr ich mir Ruhe suchte, desto größer ward die Plage. Da mir nun das Glück täglich auf verschiedene Weise zuwider war, überlegte ich was ich tun sollte, ob ich mit Gott fortgehen und Frankreich dem Henker lassen sollte, oder ob ich auch noch diesen Streit bestehen und zeigen könne, daß Gott mich nicht verlassen würde. Nachdem ich eine lange Zeit hierüber zweifelhaft gewesen war, entschloß ich mich fortzugehen, um nicht mein böses Glück so lange zu versuchen, bis es mir den Hals bräch'. Als ich nun völlig entschlossen war, sorgte ich diejenigen Sachen, die ich nicht mitnehmen konnte, an einem guten Orte unterzubringen, die kleinern aber so gut als möglich mir selbst und meinen Dienern aufzupacken. Doch vollbrachte ich dieses Geschäft mit großem Verdruß. Nun war ich allein in einem gewissen kleinen Studierzimmer geblieben; denn nachdem meine Gesellen mir zugeredet hatten, ich sollte nun mit Gott davongehen, so sagte ich zu ihnen, sie sollten mich nur allein lassen; denn ich wollte die Sache auch nun einmal mit mir selbst überlegen. Zwar hatte ich mich schon überzeugt, daß sie zum größten Teil recht hatten; denn wenn ich nur frei und außer dem Gefängnis blieb und dem Sturm ein wenig Platz machte, so konnte ich mich beim Könige besser entschuldigen, indem ich ihm diesen boshaft eingeleiteten Handel schriftlich erklärte, und so war ich, wie gesagt, auch entschlossen; aber, als ich weggehen wollte, faßte mich etwas bei der Schulter, und da ich mich umkehrte, sagte mir eine lebhafte Stimme: Benvenuto! tue wie du pflegst und fürchte dich nicht. Sogleich entschloß ich mich anders und sagte zu meinen italienischen Gesellen: Nehmt tüchtige Waffen und kommt mit mir! Gehorcht allem was ich euch sage, und denkt an nichts andres, denn ich will erscheinen. Wenn ich mich entfernte, so gingt ihr den andern Tag alle in Rauch auf; deswegen gehorcht und kommt mit. Da sagten meine Pursche mit Einer Stimme: Da wir hier sind und von dem Seinigen leben, so müssen wir mit ihm gehn und so lange der Atem in uns ist, ihm beistehn in allem was er gut findet; denn er hat es besser getroffen als wir. Fürwahr, sobald er weg wär', würden uns seine Feinde sämtlich verjagen. Laßt uns die großen Werke betrachten, die er hier angefangen hat, Werke von so großer Wichtigkeit, die wir ohnehin niemals endigen können; und seine Feinde würden sagen, er habe sich fortgemacht, weil er mit solchen Unternehmungen nicht habe zustande kommen können. Und so sagten sie noch viele große und bedeutende Worte.

Der erste aber, der ihnen Mut machte, war der römische Jüngling Maccherani. Er rief noch einige Deutsche und Franzosen, die mir wohl wollten, und wir waren zehn in allem. So machte ich mich auf den Weg, entschlossen, mich nicht lebendig einfangen zu lassen. Als ich vor die Kriminalrichter kam, fand ich Katharinen mit ihrer Mutter, und da ich unvermutet hinzutrat, sah ich, daß sie mit ihrem Advokaten lachten. Ich fragte mutig nach dem Richter, der, aufgeblasen, dick und fett, höher als die andern, auf einem Tribunal stand. Der Mann sah mich drohend an und sagte mit leiser Stimme: Zwar ist dein Name Benvenuto, doch diesmal wirst du übel ankommen. Ich vernahm's und sagte noch einmal schnell: Fertigt mich ab! sagt was ich hier zu tun habe! Darauf wendete er sich zu Katharinen und sagte: Katharine! nun erzähle alles, was du mit Benvenuto vorgehabt hast. Sie sagte darauf, ich habe auf italienische Weise mit ihr gelebt. Hörst du, Benvenuto, sagte darauf der Richter, was Katharine sagt? Ich versetzte darauf, wenn es geschehen wär', so wär' meine Absicht gewesen Kinder zu zeugen, wie es andere auch täten. Der Richter aber sagte: Keineswegs, denn sie bekennt eben, daß es dir nicht um Kinder zu tun war. Darauf sagte ich: Das muß also eine französische und keine italienische Manier sein, da ihr sie kennt und ich nicht. Zugleich verlangte ich, sie solle genau die Art erzählen, was ich mit ihr begangen habe. Nun sagte die liederliche, schändliche Dirne alles klar, wie sie sich's vorgenommen hatte. Ich ließ sie dreimal alle Punkte einen nach dem andern wiederholen, dann sagte ich mit lauter Stimme: Herr Richter, Stellvertreter des allerchristlichsten Königs, ich fordere Gerechtigkeit; denn ich weiß, daß das Gesetz beide Teile zum Feuer verdammt. Diese bekennt das Verbrechen, und ich weiß nichts davon, und diese ihre kupplerische Mutter verdient wegen mehr als einem Verbrechen das Feuer. Ich fordere Gerechtigkeit! Diese Worte wiederholte ich so oft und laut, und rief immer nach Feuer für sie und die Mutter, und sagte zum Richter, wenn er sie nicht in meiner Gegenwart gefänglich einzöge, so würde ich zum König laufen und ihm die Ungerechtigkeit seines Kriminalrichters anzeigen. Da ich nun so lärmte, mäßigten sie nach und nach ihre Stimmen und ich ward nur immer lauter. Da fing die Dirne mit der Mutter zu weinen an, und ich rief immer zum Richter: Feuer, Feuer! Als nun diese dicke Memme sah, daß die Sache nicht so ablief wie er gedacht hatte, so fing er mit sanften Worten an, die Schwäche des weiblichen Geschlechts zu entschuldigen. Da konnte ich mich rühmen eine große Schlacht gewonnen zu haben und ging, murrend und drohend, aber sehr zufrieden, in Gottes Namen, weg; doch hätte ich gern fünfhundert Scudi gegeben, wenn ich nicht hätte erscheinen müssen. Nun dankte ich Gott von Herzen, daß ich aus dieser Not entronnen war, und kehrte mit meinen jungen Leuten fröhlich nach dem Kastell zurück.

ACHTES KAPITEL

Offener Bruch zwischen Cellini und Bologna dem Maler, weil dieser, auf Eingeben der Madame d'Estampes, verschiedene Entwürfe des Verfassers auszuführen unternommen. – Bologna, durch des Autors Drohungen in Furcht gesetzt, gibt die Sache auf. – Cellini bemerkt, daß Paul und Katharine ihr Verhältnis fortsetzen, und rächt sich auf eine besondere Weise. – Er bringt Seiner Majestät ein Salzgefäß von vortrefflicher Arbeit, von welchem er früher eine genaue Beschreibung gegeben. – Er nimmt ein ander Mädchen in seine Dienste, die er Scozzona nennt, und zeugt eine Tochter mit ihr. – Der König besucht den Autor wieder, und da er seine Arbeiten sehr zugenommen findet, befiehlt er, ihm eine ansehnliche Summe Geldes auszuzahlen, welches der Kardinal von Ferrara, wie das vorige Mal, verhindert. – Der König entdeckt, wie der Autor verkürzt worden, und befiehlt seinem Minister, demselben die erste Abtei, welche ledig würde, zu übertragen.

Wenn das feindselige Geschick, oder, um eigentlich zu reden, unser widriger Stern, sich einmal vornimmt uns zu verfolgen, so fehlt es ihm niemals an neuen Arten und Weisen uns zu quälen oder zu beschädigen. Kaum dachte ich von einem unübersehlichen Unheil mich befreit zu haben, kaum hoffte ich, wenigstens einige Zeit, einer erwünschten Ruhe zu genießen; noch hatte ich mich von jener großen Gefahr nicht erholt, als mein feindseliger Stern mir zwei neue zubereitete, denn in Zeit von drei Tagen begegneten mir zwei Fälle, bei denen beiden mein Leben auf der Waagschale lag.

Es begab sich nämlich, daß ich nach Fontainebleau ging, um mit dem König zu sprechen, der mir einen Brief geschrieben hatte, in welchem sein Wille enthalten war, daß ich die Stempel aller Münzen seines Reiches arbeiten sollte; dabei lagen einige Zeichnungen, um mir einigermaßen seine Gedanken verständlich zu machen, doch gab er mir die Erlaubnis, ganz nach meinem Gefallen zu tun. Darauf hatte ich denn neue Zeichnungen nach meiner Einsicht und nach der Schönheit der Kunst gemacht.

Als ich nun nach Fontainebleau kam, sagte einer der Schatzmeister, die vom König den Befehl hatten, mir das Nötige zu geben, sogleich zu mir: Benvenuto! der Maler Bologna hat vom König den Auftrag erhalten, euren großen Koloß zu machen, und die sämtlichen schönen Aufträge, die der König für euch bestimmt hatte, sind alle aufgehoben und nun auf ihn gerichtet; das hat uns sehr übel geschienen, und es kommt uns vor, daß euer Italiener sich sehr verwegen gegen euch beträgt; denn ihr hattet schon die Bestellung der Werke durch die Kraft eurer Modelle und eurer Bemühungen erhalten; nun nimmt sie euch dieser, allein durch die Gunst der Madame d'Estampes, weg, und ob es gleich schon mehrere Monate sind, daß er den Auftrag erhalten hat, so sieht man doch nicht, daß er irgend Anstalt zur Arbeit machte. Ich verwunderte mich und sagte: Wie ist es möglich, daß ich nie etwas davon erfahren habe? Darauf versetzte er mir, jener habe die Sache äußerst geheim gehalten. Der König habe ihm die Arbeit nicht geben wollen, und nur allein durch die Emsigkeit der Madame d'Estampes sei es ihm gelungen.

Da ich nun vernahm, man habe mich auf solche Weise beleidigt, mir ein solches Unrecht angetan und mir eine Arbeit entzogen, die ich mir durch meine Bemühungen erworben hatte, so nahm ich mir vor, etwas Großes von Bedeutung in den Waffen zu tun. Ich ging sogleich den Bologna aufzusuchen und fand ihn in seinem Arbeitszimmer. Er ließ mich hineinrufen und sagte mir mit so gewissen lombardischen Manieren, was ich ihm Gutes brächte. Darauf versetzte ich: Etwas Gutes und Großes. Sogleich befahl der Mann seinen Dienern, sie sollten zu trinken bringen, und sagte: Ehe wir von etwas sprechen, wollen wir zusammen trinken; denn es ist die französische Art so. Darauf versetzte ich: Das was wir zu reden haben, bedarf nicht, daß man erst trinke, vielleicht läßt sich's hinterdrein tun. Ich fing darauf an, mit ihm zu sprechen und sagte: Jeder, der für einen rechtschaffenen Mann gehalten sein will, beträgt sich auch auf die Weise rechtschaffener Leute. Tut er das Gegenteil, so verdient er den Namen nicht mehr. Ich weiß, daß euch wohl bekannt war, wie der König mir den Koloß aufgetragen hatte, von dem man achtzehn Monate sprach, ohne daß weder ihr noch sonst jemand hervorgetreten wär', um auch sein Wort dazu zu geben; deswegen unternahm ich es, dem König meine großen Arbeiten vorzulegen, und da ihm meine Modelle gefielen, gab er mir das große Werk in die Arbeit, und so viele Monate habe ich nichts andres gehört; nur diesen Morgen vernahm ich, daß es mir entzogen und euch aufgetragen sein solle. Nun kann ich nicht zusehen, daß ihr mir meine Arbeit, die ich durch bewundernswürdige Bemühungen mir verschafft habe, mit euren eitlen Worten nur so entreißen sollt.

Darauf antwortete Bologna: O Benvenuto! Jeder sucht auf alle mögliche Weise seine Sachen zu betreiben, und wenn der König so will, was habt ihr dareinzureden? Ihr würdet nur die Zeit wegwerfen; denn die Arbeit ist mir einmal aufgetragen und sie ist mein.

Darauf versetzte ich: Wisset, Meister Franz, daß ich viel zu sagen hätte, und euch mit vielen wahren und fürtrefflichen Gründen zum Bekenntnis bringen könnte, daß sich unter vernünftigen Geschöpfen die Art, wie ihr euch betragt und sprecht, keinesweges geziemt; aber ich will mit kurzen Worten zum Punkt des Schlusses kommen! Öffnet die Ohren und versteht mich wohl; denn hier gilt es.

Da wollte er vom Sitz aufstehen; denn er sah, daß ich feuerrot im Gesicht wurde und höchlich verändert war; ich sagte aber, es sei noch nicht Zeit aufzustehen, er solle sitzenbleiben und mich anhören; darauf fing ich an und sagte: Meister Franz, ihr wißt, daß das Werk zuerst mein war, und daß nach der Welt Weise niemand mehr etwas darüber zu reden hat. Nun aber sage ich euch, daß ich zufrieden bin, wenn ihr ein Modell macht, und ich will außer dem meinigen noch ein anderes fertigen; dann wollen wir sie beide zu unserm großen König tragen, und wer auf diesem Wege den Ruhm davonträgt, am besten gearbeitet zu haben, der verdient alsdann den Koloß zu übernehmen. Trifft es euch, so will ich das ganze Unrecht, das ihr mir angetan habt, vergessen und eure Hände segnen, die würdiger als die meinigen einer so großen Ehre sind, und so wollen wir bleiben und Freunde sein, da wir auf andere Weise Feinde werden müßten. Gott beschützt immer die Vernünftigen, und er mag euch überzeugen, in welchen großen Irrtum ihr verfallen seid, und daß das der rechte Weg ist, den ich angebe.

Da sagte Meister Franz: Das Werk ist mein, und da es mir einmal aufgetragen ist, so will ich das Meinige nicht erst wieder in Frage stellen. Darauf antwortete ich: Meister Franz! da ihr den guten Weg nicht gehen wollt, der gerecht und vernünftig ist, so will ich euch den andern zeigen, der, wie der eure, häßlich und mißfällig aussieht, und ich sage euch, sobald ich auf irgendeine Weise vernehme, daß ihr von diesem meinem Werke nur wieder ein Wort sprecht, so schlage ich euch sogleich tot, wie einen Hund, und ob wir gleich weder in Rom, noch in Florenz, noch Neapel oder Bologna sind, und man hier auf eine ganz andere Weise lebt, so seid doch überzeugt: wenn ich nur irgend höre, daß ihr davon mit dem König sprecht, so ermorde ich euch auf alle Weise. Denkt, welchen Weg ihr nehmen wollt, den ersten guten, den ich euch vorschlug, oder den letzten häßlichen, von dem ich euch sage.

Der Mann wußte nicht was er reden oder tun sollte, und ich hätte lieber gleich Wort gehalten, als daß ich noch viel Zeit sollte verstreichen lassen. Darauf sagte Bologna nichts weiter als: Wenn ich wie ein rechtschaffner Mann handle, so habe ich keine Furcht in der Welt! Ich aber versetzte: Ihr habt wohl gesprochen, und wenn ihr das Gegenteil tut, mögt ihr euch nur fürchten, denn alsdann betrifft's euch.

Sogleich ging ich von ihm weg und zum König, da ich denn mit Seiner Majestät eine ganze Weile mich über das Geschäft der Münze stritt, worüber wir nicht sehr einig waren; denn seine Räte, die sich gegenwärtig befanden, überredeten ihn, man müsse die Münze nach französischer Manier, wie bisher, schlagen; darauf antwortete ich, Seine Majestät hätten mich aus Italien kommen lassen, damit ich ihnen Werke machte die gut aussähen, befölen sie mir aber das Gegenteil, so würde ich niemals den Mut haben sie zu machen. Und so wurde die Sache aufgeschoben, bis man noch einmal davon gesprochen hätte, und sogleich kehrte ich nach Paris zurück.

Kaum war ich abgestiegen, so kam eine von den guten Personen die Lust haben das Böse zu sehen, und sagte mir, Paul Micceri habe ein Haus für das Dirnchen Katharine und ihre Mutter gemietet, er liege beständig bei ihr, und wenn er mit ihr spreche, sage er, mit Verachtung: Benvenuto hat den Bock zum Gärtner gesetzt; er glaubt, daß man gar keinen Appetit habe. Wenn er noch immer so groß tut und denkt ich fürchte mich vor ihm, so habe ich diesen Dolch und Degen angesteckt, um zu zeigen, daß auch mein Stahl schneide. Ich bin Florentiner wie er, und die Micceris sind besser als seine Cellinis.

Der Schelm, der mir diese Nachricht brachte, sagte sie mit so großer Lebhaftigkeit, daß ich sogleich einen Fieberanfall verspürte. Ich sage Fieber nicht etwa gleichnisweise, es fuhr eine solche bestialische Passion in mich, daß ich daran hätte sterben können. Nun suchte ich ein Mittel dagegen, und ergriff sogleich die Gelegenheit, dieser Sache einen Ausgang zu geben, nach der Art und Weise wie meine Leidenschaft es verlangte. Ich sagte meinem ferraresischen Arbeiter, welcher Chioccia hieß, er solle mit mir kommen, und ich ließ mir von meinem Knechte das Pferd nachführen.

Als ich an das Haus kam, wo jener Unglückliche war, fand ich die Tür angelehnt und ging hinein. Ich beobachtete ihn und sah, daß er Degen und Dolch an der Seite hatte, und auf einem Kasten saß; er hatte den Arm um den Hals der Katharine, und ich horchte nur kurze Zeit, als ich hörte, daß sie mit ihrer Mutter sich über meine Angelegenheiten lustig machte. Ich stieß die Tür auf, zog zu gleicher Zeit den Degen und setzte ihm die Spitze an die Gurgel, ohne daß ich ihm Zeit gelassen hätte zu denken daß er auch einen Degen an der Seite habe, dabei rief ich: Schlechter Kerl, empfehle dich Gott, denn du bist des Todes! Er rührte sich nicht und sagte dreimal: O, meine Mutter hilf mir! Als ich nun, der ich die Absicht hatte ihn auf alle Weise zu ermorden, diese dummen Worte vernahm, ging die Hälfte meines Zorns vorüber.

Ich hatte meinem Chioccia gesagt, er solle weder das Mädchen noch die Mutter hinauslassen; denn wenn ich ihn einmal traf, so hätte ich es mit den beiden Menschern nicht besser gemacht. Ich hielt ihm beständig die Spitze an der Kehle und stach ihn manchmal ein wenig, und stieß immer fürchterliche Worte aus. Da ich nun sah, daß er sich auch nicht im mindesten verteidigte, so wußte ich nicht mehr, was ich machen sollte, und damit mein Überfall und meine Drohung doch etwas bedeuteten, so fiel mir ein ihn wenigstens mit dem Mädchen zu verheiraten, und mich nachher an ihm zu rächen. Da sagte ich entschlossen: Nimm den Ring, den du am Finger hast, schlechter Mensch, und verlobe dich mit ihr, damit ich mich nachher an dir rächen kann, wie du verdienst. Darauf sagte er sogleich: Wenn ihr mich nur nicht ermorden wollt, so will ich gern alles tun. Ich versetzte: Stecke Katharinen den Ring an den Finger! und entfernte die Spitze des Degens ein wenig von seiner Kehle, damit er die Handlung desto bequemer verrichten könnte, und sich nicht fürchten sollte. So steckte er ihr den Ring an. Ich sagte: Das ist mir noch nicht genug, man muß zu zwei Notarien gehn, daß der Kontrakt fest und gültig werde! und rief zu Chioccia, er solle die Notarien holen, wendete mich sogleich zu dem Mädchen und der Mutter und sagte zu ihnen auf französisch: Es werden Notarien und andere Zeugen kommen. Die erste, die zu der Sache nur ein Wort spricht, ermorde ich auf der Stelle! Ich ermorde euch alle drei; drum bedenkt euch und atmet nicht!

Und zu ihm sagte ich, auf italienisch: Wenn du irgend etwas versetzest, auf das was ich vortragen werde, bei dem geringsten Worte das du sprichst, leere ich dir sogleich dein Eingeweide aus. Er aber antwortete: Wenn ihr mich nur nicht umbringt, so will ich alles tun, was ihr nur wollt, und in nichts widersprechen. Als nun die Notarien und Zeugen gekommen waren, machte man einen gültigen und trefflichen Kontrakt; sogleich war Ärger und Wut, die mich bei jener Erzählung überfallen hatten, vorbei, und das Fieber verließ mich. Ich bezahlte die Notarien und ging weg.

Den andern Tag kam Bologna expreß nach Paris, und ließ mich von Matthäus del Nasaro rufen. Als ich zu ihm ging, kam er mir entgegen, und bat mich ich möchte ihn als einen Bruder halten, er wolle nicht mehr von gedachtem Werke reden, denn ich habe recht.

Wenn ich nun bei einigen meiner Begebenheiten nicht bekennte, daß ich einsäh' übel gehandelt zu haben, so würden die andern deren ich mich rühmen darf, nicht für wahr gehalten werden; daher will ich nur bekennen, daß es nicht recht war, mich auf eine so seltsame Weise an Paul Micceri zu rächen, wie ich erzählen werde; denn es war schon genug, daß ich ihn nötigte, eine so vollendete Dirne zu heiraten. Nun ließ ich sie aber nachher, um meine Rache zu vollenden, zu mir rufen, modellierte sie, gab ihr ein Frühstück und vergnügte mich mit ihr, nur um Paulen Verdruß zu machen, und dann, um mich auch an ihr zu rächen, jagte ich sie auch mit Tritten und Schlägen fort. Sie weinte und schwur, sie wolle nicht wiederkommen. Den andern Morgen früh hörte ich an der Tür klopfen. Es war Katharine, die mit freundlichem Gesicht zu mir sagte: Meister, ich bin gekommen, mit euch zu frühstücken. Ich sagte: Komm nur! Dann gab ich ihr das Frühstück, modellierte sie, und ergötzte mich mit ihr, um mich an Paul zu rächen, und das ging so viele Tage fort.

Indessen hatte ich die Stunden zu meinen Arbeiten eingeteilt, und hielt mich besonders an das Salzfaß, an welchem viele Leute arbeiten konnten; eine Bequemlichkeit, die ich nicht beim Jupiter hatte. Jenes war endlich vollkommen fertig; der König war wieder nach Paris gekommen, und ich brachte ihm das geendigte Salzfaß, das ich nach Angabe des Modells mit dem größten Fleiße ausgearbeitet hatte. Das Werk selbst, das man aus meiner Beschreibung schon kennt, hatte ich auf eine Base von schwarzem Ebenholz gesetzt; diese war von gehöriger Stärke und von einem Gurt umgeben in den ich vier Figuren von Gold ausgeteilt hatte, die mehr als halb erhaben waren; sie stellten die Nacht und den Tag vor; auch die Morgenröte war dabei; dann waren noch vier andere Figuren von derselben Größe angebracht, welche die vier Hauptwinde vorstellten, so sauber gearbeitet und emailliert, als man sich nur denken kann. Da ich dieses Werk vor die Augen des Königs brachte, ließ er einen Ausruf der Verwunderung hören und konnte nicht satt werden, das Werk anzusehen. Dann sagte er zu mir, ich möchte es wieder nach Hause tragen, er würde mir zu seiner Zeit befehlen, was ich damit machen solle. So trug ich es zurück, lud einige meiner besten Freunde zusammen, und wir speisten in der größten Lust; das Salzfaß ward in die Mitte des Tisches gesetzt, und wir bedienten uns dessen zuerst. Dann fuhr ich fort, am Jupiter von Silber zu arbeiten und an dem großen Gefäß, das mit den artigsten Einfällen und mit vielen Figuren verziert war.

Ungefähr um diese Zeit gab gedachter Bologna, der Maler, dem Könige zu verstehen: es sei gut, wenn Seine Majestät ihn nach Rom gehen ließe, und ihn daselbst durch Briefe dergestalt empfähle, daß er die schönsten vorzüglichen Altertümer, den Laokoon, die Kleopatra, die Venus, den Commodus, die Zigeunerin und den Apoll abgießen könnte. Und wirklich sind auch das die schönsten Stücke, die sich in Rom befinden. Dabei sagte er dem König, daß wenn Seine Majestät diese herrlichen Werke würden gesehen haben, er alsdann über die bildenden Künste erst würde urteilen können; denn alles was er von uns Neuen gesehen, sei sehr entfernt von der Art, die von den Alten beobachtet worden. Der König war zufrieden, und begünstigte ihn, wie er es wünschte. So ging die Bestie ins Teufels Namen fort, und da er sich nicht traute in der Kunst mit mir zu wetteifern, so nahm er den lombardischen Ausweg, und wollte meine Werke erniedrigen, indem er die Alten erhob; aber ob er gleich jene Werke vortrefflich formen ließ, so entstand doch eine ganz andere Wirkung, als er sich eingebildet hatte, wovon ich nachher an seinem Orte reden will.

Indessen hatte ich die Katharine völlig weggejagt, und der arme unglückliche Jüngling ging, mit Gott, von Paris weg. Nun wollte ich meine Nymphe Fontainebleau vollenden, die schon von Erz gegossen war, auch gedachte ich die zwei Siegesgöttinnen in den Ecken über dem Halbrund gut auszuarbeiten; deshalb nahm ich ein armes Mädchen zu mir, von ungefähr funfzehn Jahren, von Körper sehr schön gebaut, und ein wenig bräunlich. Sie war scheu in ihrem Wesen, von wenig Worten, schnell im Gange und von düsteren Blikken; ich nannte sie Scozzona (die Gebändigte), ihr eigentlicher Name war Johanna. Nach diesem Mädchen endigte ich trefflich meine Nymphe und die zwei gedachten Siegesgöttinnen. Sie kam als Jungfrau zu mir, und ich erhielt von ihr den siebenzehnten Juni 1544 eine Tochter, und also in meinem vierundvierzigsten Jahre. Dieser gab ich den Namen Konstanza, und Herr Guido Guidi, Medikus des Königs, mein bester Freund, hielt sie bei der Taufe; er war, nach französischer Gewohnheit, der einzige Gevatter, und die beiden Gevatterinnen waren Frau Magdalena, Gattin Herrn Ludwigs Alamanni, florentinischen Edelmanns und trefflichen Dichters, mit der Gattin des Herrn Riccardo del Bene, eines florentinischen Bürgers und großen Kaufmanns; sie stammte aus einer vornehmen französischen Familie. Dieses war das erste Kind, das ich jemals hatte, soviel ich weiß; der Mutter aber zahlte ich soviel Geld zur Mitgift aus, als eine Verwandte, der ich sie wiedergab, hinreichend fand, und ich hatte nachher kein weiteres Verhältnis mit ihr.

Ich war fleißig an meinen Arbeiten und hatte sie ziemlich weit gebracht. Jupiter war beinahe geendigt, das Gefäß gleichfalls, und die Tür fing an ihre Schönheiten zu zeigen. Zu der Zeit kam der König nach Paris, und zwar hatten wir das Jahr 1543 noch nicht zurückgelegt. Von meiner Tochter, die 1544 geboren war, habe ich etwas zu früh gesprochen, werde nun aber, um Erzählungen von wichtigern Dingen nicht zu unterbrechen, nicht wieder als an seinem Orte von ihr reden. Der König kam nach Paris, wie ich gesagt habe, und begab sich sogleich in mein Haus, und da er so schöne Werke vor sich fand, die vor seinen Augen sehr gut bestehen konnten, war er damit so zufrieden als nur jemand verlangen kann, der sich soviel Mühe gibt, als ich getan hatte. Sogleich erinnerte er sich von selber, daß der Kardinal von Ferrara mir nichts von dem gegeben hatte was mir doch versprochen war, und sagte murmelnd zu seinem Admiral: der Kardinal habe übel getan, mir nichts zu geben, und er selbst denke die Sache wieder gut zu machen; denn er sähe wohl, ich sei ein Mann von wenig Worten, und ehe man sich's versehe, könnte ich einmal fortgehen. Ohne was weiter zu sagen, gingen sie nach Hause, und nach der Tafel sagten Seine Majestät zum Kardinal, er solle im Namen Seiner Majestät dem Schatzmeister der Ersparnisse sagen, daß er mir, sobald als möglich, siebentausend Goldgülden, in drei oder vier Zahlungen, einhändige, so wie es ihm bequem sei, doch solle er es nicht fehlen lassen. Ferner sagte der König: Ich habe euch die Aufsicht über Benvenuto gegeben, und ihr habt mir ihn ganz vergessen. Der Kardinal versetzte, er wolle gern alles tun was Seine Majestät befehle. Aber er ließ doch nachher seiner bösen Natur nach den guten Willen des Königs ohne Wirkung; denn indessen nahm der Krieg zu, und es kam die Zeit, in welcher der Kaiser mit seinem großen Heere gegen Paris zog. Der Kardinal sah wohl, daß in Frankreich großer Geldmangel war, und als er einmal mit Vorbedacht auf mich zu reden kam, sagte er zu Seiner Majestät: Ich glaubte besser zu tun, wenn ich

Benvenuto das Geld nicht auszahlen ließe, einmal weil man es gegenwärtig gar zu nötig braucht, und dann, weil uns eine so große Summe Geldes den Verlust des Benvenuto zuziehen könnte; denn er möchte sich reich scheinen und sich Güter in Italien kaufen, und so hätte gelegentlich sein wunderlicher Kopf einen guten Ausweg gesehen, von hier zu scheiden. Wenn Eure Majestät ihn bei sich fest behalten wollen, so geben Sie ihm lieber ein Besitztum in Ihrem Reiche.

Der König ließ diese Gründe für gut gelten, weil er diesen Augenblick selbst Mangel an Barschaft fühlte; demohngeachtet sah er in seinem edelsten und wahrhaft königlichem Gemüte, daß gedachter Kardinal in dieser Sache mehr aus eigenem Antrieb als aus Notwendigkeit so gehandelt habe; denn wie hätte er denn die Notdurft eines so großen Reiches voraussehen können? Und so blieb der König insgeheim ganz anderer Gesinnung. Denn als er nach Paris zurückkam, besuchte er mich den andern Tag, ohne daß ich gegangen wär' ihn einzuladen. Ich ging ihm entgegen und führte ihn durch die Zimmer, wo sich verschiedene Arten von Arbeiten befanden. Ich fing bei denen von Erz an, die er von solchem Werte noch nicht gesehen hatte, dann zeigte ich ihm den silbernen Jupiter, beinahe fertig mit den schönsten Zieraten, den er mehr bewunderte, als vielleicht jeder andere getan hätte; denn es war ihm vor einigen Jahren ein sehr unangenehmer Fall begegnet. Er wollte nämlich dem Kaiser, der nach der Einnahme von Tunis durch Paris ging, ein Geschenk machen das eines so großen Monarchen wert wäre; da ließ er einen Herkules von Silber treiben, von derselben Größe, wie ich den Jupiter gemacht hatte. Der König versicherte, daß dieser Herkules das häßlichste Werk gewesen sei das er jemals gesehen, und diese seine Überzeugung habe er auch den Leuten gesagt, die sich für die größten Meister der Welt in dieser Profession ausgaben. Sie mußten gestehen, daß dies alles sei, was sie in Silber machen könnten, und wollten demohngeachtet zweitausend

Dukaten für ihre geringe Arbeit. Als nun der König meine Arbeit sah, und sie so sauber ausgeführt fand, als er kaum geglaubt hatte, entschied er mit Bedacht, und wollte daß meine Arbeit am Jupiter auf zweitausend Scudi sollte geschätzt werden, und sagte: Jenen gab ich keinen Gehalt, und da ich diesem schon jährlich tausend Scudi gebe, so kann er für diesen Preis wohl zufrieden sein. Dann führte ich ihn, andere Werke von Silber und Gold zu sehen, und viele Modelle von neuen Erfindungen. Zuletzt, da er weggehen wollte, deckte ich auf der Wiese meines Schlosses den großen Riesen auf und gab dem König zu verstehen, daß das alles sei, was man in Metall machen könne. Darüber bezeugte der König größere Verwunderung als bei keiner andern Sache, und wendete sich zum Admiral, welcher Herr Hannibal hieß, und sagte: Nachdem der Kardinal nicht für ihn gesorgt hat, und er selbst faul im Fordern ist, so will ich ohne weiteres, daß man an ihn denken soll; denn für die Menschen, welche wenig verlangen, sprechen ihre Werke desto mehr. Deswegen gebt ihm die erste Abtei die aufgeht, bis zu zweitausend Scudi Einkünften, und wenn es nicht auf einmal sein kann, so gebt es ihm in zwei oder drei Pfründen, denn das kann ihm einerlei sein.

Ich war gegenwärtig und hörte alles und dankte sogleich, als wenn ich die Wohltat schon empfangen hätte, und sagte: Wenn Seine Majestät mich also versorgten, wollte ich ohne weitern Gehalt, Pension oder Gabe für Seine Majestät so lange arbeiten, bis mich das Alter an meinen Bemühungen verhinderte, und ich mein müdes Leben ruhig auswarten könnte, immer mit dem Gedanken beschäftigt, einem so großen König gedient zu haben. Auf diese Worte wendete sich der König freudig mit großer Lebhaftigkeit zu mir und sagte: Dabei soll es bleiben. Und wie er zufrieden wegging, so ließ er mich auch zurück.

NEUNTES KAPITEL

Madame d'Estampes, in der Absicht den Autor ferner zu verfolgen, erbittet von dem König für einen Distillateur die Erlaubnis, das Ballhaus in Klein Nello zu beziehen. – Cellini widersetzt sich und nötigt den Mann den Ort zu verlassen. – Der Autor triumphiert, indem der König sein Betragen billigt. – Er begibt sich nach Fontainebleau, mit der silbernen Statue des Jupiters. – Bologna der Maler, der eben Abgüsse antiker Statuen in Erz von Rom gebracht, versucht, den Beifall den der Autor erwartet zu verkümmern. – Parteilichkeit der Madame d'Estampes für Bologna. – Des Königs gnädiges und großmütiges Betragen gegen den Autor. – Lächerliches Abenteuer des Ascanio.

Madame d'Estampes erfuhr alles was geschehen war, und ward nur giftiger gegen mich, indem sie bei sich selbst sagte: Ich regiere gegenwärtig die Welt und ein kleiner Mensch dieser Art achtet mich nicht. Nun setzte sie sich recht in den Gang, um gegen mich zu arbeiten. Da kam ihr ein Mann zur Hand, der ein großer Distillierer war und ihr einige wohlriechende und wundersame Wasser übergab, welche die Haut glatt machten, dergleichen man sich niemals in Frankreich bedient hatte; sie stellte ihn auch dem König vor, dem er einige abgezogene Wasser überreichte und diesem Herrn damit viel Vergnügen machte. In einem so günstigen Augenblick trieb sie den Mann an, vom König das Ballspiel zu begehren, das ich in meinem Schloß hatte, nebst einigen kleinen Zimmern, von denen sie sagte, daß ich mich derselben nicht bediene. Der gute König, der recht wohl einsah, woher die Sache kam, antwortete nicht. Madame d'Estampes aber wußte nachher ihren Willen auf die Weise durchzusetzen, wie es den Weibern bei den Männern gelingt, und ihr Plan ging durch; denn sie benutzte eine verliebte Stimmung des Königs, der er manchmal unterworfen war, und Madame erhielt was sie verlangte. Darauf kam gedachter Mann mit dem Schatzmeister Glorier, der sehr gut italienisch sprach, einem großen französischen Edelmann. Dieser fing erst an mit mir zu scherzen, dann kam er auf die Sache und sagte: Im Namen des Königs setze ich diesen Mann in Besitz des Ballspiels und der kleinen Häuser, die dazu gehören. Darauf versetzte ich: Der heilige König ist Herr von allem, und alles kommt von ihm, deswegen könnt ihr frei hineintreten; da man aber auf diese gerichtliche Weise durch Notarien den Mann einsetzt, so sieht es mehr einem Betrug als einem königlichen Auftrag ähnlich, und ich versichre euch, daß ich, anstatt mich beim Könige zu beklagen, mich selbst verteidigen werde, wie Seine Majestät mir noch vor kurzem befohlen hat. Ich werde euch den Mann, den ihr mir hier hereinsetzt, zum Fenster hinauswerfen, wenn ich nicht ausdrücklichen Befehl von des Königs eigner Hand sehe.

Da ging der Schatzmeister murmelnd und drohend hinweg; ich blieb und tat desgleichen, denn ich wollte vorerst nichts weiter unternehmen. Sodann ging ich zu den Notarien, die diesen Mann in Besitz gesetzt hatten; sie waren meine guten Freunde und sagten, es sei eine Zeremonie, die wohl auf Befehl des Königs geschehen sei, aber nicht viel bedeuten wolle, denn wenn ich ein wenig widerstanden hätte, so wär' der Mann gar nicht in Besitz gekommen; es seien dieses Handlungen und Gewohnheiten des Gerichtshofs, wobei das Ansehen des Königs gar nicht zur Sprache komme, und wenn ich ihn aus dem Besitz werfen könne, wie er hineingekommen sei, so wäre es wohl getan und würde weiter keine Folgen haben.

Mir war dieser Wink hinreichend, und ich nahm den andern Tag die Waffen zur Hand, und ob es mir gleich ein wenig sauer wurde, so hatte ich doch meinen Spaß dran; denn ich tat alle Tage einmal einen Angriff mit Steinen, Piken und Flinten, und ob ich gleich ohne Kugeln schoß, so setzte ich sie doch in solches Schrecken, daß niemand mehr kommen wollte ihm beizustehen. Da ich nun eines Tags seine Partei schwach fand, drang ich ins Haus mit Gewalt, verjagte ihn, und warf alles heraus, was er hereingebracht hatte; dann ging ich zum Könige und sagte, ich hätte alles nach dem Befehl Seiner Majestät getan, und mich gegen diejenigen gewehrt, die mich an seinen Diensten verhindern wollten. Der König lachte und ließ mir neue Briefe ausfertigen, daß man mich nicht weiter belästigen sollte.

Indessen endigte ich mit großer Sorgfalt den schönen Jupiter von Silber mit seiner vergoldeten Base, die ich auf einen hölzernen Untersatz gestellt hatte, der wenig zu sehen war, und in denselben hatte ich vier hölzerne Kügelchen gefügt, die über die Hälfte in ihren Vertiefungen verborgen waren, und alles war so gut eingerichtet, daß ein kleines Kind sehr leicht nach allen Seiten die gedachte Statue des Jupiters bewegen konnte. Da ich sie nun auf meine Weise zurecht gemacht hatte, brachte ich sie nach Fontainebleau, wo der König war. Zu der Zeit hatte Bologna die gedachten Statuen von Rom zurückgebracht und sie mit großer Sorgfalt in Erz gießen lassen; ich wußte nichts davon, teils weil er die Sache sehr heimlich hielt, teils weil Fontainebleau über vierzig Miglien von Paris entfernt ist, daher ich nichts erfuhr. Als ich beim König anfragen ließ, wo er den Jupiter zu sehen verlange, war Madame d'Estampes gegenwärtig und sagte, es sei kein geschickterer Ort um ihn aufzustellen als in seiner schönen Galerie. Das war, wie wir in Toskana sagen würden, eine Loge, oder vielmehr ein Gang, denn wir nennen Loge die Zimmer, die von einer Seite offen sind. Es war aber dieses Zimmer mehr als hundert Schritte lang und außerordentlich reich verziert, mit Malereien, von der Hand des trefflichen Rosso, eines unserer Florentiner; unter den Gemälden war viele Arbeit von Bildhauerkunst angebracht, einige rund, einige halb erhaben; es konnte ungefähr zwölf Schritte breit sein. In dieser Galerie hatte Bologna alle die gedachten Arbeiten von Erz, die sehr gut vollendet waren, in bester Ordnung aufgestellt, jede auf ihrem Piedestal, und es waren, wie ich schon oben sagte, die besten Arbeiten der Alten in Rom.

In gedachtes Zimmer brachte ich meinen Jupiter, und als ich diese große Vorbereitung sah und erkannte, daß sie mit Fleiß gemacht sei, dachte ich bei mir selbst: Das ist, als wenn man durch die Piken laufen müßte, nun helfe mir Gott! Ich stellte die Statue an ihren Ort, soviel ich vermochte, aufs beste zurecht und erwartete die Ankunft des großen Königs. Jupiter hatte in seiner rechten Hand den Blitz, in der Stellung, als wenn er ihn schleudern wollte; in die linke hatte ich ihm die Welt gegeben, und hatte zwischen die Flamme des Blitzes, mit vieler Geschicklichkeit, ein Stück weiße Kerze angebracht. Nun hatte Madame d'Estampes den König bis zur einbrechenden Nacht aufgehalten, um mir eins von den beiden Übeln zuzufügen, entweder daß er gar nicht käm', oder daß mein Werk in der Nacht sich weniger ausnehmen sollte. Wie aber Gott denjenigen beisteht, welche an ihn glauben, so geschah das Gegenteil ganz. Denn als es Nacht wurde, zündete ich die Kerze an, die Jupiter in der Hand hielt, und weil sie etwas über den Kopf erhaben stand, fielen die Lichter von oben und gaben der Statue ein schöneres Ansehen als sie bei Tage würde gehabt haben. Nun kam der König mit seiner Madame d'Estampes, mit dem Dauphin, seinem Sohn, der gegenwärtig König ist, auch war die Dauphine, der König von Navarra und Madame Margareta, seine Tochter, dabei, nebst vielen großen Herren, die von Madame d'Estampes unterrichtet waren, gegen mich zu sprechen.

Als ich den König hereintreten sah, ließ ich durch meinen Gesellen Ascanio ganz sachte den schönen Jupiter vorwärts bewegen, und weil die Statue gut und natürlich gemacht war, und ich selbst in die Art, wie sie bei der Bewegung schwankte, einige Kunst gelegt hatte, so schien sie lebendig zu sein. Die Gesellschaft ließ jene antiken Statuen hinter sich und betrachtete zuerst mein Werk mit vielem Vergnügen. Sogleich sagte der König: Das ist eine schönere Arbeit, als jemals ein Mensch gesehen hat, und ich, der ich mich doch an dergleichen Dingen vergnüge und sie verstehe, hätte mir sie nicht den hundertsten Teil so gut vorgestellt. Die Herren, die gegen mich sprechen sollten, waren umgewendet und konnten das Werk nicht genug loben. Madame d'Estampes sagte aber auf eine kühne Weise: Es scheint, als wenn ihr nur zu loben hättet! sehet ihr nicht, wieviel schöner alle Figuren von Erz hier stehen, in welchen die wahre

Kraft dieser Kunst besteht, und nicht in solchen modernen Aufschneidereien? Darauf machte der König eine Bewegung und die andern zugleich, und warf einen Blick auf gedachte Figuren, die aber, weil die Lichter tiefer stunden, sich nicht gut ausnahmen. Darauf sagte der König: Wer diesen Mann heruntersetzen wollte, hat ihn sehr begünstigt, denn eben bei diesen herrlichen Figuren sieht und erkennt man, daß die seinige viel schöner und wundersamer ist, und man muß den Benvenuto sehr in Ehren halten, da seine Arbeiten nicht allein den alten gleich sind, sondern sie noch übertreffen. Madame d'Estampes sagte, wenn man von diesem Werke sprechen wollte, so müßte man es bei Tage sehen, weil es alsdann nicht ein Tausendteil so schön als bei Nacht erscheinen würde; auch müsse man betrachten, daß ich der Figur einen Schleier umgeworfen habe, um ihre Fehler zu verbergen.

Es war das ein sehr feiner Schleier, den ich mit vieler Anmut dem Jupiter umgelegt hatte, damit er majestätischer aussehen sollte. Ich faßte ihn darauf an, indem ich ihn von unten aufhub, die schönen Zeugungsglieder entdeckte und, indem ich ein wenig Verdruß zeigte, ihn ganz zerriß. Nun dachte sie, ich habe ihr das zum Verdruß getan; der König aber merkte meinen Ärger, und daß ich, von der Leidenschaft hingerissen, anfangen wollte zu reden. Da sagte der weise König in seiner Sprache diese verständigen Worte: Benvenuto, ich schneide dir das Wort im Munde ab, und du sollst tausendmal mehr Belohnung erhalten, als du erwarten kannst. Da ich nicht reden konnte, machte ich die leidenschaftlichsten Bewegungen, und sie brummte immer auf eine verdrießliche Weise. Da ging der König, geschwinder als er sonst getan hätte, weg und sagte laut, um mir Mut zu machen, daß er aus Italien den vollkommensten Mann gezogen habe, der jemals zu solchen Künsten geboren worden sei.

Ich ließ den Jupiter daselbst, und da ich morgens weggehen wollte, empfing ich tausend Goldgülden. Zum Teil war es meine Besoldung, zum Teil Rechnung, weil ich von dem Meinigen ausgelegt hatte. Ich nahm das Geld, ging munter und vergnügt nach Paris. Sogleich ergötzte ich mich in meinem Hause und ließ nach Tische meine Kleider herbeibringen, die von dem feinsten Pelzwerk waren, sowie von dem feinsten Tuche, davon machte ich allen meinen Arbeitern ein Geschenk, indem ich jedem nach seinem Verdienste gab, sogar den Mädchen und den Stallburschen, und sprach ihnen allen Mut ein, mir mit gutem Willen zu helfen. Ich arbeitete nun auch wieder mit vollkommener Lebhaftigkeit und hatte zum Endzweck, mit großem Nachdenken und aller Sorgfalt die Statue des Mars zu endigen, deren Modell von Holz ich mit Eisen wohl befestigt hatte. Der Überzug war eine Kruste von Gips, ungefähr ein Achtteil einer Elle stark und fleißig gearbeitet. Dann hatte ich veranstaltet, gedachte Figur in vielen Stücken auszuarbeiten und sie zuletzt mit Schwalbenschwänzen zu verbinden, wie es die Kunst fordert, und wie ich sehr leicht tun konnte.

Nun will ich doch auch an diesem Orte ein Abenteuer erzählen, das bei Gelegenheit dieses großen Werkes vorfiel und das wirklich lachenswert ist. Ich hatte allen die in meinen Diensten waren verboten, daß sie mir keine Mädchen ins Kastell bringen sollten, und ich war zugleich sehr wachsam, daß es nicht geschehe. Nun war Ascanio in ein außerordentlich schönes Mädchen verliebt und sie in ihn; sie floh deshalb von ihrer Mutter und kam eines Nachts, um Ascanio aufzusuchen, wollte aber nicht wieder weg, und er wußte nicht, wohin er sie verbergen sollte. Zuletzt, als ein erfinderischer Kopf, versteckte er sie in die Figur des Mars und richtete ihr im Kopfe des Bildnisses eine Schlafstelle zu, wo sie sich lange aufhielt und des Nachts manchmal von ihm ganz stille abgeholt wurde. Nun war der Kopf beinahe vollendet, und ich ließ ihn aus einiger Eitelkeit aufgedeckt, so daß ihn wegen der Höhe, worauf er stand, ein großer Teil von Paris sehen konnte. Nun stiegen die Nachbarn auf die Dächer und auf diese Art sahen ihn viele Menschen. Da man sich nun in Paris mit der Meinung trug, daß von alters her in meinem Schloß ein Geist umgehe, den sie Bovo hießen, ob ich gleich niemals das geringste davon gespürt habe, so erhielt das Märchen durch diesen Zufall neue Kraft. Denn das Mädchen, das im Kopfe wohnte, mußte sich doch manchmal regen, und weil die Augen sehr groß waren, so konnte man die Bewegung von etwas Lebendigem gar wohl bemerken; daher sagte das dumme Volk, der Geist sei schon in die Figur gefahren und bewege ihr Augen und Mund, als wenn sie reden wolle. Selbst einige klügere Zuschauer hatten die Sache genau betrachtet, konnten das Leuchten der Augen nicht begreifen, und versicherten, es müßte ein Geist dahinter stecken; sie wußten aber nicht, daß wirklich ein guter Geist darin war, und ein guter Leib dazu.

ZEHNTES KAPITEL

Der Krieg mit Karl V. bricht aus. – Der Verfasser soll zur Befestigung der Stadt mitwirken. – Madame d'Estampes, durch fortgesetzte Kunstgriffe, sucht den König gegen den Autor aufzubringen. – Seine Majestät macht ihm Vorwürfe, gegen die er sich verteidigt. – Madame d'Estampes wirkt, nach ihren ungünstigen Gesinnungen, weiter fort. – Cellini spricht abermals den König und bittet um Urlaub nach Italien, welchen ihm der Kardinal Ferrara verschafft.

Indessen befleißigte ich mich, mein schönes Tor aus allen den schon beschriebenen Teilen zusammenzustellen, und überlasse den Chronikenschreibern dasjenige zu erzählen, was im allgemeinen damals vorging, da der Kaiser mit seinem großen Heere angezogen kam und der König sich mit aller Macht bewaffnete. Zu der Zeit verlangte er meinen Rat, wie er Paris aufs geschwindeste befestigen könnte. Er kam eigens deshalb in mein Haus und führte mich um die ganze Stadt, und da er vernahm, mit welcher guten Einsicht ich von einer so schnellen Befestigung sprach, gab er mir ausdrücklichen Auftrag, das, was ich gesagt hatte, auf das schnellste zu vollbringen. Er gebot seinem Admiral, jedermann zu befehlen, daß man mir bei seiner Ungnade in allem gehorchen sollte; der Admiral, der durch die Gunst der Madame d'Estampes und nicht durch sein Verdienst zu dieser Stelle gelangt war, hatte wenig Kopf, und hieß eigentlich Herr Hannibal, die Franzosen sprechen aber den Namen anders aus, so daß er in ihrer Sprache fast klingt, als wollte man Esel und Ochs sagen, wie sie ihn denn auch gewöhnlich nannten. Diese Bestie erzählte Madame d'Estampes alles; da befahl sie ihm, er solle eilig den Hieronymus Bellarmato rufen lassen. Dieser war ein Ingenieur von Siena und wohnte etwas mehr als eine Tagereise von Paris. Er kam sogleich und fing auf dem längsten Wege an die Stadt zu befestigen; daher zog ich mich aus dem Unternehmen, und wenn der Kaiser damals mit seinem Heere angerückt wär', so hätte er Paris mit großer Leichtigkeit erobert. Auch sagte man, daß in dem Vertrag, der damals geschlossen wurde, Madame d'Estampes, die sich mehr als jemand darein mischte, den König verraten und bloßgestellt habe; doch mag ich hiervon nicht mehr sagen, denn es gehört nicht zu meiner Sache.

Ich arbeitete immerfort an der ehernen Tür, an dem großen Gefäße und ein paar andern von mittlerer Gattung, die ich aus meinem eignen Silber gemacht hatte. Als die größte Gefahr vorbei war, kam der gute König nach Paris zurück, um ein wenig auszuruhen, und hatte das verwünschte Weib bei sich, die gleichsam zum Verderben der Welt geboren war, und ich kann mir wirklich etwas darauf einbilden, daß sie sich als meine Todfeindin bewies. Als sie einst mit dem König über meine Angelegenheiten zu sprechen kam, sagte sie so viel Übles von mir, daß der gute Mann, um ihr gefällig zu sein, zu schwören anfing, er wolle sich nicht weiter um mich bekümmern, als wenn er mich niemals gekannt hätte. Diese Worte sagte mir eilig ein Page des Kardinals von Ferrara, der Villa hieß, und mir versicherte, er habe sie selbst aus dem Munde des Königs vernommen. Darüber erzürnte ich mich so sehr, daß ich alle meine Eisen und Arbeiten durcheinanderwarf und Anstalt machte, mit Gott wegzu-

übrig blieb, verfertigte ich dieses Gefäß, um Eurer Majestät die schöne Manier der Alten zu zeigen, und vielleicht war es das erste von dieser Art, das Sie je gesehen hatten. Was das Salzfaß betrifft, so scheint mir, wenn ich mich recht erinnere, daß es Eure Majestät von selbst verlangten, bei Gelegenheit, daß Sie ein ähnliches Gefäß gesehen hatten. Darauf zeigte ich auf Ihren Befehl das Modell vor, das ich schon aus Italien mitbrachte, und Sie ließen mir sogleich tausend Goldgülden zahlen, damit ich die Arbeit ungesäumt anfangen könnte. Sie waren zufrieden mit der Arbeit, und besonders erinnere ich mich, daß Sie mir dankten, als ich sie fertig überbrachte. Was das Tor betrifft, scheint mir, daß Eure Majestät deshalb gelegentlich Herrn Villeroi, Ihrem Sekretäre, Befehl erteilten, welcher denen Herren von Marmagna und Apa auftrug, die Arbeit bei mir zu betreiben und mir in allem beizustehen. Ohne diese Beihülfe wär' ich nicht vorwärts gekommen, denn ich hätte die französischen Erden, die ich nicht kannte, unmöglich durchprobieren können. Ferner würde ich diese großen Köpfe nicht gegossen haben, wenn ich nicht hätte versuchen wollen, wie mir auch eine solche Arbeit gelänge. Die Piedestale habe ich gemacht, weil ich überzeugt war, daß sie nötig seien, um den Figuren ein Ansehen zu geben, und so habe ich in allem, was ich tat, geglaubt das Beste zu tun, und mich niemals vom Willen Eurer Majestät zu entfernen. Es ist wahr, daß ich den großen Koloß, bis zur Stufe, auf der er sich befindet, ganz aus meinem Beutel gemacht habe, und ich dachte, daß ich als ein so kleiner Künstler in Diensten eines so großen Königs zu Eurem und meinem Ruhm eine Statue machen müßte, dergleichen die Alten niemals gehabt haben. Nun aber sehe ich, daß es Gott nicht gefällt, mich eines solchen Dienstes wert zu achten, und bitte Eure Majestät, statt der ehrenvollen Belohnung, die Sie meinen Arbeiten bestimmt hatten, mir nur ein wenig Gnade zu gönnen, und mir einen gnädigen Urlaub zu erteilen; denn ich werde sogleich, wenn Sie mir es erlauben, verreisen, und auf meiner Rückkehr nach

Italien immer Gott danken für die glücklichen Stunden, die ich in Ihrem Dienste zugebracht habe.

Darauf faßte mich der König an, hob mich mit großer Anmut auf und sagte, ich sollte mit großer Zufriedenheit für ihn arbeiten; was ich gemacht hätte, wäre gut und ihm angenehm. Dann wendete er sich zu den Herren und sagte: Gewiß, wenn das Paradies Tore haben sollte, so würden sie nicht schöner sein als dieses. Da ich sah, daß er diese Worte, die ganz zu meinen Gunsten waren, mit Lebhaftigkeit aussprach, dankte ich ihm aufs neue, mit größter Ehrfurcht; aber weil bei mir der Verdruß noch nicht vorbei war, so wiederholte ich die Bitte um meine Entlassung. Da der König sah, daß ich seine außerordentlichen Liebkosungen nicht zu schätzen wußte, befahl er mit starker und fürchterlicher Stimme, ich sollte kein Wort weiter reden, sonst würde es mich gereuen! Dann setzte er hinzu, er wolle mich in Gold ersticken und mir Urlaub geben. Da die Arbeiten, die er befohlen, noch nicht angefangen wären, so sei er mit allem zufrieden, was ich aus eignem Triebe mache. Ich solle weiter keinen Verdruß mit ihm haben, denn er kenne mich, und ich solle mich nun auch bemühen ihn kennenzulernen, wie es die Pflicht fordere. Ich sagte, daß ich Gott und Seiner Majestät für alles dankbar sei, bat ihn darauf, er möchte kommen die große Figur zu sehen und wie weit ich damit gelangt sei. Ich führte ihn dahin, und als ich sie aufdecken ließ, war er darüber aufs äußerste verwundert, und befahl einem seiner Sekretäre, er sollte mir sogleich alles Geld wiedergeben was ich von dem meinigen ausgelegt hatte, die Summe möchte sein welche sie wollte, genug, wenn ich sie mit meiner Hand quittierte. Dann ging er weg und sagte: Adieu, mon ami! Ein Ausdruck, dessen sich sonst ein König nicht bedient.

Als er nach seinem Palaste zurückkam, erzählte er die so wundersam demütigen und äußerst stolzen Worte, die ich gegen ihn gebraucht hatte, und die ihm sehr aufgefallen waren, in Gegenwart der Madame d'Estampes und des Herrn

Sankt Paul, eines großen Barons von Frankreich. Dieser hatte sonst für meinen großen Freund gelten wollen, und wirklich, diesmal zeigte er es trefflich auf französische Weise; denn als der König sich weitläufig über den Kardinal von Ferrara beschwerte, dem er mich in Aufsicht gegeben, der sich aber weiter nicht um mich bekümmert hatte, so daß ich beinahe durch seine Schuld aus dem Königreiche gegangen wär', fügte Seine Majestät hinzu, er wolle mir nun wirklich einen andern Aufseher geben, der mich besser kenne; denn er möge nicht wieder in Gefahr kommen, mich zu verlieren. Darauf bot sich Herr von Sankt Paul gleich an und sagte zum König, er solle mich in seine Gewahrsam geben, er wolle es schon so einrichten, daß ich nicht Ursache haben solle, mich aus dem Königreiche zu entfernen. Darauf versetzte der König, er sei es wohl zufrieden, wenn ihm Sankt Paul sagen wolle, wie er es eigentlich einzurichten gedenke, um mich festzuhalten. Madame, die gegenwärtig war, zeigte sich äußerst verdrießlich und Sankt Paul machte Umstände dem König seine Gedanken zu sagen; aber Seine Majestät fragte aufs neue, und jener, Madame d'Estampes zu gefallen, versetzte: Ich würde ihn aufhängen lassen, und auf diese Weise könntet ihr ihn nicht aus dem Königreiche verlieren. Darauf erhub Madame d'Estampes ein großes Gelächter und sagte, das verdiene ich wohl. Darauf lachte der König zur Gesellschaft mit und sagte, er sei wohl zufrieden, daß Sankt Paul mich aufhängen lasse, wenn er ihm nur erst einen andern meinesgleichen schaffte, und ob ich es gleich nicht verdient habe, so gebe er ihm doch unter dieser Bedingung die völlige Erlaubnis. Auf diese Weise ging der Tag vorbei, und ich blieb frisch und gesund, dafür Gott gelobt und gepriesen sei.

In dieser Zeit hatte der König den Krieg mit dem Kaiser gestillt, aber nicht den mit den Engländern, so daß uns diese Teufel gewaltig zu schaffen machten. Nun hatte der König ganz was anders als Vergnügen im Kopfe und befahl Peter Strozzi, er solle einige Galeeren in die englischen Meere führen, das eine große und schwere Sache war. Dieser Herr war als Soldat einzig in seiner Zeit und auch ebenso einzig unglücklich. Nun waren verschiedene Monate vergangen, daß ich weder Geld erhalten hatte, noch Befehl zu arbeiten, so daß ich alle meine Gesellen fortschickte, außer den zwei Italienern, die ich an den beiden Gefäßen von meinem Silber arbeiten ließ, denn sie verstunden sich nicht auf die Arbeit in Erz. Als sie die Gefäße geendigt hatten, ging ich damit nach einer Stadt, die der Königin von Navarra gehörte; sie hieß Argentan und liegt viele Tagreisen von Paris. Als ich daselbst ankam, fand ich den König krank, und als der Kardinal von Ferrara zu ihm sagte, daß ich angekommen sei, antwortete der König nichts, daher mußte ich viele Tage an gedachtem Orte mit vieler Beschwerlichkeit aushalten, und gewiß, ich bin nicht leicht verdrießlicher gewesen. Doch ließ ich mich endlich einmal des Abends vor dem König sehen und zeigte ihm die beiden Gefäße, die ihm außerordentlich gefielen. Als ich ihn so wohl aufgelegt sah, bat ich ihn, er möchte so gnädig sein und mir einen Spazierritt nach Italien erlauben, ich wollte sieben Monate Besoldung, die ich noch zu erheben hätte, zurücklassen, die mir Seine Majestät, wenn ich zurückkehrte, möchten bezahlen lassen. Ich bäte um diese Gnade, weil es jetzt Zeit zu kriegen und nicht zu bildhauen sei; auch habe Seine Majestät Bologna dem Maler ein Gleiches erlaubt, und ich bät' nur mir dieselbe Gnade zu erzeigen. Indessen ich diese Worte sprach, betrachtete der König mit der größten Aufmerksamkeit die beiden Gefäße und traf mich manchmal mit einem seiner fürchterlichen Blicke; ich aber fuhr fort ihn zu bitten, so gut ich wußte und konnte. Auf einmal sah ich ihn erzürnt, er stand auf und sagte mir auf italienisch: Benvenuto, ihr seid ein großer Tor! Bringt diese Gefäße nach Paris, denn ich will sie vergoldet haben. Weiter erhielt ich keine Antwort, und er ging weg. Ich näherte mich dem Kardinal von Ferrara und bat ihn, da er mir soviel Gutes erzeigt habe, indem er mich aus den Kerkern von Rom befreiet, und mich so viele andere Wohltaten genießen lassen, so möchte er mir auch dazu verhelfen, daß ich nach Italien könnte. Der Kardinal versicherte, daß er alles in der Welt tun wollte, um mir gefällig zu sein, ich sollte ihm nur die Sorge überlassen und könnte nur ganz frei hingehen, er wolle schon die Sache mit dem König ausmachen. Darauf versetzte ich, da Seine Majestät ihm die Aufsicht über mich anvertraut habe, so würde ich verreisen, sobald er mir Urlaub gäb', jedoch auf den geringsten Wink Seiner Hochwürden wiederkommen. Der Kardinal sagte darauf, ich solle nur nach Paris gehen und daselbst acht Tage bleiben, in der Zeit hoffe er Urlaub vom König zu erhalten. Wäre Seine Majestät es ja nicht zufrieden, so wolle er mich gleich davon benachrichtigen, wenn er aber weiter nichts schriebe, so könnte ich nur frei meines Weges gehen.

VIERTES BUCH

ERSTES KAPITEL

Der Verfasser, der seine Angelegenheiten in Ordnung gebracht, überläßt an zwei Gesellen Haus und Habe, und macht sich auf den Weg nach Italien. — Ascanio wird ihm nachgeschickt, um zwei Gefäße, die dem König gehören, zurückzufordern. — Schrecklicher Sturm, in der Nachbarschaft von Lyon. — Der Verfasser wird in Italien von dem Grafen Galeotto von Mirandola eingeholt, der ihm die Hinterlist des Kardinals von Ferrara und seiner zwei Gesellen entdeckt. — In Plazenz begegnet er dem Herzog Peter Ludwig. — Was bei dieser Zusammenkunft vorkommt. — Er gelangt glücklich nach Florenz, wo er seine Schwester, mit ihren sechs jungen Töchtern, findet.

Auf diese Worte des Kardinals ging ich nach Paris und ließ zwei tüchtige Kasten zu meinen silbernen Gefäßen verfertigen. Als nun zwanzig Tage vorbei waren, machte ich Anstalt und lud die beiden Gefäße auf ein Maultier, das mir bis Lyon der Bischof von Pavia borgte, dem ich aufs neue die Wohnung in meinem Kastell gegeben hatte, und so machte ich mich auf, mit Herrn Hippolytus Gonzaga, der in dem Dienste des Königs stund und zugleich vom Grafen Galeotto von Mirandola unterhalten wurde. In der Gesellschaft waren noch einige Edelleute des Grafen und Leonard Tedaldi, ein Florentiner. Ich überließ meinen Gesellen die Sorge für mein Kastell und alle meine Sachen, worunter sich einige Gefäße befanden, welche sie endigen sollten. Auch meine Mobilien waren von großem Werte; denn ich hatte mich sehr ehrenvoll eingerichtet; was ich zurückließ, mochte wohl fünfzehnhundert Scudi wert sein. Da sagte ich zu Ascanio, er solle sich erinnern, wieviel Wohltaten er von mir erhalten habe; bis jetzt sei er ein Knabe ohne Kopf gewesen, es sei nun Zeit sich als ein Mann zu zeigen; ich wolle ihm alle meine Sachen in Verwahrung geben, und meine Ehre zugleich, und wenn die Bestien, die Franzosen, sich nur irgend etwas gegen mich vermessen sollten, so hätte er mir gleich Nachricht zu geben, denn ich möchte sein, wo ich wollte, so würde ich mit Post auf der Stelle zurückkommen, sowohl wegen der großen Verbindlichkeit gegen den König als wegen meiner eignen Ehre.

Ascanio sagte darauf unter verstellten, schelmischen Tränen: Ich kannte nie einen bessern Vater als euch, und alles, was ein guter Sohn tun soll, will ich immer gegen euch tun. So wurden wir einig, und ich verreiste mit einem Diener und einem kleinen französischen Knaben. Nach Verlauf eines halben Tages kamen einige Schatzmeister auf mein Schloß, die nicht eben meine Freunde waren, und dieses nichtswürdige Volk sagte sogleich zu Herrn Guido und dem Bischof von Pavia, sie sollten schnell nach den Gefäßen des Königs schicken, wo nicht, so würden sie es selbst tun und mir nicht wenig Verdruß machen. Der Bischof und Herr Guido hatten mehr Furcht als nötig war und schickten mir den Verräter Ascanio mit der Post nach, der gegen Mitternacht ankam. Ich schlief nicht, sondern lag in traurigen Gedanken. Wem lasse ich, sagte ich zu mir selbst, meine Sachen und mein Kastell? O! welch ein Geschick ist das, das mich zu dieser Reise zwingt! Wahrscheinlich ist der Kardinal mit Madame d'Estampes einverstanden, die nichts mehr wünscht, als daß ich die Gnade des guten Königs verliere. Indessen ich so mit mir selbst uneins war, hörte ich die Stimme des Ascanio, stand sogleich vom Bett auf und fragte ihn, ob er gute oder traurige Nachrichten bringe. Gute Nachrichten! sagte der Schelm, nur müßt ihr die Gefäße zurückschicken, denn die schelmischen Schatzmeister schreien und laufen, so daß der Bischof und Herr Guido euch sagen lassen, ihr möchtet die Gefäße auf alle Weise zurückschicken. Übrigens habt keine Sorge und genießt glücklich diese Reise. Sogleich gab ich ihm die Gefäße zurück, die ich mit anderm Silber, und was ich sonst bei mir hatte, in die Abtei des Kardinals zu Lyon bringen wollte. Denn ob sie mir gleich nachsagten, es sei meine Absicht gewesen, sie nach Italien zu schaffen, so weiß doch jeder, daß man weder Geld noch Gold und Silber, ohne ausdrückliche Erlaubnis, aus dem Reiche führen kann; wie hätte ich zwei solche Gefäße, die mit ihren Kisten ein Maultier einnahmen, unbemerkt durchbringen wollen? Wahr ist's, sie waren schön und von großem Werte, und ich vermutete mir den Tod des Königs, den ich sehr krank zurückgelassen hatte, und ich glaubte bei einem solchen Ereignis nichts verlieren zu können, was in den Händen des Kardinals wär'.

Genug, ich schickte das Maultier mit den Gefäßen und andern bedeutenden Dingen zurück und setzte den andern Morgen, mit gedachter Gesellschaft, meinen Weg fort, und zwar unter beständigem Seufzen und Weinen. Doch stärkte ich mich einigemal mit Gebet und sagte: Gott! dir ist die Wahrheit bekannt, und du weißt, daß meine Reise allein zur Absicht hat, sechs armen unglücklichen Jungfrauen ein Almosen zu bringen, so auch ihrer Mutter, meiner leiblichen Schwester; zwar haben sie noch ihren Vater, er ist aber so alt und verdient nichts in seiner Kunst, und so könnten sie leicht auf üble Wege geraten. Da ich nun dieses gute Werk tue, so hoffe ich Rat und Hülfe von deiner göttlichen Majestät. Auf diese Weise stärkte und tröstete ich mich, indem ich vorwärts ging.

Als wir uns etwa eine Tagreise von Lyon befanden, es war ungefähr zwei Stunden vor Sonnenuntergang, tat es bei ganz klarem Himmel einige trockene Donnerschläge. Ich war wohl den Schuß einer Armbrust weit vor meinen Gesellen hergeritten. Nach den Donnern entstand am Himmel ein so großer und fürchterlicher Lärm, daß ich dachte, das Jüngste Gericht sei nahe; als ich ein wenig stille hielt, fielen Schloßen, ohne einen Tropfen Wasser, ungefähr in der Größe der Bohnen, die mir sehr wehe taten, als sie auf mich fielen. Nach und nach wurden sie größer, wie Armbrustkugeln, und da mein Pferd sehr scheu ward, so wendete ich es um und ritt mit großer Hast, bis ich wieder zu meiner Gesellschaft kam, die, um sich zu schützen, in einem Fichtenwalde gehalten hatte. Die Schloßen wurden immer größer und endlich wie dicke Zitronen. Ich sang ein Miserere, und indessen ich mich andächtig zu Gott wendete, schlug der Hagel einen sehr starken Ast der Fichte herunter, wo ich mich in Sicherheit glaubte. Mein Pferd wurde auf den Kopf getroffen, so daß es beinah' zur Erde gefallen wäre, mich streifte ein solches Stück und hätte mich totgeschlagen, wenn es mich völlig getroffen hätte; auch der gute Leonard Tedaldi empfing einen Schlag, daß er, der wie ich auf den Knien lag, vor sich hin mit den Händen auf die Erde fiel. Da begriff ich wohl, daß der Ast weder mich noch andere mehr beschützen könne, und daß nebst dem Miserere man auch tätig sein müsse. Ich fing daher an, mir die Kleider über den Kopf zu ziehen, und sagte zu Leonarden, der immer nur Jesus! Jesus! schrie, Gott werde ihm helfen, wenn er sich selbst hülfe; und ich hatte mehr Not ihn, als mich zu retten.

Als das Wetter eine Zeitlang gedauert hatte, hörte es auf, und wir, die wir alle zerstoßen waren, setzten uns, so gut es gehen wollte, zu Pferde, und als wir nach unsern Quartieren ritten und einander die Wunden und Beulen zeigten, fanden wir eine Meile vorwärts ein viel größeres Unheil als das was wir erduldet hatten, so daß es uns unmöglich scheint, es zu beschreiben. Denn alle Bäume waren zerschmettert, alle Tiere erschlagen, soviel es nur angetroffen hatte. Auch Schäfer waren tot geblieben, und wir fanden genug solches Hagels, den man nicht mit zwei Händen umspannt hätte. Da sahen wir, wie wohlfeil wir noch davongekommen waren, und daß unser Gebet und unser Miserere wirksamer gewesen war als alles was wir zu unserer Rettung hätten tun können; so dankten wir Gott und kamen nach Lyon. Nachdem wir daselbst acht Tage ausgeruht und uns sehr vergnügt hatten, reisten wir weiter und kamen glücklich über die Berge; daselbst kaufte ich ein Pferd, weil die meinigen von dem Gepäcke gedrückt waren.

Nachdem wir uns eine Tagreise in Italien befanden, holte uns Graf Galeotto von Mirandola ein, der mit Post vorbeifuhr und, da er bei uns stillehielt, mir sagte, ich habe unrecht gehabt wegzugehen, ich solle nun nicht weiterreisen, denn wenn ich schnell zurückkehrte, würden meine Sachen besser stehen als jemals, bliebe ich aber länger weg, so gäbe ich meinen Feinden freies Feld und alle Gelegenheit mir Übels zu tun; käm' ich aber sogleich wieder, so würde ich ihnen den Weg verrennen, den sie zu meinem Schaden einschlagen wollten; diejenigen, auf die ich das größte Vertrauen setzte, seien eben die, die mich betrögen. Weiter wollte er mir nichts sagen, ob er gleich sehr gut wußte, daß der Kardinal von Ferrara mit den beiden Schelmen eins war, denen ich meine Sachen in Verwahrung gegeben hatte; doch bestand er darauf, daß ich auf alle Weise wieder zurückkehren sollte. Dann fuhr er weiter, und ich gedachte demohngeachtet mit meiner Gesellschaft vorwärtszugehen. Ich fühlte bei mir aber eine solche Beklemmung des Herzens, und wünschte entweder schnell nach Florenz zu kommen, oder nach Frankreich zurückzukehren, und weil ich diese Unschlüssigkeit nicht länger ertragen konnte, wollte ich Post nehmen, um nur desto geschwinder in Florenz zu sein. Auf der ersten Station ward ich nicht einig, doch nahm ich mir fest vor, nach Florenz zu gehen und dort das Übel abzuwarten. Ich verließ die Gesellschaft des Herrn Hippolito Gonzaga, der seinen Weg nach Mirandola genommen hatte, und wandte mich auf Parma und Piacenza.

Als ich an den letzten Ort kam, begegnete ich auf einer Straße dem Herzog Peter Ludwig Farnese, der mich scharf ansah und erkannte, und da ich wohl wußte, daß er allein schuld an dem Übel war, das ich im Kastell Sant' Angelo zu Rom ausgestanden hatte, fühlte ich eine gewaltige Bewegung, als ich ihn sah; da ich aber kein ander Mittel wußte ihm aus den Händen zu kommen, so entschloß ich mich, ihn zu besuchen, und kam eben als man das Essen weggenommen hatte und die Personen aus dem Hause Landi bei ihm waren, die ihn nachher umbrachten.

Da ich zu Seiner Exzellenz kam, machte mir der Mann die unmäßigsten Liebkosungen, die sich nur denken lassen, und kam von selbst auf den Umstand, indem er zu denen sagte, die gegenwärtig waren, ich habe lange Zeit in Rom gefangen gesessen. Darauf wendete er sich zu mir und sagte: Mein Benvenuto, das Übel, das euch begegnet ist, tut mir sehr leid; ich wußte, daß ihr unschuldig wart, aber ich konnte euch nicht helfen; denn mein Vater tat es einigen eurer Feinde zu Gefallen, die ihm zu verstehen gaben, als wenn ihr übel von ihm gesprochen hättet. Ich weiß es ganz gewiß, daß man die Unwahrheit von euch sagte, und mir tut euer Unglück äußerst leid. Er wiederholte mit andern Ausdrücken eben diese Erklärung sehr oft, und es sah fast aus, als wenn er mich um Verzeihung bitten wollte. Dann fragte er nach allen Werken, die ich für den allerchristlichsten König gemacht hatte, hörte meiner Erzählung aufmerksam zu und war überhaupt so gefällig als nur möglich. Sodann fragte er mich, ob ich ihm dienen wolle. Ich antwortete ihm, daß ich nicht mit Ehren die großen Werke, die ich für den König angefangen hätte, könnte unvollendet lassen, wären sie aber fertig, so würde ich jeden großen Herrn verlassen, nur um Seiner Exzellenz zu dienen.

Nun erkennt man wohl bei dieser Gelegenheit, daß die große Kraft Gottes jene Menschen niemals ungestraft läßt, welche, stark und mächtig, die Unschuldigen ungerecht behandeln. Dieser Mann bat mich gleichsam um Verzeihung, in Gegenwart von denen, die mich kurz darauf, so wie viele andere, die von ihm gelitten hatten, auf das vollkommenste rächten. Und so mag kein Herr, so groß er auch sei, über die Gerechtigkeit Gottes spotten, wie einige tun, die ich kenne, und die mich so schändlich verletzt haben, wie ich an seinem Orte sagen werde. Alles dieses schreibe ich nicht aus weltlicher Eitelkeit, sondern um Gott zu danken, der mich aus so großen Nöten erlöst hat. Auch bei allem, was mir täglich Übles begegnet, beklage ich mich gegen ihn, rufe zu ihm als zu meinem Beschützer und empfehle mich ihm. Ich helfe mir selbst, soviel ich kann; wenn man mich aber zu sehr unterdrücken will und meine schwachen Kräfte nicht mehr hinreichen, zeigt sich sogleich die große Kraft Gottes, welche unerwartet diejenigen überfällt, die andere unrechtmäßig verletzen und das große und ehrenvolle Amt, das ihnen Gott gegeben hat, mit weniger Sorgfalt verwalten.

Ich kehrte zum Wirtshause zurück und fand, daß gedachter Herzog mir schöne und ehrenvolle Geschenke an Essen und Trinken gesandt hatte; ich genoß die Speisen mit Vergnügen, dann setzte ich mich zu Pferde und ritt nach Florenz zu. Als ich daselbst anlangte, fand ich meine Schwester mit sechs Töchtern, die älteste mannbar und die jüngste noch bei der Amme. Ich fand auch meinen Schwager, der, wegen den verschiedenen Vorfällen der Stadt, nicht mehr an seiner Kunst arbeitete. Mehr als ein Jahr vorher hatte ich ihnen Edelsteine und französische Kleinode für mehr als zweitausend Dukaten an Wert geschickt, und ich hatte ungefähr für tausend Scudi mitgebracht. Da fand ich denn, daß ob ich ihnen gleich vier Goldgülden des Monats gab, sie noch großes Geld aus meinen Geschenken nahmen, die sie täglich verkauften. Mein Schwager war so ein rechtschaffener Mann, daß, da das Geld, das ich ihm zu seinem Unterhalt schickte, nicht hinreichte, er lieber alles versetzte und sich von den Interessen aufzehren ließ, als daß er das angegriffen hätte, was nicht für ihn bestimmt war; daran erkannte ich den rechtschaffenen Mann, und ich fühlte ein großes Verlangen, ihm mehr Gutes zu tun. Auch nahm ich mir vor, ehe ich aus Florenz ging, für alle seine Töchter zu sorgen.

ZWEITES KAPITEL

Cellini wird von dem Großherzog Cosmus von Medicis sehr gnädig aufgenommen. — Nach einer langen Unterhaltung begibt er sich in des Herzogs Dienste. — Der Herzog weist ihm ein Haus an, um darin zu arbeiten. — Die Diener des Herzogs verzögern die Einrichtung. — Lächerliche Szene zwischen ihm und dem Haushofmeister.

Unser Herzog von Florenz befand sich zu dieser Zeit, wir waren eben im August 1545, auf der Höhe von Cajano, einem Orte zehn Meilen von Florenz. Ich hielt für Schuldigkeit ihm aufzuwarten, teils weil ich ein florentinischer Bürger war, teils weil meine Vorfahren sich immer freundschaftlich zu dem Hause Medicis gehalten hatten und ich mehr als jemand diesen Herzog Cosmus liebte; ich hatte aber diesmal nicht die geringste Absicht, bei ihm fest zu bleiben. Nun gefiel es Gott, der alles gut macht, daß gedachter Herzog mir, als er mich sah, unendliche Liebkosungen erzeigte und sowohl als die Herzogin nach den Werken fragte, die ich für den König gemacht hatte. Darauf erzählte ich gern alles und jedes, nach der Reihe. Da er mich angehört hatte, sagte er zu mir: Ich habe das alles auch gehört und du redest die Wahrheit; aber welch einen geringen Lohn hast du für diese schönen und großen Arbeiten erhalten! Mein Benvenuto, wenn du etwas für mich tun wolltest, so würde ich dich ganz anders bezahlen, als dein großer König getan hat, von dem du dich so sehr lobst. Darauf erzählte ich den großen Dank, den ich Seiner Majestät schuldig sei, daß sie mich aus einem so ungerechten Kerker gezogen, und mir sodann Gelegenheit gegeben hatte, so wundersame Arbeiten zu verfertigen, als jemals ein Künstler meiner Art gefunden hätte.

Indem ich so sprach, machte der Herzog allerlei Gebärden, als wenn er anzeigen wollte, daß er mich nicht hören könne. Dann als ich geendigt hatte, sagte er: Wenn du ein Werk für mich machen willst, so werde ich dich dergestalt behandeln, daß du vielleicht darüber erstaunen wirst, wenn nur deine Werke mir gefallen, woran ich nicht im geringsten zweifle. Ich Armer, Unglücklicher fühlte ein großes Verlangen, auch unserer wundersamen Schule zu zeigen, daß ich indessen mich in andern Künsten mehr geübt hatte, als man vielleicht glaubte, und antwortete dem Herzog, daß ich ihm gern von Erz oder Marmor eine große Statue auf seinen schönen Platz machen wolle. Darauf versetzte er, daß er von mir, als erste Arbeit, einen Perseus begehre; ein solches Bildnis habe er sich schon lange gewünscht. Darauf bat er mich, ich möchte ihm ein Modell machen, das in wenig Wochen ungefähr in der Größe einer Elle fertig war. Es war von gelbem Wachs, ziemlich geendigt und überhaupt mit großem Fleiß und vieler Kunst gearbeitet.

Der Herzog kam nach Florenz, und ehe ich ihm gedachtes Modell zeigen konnte, gingen verschiedene Tage vorbei, so daß es ganz eigentlich schien, als wenn er mich weder gesehen noch gekannt hätte, weshalb mir mein Verhältnis gegen Seine Exzellenz nicht gefallen wollte; doch als ich eines Tags nach der Tafel das Modell in die Garderobe brachte, kam er mit der Herzogin und wenigen andern Herren, die Arbeit anzusehen. Sie gefiel ihm sogleich, und er lobte sie außerordentlich. Da schöpfte ich ein wenig Hoffnung, daß er sich einigermaßen darauf verstehen könnte.

Nachdem er das Modell genug betrachtet hatte, gefiel es ihm immer mehr; zuletzt sagte er: Wenn du, mein Benvenuto, dieses kleine Modell in einem großen Werk ausführtest, so würde es die schönste Arbeit sein, die auf dem Platze stünde. Darauf sagte ich: Gnädigster Herr! auf dem Platze stehen die Werke des großen Donatello und des verwundersamen Michelagnolo, welches beide die größten Männer von den Alten her bis jetzt gewesen sind; indessen erzeigen Eure Exzellenz meinem Modell eine zu große Ehre, und ich getraue mir, das Werk dreimal besser zu machen. Darüber stritt der Herzog ein wenig mit mir und sagte, er verstehe sich recht gut darauf, und wisse genau was man machen könne. Da versetzte ich, meine Werke sollten seine Zweifel über diese Streitfrage auflösen, und gewiß wollte ich ihm mehr leisten, als ich verspräch', er möchte mir nur die Bequemlichkeit dazu geben; denn ohne dieselbe wär' ich nicht imstande, das große Unternehmen zu vollbringen, zu dem ich mich verbänd'. Darauf sagte Seine Exzellenz, ich sollte ihm schriftlich anzeigen was ich verlangte, und zugleich alle Bedürfnisse bemerken, er wolle alsdann deshalb umständlichen Befehl erteilen. Gewiß! wär' ich damals so verschmitzt gewesen, alles was zu meinem Werke nötig war durch einen Kontrakt zu bedingen, so hätte ich mir nicht selbst so großen Verdruß zugezogen, den ich nachher erleben mußte, denn in diesem Augenblick schien der Herzog den besten Willen zu haben, teils Arbeiten von mir zu besitzen, teils alles Nötige deshalb zu befehlen. Freilich wußte ich nicht, daß dieser Herr auch sonst noch großes Verlangen zu andern außerordentlichen Unternehmungen hatte, und erzeigte mich auf das freimütigste gegen ihn.

Als ich nun mein Bittschreiben eingereicht, und der Herzog darauf vollkommen günstig geantwortet hatte, sagte ich zu demselben: Gnädigster Herr! das wahre Bittschreiben und unser wahrer Kontrakt besteht weder in diesen Worten, noch in diesen Papieren, sondern alles kömmt darauf an, ob mir meine Arbeit so gelingt, wie ich versprochen habe. Geschieht das, so kann ich hoffen, daß Eure Exzellenz sich auch meiner Person und Ihrer Versprechungen erinnern werde. Bezaubert von diesen Worten, von meinem Handeln und Reden, erzeigte mir der Herzog und seine Gemahlin die äußerste Gunst, die sich in der Welt denken läßt. Ich, der ich große Begierde hatte meine Arbeit anzufangen, sagte Seiner Exzellenz, daß ich ein Haus nötig hätte, worin Platz genug sei, um meine Öfen aufzustellen und Arbeiten von Erde und Erz zu machen, worin auch abgesonderte Räume sich befänden, um in Gold und Silber zu arbeiten, denn da ich wisse, wie geneigt er sei, auch von solcher Arbeit zu bestellen, so bedürfe ich hinlängliche Zimmer, um alles mit Ordnung anlegen zu können, und damit Seine Exzellenz sähe, welches Verlangen ich trüge, ihr zu dienen, so habe ich schon das Haus gefunden, gerade wie ich es bedürfe, und in der Gegend, die mir sehr wohl gefalle; weil ich aber nicht eher Geld oder sonst was von Seiner Exzellenz verlange, bis sie meine Werke gesehen hätten, so bät' ich, zwei Kleinode, die ich aus Frankreich mitgebracht habe, anzunehmen, und mir dagegen das gedachte Haus zu kaufen, sie selbst aber so lange aufzuheben, bis ich sie mit meinen Arbeiten wieder gewinnen würde. Es waren aber diese Kleinode sehr gut gearbeitet, von der Hand meiner Gesellen nach meinen Zeichnungen.

Nachdem er sie lange genug betrachtet hatte, sagte er diese günstigen Worte, welche mir die beste Hoffnung gaben: Nimm, Benvenuto, deine Kleinode zurück, denn ich verlange dich und nicht sie; du sollst dein Haus frei erhalten. Dann schrieb er mir folgende Resolution unter meine Supplik, die ich immer aufgehoben habe: Man besehe gedachtes Haus und erkundige sich um den Preis, denn ich will Benvenuto damit zu Willen leben. Nun dachte ich des Hauses gewiß zu sein, und war sicher, daß meine Werke mehr gefallen sollten, als ich versprochen hatte.

Nächst diesem hatte Seine Exzellenz ausdrücklichen Befehl seinem Hofmeister gegeben, der Peter Franziskus Riccio hieß, von Prato gebürtig, und ehemals ein ABC-Lehrer des Herzogs gewesen war. Ich sprach mit dieser Bestie und sagte ihr alles, was ich bedürfte. Denn in dem Garten des gedachten Hauses wollte ich meine Werkstatt aufbauen. Sogleich gab der Mann einem gewissen Kassierer den Auftrag, der ein trockner und spitzfindiger Mensch war, und Lactantio Gorini hieß. Dieses Menschchen, mit seinen Spinnemanieren und einer Mückenstimme, tätig wie eine Schnecke, ließ mir, mit genauer Not, nur soviel Steine, Sand und Kalk ins Haus fahren, daß man nicht gar einen Taubenschlag daraus hätte bauen können. Da ich sah, daß die Sachen so böslich kalt vorwärts gingen, fing mir an der Mut zu fallen; doch sagte ich manchmal zu mir selbst: Kleine Anfänge haben ein großes Ende! und machte mir wieder Hoffnung, wenn ich betrachtete, wie viele tausend Dukaten der Herzog an gewisse häßliche Unformen von der Hand des bestialischen Baccio Bandinello weggeworfen hatte. So machte ich mir selbsten Mut und blies dem Lactantio Gorini in den H***, und um ihn nur vom Platze zu bringen, hielt ich mich an einige lahme Esel und einen Blinden, der sie führte.

Unter allen diesen Schwierigkeiten hatte ich die Lage der Werkstatt entworfen, hieb Weinstöcke und Bäume nieder, nach meiner gewöhnlichen lebhaften Art, und ein wenig

VIERTES BUCH · ZWEITES KAPITEL

wütend. Zu meinem Glück hatte ich von der andern Seite Tasso, den Zimmermann, zur Hand, und ich ließ ihn ein Gerippe von Holz machen, um gedachten Perseus im großen anzufangen. Tasso war ein trefflicher Arbeiter, ich glaube der größte von seiner Profession, dabei gefällig und froh und so oft ich zu ihm kam, eilte er mir entgegen, und sang ein Liedchen durch die Fistel; und ich, der ich schon halb verzweifelt war, sowohl weil ich hörte, daß die Sache in Frankreich übel ging, als auch weil ich mir hier wenig von dem kalten und langsamen Wesen versprach, mußte doch wenigstens über die Hälfte seines Liedchens anhören. Manchmal erheiterte ich mich mit ihm und suchte wenigstens einen Teil meiner verzweifelten Gedanken loszuwerden.

So hatte ich nun, wie oben gesagt, alles in Ordnung gebracht, und eilte vorwärts zu gehen, um so schnell als möglich jenes große Unternehmen vorzubereiten. Schon war ein Teil des Kalks verwendet, als ich auf einmal zu gedachtem Haushofmeister gerufen wurde. Ich fand ihn, nach Tafel, in dem Saale der Uhr, und als ich mit der größten Ehrfurcht zu ihm trat, fragte er mich mit der größten Strenge, wer mich in das Haus eingesetzt habe, und mit welcher Befugnis ich darin angefangen habe mauern zu lassen. Er verwundere sich sehr, wie ich so kühn und anmaßlich sein könne. Darauf antwortete ich, Seine Exzellenz der Herzog habe mich in dieses Haus eingewiesen, und im Namen desselben der Herr Haushofmeister selbst, indem er darüber den Auftrag an Lactantio Gorini gegeben; dieser Lactantio habe Steine, Sand und Kalk anfahren lassen und nach meinem Verlangen alles besorgt und mich versichert, er habe dazu Befehl von dem Herrn, der gegenwärtig diese Frage an mich tue.

Als ich diese Worte gesagt hatte, wendete sich gedachte Bestie mit mehr Bitterkeit zu mir als vorher, und sagte, daß weder jener, noch irgend jemand, den ich anführe, die Wahrheit gesprochen habe. Darauf wurde ich unwillig und sagte: O Haushofmeister! so lange Dieselben der edlen Stelle gemäß leben, welche Sie bekleiden, so werde ich Sie verehren, und mit derjenigen Unterwürfigkeit zu Ihnen sprechen, als wenn ich mit dem Herzog selbst redete; handeln Sie aber anders, so werde ich nur den Peter Franziskus del Riccio vor mir sehen. Da wurde der Mensch so zornig, daß ich dachte, er wollte auf der Stelle närrisch werden, um früher zu seinem Schicksale zu gelangen, das ihm der Himmel schon bestimmt hatte, und sagte zu mir mit einigen schimpflichen Worten, er verwundere sich nur, wie ich zu der Ehre komme, mit einem Manne seinesgleichen zu reden. Darauf rührte ich mich und sagte: Nun hört mich, Franziskus del Riccio, ich will euch sagen, wer meinesgleichen sind; aber vorher sollt ihr wissen: Euresgleichen sind Schulmeister, die Kindern das Lesen lehren. Als ich diese Worte gesprochen hatte, erhub der Mann mit zornigem Gesichte die Stimme und wiederholte seine Worte; auch ich machte ein Gesicht wie unter den Waffen, und weil er so groß tat, so zeigte ich mich auch übermütig und sagte: Meinesgleichen seien würdig, mit Päpsten, Kaisern und großen Königen zu sprechen; meinesgleichen ginge vielleicht nur einer durch die Welt, und von seiner Art durch jede Tür ein Dutzend aus und ein. Als er diese Worte vernahm, sprang er auf ein Fenstermäuerchen das im Saal war, dann sagte er mir, ich solle noch einmal die Worte wiederholen, deren ich mich bedient hätte, und ich wiederholte sie mit noch mehr Kühnheit als vorher. Ferner sagte ich, es kümmere mich gar nicht, dem Herzog zu dienen, ich wolle nach Frankreich zurück, welches mir völlig frei stehe. So blieb die Bestie erstaunt und erdfarb, und ich entfernte mich, voller Verdruß, in der Absicht in Gottes Namen fortzugehen, und wollte Gott! ich hätte sie nur ausgeführt.

Ich wollte nicht, daß der Herzog sogleich diese Teufelei erfahren sollte, deswegen hielt ich mich einige Tage zu Hause und hatte alle Gedanken auf Florenz aufgegeben, außer was meine Schwestern und meine Nichten betraf, die ich durch Empfehlungen und Vorsorge so gut als möglich eingerichtet hinterlassen, nach Frankreich zurückkehren und mir Italien aus dem Sinne schlagen wollte. Und so hatte ich mir vorgenommen, so geschwind als möglich alles in Ordnung zu bringen und ohne Urlaub des Herzogs, oder jemand anders, davonzuziehen.

Eines Morgens ließ mich aber gedachter Haushofmeister von selbst auf das höflichste rufen, und fing an eine gewisse pedantische Rede herzusagen, in der ich weder Art, noch Anmut, noch Kraft, weder Anfang noch Ende finden konnte. Ich hörte nur, daß er sagte, er wolle, als ein guter Christ, keinen Haß gegen jemanden hegen, vielmehr frage er mich, im Namen des Herzogs, was für eine Besoldung ich zu meinem Unterhalt verlange. Darauf besann ich mich ein wenig und antwortete nicht, fest entschlossen nicht dazubleiben. Als er sah, daß ich nicht antwortete, hatte er soviel Verstand zu sagen: O Benvenuto! den Herzogen antwortet man, und ich rede gegenwärtig im Namen Seiner Exzellenz mit dir. Darauf versetzte ich mit einiger Zufriedenheit, er solle Seiner Exzellenz sagen, ich wolle keinem nachstehen, der in meiner Kunst arbeitete. Darauf sagte der Haushofmeister: Bandinello hat zweihundert Scudi Besoldung; bist du damit zufrieden, so ist auch die deinige gemacht. Ich sagte, daß ich zufrieden sei, und das was ich mehr verdiente, möchte man mir geben, wenn man meine Werke säh', ich wolle dem guten Urteil Seiner Exzellenz alles überlassen. So knüpfte ich den Faden, wider meinen Willen, aufs neue fest, und machte mich an die Arbeit, indem mir der Herzog so unendliche Gunst bezeigte, als man sich in der Welt nur denken kann.

DRITTES KAPITEL

Der König von Frankreich wird durch Verleumdung der Gesellen des Autors gegen ihn eingenommen. — Wodurch er nach Frankreich zu gehen verhindert wird. — Er unternimmt, eine Statue des Perseus zu gießen, findet aber große Schwierigkeit während des Ganges der Arbeit, indem der Bildhauer Bandinello sich eifersüchtig und tückisch gegen ihn beträgt. — Er erhält Briefe aus Frankreich, worin er getadelt wird, daß er nach Italien gegangen, ehe er seine Rechnung mit dem König abgeschlossen. — Er antwortet und setzt eine umständliche Rechnung auf. — Geschichte eines Betrugs, den einige Diener des Herzogs beim Verkauf eines Diamanten spielen. — Des Herzogs Haushofmeister stiftet ein Weib an, den Verfasser wegen unnatürlicher Befriedigung mit ihrem Sohne anzuklagen.

Ich hatte indessen öfters Briefe aus Frankreich von meinem treusten Freunde, Herrn Guido Guidi, gehabt; auch in diesen war nichts als alles Gute enthalten. Ascanio schrieb mir auch und bat mich, ich solle mir einen guten Tag machen, und wenn irgend etwas begegne, so wolle er mir es melden. Indessen sagte man dem König, daß ich angefangen habe, für den Herzog in Florenz zu arbeiten, und weil es der beste Mann von der Welt war, so sagte er oft: Warum kömmt Benvenuto nicht wieder? Und als er sich deshalb besonders bei meinen Gesellen erkundigte, sagten beide zugleich, ich schriebe ihnen, daß ich mich aufs beste befände, und sie glaubten, daß ich kein Verlangen trüge in Seiner Majestät Dienste zurückzukehren. Als der König diese verwegenen Worte vernahm, deren ich mich niemals bedient hatte, ward er zornig und sagte: Da er sich von uns, ohne irgendeine Ursache, entfernt hat, so werde ich auch nicht mehr nach ihm fragen, er bleibe wo er ist. So hatten die Erzschelmen die Sache zu dem Punkte gebracht, den sie wünschten; denn wenn ich wieder nach Frankreich zurückgekehrt wär', hätten sie wieder, wie vorher, als Arbeiter unter mir gestanden; blieb ich aber hinweg, so lebten sie frei und auf meine Kosten; und so wendeten sie alles an, um mich entfernt zu halten.

Indessen ich die Werkstatt mauern ließ, um den Perseus darin anzufangen, arbeitete ich im Erdgeschosse des Hauses und machte das Modell von Gips, und zwar von derselbigen

Größe, wie die Statue werden sollte, in der Absicht, sie nachher von diesem Modell abzugießen. Als ich aber bemerkte, daß die Arbeit auf diesem Wege mir ein wenig zu lange dauerte, so griff ich zu einem andern Mittel; denn schon war ein bißchen Werkstatt, Ziegel auf Ziegel, so erbärmlich aufgebaut, daß es mich ärgert, wenn ich nur wieder daran denke. Da fing ich die Figur sowohl, als auch die Meduse, vom Geripp an, das ich von Eisen machte. Dann verfertigte ich die Statuen von Ton und brannte sie, allein mit einigen Knaben, unter denen einer von großer Schönheit war, der Sohn einer Dirne, die Gambetta genannt. Ich hatte mich dieses Knabens zum Modell bedient, denn wir finden keine anderen Bücher, die Kunst zu lernen, als die Natur. Ich hatte mir geübte Arbeiter gesucht, um das Werk schnell zu vollenden; aber ich konnte keine finden, und doch allein nicht alles tun. Es waren wohl einige in Florenz, die gern gekommen wären, wenn sie Bandinello nicht verhindert hätte, der, indem er mich so aufhielt, noch dabei zum Herzog sagte, ich wolle ihm seine Arbeiter entziehen, denn mir selbst sei es nicht möglich, eine große Figur zusammenzusetzen. Ich beklagte mich beim Herzog über den großen Verdruß, den mir die Bestie machte, und bat ihn, daß er mir einige Arbeitsleute zugestehen möge. Diese Worte machten den Herzog glauben, daß Bandinello wahr rede. Als ich das nun bemerkte, nahm ich mir vor, alles, soviel als möglich, allein zu tun, und gab mir alle erdenkliche Mühe. Indessen ich mich nun so Tag und Nacht bemühte, ward der Mann meiner Schwester krank, und als er in wenigen Tagen starb, hinterließ er mir meine jüngere Schwester mit sechs Töchtern, große und kleine; das war meine erste Not, die ich in Florenz hatte, Vater und Führer einer solchen zerstörten Familie zu sein.

Nun wollte ich aber, daß alles gut gehen sollte, und da mein Garten sehr verwildert war, suchte ich zwei Taglöhner, die man mir von Ponte Vecchio zuführte. Der eine war ein alter Mann von siebenzig Jahren, der andere ein Jüngling von achtzehn. Als ich sie drei Tage gehabt hatte, sagte mir der Jüngling, der Alte wollte nicht arbeiten, und ich tät' besser ihn wegzuschicken; denn er sei nicht allein faul, sondern verhinderte auch ihn, den jungen, etwas zu tun; dabei versicherte er mir, er wolle die wenige Arbeit allein verrichten, ohne daß ich das Geld an andere Leute wegwürfe. Als ich sah, daß dieser Mensch, der Bernardino Mannellini von Mugello hieß, so ein fleißiger Arbeiter war, fragte ich ihn, ob er bei mir als Diener bleiben wolle, und wir wurden sogleich darüber einig; dieser Jüngling besorgte mir ein Pferd, arbeitete im Garten und gab sich alle Mühe, mir auch in der Werkstatt zu helfen, wodurch er nach und nach die Kunst mit so vieler Geschicklichkeit lernte, daß ich nie eine bessere Beihülfe als ihn gehabt habe. Nun nahm ich mir vor, mit diesem alles zu machen, um dem Herzog zu zeigen, daß Bandinello gelogen habe, und daß ich recht gut ohne seine Arbeiter fertig werden könne.

Zu derselbigen Zeit litt ich ein wenig an der Nierenkrankheit, und weil ich meine Arbeit nicht fortsetzen konnte, hielt ich mich gern in der Garderobe des Herzogs auf, mit einigen jungen Goldschmieden, die Johann Paul und Domenico Poggini hießen. Diese ließ ich ein goldnes Gefäßchen, ganz mit erhabenen Figuren und andern schönen Zieraten gearbeitet, verfertigen; Seine Exzellenz hatte dasselbe der Herzogin zum Wasserbecher bestellt. Zugleich verlangte er von mir, daß ich ihm einen goldenen Gürtel machen solle; und auch dieses Werk war aufs reichste mit Juwelen und andern gefälligen Erfindungen von Masken und dergleichen vollendet. Der Herzog kam sehr oft in die Garderobe und fand ein großes Vergnügen, bei der Arbeit zuzusehen und mit mir zu sprechen. Da ich mich von meiner Krankheit etwas erholt hatte, ließ ich mir Erde bringen, und indessen der Herzog auf und ab ging, porträtierte ich ihn weit über Lebensgröße. Diese Arbeit gefiel Seiner Exzellenz so wohl, und er warf so große Neigung auf mich, daß er sagte, es werde ihm das größte Vergnügen sein, wenn ich im Palast arbeiten wollte, und mir darin Zimmer aussuchte, wo ich meine Öfen aufbauen, und was ich sonst bedürfte, aufs beste einrichten könnte, denn er habe an solchen Dingen das größte Vergnügen. Darauf sagte ich Seiner Exzellenz, es sei nicht möglich, denn ich würde die Arbeit in hundert Jahren nicht vollenden.

Die Herzogin erzeigte mir gleichfalls unschätzbare Liebkosungen und hätte gewünscht, daß ich nur allein für sie gearbeitet und weder an den Perseus noch an etwas anders gedacht hätte. Ich konnte mich dieser eitlen Gunst nicht erfreuen; denn ich wußte wohl, daß mein böses und widerwärtiges Schicksal ein solches Glück nicht lange dulden, sondern mir ein neues Unheil zubereiten würde; ja es lag mir immer im Sinne, wie sehr übel ich getan hatte, um zu einem so großen Gute zu gelangen.

Denn was meine französischen Angelegenheiten betraf, so konnte der König den großen Verdruß nicht verschlukken, den er über meine Abreise gehabt hatte, und doch hätte er gewünscht, daß ich wieder käm', freilich auf eine Art, die ihm Ehre brächte; ich glaubte aber soviel Ursachen zu haben, um mich nicht erst zu demütigen, denn ich wußte wohl, wenn ich diesen ersten Schritt getan hätte und vor den Leuten als ein gehorsamer Diener erschienen wäre, so hätten sie gesagt, ich sei der Sünder! und verschiedene Vorwürfe, die man mir fälschlich gemacht hatte, seien gegründet. Deswegen nahm ich mich zusammen und schrieb als ein Mann von Verstande in strengen Ausdrücken über meine Angelegenheiten. Darüber hatten meine beiden verräterischen Zöglinge die größte Freude; denn ich rühmte mich und meldete ihnen die großen Arbeiten, die mir in meinem Vaterlande von einem Herrn und einer Dame aufgetragen worden wären, die unumschränkte Herren von Florenz seien.

Mit einem solchen Briefe gingen sie zum König, und drangen in Seine Majestät, ihnen mein Kastell zu überlassen, auf die Weise wie er mir es gegeben hatte. Der König, der ein guter und vortrefflicher Herr war, wollte niemals die verwegenen Forderungen dieser beiden Spitzbübchen verwilligen; denn er sah wohl ein, worauf ihre boshaften Absichten gerichtet waren. Um ihnen jedoch einige Hoffnung zu geben und mich zur Rückkehr zu veranlassen, ließ er mir, auf eine etwas zornige Weise, durch einen seiner Schatzmeister schreiben. Dieser hieß Herr Julian Buonaccorso, ein florentinischer Bürger. Dieser Brief enthielt, daß, wenn ich wirklich den Namen eines rechtschaffenen Mannes, den ich immer gehabt habe, behaupten wolle, so sei ich nun, da ich für meine Abreise keine Ursache anführen könne, ohne weiteres verbunden, Rechenschaft von allem zu geben, was ich von Seiner Majestät in Händen gehabt, und was ich für sie gearbeitet habe.

Als ich diesen Brief erhielt, war ich äußerst vergnügt, denn ich hätte selbst nicht mehr, noch weniger verlangen können. Nun machte ich mich daran, und füllte neun Bogen gewöhnlichen Papiers, und bemerkte darauf alle Werke, die ich gemacht hatte, alle Zufälle, die mir dabei begegnet waren, und die ganze Summe des darauf verwendeten Geldes. Alles war durch die Hand von zwei Notaren und eines Schatzmeisters gegangen, und alles von denen Leuten, an die ich ausgezahlt hatte, eigenhändig quittiert, sie mochten das Geld für Materialien oder für Arbeitslohn erhalten haben. Ich zeigte, daß mir davon nicht ein Pfennig in die Tasche gefallen war, und daß ich für meine geendigten Werke nichts in der Welt erhalten hatte, außer einigen würdigen königlichen Versprechungen, die ich mit nach Italien genommen hatte; ich fügte hinzu, daß ich mich nicht rühmen könne, etwas anderes für meine Werke empfangen zu haben als eine ungewisse Besoldung, die mir zu meinem Bedürfnis ausgesetzt gewesen. Auf dieselbe sei man mir noch über siebenhundert Goldgülden schuldig, die ich deswegen habe stehen lassen, damit sie mir zu meiner Rückreise dienen könnten. Ich merke wohl, fuhr ich fort, daß einige boshafte neidische Menschen mir einen bösen Dienst geleistet haben, aber die Wahrheit muß doch siegen, und es ist mir um die Gunst des allerchristlichsten Königs und nicht um Geld zu tun. Denn ich bin überzeugt, weit mehr geleistet zu haben als ich antrug, und doch sind mir dagegen nur Versprechungen erfolgt. Mir ist einzig daran gelegen, in Seiner Majestät Gedanken als ein braver und reiner Mann zu erscheinen, dergleichen ich immer war, und wenn Seine Majestät den geringsten Zweifel hegen wollten, so würde ich auf den kleinsten Wink sogleich erscheinen und mit meinem eignen Leben Rechenschaft ablegen; da ich aber sehe, daß man so wenig aus mir mache, so habe ich nicht wollen wieder zurückkehren und mich anbieten, denn ich wisse, daß ich immer Brot finde, wo ich auch hingehe, und wenn man Ansprüche an mich mache, so werde ich zu antworten wissen. Übrigens waren in diesen Briefen noch manche Nebenumstände bemerkt, die vor einen so großen König gehören und zur Verteidigung meiner Ehre gereichten. Diesen Brief, ehe ich ihn wegschickte, trug ich zu meinem Herzog, der ihn mit Zufriedenheit durchlas, dann schickte ich ihn sogleich nach Frankreich unter der Adresse des Kardinals von Ferrara.

Zu der Zeit hatte Bernardone Baldini, der Juwelenhändler Seiner Exzellenz, einen Diamanten von Venedig gebracht, der mehr als fünfunddreißig Karat wog, auch hatte Antonio Vittorio Landi einiges Interesse, diesen Stein dem Herzog zu verkaufen. Der Stein war erst eine Rosette gewesen, weil er aber nicht jene glänzende Klarheit zeigte, wie man an einem solchen Juwel verlangen konnte, so hatten die Herren die Spitze wegschleifen lassen, und nun nahm er sich, als Brillant, auch nicht sonderlich aus. Unser Herzog, der die Juwelen äußerst liebte, gab dem Schelm Bernardo gewisse Hoffnung, daß er diesen Diamant kaufen wolle, und weil Bernardo allein die Ehre haben wollte, den Herzog zu hintergehen, so sprach er mit seinem Gesellen niemals von der Sache. Gedachter Antonio war von Jugend auf mein großer Freund gewesen, und weil er sah, daß ich bei unserm

Herzog immer aus- und einging, so rief er mich eines Tages beiseite, es war gegen Mittag, an der Ecke des neuen Marktes, und sagte zu mir: Benvenuto, ich bin gewiß, der Herzog wird euch einen gewissen Diamant zeigen, den er Lust hat zu kaufen. Ihr werdet einen herrlichen Diamant sehen, helft zu dem Verkaufe, ich kann ihn für siebenzehntausend Scudi hingeben; und wenn der Herzog euch um Rat fragt, und ihr ihn geneigt zum Handel seht, so wird sich schon was tun lassen, daß er ihn behalten kann. Antonio zeigte große Sicherheit, dieses Juwel loszuwerden, und ich versprach ihm, daß wenn man mir es zeigte, so wollte ich alles sagen was ich verstünd', ohne dem Steine Schaden zu tun.

Nun kam, wie ich oben gesagt habe, der Herzog alle Tage einige Stunden in die Werkstatt der Goldschmiede, in der Nähe von seinem Zimmer, und ungefähr acht Tage, nachdem Antonio Landi mit mir gesprochen hatte, zeigte mir der Herzog nach Tische den gedachten Diamant, den ich an den Zeichen, die mir Antonio gegeben hatte, sowohl der Gestalt als dem Gewicht nach, leicht erkannte, und da der Diamant, wie schon gesagt, von etwas trüblichem Wasser war, und man die Spitze deshalb abgeschliffen hatte, so wollte mir diese Art und Weise desselben gar nicht gefallen, und ich würde ihm von diesem Handel abgeraten haben. Daher, als mir Seine Exzellenz den Stein zeigte, fragte ich, was er wolle, das ich sagen solle? Denn es sei ein Unterschied bei den Juwelieren, einen Stein zu schätzen, wenn ihn ein Herr schon gekauft habe, oder ihm den Preis zu machen, wenn er ihn kaufen wolle. Darauf sagte der Herzog mir, er habe ihn gekauft, und ich sollte nur meine Meinung sagen. Da konnte ich nicht verfehlen, auf eine bescheidene Weise das wenige anzuzeigen, was ich von dem Edelstein verstand. Er sagte mir, ich solle die Schönheit der langen Facetten sehen, die der Stein habe; darauf sagte ich, es sei das eben keine große Schönheit, sondern vielmehr nur eine abgeschliffene Spitze; darauf gab mein Herr, welcher wohl einsah, daß ich wahr rede, einen Ton des Verdrusses von sich, und sagte, ich solle den Wert des Edelsteins betrachten und sagen, was ich ihn schätze. Da nun Antonio Landi den Stein für siebenzehntausend Scudi angeboten hatte, glaubte ich, der Herzog habe höchstens fünfzehntausend dafür bezahlt, und weil ich sah, daß er übel nahm, wenn ich die Wahrheit sagte, so wollte ich ihn in seiner falschen Meinung erhalten und sagte, indem ich ihm den Diamant zurückgab: Achtzehntausend Scudi habt ihr bezahlt. Da tat der Herzog einen großen Ausruf, und machte mit dem Munde ein O, größer als die Öffnung eines Brunnens, und sagte: Nun sehe ich, daß du dich nicht darauf verstehst. Ich versetzte: Gnädiger Herr! ihr seht nicht recht. Wenn ihr euch bemüht, den Ruf eures Edelsteins zu erhalten, so werde ich bemüht sein, mich darauf zu verstehn. Sagt mir wenigstens, wie viel ihr bezahlt habt, damit ich auf Weise Eurer Exzellenz mich darauf verstehn lerne. Der Herzog ging mit einer etwas verdrießlichen Miene weg und sagte: Fünfundzwanzigtausend Scudi und mehr, Benvenuto, habe ich dafür gegeben. Das geschah in der Gegenwart von den beiden Poggini, den Goldschmieden. Bacchiacca aber, ein Sticker, der in einem benachbarten Zimmer arbeitete, kam auf diesen Lärm herbeigelaufen; vor diesen sagte ich, ich würde dem Herzog nicht geraten haben, den Stein zu kaufen, hätte er aber ja dazu Lust gehabt, so hat mir ihn Antonio Landi vor acht Tagen für siebenzehntausend Scudi angeboten, und ich glaube für fünfzehntausend, ja noch für weniger, hätte man ihn bekommen; aber der Herzog will seinen Edelstein in Ehren halten, ob ihm gleich Bernardone einen so abscheulichen Betrug gespielt hat, er wird es niemals glauben, wie die Sache sich eigentlich verhält. So sprachen wir untereinander und lachten über die Leichtgläubigkeit des guten Herzogs.

Ich hatte schon die Figur der Meduse, wie gesagt, ziemlich weit gebracht. Über das Gerippe von Eisen war die Gestalt, gleichsam anatomisch, übergezogen, ungefähr um einen halben Finger zu mager. Ich brannte sie aufs beste, dann brachte ich das Wachs drüber, um sie zu vollenden, wie sie dereinst in Erz werden sollte; der Herzog, der oft gekommen war, mich zu sehen, war so besorgt, der Guß möchte mir nicht geraten, daß er wünschte, ich möchte einen Meister zu Hülfe nehmen, der diese Arbeit verrichtete. Diese Gunst des Herrn ward mir sehr beneidet, und weil er oft mit Zufriedenheit von meiner Unterhaltung sprach, so dachte sein Haushofmeister nur auf eine Gelegenheit, um mir den Hals zu brechen. Der Herzog hatte diesem schlechten Mann, der von Prato, und also ein Feind aller Florentiner war, große Gewalt gegeben und ihn, aus einem Sohn eines Böttchers, aus einem ungewissen und elenden Pedanten, bloß weil er ihn in seiner Jugend unterrichtet hatte, als er an das Herzogtum noch nicht denken konnte, zum Oberaufseher der Polizeidiener und aller Gerichtsstellen der Stadt Florenz gemacht. Dieser, als er mit aller seiner Wachsamkeit mir nichts Übels tun und seine Klauen nirgends einschlagen konnte, fiel endlich auf einen Weg zu seinem Zweck zu gelangen. Er suchte die Mutter meines Lehrburschen auf, der Cencio hieß, ein Weib, der man den Namen die Gambetta gegeben hatte. Nun machte der pedantische Schelm mit der höllischen Spitzbübin einen Anschlag, um mich in Gottes Namen fortzutreiben. Sie hatten auch einen Bargell auf ihre Seite gebracht, der ein gewisser Bologneser war, und den der Herzog nachher wegen ähnlicher Streiche wegjagte. Als nun die Gambetta den Auftrag von dem schelmischen pedantischen Narren, dem Haushofmeister, erhalten hatte, kam sie eine Sonnabendnacht mit ihrem Sohne zu mir und sagte, sie habe das Kind um meines Wohles willen einige Tage eingeschlossen. Darauf antwortete ich ihr, um meinetwillen solle sie ihn gehen lassen, wohin er wolle. Ich lachte sie aus und fragte, warum sie ihn eingeschlossen habe. Sie antwortete, weil er mit mir gesündigt habe, so sei ein Befehl ergangen, uns beide einzuziehen. Darauf sagte ich, halb erzürnt: Wie habe ich gesündigt? fragt den Knaben selbst. Sie fragte darauf den Sohn, ob es nicht wahr sei. Der Knabe weinte, und sagte:

Nein! Darauf schüttelte die Mutter den Kopf und sagte zum Sohne: Du Schelm, ich weiß wohl nicht, wie das zugeht! Dann wendete sie sich zu mir, und sagte, ich sollte ihn im Hause behalten, denn der Bargell suche ihn und werde ihn überall wegnehmen, nur nicht aus meinem Hause. Darauf sagte ich: Ich habe bei mir eine verwitwete Schwester mit sechs frommen Töchtern, und ich will niemand bei mir haben. Darauf sagte sie, der Haushofmeister habe dem Bargell die Kommission gegeben, man solle suchen, mich auf alle Weise gefangen zu nehmen; da ich aber den Sohn nicht im Hause behalten wolle, so sollte ich ihr hundert Scudi geben und weiter keine Sorge haben, denn der Haushofmeister sei ihr größter Freund, und sie werde mit ihm machen was sie wolle, wenn ich ihr das verlangte Geld gäbe. Ich war indessen ganz wütend geworden, und rief: Weg von hier, nichtswürdige Hure! Tät' ich es nicht aus Achtung gegen die Welt und wegen der Unschuld eines unglücklichen Kindes, so hätte ich dich schon mit diesem Dolche ermordet, nach dem ich zwei, dreimal gegriffen habe. Mit diesen Worten, und mit viel schlimmen Stößen, warf ich sie und das Kind zum Hause hinaus.

VIERTES KAPITEL

Der Autor, verdrießlich über das Betragen der herzoglichen Diener, begibt sich nach Venedig, wo ihn Tizian, Sansovino und andere geschickte Künstler sehr gut behandeln. — Nach einem kurzen Aufenthalt kehrt er nach Florenz zurück und fährt in seiner Arbeit fort. — Den Perseus kann er nicht zum besten fördern, weil es ihm an Hülfsmitteln fehlt. Er beklagt sich deshalb gegen den Herzog. — Die Herzogin beschäftigt ihn als Juwelier und wünscht, daß er seine ganze Zeit auf diese Arbeit verwende; aber, aus Verlangen sich in einem höhern Felde zu zeigen, greift er seinen Perseus wieder an.

Da ich aber nachher bei mir die Verruchtheit und Gewalt des verwünschten Pedanten betrachtete, überlegte ich, daß es besser sei, dieser Teufelei ein wenig aus dem Wege zu gehen, und nachdem ich morgens zu guter Zeit meiner Schwester Juwelen und andere Dinge, für ungefähr zweitausend Scudi, aufzuheben gegeben hatte, stieg ich zu Pferde, und machte mich auf den Weg nach Venedig und nahm meinen Bernardin von Mugello mit. Als ich nach Ferrara kam, schrieb ich Seiner Exzellenz dem Herzog, so wie ich ohne Urlaub gegangen sei, so wollte ich auch ohne Befehl wieder kommen. Als ich nach Venedig kam und betrachtete, auf wie verschiedene Weise mein grausames Schicksal mich verfolgte, tröstete ich mich, da ich mich so munter und frisch befand, und nahm mir vor, mit ihm auf meine gewöhnliche Weise zu scharmutzieren. Indessen ich so an meine Umstände dachte, vertrieb ich mir die Zeit in dieser schönen und reichen Stadt. Ich besuchte den wundersamen Tizian, den Maler, und Meister Jakob del Sansovino, einen trefflichen Bildhauer und Baumeister, einen unserer Florentiner, den die venezianischen Obern sehr reichlich unterhielten. Wir hatten uns in Rom und Florenz in unserer Jugend genau gekannt. Diese beiden trefflichen Männer erzeigten mir viel Liebkosungen. Den andern Tag begegnete ich Herrn Lorenz Medicis, der mich sogleich bei der Hand nahm und mir aufs freundlichste zusprach, denn wir hatten uns in Florenz gekannt, als ich die Münzen des Herzogs Alexander verfertigte, und nachher in Paris, als ich im Dienste des Königs war. Damals wohnte er im Haus des Herrn Julian Buonaccorsi, und weil er, ohne seine größte Gefahr, sich nicht überall durfte sehen lassen, brachte er die meiste Zeit in meinem Schlößchen zu, und sah mich an jenen großen Werken arbeiten. Wegen dieser alten Bekanntschaft nahm er mich bei der Hand und führte mich in sein Haus, wo ich den Herrn Prior Strozzi fand, den Bruder des Herrn Peter. Sie freuten sich und fragten, wie lange ich in Venedig bleiben wolle. Denn sie dachten, es sei meine Absicht, nach Frankreich zurückzukehren. Da erzählte ich ihnen die Ursache, warum ich aus Florenz gegangen sei, und daß ich in zwei, drei Tagen wieder zurückgehe, meinem Großherzog zu dienen. Auf diese Worte wendeten sich beide mit so viel Ernst und Strenge zu mir, daß ich mich wirklich äußerst fürchtete, und sagten: Du tätest besser nach Frankreich zu gehen, wo du reich und bekannt bist; was du da gewonnen hast, wirst du alles in Florenz verlieren, und daselbst nur Verdruß haben.

Ich antwortete nichts auf ihre Reden, und verreiste den andern Tag, so geheim als ich konnte, und nahm den Weg nach Florenz.

Indessen legten sich die Teufeleien meiner Feinde; denn ich hatte an meinen Großherzog die ganze Ursache geschrieben, die mich von Florenz entfernt hatte. So ernst und klug er war, durfte ich ihn doch ohne Zeremonien besuchen. Nach einer kurzen ernsthaften Stille redete er mich freundlich an, und fragte, wo ich gewesen sei. Ich antwortete, mein Herz sei nicht einen Finger breit von Seiner Exzellenz entfernt gewesen, ob mich gleich die Umstände genötigt hätten, den Körper ein wenig spazieren zu lassen. Darauf ward er noch freundlicher, fragte nach Venedig, und so diskurrierten wir ein wenig. Endlich sagte er zu mir, ich solle fleißig sein und ihm seinen Perseus endigen.

So ging ich nach Hause, fröhlich und munter, erfreute meine Familie, meine Schwester nämlich, mit ihren sechs Töchtern, nahm meine Werke wieder vor und arbeitete daran mit aller Sorgfalt. Das erste, was ich in Erz goß, war das große Bildnis Seiner Exzellenz, das ich in dem Zimmer der Goldschmiede bossiert hatte, da ich nicht wohl war. Dieses Werk gefiel, ich hatte es aber nur eigentlich unternommen, um die Erden zu versuchen, welche zu den Formen geschickt seien, denn ich bemerkte wohl, daß Donatello, der bei seinen Arbeiten in Erz sich auch der florentinischen Erden bedient hatte, dabei sehr große Schwierigkeiten fand, und da ich dachte, daß die Schuld an der Erde liege, so wollte ich, ehe ich den Guß meines Perseus unternahm, keinen Fleiß sparen, um die beste Erde zu finden, welche der wundersame Donatell nicht mußte gekannt haben, weil ich eine große Mühseligkeit an seinen Werken bemerkte. So setzte ich nun zuletzt auf künstliche Weise die Erde zusammen, die mir aufs beste diente, und der Guß des Kopfes geriet mir; weil ich aber meinen Ofen noch nicht fertig hatte, bediente ich mich der Werkstatt des Meister Zanobi von Pagno, des Glockengießers, und da ich sah, daß der Kopf sehr rein ausgefallen war, erbaute ich sogleich einen kleinen Ofen in der Werkstatt, die auf Befehl des Herzogs, nach meiner Angabe und Zeichnung, in dem Hause, das er mir geschenkt hatte, errichtet worden war, und sobald mein Ofen, mit aller möglichen Sorgfalt, sich in Ordnung befand, machte ich Anstalt, die Statue der Meduse zu gießen, die Figur nämlich des verdrehten Weibchens, das sich unter den Füßen des Perseus befindet. Da dieses nun ein sehr schweres Unternehmen war, so unterließ ich nichts von allem dem, was mir durch Erfahrung bekannt worden war, damit mir nicht etwa ein Irrtum begegnen möchte. Und so geriet mir der erste Guß aus meinem Ofen auf das allerbeste; er war so rein, daß meine Freunde glaubten, ich brauchte ihn weiter nicht auszuputzen. Sie verstanden es aber so wenig, als gewisse Deutsche und Franzosen, die sich der schönsten Geheimnisse rühmen, und behaupten dergestalt in Erz gießen zu können, daß man nachher nicht nötig habe, es auszuputzen. Das ist aber ein närrisches Vorgeben, denn jedes Erz, wenn es gegossen ist, muß mit Hammer und Grabstichel nachgearbeitet werden, wie es die wundersamen Alten getan hatten, und auch die Neuen. Ich meine diejenigen, welche in Erz zu arbeiten verstanden. Dieser Guß gefiel Seiner Exzellenz gar sehr, als Sie in mein Haus kamen ihn zu sehen, wobei Sie mir großen Mut einsprachen, meine Sachen gut zu machen. Aber doch vermochte der rasende Neid des Bandinello zu viel, der immer Seiner Exzellenz in den Ohren lag und ihr zu verstehen gab, daß wenn ich auch dergleichen Statuen gösse, so sei ich doch nie imstande sie zusammenzusetzen, denn ich sei neu in der Kunst, und Seine Exzellenz solle sich sehr in acht nehmen, ihr Geld nicht wegzuwerfen.

Diese Worte vermochten so viel auf das ruhmvolle Gehör, daß mir die Bezahlung für meine Arbeiter verkürzt wurde, so daß ich genötigt war, mich gegen Seine Exzellenz eines Morgens lebhaft darüber zu erklären. Ich wartete auf ihn in der Straße der Serviten und redete ihn folgendergestalt an: Gnädiger Herr! ich erhalte das Notdürftige nicht mehr und besorge daher, Eure Exzellenz mißtraue mir; deswegen sage ich von neuem, ich halte mich für fähig, das Werk dreimal besser zu machen, als das Modell war, so wie ich versprochen habe. Als ich bemerkte, daß diese Worte nichts fruchteten, weil ich keine Antwort erhielt, so ärgerte ich mich dergestalt und fühlte eine unerträgliche Leidenschaft, so daß ich den Herzog aufs neue anging und sagte: Gnädiger Herr, diese Stadt war auf alle Weise die Schule der Talente, wenn aber einer einmal bekannt ist und etwas gelernt hat, so tut er wohl, um den Ruhm seiner Stadt und seines Fürsten zu vermehren, wenn er auswärts arbeitet. Eurer Exzellenz ist bekannt, was Donatello und Leonardo da Vinci waren, und was jetzt der wundersame Michelagnolo Buonarroti ist; diese vermehren auswärts durch ihre Talente den Ruhm von Eurer Exzellenz. Und so hoffe ich auch meinen Teil dazu zu tun, und bitte deswegen mich gehen zu lassen; aber ich bitte euch sehr den Bandinello fest zu halten, und ihm immer mehr zu geben als er verlangt, denn wenn er auswärts geht, so wird seine Anmaßung und Unwissenheit dieser edlen Schule auf alle Weise Schande machen. Und so gebt mir Urlaub, denn ich verlange nichts anders für meine bisherigen Bemühungen als die Gnade von Eurer Exzellenz.

Da der Herzog mich also entschieden sah, kehrte er sich halb zornig um und sagte: Benvenuto, wenn du Lust hast das Werk zu vollenden, soll dir's nicht abgehen. Darauf antwortete ich, daß ich kein anderes Verlangen habe als den Neidern zu zeigen, daß ich imstande sei das versprochene Werk zu vollenden. Da ich nun auf diese Weise von Seiner Exzellenz wegging, erhielt ich eine geringe Beihülfe, so daß ich genötigt war, in meinen eigenen Beutel zu greifen, wenn das Werk mehr als Schritt gehen sollte.

Ich ging noch immer des Abends in die Garderobe Seiner Exzellenz, wo Dominikus und Johann Paul Poggini fortfuhren an dem goldnen Gefäß für die Herzogin und einem goldenen Gürtel zu arbeiten, auch hatte Seine Exzellenz das Modell eines Gehänges machen lassen, worin obgedachter großer Diamant gefaßt werden sollte. Und ob ich gleich vermied, so etwas zu unternehmen, so hielt mich doch der Herzog mit so vieler Anmut alle Abend bis vier Uhr in der Nacht an der Arbeit und verlangte von mir auf die gefälligste Weise, daß ich sie bei Tage fortsetzen solle. Ich konnte mich aber unmöglich dazu verstehen, ob ich gleich voraussah, daß der Herzog mit mir darüber zürnen würde. Denn eines Abends unter andern, da ich etwas später als gewöhnlich hereintrat, sagte er zu mir: Du bist unwillkommen (Malvenuto)! Darauf antwortete ich: Gnädiger Herr, das ist mein Name nicht, denn ich heiße Benvenuto, aber ich denke, Eure Exzellenz scherzt nur; und ich will also weiter nichts sagen. Darauf sagte der Herzog, er scherze nicht, es sei sein völliger Ernst, ich sollte mich nur in meinen Handlungen in acht nehmen, denn er höre, daß ich, im Vertrauen auf seine Gunst, dieses und jenes tue, was sich nicht gehöre. Darauf bat ich ihn, er möge mir jemand anzeigen, dem ich Unrecht getan hätte. Da ward er zornig und sagte: Gib erst wieder was du von Bernardone borgtest. Da hast du eins! Darauf versetzte ich: Gnädiger Herr, ich danke euch, und bitte daß ihr mich nur vier Worte anhören wollt; es ist wahr, daß er mir eine alte Waage geborgt hat, zwei Ambosse und drei kleine Hämmer, und es sind schon fünfzehn Jahre, daß ich seinem Georg von Cortona sagte, er möge nach diesem Geräte schicken. Da kam gedachter Georg selbst, sie abzuholen, und wenn Eure Exzellenz jemals erfährt, daß ich, von meiner Geburt an, von irgendeiner Person auf diese Weise etwas besitze, in Rom oder in Florenz, es sei von denen, die es ihnen selbst hinterbringen, oder von andern, so strafen Sie mich nach dem Kohlenmaße.

Als der Herzog mich in dieser heftigen Leidenschaft sah,

wendete er sich auf eine gelinde und liebevolle Weise zu mir und sagte: Wer nichts verschuldet hat, dem ist es nicht gesagt. Verhält es sich wie du versicherst, so werde ich dich immer gerne sehen, wie vorher. Darauf versetzte ich: Die Schelmstreiche des Bernardone zwingen mich, Eure Exzellenz zu fragen, und zu bitten, daß Sie mir sagen, wieviel Sie auf den großen Diamant mit der abgeschliffenen Spitze verwendet haben, denn ich hoffe die Ursache zu zeigen, warum dieser böse Mensch mich in Ungnade zu bringen sucht. Darauf antwortete der Herzog: Der Diamant kostet mich fünfundzwanzigtausend Scudi, warum fragst du darnach? Darauf antwortete ich, indem ich ihm Tag und Stunde bezeichnete: Weil mir Antonio Landi gesagt, wenn ich suchen wollte diesen Handel mit Eurer Exzellenz zu machen, so wolle er ihn für sechzehntausend Scudi geben. Das war nun sein erstes Gebot und Eure Exzellenz weiß nun, was sie gezahlt hat. Und daß mein Angeben wahr sei, fragen Sie den Domenico Poggini und seinen Bruder, die hier gegenwärtig sind, ob ich es damals nicht gleich gesagt habe. Nachher habe ich aber nicht weiter davon geredet, weil Eure Exzellenz sagten, daß ich es nicht verstehe, und ich wohl sah, daß Sie Ihren Stein bei Ruhm erhalten wollten. Allein wisset, gnädiger Herr, ich verstehe mich sehr wohl darauf, und gegenwärtig handle ich als ein ehrlicher Mann, so gut als einer auf die Welt gekommen ist, und ich werde euch niemals acht- bis zehntausend Scudi stehlen, vielmehr werde ich sie euch mit meiner Arbeit zu erwerben suchen. Ich befinde mich hier, Eurer Exzellenz als Bildhauer, Goldschmied und Münzmeister zu dienen, nicht aber Ihnen die Handlungen anderer zu hinterbringen, und daß ich dieses jetzt sage, geschieht zu meiner Verteidigung, ich habe weiter nichts dabei, und ich sage es in Gegenwart so vieler wackren Leute, die hier sind, damit Eure Exzellenz dem Bernardone nicht mehr glauben, was er sagt.

Sogleich stund der Herzog entrüstet auf und schickte nach Bernardone, der mit Antonio Landi genötigt wurde, bis Venedig zu reisen. Antonio behauptete, er habe nicht von diesem Diamant gesprochen. Als sie von Venedig zurückkamen, ging ich zum Herzog und sagte: Gnädiger Herr! was ich gesagt habe, ist wahr, und was Bernardone wegen der Gerätschaften sagt, ist nicht wahr; wenn er es beweist, will ich ins Gefängnis gehen. Darauf wendete sich der Herzog zu mir und sagte: Benvenuto! bleibe ein rechtschaffner Mann, und sei übrigens ruhig. So verrauchte die Sache, und es ward niemals mehr davon gesprochen. Ich hielt mich indessen zu der Fassung des Edelsteins, und als ich das Kleinod der Herzogin geendigt brachte, sagte sie mir selbst, sie schätze meine Arbeit so hoch als den Diamant, den ihr der Bernadaccio verkauft habe. Sie wollte auch, daß ich ihr die Juwele selbst an die Brust stecken sollte, und gab mir dazu eine große Stecknadel, darauf befestigte ich den Edelstein, und ging unter vielen Gnadenbezeugungen die sie mir erwies hinweg. Nachher hörte ich aber, daß sie ihn wieder habe umfassen lassen, durch einen Deutschen, oder einen andern Fremden. Denn Bernardone behauptete, der Diamant würde sich nur besser ausnehmen, wenn er einfacher gefaßt wäre.

Die beiden Brüder Poggini arbeiteten, wie ich schon gesagt habe, in der Garderobe des Herzogs immer fort und verfertigten nach meinen Zeichnungen gewisse goldne Gefäße mit halberhabenen Figuren, auch andere Dinge von großer Bedeutung. Da sagte ich bei Gelegenheit zu dem Herzog: Wenn Eure Exzellenz mir einige Arbeiter bezahlten, so wollte ich die Stempel zu Ihren gewöhnlichen Münzen und Medaillen mit Ihrem Bildnisse machen und mit den Alten wetteifern, ja vielleicht sie übertreffen; denn seitdem ich die Medaillen Papsts Clemens des Siebenten gemacht, habe ich so viel gelernt, daß ich mir wohl etwas Besseres zu liefern getraue. So sollten sie auch besser werden als die Münzen, die ich für den Herzog Alexander gearbeitet habe, die man noch für schön halte; auch wollte ich Seiner Exzellenz große Gefäße von Gold und Silber machen, wie dem wundersamen König Franz von Frankreich, den ich so gut bedient habe weil er mir die große Bequemlichkeit vieler Arbeiter verschaffte, so daß ich indessen meine Zeit auf Kolossen oder andere Statuen verwenden konnte. Darauf sagte der Herzog: Tue nur und ich werde sehen. Er gab mir aber weder Bequemlichkeit noch irgendeine Beihülfe.

Eines Tages ließ er mir einige Pfund Silber zustellen und sagte: Das ist Silber aus meinem Bergwerk, mache mir ein schönes Gefäß. Weil ich aber meinen Perseus nicht zurücklassen wollte und doch großes Verlangen hatte ihm zu dienen, gab ich das Metall, mit einigen meiner Modelle und Zeichnungen, einem Schelm, der Peter Martini der Goldschmied hieß, der die Arbeit ungeschickt anfing und sie nicht einmal förderte, so daß ich mehr Zeit verlor, als wenn ich sie eigenhändig gemacht hätte. Er zog mich einige Monate herum, und als ich sah, daß er weder selbst, noch durch andere, die Arbeit zustande brachte, verlangte ich sie zurück, und ich hatte große Mühe, einen übelangefangenen Körper des Gefäßes und das übrige Silber wieder zu erhalten. Der Herzog, der etwas von diesem Handel vernahm, schickte nach den Gefäßen und Modellen und sagte niemals weder wie und warum. So hatte ich auch, nach meinen Zeichnungen, verschiedene Personen in Venedig und an andern Orten arbeiten lassen und ward immer schlecht bedient.

Die Herzogin sagte mir oft, ich sollte Goldschmiedearbeiten für sie verfertigen. Darauf versetzte ich öfters, die Welt und ganz Italien wisse wohl, daß ich ein guter Goldschmied sei, aber Italien habe keine Bildhauerarbeit von meiner Hand gesehen, und einige rasende Bildhauer verspotteten mich und nennten mich den neuen Bildhauer; denen hoffte ich zu zeigen, daß ich kein Neuling sei, wenn mir nur Gott die Gnade gäbe, meinen Perseus auf dem ehrenvollen Platz Seiner Exzellenz geendigt aufzustellen. So ging ich nach Hause, arbeitete Tag und Nacht und ließ mich nicht im Palast sehen; doch um mich bei der Herzogin in gutem Andenken zu erhalten, ließ ich ihr einige silberne Gefäße machen, groß wie ein Zweipfennigtöpfchen, mit schönen Masken auf die reichste antike Weise. Als ich die Gefäße brachte, empfing sie mich auf das freundlichste und bezahlte mir das Gold und Silber, das ich darauf verwendet hatte; ich empfahl mich ihr und bat sie, sie möchte dem Herzog sagen, daß ich zu einem so großen Werke zu wenig Beihülfe hätte, und daß er der bösen Zunge des Bandinells nicht glauben solle, die mich verhindere, meinen Perseus zu vollenden. Zu diesen meinen kläglichen Worten zuckte sie die Achsel und sagte: Fürwahr der Herzog sollte nur zuletzt einsehen, daß sein Bandinelli nichts taugt.

FÜNFTES KAPITEL

Die Eifersucht des Bandinelli legt unserm Verfasser unzählige Schwierigkeiten in den Weg, wodurch der Fortgang seines Werks durchaus gehindert wird. — In einem Anfall von Verzweiflung geht er nach Fiesole, einen natürlichen Sohn zu besuchen, und trifft auf seinem Rückweg mit Bandinelli zusammen. — Erst beschließt er ihn zu ermorden; doch, da er sein feiges Betragen erblickt, verändert er den Sinn, fühlt sich wieder ruhig und hält sich an sein Werk. — Unterhaltung zwischen ihm und dem Herzog über eine antike Statue, die der Autor zum Ganymed restauriert. — Nachricht von einigen Marmorstatuen Cellinis, als einem Apoll, Hyazinth und Narziß. — Durch einen Zufall verliert er fast sein Auge. — Art seiner Genesung.

So hielt ich mich zu Hause, zeigte mich selten im Palast und arbeitete mit großer Sorgfalt, mein Werk zu vollenden. Leider mußte ich dabei die Arbeiter aus meinem Beutel bezahlen, denn der Herzog hatte mir durch Lactantio Gorini etwa achtzehn Monate lang gewisse Arbeiter gut getan, nun währte es ihm zu lange, und er nahm den Auftrag zurück. Hierüber befragte ich den Lactantio, warum er mich nicht bezahle. Er antwortete mir mit seinem Mückenstimmchen, indem er seine Spinnenfinger bewegte: Warum endigst du nicht das Werk? Man glaubt, daß du nie damit fertig werden wirst! Ich sagte darauf erzürnt: Hol euch der Henker und alle die glauben, daß ich es nicht vollenden könnte! So ging ich verzweiflungsvoll wieder nach Hause zu meinem unglücklichen Perseus, und nicht ohne Tränen, denn ich erinnerte mich des glücklichen Zustandes, den ich in Paris im Dienste des verwundernswürdigen Königs verlassen hatte, der mich in allem unterstützte, und hier fehlte mir alles.

Oft war ich im Begriff, mich auf den Weg der Verzweiflung zu werfen. Einmal unter andern stieg ich auf ein schönes Pferd, nahm hundert Scudi zu mir und ritt nach Fiesole, meinen natürlichen Sohn zu besuchen, den ich bei einer Gevatterin, der Frau eines meiner Gesellen, in der Kost hatte. Ich fand das Kind wohlauf und küßte es in meinem Verdrusse. Da ich wegwollte, ließ er mich nicht fort, hielt mich fest mit den Händen unter einem wütenden Weinen und Geschrei, das, in dem Alter von ungefähr zwei Jahren, eine äußerst verwundersame Sache war.

Da ich mir aber vorgenommen hatte den Bandinell, der alle Abend auf ein Gut über San Domenico zu gehen pflegte, wenn ich ihn fänd', verzweiflungsvoll auf den Boden zu strecken, riß ich mich von meinem Knaben los und ließ ihn in seinen heftigen Tränen. So kam ich nach Florenz zurück, und als ich auf den Platz von San Domenico gelangte, kam Bandinello eben an der andern Seite herein und ich, sogleich entschlossen, das blutige Werk zu vollbringen, eilte auf ihn los. Als ich aber die Augen aufhob, sah ich ihn ohne Waffen auf einem Maultier, wie einen Esel, sitzen; er hatte einen Knaben von zehn Jahren bei sich. Sobald er mich sah, ward er leichenblaß und zitterte vom Kopf bis zu den Füßen. Da ich nun diesen niederträchtigen Zustand erblickte, sagte ich: Fürchte nichts, feige Memme, du bist meiner Stiche nicht wert. Er sah mich mit niedergeschlagenen Augen an und sagte nichts. Da faßte ich mich wieder und dankte Gott, daß er mich durch seine Kraft verhindert hatte eine solche Unordnung anzurichten, und fühlte mich befreit von der teuflischen Raserei. Ich faßte Mut und sagte zu mir selber: Wenn mir Gott so viel Gnade erzeigt, daß ich mein Werk vollende, so hoffe ich damit alle meine Feinde zu ermorden, und meine Rache wird größer und herrlicher sein, als wenn ich sie an einem einzigen ausgelassen hätte; und mit diesem guten Entschluß kehrte ich ein wenig munterer nach Hause.

Nach Verlauf von drei Tagen vernahm ich, daß meine Gevatterin mir meinen einzigen Sohn erstickt hatte; worüber ich solche Schmerzen fühlte, daß ich niemals einen größern empfunden habe. Demohngeachtet kniete ich nieder und nach meiner Gewohnheit, nicht ohne Tränen, dankte ich Gott und sagte: Gott und Herr, du gabst mir ihn und hast mir ihn nun genommen, für alles danke ich dir von Herzen. Und obschon der große Schmerz mich fast ganz aus der Fassung gebracht hatte, so machte ich doch aus der Not eine Tugend und schickte mich so gut als möglich in diesen Unfall.

Um diese Zeit hatte ein junger Arbeiter den Bandinell verlassen; er hieß Franziskus, Sohn Matthäus des Schmiedes; dieser Jüngling ließ mich fragen, ob ich ihm wollte zu arbeiten geben. Ich war es zufrieden und stellte ihn an, die Figur der Meduse auszuputzen, die schon gegossen war. Nach vierzehn Tagen sagte mir dieser junge Mensch, er habe mit seinem vorigen Meister gesprochen, der mich fragen ließe, ob ich eine Figur von Marmor machen möchte, er wolle mir ein schönes Stück Stein dazu geben; darauf versetzte ich: Sag ihm, daß ich es annehme, und es könnte ein böser Stein für ihn werden, denn er reizt mich immer und erinnert sich nicht der großen Gefahr, der er auf dem Platze San Domenico entronnen ist. Nun sag ihm, daß ich den Stein auf alle Weise verlange. Ich rede niemals von dieser Bestie und er kann mich nicht ungehudelt lassen. Fürwahr ich glaube, er hat dich abgeschickt bei mir zu arbeiten, um nur meine Handlungen auszuspähen; nun gehe und sag ihm, ich werde den Marmor, auch wider seinen Willen, abfordern, und du magst wieder bei ihm arbeiten.

Ich hatte mich viele Tage nicht im Palaste sehen lassen. Einst kam mir die Grille wieder und ich ging hin. Der Herzog hatte beinah abgespeist, und wie ich hörte, so hatte

Seine Exzellenz des Morgens viel Gutes von mir gesprochen, besonders hatte er mich sehr über das Fassen der Steine gelobt. Als mich nun die Herzogin erblickte, ließ sie mich durch Herrn Sforza rufen, und da ich mich ihr näherte, ersuchte sie mich, ihr eine kleine Rosette in einen Ring zu passen und setzte hinzu, daß sie ihn immer am Finger tragen wolle. Sie gab mir das Maß und den Diamant, der ungefähr hundert Scudi wert war, und bat mich, ich solle die Arbeit bald vollenden. Sogleich fing der Herzog an mit der Herzogin zu sprechen und sagte: Gewiß war Benvenuto in dieser Kunst ohnegleichen; jetzt, da er sie aber beiseite gelegt hat, wird ihm ein Ring, wie ihr ihn verlangt, zu viel Mühe machen, deswegen bitte ich euch, quält ihn nicht mit dieser Kleinigkeit, die ihm, weil er nicht in Übung ist, zu große Arbeit verursachen würde. Darauf dankte ich dem Herzog und bat ihn, daß er mir diesen kleinen Dienst für seine Gemahlin erlauben solle. Alsbald legte ich Hand an und in wenig Tagen war der Ring fertig; er paßte an den kleinen Finger und bestand aus vier runden Kindern und vier Masken. Dazu fügte ich noch einige Früchte nebst Bändchen von Schmelz, so daß der Edelstein und die Fassung sich sehr gut ausnahmen. Sogleich trug ich ihn zur Herzogin, die mir mit gütigen Worten sagte, ich habe ihr eine sehr schöne Arbeit gemacht und sie werde an mich denken. Sie schickte gedachten Ring dem König Philipp zum Geschenk, und befahl mir nachher immer etwas anders, und zwar so liebevoll, daß ich mich immer anstrengte ihr zu dienen, wenn mir gleich auch nur wenig Geld zu Gesichte kam, und Gott weiß, daß ich es brauchte; denn ich wünschte nichts eifriger, als meinen Perseus zu endigen.

Es hatten sich gewisse Gesellen gefunden die mir halfen, die ich aber von dem Meinigen bezahlen mußte, und ich fing von neuem an mich mehr im Palast sehen zu lassen als vorher. Eines Sonntags unter andern ging ich nach der Tafel hin, und als ich in den Saal der Uhr kam, sah ich die Garderobentür offen, und als ich mich sehen ließ, rief der Herzog und sagte mir, auf eine sehr freundliche Weise: Du bist willkommen! siehe, dieses Kästchen hat mir Herr Stephan von Palestrina zum Geschenke schickt, eröffne es und laß uns sehen, was es enthält. Als ich das Kästchen sogleich eröffnet hatte, sagte ich zum Herzog: Gnädiger Herr, das ist eine Figur von griechischem Marmor, die Gestalt eines Kindes, wundersam gearbeitet, ich erinnere mich nicht unter den Altertümern ein so schönes Werk und von so vollkommener Manier gesehen zu haben, deswegen biete ich mich an, zu dieser verstümmelten Figur den Kopf, die Arme und die Füße zu machen, und ich will einen Adler dazu verfertigen, damit man das Bild einen Ganymed nennen kann. Zwar schickt sich nicht für mich Statuen auszuflicken, denn das ist das Handwerk gewisser Pfuscher, die ihre Sache schlecht genug machen, indessen fordert mich die Vortrefflichkeit dieses Meisters zu solcher Arbeit auf. Der Herzog war sehr vergnügt, daß die Statue so schön sei, fragte mich viel darüber und sagte: Mein Benvenuto, erkläre mir genau, worin denn die große Fürtrefflichkeit dieses Meisters bestehe, worüber du dich so sehr verwunderst. Darauf zeigte ich Seiner Exzellenz, so gut ich nur konnte und wußte, alle Schönheiten und suchte ihm das Talent, die Kenntnis und die seltne Manier des Meisters begreiflich zu machen. Hierüber hatte ich sehr viel gesprochen und es um so lieber getan, als ich bemerkte, daß Seine Exzellenz großen Gefallen daran habe.

Indessen ich nun den Herzog auf diese angenehme Weise unterhielt, begab sich's, daß ein Page aus der Garderobe ging, und als er die Tür aufmachte, kam Bandinello herein. Der Herzog erblickte ihn, schien ein wenig unruhig und sagte mit ernsthaftem Gesichte: Was wollt ihr, Bandinello? Ohne etwas zu antworten, warf dieser sogleich die Augen auf das Kästchen, worin die aufgedeckte Statue lag, und sagte mit einem widerwärtigen Lächeln und Kopfschütteln, indem er sich gegen den Herzog wendete: Herr, das ist auch eins von denen Dingen, über die ich Eurer Exzellenz so oft gesprochen habe. Wißt nur, daß die Alten nichts von der Anatomie verstunden, deswegen auch ihre Werke voller Fehler sind. Ich war still und merkte nicht auf das, was er sagte, ja ich hatte ihm den Rücken zugewendet. Sobald als die Bestie ihr ungefälliges Gewäsch geendigt hatte, sagte der Herzog zu mir: Das ist ganz das Gegenteil von dem, was du, mit so viel schönen Gründen, mir erst aufs beste bewiesen hast, verteidige nun ein wenig deine Meinung. Auf diese herzoglichen Worte, die mir mit so vieler Anmut gesagt wurden, antwortete ich sogleich: Eure Exzellenz wird wissen, daß Baccio Bandinelli ganz aus bösen Eigenschaften zusammengesetzt ist, so wie er immer war, dergestalt, daß alles, was er auch ansieht, selbst Dinge die im allerhöchsten Grad vollkommen gut sind, sich vor seinen widerlichen Augen sogleich in das schlimmste Übel verwandeln; ich aber, der ich zum Guten geneigt bin, erkenne reiner die Wahrheit; daher ist das, was ich Eurer Exzellenz von dieser fürtrefflichen Statue gesagt habe, vollkommen wahr; was aber Bandinell von ihr behauptet, das ist nur ganz allein das Böse, woraus er zusammengesetzt ist.

Der Herzog stand und hörte mit vielem Vergnügen zu, und indessen als ich sprach, verzerrte Bandinell seine Gebärde und machte die häßlichsten Gesichter seines Gesichts, das häßlicher war, als man sich's in der Welt denken kann. Sogleich bewegte sich der Herzog, und indem er durch einige kleine Zimmer ging, folgte ihm Bandinell; die Kämmerer nahmen mich bei der Jacke und zogen mich mit. So folgten wir dem Herzog, bis er in ein Zimmer kam wo er sich niedersetzte. Bandinell und ich standen zu seiner Rechten und Linken. Ich hielt mich still, und die Umstehenden, verschiedene Diener Seiner Exzellenz, sahen den Bandinell scharf an, und lächelten manchmal einer zum andern über die Worte, die ich in den Zimmern oben gesagt hatte. Nun fing Bandinell zu reden an und sagte: Als ich meinen Herkules und Cacus aufdeckte, wurden mir gewiß über hundert schlechte Sonette darauf gemacht, die das Schlimmste enthielten, was man von einem solchen Pöbel erwarten kann. Gnädiger Herr! versetzte ich dagegen: Als euer Michelagnolo Buonarroti seine Sakristei eröffnete, wo man so viele schöne Figuren sieht, machte diese wundersame und tugendreiche Schule, die Freundin des Wahren und Guten, mehr als hundert Sonette, und jeder wetteiferte, wer etwas Besseres darüber sagen könnte. Und so wie jener das Gute verdiente, das man von ihm aussprach, so verdient dieser alles das Übel was über ihn ergangen ist. Auf diese Worte wurde Bandinell so rasend, daß er hätte bersten mögen, kehrte sich zu mir und sagte: Und was wüßtest du noch mehr? Ich antwortete: Das will ich dir sagen, wenn du so viel Geduld hast mir zuzuhören. Er versetzte: Rede nur!

Der Herzog, und die andern die gegenwärtig waren, zeigten große Aufmerksamkeit, und ich fing an: Wisse, daß es mir unangenehm ist, dir die Fehler deines Werkes herzuerzählen, aber ich werde nichts aus mir selbst sagen, vielmehr sollst du nur hören, was in dieser trefflichen Schule von dir gesprochen wird.

Nun sagte dieser ungeschickte Mensch bald verdrießliche Dinge, bald machte er mit Händen und Füßen eine häßliche Bewegung, so daß ich auch auf eine sehr unangenehme Weise anfing, welches ich nicht getan haben würde, wenn er sich besser betragen hätte. Daher fuhr ich fort: Diese treffliche Schule sagt, daß wenn man dem Herkules die Haare abschöre, kein Hinterkopf bleiben würde um das Gehirn zu fassen, und was das Gesicht betrifft, so wisse man nicht, ob es einen Menschen oder Löw-Ochsen vorstellen solle. Er sehe gar nicht auf das was er tue, der Kopf hänge so schlecht mit dem Hals zusammen, mit so wenig Kunst und so übler Art, daß man es nicht schlimmer sehen könne. Seine abscheulichen Schultern glichen, sagt man, zwei hölzernen Bogen von einem Eselssattel, die Brust mit ihren Muskeln seien nicht nach einem Menschen gebildet, sondern nach einem Melonensacke, den man gerade vor die Wand stellt; so sei auch der Rücken nach einem Sack voll langer Kürbisse modelliert. Wie die beiden Füße an dem häßlichen Leib hängen, könne niemand einsehen; man begreife nicht, auf welchem Schenkel der Körper ruhe, oder auf welchem er irgendeine Gewalt zeige. Auch sehe man nicht, daß er etwa auf beiden Füßen stehe, wie es manchmal solche Meister gebildet haben, die etwas zu machen verstunden; man sehe deutlich genug, daß die Figur vorwärts falle, mehr als den dritten Teil einer Elle, und das allein sei der größte und unerträglichste Fehler, den nur ein Dutzendmeister aus dem Pöbel begehen könne. Von den Armen sagt man, sie seien beide ohne die mindeste Zierlichkeit herunter gestreckt, man sehe daran keine Kunst, eben als wenn ihr niemals lebendige, nackte Menschen erblickt hättet; an dem rechten Fuße des Herkules und des Cacus seien die Waden ineinander versenkt, daß wenn sich die Füße voneinander entfernten, nicht einer, sondern beide ohne Waden bleiben würden. Ferner sagen sie, einer der Füße des Herkules stecke in der Erde, und es scheine, als wenn Feuer unter dem andern sei.

Nun hatten diese Worte den Mann so ungeduldig gemacht, und er wollte nicht erwarten, daß ich auch noch die großen Fehler des Cacus anzeigte. Denn ich sagte nicht allein die Wahrheit, sondern ich machte sie auch dem Herzog und allen Gegenwärtigen vollkommen anschaulich, so daß sie die größte Verwunderung zeigten und einsahen, daß ich vollkommen recht hatte. Auf einmal fing dagegen der Mensch an und sagte: O du böse Zunge! und wo bleibt meine Zeichnung? Ich antwortete: Wer gut zeichnet, kann nichts Schlechtes hervorbringen, deswegen glaub' ich, deine Zeichnung ist wie deine Werke. Da er nun das herzogliche Gesicht und die Gesichter der andern ansah, die ihn mit Blicken und Mienen zerrissen, ließ er sich zu sehr von seiner Frechheit hinreißen, kehrte sein häßlichstes Gesicht gegen mich und sagte mit Heftigkeit: O schweige still, du Sodomit!

Der Herzog sah ihn auf diese Worte mit verdrießlichen

Augen an, die andern schlossen den Mund und warfen finstere Blicke auf ihn, und ich, der ich mich auf eine so schändliche Weise beleidigt sah, obgleich bis zur Wut getrieben, faßte mich und ergriff ein geschicktes Mittel. O du Tor! sagte ich, du überschreitest das Maß; aber wollte Gott, daß ich mich auf eine so edle Kunst verstünde; denn wir lesen, daß Jupiter sie mit Ganymeden verübte, und hier auf der Erde pflegten die größten Kaiser und Könige derselben; ich aber als ein niedriges und geringes Menschlein wüßte mich nicht in einen so wundersamen Gebrauch zu finden. Hierauf konnte sich niemand halten, der Herzog und die übrigen lachten laut, und ob ich mich gleich bei dieser Gelegenheit munter und gleichgültig bezeigte, so wisset nur, geneigte Leser, daß mir inwendig das Herz springen wollte, wenn ich dachte, daß das verruchteste Schwein, das jemals zur Welt gekommen, so kühn sein sollte, mir in Gegenwart eines so großen Fürsten einen solchen Schimpf zu erzeigen. Aber wißt, er beleidigte den Herzog und nicht mich. Denn hätte er diese Worte nicht in so großer Gegenwart ausgesprochen, so hätte er mir tot auf der Erde liegen sollen.

Da der schmutzige dumme Schurke nun sah, daß die Herren nicht aufhörten zu lachen, fing er an, um dem Spott einigermaßen eine andere Richtung zu geben, sich wieder in eine neue Albernheit einzulassen, indem er sagte: Dieser Benvenuto rühmt sich, als wenn ich ihm einen Marmor versprochen hätte. Darauf sagte ich schnell: Wie? hast du mir nicht durch Franzen, den Sohn Matthäus des Schmieds, deinen Gesellen, sagen lassen, daß wenn ich in Marmor arbeiten wollte, du mir ein Stück zu schenken bereit seist? Ich habe es angenommen und verlange es. Er versetzte darauf: Rechne nur, daß du es nicht sehen wirst. Noch voll Raserei über die vorher erlittene Beleidigung verließ mich alle Vernunft, so daß ich die Gegenwart des Herzogs vergaß und mit großer Wut versetzte: Ich sage dir ausdrücklich: wenn du mir nicht den Marmor bis ins Haus schickst, so suche dir eine andere Welt, denn in dieser werde ich dich auf alle

Weise erwürgen. Sogleich kam ich wieder zu mir, und als ich bemerkte, daß ich mich in Gegenwart eines so großen Herzogs befand, wendete ich mich demütig zu Seiner Exzellenz und sagte: Gnädiger Herr! Ein Narr macht hundert! Über der Narrheit dieses Menschen habe ich die Herrlichkeit von Eurer Exzellenz und mich selbst vergessen; deswegen verzeiht mir! Darauf sagte der Herzog zum Bandinell: Ist es wahr, daß du ihm den Marmor versprochen hast? Dieser antwortete, es sei wahr. Der Herzog sagte darauf zu mir: Geh in seine Werkstatt und nimm dir ein Stück nach Belieben. Ich versetzte, er habe versprochen, mir eins ins Haus zu schicken. Es wurden noch schreckliche Worte gesprochen, und ich bestand darauf, nur auf diese Weise den Stein anzunehmen.

Den andern Morgen brachte man mir den Marmor ins Haus; ich fragte, wer mir ihn schicke. Sie sagten, es schicke ihn Bandinello und es sei das der Marmor, den er mir versprochen habe. Sogleich ließ ich ihn in meine Werkstatt tragen und fing an ihn zu behauen. und indessen ich arbeitete, machte ich auch das Modell, denn so groß war meine Begierde in Marmor zu arbeiten, daß ich nicht Geduld und Entschluß genug hatte, ein Modell mit so viel Überlegung zu machen, als eine solche Kunst erfordert. Da ich nun gar unter dem Arbeiten bemerkte, daß der Marmor einen stumpfen und unreinen Klang von sich gab, gereute es mich oft, daß ich angefangen hatte. Doch machte ich daraus, was ich konnte; nämlich den Apollo und Hyazinth, den man noch unvollendet in meiner Werkstatt sieht. Indessen ich nun arbeitete, kam der Herzog manchmal in mein Haus und sagte mir öfters: Lass das Erz ein wenig stehen und arbeite am Marmor, daß ich dir zusehe. Darauf nahm ich sogleich die Eisen und arbeitete frisch weg. Der Herzog fragte nach dem Modell, ich antwortete: Dieser Marmor ist voller Stiche, demohngeachtet will ich etwas herausbringen; aber ich habe mich nicht entschließen können ein Modell zu machen, und will mir nur so gut als möglich heraushelfen.

Geschwind ließ mir der Herzog von Rom ein Stück griechischen Marmor kommen, damit ich ihm jenen antiken Ganymed restaurieren möchte, der Ursache des Streites mit Bandinell war. Als das Stück Marmor ankam, überlegte ich, daß es eine Sünde sei, es in Stücke zu trennen, um Kopf, Arme und das Beiwesen zum Ganymed zu verfertigen. Ich sah mich nach anderm Marmor um; zu dem ganzen Stücke aber machte ich ein kleines Wachsmodell und nannte die Figur Narziß. Nun hatte der Marmor leider zwei Löcher, die wohl eine Viertelelle tief und zwei Finger breit waren, deshalb machte ich die Stellung die man sieht, um meine Figur fern davon zu erhalten; aber die vielen Jahre, die es darauf geregnet hatte, so daß die Öffnungen immer voll Wasser standen, war die Feuchtigkeit dergestalt eingedrungen, daß der Marmor in der Gegend vom obern Loch geschwächt und gleichsam faul war. Das zeigte sich nachher, als der Arno überging und das Wasser in meiner Werkstatt über anderthalb Ellen stieg. Weil nun gedachter Marmor auf einem hölzernen Untersatz stand, so warf ihn das Wasser um, darüber er unter der Brust zerbrach; und als ich ihn wieder herstellte, machte ich, damit man den Riß nicht sehen sollte, jenen Blumenkranz, den er unter der Brust hat. So arbeitete ich an seiner Vollendung gewisse Stunden vor Tag, oder auch an Festtagen, nur um keine Zeit an meinem Perseus zu verlieren, und als ich unter andern eines Morgens gewisse kleine Eisen, um daran zu arbeiten, zurechte machte, sprang mir ein Splitter vom feinsten Stahl ins rechte Auge und drang so tief in den Augapfel, daß man ihn auf keine Weise herausziehen konnte, und ich glaubte für gewiß, das Licht dieses Auges zu verlieren. Nach verschiedenen Tagen rief ich Meister Raphael Pilli, den Chirurgus, der zwei lebendige Tauben nahm, und, indem er mich rückwärts auf den Tisch legte, diesen Tieren eine Ader durchstach, die sie unter dem Flügel haben, so daß mir das Blut in die Augen lief, da ich mich denn schnell wieder gestärkt fühlte. In Zeit von zwei Tagen ging der Splitter heraus, ich blieb frei, und mein Gesicht war verbessert. Als nun das Fest der heiligen Lucia herbeikam, es war nur noch drei Tage bis dahin, machte ich ein goldnes Auge aus einer französischen Münze, und ließ es der Heiligen durch eine meiner sechs Nichten überreichen. Das Kind war ungefähr zehn Jahr alt, und durch sie dankte ich Gott und der heiligen Lucia. Ich hatte nun eine Zeitlang keine Lust an gedachtem Narziß zu arbeiten; denn da ich den Perseus unter so vielen Hindernissen doch so weit gebracht hatte, so war ich entschlossen, ihn zu endigen und mit Gott hinwegzugehen.

SECHSTES KAPITEL

Der Herzog zweifelt an Cellinis Geschicklichkeit in Erz zu gießen und hat hierüber eine Unterredung mit ihm. Der Verfasser gibt einen hinreichenden Beweis seiner Kunst, indem er den Perseus gießt. Die Statue gerät zu aller Welt Erstaunen und wird unter vielen Hindernissen mit großer Anstrengung vollendet.

Als der Guß meiner Meduse so gut geraten war, arbeitete ich mit großer Hoffnung meinen Perseus in Wachs aus und versprach mir, daß er ebensogut wie jene in Erz ausfallen solle. So ward er in Wachs wohl vollendet und zeigte sich sehr schön. Der Herzog sah ihn, und die Arbeit gefiel ihm sehr wohl. Nun mochte ihm aber jemand eingebildet haben, die Statue könne so von Erz nicht ausfallen, oder er mochte sich es selbst vorgestellt haben, genug, er kam öfter, als er pflegte, in mein Haus und sagte mir einmal unter anderm: Benvenuto! die Figur kann dir nicht von Erz gelingen; denn die Kunst erlaubt es nicht. Über diese Worte war ich sehr verdrießlich und sagte: Ich weiß, daß Eure Exzellenz mir wenig vertrauen, und das mag daher kommen, weil Sie entweder denen zu viel glauben, die von mir Übles reden, oder daß Sie die Sache nicht verstehen. Er ließ mich kaum ausreden und versetzte: Ich gebe mir Mühe mich darauf zu verstehen, und ich verstehe es recht gut. Darauf antwortete ich: Ja, als Herr, aber nicht als Künstler; denn wenn Eure Exzellenz es auf diese Weise verstünden, wie Sie glauben, so würden Sie Vertrauen zu mir haben, da mir der schöne Kopf von Erz geraten ist, das große Porträt von Eurer Exzellenz, das nach Elba geschickt wurde, und da ich den Ganymed von Marmor mit so großer Schwierigkeit restauriert und dabei mehr Arbeit gehabt habe, als wenn ich ihn ganz neu hätte machen sollen; so auch, weil ich die Meduse gegossen habe, die Eure Exzellenz hier gegenwärtig sehen. Dies war ein sehr schwerer Guß, wobei ich getan habe, was niemand vor mir in dieser verteufelten Kunst leistete. Sehet, gnädiger Herr, ich habe dazu eine ganz neue Art von Ofen gebaut, völlig von den andern verschieden. Denn außer manchen Abänderungen und kunstreichen Einrichtungen, die man daran bemerkt, habe ich zwei Öffnungen für das Erz gemacht, weil diese schwere und verdrehte Figur auf andere Weise niemals gekommen wär', wie es allein durch meine Einsicht geschehen ist, und wie es keiner von den Geübten in dieser Kunst glauben wollte. Ja gewiß, mein Herr, alle die großen und schweren Arbeiten, die ich in Frankreich unter dem wundersamen König Franziskus gemacht habe, sind mir trefflich geraten, bloß weil dieser gute König mir immer so großen Mut machte mit dem vielen Vorschuß, und indem er mir soviel Arbeiter erlaubte, als ich nur verlangte, so daß ich mich manchmal ihrer vierzig, ganz nach meiner Wahl, bediente. Deswegen habe ich in so kurzer Zeit so eine große Menge Arbeiten zustande gebracht. Glaubt mir, gnädiger Herr, und gebt mir die Beihülfe deren ich bedarf, so hoffe ich ein Werk zustande zu bringen, das euch gefallen soll. Wenn aber Eure Exzellenz mir den Geist erniedrigt, und mir die nötige Hülfe nicht reichen läßt, so ist es unmöglich, daß weder ich noch irgend ein Mensch in der Welt etwas leisten könne, das recht sei.

Der Herzog hörte meine Worte und Gründe nicht gern und wendete sich bald da- bald dorthin, und ich Unglücklicher, Verzweifelter, betrübte mich äußerst, denn ich erinnerte mich des schönen Zustands, den ich in Frankreich verlassen hatte. Darauf versetzte der Herzog: Nun sage, Benvenuto, wie ist es möglich, daß der schöne Kopf der Meduse da oben in der Hand des Perseus jemals kommen könne? Sogleich versetzte ich: Nun sehet, gnädiger Herr, daß ihr es nicht versteht! denn wenn Eure Exzellenz die Kenntnis der Kunst hätte, wie sie behauptet, so würde sie keine Furcht für den schönen Kopf haben, der nach ihrer Meinung nicht kommen wird, aber wohl für den rechten Fuß, der da unten so weit entfernt steht.

Auf diese meine Worte wendete sich der Herzog halb erzürnt gegen einige Herren, die mit ihm waren: Ich glaube, Benvenuto tut es aus Prahlerei, daß er von allem das Gegenteil behauptet. Dann kehrte er sich schnell zu mir, halb verächtlich, worin ihm alle die gegenwärtig waren nachfolgten, und fing an zu reden: Ich will soviel Geduld haben, die Ursache anzuhören, die du dir ausdenken kannst, damit ich deinen Worten glaube. Ich antwortete darauf: Ich will Eurer Exzellenz so eine wahre Ursache angeben, daß sie die Sache vollkommen einsehen soll. Denn wisset, gnädiger Herr, es ist nicht die Natur des Feuers abwärts, sondern aufwärts zu gehen, deswegen verspreche ich, daß der Kopf der Meduse trefflich kommen soll; weil es aber, um zu dem Fuße zu gelangen, durch die Gewalt der Kunst, sechs Ellen hinabgetrieben werden muß, so sage ich Eurer Exzellenz, daß er sich unmöglich vollkommen ausgießen aber leicht auszubessern sein wird. Da versetzte der Herzog: Warum dachtest du nicht dran es so einzurichten, daß er ebensogut als der Kopf sich ausgießen möge? Ich sagte: Ich hätte alsdann einen weit größern Ofen machen müssen, und eine Gußröhre wie mein Fuß, und die Schwere des heißen Metalls hätte es alsdann gezwungen, da jetzt der Ast der bis zu den Füßen hinunter diese sechs Ellen reicht, nicht stärker als zwei Finger ist; aber es hat nichts zu bedeuten, denn alles soll bald ausgebessert sein; wenn aber meine Form halb voll sein wird, wie ich hoffe, alsdann wird das Feuer von dieser Hälfte an, nach seiner Natur in die Höhe steigen, und der Kopf des Perseus und der Meduse werden aufs beste geraten, wie ich euch ganz sicher verspreche. Da ich nun meine gründlichen Ursachen gesagt hatte, nebst noch unendlichen vielen andern, die ich nicht aufschreibe, um nicht zu lang zu werden, schüttelte der Herzog den Kopf und ging in Gottes Namen weg.

Nun sprach ich mir selbst Sicherheit und Mut ein und verjagte alle Gedanken, die sich mir stündlich aufdrangen, und die mich oft zu bittern Tränen bewegten, und zur lebhaften Reue, daß ich Frankreich verlassen hatte, und nach Florenz meinem süßen Vaterland gekommen war, nur um meinen Nichten ein Almosen zu bringen. Nun sah ich freilich für eine solche Wohltat den Anfang eines großen Übels vor mir, demohngeachtet versprach ich mir, daß wenn ich mein angefangenes Werk, den Perseus, vollendete, sich meine Mühe in das größte Vergnügen und in einen herrlichen Zustand verwandeln würde, und griff mutig das Werk mit allen Kräften des Körpers und des Beutels an. Denn ob mir gleich weniges Geld übrig geblieben war, so schaffte ich mir doch manche Klafter Pinienholz, die ich aus dem Walde der Serristori zunächst Monte Lupo erhielt. Und indem ich darauf wartete, bekleidete ich meinen Perseus mit jenen Erden, die ich verschiedene Monate vorher zurechtgemacht hatte, damit sie ihre Zeit hätten vollkommen zu werden, und da ich den Überzug von Erde gemacht, ihn wohl verwahrt und äußerst sorgfältig mit Eisen umgeben hatte, fing ich mit gelindem Feuer an das Wachs herauszuziehen, das durch viele Luftlöcher abfloß, die ich gemacht hatte: denn je mehr man deren macht, desto besser füllt sich nachher die Form aus.

Da ich nun alles Wachs herausgezogen hatte, machte ich einen Ofen um gedachte Form herum, den ich mit Ziegeln auf Ziegeln aufbaute, und vielen Raum dazwischen ließ, damit das Feuer desto besser ausströmen könnte; alsdann legte ich ganz sachte Holz an, und machte zwei Tage und zwei Nächte Feuer, so lange, bis das Wachs völlig verzehrt und die Form selbst wohlgebrannt war. Dann fing ich schnell an die Grube zu graben, um meine Form herein zu bringen, und bediente mich aller schönen Vorteile die uns diese Kunst anbefiehlt.

Als nun die Grube fertig war, hub ich meine Form durch die Kraft von Winden und guten Hanfseilen eine Elle über den Boden meines Ofens, so daß sie ganz frei über die Mitte der Grube zu schweben kam. Als ich sie nun wohlgerichtet hatte, ließ ich sie sachte hinunter, daß sie dem Grunde des Bodens gleich kam, und stellte sie mit aller Sorgfalt die man nur denken kann. Nachdem ich diese schöne Arbeit vollbracht hatte, fing ich sie mit eben der Erde, woraus der Überzug bestand, zu befestigen an, und so wie ich damit nach und nach heraufkam, vergaß ich nicht die Luftkanäle anzubringen, welches kleine Röhren von gebrannter Erde waren, wie man sie zu den Wasserleitungen und andern dergleichen Dingen braucht. Da ich sah, daß die Form gut befestigt war, und meine Art sie mit Erde zu umgeben sowohl als die Röhren am schicklichen Orte anzubringen, von meinen Arbeitern gut begriffen wurde, ob ich gleich dabei ganz anders als die übrigen Meister dieser Kunst zu Werke ging, so wendete ich mich, überzeugt, daß ich ihnen trauen konnte, zu meinem Ofen, in welchem ich vielen Abgang von Kupfer und andere Stücke Erz aufgehäuft hatte, und zwar kunstmäßig eins über das andere geschichtet, um der Flamme ihren Weg zu weisen. Damit aber das Metall schneller erhitzt würde und zusammenflösse, so sagte ich lebhaft, sie sollten dem Ofen Feuer geben.

Nun warfen sie von dem Pinienholze hinein, das, wegen seines Harzes, in dem wohlgebauten Ofen so lebhaft flammte und arbeitete, daß ich genötigt war, bald von einer bald von der andern Seite zu helfen. Die Arbeit war so groß, daß sie mir fast unerträglich ward, und doch griff ich mich an, was nur möglich war. Dazu kam unglücklicherweise, daß das Feuer die Werkstatt ergriff, und wir fürchten mußten, das Dach möchte über uns zusammenstürzen. Von der andern Seite, gegen den Garten, jagte mir der Himmel so viel Wind und Regen herein, daß mir der Ofen sich abkühlte. So stritt ich mit diesen verkehrten Zufällen mehrere Stunden und ermüdete mich dergestalt, daß meine starke Natur nicht widerstand. Es überfiel mich ein Fieber, so heftig, als man es denken konnte, daß ich mich genötigt fühlte wegzugehen und mich ins Bette zu legen. Da wendete ich mich sehr verdrießlich zu denen die mir beistanden, das ungefähr zehen oder mehrere waren, sowohl Meister im Erzgießen als Handlanger und Bauern, ingleichen die besondern Arbeiter meiner Werkstatt, unter denen sich Bernardino von Mugello befand, den ich mir verschiedene Jahre durch angezogen hatte. Zu diesem sagte ich, nachdem ich mich allen empfohlen hatte: Siehe, lieber Bernardin, beobachte die Ordnung, die ich dir gezeigt habe; halte dich dazu, was du kannst, denn das Metall wird bald gar sein, du kannst nicht irren; die andern braven Männer machen geschwind die Kanäle, und mit diesen beiden Eisen könnt ihr die Löcher aufstechen, und ich bin gewiß, daß meine Form sich zum besten anfüllen wird. Ich empfinde ein größeres Übel als jemals in meinem Leben, und gewiß in wenigen Stunden wird es mich umbringen. So ging ich höchst mißvergnügt von ihnen weg und legte mich zu Bette. Dann befahl ich meinen Mägden, sie sollten allen zu essen und zu trinken in die Werkstatt bringen, und setzte hinzu, ich würde den Morgen nicht erleben. Sie munterten mich auf und sagten, dieses große Übel würde vorbeigehen, das mich nur wegen zu gewaltsamer Anstrengung überfallen habe, und so litt ich zwei ganze Stunden, ja ich fühlte das Fieber immer zunehmen, und hörte nicht auf zu sagen, ich fühle mich sterben.

Diejenige die meinem ganzen Hauswesen vorstand, und den Namen Frau Fiore von Castell del Rio hatte, war die trefflichste Person von der Welt und zugleich äußerst liebevoll. Sie schalt mich, daß ich so außer mir sei, und suchte mich dabei wieder auf das freundlichste und gefälligste zu bedienen; da sie mich aber mit diesem unmäßigen Übel befallen sah, konnte sie den Tränen nicht wehren, die ihr aus den Augen fielen, und doch nahm sie sich soviel als möglich in acht, daß ich es nicht sehen sollte.

Da ich mich nun in diesen unendlichen Nöten befand, sah ich einen gewissen Mann in mein Zimmer kommen, der von Person so krumm war, wie ein großes S. Dieser fing mit einem erbärmlichen und jämmerlichen Ton, wie diejenigen, die den armen Sündern die zum Gericht geführt werden zusprechen, an zu reden, und sagte: Armer Benvenuto! Euer Werk ist verdorben, daß ihm in der Welt nicht mehr zu helfen ist. Sobald ich die Worte dieses Unglücklichen vernahm, tat ich einen solchen Schrei, daß man ihn hätte im Feuerhimmel hören mögen. Ich stand vom Bett auf, nahm meine Kleider und fing an sie anzulegen, und wer sich näherte mir zu helfen, Mägde oder Knabe, nach dem trat und schlug ich, dabei jammerte ich, und sagte: O ihr neidischen Verräter, dieses Unheil ist mit Fleiß geschehen, und ich schwöre bei Gott, ich will es wohl herausbringen, und ehe ich sterbe, will ich noch so ein Beispiel auf der Welt lassen, daß mehr als einer darüber erstaunen soll! Als ich angezogen war, ging ich mit schlimmen Gedanken gegen die Werkstatt, wo ich alle Leute, die ich so munter verlassen hatte, erstaunt und höchst erschrocken fand. Da sagte ich: Nun versteht mich. Weil ihr die Art und Weise, die ich euch angab, weder befolgen wolltet noch konntet, so gehorchet mir nun, da ich unter euch und in der Gegenwart meines Werkes bin. Niemand widersetzte sich mir, denn in solchen Fällen braucht man Beistand und keinen Rat. Hierauf antwortete mir ein gewisser Meister Alessandro Lastricati und sagte: Sehet, Benvenuto, ihr bestehet vergebens darauf, ein Werk zu machen wie es die Kunst nicht erlaubt, und wie es auf keine Weise gehen kann. Auf diese Worte wendete ich mich mit solcher Wut zu ihm und zum Allerschlimmsten entschlossen, so daß er und alle die übrigen mit Einer Stimme riefen: Auf! befehlt uns nur, wir wollen euch in allem gehorchen, und mit allen Leibes- und Lebenskräften beistehen. Diese freundlichen Worte, denk' ich, sagten sie nur, weil sie glaubten, ich würde in kurzem tot niederfallen.

Sogleich ging ich den Ofen zu besehen und fand das Metall stehend und zu einem Kuchen geronnen. Ich sagte zwei Handlangern, sie sollten zum Nachbar Capretta, dem Fleischer, gehen, dessen Frau mir einen Stoß Holz von jungen Eichen versprochen hatte, die schon länger als ein Jahr ausgetrocknet waren, und als nur die ersten Trachten herankamen, fing ich an den Feuerherd damit anzufüllen. Diese Holzart macht ein heftiger Feuer als alle andern, und man bedient sich des Erlen- und Fichtenholzes zum Stückgießen, weil es gelinderes Feuer macht. Als nun der Metallkuchen dieses gewaltige Feuer empfand, fing er an zu schmelzen und zu blitzen; von der andern Seite betrieb ich die Kanäle, andere hatte ich auf das Dach geschickt, dem Feuer zu wehren, das bei der großen Stärke des Windes wieder aufs neue gegriffen hatte; gegen den Garten zu ließ ich Tafeln, Tapeten und Lappen aufbreiten, die mir das Wasser abhalten sollten. Nachdem ich nun alles dieses große Unheil, soviel als möglich, abgewendet hatte, rief ich mit starker Stimme bald diesem bald jenem zu: Bringe dies! nimm das! so daß die ganze Gesellschaft, als sie sahe, daß der Kuchen zu schmelzen anfing, mir mit so gutem Willen diente, daß jeder die Arbeit für drei verrichtete. Alsdann ließ ich einen halben Zinnkuchen nehmen, der ungefähr sechzig Pfund wiegen konnte, und warf ihn auf das Metall im Ofen, das durch allerlei Beihülfe, durch frisches Feuer und Anstoßen mit eisernen Stangen, in kurzer Zeit ganz flüssig ward.

Nun glaubte ich einen Toten auferweckt zu haben, triumphierte über den Unglauben aller der Ignoranten und fühlte in mir eine solche Lebhaftigkeit, daß ich weder ans Fieber dachte, noch an die Furcht des Todes. Auf einmal hörte ich ein Getöse, mit einem gewaltsamen Leuchten des Feuers, so daß es schien, als wenn sich ein Blitz in unserer Gegenwart erzeugt hätte. Über diese unerwartete fürchterliche Erscheinung war ein jeder erschrocken, und ich mehr als die andern. Als der große Lärm vorbei war, sahen wir einander an und bemerkten, daß die Decke des Ofens geplatzt war, und sich in die Höhe hob, dergestalt, daß das Erz ausfloß. Sogleich ließ ich die Mündung meiner Form eröffnen, und zu gleicher Zeit die beiden Gußlöcher aufstoßen. Da ich aber bemerkte, daß das Metall nicht mit der Geschwindigkeit lief, als es sich gehörte, überlegte ich, daß vielleicht der Zusatz durch das grimmige Feuer könnte verzehrt worden sein, und ließ sogleich meine Schüsseln und Teller von Zinn, deren etwa zweihundert waren, herbeischaffen, und brachte eine nach der andern vor die Kanäle, zum Teil ließ ich sie auch in den Ofen werfen, so daß jeder nunmehr das Erz auf das beste geschmolzen sah und zugleich bemerken konnte, daß die Form sich füllte. Da halfen sie mir froh und lebhaft und gehorchten mir, ich aber befahl und half bald da und bald dort, und sagte: O Gott, der du durch deine unendliche Kraft vom Tode auferstanden und herrlich gen Himmel gefahren bist, verschaffe, daß meine Form sich auf einmal fülle! Darauf kniete ich nieder und betete von Herzen. Dann wendete ich mich zu der Schüssel, die nicht weit von mir auf einer Bank stand, aß und trank mit großem Appetit, und so auch der ganze Haufen. Dann ging ich froh und gesund zu Bette, es waren zwei Stunden vor Tag, und, als wenn ich nicht das mindeste Übel gehabt hätte, war meine Ruhe sanft und süß.

Indessen hatte mir jene wackre Magd aus eigenem Antrieb einen guten fetten Kapaun zurechte gemacht, und als ich aufstund, war es eben Zeit zum Mittagessen. Sie kam mir fröhlich entgegen und sagte: Ist das der Mann, der sterben wollte? Ich glaube, ihr habt das Fieber diese Nacht mit euren Stößen und Tritten vertrieben? Denn als die Krankheit sah, daß ihr in eurer Raserei uns so übel mitspieltet, ist sie erschrocken und hat sich davongemacht, aus Furcht, es möchte ihr auch so gehen. So war unter den Meinigen Schrecken und Furcht verschwunden, und wir erholten uns wieder von so saurer Arbeit. Ich schickte geschwind, meine zinnernen Teller zu ersetzen, nach Töpferware, wir aßen alle zusammen fröhlich zu Mittag, und ich erinnere mich nicht, in meinem Leben heiterer und mit besserem Appetit gespeist zu haben. Nach Tische kamen alle diejenigen, die mir geholfen hatten, erfreuten sich und dankten Gott für alles was begegnet war und sagten, sie hätten Sachen gesehen und gelernt, die alle andern Meister für unmöglich hielten. Ich war nicht wenig stolz und rühmte mich mit manchen Worten über den glücklichen Ausgang, dann bedachte ich das Nötige, griff in meinen Beutel, bezahlte und befriedigte sie alle.

Sogleich suchte mein tödlicher Feind, der abscheuliche Haushofmeister des Herzogs, mit großer Sorgfalt zu erfahren, was alles begegnet sei, und die beiden, die ich im Verdacht hatte, als wenn sie am Gerinnen des Metalls schuld seien, sagten ihm, ich sei kein Mensch, sondern eigentlich ein großer Teufel: denn ich habe das verrichtet, was der Kunst unmöglich sei; das brachten sie nebst vielen andern großen Dingen vor, die selbst für einen bösen Geist zu viel gewesen wären. So wie sie nun wahrscheinlich mehr als geschehen war, vielleicht um sich zu entschuldigen, erzählten, so schrieb der Haushofmeister geschwind an den Herzog, der sich in Pisa befand, noch schrecklicher und noch wundersamer, als jene erzählt hatten.

Als ich nun zwei Tage mein gegossenes Werk hatte verkühlen lassen, fing ich an es langsam zu entblößen, und fand zuerst den Kopf der Meduse, der sehr gut gekommen war, weil ich die Züge richtig angebracht hatte und weil, wie ich dem Herzog sagte, die Wirkung aufwärts ging; dann fuhr ich fort, das übrige aufzudecken, und fand den zweiten Kopf, nämlich den des Perseus, der gleichfalls sehr gut gekommen war. Hierbei hatte ich Gelegenheit, mich noch mehr zu verwundern, denn wie man sieht, ist dieser Kopf viel niedriger als das Medusenhaupt, und die Öffnungen des Werks waren auf dem Kopfe des Perseus und auf den Schultern angebracht. Nun fand ich, daß grade auf dem

Kopfe des Perseus das Erz, das in meinem Ofen war, ein Ende hatte, so daß nicht das mindeste drüber stand, noch auch etwas fehlte, worüber ich mich sehr verwunderte und diese seltsame Begebenheit für eine Einwirkung und Führung Gottes halten mußte. So ging das Aufdecken glücklich fort, und ich fand alles auf das beste gekommen, und als ich an den Fuß des rechten Schenkels gelangte, fand ich die Ferse ausgegossen, so wie den Fuß selbst, so daß ich mich von einer Seite ergötzte, die Begebenheit aber mir von der andern Seite unangenehm war, weil ich gegen den Herzog behauptet hatte, der Fuß könne nicht kommen. Da ich aber weiter vorwärts kam, ward ich wieder zufriedengestellt, denn die Zehen waren ausgeblieben und ein wenig von der vordern Höhe des Fußes; und ob ich gleich dadurch wieder neue Arbeit fand, so war ich doch zufrieden, nur damit der Herzog sehen sollte, daß ich verstehe, was ich vornehme. Und wenn viel mehr von diesem Fuß gekommen war, als ich geglaubt hatte, so war die Ursache, daß viele Dinge zusammenkamen, die eigentlich nicht in der Ordnung der Kunst sind, und weil ich auf die Weise, wie ich erzählt habe, dem Guß mit den zinnernen Tellern zu Hülfe kommen mußte, eine Art und Weise, die von andern nicht gebraucht wird.

Da ich nun mein Werk so schön geraten fand, ging ich geschwind nach Pisa, um meinen Herzog zu finden, der mich so freundlich empfing, als sich's nur denken läßt; desgleichen tat auch die Herzogin, und obgleich der Haushofmeister ihm die ganze Sache geschrieben hatte, so schien es Ihren Exzellenzien noch viel erstaunlicher und wundersamer die Geschichte aus meinem Munde zu hören, und als ich zuletzt an den Fuß des Perseus kam, der sich nicht angefüllt hatte, wie ich Seiner Exzellenz voraussagte, so war er voll Erstaunen und erzählte der Herzogin, was zwischen uns vorgefallen war. Da ich nun sah, daß meine Herrschaft so freundlich gegen mich war, bat ich den Herzog, er möchte mich nach Rom gehen lassen; da gab er mir gnädigen Urlaub und sagte mir, ich möchte bald zurückkommen, seinen Perseus zu endigen. Zugleich gab er mir Empfehlungsschreiben an seinen Gesandten, welcher Averardo Serristori hieß. Es war in den ersten Jahren der Regierung Papst Julius des Dritten (1550, 1551).

SIEBENTES KAPITEL

Cellini erhält einen Brief von Michelagnolo, betreffend eine Porträtbüste des Bindo Altoviti. — Er geht mit des Herzogs Erlaubnis nach Rom zu Anfang der Regierung des Papstes Julius III. — Nachdem er diesem aufgewartet, besucht er den Michelagnolo, um ihn zum Dienste des Herzogs von Toscana zu bereden. — Michelagnolo lehnt es ab mit der Entschuldigung, weil er bei Sankt Peter angestellt sei. — Cellini kehrt nach Florenz zurück und findet eine kalte Aufnahme bei dem Herzog, woran die Verleumdungen des Haushofmeisters Ursache sein mochten. — Er wird mit dem Fürsten wieder ausgesöhnt, fällt aber sogleich wieder in die Ungnade der Herzogin, weil er ihr bei einem Perlenhandel nicht beisteht. — Umständliche Erzählung dieser Begebenheit. — Bernardone setzt es beim Herzog durch, daß dieser gegen Cellinis Rat die Perlen für die Herzogin kauft. — Diese wird des Verfassers unversöhnliche Feindin.

Ehe ich verreiste befahl ich meinen Arbeitern, daß sie nach der Art, wie ich ihnen gezeigt hatte, am Perseus fortfahren sollten. Die Ursache aber, warum ich nach Rom ging, war folgende. Ich hatte das Porträt in Erz von Bindo Altoviti in natürlicher Größe gemacht und es ihm nach Rom geschickt; er hatte dieses Bild in sein Schreibzimmer gestellt, das sehr reich mit Altertümern und andern schönen Dingen verziert war; aber dieser Ort war weder für Bildhauerarbeit noch für Malerei. Denn die Fenster standen zu tief, die Kunstwerke hatten ein falsches Licht und zeigten sich keineswegs auf die günstige Weise, wie sie bei einer vernünftigen Beleuchtung würden getan haben. Eines Tages begab sich's, daß gedachter Bindo an seiner Tür stand und den Michelagnolo Buonarroti, der vorbeiging, ersuchte, er möchte ihn würdigen in sein Haus zu kommen, um sein Schreibzimmer zu sehen. Und so führte er ihn hinein. Jener, sobald er sich umgesehen hatte, sagte: Wer ist der Meister, der euch so gut und mit so schöner Manier abgebildet hat? Wisset, daß der Kopf mir gefällt; ich finde ihn besser als die Antiken hier, obgleich gute Sachen hier zu sehen sind; stünden die Fenster oben, so würde sich alles besser zeigen, und euer Bildnis würde sich unter so schönen Kunstwerken viel Ehre machen.

Als Michelagnolo nach Hause kam, schrieb er mir den gefälligsten Brief, der folgendes enthielt: Mein Benvenuto! ich habe euch so viele Jahre als den trefflichsten Goldschmied gekannt, von dem wir jemals gewußt hätten, und nun werde ich euch auch für einen solchen Bildhauer halten müssen. Wisset, daß Herr Bindo Altoviti mir sein Porträt von Erz zeigte und mir sagte, daß es von eurer Hand sei. Ich hatte viel Vergnügen dran, nur mußte ich tadeln, daß die Büste in schlechtem Lichte stand; denn wenn sie vernünftig beleuchtet wäre, so würde sie als das schöne Werk erscheinen, das sie ist.

Diesen Brief, der so liebevoll und so günstig für mich geschrieben war, zeigte ich dem Herzog, der ihn mit viel Zufriedenheit las und sagte: Benvenuto! wenn du ihm schreibst, so suche ihn zu bereden, daß er wieder nach Florenz komme, ich will ihn zu einem der Achtundvierzig machen. Darauf schrieb ich ihm einen sehr gefälligen Brief und sagte ihm darin im Namen des Herzogs hundertmal mehr als mir aufgetragen war. Doch um nicht zu irren, zeigte ich das Blatt Seiner Exzellenz, ehe ich siegelte, und fragte, ob ich vielleicht zuviel versprochen habe. Er antwortete mir dagegen: Du hast nach seinem Verdienste geschrieben; gewiß er verdient mehr, als du ihm versprochen hast, und ich will ihm noch mehr halten. Auf diesen Brief antwortete Michelagnolo niemals, und deswegen war der Herzog sehr auf ihn erzürnt.

Als ich nun wieder nach Rom kam, wohnte ich im Hause des gedachten Bindo Altoviti, der mir sogleich erzählte, wie er sein Bild von Erz dem Michelagnolo gezeigt und wie dieser es außerordentlich gelobt habe, und wir sprachen darüber viel und weitläufig. Nun hatte er von mir zwölfhundert Goldgülden in Händen, die sich mit unter den fünftausend befanden, welche er unserm Herzog geborgt hatte, und zahlte mir meinen Teil von Interessen richtig. Das war die Ursache, daß ich sein Bildnis machte, und als Bindo es von Wachs sah, schickte er mir zum Geschenk funfzig Goldgülden durch einen seiner Leute, Julian Paccalli, einen Notar, welches Geld ich nicht nehmen wollte und durch denselben Mann zurückschickte. Dann sagte ich zu gedachtem Bindo: Mir ist's genug, daß ihr mir nur mein Geld lebendig erhaltet, daß es mir etwas gewinne.

Nun sah ich aber, daß er gegenwärtig übel gegen mich gesinnt sei. Anstatt mich liebzukosen, wie er sonst gewohnt war, zeigte er sich verschlossen gegen mich, und ob ich gleich in seinem Hause wohnte, sah ich ihn doch niemals heiter, sondern immer grämlich. Zuletzt kamen wir mit wenig Worten überein. Ich verlor mein Verdienst an seinem Bildnisse und das Erz dazu, und wir wurden einig, daß ich mein Geld bei ihm auf Leibrenten lassen wollte, und er sollte mir solang ich lebte funfzehn Prozent geben.

Vor allen Dingen war ich gegangen, dem Papst den Fuß zu küssen, und glaubte, nach der Art, wie er mit mir sprach, würde ich leicht mit ihm übereinkommen, denn ich wäre gern wieder nach Rom gegangen, weil ich in Florenz allzugroße Hindernisse fand; aber ich bemerkte bald, daß obgedachter Gesandte gegen mich gewirkt hatte. Dann besuchte ich Michelagnolo Buonarroti und erinnerte ihn an jenen Brief, den ich ihm von Florenz im Namen des Herzogs geschrieben hatte. Er antwortete mir, daß er bei der Peterskirche angestellt sei und deshalb sich nicht entfernen könne. Ich sagte darauf, da er sich entschlossen habe, das Modell von gedachtem Gebäude zu machen, so könne er nur seinen Urbino da lassen, der fürtrefflich alles befolgen würde, was er ihm befehle; dazu fügte ich noch viele andere Worte und Versprechungen vonseiten des Herzogs. Auf einmal faßte er mich ins Auge und sagte mit einem spöttischen Lächeln: Und ihr? wie seid ihr mit ihm zufrieden? Ob ich nun gleich darauf versetzte, daß ich äußerst vergnügt sei und sehr wohl behandelt werde, so ließ er mir doch merken, daß er den größten Teil meiner Verdrießlichkeiten kenne, und antwortete mir, er werde sich unmöglich losmachen können. Darauf setzte ich hinzu, er würde besser tun nach Hause in sein Vaterland zu kehren, das von einem gerechten Herrn regiert werde und von einem so großen Liebhaber der Künste, als die Welt niemals gesehen hätte.

Nun hatte er, wie oben gesagt, einen Knaben bei sich, der von Urbino war; dieser hatte ihm viele Jahre mehr als Knecht und Magd als auf andere Weise gedient, welches man sehr wohl merken konnte, weil der junge Mensch gar nichts von der Kunst gelernt hatte. Als ich nun den Michelagnolo mit so vielen guten Gründen festhielt, daß er nicht wußte, was er sagen sollte, wendete er sich schnell zu Urbino, als wenn er fragen wolle, was er dazu sage. Da rief dieser Mensch auf seine bäuerische Weise und mit lauter Stimme: Ich lasse nicht von Michelagnolo, bis ich ihn schinde oder er mich. Über diese dummen Reden mußte ich lachen, und ohne weiter Abschied zu nehmen, zuckte ich die Schultern, wendete mich um und ging.

Da ich nun so schlecht mein Geschäft mit Bindo Altoviti vollbracht hatte, wobei ich die eherne Büste verlor und ihm mein Geld noch als Leibrente lassen mußte, lernte ich einsehen, von was für einer Art der Kaufleute Treue und Glauben sei, und kehrte verdrießlich wieder nach Florenz zurück. Ich fragte nach Seiner Exzellenz, dem Herzog, der eben im Kastell an der Brücke zu Rifredi war. Im Palast zu Florenz fand ich Herrn Peter Franziskus Ricci, den Haushofmeister, und als ich mich ihm nähern wollte, um ihm nach Gewohnheit mein Kompliment zu machen, sagte er, mit unmäßiger Verwunderung: Wie, du bist zurückgekommen? Darauf schlug er in die Hände und sagte, noch immer voll Erstaunen: Der Herzog ist zu Castello. Er wendete mir darauf den Rücken und ging, und ich konnte nicht begreifen, warum die Bestie sich so gebärdete. Sogleich ging ich nach Kastell, und als ich in den Garten kam, wo der Herzog war, sah ich ihn in einiger Entfernung; er machte gleichfalls ein Zeichen der Verwunderung und gab mir zu verstehen, daß ich mich wegbegeben sollte. Ich, der ich gedacht hatte, Seine Exzellenz sollten mich so freundlich, ja noch freundlicher empfangen, als sie mich entlassen hatten, mußte nun so ein wunderliches Betragen sehen, kehrte sehr verdrießlich nach Florenz zurück, und suchte meine Werke mit Fleiß zu vollenden.

Da ich mir nun nicht denken konnte, was zu so einem Betragen hätte Anlaß geben können und dabei auf die Art merkte, womit Herr Sforza und die übrigen, welche zunächst um den Herzog waren, mir begegneten, kam mir die Lust an, Herrn Sforza selbst zu fragen, was das denn eigentlich bedeuten sollte. Er sagte darauf lachend zu mir: Benvenuto! bleibe ein wackrer Mann und bekümmere dich um weiter nichts. Erst viele Tage hernach hatte er die Gefälligkeit, mir mit dem Herzog eine Unterredung zu verschaffen, der auf eine trübe Weise freundlich war und mich fragte, was man in Rom mache. Ich fing, so gut ich nur wußte, meine Erzählung an, sprach von dem ehernen Kopf, den ich für Bindo Altoviti gemacht hatte, und dem was daraus gefolgt. Dabei konnte ich bemerken, daß er mir mit großer Aufmerksamkeit zuhörte. Gleichfalls sagte ich ihm alles wegen Michelagnolo Buonarroti, worüber er sich ein wenig verdrießlich zeigte; doch lachte er wieder sehr über die Worte des Urbino und über die Schinderei von der dieser Bursche gesprochen hatte; allein er sagte zu allem dem nichts weiter als: Es ist sein eigner Schade! Ich aber neigte mich und ging. Gewiß hatte der Haushofmeister wieder etwas Böses gegen mich aufgebracht, das ihm aber nicht gelang, wie denn Gott immer ein Freund der Wahrheit ist und mich aus so unsäglichen Gefahren bis zu diesem meinem Alter errettet hat, und mich erretten wird bis ans Ende meines Lebens, durch dessen Mühseligkeiten ich allein mit Beihülfe seiner Kraft mutig hindurchgehe, und weder die Wut

VIERTES BUCH · SIEBENTES KAPITEL

des Glücks noch ungünstige Sterne befürchte, so lange mir Gott seine Gnade erhält.

Nun aber vernimm, gefälliger Leser, einen schrecklichen Vorfall! Mit aller möglichen Sorgfalt befliß ich mich, mein Werk zu Ende zu bringen, und ging abends in die Garderobe des Herzogs, den Goldschmieden zu helfen, die für Seine Exzellenz arbeiteten; und fast alle ihre Werke waren nach meinen Zeichnungen. Der Herzog sah gern der Arbeit zu und hatte Vergnügen mit mir zu sprechen, deswegen ging ich auch manchmal am Tage hin. Einmal unter andern war ich auch in gedachter Garderobe, der Herzog kam nach seiner Gewohnheit und besonders da er wußte, daß ich zugegen sei. Sogleich fing er an mit mir zu sprechen, und ich hatte ihm diesmal so wohl gefallen, daß er sich mir freundlicher als jemals zeigte. Da kam einer von seinen Sekretären eilig und sagte ihm etwas ins Ohr; vielleicht Sachen von der größten Wichtigkeit. Der Herzog stand auf und sie gingen zusammen in ein andres Zimmer. Indessen hatte die Herzogin geschickt, um zu sehen, was Seine Exzellenz mache. Der Page sagte zu ihr: Er spricht und lacht mit Benvenuto und ist sehr wohl aufgeräumt. Sogleich kam die Herzogin selbst in die Garderobe, und als sie den Herzog nicht fand, setzte sie sich zu uns, und als sie uns eine Weile zugesehen hatte, wendete sie sich mit großer Freundlichkeit zu mir und zeigte mir einen Schmuck von großen Perlen, der wirklich sehr selten war, und fragte mich, was ich davon hielte; ich lobte ihr ihn. Darauf sagte sie: Ich will, daß mir sie der Herzog kauft, darum, mein Benvenuto, lobe sie ihm, so viel du kannst. Darauf versetzte ich mit aller Bescheidenheit und Aufrichtigkeit: Ich dachte, dieser Schmuck gehöre schon Eurer Exzellenz, und da verlangt es die Vernunft, von den Dingen, die Ihnen gehören, nicht mit Tadel zu sprechen; jetzt aber muß ich sagen, daß ich vermöge meiner Profession viele Fehler an diesen Perlen wahrnehme und deswegen nicht raten wollte, daß Eure Exzellenz sie kaufte. Darauf sagte sie: Der Kaufmann gibt mir sie für sechstausend

Scudi; wenn sie ohne Mängel wären, würden sie zwölftausend wert sein. Darauf versetzte ich: Wäre dieser Schmuck auch von unendlicher Güte, so würde ich doch niemand raten, mehr als fünftausend Scudi dafür zu geben, denn Perlen sind keine Juwelen, sie werden mit der Zeit geringer, aber ein Edelstein altert nicht, und den sollte man kaufen. Darauf sagte die Herzogin ein wenig verdrießlich: Ich will aber diese Perlen! Lobe sie dem Herzog, ich bitte dich drum, und wenn du ja zu lügen glaubst, so tue es mir zu dienen, es soll dein Vorteil sein. Ein solcher Auftrag war mir, als einem beständigen Freunde der Wahrheit und Feinde der Lügen, höchst beschwerlich; aber um die Gnade einer so großen Prinzessin nicht zu verlieren, fand ich mich doch in die Notwendigkeit versetzt. Ich ging daher mit diesen verfluchten Perlen in das Zimmer, wo sich der Herzog befand, der, als er mich sah, zu mir sagte: Benvenuto, was willst du? Ich deckte den Schmuck auf und versetzte: Ich komme, euch einen Schmuck von den schönsten Perlen zu zeigen! Und als ich sie noch sehr gelobt hatte, setzte ich hinzu: Deshalb solltet ihr sie kaufen! Darauf sagte der Herzog: Ich kaufe sie nicht, weil sie nicht von unendlicher Güte sind. Ich aber versetzte: Verzeiht, denn sie übertreffen andere Perlen sehr an Schönheit.

Die Herzogin stand hinten und mußte gehört haben was ich sagte, sowie meine unendliche Lobeserhebung. Der Herzog wendete sich freundlich zu mir und sagte: Benvenuto! ich weiß, daß du die Sache recht gut verstehst, und wenn die Perlen von solcher Schönheit wären, so würde ich sie gern kaufen, sowohl um die Herzogin zufriedenzustellen, als auch um sie zu besitzen. Da ich nun einmal angefangen hatte zu lügen, fuhr ich fort, und widersprach allem, was der Herzog sagte, indem ich mich auf seine Gemahlin verließ, daß sie mir zur rechten Zeit beistehen sollte. Ja sie hatte mir sogar merken lassen, daß ich zweihundert Scudi haben sollte, ich hätte aber nichts genommen, damit man nicht glauben möchte, ich habe es aus Eigennutz getan. Der

Herzog fing wieder an und sagte, ich verstünde mich recht gut darauf, und wenn ich der rechtschaffene Mann wäre, wie er überzeugt sei, so sollte ich ihm die Wahrheit sagen. Da wurden mir die Augen rot und feucht von Tränen, und ich sagte: Gnädiger Herr! wenn ich Eurer Exzellenz die Wahrheit sage, so wird die Herzogin meine Todfeindin, und ich bin genötigt, mit Gott davonzugehen und die Ehre meines Perseus, die ich unserer herrlichen Schule versprochen habe, wird von meinen Feinden verkümmert werden; darum empfehle ich mich dem Schutze Eurer Exzellenz. Der Herzog sah wohl ein, daß ich alles nur aus Zwang getan hatte, versetzte: Wenn du mir traust so sorge für nichts weiter. Darauf sagte ich: Wie ist es möglich, daß die Herzogin nichts erfahre? Er verdoppelte seine Zusicherung und sagte: Rechne, daß du deine Worte in ein Diamantenkästchen vergraben hast. Darauf sagte ich ihm, wie ich's verstand, und daß sie nicht mehr als zweitausend Scudi wert seien.

Als die Herzogin hörte, daß wir still wurden, denn wir redeten ziemlich leise, kam sie hervor und sagte: Mein Herr, habt die Gnade und kauft mir den Schmuck Perlen! denn ich habe große Lust dazu und euer Benvenuto wird euch gesagt haben, daß er nie einen schönern gesehen hat. Darauf versetzte der Herzog: Ich will ihn nicht kaufen! Sie versetzte: Warum will Eure Exzellenz mir den Gefallen nicht tun und diese Perlen anschaffen? Er antwortete: Weil ich nicht Lust habe mein Geld wegzuwerfen. Wie? sagte die Herzogin von neuem, warum Geld wegwerfen, wenn euer Benvenuto, auf den ihr mit Recht soviel Vertrauen habt, mir versichert, daß über dreitausend Scudi noch ein wohlfeiler Preis ist. Darauf sagte der Herzog: Signora! mein Benvenuto hat mir gesagt, daß ich, wenn ich sie kaufe, mein Geld wegwerfe, denn diese Perlen sind weder rund noch gleich, und es sind auch genug alte darunter, und daß das wahr ist, so seht nur diese, sehet jene, sehet hier, sehet da! das ist keine Ware für mich. Auf diese Worte sah mich die

Herzogin mit zornigem Blick an, drohte mir mit dem Haupt und ging weg, so daß ich versucht war, mit Gott wegzugehen und mich aus Italien zu verlieren; weil aber mein Perseus beinahe geendigt war, so wollte ich doch nicht verfehlen, ihn aufzustellen.

Nun bedenke ein jeder, in welcher großen Not ich mich befand! Der Herzog hatte seinen Türhütern in meiner Gegenwart befohlen, sie sollten mich immer durch die Zimmer lassen, wo sich Seine Exzellenz befinde, und die Herzogin hatte ebendenselbigen aufgegeben, so oft ich in den Palast käme, sollten sie mich wegjagen. Wenn sie mich nun sahen, verließen sie ihren Posten und jagten mich weg; sie nahmen sich aber wohl in acht, daß es der Herzog nicht gewahr wurde, so daß, wenn er mich eher als diese Schelmen erblickte, er mir entweder zurief oder mir winkte, daß ich hereinkommen sollte.

Indessen hatte die Herzogin den Bernardone gerufen, über dessen Feigheit und Schlechtigkeit sie sich gegen mich so sehr beklagt hatte, und empfahl ihm, so wie vormals mir, die Sache; er antwortete: Gnädige Frau, laßt mich nur gewähren! Darauf zeigte sich der Schelm vor dem Herzog mit dem Schmuck in der Hand. Der Herzog, sobald er ihn erblickte, sagte, er solle sich wegheben! Der Schelm sagte darauf, mit einer häßlichen Stimme, die ihm durch seine Eselsnase klang: O, gnädiger Herr, kaufet doch den Schmuck der armen Dame, die für Verlangen darnach stirbt und ohne denselben nicht leben kann. Da er nun noch andere seiner dummen Worte hinzufügte, ward er dem Herzog zur Last, der zu ihm sagte: Entweder du gehst oder du kriegst Ohrfeigen. Dieser Lumpenhund wußte sehr gut was er tat, denn ihm war wohl bekannt, daß er auf dem Wege der Ohrfeigen und Unverschämtheiten die Einwilligung zum Handel vom Herzog erhalten und sich die Gnade der Herzogin, zugleich mit einer guten Provision, erwerben könne, die einige hundert Scudi betrug, und so blies er aus Possen die Backen auf und der Herzog gab ihm einige tüchtige Maulschellen, um ihn loszuwerden, und zwar ein bißchen derber, als er pflegte. So tüchtig getroffen, wurden die häßlichen Wangen rot und die Tränen kamen ihm aus den Augen, und so fing er an: Ach, gnädiger Herr! ein treuer Diener, der Gutes zu tun sucht, wird alle Art von Übel ertragen, wenn nur die arme Dame zufrieden gestellt wird. Hierüber wurde der Mensch dem Herzog äußerst zur Last, und, sowohl wegen der Ohrfeigen als wegen der Liebe zur Herzogin, die Seine Exzellenz immer zu befriedigen wünschte, sagte er sogleich: Hebe dich weg! Gott möge dich zeichnen! gehe und mache den Handel, ich bin alles zufrieden, was meine Gemahlin wünscht.

Da sehe man nun die Wut des bösen Glückes gegen einen armen Mann, und die schändliche Gunst des guten Glückes gegen eine nichtswürdige Person! Ich verlor die ganze Gnade der Herzogin und dadurch auch nach und nach die Gnade des Herzogs; jener dagegen gewann sich die große Provision und ihre Gnade. So ist es nicht genug, ein ehrlicher und tugendhafter Mann zu sein, wenn das Glück uns übel will.

ACHTES KAPITEL

Der Herzog fängt mit den Bewohnern von Siena Krieg an. Der Verfasser wird mit andern zur Ausbesserung der florentinischen Festungswerke angestellt. — Wortstreit zwischen ihm und dem Herzog über die beste Befestigungsart. — Cellinis Händel mit einem lombardischen Hauptmann, der ihm unhöflich begegnet. — Entdeckung einiger Altertümer in Erz in der Gegend von Arezzo. — Die verstümmelten Figuren werden von Cellini wiederhergestellt. — Er arbeitet in des Herzogs Zimmern daran, wobei er Hindernisse von seiten der Herzogin findet. — Seltsamer Auftritt zwischen ihm und Ihrer Hoheit. — Er versagt ihr die Gefälligkeit, einige Figuren von Erz in ihrem Zimmer aufzustellen, wodurch das Verhältnis zwischen beiden verschlimmert wird. — Verdruß mit Bernardo, dem Goldschmied. — Der Verfasser endigt seine berühmte Statue des Perseus, sie wird auf dem Platze aufgestellt und erhält großen Beifall. — Der Herzog besonders ist sehr zufrieden damit. — Cellini wird von dem Vizekönig nach Sizilien berufen, will aber des Herzogs Dienste nicht lassen. — Sehr vergnügt über die gelungene Arbeit, unternimmt er eine Wallfahrt von wenig Tagen nach Vallombrosa und Camaldoli.

Zu der Zeit entstand der Krieg von Siena, und der Herzog, der Florenz befestigen wollte, verteilte die Tore unter geschickte Bildhauer und Baukünstler. Mir teilte man das Tor al Prato zu und das Törchen am Arno, das nach den Mühlen gehet; dem Cavalier Bandinell das Tor bei San Friano; Pasqualino von Ancona ward bei dem Tor San Pier Gattolini angestellt; Julian von Baccio d'Agnolo, der Zimmermeister, bei Sankt Georg; Particino, der Zimmermeister, bei Sankt Nikolas; Franziskus von San Gallo, der Bildhauer, Margolla genannt, beim Kreuze, und Johann Baptista, Tasso genannt, bei dem Tore Pinti. Und so wurden andere Bastionen und Tore andern Ingenieuren übergeben, deren ich mich nicht erinnere, und die auch auf meine Geschichte keinen Einfluß haben.

Der Herzog, der wirklich immer die besten Einsichten zeigte, ging selbst um die Stadt, und da Seine Exzellenz alles wohl überlegt und sich entschlossen hatte, rief er Lactantio Gorini, seinen Kassierer, der sich auch ein wenig mit dieser Profession abgab, und ließ ihn alle die Art und Weise zeichnen, wie die Stadt und gedachte Tore befestigt werden sollten, und schickte einem jeden sein gezeichnetes Tor.

Da ich nun diejenigen Risse betrachtete, die man mir zugeschickt hatte, schien es mir, daß sie keinesweges nach den Umständen eingerichtet, sondern äußerst fehlerhaft wären. Sogleich eilte ich, mit der Zeichnung in der Hand, meinen Herzog aufzusuchen, und als ich Seiner Exzellenz die Mängel dieser Arbeit zeigen wollte, hatte ich kaum zu reden angefangen, als der Herzog sich ergrimmt zu mir wendete und sagte: Wenn die Rede ist, wie man treffliche Figuren machen soll, so will ich dir nachgeben; aber in dieser Kunst mußt du mir gehorchen; drum befolge die Zeichnung, die ich dir gegeben habe. Auf diese kurzen Worte antwortete ich so gelind, als ich in der Welt nur wußte, und sagte: Gnädiger Herr, auch die gute Art Figuren zu machen, habe ich von Eurer Exzellenz gelernt, denn wir haben immer ein wenig darüber gestritten; nun ist die Rede von der Befestigung eurer Stadt, einer Sache von viel größerer Bedeutung, als Figuren zu machen, deshalb bitte ich Eure Exzellenz mich anzuhören, und wenn ich so mit Ihnen spreche, werden Sie mir die Art und Weise zeigen, wie ich Ihnen zu dienen habe. Diese meine gefälligen Worte nahm der Herzog sehr gütig auf und fing an mit mir über die Sache zu disputieren; ich zeigte sodann mit lebhaften und deutlichen Gründen, daß die Art, die man mir vorgeschrieben hatte nicht gut sei. Darauf sagte der Herzog: Nun gehe und mache selbst eine Zeichnung, und ich will sehen, ob sie mir gefällt. So machte ich ein paar Zeichnungen von der wahren Art, wie die beiden Tore befestigt werden mußten und brachte sie ihm; er unterschied das Wahre vom Falschen und sagte mir sehr freundlich: Nun gehe, und mach es nach deiner Art, ich bin es zufrieden. Da fing ich denn mit großer Sorgfalt an.

Die Wache des Tors al Prato hatte ein lombardischer Kapitän von schrecklicher starker Gestalt und von gemeinen Redensarten. Dabei war er eingebildet und äußerst unwissend; dieser fragte mich sogleich, was ich machen wollte. Darauf ließ ich ihn gefällig meine Zeichnungen sehen, und mit der äußersten Mühe erklärte ich ihm die Art, nach der ich verfahren wolle. Nun schüttelte die Bestie den Kopf, wendete sich da- und dorthin, trat von einem Bein aufs andere, wickelte seinen ungeheuren Knebelbart, strich sich am Kinn, zog die Mütze über die Augen und sagte nur immer: Zum Henker, ich verstehe das alles nicht! Verdrießlich über diese Bestie, sagte ich: So laßt es mich machen, der ich's verstehe; dabei wendete ich ihm den Rücken, das er höchst übel nahm und sagte: Du willst gewiß, daß ich mit dir aufs Blut rechten soll. Ich wendete mich erzürnt herum und sagte: Es sollte mir lieber sein, mit dir als mit der Bastion zu tun zu haben. Sogleich legten wir Hand an die Degen; wir hatten sie aber nicht einmal ganz gezogen, als sich viele wackere Leute von unsern Florentinern und andern Hofleuten dazwischen legten. Der große Teil schalt ihn aus und sagte, er habe unrecht, ich sei ein Mann, es mit ihm aufzunehmen, und wenn es der Herzog erführe, sollte es ihm übel bekommen. Nun bekümmerte er sich um seine

Geschäfte und ich fing meine Bastion an. Als ich nun die gehörige Anstalt getroffen hatte, ging ich zu dem kleinen Tor am Arno, wo ich einen Kapitän von Cesena fand, den artigsten Mann, den ich jemals von dieser Profession gekannt hatte. Äußerlich zeigte er sich wie ein zierliches Mädchen, und im Notfalle war er einer der bravsten und tödlichsten Menschen, die man sich denken kann. Dieser Edelmann beobachtete mich so genau, daß er mir oft Nachdenken erregte, er wünschte meine Arbeit zu verstehen, und ich zeigte ihm alles aufs gefälligste. Genug, wir wetteiferten, wer sich gegen den andern freundlicher bezeigen könne, so daß ich diese Bastion weit besser als jene zustande brachte.

Als ich mit meinen Festungswerken fertig war, hatten die Völker des Herrn Peter Strozzi im Lande gestreift, und das ganze Gebiet von Prato war so in Furcht gesetzt, daß alles ausräumte und flüchtete. Nun kamen sie mit allen ihren Karren herbei und jeder fuhr seine Habe in die Stadt; ein Wagen berührte den andern und es war eine unendliche Menge. Da ich nun solche Unordnung sah, sagte ich zur Torwache: sie sollten achthaben, daß unter dem Tore nicht das Unglück begegne wie in Turin, wo das Fallgatter, als man es brauchen wollte, von einem solchen Wagen in die Höhe gehalten wurde und seinen Dienst nicht leisten konnte. Als das Ungeheuer von Kapitän diese meine Worte hörte, wendete er sich mit Schimpfreden gegen mich, die ich ihm sogleich zurückgab, so daß es zwischen uns hätte schlimmer als vorher werden können; doch trennte man uns wieder. Da ich nun meine Bastion vollendet hatte, erhielt ich unerwartet vieles Geld, mit dem ich mir wieder aufhalf, und mich wieder an die Arbeit begab, um meinen Perseus zu vollenden.

In diesen Tagen hatte man einige Altertümer in der Gegend von Arezzo ausgegraben, worunter sich auch die Chimäre befand, nämlich der eherne Löwe, den man in den nächsten Zimmern am großen Saal des Palastes noch sehen kann, und zugleich hatte man viele kleine Statuen von Erz gefunden, die ganz mit Erde und Rost bedeckt waren, und einer jeden fehlte entweder der Kopf, die Hände, oder die Füße. Der Herzog hatte Vergnügen, sie selbst mit gewissen Grabsticheln rein zu machen, und einst, als ich mit Seiner Exzellenz sprach, reichte er mir einen Hammer, womit ich auf die Meißelchen, die er in der Hand hielt, schlug, so daß die Figuren von Erde und Rost gereinigt wurden. So vergingen einige Abende, und der Herzog veranlaßte mich, daß ich die fehlenden Glieder wieder herstellte, und da er so viel Vergnügen an dem wenigen Meißeln hatte, so ließ er mich auch des Tages arbeiten, und wenn ich mich verspätete, so mußte ich gerufen werden. Öfters gab ich Seiner Exzellenz zu verstehen, daß ich mich von meinem Perseus abzöge, und daß daraus gar manches Unangenehme entstehen könnte. Erstlich fürchtete ich, daß die lange Zeit, die ich zu meinem Werke brauchte, zuletzt Seiner Exzellenz verdrießlich fallen möchte, wie es denn auch wirklich nachher geschah; das andere war, daß meine Arbeiter, wenn ich mich nicht gegenwärtig befand, mir teils mein Werk verdarben, teils so wenig als möglich arbeiteten. Darauf begnügte sich der Herzog, daß ich nur beim Einbruche der Nacht in den Palast kommen sollte. Seine Exzellenz war äußerst sanft und gütig gegen mich geworden, und jeden Abend, den ich zu ihm kam, nahmen die Liebkosungen zu.

In diesen Tagen baute man an jenen neuen Zimmern gegen die Löwen, so daß Seine Exzellenz, um abgesondert zu sein, sich in den neuen Gemächern eine kleine Wohnung einrichten ließ, mir aber hatte er befohlen, ich sollte durch seine Garderobe kommen, da ich denn heimlich über die Galerie des großen Saals ging und durch gewisse Schlupflöcher zu jenem Gemach gelangte. Wenige Tage darauf brachte mich die Herzogin um diese Zugänge und ließ alle diese Türen verschließen, so daß ich alle Abende, wenn ich in den Palast kam, eine Weile warten mußte, weil sie sich selbst in diesen Vorzimmern befand, wo man vor ihrer Bequemlichkeit vorbei mußte, und weil sie nicht wohl war, so kam ich niemals ohne sie zu stören. Nun warf sie deswegen, und wegen der schon bekannten Ursache, den äußersten Groll auf mich und konnte mich auf keine Weise weder sehen noch leiden. Doch mit aller dieser großen Not und diesem unendlichen Verdruß fuhr ich gelassen fort hinzugehen. Der Herzog hatte ausdrücklich befohlen, daß man mir, wenn ich an die Tür pochte, sogleich aufmachen sollte, und so ließen sie mich, ohne mir etwas weiter zu sagen, durch alle Zimmer. Nun begegnete es manchmal, wenn ich ruhig und unerwartet durchging, daß ich die Herzogin bei ihrer Bequemlichkeit fand, die sich denn mit einem so wütenden Zorne gegen mich herausließ, daß ich mich entsetzte. Sie sagte mir immer: Wann wirst du denn einmal mit den kleinen Figuren fertig sein! dein Kommen wird mir allzu lästig. Darauf antwortete ich mit der größten Gelassenheit: Gnädige Frau und einzige Gönnerin! ich verlange nichts mehr, als Ihnen mit Treue und äußerstem Gehorsam zu dienen. Die Werke, die mir der Herzog befohlen hat, werden mehrere Monate brauchen; wenn aber Eure Exzellenz nicht will, daß ich mehr hierherkommen soll, so werde ich auch nicht kommen, es rufe mich wer will, und wenn der Herzog zu mir schickt, so will ich sagen, daß ich krank bin, und Sie sollen mich auf keine Weise hier wieder sehen. Darauf versetzte sie: Ich sage nicht, daß du dem Herzog nicht gehorchen sollst, aber mir scheint, daß deine Arbeit kein Ende nehmen wird. Mochte nun der Herzog hievon etwas gemerkt haben, oder auf andere Weise veranlaßt worden sein, genug wenn vierundzwanzig Uhr herbeikam, so ließ er mich rufen und der Bote sagte jederzeit: Verfehle nicht zu kommen, der Herzog erwartet dich; und so fuhr ich fort, mit ebendenselben Schwierigkeiten mehrere Abende hinzugehen. Einmal unter andern, als ich nach meiner Gewohnheit hereintrat, sprach der Herzog wahrscheinlich von geheimen Dingen mit seiner Gemahlin und wendete sich mit heftigem Zorne gegen mich, darüber ich einigermaßen erschreckt eilig zurückgehen wollte; er aber sagte schnell zu mir: Komm herein, mein Benvenuto! gehe an deine Arbeit und ich werde bald bei dir sein. Indessen ich vorbeiging, nahm mich Prinz Grazia, ein Kind von wenigen Jahren, bei der Jacke, und trieb so artige Scherze, als ein solches Kind nur machen kann. Der Herzog verwunderte sich darüber und sagte: Was ist das für eine anmutige Freundschaft, die meine Kinder zu dir haben?

Indessen ich nun an diesen Kleinigkeiten arbeitete, waren die Prinzen Don Giovanni, Don Arnando und Don Grazia den ganzen Abend um mich herum, und stachen mich, ohne daß es der Herzog sah, ich aber bat sie ruhig zu sein. Sie antworteten: Wir können nicht! Und ich versetzte: Was man nicht kann, will man auch nicht, drum laßt mich ruhen. Darüber fingen der Herzog und die Herzogin an laut zu lachen.

Einen andern Abend, als ich jene vier Figuren von Erz fertig hatte, die an der Base des Perseus angebracht sind, nämlich Jupiter, Merkur, Minerva und Danae, Mutter des Perseus mit ihrem kleinen Knaben zu Füßen, hatte ich sie zusammen in gedachtes Zimmer bringen lassen, wo ich abends arbeitete, und sie in eine Reihe, ein wenig höher als das Auge gestellt, wo sie sich wirklich sehr gut ausnahmen. Der Herzog, der es gehört hatte, kam etwas früher als gewöhnlich, und weil die Person, die ihm die Nachricht brachte, diese Arbeiten über Verdienst gerühmt und gesagt hatte, sie seien besser als die alten, und mehr solche Dinge, so kam nun der Herzog und die Herzogin und sprach mit Zufriedenheit von meinen Werken; ich aber stand geschwind auf und ging ihm entgegen. Er hob darauf nach seiner fürstlichen und edlen Art die rechte Hand auf, worin er eine Birn hielt, so groß und schön, als man sie nur sehen kann, und sagte dabei: Nimm hier, mein Benvenuto, und bringe diese Birn in den Garten deines Hauses. Darauf antwortete ich gefällig: O gnädiger Herr! ist es Ihr Ernst, daß ich die Birn in den Garten meines Hauses legen soll? Der Herzog sagte von neuem: In den Garten des Hauses, das dein ist. Verstehst du mich recht? Darauf dankte ich Seiner Exzellenz und der Herzogin mit den besten Zeremonien, die ich nur in der Welt zu machen wußte. Dann setzten sie sich gegen die Figuren über und sprachen über zwei Stunden von nichts als von denselben, so daß die Herzogin ein unmäßiges Verlangen darnach empfand und zu mir sagte: Ich will nicht, daß du diese schönen Figuren da unten auf dem Platz verschwendest, wo sie in Gefahr kämen verdorben zu werden, vielmehr sollst du sie mir in einem meiner Zimmer anbringen, wo ich sie aufs beste will halten lassen, wie ihre seltne Tugend verdient. Gegen diese Worte setzte ich mich mit unendlichen Gründen, weil ich aber sah, wie fest sie entschlossen war, daß ich die Figuren nicht an die Base, wo sie sich jetzo befinden, aufstellen sollte, so wartete ich den andern Tag ab und ging um zweiundzwanzig in den Palast, und als ich fand, daß der Herzog und die Herzogin ausgeritten waren, ließ ich die Figuren hinuntertragen, und weil ich an der Base schon alles zurechte gemacht hatte, so lötete ich sie sogleich ein, wie sie bleiben sollten. Als die Herzogin es hörte, wurde sie so zornig, daß sie mir, wenn ihr Gemahl nicht gewesen wär', gewiß vieles Übel zugefügt hätte. Nun kam dieser Verdruß noch zu jenem wegen der Perlen, und sie wirkte so viel, daß der Herzog sein weniges Vergnügen aufgab. Ich kam also abends nicht mehr hin, denn ich fand alle die vorigen Schwierigkeiten, wenn ich in den Palast wollte.

Ich wohnte nun, wo ich meinen Perseus schon hingebracht hatte, und arbeitete an seiner Vollendung unter allen den Hindernissen, deren ich schon erwähnt habe, das heißt, ohne Geld und unter so vielen andern Vorfällen, deren Hälfte schon einen Mann von Diamant zur Verzweiflung gebracht hätte. Als der Herzog vernahm, daß ich den Perseus schon als geendigt zeigen konnte, kam er einen Tag das Werk zu sehen, und gab auf eine deutliche Art zu erkennen, daß es ihm außerordentlich gefalle. Darauf wendete er sich zu gewissen Herren, die mit ihm waren, und sagte: Ob uns

VIERTES BUCH · ACHTES KAPITEL 823

gleich dieses Werk sehr schön vorkömmt, so muß es doch auch dem Volke gefallen, deswegen, mein Benvenuto, ehe du die letzte Hand anlegst, wünschte ich, daß du mir zuliebe diese vordere Türe nach meinem Platze zu öffnetest, um zu sehen, was das Volk dazu sagt; denn es ist keine Frage, daß es ein Unterschied sein muß, es frei oder in einer solchen Enge zu sehen, und es wird sich gewiß anders als gegenwärtig zeigen. Auf diese Worte sagte ich demütig zu Seiner Exzellenz: Es wird gewiß um die Hälfte besser aussehen. Erinnern sich Eure Exzellenz nicht, es in dem Garten meines Hauses gesehen zu haben, wo es sich so gut zeigte. Ja sogar Bandinello, der es daselbst sah, war genötigt, ungeachtet seiner bösen Natur, Gutes davon zu reden, er, der sein ganzes Leben lang von niemand Gutes gesprochen hat, und ich fürchte, Eure Exzellenz trauen ihm zu viel.

Darauf sagte der Herzog ein wenig verdrießlich, aber mit gefälligen Worten: Tue es, mein Benvenuto, zu meiner geringen Genugtuung.

Als er weg war, machte ich mich daran, die Statue aufzudecken, weil aber ein wenig Gold fehlte und ein gewisser Firnis und andere Kleinigkeiten, die zu Vollendung eines Werks gehören, murmelte ich verdrießlich, schalt und betrübte mich und verwünschte den verfluchten Tag, der mich veranlaßt hatte nach Florenz zu gehen. Denn ich sah freilich den großen Verlust, den ich mir zugezogen hatte, indem ich Frankreich verließ, und sah und wußte noch nicht, was ich Gutes von meinem Herrn in Florenz erwarten sollte, denn alles, was ich, vom Anfang bis zur Mitte und bis zum Ende getan hatte, war alles zu meinem größten Schaden geschehen. Und so mit größtem Verdrusse deckte ich die Bildsäule des folgenden Tags auf.

Nun gefiel es Gott, daß, sobald als sie gesehen wurde, sich ein unmäßiges Geschrei zum Lobe des Werks erhub, wobei ich mich ein wenig getröstet fühlte. Die Leute hörten nicht auf, immerfort Sonette an die Türgewände anzuheften, wodurch gleichsam ein festliches Ansehen entstand.

Indessen suchte ich das Werk zu vollenden und arbeitete an demselben Tage daran, an welchem es mehrere Stunden aufgedeckt blieb und mehr als zwanzig Sonette zum unmäßigen Lobe meiner Arbeit angeheftet wurden. Das hörte nicht auf, nachdem ich sie wieder zugedeckt hatte, alle Tage fanden sich neue Gedichte, lateinische Sonette und griechische Verse; denn eben waren Ferien auf der Universität Pisa und alle die vortrefflichsten Lehrer und Schüler bemühten sich um die Wette. Was mir aber das größte Vergnügen machte und mir die größte Hoffnung wegen der Gesinnung des Herzogs gab, war, daß die von der Kunst, nämlich Maler und Bildhauer, gleichfalls wetteiferten, wer das meiste Gute davon sagen könnte, und unter andern der geschickte Maler Jakob von Pontormo; am höchsten aber schätzte ich das Lob des trefflichen Bronzino, des Malers, dem es nicht genug war, verschiedene Gedichte öffentlich anheften zu lassen, sondern der mir derselben auch noch ins Haus schickte, worin er so viel Gutes, auf seine seltene und angenehme Weise, sagte, daß ich mich wieder einigermaßen beruhigte. Und so hatte ich das Werk wieder bedeckt und suchte es mit allem Fleiß zu vollenden.

Als mein Herzog die Gunst erfuhr, welche mir die treffliche Schule bei diesem kurzen Anblick erzeigt hatte, sagte er: Ich freue mich, daß Benvenuto diese kleine Zufriedenheit gehabt hat, so wird er desto geschwinder die Arbeit vollenden: aber er denke nur nicht, wenn sie ganz aufgedeckt ist, daß die Leute noch immer auf gleiche Weise sprechen werden. Es werden dann auch alle Fehler, die daran sind, aufgedeckt sein, und man wird andere, die nicht daran sind, hinzutun, so mag er sich mit Geduld waffnen. An diesen Reden war Bandinell schuld, denn er hatte bei dieser Gelegenheit die Werke des Andrea del Verrocchio angeführt, der den schönen Christus und Sankt Thomas von Erz gemacht hatte, den man an der Fassade Orsanmichele sieht, und noch andere Werke, sogar den verwundernswürdigen David des göttlichen Michelagnolo Buonarroti,

VIERTES BUCH · ACHTES KAPITEL

von dem er auch behauptete, er zeige sich nur von vorn gut. Dann sprach er von seinem Herkules und seinen unendlichen Sonetten, die daran geheftet wurden, und sprach alles Übel vom Volk. Der Herzog hatte ihn zu diesen Reden veranlaßt und glaubte wirklich, die Sache werde auch so ablaufen, denn der neidische Bandinell hörte nicht auf Übles zu reden. So sagte auch einmal, in der Gegenwart des Herzogs, der Schurke Bernardon, der Mäkler, nur um dem Bandinell zu schmeicheln: Wißt, gnädiger Herr, große Figuren zu machen, ist eine andere Kunst, als kleine zu arbeiten! Ich will nicht sagen, daß er die kleinen Figürchen nicht gut gemacht habe; aber ihr werdet sehen, die große gelingt ihm nicht. Und unter diese hämischen Worte mischte er nach seiner Spionenart noch andere, und häufte Lügen auf Lügen.

Nun gefiel's aber meinem glorreichen Herrn und unsterblichen Gott, daß ich meine Statue vollendete und sie an einem Donnerstag ganz aufdecken konnte. Alsobald, es war noch nicht ganz Tag, vereinigte sich eine solche Menge Volks, daß es nicht zu zählen war, und alle wetteiferten, das Beste davon zu sprechen. Der Herzog stand an einem niedern Fenster des Palastes, das über der Türe war, und so vernahm er, halb verborgen, alles was man sagte. Als er nun einige Stunden zugehört hatte, stand er mit soviel Zufriedenheit und Lebhaftigkeit auf, wendete sich zu Herrn Sforza und sagte: Sforza! geh zu Benvenuto und sag ihm von meinetwegen, daß er mich, mehr als ich hoffte, befriedigt hat, ich will ihn auch zufriedenstellen, er soll sich verwundern, und sag ihm, er soll gutes Muts sein. Herr Sforza brachte mir diesen ruhmvollen Auftrag, wodurch ich äußerst gestärkt ward und denselben Tag sehr vergnügt zubrachte, weil das Volk auf mich mit Fingern wies, und mich dem und jenem als eine neue und wundersame Sache zeigte. Unter andern waren zwei Edelleute, die der Vizekönig von Sizilien an unsern Herzog in Geschäften gesendet hatte. Als man mich diesen beiden gefälligen Männern auf dem Platze zeigte, kamen sie heftig auf mich los, und, mit ihren

Mützen in der Hand, hielten sie mir eine so umständliche Rede, die für einen Papst zu viel gewesen wär'. Ich demütigte mich soviel ich konnte, aber sie deckten mich dergestalt zu, daß ich sie inständig bat, mit mir vom Platze wegzugehn, weil die Leute bei uns stillstanden und mich schärfer ansahen als unsern Perseus selbst. Unter diesen Zeremonien waren sie so kühn, und verlangten, ich möchte nach Sizilien kommen, da sie mir denn einen solchen Kontrakt versprachen, mit dem ich zufrieden sein sollte. Sie sagten mir, Bruder Johann Angiolo, von den Serviten, habe ihnen einen Brunnen gemacht, mit vielen Figuren verziert, aber sie seien lange nicht von der Vortrefflichkeit wie der Perseus und er sei dabei reich geworden. Ich ließ sie nicht alles was sie sagen wollten vollenden, sondern versetzte: Ich verwundere mich sehr, daß ihr von mir verlangt, daß ich einen Herrn verlassen soll, der die Talente mehr schätzt als irgendein andrer Fürst, der je geboren wurde, um so mehr, da ich ihn in meinem Vaterlande finde, der Schule aller der großen Künste. Hätte ich Lust zu großem Gewinn, so wär' ich in Frankreich geblieben, im Dienste des großen Königs Franziskus, der mir tausend Goldgülden für meinen Unterhalt gab, und dazu die Arbeit meiner sämtlichen Werke bezahlte, so daß ich mich alle Jahre über viertausend Goldgülden stand; nun bin ich aber doch weggegangen und habe den Lohn meiner Werke von vier Jahren in Paris zurückgelassen. Mit diesen und andern Worten schnitt ich die Zeremonien durch, dankte den Herren für das große Lob, das sie mir gegeben hatten, und versicherte sie, das sei die größte Belohnung für jeden, der sich ernsthaft bemühe; ich setzte hinzu, sie hätten meine Lust gut zu arbeiten so vermehrt, daß ich in wenigen Jahren ein anderes Werk aufzustellen hoffte, mit dem ich der vortrefflichen florentinischen Schule noch mehr als mit diesem zu gefallen gedächte. Die beiden Edelleute hätten gerne den Faden der Zeremonien wieder angeknüpft; aber ich, mit einer Mützenbewegung und einem tiefen Bückling, nahm sogleich von ihnen Abschied.

Auf diese Weise ließ ich zwei Tage vorübergehen, und als ich sah, daß das große Lob immer zunahm, entschloß ich mich meinem Herzog aufzuwarten, der mit großer Freundlichkeit zu mir sagte: Mein Benvenuto, du hast mich und das ganze Volk zufriedengestellt; aber ich verspreche dir, daß ich dich auch auf eine Weise befriedigen will, über welche du dich verwundern sollst, und ich sage dir, der morgende Tag soll nicht vorübergehen. Auf diese herrlichen Versprechungen wendete ich alle Kräfte der Seele und des Leibes in Einem Augenblick zu Gott und dankte ihm aufrichtig, zugleich hörte ich meinen Herzog an, und halb weinend vor Freude küßte ich ihm das Kleid und sagte: Mein glorreicher Herr, freigebig gegen alle Talente und gegen die Menschen, die sie ausüben! Ich bitte Eure Exzellenz um gnädigen Urlaub auf acht Tage, damit ich Gott danken möge. Denn ich weiß wohl, wie übermäßig ich mich angestrengt habe, und bin überzeugt, daß mein fester Glaube Gott zu meiner Hülfe bewogen hat. Wegen diesem und so manchem andern wunderbaren Beistand will ich acht Tage als Pilgrim auswandern und meinem unsterblichen Gott und Herrn danken, der immer demjenigen hilft, der ihn mit Wahrheit anruft.

Darauf fragte mich der Herzog, wohin ich gehen wollte, und ich versetzte: Morgen früh will ich weggehen, auf Vallombrosa zu, von da nach Camaldoli und zu den Eremiten, dann zu den Bädern der heiligen Maria und vielleicht bis Sestile, weil ich höre, daß daselbst schöne Altertümer sind. Dann will ich über San Francesco della Vernia zurückkehren, unter beständigem Danke gegen Gott, und mit dem lebhaften Wunsch Eurer Exzellenz weiter zu dienen. Darauf sagte mir der Herzog mit heiterem Gesichte: Geh und kehre zurück! Wirklich so gefällst du mir; lasse mir zwei Verse zum Andenken und sei unbesorgt.

Sogleich machte ich vier Verse, in welchen ich Seiner Exzellenz dankte, und gab sie Herrn Sforza, der sie dem Herzog in meinem Namen überreichte. Dieser empfing sie, gab sie sodann zurück und sagte: Lege sie mir täglich vor die Augen! Denn wenn Benvenuto zurückkäm' und seine Sache nicht ausgefertigt fänd', ich glaube er brächte mich um. Auf diese scherzhafte Weise verlangte der Herzog erinnert zu werden. Diese bestimmten Worte sagte mir Herr Sforza noch selbigen Abend, verwunderte sich über die große Gunst, und sagte mir auf eine sehr gefällige Weise: Geh, Benvenuto, und komme bald wieder. Ich beneide dich.

NEUNTES KAPITEL

Der Autor begegnet, auf seinem Wege, einem alten Alchimisten, von Bagno, der ihm von einigen Gold- und Silberminen Kenntnis gibt, und ihn mit einer Karte von seiner eignen Hand beschenkt, worauf ein gefährlicher Paß bemerkt ist, durch welchen die Feinde in des Herzogs Land kommen könnten. — Er kehrt damit zum Herzog zurück, der ihn wegen seines Eifers höchlich lobt. — Differenz zwischen ihm und dem Herzog, wegen des Preises des Perseus. — Man überläßt es der Entscheidung des Hieronymus Albizzi, welcher die Sache keineswegs zu des Autors Zufriedenheit vollbringt. — Neues Mißverständnis zwischen ihm und dem Herzog, welches Bandinelli und die Herzogin vermitteln sollen. — Der Herzog wünscht, daß er halberhobene Arbeiten in Erz für das Chor von Santa Maria del Fiore unternehmen möge. — Nach wenig Unterhaltungen gibt der Herzog diesen Vorsatz auf. — Der Autor erbietet sich, zwei Pulte für den Chor zu machen, und sie mit halberhobenen Figuren, in Erz, auszuzieren. — Der Herzog billigt den Vorschlag.

Nun ging ich im Namen Gottes von Florenz weg, immer Psalmen und Gebete zu Verherrlichung des göttlichen Namens auf der ganzen Reise singend und aussprechend. Auf dem Wege hatte ich das größte Vergnügen; denn es war die schönste Sommerzeit und die Aussicht in ein Land, wo ich nie gewesen war, schien mir so reizend, daß ich erstaunte und mich ergötzte. Zum Führer hatte ich einen jungen Mann aus meiner Werkstatt mitgenommen, der von Bagno war und Cäsar hieß, von dessen Eltern ich auf das freundschaftlichste aufgenommen ward. Unter andern war ein alter Mann in der Familie, über siebenzig Jahre, vom gefälligsten Wesen, ein Oheim des gedachten Cäsars eine Art von chirurgischem Arzt, der ein wenig nach der Alchimie hinzielte. Dieser Mann zeigte mir, daß die Gegend Minen von Gold und Silber habe; er ließ mich viele schöne Sachen des Landes sehen, woran ich ein großes Vergnügen fand. Als er nun auf diese Weise mit mir bekannt geworden war, sagte er unter andern eines Tages zu mir: Ich will euch einen Gedanken nicht verhehlen, woraus was sehr Nützliches entstehen könnte, wenn Seine Exzellenz darauf hören wollte. Nämlich in der Gegend von Camaldoli ist ein so verdeckter Paß, daß Peter Strozzi nicht allein sicher durchkommen, sondern auch Poppi ohne Widerstand nehmen könnte. Als er mir die Sache mit Worten erklärt hatte, zog er ein Blatt aus der Tasche, worauf der gute Alte die ganze Gegend dergestalt gezeichnet hatte, daß man die große Gefahr sehr wohl sehen und deutlich erkennen konnte. Ich nahm die Zeichnung und ging sogleich von Bagno weg, nahm meinen Weg über Prato Magno und über San Francesco della Vernia, und so kam ich nach Florenz zurück. Ohne Verweilen, nur daß ich die Stiefel auszog, ging ich nach dem Palaste und begegnete dem Herzog, der eben aus dem Palaste des Podestà zurückkehrte, bei der Abtei. Als er mich sah, empfing er mich aufs freundlichste, doch mit ein wenig Verwunderung, und sagte: Warum bist du so geschwind zurückgekommen? ich erwartete dich noch nicht in acht Tagen. Darauf versetzte ich: Zum Dienst Eurer Exzellenz bin ich zurückgekehrt; denn gern wäre ich noch mehrere Tage in jenen schönen Gegenden geblieben. Und was Gutes bringst du denn bei deiner schnellen Wiederkehr? fragte der Herzog. Darauf versetzte ich: Mein Herr, es ist nötig, daß ich euch Dinge von großer Bedeutung sage und vorzeige. Und so ging ich mit ihm nach dem Palaste. Daselbst führte er mich in ein Zimmer wo wir allein waren. Ich sagte ihm alles und ließ ihn die wenige Zeichnung sehen, und es schien ihm angenehm zu sein. Darauf sagte ich zu Seiner Exzellenz, es sei nötig, einer Sache von solcher Wichtigkeit bald abzuhelfen. Der Herzog dachte darauf ein wenig nach und sagte: Wisse, daß wir mit dem Herzog von Urbino einig sind, der nun selbst dafür sorgen mag; aber behalte das bei dir. Und so kehrte ich mit großen Zeichen seiner Gnade wieder nach Hause.

Den andern Tag ließ ich mich wieder sehen, und der Herzog, nachdem er ein wenig gesprochen hatte, sagte mit Heiterkeit: Morgen ganz gewiß soll deine Sache ausgefertigt werden, deswegen sei gutes Muts. Ich hielt es nun für gewiß und erwartete den andern Tag mit großem Verlangen. Der Tag kam, ich ging nach dem Palast, und wie es gewöhnlich ist, daß man böse Neuigkeiten früher als die guten erfährt, so rief mich Herr Jacob Guidi, Sekretär Seiner Exzellenz, mit seinem schiefen Maule und stolzem Ton; dabei zog er sich auf sich zurück, stand wie angepfählt und wie ein erstarrter Mensch, dann fing er an folgendermaßen zu reden: Der Herzog sagt, er wolle von dir wissen, was du für deinen Perseus verlangst. Ich stand erstaunt und erschrocken, und antwortete sogleich: Es sei meine Art nicht, den Preis meiner Arbeiten zu bestimmen: Seine Exzellenz habe mir vor zwei Tagen ganz was andres versprochen. Sogleich sagte mir der Mensch mit noch stärkerer Stimme: Ich befehle dir ausdrücklich von seiten des Herzogs, daß du mir sagst, was du verlangst, bei Strafe völlig in Ungnade Seiner Exzellenz zu fallen.

Ich hatte mir geschmeichelt, bei den großen Liebkosungen, die mir der Herzog erzeigt hatte, nicht sowohl etwas zu gewinnen, sondern ich hoffte nur seine ganze Gnade erlangt zu haben. Nun kam ich über das unerwartete Betragen dergestalt in Wut, und besonders, daß mir die Botschaft durch diese giftige Kröte nach ihrer Weise vorgetragen wurde, und antwortete sogleich: Wenn der Herzog mir zehntausend Scudi gäb', so würde er mir die Statue nicht bezahlen, und wenn ich geglaubt hätte, auf solche Weise behandelt zu werden, so wär' ich nie geblieben. Sogleich sagte mir der verdrießliche Mensch eine Menge schimpflicher Worte, und ich tat desgleichen. Den andern Tag wartete ich dem Herzog auf; er winkte mir, und ich näherte mich. Darauf sagte er zornig: Die Städte und großen Paläste der Fürsten und Könige bauet man mit zehntausend Dukaten. Darauf antwortete ich schnell, indem ich das Haupt neigte: Seine Exzellenz würde sehr viele Menschen finden die ihr Städte und Paläste zu vollenden verstünden, aber Statuen, wie der Perseus, möchte vielleicht niemand in der Welt so zu machen imstande sein. Sogleich ging ich weg, ohne was weiter zu sagen und zu tun.

Wenige Tage darauf ließ mich die Herzogin rufen und sagte mir, ich solle den Zwist, den ich mit dem Herzog habe, ihr überlassen, denn sie glaube etwas tun zu können, womit ich zufrieden sein würde. Auf diese gütigen Worte antwortete ich, daß ich nie eine größere Belohnung meiner Mühe verlangt hätte als die Gnade des Herzogs, Seine Exzellenz habe mir sie zugesichert, und ich überlasse mich nicht erst gegenwärtig ihnen beiderseits gänzlich, da ich es von der ersten Zeit meines Dienstes an mit aller Freundlichkeit schon getan habe. Dann setzte ich hinzu: Wenn Seine Exzellenz mir für meine Arbeit ein Gnadenzeichen gäben, das nur fünf Pfennige wert sei, so würde ich vergnügt und zufrieden sein, wenn ich mich dabei nur seiner Gnade versichern könnte. Darauf sagte mir die Herzogin lächelnd: Du würdest am besten tun, wenn du meinem Rate folgtest. Sogleich wendete sie mir den Rücken und ging hinweg.

Ich dachte mein Bestes getan zu haben, indem ich so demütige Worte brauchte: denn ob sie gleich vorher ein wenig über mich gezürnt hatte, so war ihr doch eine gewisse gute Art zu handeln eigen. Aber die Sache nahm für mich leider eine schlimme Wendung. Ich war zu der Zeit sehr vertraut mit Hieronymus Albizzi, Vorgesetztem der Truppen des Herzogs, der mir eines Tages unter anderm sagte: O Benvenuto! es wäre doch gut, die kleine Differenz, die du mit dem Herzog hast, ins gleiche zu bringen. Hättest du Vertrauen in mich, so glaubte ich wohl damit fertig zu werden, denn ich weiß, was ich sage. Wird der Herzog wirklich einmal böse, so wirst du dich dabei sehr übel befinden; das sei dir genug, ich kann dir nicht alles sagen. Nun hatte mich vorher schon wieder ein Schalk gegen die Herzogin mißtrauisch gemacht, denn er erzählte mir, er habe sie bei irgendeiner Gelegenheit sagen hören: Er will ja für weniger als zwei Pfennige den Perseus wegwerfen, und damit wird der ganze Streit geendigt sein.

Wegen dieses Verdachts sagte ich Herrn Albizzi, ich überlasse ihm alles, und ich würde mit dem, was er tue, völlig zufrieden sein, wenn ich nur in der Gnade des Herzogs bliebe. Dieser Ehrenmann, der sich recht gut auf die Soldatenkunst verstand, besonders aber auf die Anführung leichter Truppen, das alles rohe Menschen sind, hatte keine Lust an der Bildhauerei und verstand auch deswegen nicht das mindeste davon. Als er nun mit dem Herzog sprach, sagte er: Benvenuto hat sich mir ganz überlassen und mich gebeten, ich solle ihn Eurer Exzellenz empfehlen. Darauf sagte der Herzog: Auch ich will euch die Entscheidung übertragen, und mit allem was ihr bestimmt, zufrieden sein. Darauf machte Herr Hieronymus einen Aufsatz, der sehr gut und zu meinen Gunsten geschrieben war, und bestimmte, der Herzog solle mir dreitausendfünfhundert Goldgülden reichen lassen, wodurch zwar ein solches Werk nicht völlig bezahlt, aber doch einigermaßen für meinen Unterhalt gesorgt sei, und womit ich zufrieden sein könne. Es waren noch viele Worte hinzugefügt, die sich alle auf diesen Preis bezogen. Diesen Aufsatz unterschrieb der Herzog so gern, als ich übel damit zufrieden war. Als es die Herzogin vernahm, sagte sie: Es wäre besser für den armen Mann gewesen, wenn er sich auf mich verlassen hätte, ich würde ihm wenigstens fünftausend Goldgülden verschafft haben. Und dieselbigen Worte sagte sie mir eines Tages, als ich in den Palast kam, in Gegenwart des Herrn Alamanni Salviati; sie lachte mich aus und sagte, das Übel, das mir begegne, treffe mich mit Recht.

Der Herzog hatte befohlen, mir sollten hundert Goldgülden monatlich bezahlt werden, nachher fing Herr Antonio de Nobili, der gedachten Auftrag hatte, mir nur funfzig zu zahlen an, dann gab er mir manchmal nur fünfundzwanzig, manchmal auch gar nichts. Da ich nun sah, daß ich so hingehalten ward, wendete ich mich aufs höflichste an ihn und bat ihn mir die Ursache zu sagen, warum er die Zahlung nicht vollendete. Er antwortete mir so gütig, und es schien mir, daß er sich gar zu weit herausließe, denn er sagte, er könne die Zahlung nicht regelmäßig fortsetzen, weil man im Palast nicht zum besten mit Geld versehen sei, er verspreche aber, daß er mich bezahlen wolle, sobald er Geld erhalte. Dann setzte er hinzu: Ich müßte ein großer Schelm sein, wenn ich dich nicht bezahlte. Ich verwunderte mich, ein solches Wort von ihm zu hören, und hoffte nun, ich würde mich sobald als möglich befriedigt sehen. Allein es erfolgte gerade das Gegenteil, und da ich mich so aufziehen sah, erzürnte ich mich mit ihm und sagte ihm kühne und heftige Worte, und erinnerte ihn an seine eignen Ausdrücke. Indessen starb er, und man blieb mir fünfhundert Goldgülden schuldig, bis heute, da wir nahe am Ende des Jahres 1566 sind.

Auch war ein Teil meiner Besoldung rückständig geblieben, und ich dachte nicht, diesen Rest jemals zu erhalten, denn es waren schon drei Jahre verflossen. Aber der Herzog fiel in eine gefährliche Krankheit, und konnte in achtundvierzig Stunden das Wasser nicht lassen. Als er nun merkte, daß ihm die Ärzte mit ihren Mitteln nicht helfen konnten, wendete er sich vielleicht zu Gott und beschloß, daß jeder seinen Rückstand erhalten solle, da wurde ich denn auch bezahlt; aber für meinen Perseus erhielt ich nicht die ganze Summe.

Fast hatte ich mir vorgesetzt, dem Leser von meinem unglücklichen Perseus nichts mehr zu erzählen, doch kann ich einen merkwürdigen Umstand nicht verschweigen, und nehme daher den Faden ein wenig rückwärts wieder auf. Damals, als ich mit der Herzogin sprach und mit aller Demut zu erkennen gab, daß ich mit allem zufrieden sein wolle, was der Herzog mir geben würde, hatte ich die Absicht, mich wieder allmählich in Gunst zu setzen und bei dieser Gelegenheit den Herzog einigermaßen zu besänftigen. Denn wenige Tage vorher, ehe Albizzi den Akkord machte, hatte sich der Herzog heftig über mich erzürnt. Denn als ich mich bei Seiner Exzellenz über die äußerst schlechte Behandlung beklagte, die ich von Alfonso Quistello, Herrn Jakob Polverino, dem Fiskal, und besonders von Baptista Bandini von Volterra, dulden mußte, und mit einiger Leidenschaft meine Gründe vortrug, sah ich den Herzog in so großen Zorn geraten, als man sich denken kann. Er sagte mir dabei: Das ist ein Fall wie mit deinem Perseus, für den du mir zehntausend Scudi gefordert hast. Du bist zu sehr auf deinen Vorteil bedacht. Ich will die Statue schätzen lassen, und was man recht findet, sollst du haben. Hierauf antwortete ich ein wenig kühn und halb erzürnt, wie man sich gegen große Herren nicht betragen soll: Wie wäre es möglich, daß mein Werk nach seinem Wert geschätzt würde, da gegenwärtig niemand in Florenz ist, der ein gleiches machen kann? Darauf ward der Herzog noch zorniger und sagte mir viele heftige Worte, unter andern rief er aus: Ja es ist gegenwärtig ein Mann in Florenz, der ein solches Werk machen könnte, und deswegen wird er es auch zu beurteilen wissen! Er meinte den Bandinell, Kavalier von Sankt Jakob. Darauf versetzte ich: Eure Exzellenz hat mich in den Stand gesetzt, in der größten Schule der Welt ein großes und schweres Werk zu vollenden, das mir mehr gelobt worden ist als irgend eins, das jemals in dieser göttlichen Schule aufgedeckt worden; und was mir am meisten schmeichelte, war, daß die trefflichen Männer die von der Kunst sind und sich darauf verstehen, wie zum Beispiel Bronzino der Maler, mir allen Beifall gaben. Dieser treffliche Mann bemühte sich und machte mir vier Sonette, worin er die edelsten und herrlichsten Worte sagte, die man nur ausdrücken kann, und eben dieser wundersame Mann war schuld, daß die ganze Stadt so sehr in Bewegung kam. Freilich, wenn sich dieser Mann so gut mit der Bildhauerkunst als der Malerei abgeben wollte, so würde er vielleicht ein solches Werk vollenden können. Auch gestehe ich Eurer Exzellenz, daß mein Meister Michelagnolo Buonarroti, als er jünger war, gleichfalls ein ähnliches gemacht hatte, aber nicht mit weniger Anstrengung als ich selbst; nun aber, da er sehr alt ist, wird ihm eine solche Arbeit gewiß nicht gelingen, sodaß ich gewiß überzeugt bin, daß zu unserer Zeit niemand bekannt sei, der sie ausführen könne. Nun hat meine Arbeit den größten Lohn erhalten, den ich in der Welt erlangen kann, besonders da Eure Exzellenz sich davon so zufrieden zeigten und mir sie, mehr als ein andrer, lobten; was konnte ich für eine größere und ehrenvollere Belohnung verlangen? Gewiß Eure Exzellenz konnte mir sie nicht mit einer herrlicheren Münze bezahlen, denn keine Art von Schatz kann sich mit diesem vergleichen. So bin ich überflüssig belohnt, und ich danke Eurer Exzellenz dafür von Herzen.

Darauf antwortete der Herzog: Du denkst nicht, daß ich reich genug bin dich zu bezahlen, aber ich sage dir, du sollst mehr haben, als sie wert ist. Darauf versetzte ich: Ich denke an keine andere Belohnung, als die mir Eure Exzellenz und die Schule schon gegeben haben, und nun will ich mit Gott fortgehen, ohne das Haus jemals wieder zu betreten, das Eure Exzellenz mir schenkte, und ich will nicht denken, jemals Florenz wiederzusehen.

Wir waren eben bei San Felice, denn der Herzog ging nach dem Palaste zurück, und auf meine heftigen Worte wendete er sich schnell in großem Zorne gegen mich und sagte: Du gehst nicht weg! Hüte dich wohl wegzugehen! Halb erschrocken begleitete ich ihn nach dem Palast, dort gab er dem Erzbischof von Pisa, Bartolini, und Herrn Pandolfo della Stufa den Auftrag, sie sollten Baccio Bandinelli von seinetwegen sagen, er möge meinen Perseus wohl betrachten und das Werk schätzen, denn der Herzog wolle mir den rechten Preis bezahlen. Diese beiden wackern Männer gingen sogleich zum Bandinell und verrichteten ihren

Auftrag. Er wußte sehr gut was sie wert war, aber weil er mit mir über vergangene Dinge erzürnt war, so wollte er sich in meine Angelegenheiten auf keine Weise mischen. Darauf fügten die beiden Edelleute hinzu: Der Herzog hat uns gesagt, daß er bei Strafe seiner Ungnade euch befiehlt, ihm den Preis zu bestimmen. Wollt ihr zwei, drei Tage, um sie recht zu betrachten, so nehmt euch die Zeit, und dann sagt uns, was die Arbeit verdiene. Darauf antwortete jener, er habe sie genug betrachtet und wolle gern den Befehlen des Herzogs gehorchen, das Werk sei reich und schön geraten, so daß es wohl sechszehntausend Goldgülden und mehr wert sei. Diese Worte hinterbrachten sogleich die guten Edelleute dem Herzog, welcher sich sehr darüber erzürnte. Auch sagten sie mir es wieder, worauf ich antwortete, daß ich auf keine Weise das Lob des Bandinells annehmen wolle, da er nur Übles von jedermann spreche. Diese meine Worte sagte man dem Herzog wieder, und deshalb verlangte die Herzogin, daß ich ihr die Sache überlassen sollte. Das ist nun alles die reine Wahrheit; genug ich hätte besser getan, die Herzogin walten zu lassen, denn ich wär' in kurzem bezahlt gewesen, und hätte einen größern Lohn empfangen.

Der Herzog ließ mir durch Herrn Lelio Torelli, seinen Auditor, sagen, er verlange, daß ich gewisse Geschichten in halb erhobener Arbeit von Erz rings um den Chor von Santa Maria del Fiore verfertigen solle. Weil aber dieser Chor ein Unternehmen des Bandinells war, so wollte ich sein Zeug nicht durch meine Bemühungen bereichern. Zwar hatte er selbst die Zeichnung dazu nicht gemacht, denn er verstand nichts in der Welt von Architektur, vielmehr war der Riß von Julian di Baccio d'Agnolo, dem Zimmermann, der die Kuppel verdarb. Genug, es ist nicht die mindeste Kunst daran. Aus dieser doppelten Ursache wollte ich das Werk nicht machen, doch hatte ich immer auf das ergebenste dem Herzog versichert, daß ich alles tun würde, was Seine Exzellenz mir beföhle. Nun hatte der Herzog den Werkmeistern von Santa Maria del Fiore befohlen, sie sollten mit mir übereinkommen, er wolle mir eine Besoldung von zweihundert Scudi des Jahres geben, und meine Arbeit sollten sie mir aus der Baukasse bezahlen. So erschien ich vor gedachten Werkmeistern, welche mir den erhaltenen Befehl bekannt machten. Da ich nun glaubte, meine Gründe ihnen sicher vorlegen zu können, zeigte ich ihnen, daß so viele Geschichten von Erz eine große Ausgabe machen würden, die völlig weggeworfen wär'; dabei führte ich meine Ursachen an, welche sie alle sehr wohl begriffen. Die erste war, die Zeichnung des Chors sei ganz falsch und ohne die mindeste Vernunft gemacht, man sehe weder Kunst noch Bequemlichkeit, weder Anmut noch Proportion daran. Die zweite Ursache war, weil gedachte Geschichten so niedrig zu stehen kämen, daß sie unter dem Auge blieben, von Hunden besudelt und immer von Staub und allem Unrat voll sein würden; deswegen wollte ich sie nicht machen, denn ich möchte nicht gern den Überrest meiner besten Jahre wegwerfen und dabei Seiner Exzellenz nicht dienen, da ich ihr doch so sehr zu gefallen und zu dienen wünsche. Wenn aber der Herzog mir etwas wolle zu tun geben, so möchte er mich die Mitteltüre von Santa Maria del Fiore machen lassen; dieses Werk würde gesehen werden und Seiner Exzellenz zu größerm Ruhme gereichen. Ich wollte mich durch einen Kontrakt verbinden, daß wenn ich sie nicht besser machte als die schönste Türe von Sankt Johann, so verlange ich nichts für meine Arbeit, wenn ich aber sie nach meinem Versprechen vollendete, so wäre ich zufrieden, daß man sie schätzen lasse, und man solle mir alsdann tausend Scudi weniger geben, als sie von Kunstverständigen geschätzt würde.

Denen Bauherren gefiel mein Vorschlag sehr wohl, und sie gingen, um mit dem Herzog zu reden, unter andern Peter Salviati, der dem Herzog das angenehmste zu sagen glaubte, es war aber gerade das Gegenteil, denn dieser versetzte, ich wolle nur immer das nicht tun, was er verlange.

Und so ging Herr Peter weg, ohne daß etwas entschieden worden wäre.

Als ich das vernahm, suchte ich schnell den Herzog auf, der einigermaßen über mich erzürnt schien. Ich bat ihn nur, daß er mich anhören möchte, und er versprach mir's. So fing ich umständlich an und zeigte ihm die Reinheit der Sache mit soviel Gründen, und daß eine große Ausgabe nur würde weggeworfen sein, daß ich ihn endlich besänftigt hatte. Dann setzte ich hinzu: Wenn es Seiner Exzellenz nicht gefalle, daß gedachte Türe gemacht würde, so gebrauche man in jenem Chor zwei Kanzeln, welches zwei große Werke seien und Seiner Exzellenz zum Ruhm gereichen würden. Ich wolle daran eine Menge Geschichten in erhabner Arbeit von Erz verfertigen und viele Zieraten anbringen; dergestalt erweichte ich ihn, und er trug mir auf, Modelle zu machen. Ich machte deren verschiedene mit der äußersten Anstrengung, unter andern eins zu acht Seiten, mit mehr Fleiß als die andern, und es schien mir viel bequemer zu dem Dienste, wozu es bestimmt war. Ich hatte sie oft in den Palast getragen, und der Herzog ließ mir durch seinen Kämmerer sagen, ich sollte sie da lassen. Nachdem sie der Herzog gesehen, bemerkte ich wohl, daß Seine Exzellenz nicht das Beste gewählt hatte. Eines Tages ließ er mich rufen, und im Gespräch über die Modelle zeigte ich mit vielen Gründen, daß das zu acht Seiten das bequemste zum Dienst und das schönste zur Ansicht sei. Der Herzog antwortete mir, daß ihm das zu vier Seiten besser gefalle, und daß er es so haben wolle, und sprach lange auf eine freundliche Weise mit mir. Ich tat alles, was mir möglich war, um die Kunst zu verteidigen. Ob nun der Herzog einsah, daß ich wahr redete, und es doch auf seine Art wollte gemacht haben, weiß ich nicht; genug, es verging viel Zeit, daß mir nichts weiter gesagt wurde.

VIERTES BUCH

ZEHNTES KAPITEL

Streit zwischen Cellini und Bandinelli, wer die Statue des Neptuns aus einem großen vorrätigen Stück Marmor machen solle. — Die Herzogin begünstigt Bandinelli; aber Cellini, durch eine kluge Vorstellung, bewegt den Herzog zur Erklärung, daß der die Arbeit haben solle, der das beste Modell mache. — Cellinis Modell wird vorgezogen, und Bandinell stirbt vor Verdruß. — Durch die Ungunst der Herzogin erhält Ammannato den Marmor. — Seltsamer Kontrakt des Autors mit einem Viehhändler mit Namen Sbietta. — Das Weib dieses Mannes bringt dem Autor Gift bei und er wird mit Mühe gerettet. — Cellini, während seiner Krankheit, welche sechs Monate dauert, wird bei Hof von Ammannato verdrängt.

Zu dieser Zeit hatte man den großen Marmor, woraus nachher der Neptun gemacht wurde, auf dem Arno hergebracht, man fuhr ihn sodann auf den Weg nach Poggio zu Cajano, um ihn besser auf der flachen Straße nach Florenz zu bringen. Ich ging ihn zu besehen, und ob ich gleich gewiß wußte, daß die Herzogin, aus ganz besonderer Gunst, ihn dem Kavalier Bandinell zugedacht hatte, so jammerte mich doch der arme, unglückliche Marmor, und ich hatte die besten Absichten für ihn. Denke nur aber niemand einer Sache, die unter der Herrschaft eines bösen Geschicks liegt, auf irgendeine Weise zu Hülfe zu kommen: denn wenn er sie auch aus einem offenbaren Übel errettet, so wird sie doch in ein viel schlimmeres fallen, so wie dieser Marmor in die Hände des Bartholomäus Ammannato kam, wie ich zu seiner Zeit wahrhaft erzählen werde. Als ich nun den schönen Marmor gesehen hatte, nahm ich sogleich seine Höhe und seine Stärke nach allen Seiten und kehrte nach Florenz zurück, wo ich verschiedene zweckmäßige Modelle machte; dann ging ich auf die Höhe von Cajano, wo sich der Herzog und die Herzogin mit dem Prinzen, ihrem Sohn, befanden. Sie waren sämtlich bei Tafel, jene aber speisten allein, und ich suchte diesen zu unterhalten. Da ich eine ganze Weile mit dem Prinzen gesprochen hatte, hörte mich der Herzog, der in einem benachbarten Zimmer saß, und ließ mich mit sehr günstigen Ausdrücken rufen. Als ich in ihre Gegenwart kam, fing die Herzogin mit vielen gefälligen Worten an, mit mir zu reden, und ich leitete nach und nach das Gespräch auf den schönen Marmor, den ich gesehen hatte, und sagte, wie ihre Vorfahren diese edelste Schule nur dadurch so vollkommen gemacht hätten, daß sie den Wetteifer aller Künstler untereinander zu erregen gewußt; auf diese Weise sei die wundersame Kuppel und die schönen Türen von Sankt Johann und soviel andere schöne Tempel und Statuen fertig, und ihre Stadt durch Talente so berühmt geworden, als seit den Alten keine bisher gewesen. Sogleich sagte die Herzogin mit Verdruß, sie wisse recht gut alles was ich sagen wolle, ich solle in ihrer Gegenwart nicht mehr von dem Marmor sprechen; denn ich mache ihr Verdruß. Ich aber versetzte: Also mache ich euch Verdruß, weil ich für Eure Exzellenz besorgt bin und alles bedenke, damit Sie besser bedient sein mögen? Beherzigt nur, gnädige Frau, wenn Eure Exzellenz zufrieden wären, daß jeder ein Modell des Neptuns machte; wenn ihr auch schon entschlossen seid, daß Bandinell denselben machen soll, so würde dieser, um seiner Ehre willen, mit größerm Fleiße arbeiten ein schönes Modell hervorzubringen, als wenn er weiß, daß er keine Mitwerber hat. Auf diese Weise werdet ihr besser bedient sein, der trefflichen Schule den Mut nicht nehmen, und denjenigen kennenlernen, der nach dem Guten strebt, ich meine nach der schönen Art dieser wundersamen Kunst; ihr werdet zeigen, daß ihr euch daran ergötzt und sie versteht. Darauf sagte die Herzogin in großem Zorne, meine Worte wären umsonst, sie wolle, daß Bandinell den Marmor haben solle. Frage den Herzog, setzte sie hinzu, ob dies nicht auch sein Wille sei. Darauf sagte der Herzog, der bisher immer still gewesen war: Es sind zwanzig Jahre, daß ich diesen schönen Marmor ausdrücklich für Bandinell brechen ließ, und so will ich auch, daß er ihn haben und darin arbeiten soll. Sogleich wendete ich mich zum Herzog und sagte: Ich bitte Eure Exzellenz mir die Gnade zu erzeigen, daß ich nur wenige Worte zu Ihrem eignen Vorteil sage. Der Herzog versetzte, ich solle sagen was ich wolle, er werde mich anhören. Darauf fuhr ich fort: Wisset, mein Herr, der Marmor, woraus Bandinell seinen Herkules und Cacus machte, ward für den trefflichen Michelagnolo Buonarroti gebrochen, der das Modell eines Simsons mit vier Figuren gemacht hatte, wonach er das schönste Werk der Welt ausgearbeitet hätte, und Bandinell brachte nur zwei einzige Figuren heraus, übel gebildet und geflickt, deswegen schreit die treffliche Schule noch über das große Unrecht, das man jenem Marmor angetan. Ich glaube, daß mehr als tausend Sonette zur Schmach dieser schlechten Arbeiten angeschlagen worden, und ich weiß, daß Eure Exzellenz dieses Vorfalls sich sehr gut erinnert; deswegen, mein trefflicher Herr, wenn die Männer, denen das Geschäft aufgetragen war, so unweise handelten, dem Michelagnolo seinen schönen Marmor zu nehmen, und ihn dem Bandinell zu geben, der ihn verdarb, wie man sieht, könntet ihr jemals ertragen, daß dieser viel schönere Marmor, ob er gleich dem Bandinell zugedacht ist, von ihm verdorben werde? Und wolltet ihr ihn nicht lieber einem andern geschickten Manne geben, der ihn zu eurem Vergnügen bearbeitete? Laßt, mein Herr, einen jeden der will ein Modell machen, laßt sie vor der Schule sämtlich aufstellen! Eure Exzellenz wird hören, was man sagt, und mit ihrem richtigen Urteil das Beste wählen. Auf diese Weise werft ihr euer Geld nicht weg, und nehmt einer so trefflichen Schule nicht den Mut auf dem Wege der Kunst, einer Schule, die jetzt einzig auf der Welt ist, und Eurer Exzellenz zum größten Ruhme gereicht. Als der Herzog mich gütigst angehört hatte, stand er sogleich von Tafel auf, wendete sich zu mir und sagte: Gehe, mein Benvenuto, gewinne dir den schönen Marmor, denn du sagst mir die Wahrheit, und ich erkenne sie. Die Herzogin drohte mir mit dem Kopfe und murmelte erzürnt ich weiß nicht was. Ich beurlaubte mich und kehrte nach Florenz zurück, und es schienen mir tausend Jahre, ehe ich die Hand an das Modell legen konnte.

Als der Herzog nach Florenz zurückkehrte, kam er, ohne mich etwas wissen zu lassen, in meine Wohnung, wo ich ihm zwei Modelle zeigte, die beide voneinander unterschieden waren. Er lobte sie, doch sagte er zu mir, das eine gefalle ihm besser als das andere, und dieses, womit er zufrieden sei, solle ich nun ausarbeiten, es werde mein Vorteil sein.

Seine Exzellenz hatten schon dasjenige gesehen, was Bandinell gemacht hatte, und auch die Modelle einiger andern, und doch lobte er meines vor allen, wie mir viele seiner Hofleute sagten, die es gehört hatten. Unter andern merkwürdigen Nachrichten über diese Sache ist aber folgende von großem Wert: Es kam nämlich der Kardinal Santa Fiore nach Florenz. Der Herzog führte ihn auf die Höhe nach Cajano, und als der Kardinal unterwegs gedachten Marmor erblickte, lobte er ihn sehr, und fragte, wem er zur Arbeit bestimmt sei. Der Herzog antwortete sogleich: Meinem Benvenuto, der ein sehr schönes Modell dazu gemacht hat. Diese Rede ward mir von glaubwürdigen Leuten hinterbracht. Deshalb ging ich die Herzogin aufzusuchen, und brachte ihr einige angenehme Kleinigkeiten meiner Kunst, welche sie sehr gut aufnahm; dann fragte sie was ich arbeite. Darauf versetzte ich: Gnädige Frau, ich habe, zum Vergnügen, eine der schwersten Arbeiten in der Welt unternommen: ein Kruzifix, von dem weißesten Marmor, auf einem Kreuze von dem schwärzesten, so groß als ein lebendiger Mensch. Sogleich fragte sie mich, was ich damit machen wolle. Ich aber versetzte: Wisset, gnädige Frau, daß ich es nicht für zweitausend Goldgülden hingäb'. Denn so hat wohl eine Arbeit niemals einem Menschen zu schaffen gemacht, auch hätte ich mich niemals unterstanden, sie für irgendeinen Herrn zu unternehmen, aus Furcht, damit in Schande zu geraten, deswegen habe ich mir den Marmor für mein Geld gekauft, und einen Arbeiter zwei Jahre gehalten, der mir helfen mußte, und wenn ich alles rechne, Marmor und Eisen, besonders da der Stein hart ist, dazu das Arbeitslohn, so kömmt er mich über dreihundert Scudi zu stehen, so daß ich ihn nicht für zweitausend Goldgülden geben möchte. Wenn aber Eure Exzellenz mir die erlaubteste Gnade erzeigen will, so mache ich Ihnen gern damit ein reines Geschenk. Nur bitte ich, daß Sie mir bei Gelegenheit der Modelle, die zum Neptun befohlen sind, weder Gunst noch Ungunst erzeigen. Darauf sagte sie zornig: Also schätzest du weder meine Hülfe noch meinen Widerstand? Ich antwortete: Ja, gnädige Frau, ich weiß sie zu schätzen; denn ich biete Ihnen ein Werk an, das ich zweitausend Goldgülden wert halte; aber ich verlasse mich zugleich auf meine mühsamen und kunstmäßigen Studien, womit ich die Palme zu erringen gedenke, und wenn der große Michelagnolo Buonarroti selbst gegenwärtig wär', von welchem und von sonst niemanden ich das, was ich weiß, erlernt habe. Ja, es wäre mir lieber, daß der, der soviel versteht, ein Modell machte, als die welche nur wenig wissen; denn durch den Wetteifer mit meinem großen Meister könnte ich gewinnen, da mit den andern nichts zu gewinnen ist. Als ich ausgesprochen hatte, stand sie halb erzürnt auf, und ich kehrte an meine Arbeit zurück, indem ich mein Modell, so gut ich nur konnte, vorwärts zu bringen suchte.

Als ich fertig war, kam der Herzog es zu besehen und mit ihm zwei Gesandten, der eine von dem Herzog von Ferrara, der andere von der Stadt Lucca. Das Modell gefiel sehr wohl, und der Herzog sagte zu den Herren: Wirklich, Benvenuto verdient's. Da begünstigten mich beide gar sehr, am meisten der Gesandte von Lucca, der ein Gelehrter und Doktor war. Ich hatte mich ein wenig entfernt, damit sie alles sagen möchten, was ihnen gefiel'. Als ich aber vernahm, daß ich begünstigt wurde, trat ich sogleich näher, wendete mich zum Herzog und sagte: Eure Exzellenz sollte noch eine andere wundersame Vorsicht brauchen und befehlen, daß jeder ein Modell von Erde, und gerade so groß als es der Marmor fordert, verfertigen solle! Dadurch würden Sie sich am besten überzeugen können, wer ihn verdient. Denn sollte der Marmor unrecht zugesprochen werden, so werden Sie nicht dem verdienten Manne, sondern sich selbst großen Schaden tun, und es wird ihnen zur Scham und großen Schande gereichen; im Gegenteil, wenn die Arbeit an den Rechten kömmt, werden Sie zuerst den größten Ruhm erlangen. Sie werden Ihr Geld nützlich verwenden, und einsichtsvolle Personen werden sich überzeugen, daß Sie an der Kunst Freude haben und sich darauf verstehen. Auf diese Worte zog der Herzog die Achseln, und indem er wegging, sagte der lucchesische Abgesandte zu ihm: Herr! euer Benvenuto ist ein schrecklicher Mensch. Der Herzog sagte darauf: Er ist viel schrecklicher als ihr glaubt, und es wäre gut für ihn, wenn er es nicht gewesen wär', denn er würde Sachen erhalten haben, die ihm entgangen sind. Diese ausdrücklichen Worte sagte mir derselbe Gesandte, und schien mich über meine Handlungsweise zu tadeln. Worauf ich versetzte: Ich will meinem Herrn wohl, als ein treuer und liebevoller Diener; aber es ist mir nicht möglich, zu schmeicheln.

Verschiedene Wochen hernach starb Bandinello, und man glaubte, daß, außer seiner unordentlichen Lebensart, der Verdruß, den Marmor verloren zu haben, wohl die Ursache seines Todes gewesen sei. Denn als er vernommen hatte, daß ich obengedachtes Kruzifix in der Arbeit habe, so legte er auch eilig Hand an ein wenig Marmor und machte jenes Bild der Mutter Gottes, den toten Sohn auf dem Schoße, wie man es in der Kirche der Verkündigung sieht; nun hatte ich mein Kruzifix nach Santa Maria Novella bestimmt und schon die Haken befestigt, um es anzuhängen, nur verlangte ich, zu Füßen meines Bildes, eine kleine Gruft, um nach meinem Tode darein gebracht zu werden. Darauf sagten mir die Geistlichen, sie könnten mir das nicht zugestehen, ohne von ihren Bauherren die Erlaubnis zu haben. Darauf sagte ich: Warum verlanget ihr nicht erst die Erlaubnis eurer Bauherren, um das Kruzifix aufstellen zu lassen, und seht zu, wie ich die Haken und andere Vorbereitungen anbringe? Deshalb wollte ich auch dieser Kirche die Frucht meiner äußersten Bemühung nicht mehr überlassen, wenngleich nachher die Werkmeister zu mir kamen und mich darum baten. Ich warf sogleich meine Gedanken auf die Kirche der Verkündigung, und als ich angezeigt, auf welche Bedingung ich mein Kruzifix dahin zu verehren gedächte, so waren die trefflichen Geistlichen auf der Stelle willig und einig, daß ich es in ihre Kirche bringen und mein Grab auf alle Weise, wie es mir gefalle, darinne zurichten sollte. Bandinello hatte dieses gemerkt und eilte, sein Bild mit großem Fleiß zu vollenden. Auch verlangte er von der Herzogin, sie solle ihm die Kapelle, welche den Pazzi gehört hatte, verschaffen, die ihm auch, nicht ohne große Schwierigkeit, zuteil wurde. Alsobald stellte er sein Werk hinein, das noch keineswegs fertig war, als er starb.

Da sagte die Herzogin, sie habe ihm im Leben geholfen, sie wolle ihm im Tode auch noch beistehen, und ob er gleich weg sei, sollte ich mir doch niemals Hoffnung machen, den Marmor zu bearbeiten. Darauf erzählte mir Bernardone, der Mäkler, eines Tages als ich ihm begegnete, die Herzogin habe den Marmor weggegeben! Ich aber rief aus: Unglücklicher Marmor, wahrlich, in den Händen des Bandinells wärest du übel gefahren, aber in den Händen des Ammannato wird dir's noch übler ergehen.

Ich hatte, wie oben gesagt, Befehl vom Herzog, ein Modell von Erde zum Neptun zu machen, so groß als er aus dem Marmor kommen könnte. Er hatte mich mit Holz und Ton versehen lassen, und ließ mir ein wenig Schirm in der Loge, wo mein Perseus stand, aufrichten. Auch bezahlte er mir einen Arbeiter. Ich legte mit allem möglichen Fleiße Hand ans Werk, machte das Gerippe von Holz, nach meiner guten Ordnung, und arbeitete glücklich vorwärts, ohne daran zu denken, daß ich ihn von Marmor machen wollte; denn ich wußte wohl, daß die Herzogin sich vorgesetzt hatte, mir ihn nicht zu überlassen. Und doch hatte ich Freude an der Arbeit; denn ich versprach mir, wenn die Herzogin mein Modell geendigt sehen würde, daß sie, als eine Person von Einsicht, es selbst bedauern müßte, dem

Marmor und sich selbst einen so ungeheuren Schaden zugefügt zu haben.

Noch verschiedene Künstler machten solche Modelle: Johann Fiammingo, im Kloster Santa Croce, Vincenzio Danti, von Perugia, im Hause des Herrn Octavio Medici; der Sohn des Moschino zu Pisa fing auch eins an, und ein anderes machte Bartolommeo Ammannato in der Loge, die für uns geteilt wurde.

Da ich das Ganze gut bronziert hatte und im Begriff war, den Kopf zu vollenden und man ihm schon ein wenig die letzte Hand ansah, kam der Herzog vom Palaste herunter, mit Giorgetto dem Maler, der ihn in den Raum des Ammannato geführt hatte, um ihm den Neptun zu zeigen, an welchem gedachter Giorgetto mehrere Tage, nebst Ammannato und allen seinen Gesellen, gearbeitet hatte. Indessen der Herzog das Modell ansah, war er damit, wie man mir erzählte, wenig zufrieden, und ob ihn gleich gedachter Georg mit vielem Geschwätz einnehmen wollte, schüttelte doch der Herzog den Kopf, und wandte sich zu seinem Herrn Stephan und sagte: Geh und frage den Benvenuto, ob sein Koloß so weit vorwärts ist, daß ich einen Blick darauf werfen könne. Herr Stephan richtete sehr gefällig und gütig den Auftrag des Herzogs aus, und sagte mir dazu, wenn ich glaubte, daß ich mein Werk noch nicht könne sehen lassen, so solle ich es frei sagen, denn der Herzog wisse wohl, daß ich wenig Hülfe bei einem so großen Unternehmen gehabt habe. Ich versetzte, daß er nach Belieben kommen möge, und obgleich mein Werk noch wenig vorwärts sei, so würde doch der Geist Seiner Exzellenz hinlänglich beurteilen, wie das Werk fertig aussehen könne. Das hinterbrachte gemeldeter Edelmann dem Herzog, welcher gerne kam; und sobald Seine Exzellenz in den Verschlag trat und die Augen auf mein Werk geworfen hatte, zeigte er sich sehr zufrieden damit; dann ging er rings herum, blieb an allen vier Ansichten stehen, nicht anders als der erfahrenste Künstler getan hätte, dann ließ er viele Zeichen und Gebärden des Beifalls sehen, wobei er die wenigen Worte sagte: Benvenuto, du mußt ihm nun die letzte Oberhaut geben. Dann wendete er sich zu denen, die bei ihm waren, und rühmte viel Gutes von meinem Werke. Unter andern sprach er: Das kleine Modell, das ich in seinem Hause gesehen hatte, gefiel mir wohl, aber dieses Werk übertrifft jenes weit.

Wie nun, nach Gottes Willen, alle Dinge denjenigen, die ihn lieben und ehren, zum Besten gereichen, so begegnete mir auch ein sonderbarer Vorfall. Um diese Zeit besuchte mich ein gewisser Schelm von Vicchio, der Peter Maria von Anterigoli hieß, und den Zunamen Sbietta hatte. Er war eigentlich ein Viehhändler, und weil er mit Herrn Guido Guidi, dem Arzt, der jetzt Aufseher von Pescia ist, verwandt war, gab ich ihm Gehör, als er mir sein Landgut auf Leibrenten verkaufen wollte. Zwar konnte ich es nicht besehen, weil ich eifrig das Modell meines Neptuns zu endigen gedachte, und eigentlich war auch die Besichtigung des Guts bei diesem Handel nicht nötig, denn er verkaufte mir die Einkünfte, deren Verzeichnis er mir gegeben hatte, als: so viel Scheffel Korn, so viel Wein, Öl, andere Feldfrüchte, Kastanien und was sonst noch für Vorteile waren, die, nach der Zeit, in der wir lebten, mir sehr zustatten kamen; denn diese Dinge waren wohl hundert Goldgülden wert, und ich gab ihm hundertundsechzig Scudi, die Zölle mitgerechnet. So ließ er mir seine Handschrift, daß er mir, so lange ich lebte, die gedachten Einkünfte ausliefern wolle, und es schien mir, wie ich sagte, nicht nötig das Gut zu besehen, sondern ich erkundigte mich nur aufs beste, ob gedachter Sbietta und Herr Philipp, sein leiblicher Bruder, dergestalt wohlhabend wären, daß ich mich für sicher halten könnte; und mehrere Personen, welche die beiden Brüder kannten, sagten mir, ich könne ganz ohne Sorge sein.

Nun ersuchten wir beide Herrn Peter Franziskus Berthold, Notar bei der Kaufmannschaft, dem ich vor allen Dingen das Verzeichnis der Sachen gab, die Sbietta mir überliefern wollte, und nicht anders dachte, als daß diese Schrift im

Kontrakt angeführt werden müßte; aber der Notarius hörte nur auf zweiundzwanzig Punkte, die ihm gedachter Sbietta vorsagte, und rückte mein Verzeichnis nicht in den Kontrakt. Indessen als der Notarius schrieb, fuhr ich fort zu arbeiten, und weil er einige Stunden damit zubrachte, so machte ich ein großes Stück an dem Kopfe meines Neptuns. Da nun also der Kontrakt geschlossen war, erzeigte mir Sbietta die größten Liebkosungen, und ich tat ihm ein Gleiches; dann brachte er mir Ziegenkäse, Kapaunen, weichen Käse und viele Früchte, so daß ich anfing mich zu schämen, und ihn, so oft er nach Florenz kam, aus dem Gasthause in meine Wohnung holte, so wie auch seine Verwandten, die er oft bei sich hatte. Da fing er denn auf gefällige Weise mir zu sagen an, es sei nicht erlaubt, daß ich vor so viel Wochen ein Gut gekauft habe, und mich noch nicht entschließen könnte, meine Arbeiten nur auf drei Tage ruhen zu lassen; ich sollte doch ja kommen und es besehen. Endlich vermochte er soviel über mich, daß ich zu meinem Unglück hinausreiste. Mein Neptun war durch vielen Fleiß schon ziemlich weit gekommen, er war nach guten Grundsätzen entworfen, die niemand vor mir weder genutzt noch gewußt hatte, und ob ich gleich, nach allen oben angeführten Vorfällen, gewiß war den Marmor nicht zu erhalten, so dachte ich doch das Modell bald zu endigen, und es auf dem Platz zu meiner Genugtuung sehen zu lassen. Nun aber verließ ich die Arbeit, und Sbietta empfing mich in seinem Hause so freundlich und ehrenvoll, daß er einem Herzog nicht mehr hätte tun können, und die Frau erzeigte mir noch mehr Liebkosungen als er; so blieb es eine Weile, bis sie das ausführen konnten, was er und sein Bruder Philipp sich vorgenommen hatten. Das Wetter war warm und angenehm, so daß ich mich eines Mittwochs, da zwei Feiertage einfielen, von meinem Landgut zu Trespiano, nachdem ich ein gutes Frühstück zu mir genommen hatte, nach Vicchio auf den Weg machte. Als ich daselbst ankam, fand ich Herrn Philipp am Tor, der von meiner Ankunft unterrichtet schien, denn er begegnete mir aufs freundlichste und führte mich in das Haus des Sbietta, der aber nicht gegenwärtig war; da fand ich sein schamloses Weib, die mich mit unmäßiger Freundlichkeit empfing. Ich schenkte ihr einen sehr feinen Strohhut, weil sie versicherte, keinen schönern gesehen zu haben. Als der Abend herbeikam, speisten wir sehr vergnügt zusammen, dann gab er mir ein anständiges Zimmer, und ich legte mich in das reinlichste Bett. Meinen beiden Dienern gab man ein ähnliches nach ihrer Art. Des Morgens, als ich aufstand, wieder dieselbe Freundlichkeit.

Ich ging mein Gut zu besehen, das mir sehr wohl gefiel. Man bestimmte mir soviel Weizen und andere Feldfrüchte, und als ich wieder nach Vicchio kam, sagte der Priester Herr Philipp zu mir: Benvenuto, habt keinen Zweifel, und wenn ihr auch das Gut nicht so ganz gefunden hättet, wie man es euch beschrieben hat, seid versichert, man wird euch über das Versprochene befriedigen; denn ihr habt es mit rechtschaffnen Leuten zu tun. Auch haben wir eben unsern Feldarbeiter abgedankt, weil er ein trauriger (gefährlicher) Mensch ist. Dieser Arbeiter nannte sich Mariano Rosselli und sagte mir mehr als einmal: Sehet nur zu euren Sachen, es wird sich zeigen, wer von uns der traurigste sein wird. Als er diese Worte aussprach, lächelte der Bauer auf eine gewisse unangenehme Weise, die mir nicht ganz gefallen wollte, aber dennoch dachte ich auf keine Weise an das, was mir begegnen sollte. Als ich nun vom Gut zurückkehrte, das zwei Meilen von Vicchio gegen das Gebirge lag, fand ich gedachten Geistlichen, der mich mit seinen gewöhnlichen Liebkosungen erwartete, und wir nahmen ein tüchtiges Frühstück zu uns; dann ging ich durch den Ort, wo ein Jahrmarkt schon angegangen war, und alle Einwohner sahen mich mit Verwunderung, wie einen seltenen Gegenstand, an, besonders aber ein wackrer Mann, der sich schon lange Zeit an dem Ort befindet, dessen Frau Brot auf den Verkauf bäckt; was er an Gütern besitzt, liegt ungefähr eine Meile weit entfernt, er aber mag sich gern im Ort aufhalten.

Dieser gute Mann nun wohnte zur Miete, in einem Hause, dessen Einkünfte mir auch mit jenem Gütchen angewiesen waren, und sagte zu mir: Ich bin in eurem Hause, und ihr sollt zur rechten Zeit euren Zins erhalten, oder wollt ihr ihn voraus? denn ich wünschte, daß ihr auf jede Weise mit mir zufrieden sein möget. Indes wir so sprachen, bemerkte ich, daß dieser Mann mich ganz besonders betrachtete, so daß es mir auffiel und ich zu ihm sagte: Sagt mir, lieber Johann, warum ihr mich so starr anseht? Darauf sagte der wackre Mann: Ich will es euch gern eröffnen, wenn ihr mir, zuverlässig wie ihr seid, versprecht, mein Vertrauen nicht zu mißbrauchen. Ich versprach's ihm, und er fuhr fort: So wisset denn, daß der Pfaffe, der Herr Philipp, vor einigen Tagen sich gerühmt hat, was sein Bruder Sbietta für ein gescheiter Mann sei! Er habe sein Gut einem Alten auf Lebzeit verkauft, der aber kein Jahr mehr dauern würde. Ihr habt euch mit Schelmen eingelassen, drum lebt nur so lange es gehen will, tut die Augen auf, denn ihr habt's Ursache; ich sage nichts weiter.

Alsdann ging ich auf den Markt spazieren, und fand Johann Baptista Santini, und gedachter Priester führte uns beide zu Tische. Es war ungefähr 20 Uhr, und man speiste meinetwegen so früh, weil ich gesagt hatte, ich wolle noch abends nach Trespiano zurückkehren. So machte man alles geschwind zurecht. Die Frau des Sbietta war äußerst geschäftig, und unter andern auch ein gewisser Cecchino Buti, ihr Aufwärter. Als die Gerichte fertig waren, und man sich eben zu Tische setzen wollte, sagte der leidige Pfaffe, mit so einer gewissen vertrackten Miene: Ihr werdet verzeihen, daß ich mit euch nicht speisen kann, denn es ist mir ein Geschäft von Wichtigkeit, das meinen Bruder betrifft, vorgefallen, und weil er nicht da ist, muß ich statt seiner eintreten. Durch unsere Bitten, doch bei uns zu bleiben, ließ er sich auf keine Weise bewegen, und wir fingen an zu speisen. Als wir die Salate, die in gewissen Schüsselchen aufgetragen wurden, gegessen hatten, und man anfing das gesottne Fleisch zu geben, kam ein Schüsselchen für Einen Mann. Santino, der mir gegenüber saß, sagte darauf: Habt ihr jemals so gute Kost gesehen? und euch geben sie noch dazu immer was Apartes. Ich habe das nicht bemerkt, versetzte ich darauf. Dann sagte er zu mir: Ich möchte doch die Frau des Sbietta zu Tische rufen, welche mit gedachtem Buti hin und wider lief, beide ganz außerordentlich beschäftigt. Endlich bat ich das Weib so sehr, daß sie zu uns kam, aber sie beklagte sich, und sagte: Meine Speisen schmecken euch nicht, denn ihr eßt so wenig. Ich lobte aber ihr Gastmahl über die Maßen und sagte, daß ich hinreichend gegessen habe. Nun hätte ich mir wahrlich nicht eingebildet, aus was Ursache dieses Weib mich so außerordentlich nötigte. Als wir aufstanden, waren schon die einundzwanzig vorbei, und ich wünschte noch den Abend nach Trespiano zu kommen, und den andern Tag wieder an meine Arbeit zu gehen. So empfahl ich mich allen, dankte der Frau und reiste fort. Ich war nicht drei Miglien entfernt, als mich deuchte, der Magen brenne mir. Ich litt entsetzlich, und mir schienen es tausend Jahre, bis ich auf mein Gut nach Trespiano kam. Mit großer Not langte ich daselbst an, und begab mich zu Bette, aber ich konnte die ganze Nacht nicht ruhen, es trieb mich öfters zu Stuhle, und weil es mit großen Schmerzen geschah, ging ich, als es Tag ward, nachzusehen, und fand den Abgang alles blutig. Da dachte ich gleich, ich müsse etwas Giftiges gegessen haben, und als ich weiter darüber nachdachte, fielen mir die Speisen und Tellerchen ein, die mir das Weib besonders vorgesetzt hatte; auch fand ich bedenklich, daß der leidige Pfaffe, nachdem er mir soviel Ehre erzeigt hatte, nicht einmal bei Tische bleiben wollte, ja daß er sollte gesagt haben, sein Bruder habe einem Alten das Gut auf Leibrenten gegeben, der aber das Jahr schwerlich überleben würde, wie mir der gute Sardella erzählt hatte. Hierdurch überzeugte ich mich, daß sie mir in einem Schüsselchen Brühe, die sehr gut gemacht und angenehm zu essen war, eine Dosis Sublimat gegeben hatten, ein Gift, das alle gedachten Übel hervorbringt; weil ich aber das Fleisch nicht mit Brühe und andern Zubereitungen, sondern mit bloßem Salze genieße, so aß ich auch nur ein paar Bissen hiervon, so sehr mich auch, wie ich mich noch wohl erinnerte, die Frau zum Essen aufgefordert hatte. Und vielleicht haben sie mir noch auf andere Weise Sublimat beigebracht.

Ob ich mich nun schon auf solche Weise angegriffen fühlte, fuhr ich doch immer fort in der Loge an meinem Koloß zu arbeiten, bis mich nach wenigen Tagen das Übel dergestalt überwältigte, daß ich im Bette bleiben mußte. Sobald als die Herzogin hörte, daß ich krank war, ließ sie den unglücklichen Marmor dem Bartholomäus Ammannato frei zur Arbeit übergeben, der mir darauf sagen ließ, ich möchte nun, was ich wollte, mit meinem angefangenen Modell machen, er habe den Marmor gewonnen, und es sollte viel davon zu reden geben. Nun wollte ich mich aber nicht bei dieser Gelegenheit wie Bandinell betragen, der in Reden ausbrach, die einem Künstler nicht ziemen, genug, ich ließ ihm antworten, ich habe es immer vermutet; er solle nur dankbar gegen das Glück sein, da es ihm nach Würden eine solche Gunst erzeigt habe. So blieb ich wieder mißvergnügt im Bette und ließ mich von dem trefflichen Mann, Meister Franziskus da Monte Varchi, kurieren; daneben vertraute ich mich dem Chirurgus, Meister Raphael de' Pilli. Der Sublimat hatte dergestalt meinen Eingeweiden die Empfindung genommen, daß ich nichts bei mir behalten konnte; aber der geschickte Meister Franziskus sah wohl ein, daß das Gift alle Wirkung getan hatte, und da die Portion nicht groß war, meine starke Natur nicht hatte überwältigen können. Daher sagte er eines Tages: Benvenuto! danke Gott, du hast gewonnen! zweifle nicht, ich werde dich, zum Verdrusse der Schelmen, welche dir zu schaden gedachten, durchbringen. Darauf versetzte Meister Raphael: Das wird eine von den besten und schwersten Kuren sein; denn du mußt wissen, Benvenuto, daß du eine Portion Sublimat verschluckt hast. Sogleich unterbrach ihn Meister Franziskus und sagte: Es war vielleicht ein giftiges Insekt. Da versetzte ich: Ich weiß recht wohl, daß es Gift ist, und wer mir ihn gegeben hat. Sie kurierten an mir sechs Monate, und es währte über ein Jahr, bis ich meines Lebens wieder froh werden konnte.

ELFTES KAPITEL

Cellini, nach seiner Genesung, wird besonders von Don Francesco, des Herzogs Sohn, begünstigt und aufgemuntert. — Großes Unrecht, das er von dem Magistrat in einem Prozeß erduldet, den er mit Sbietta führt. — Er begibt sich zum Herzog nach Livorno und trägt ihm seine Angelegenheit vor, findet aber keine Hülfe. — Das Gift, das er bei Sbietta bekommen, anstatt ihn zu zerstören, reinigt seinen Körper und stärkt seine Leibesbeschaffenheit. — Fernere Ungerechtigkeit, die er in seinem Rechtsstreite mit Sbietta durch den Verrat des Raphael Schieggia erfährt. — Der Herzog und die Herzogin besuchen ihn, als sie von Pisa zurückkommen. Er verehrt ihnen bei dieser Gelegenheit ein trefflich gearbeitetes Kruzifix. — Der Herzog und die Herzogin versöhnen sich mit ihm und versprechen ihm alle Art von Beistand und Aufmunterung. — Da er sich in seiner Erwartung getäuscht findet, ist er geneigt einem Vorschlag Gehör zu geben, den Katharina von Medicis, verwitwete Königin von Frankreich, an ihn gelangen läßt, zu ihr zu kommen und ihrem Gemahl Heinrich II. ein prächtiges Monument zu errichten. — Der Herzog läßt merken, daß es ihm unangenehm sei, und die Königin geht von dem Gedanken ab. — Der Kardinal von Medicis stirbt, worüber am florentinischen Hof große Trauer entsteht. — Cellini reist nach Pisa.

Um diese Zeit war der Herzog verreist, um seinen Einzug in Siena zu halten, wohin Ammannato schon einige Monate vorher gegangen war, um die Triumphbögen aufzurichten. Ein natürlicher Sohn von ihm war in der Loge bei der Arbeit geblieben, und hatte mir einige Tücher von meinem Modell des Neptuns, das ich bedeckt hielt, weggezogen. Sogleich ging ich, mich darüber bei Don Francesco, dem Sohn des Herzogs, zu beschweren, der mir sonst einiges Wohlwollen bezeigte. Ich sagte, sie hätten mir meine Figur aufgedeckt, die noch unvollkommen sei; wenn sie fertig wär', so hätte es mir gleichgültig sein können. Darauf antwortete mir der Prinz mit einer unzufriedenen Miene: Benvenuto, bekümmert euch nicht, daß sie aufgedeckt ist, denn sie haben es zu ihrem eignen Schaden getan; wollt ihr aber, daß ich sie soll bedecken lassen, so soll es gleich geschehen. Außer diesen Worten sagte Seine Exzellenz noch manches zu meinen Gunsten in Gegenwart vieler Herren, ich aber versetzte, er möge doch die Gnade haben und mir Gelegenheit verschaffen, daß ich das Modell endigen könnte, denn ich wünschte, sowohl mit dem großen als dem kleinen ihm ein Geschenk zu machen. Er antwortete mir, daß er eins wie das andere annehme, und ich solle alle Bequemlichkeit haben, die ich verlange. Diese geringe Gunst richtete mich wieder auf und war Ursache, daß ich wieder nach und nach gesund wurde; denn der viele Verdruß und die großen Übel hatten mich dergestalt niedergedrückt, daß ich irgend einer Aufmunterung bedurfte, um nur wieder einige Hoffnung fürs Leben zu schöpfen.

Es war nun ein Jahr vorbei, daß ich jenes Gut von Sbietta auf gedachte Weise besaß, und ich mußte nun nach ihren Giftmischereien und andern Schelmenstreichen bemerken, daß es mir soviel nicht eintrug, als sie mir versprochen hatten. Da ich nun, außer dem Hauptkontrakte, von Sbietta selbst noch eine besondere Handschrift hatte, wodurch er mir, vor Zeugen, die bestimmten Einkünfte zusagte, so ging ich zu den Herren Räten, welche derzeit Averardo Serristori und Friedrich Ricci waren. Alfonso Quistello war Fiskal, und kam auch mit in ihre Sitzung: der Namen der übrigen erinnere ich mich nicht, es war auch ein Alessandri darunter, genug, alles Männer von großer Bedeutung. Als ich nun meine Gründe den Herren vorgelegt hatte, entschieden sie alle mit einer Stimme, Sbietta habe mir mein Geld zurückzugeben; der einzige Friedrich Ricci widersprach, denn er bediente sich zur selbigen Zeit meines Gegners in seinen Geschäften. Alle waren verdrießlich, daß Friedrich Ricci die Ausfertigung ihres Schlusses verhinderte und einen erstaunlichen Lärm machte, indem Averardo Serristori und die andern Widerpart hielten. Dadurch ward die Sache so lange aufgehalten, bis die Stunde der Session verflossen war. Nachdem sie auseinandergegangen waren, fand mich Herr Alessandri auf dem Platze der Nunciata, und sagte ohne Rücksicht mit lauter Stimme: Friedrich Ricci hat soviel über uns andere vermocht, daß du wider unsern Willen bist verletzt worden.

Darüber mag ich nun nichts weiter sagen; denn der oberste Gewalthaber der Regierung müßte darüber unruhig werden; genug mir geschah eine so auffallende Ungerechtigkeit, bloß weil ein reicher Bürger sich jenes Hutmanns bediente.

Zur Zeit, da der Herzog in Livorno war, ging ich ihm aufzuwarten, in Absicht eigentlich mir Urlaub von ihm zu erbitten, denn ich fühlte meine Kräfte wieder, und da ich zu nichts gebraucht wurde, so tat es mir leid, meine Kunst so sehr hintanzusetzen. Mit diesen Entschließungen kam ich nach Livorno und fand meinen Herzog, der mich aufs beste empfing. Ich war verschiedene Tage daselbst, und ritt täglich mit Seiner Exzellenz aus; denn gewöhnlich ritt er vier Miglien am Meer hin, wo er eine kleine Festung anlegte, und er sah gern, daß ich ihn unterhielt, um die große Menge von Personen dadurch von ihm abzuhalten.

Eines Tages, als er mir sehr günstig schien, fing ich an von dem Sbietta, nämlich von Peter Maria von Anterigoli, zu sprechen, und sagte: Ich will Eurer Exzellenz einen wundersamen Fall erzählen, damit Sie die Ursache erfahren, warum ich das Modell des Neptuns, woran ich in der Loge arbeitete, nicht fertig machen konnte. Ich erzählte nun alles aufs genauste, und nach der vollkommensten Wahrheit, und als ich an den Gift kam, so sagte ich, wenn mich Seine Exzellenz jemals als einen guten Diener geschätzt hätten, so sollten sie den Sbietta, oder diejenigen, welche mir den Gift gegeben, eher belohnen als bestrafen, weil der Gift, indem er nicht so stark gewesen mich umzubringen, mir als ein gewaltiges Mittel gedient habe, den Magen und die Gedärme von einer tödlichen Verschleimung zu reinigen, die mich vielleicht in drei bis vier Jahren umgebracht hätte; durch diese sonderbare Medizin aber bin ich wieder auf zwanzig Jahre lebensfähig geworden, wozu ich denn auch mehr als jemals Lust habe, und Gott von Herzen danke, da er das Übel, das er über mich geschickt, so sehr zu meinem Besten gewendet hat. Der Herzog hörte mir über zwei Miglien Wegs mit Aufmerksamkeit zu, und sagte nur: O die bösen Menschen! Ich aber versetzte, daß ich ihnen Dank schuldig sei, und brachte das Gespräch auf andere angenehme Gegenstände.

Eines Tages trat ich sodann mit Vorsatz zu ihm, und als ich ihn in guter Stimmung fand, bat ich, er möchte mir Urlaub geben, damit ich nicht einige Jahre, worin ich noch etwas nütze wäre, untätig verlebte: was das Geld betreffe, das ich an der Summe für meinen Perseus noch zu fordern habe, so könne mir dasselbe nach Gefallen ausgezahlt werden. Dann dankte ich Seiner Exzellenz mit umständlichen Zeremonien, worauf ich aber keine Antwort bekam, vielmehr schien es mir, als wenn er es übel genommen hätte. Den andern Tag begegnete mir Herr Bartholomäus Concino, einer von den ersten Sekretären des Herzogs, und sagte mir halb trotzig: Der Herzog meint, wenn du Urlaub willst, so wird er dir ihn geben, willst du aber arbeiten, so sollst du auch zu tun finden, mehr als du gedenkst. Ich antwortete, daß ich nichts Besseres wünsche, als zu arbeiten, und Seiner Exzellenz mehr als irgend jemand, er möchte Papst, Kaiser oder König sein. Ja, viel lieber wollte ich Seiner Exzellenz um einen Pfennig dienen als einem andern für einen Dukaten. Dann sagte er: Wenn du so denkst, so seid ihr einig ohne weiters. Drum gehet nach Florenz zurück und seid gutes Muts, denn der Herzog will euch wohl. Und so ging ich nach Florenz.

In dieser Zeit beging ich den großen Fehler, daß ich mit obgedachtem Sbietta nicht allein einen veränderten Kontrakt einging, sondern daß ich ihm auch noch eine Hälfte eines andern Gutes abkaufte; das letzte geschah im Dezember 1566. Doch ich will weiter dieser Sache nicht gedenken, und alles Gott überlassen, der mich so oft aus manchen Gefahren gerissen hat.

Ich hatte nun mein marmornes Kruzifix geendigt, nahm es von der Erde auf, und brachte es in einiger Höhe an der Wand an, wo es sich viel besser als vorher ausnahm, wie ich wohl erwartet hatte. Ich ließ es darauf jeden sehen, wer kommen wollte. Nun geschah es, nach Gottes Willen, daß man dem Herzog und der Herzogin auch davon sagte, so daß sie eines Tages nach ihrer Rückkehr von Pisa unerwartet mit dem ganzen Adel ihres Hofes in mein Haus kamen, nur um das Kruzifix zu sehen. Es gefiel so sehr, daß beide Herrschaften sowohl als alle Edelleute mir unendliche Lobeserhebungen erteilten.

Da ich nun sah, daß Ihre Exzellenzen so wohl zufrieden mit dem Werke waren und es so sehr lobten, auch ich niemand gewußt hätte, der würdiger gewesen wär', es zu besitzen, so machte ich ihnen gern ein Geschenk damit, und bat nur, daß sie mit mir in das Erdgeschoß gehen möchten. Auf diese Worte standen sie gefällig auf, und gingen aus der Werkstatt in das Haus. Dort sah die Herzogin mein Modell des Neptuns und des Brunnens zum erstenmal, und es fiel ihr so sehr in die Augen, daß sie sich mit lautem Ausdruck von Verwunderung zum Herzog wendete, und sagte: Bei meinem Leben, ich hätte nicht gedacht, daß dieses Werk den zehnten Teil so schön sein könnte. Der Herzog wiederholte darauf verschiedenemal: Hab' ich's euch nicht gesagt? So sprachen sie untereinander zu meinen Ehren lange Zeit, und schienen mich gleichsam um Vergebung zu bitten. Darauf sagte der Herzog, ich solle mir einen Marmor nach Belieben aussuchen, und eine Arbeit für ihn anfangen. Auf diese gütigen Worte versetzte ich, wenn sie mir dazu die Bequemlichkeit verschaffen wollten, so würde ich ihnen zuliebe gern ein so schweres Werk unternehmen. Darauf antwortete der Herzog schnell: Du sollst alle Bequemlichkeit haben die du verlangst, und was ich dir von selbst geben werde, soll noch viel mehr wert sein. Mit so gefälligen Worten gingen sie weg und ließen mich höchst vergnügt zurück. Als aber viele Wochen vergingen, ohne daß man meiner gedachte, und ich nun wohl sah, daß man zu nichts Anstalt machte, geriet ich beinahe in Verzweiflung.

In dieser Zeit schickte die Königin von Frankreich (Katharina von Medicis) Herrn Baccio del Bene an unsern Herzog, um von ihm in Eile eine Geldhülfe zu verlangen, womit er ihr auch aushalf, wie man sagt. Gedachter Abgesandter war mein genauer Freund, und wir sahen uns oft. Als er mir nun die Gunst erzählte, die Seine Exzellenz ihm bewies, fragte er mich auch, was ich für Arbeit unter den Händen hätte. Darauf erzählte ich ihm den Fall mit dem Neptun und dem Brunnen. Er aber sagte mir, im Namen der Königin: Ihro Majestät wünsche sehr, das Grab Heinrichs (des Zweiten), ihres Gemahls, geendigt zu sehen; Daniel von Volterra habe ein großes Pferd von Erz unternommen, sein Termin aber sei verlaufen, und überhaupt sollten an das Grab die herrlichsten Zieraten kommen; wollte ich nun nach Frankreich in mein Kastell zurückkehren, so wolle sie mir alle Bequemlichkeit verschaffen, wenn ich nur Lust hätte, ihr zu dienen. Darauf versetzte ich gedachtem Baccio, er solle mich vom Herzog verlangen, und wenn der es zufrieden sei, so würde ich gern nach Frankreich zurückkehren. Darauf sagte Herr Baccio fröhlich: So gehen wir zusammen! Und nahm die Sache als schon ausgemacht an. Den andern Tag, als er mit dem Herzog sprach, kam auch die Rede auf mich; worauf er denn sagte, daß wenn Seine Exzellenz es zufrieden wären, so würde sich die Königin meiner bedienen. Darauf versetzte der Herzog sogleich: Benvenuto ist der geschickte Mann wofür ihn die Welt kennt, aber jetzt will er nicht mehr arbeiten! Worauf er sogleich das Gespräch veränderte. Den andern Tag sagte mir Herr Baccio alles wieder, ich aber konnte mich nicht halten, und sagte: Wenn ich, seitdem mir Seine Exzellenz nichts mehr zu arbeiten gibt, eines der schwersten Werke vollendet habe, das mich mehr als zweihundert Scudi von meiner Armut kostet, was würde ich getan haben, wenn man mich beschäftigt hätte! Ich sage, man tut mir sehr Unrecht. Der gute Mann erzählte dem Herzog alles wieder; dieser aber sagte, das sei nur Scherz, er wolle mich behalten. Auf diese Weise stand ich verschiedene Tage an und wollte mit Gott davongehen. Nachher wollte die Königin nicht mehr in den Herzog dringen lassen, weil es ihm unangenehm zu sein schien.

Zu dieser Zeit ging der Herzog mit seinem ganzen Hof und allen seinen Kindern, außer dem Prinzen, der in Spanien war, in die Niederungen von Siena und von da nach Pisa. Der Gift jener bösen Ausdünstungen ergriff den Kardinal zuerst, er verfiel in ein pestilenzialisches Fieber, das ihn in wenig Tagen ermordete. Er war des Herzogs rechtes Auge, schön und gut; es war recht schade um ihn. Ich ließ verschiedene Tage vorbeigehen, bis ich glaubte, daß die Tränen getrocknet seien; dann ging ich nach Pisa.

ANHANG ZUR LEBENSBESCHREIBUNG DES BENVENUTO CELLINI

bezüglich auf Sitten, Kunst und Technik

INHALT

I. Vorwort
II. Gleichzeitige Künstler
III. Näherer Einfluß
IV. Kartone
    1. Des Michelangelo
    2. Des Leonard da Vinci
V. Antike Zieraten
VI. Vorzügliches technisches Talent
VII. Traktate über den technischen Teil der Goldschmiedekunst und Skulptur
VIII. Goldschmiedegeschäft
    1. Kenntnis der Edelsteine
    2. Fassen derselben
        Folien
        Tinten
        Spiegel
    3. Niello
    4. Filigran
    5. Email
    6. Getriebene Arbeit
    7. Große Siegel
    8. Münzen und Medaillen
    9. Grosserie
        Gefäße
        Statuen
IX. Skulptur
    1. Erzguß
    2. Marmorarbeit
        Steine
        Statuen
        Kolossen
X. Flüchtige Schilderung florentinischer Zustände
XI. Stammtafel der Medicis
XII. Schilderung Cellinis
XIII. Letzte Lebensjahre
XIV. Hinterlassene Werke
    1. Goldschmiedearbeit
    2. Plastische
        Perseus
        Kruzifix
        Ganymed
        Cosmus I. Büste
        Bronzen von Fontainebleau
        Restaurierter Kamee
    3. Zeichnungen
XV. Hinterlassene Schriften
    1. Lebensbeschreibung
        Übersetzung derselben
    2. Zwei Diskurse
        Über Goldschmiedekunst
        Über Skulptur
    3. Kleine Aufsätze
    4. Poetische Versuche
    5. Ungedruckte Papiere und Nachrichten
XVI. Über die Grundsätze, wornach man das Zeichnen lernen soll
XVII. Über den Rangstreit der Skulptur und Malerei

I. Vorwort

Wenn hinter einem Werke, wie die Lebensbeschreibung Cellinis, eine Nachschrift den Leser anziehen sollte, so müßte sie etwas Gleichartiges leisten und zu einem lebhafteren Anschauen der Zeitumstände führen, welche die Ausbildung einer so merkwürdigen und sonderbaren Person bewirken konnten.

Indem uns aber dieser Forderung im ganzen Umfange Genüge zu tun, Vorarbeiten, Kräfte, Entschluß und Gelegenheit abgehen, so gedenken wir, für diesmal skizzenhaft, aphoristisch und fragmentarisch, einiges beizubringen, wodurch wir uns jenem Zweck wenigstens annähern.

II. Gleichzeitige Künstler

Wenn von Jahrhunderten oder andern Epochen die Rede ist, so wird man die Betrachtung vorzüglich dahin richten, welche Menschen sich auf dieser Erde zusammengefunden, wie sie sich berührt oder aus der Ferne einigen Einfluß aufeinander bewiesen, wobei der Umstand, wie sie sich den Jahren nach gegen einander verhalten, von der größten Bedeutung ist. Deshalb führen wir die Namen gleichzeitiger Künstler, in chronologischer Ordnung, dem Leser vor und überlassen ihm, sich einen flüchtigen Entwurf jenes großen Zusammenwirkens selbst auszubilden.

Hiebei drängt sich uns die Betrachtung auf, daß die vorzüglichsten im funfzehnten Jahrhundert geborenen Künstler auch das sechszehnte erreicht und mehrere eines hohen Alters genossen, durch welches Zusammentreffen und Bleiben wohl die herrlichen Kunsterscheinungen jener Zeiten mochten bewirkt werden, um so mehr, als man die Anfänge, deren sich schon das vierzehnte Jahrhundert rühmen konnte, von Jugend auf vor Augen hatte.

Und zwar lebten, um nur die merkwürdigsten anzuführen, im Jahre 1500, als Cellini geboren wurde,

862 ANHANG ZU BENVENUTO CELLINI

Gentile Bellin,	Tizian,
Johann Bellin,	Giorgione,
Luca Signorelli,	Raffael,
Leonard da Vinci,	Andrea del Sarto,
Peter Perugin,	Primaticcio,
Andreas Mantegna,	Franz Penni,
Sansovino,	Julius Roman,
Fra Bartolommeo,	Correggio,
Franz Rustici,	Polidor von Caravaggio,
Albrecht Dürer,	Rosso,
Michelangelo,	Holbein,
Balthasar Peruzzi,	

der erste in einem Alter von einundachtzig, der letzte von zwei Jahren. Ferner wurden in dem ersten Viertel des sechszehnten Jahrhunderts geboren:

Perin del Vaga,	Franz Salviati,
Parmegianin,	Georg Vasari,
Daniel von Volterra,	Andrea Schiavone und
Jakob Bassan,	Tintoret.
Bronzin,	

In einer so reichen Zeit ward Cellini geboren und von einem solchen Elemente der Mitwelt getragen. Der unterrichtete Leser rufe sich die Eigenschaften dieser Männer summarisch in Gedanken zurück und er wird über das Gedränge von Verdiensten erstaunen, welches jene Epoche verschwenderisch hervorbrachte.

III. Näherer Einfluß auf Cellini

Wenden wir nun unsern Blick auf die Vaterstadt des Künstlers, so finden wir in derselben eine höchst lebendige Kunstwelt.

Ohne umständlich zu wiederholen, was anderwärts bei manchen Gelegenheiten über die Bildung der florentinischen Schule von mehrern, besonders auch von unsern

Freunden, in dem ersten Stück des dritten Bandes der Propyläen, unter dem Artikel Masaccio abgehandelt worden, begnügen wir uns hier eine summarische Übersicht zu geben.

Cimabue ahmet die neuen Griechen nach, mit einer Art dunkler Ahnung, daß die Natur nachzuahmen sei. Er hängt an der Tradition und hat einen Blick hinüber in die Natur; versucht sich also hüben und drüben.

Giotto lernt die Handgriffe der Malerei von seinem Meister, ist aber ein außerordentlicher Mensch und erobert das Gebiet der Natur für die Kunst.

Seine Nachfolger, Gaddi und andere, bleiben auf dem Naturwege.

Orcagna hebt sich höher und schließt sich an die Poesie, besonders an die Gestalten des Dante.

Brunelleschi, Donato [Donatello] und Ghiberti, drei große Männer, ergreifen dem Geist und der Form nach die Natur und rücken die Bildhauerkunst vor.

Der erste erfand vielleicht die Gesetze der Perspektive, wenigstens benutzt er sie früh und befördert diesen Teil der Kunst: worauf denn aber leider eine Art technischer Raserei, das Eine Gefundene durch alle Bedingungen durchzuarbeiten, fast hundert Jahre dauert und das echte Kunststudium sehr zurücksetzt.

Masaccio steht groß und einzig in seiner Zeit und rückt die Malerei vor.

Alles drängt sich nun, in der von ihm gemachten Kapelle zu studieren; weil die Menschen, wenn sie auch das Rechte nicht deutlich verstehen, es doch allgemein empfinden.

Masaccio wird nachgeahmt, insofern er sich der Natur in Gestalt und Wahrheit der Darstellung nähert, ja sogar an Kunstfertigkeit übertroffen, vom ältern Lippi, Botticelli, Ghirlandaio, welche aber alle in der Naturnachahmung stecken bleiben.

Endlich treten die großen Meister auf, Leonardo da Vinci, Fra Bartolommeo, Michelangelo und Raffael.

IV. Kartone

So stark auch die Eindrücke dieser früheren meisterhaften Arbeiten auf das Gemüt des jungen Künstlers mögen gewesen sein, wie er selbst hie und da zu bezeugen nicht unterläßt, so war ihm doch vorzüglich die Wirkung bedeutend und erinnerlich, welche zwei gleichzeitige Werke auf ihn ausgeübt hatten: Kartone des Leonard da Vinci und des Michelangelo, die sogleich bei ihrer Entstehung die Aufmerksamkeit und den Nacheifer der ganzen lebenden Kunstwelt erregten.

Von jeher hatten sowohl die Vorsteher des florentinischen Staats als einzelne Gilden und Gesellschaften sich zur Ehre gerechnet, durch Architektur, Skulptur und Malerei die Zeiten ihrer Administration zu verherrlichen und besonders geistlichen Gebäuden durch bildende Kunst einen lebendigen Schmuck zu verschaffen.

Nun waren die Medicis vertrieben, und das schöne Kunstkapital, das Lorenz, besonders in seinem Stadtgarten, gesammelt hatte, woselbst er eine Bildhauerschule unter der Aufsicht des alten Bertoldo anlegte, war in den Tagen der Revolution, durch das leidenschaftliche Ungestüm der Menge, zerstreut und vergeudet. Eine neue republikanische Verfassung trat ein. Für den großen Rat war ein neuer Saal gebaut, dessen Wände durch Veranstaltung Peter Soderinis, des Gonfaloniers, und seiner Regimentsgenossen, von den würdigsten Künstlern jener Zeit belebt werden sollten.

Leonardo da Vinci, ungefähr im siebenundvierzigsten Jahre, hatte sich von Mailand, nach dem Einmarsch der Franzosen, auf Florenz zurückgezogen, woselbst Michelangelo, ungefähr im sechsundzwanzigsten, mit größter Anstrengung den Studien oblag. Man verlangte von beiden Künstlern Kartone zu großen Gemälden, worauf man glückliche Kriegstaten der Florentiner bewundern wollte.

Schon Cellini hegte die Meinung, als wären die auf gedachten Kartonen vorgestellten Taten und Ereignisse in dem Kriege vorgefallen, welchen die Florentiner gegen die Pisaner führten, der sich mit der Eroberung von Pisa endigte. Die Gründe, warum wir von dieser Meinung abgehen, werden wir zunächst anzeigen, wenn wir vorher eine Darstellung jener Kunstwerke mit Hülfe älterer Überlieferungen und neuern Nachrichten im allgemeinen versucht haben.

Nikolaus Piccinini, Feldherr des Herzogs Philipp von Mailand, hatte um die Hälfte des funfzehnten Jahrhunderts einen Teil von Tuszien weggenommen und stand gegen die päpstlichen und florentinischen Truppen unfern von Arezzo. Durch einige Kriegsunfälle im obern Italien genötigt, berief ihn der Herzog zurück; die Florentiner, denen dies bekannt wurde, befahlen den Ihrigen, sorgfältig ein Treffen zu vermeiden, wozu Piccinin, um bei seinem Abzug ehrenvoll zu erscheinen, sehr geneigt war.

1. Karton des Michelangelo

Die florentinischen Anführer standen nicht genugsam auf ihrer Hut, so wie überhaupt die lose Art Krieg zu führen in damaliger Zeit, ingleichen die Insubordination der Truppen, über alle Begriffe geht. Die Hitze war heftig, die Soldaten hatten zum großen Teil, um sich zu erfrischen oder zu ergötzen, das Lager verlassen.

Unter diesen Umständen kommt Piccinin herangezogen. Ein Florentiner, dessen Namen uns die Geschichte bewahrt, Michael Attendulo, entdeckt zuerst den Feind und ruft die zerstreuten Krieger zusammen.

Wir glauben ihn in dem Manne zu sehen, der fast im Zentrum des Bildes steht, und, indem er vorschreitet, mit seiner kriegerischen Stimme die Trompete zu begleiten und mit ihr zu wetteifern scheint.

Mag nun der Künstler den Umstand, daß die Krieger sich eben im Flußbad erquicken, als der Feind unerwartet heranzieht, in der Geschichte vorgefunden oder aus seinem Geiste geschöpft haben, wir finden dieses gehörigste Motiv hier angewendet. Das Baden steht, als das höchste Symbol der Abspannung, entgegengesetzt der höchsten Kraftäußerung im Kampfe, zu der sie aufgefordert werden.

«In dieser, durch den unerwarteten Aufruf belebten Menge ist beinahe jede Behendigkeit des menschlichen Alters, jede Bewegung, jeder Gesichtszug, jede Pantomime von Bestürzung, Schreck, Haß, Angst, Eil und Eifer dargestellt. Wie Funken aus einem glühenden Eisen unter dem Hammer, gehen alle diese Gemütszustände aus ihrem Mittelpunkt heraus. Einige Krieger haben das Ufer erreicht, andere sind im raschen Fortschritt dazu begriffen, noch andere unternehmen einen kühn gewagten Felsensprung; hier tauchen zwei Arme aus dem Wasser auf, die dem Felsen zutappen, dort flehen ein Paar andere um Hülfe; Gefährten beugen sich über, Gefährten zu retten, andere stürzen sich vorwärts zum Beistand. Oft nachgeahmt ist das glutvolle Antlitz des grimmen, in Waffen grau gewordenen Kriegers, bei dem jede Senne in ungeheurer Anstrengung dahin arbeitet, die Kleider mit Gewalt über die träufelnden Glieder zu ziehen, indem er zürnend widerwillig mit dem einen Fuß durch die verkehrte Öffnung hindurchfährt.

Mit dieser kriegerischen Hast, mit diesem edlen Unmut, hat der sinnvolle Künstler die langsam bedächtige Eleganz eines halb abgewendeten Jünglings, der eifrig bemüht ist sich die Buckeln seiner Rüstung unterwärts der Knöchel zuzuschnallen, in den sprechendsten Kontrast gesetzt. Hier ist auch ein Eilen — aber es ist Methode darin. Ein dritter schwingt seinen Küraß auf die Schulter, indes ein vierter, der ein Anführer zu sein scheint, unbekümmert um Schmuck, kampffertig mit geschwungenem Speer, einen Vormann über den Haufen rennt, der sich eben gebückt hat eine Waffe aufzusammeln. Ein Soldat, der selbst ganz nackt ist, schnallt an dem Harnisch seines Kriegskameraden herum, und dieser, gegen den Feind gekehrt, scheint ungeduldig den Grund zu stampfen. Erfahrung, Wut, gealterte Kraft, jugendlicher Mut und Schnelligkeit, hinausdrängend oder in sich zurückgezogen, wetteifern miteinander in kraftvollen Ausbrüchen. Nur Ein Motiv beseelt diese ganze Szene des Tumults: Streitbegierde, Eifer mit dem Feinde gemein zu werden, um durch die größte Anstrengung die verschuldete Fahrlässigkeit wieder abzubüßen.»

Dieses gelang denn auch, wie uns die Geschichte weiter erzählt. Vergebens griffen die Truppen des Piccinin das verbündete Heer der päpstlich-florentinischen Truppen zu wiederholten Malen an; hartnäckig widerstanden diese und schlugen zuletzt, begünstigt durch ihre Stellung, den oft wiederkehrenden Feind zurück, dessen Fahnen, Waffen und Gepäck den Siegern in die Hände fielen.

2. Karton des Leonardo da Vinci

Hatte Michelangelo den zweifelhaften Anfang des Treffens in einer vielfachen Komposition dargestellt, so wählte Leonardo da Vinci den letzten schwankenden Augenblick des Sieges und trug ihn in einer künstlichen gedrängten Gruppe vor, die wir, insofern sie sich aus der Beschreibung des Vasari und anderer entwickeln läßt, unsern Lesern darzustellen suchen.

Vier Soldaten zu Pferde, wahrscheinlich ein Paar von jedem Heere, sind miteinander in Konflikt gesetzt; sie kämpfen um eine Standarte, deren Stab sie alle angefaßt haben. Zwei widerstreben einander von beiden Seiten, sie heben die Schwerter empor sich zu verwunden, oder, wie es auch scheinen will, den Stab der Standarte durchzuhauen.

Ein dritter, wahrscheinlich im Vordergrunde, wendet sein Pferd gleichsam zur Flucht, indem er mit umgewendetem Körper und ausgestrecktem Arm die Stange festhält und durch diese gewaltsame Bewegung das Siegeszeichen den übrigen zu entreißen strebt, indessen ein vierter, vermutlich von hinten, gerade hervorwärts dringt, und indem er die Stange selbst gefaßt hat mit aufgehobenem Schwert die Hände derer, die sie ihm streitig machen, abzuhauen droht. Charakter und Ausdruck dieses letzten, als eines entschieden gewaltigen, in den Waffen grau gewordenen Kriegers, der hier mit einer roten Mütze erscheint, wird besonders gerühmt, so wie der Zorn, die Wut, die Siegesbegier, in Gebärde und Mienen der übrigen, zu denen die Streitlust der Pferde sich gesellt, deren zwei, mit verschränkten Füßen, aufeinander einhauen, und mit dem Gebiß, als natürlichen Waffen, wie ihre Reiter mit künstlichen, sich bekämpfen. Wobei der Meister, welcher diese edle Tiergattung besonders studiert hatte, mit einem seltenen Talente glänzen konnte.

So zeigte diese geschlossene, in allen ihren Teilen aufs künstlichste angeordnete Handlung den dringenden, letzten Moment eines unaufhaltsamen Sieges.

Unterwärts kämpften zwei Figuren, in Verkürzung, zwischen den Füßen der Pferde. Ein Krieger, beinahe auf die Erde ausgestreckt, sollte im Augenblick ein Opfer des wütend eindringenden Gegners werden, der gewaltsam ausholt, um mit dem Dolch des Unterliegenden Kehle zu treffen. Aber noch widerstand mit Füßen und Armen der Unglückliche der Übermacht, die ihm den Tod drohte.

Genug, alle Figuren, Menschen und Tiere waren von gleicher Tätigkeit und Wut belebt, so daß sie ein Ganzes von der größten Natürlichkeit und der höchsten Meisterschaft darstellten.

Beide Werke, welche die Bewunderung und den Nacheifer aller künstlerischen Zeitgenossen erregten und höher als andere Arbeiten dieser großen Meister geschätzt wurden, sind leider verlorengegangen.

Wahrscheinlich hatte die Republik weder Kräfte noch Ruhe genug, einen so groß gefaßten Gedanken ausführen zu lassen, und schwerlich fühlten sich die Medicis geneigt, als sie bald zur Herrschaft wieder zurückkehrten, das, was jene begonnen hatten, zu vollenden.

Andere Zeiten andere Sorgen! sowohl für Künstler als für Oberhäupter! Und sehen wir nicht in unsern Tagen das mit großem Sinne und Enthusiasmus entworfene, mit schätzbarem Kunstverdienst begonnene revolutionäre Bild Davids, den Schwur im Ballhause vorstellend, unvollendet? Und wer weiß was von diesem Werke in drei Jahrhunderten übrig sein wird.

Doch was überhaupt so manche Kunstunternehmungen in Florenz zum Stocken brachte, war die Erwählung Johanns von Medicis zum Römischen Papste. Ihm, der unter dem Namen Leo X. so große Hoffnungen erregte und erfüllte, zog alles nach, was unter einem solchen Gestirn zu gedeihen wert war, oder wert zu sein glaubte.

Wie lange nun aber jene Kartone in den Sälen, in welchen sie aufgehängt gewesen, unversehrt geblieben, ob sie abgenommen, versteckt, verteilt, versendet oder zerstört worden, ist nicht ganz gewiß.

Indessen trägt der Ritter Bandinell wenigstens den Verdacht, daß er den Karton des Michelangelo in den ersten unruhigen Zeiten des Regimentswechsels zerschnitten habe, wodurch uns der Verlust eines solchen Werks noch unerträglicher wird, als wenn wir ihn der gleichgültigen Hand des Zufalls zuschreiben müßten.

Späterhin klingt wieder etwas von ihm nach, und Fragmente scheinen in Mantua aufzutauchen; doch alle Hoffnung einen Originalzug wieder davon zu erblicken ist für Liebhaber verloren.

Der Karton des Leonardo da Vinci soll erhalten und nach Frankreich geschafft worden sein, wo er denn aber auch verschwunden ist.

Desto wichtiger bleibt uns die Nachricht, daß dieser Werke Gedächtnis nicht allein in Schriften aufbewahrt, sondern auch noch in nachgebildeten Kunstwerken übrig ist.

Von der Leonardischen Gruppe findet sich eine nicht allzugroße Kopie im Poggio Imperiale, wahrscheinlich von Bronzin. Ferner ist sie in dem Gemälde des Leonardo, welches die Anbetung der Könige vorstellt, im Hintergrund als ein Beiwerk angebracht. Auch soll davon ein Kupfer von Gerhardt Edelinck, jedoch nach einer schlechten, manierierten Zeichnung eines Niederländers, in den Sammlungen vorkommen.

Von dem Werke des Michelangelo waren bisher nur wenige Figuren auf einem Kupfer aus damaliger Zeit bekannt; gegenwärtig aber hat uns Heinrich Füßli, ein würdiger Bewunderer des großen Michelangelo, eine Beschreibung des Ganzen gegeben, wobei er eine kleine Kopie, welche sich zu Holkham in England befindet, zum Grunde legte.

Wir haben unsere obige Beschreibung daher entlehnt und wünschen nichts mehr, als daß Füßli in England und Morghen in Italien die Herausgabe gedachter Werke in Kupfer besorgen und befördern mögen. Sie würden sich um die Kunstgeschichte ein großes Verdienst erwerben, so wie solches von dem letzten, durch den Stich des mailändischen Abendmahls, bereits geschehen ist.

Möge doch die Kupferstecherkunst, die so oft zu geringen Zwecken gemißbraucht wird, immer mehr ihrer höchsten Pflicht gedenken und uns die würdigsten Originale, welche Zeit und Zufall unaufhaltsam zu zerstören in Bewegung sind, durch tüchtige Nachbildung einigermaßen zu erl alten suchen.

Übrigens können wir uns nicht enthalten, im Vorbeigehen anzumerken, daß die Komposition des Michelangelo, durch die er jenen Aufruf zur Schlacht darstellt, mit der Komposition des Jüngsten Gerichtes große Ähnlichkeit habe, indem in beiden Stücken die Wirkung von einer einzigen Person augenblicklich auf die Menge übergeht. Eine Vergleichung beider Bilder wird deshalb dereinst höchst interessant werden und die Huldigung, die wir dem großen Geiste des Verfassers zollen, immer vermehren.

Schließlich rechtfertigen wir mit wenigem, daß wir in Darstellung der historischen Gegenstände von der gewöhnlichen Meinung abgewichen.

Cellini nimmt als bekannt an, daß beide Kartone solche Kriegbegebenheiten vorstellen, welche bei Gelegenheit der Belagerung von Pisa, zu Anfang des funfzehnten Jahrhunderts, vorgefallen; Vasari hingegen deutet nur den einen Gegenstand, welchen Michelangelo behandelt, dorthin, erzählt aber, daß Leonardo auf dem seinigen einen Vorfall aus der Schlacht zwischen den verbundenen florentinisch-päpstlichen Truppen gegen Nikolaus Piccinin, Feldherrn des Herzogs von Mailand, in der Hälfte des funfzehnten Jahrhunderts gewählt habe.

Nun begann diese Schlacht mit einem merkwürdigen Überfall, wie Machiavell im fünften Buche seiner Florentinischen Geschichte mit folgenden Worten umständlich erzählt:

«Niemand war bewaffnet, alles entfernt vom Lager, wie nur ein jeder, entweder Luft zu schöpfen, denn die Hitze war groß, oder sonst zum Vergnügen, sich verlieren mochte.»

Wir glauben hier den Anlaß jenes Bildes, das Michelangelo ausgeführt, zu erblicken, wobei ihm jedoch die Ehre der Erfindung des Badens, als des höchsten Symbols einer völligen Auflösung kriegerischer Tätigkeit und Aufmerksamkeit, zukommen dürfte.

Wir werden in dieser Meinung um so mehr bestärkt, als in einer sehr ausführlichen Beschreibung der Belagerung und Eroberung von Pisa von Palmerius, sowie in den Pisanischen Annalen des Tronci, welcher sonst die ganze Geschichte nicht zugunsten der Florentiner darstellt, keine Spur eines solchen Überfalls zu finden ist.

Bedenkt man zunächst, daß es nicht wohl schicklich für eine Regierung gewesen wäre durch Kunstwerke den alten Groll gegen die Pisaner, welche nun schon seit hundert Jahren die ihrigen geworden, zu erneuern und zu verewigen, so läßt sich dagegen vermuten, daß ein gemeiner, leidenschaftlicher Florentiner überall, wo er Krieg und Streit sah, sich der bekämpften, überwundenen, unterjochten Pisaner erinnerte, anstatt daß von dem so bedeutenden Sieg über Piccinin keine sinnliche Spur übrig geblieben war und kein Nationalhaß die Erinnerung an denselben schärfte.

Was hiebei noch zweifelhaft bleibt, findet vielleicht bei erregter Aufmerksamkeit bald seine Auflösung.

V. Antike Zieraten

Wenn nun gleich Cellini von Jugend auf an menschliche Gestalt und ihre Darstellung im höchsten Sinne geführt worden, so zog ihn doch sein Metier und vielleicht auch eine gewisse subalterne Neigung zu den Zieraten hin, welche er an alten Monumenten und sonst sehr häufig vor sich fand und studierte.

Er gedenkt seines Fleißes auf dem Campo Santo zu Pisa, und an einer nachgelassenen, unübersehlichen Sammlung des Filippo Lippi, welcher dergleichen Gegenstände sorgfältig nachahmte, um sie in seinen Gemälden anzubringen.

VI. Vorzügliches technisches Talent

Das allgemeine technische Talent, das unserm Benvenuto angeboren war, konnte bei der Goldschmiedezunft, die sich nach allen Seiten hin verbreiten durfte und sehr viel Geschicklichkeit und Anstrengung von ihren Gesellen forderte, genugsamen Anlaß zur Tätigkeit finden und sich stufenweise, durch vielfältige Praktik, zu der Höhe der Skulptur, auf der er unter seinen Zeitgenossen einen bedeutenden Platz einnimmt, hinaufbilden.

VII. Zwei Abhandlungen über Goldschmiedearbeiten und Skulptur

Wenn er uns nun in seiner Lebensbeschreibung nächst seinen Schicksalen auch seine Werke vonseiten der Erfindung und Wirkung bekanntmacht, so hat er in ein paar Abhandlungen uns das einzelne Technische dergestalt beschrieben, daß ihm unsere Einbildungskraft auch in die Werkstatt folgen kann.

Aus diesen Schriften machen wir einen summarischen Auszug, durch welchen der Leser, der sich bisher am Leben und an der Kunst ergötzt, sich nun auch das Handwerk einigermaßen vergegenwärtigen, die Terminologie deutlich machen und so zu einem vollständigern Anschauen, wenn ihm darum zu tun ist, gelangen kann.

VIII. Goldschmiedegeschäft

1. Kenntnis der Edelsteine

Die Aristotelische Lehre beherrschte zu damaliger Zeit alles, was einigermaßen theoretisch heißen wollte. Sie kannte nur vier Elemente, und so wollte man auch nur vier Edelsteine haben. Der Rubin stellte das Feuer, der Smaragd die Erde, der Saphir das Wasser und der Diamant die Luft vor. Rubinen von einiger Größe waren damals selten und galten achtfach den Wert des Diamanten. So stand auch der Smaragd in hohem Preise. Die übrigen Edelsteine kannte man wohl, doch schloß man sie entweder an die vier genannten an, oder man versagte ihnen das Recht Edelsteine zu heißen.

Daß einige Steine im Dunkeln leuchteten, hatte man bemerkt. Man schrieb es nicht dem Sonnenlichte zu, dem sie dieses Leuchten abgewonnen hatten, sondern einer eigenen, inwohnenden Kraft, und nannte sie Karfunkel.

2. Fassen der Edelsteine

Bei dem Fassen der Edelsteine behandelte man die Folien mit der äußersten Sorgfalt. Es sind dieses gewöhnlich dünne, glänzende, farbige Metallblättchen, welche den farbigen Steinen untergelegt werden, um Farbe und Glanz zu erhöhen. Doch tun auch andere Materialien den gleichen Dienst, wie zum Beispiel Cellini durch feingeschnittene, hochrote Seide, mit der er den Ringkasten gefüttert, einen Rubin besonders erhöht haben will. Überhaupt tut er sich auf die Geschicklichkeit, Folien zu verfertigen und anzuwenden, viel zugute. Er tadelt bei gefärbten Steinen die allzu dunkle Folie mit Recht, indem keine Farbe erscheint, wenn nicht Licht durch sie hindurchfällt. Der Diamant erhält eine Unterlage aus dem feinsten Lampenruß bereitet; schwächern Diamanten legte man auch ein Glas unter.

3. Niello

Mit Strichen eingegrabene Zieraten oder Figuren, in Kupfer oder Silber, wurden mit einer schwarzen Masse ausgefüllt. Diese Art zu arbeiten war schon zu Cellinis Zeiten abgekommen. Wahrscheinlich weil sie durch die Kupferstecherkunst, die sich daher ableitete, vertrieben worden war. Jeder der sich bemüht hatte, kunstreiche Striche ins Metall zu graben, mochte sie lieber durch Abdruck vervielfacht sehen, als sie ein für allemal mit einer schwarzen Masse ausfüllen.

Diese Masse bestand aus einem Teil Silber, zwei Teilen Kupfer und drei Teilen Blei, welche zusammengeschmolzen und nachher, in einem verschlossenen irdenen Gefäß, mit Schwefel zusammengeschüttelt werden, wodurch eine schwarze körnige Masse entsteht, welche sodann durch öftere Schmelzungen verfeinert wird.

Zum Gebrauch wurde sie gestoßen und die eingegrabene Metallplatte damit überschmolzen, nach und nach wieder abgefeilt, bis die Platte zum Vorschein kam, und endlich die Fläche dergestalt poliert, daß nur die schwarzen Striche reinlich stehen blieben.

Thomas Finiguerra war ein berühmter Meister in dieser Arbeit, und man zeigt in den Kupferstichsammlungen Abdrücke von seinen eingegrabenen noch nicht mit Niello eingeschmolzenen Platten.

4. Filigran

Aus Gold- und Silberdrähten von verschiedener Stärke, sowie aus dergleichen Körnern, wurden Zieraten zusammengelegt, mit Dragant verbunden und die Löte gehörig angebracht; sodann auf einer eisernen Platte einem gewissen

Feuergrad ausgesetzt und die Teile zusammengelötet, zuletzt gereinigt und ausgearbeitet.

5. Email

In Gold und Silber wurden flach erhabene Figuren und Zieraten gearbeitet, diese alsdann mit wohlgeriebenen Emailfarben gemalt und mit großer Vorsicht ins Feuer gebracht, da denn die Farben wieder als durchsichtiges Glas zusammenschmolzen und der unterliegende metallische Grund zum Vorschein kam.

Man verband auch diese Art zu arbeiten mit dem Filigran und schmelzte die zwischen den Fäden bleibenden Öffnungen mit verschieden gefärbten Gläsern zu: eine Arbeit, welche sehr große Mühe und Genauigkeit erforderte.

6. Getriebene Arbeit

Diese war nicht allein halb erhoben, sondern es wurden auch runde Figuren getrieben. Die ältern Meister, unter denen Caradosso vorzüglich genannt wird, machten erst ein Urbild von Wachs, gossen dieses in Erz, überzogen das Erz sodann mit einem Goldblech und trieben nach und nach die Gestalt hervor, bis sie das Erzbild herausnahmen und nach genauer Bearbeitung die in das Goldblech getriebenen Figuren zulöteten. Auf diese Weise wurden Medaillen von sehr hohem Relief, um sie am Hut zu tragen, und kleine ringsum gearbeitete Kruzifixe gefertigt.

7. Große Siegel

wurden besonders für Kardinäle gearbeitet. Man machte das Modell von Wachs, goß es in Gips aus und druckte in diese Form eine feine im Feuer nicht schmelzende Erde. Dieses letzte Modell ward zum Grund einer zweiten Form gelegt, in welche man das Metall goß, da denn das Siegel vertieft zum Vorschein kam, welches, mit dem Grabstichel und stählernen Stempeln weiter ausgearbeitet, mit Inschriften umgeben und zuletzt mit einem verzierten Handgriff versehen ward.

8. Münzen und Medaillen

Zuerst wurden Figuren, Zieraten, Buchstaben teilweise, wie es sich zum Zweck am besten schickte, erhöht in Stahl geschnitten, gehärtet und sodann mit diesen erhabenen Bunzen der Münzstempel nach und nach eingeschlagen, wodurch man in den Fall kam, viele ganz gleiche Stempel geschwind hervorzubringen. Die Medaillenstempel wurden nachher noch mit dem Grabstichel ausgearbeitet, und beide Sorten entweder mit dem Hammer oder mit der Schraube ausgeprägt. Letzterer gab man schon zu Cellinis Zeiten den Vorzug.

9. Grosserie

Hierunter begriff man alle große, getriebene Arbeit, besonders von Gefäßen, welche aus Gold oder Silber gefertigt wurden.

Das Metall wurde zuerst gegossen, und zwar bediente man sich dabei eines Ofens mit einem Blasebalg, oder eines Windofens. Cellini erfand eine dritte Art, die er «aus der Schale gießen» benannte.

Die Formen wurden aus eisernen Platten, zwischen die man eiserne Stäbe legte, zusammengesetzt und mit eisernen Federn zusammengehalten. Inwendig wurden diese Formen mit Öl und auswendig mit Ton bestrichen.

Die also gegossene Platte wird im allgemeinen gereinigt, dann geschabt, sodann erhitzt und mit dem dünnen Teile des Hammers, aus den Ecken nach der Mitte und dann von innen heraus bis sie rund wird geschlagen. In der Mitte bleibt sie am stärksten. Im Centro wird ein Punkt gezeichnet, um welchen die Zirkel gezogen werden, wonach sich die Form des Gefäßes bestimmt. Nun wird die Platte von gedachtem Punkt aus in einer Schneckenlinie geschlagen, wodurch sie sich nach und nach wie ein Hutkopf vertieft und endlich das Gefäß seine bestimmte Größe erhält. Gefäße, deren Hals enger ist als der Körper, werden auf besondern Ambossen, die man von ihrer Form Kuhzungen nennt, ausgetrieben, sowie überhaupt die Werkzeuge, worauf man schlägt und womit man schlägt, die Arbeit möglich machen und erleichtern.

Nun wird das Gefäß mit schwarzem Pech gefüllt, und die Zieraten, welche darauf kommen sollen, erst gezeichnet und leicht eingestochen und die Umrisse mit verschieden geformten Meißeln leicht eingeschlagen, das Pech herausgeschmolzen und auf langen, an dem Ende besonders geformten Ambossen die Figuren nach und nach herausgetrieben. Alsdann wird das Ganze ausgesotten, die Hohlung wieder mit Pech gefüllt und wieder mit Meißeln die Arbeit auswendig durchgeführt. Das Ausschmelzen des Pechs und das Aussieden des Gefäßes wird so oft wiederholt, bis es beinahe vollendet ist.

Sodann um den Kranz und die Handhaben zu erlangen werden sie von Wachs an das Gefäß angebildet, eine Form gehörig darüber gemacht und das Wachs herausgeschmolzen, da sich denn die Form vom Gefäße ablöst, welche von der Hinterseite zugeschlossen, wohl getrocknet und ausgegossen wird.

Manchmal gießt man auch die Form zum erstenmal mit Blei aus, arbeitet noch feiner in dieses Metall und macht darüber eine neue Form, um solche in Silber auszugießen; wobei man den Vorteil hat, daß man das bleierne Modell aufheben und wieder brauchen kann.

Die Kunst kleine Statuen aus Gold und Silber zu treiben war, wie aus dem Vorigen bekannt ist, hochgebracht; man verweilte nicht lange bei diesem kleinen Format, den man nach und nach bis zur Lebensgröße steigerte. Franz I. bestellte einen solchen Herkules, der die Himmelskugel trug, um Karl V., als er durch Paris ging, ein Geschenk zu machen; allein, obschon in Frankreich die Grosserie sehr häufig und gut gearbeitet wurde, so konnten doch die Meister mit einer solchen Statue nicht fertig werden, bei welcher das letzte Zusammenlöten der Glieder äußerst schwierig bleibt. Die Art solche Werke zu verfertigen ist verschieden, und es kommt dabei auf mehr oder weniger Gewandtheit des Künstlers an.

Man macht eine Statue von Ton, von der Größe wie das Werk werden soll; diese wird in mehrere Teile geteilt und teilweise geformt, sodann einzeln in Erz gegossen, die Platten drübergezogen und die Gestalt nach und nach herausgeschlagen: wobei vorzüglich auf die Stellen zu sehen ist, welche künftig zusammentreffen sollen. Weil nun der Kopf allein aus dem Ganzen getrieben wird, der Körper aber, so wie Arme und Beine, jedes aus einem Vorder- und Hinterteil besteht, so werden diese erst zusammengelötet, so daß das Ganze nunmehr in sechs Stücken vorliegt.

Cellini, weil er in der Arbeit sehr gewandt war und sich auf seine Einbildungskraft sowie auf seine Hand verlassen konnte, goß das Modell nicht in Erz, sondern arbeitete aus freier Hand nach dem Ton, indem er das Blech, wie er es nötig fand, von einer oder der andern Seite behämmerte.

Jene oben genannten sechs Teile der Statue werden nun erst mit Pech ausgegossen und mit Meißeln, so wie von den Gefäßen erzählt worden, ausgearbeitet, mehr als einmal ausgesotten und wieder mit Pech gefüllt, und so mit der Arbeit fortgefahren, bis das getriebene Werk dem von Erde völlig gleich ist. Dann werden jene Teile mit Silberfäden aneinander befestigt, die lötende Materie aufgestrichen und über einem eigens dazu bereiteten Herde gelötet.

Das Weißsieden hat auch bei so großen Werken seine Schwierigkeit. Cellini verrichtete es bei seinem Jupiter in einem Färbekessel.

Hierauf gibt Cellini noch Rechenschaft von verschiedenen Arbeiten, die hieher gehören, als vom Vergolden, von Erhöhung der Farbe des Vergoldeten, Verfertigung des Ätz- und Scheidewassers und dergleichen.

IX. Skulptur

1. Erzguß

Um in Erz zu gießen, macht man zweierlei Arten von Formen.

Bei der ersten geht das Modell verloren, indem man es als Kern benutzt. Es wird in Ton so groß gearbeitet als der künftige Guß werden soll. Man läßt es um einen Finger breit schwinden und brennt es. Alsdann wird Wachs darübergezogen und dieses sorgfältig ausbossiert, so daß dadurch das ganze Bild seinen ersten Umfang wieder erhält.

Hierüber wird eine feuerfeste Form gemacht und das Wachs herausgeschmolzen, da denn eine Hohlung bleibt, welche das Erz wieder ausfüllen soll.

Die andere Art zu formen ist folgende:

Das Modell von Ton erhält einen leichten Anstrich von Terpentinwachs und wird mit feinen Metallblättern überlegt. Dieses geschieht deshalb, damit die Feuchtigkeit dem Modell nicht schade, wenn darüber eine Gipsform gemacht wird.

Diese wird auf die noch übliche Weise verfertigt und dergestalt eingerichtet, daß sie in mehrere Hauptteile zerfällt, so daß man bequem etwas Wachs oder Teig hineindrücken kann, so stark als künftig der Guß werden soll.

Hierauf wird das Gerippe zur Statue von eisernen Stangen und Drähten zusammengefügt und mit feuerbeständiger Masse überzogen, solange bis dieser Kern jene eingedruckte Oberhaut berührt, weshalb man immer Form und Kern gegeneinander probieren muß. Sodann wird jene Oberhaut aus der Form genommen. Form und Kern werden wechselseitig befestigt und der Raum, den die Oberhaut einnahm, wird mit Wachs ausgegossen.

Nun wird die Gipsform wieder abgenommen und das neue wächserne Grund- und Musterbild durchaus überarbeitet.

Sodann werden wächserne Stäbe von Glied zu Glied geführt, je nachdem künftig das Metall durch verschiedene Wege zu zirkulieren hat, indem alles was künftig in der Form hohl bleiben soll, an dem Modell von Wachs ausgearbeitet wird. Über diese also zubereitete, wächserne Gestalt wird eine feuerbeständige Form verfertigt, an welcher man unten einige Öffnungen läßt, durch welche das Wachs, wenn nunmehr die Form über ein gelindes Feuer gebracht wird, ausschmelzen kann.

Ist alles Wachs aus der Form geflossen, so wird diese nochmals auf das sorgfältigste getrocknet, und ist alsdann das Metall zu empfangen bereit; das erste Modell aber, welches völlig im Stande geblieben, dient dem Meister und den Gesellen bei künftiger Ausarbeitung des Gusses, welcher folgendermaßen veranstaltet wird:

Man gräbt eine Grube vor dem Ofen weit und tief genug. In diese wird die Form mit Flaschenzügen hineingelassen, an die untern Öffnungen der Form, durch welche das Wachs ausgeflossen, werden tönerne Röhren angesetzt und nach oben zu geleitet. Der Raum um die Form in der Grube wird mit Erde nach und nach ausgefüllt, welche von Zeit zu Zeit festgestampft wird.

Wie man damit weiter heraufkommt, werden an die obern in der Form gelassenen Öffnungen gleichfalls tönerne Röhren angelegt und solche nach den Forderungen der Kunst miteinander verbunden und zuletzt in einen großen Mund vereinigt, welcher etwas über die Höhe des Hauptes zu stehen kommt. Alsdann wird ein Kanal von dem Ofen bis zu gedachtem Munde abhängig gepflastert und das im Ofen geschmolzene Erz in die Form gelassen, wobei es denn sehr viel auf das Glück ankommt, ob sie sich gehörig füllt.

Den Bau des Ofens, die Bereitung und Schmelzung des Metalls übergehen wir, als zu weit von unsern Zwecken entfernt. Wie denn überhaupt die technischen Kunstgriffe in diesem Fache in den neuern Zeiten vollkommener ausgebildet worden, wovon sich der Liebhaber aus mehreren Schriften belehren kann.

2. Marmorarbeit

Cellini nimmt fünferlei Arten weißen Marmor an, von dem gröbsten Korn bis zum feinsten. Er spricht alsdann von härtern Steinen, von Porphyr und Granit, aus denen gleichfalls Werke der Skulptur verfertigt werden; dann von den weichen, als einer Art Kalkstein, welche, indem sie aus dem Bruch kommt, leicht zu behandeln ist, nachher an der Luft verhärtet. Ferner gedenkt er der florentinischen grauen Sandsteine, welche sehr fein und mit Glimmer gemischt, besonders in der Gegend von Fiesole, brechen und gleichfalls zu Bildhauerarbeiten gebraucht werden.

Bei Statuen in Lebensgröße ging man folgendermaßen zu Werke: Man machte ein kleines Modell mit vieler Sorgfalt und arbeitete teils aus Ungeduld, teils im Gefühl seiner Meisterschaft, öfters gleich nach diesem die Statue im großen aus dem Marmor heraus.

Doch wurden auch nach gedachtem kleinem große Modelle verfertigt und diese bei der Arbeit zum Grunde gelegt; doch auch alsdann arbeitete man noch leichtsinnig genug, indem man auf den Marmor die Hauptansicht der Statue mit Kohle aufzeichnete und sofort dieselbe nach Art eines Hochreliefs herausarbeitete. Zwar erwähnt Cellini auch der Art, eine Statue von allen Seiten her zuerst ins Runde zu bringen. Er mißbilligt sie aber. Und freilich mußten ohne genaues Maß bei beiden Arten Fehler entstehen, die man bei der ersten, weil man noch Raum in der Tiefe behielt, eher verbessern konnte.

Ein Fehler solcher Art ist der, welchen Cellini dem Bandinelli vorwirft, daß an der Gruppe von Herkules und Cacus die Waden der beiden Streitenden so zusammenschmelzen, daß, wenn sie die Füße auseinander täten, keinem eine Wade übrigbleiben würde. Michelangelo selbst ist von solchen Zufällen nicht frei geblieben.

Die Art also nach Perpendikeln, mit welchen das Modell umgeben wird, die Maße hineinwärts zu nehmen, scheint zu Anfange des sechzehnten Jahrhunderts unbekannt gewesen zu sein. Wenigstens will Cellini sie selbst erfunden haben, als er in Frankreich nach kleinern Modellen einen ungeheuern Kloß zu fertigen unternahm. Seine Vorrichtungen dazu verdienen erzählt zu werden.

Erst machte er mit großer Sorgfalt ein kleines Modell, sodann ein größeres von drei Ellen. Um solches schlug er einen waage- und senkrechten Kasten, in welchem das Maß der vierzig Ellen, als so groß der Koloß werden sollte, in verjüngtem Maßstab aufgezeichnet war. Um sich nun zu versichern, daß auf diesem Wege die Form ins Große übertragen werden könne, zeichnete er auf den Fußboden seines Saals ein Profil des Kolosses, indem er jemanden die Maße innerhalb des Kastens nehmen und aussprechen ließ. Als auf diese Weise eine Silhouette gut gelang, schritt er weiter fort und verfertigte zuerst ein Gerippe in der Größe des eingekasteten Modells, indem er einen geraden Stab, der durch den linken Fuß bis zum Kopfe ging, aufstellte und an diesen, wie ihm sein Modell nachwies, das Gerippe der übrigen Glieder befestigte.

Er ließ darauf einen Baumstamm, vierzig Ellen hoch, im Hofe aufrichten und vier gleiche Stämme ins Gevierte um ihn her; diese letzten wurden mit Brettern verschlagen, woraus ein ungeheurer Kasten entstand. Nun ward, nach dem kleinen Modell des Gerippes, das große Gerippe innerhalb des Kastens ausgemessen und aufgebaut. Die Figur stand auf dem linken Fuße, durch welchen der Pfahl ging, den rechten Fuß setzte sie auf einen Helm, welcher so eingerichtet war, daß man in denselben hineingehen und sodann die ganze Figur hinaufsteigen konnte.

Als nun das Gerippe auf diese Weise zustande war, überzog man solches mit Gips, indem die Arbeiter die Maße des kleinen Kastens in den großen übertrugen. So wurde in kurzer Zeit durch gemeine Arbeiter dieses ungeheure Modell bis gegen die letzte Haut fertig gebracht und sodann die vordere Brettwand weggenommen, um das Werk übersehen zu können.

Daß der Kopf dieses Kolosses völlig ausgeführt worden und zu artigen Abenteuern Anlaß gegeben, erinnern wir uns aus der Lebensbeschreibung unsers Verfassers; die Vollendung aber des Modells, und noch mehr der Statue in Erz unterblieb, indem die Kriegsunruhen von außen, und die Leidenschaften des Künstlers von innen, sich solchen Unternehmungen entgegensetzten.

X. *Flüchtige Schilderung florentinischer Zustände*

Können wir uns nun von dem sonderbaren Manne schon eine lebhaftere Vorstellung, einen deutlichern Begriff machen, wenn wir denselben in seine Werkstätte begleitet, so werden diejenigen seinen Charakter in einem weit hellern Lichte sehen, die mit der Geschichte überhaupt und besonders mit der florentinischen bekannt sind.

Denn indem man einen merkwürdigen Menschen als einen Teil eines Ganzen seiner Zeit oder seines Geburts- und Wohnorts betrachtet, so lassen sich gar manche Sonderbarkeiten entziffern, welche sonst ewig ein Rätsel bleiben würden. Daher entsteht bei jedem Leser solcher frühern, eignen Lebensbeschreibungen ein unwiderstehlicher Reiz, von den Umgebungen jener Zeiten nähere Kenntnis zu erlangen, und es ist ein großes Verdienst lebhaft geschriebener Memoiren, daß sie uns durch ihre zudringliche Einseitigkeit in das Studium der allgemeinern Geschichte hineinlocken.

Um auf diesen Weg wenigstens einigermaßen hinzudeuten wagen wir eine flüchtige Schilderung florentinischer Zustände, die je nachdem sie Lesern begegnet, zur Erinnerung oder zum Anlaß weiterer Nachforschung dienen mag.

Die Anfänge von Florenz wurden wahrscheinlich in frühen Zeiten von den Fiesolanern, welche die Bergseite jener Gegend bewohnten, in der Ebene zunächst am Arno zu Handelszwecken erbaut, sodann von den Römern durch Kolonien zu einer Stadt erweitert, die, wie sie auch nach und nach an Kräften mochte zugenommen haben, gar bald das Schicksal des übrigen Italiens teilte. Von Barbaren beschädigt, von fremden Gebietern eine Zeitlang unterdrückt, gelang es ihr endlich das Joch abzuschütteln und sich in der Stille zu einer bedeutenden Größe zu erheben.

Unter dem Jahre 1010 wird uns die erste merkwürdige Tat der Florentiner gemeldet. Sie erobern ihre Mutterstadt und hartnäckige Nebenbuhlerin Fiesole und versetzen mit altrömischer Politik die Fiesolaner nach Florenz.

Von dieser Epoche an ist unserer Einbildungskraft abermals überlassen, eine sich mehrende Bürgerschaft, eine sich ausbreitende Stadt zu erschaffen. Die Geschichte überliefert uns wenig von solcher glücklichen Zeit, in welcher selbst die traurige Spaltung Italiens zwischen Kaiser und Papst sich nicht bis in die florentinischen Mauern erstreckte.

Endlich leider! zu Anfang des dreizehnten Jahrhunderts trennt sich die angeschwollene Masse der Einwohner zufällig über den Leichtsinn eines Jünglings, der eine edle Braut verstößt, in zwei Parteien und kann drei volle Jahrhunderte durch nicht wieder zur Vereinigung gelangen, bis sie durch äußere Macht genötiget sich einem Alleinherrscher unterwerfen muß.

Da mochten denn Bondelmontier und Amideer, Donati und Uberti wegen verletzter Familienehre streiten, gegenseitig bei Kaiser und Papst Hülfe suchen, und sich nun zu den Guelfen und Ghibellinen zählen, oder schnell reich gewordne, derb grobe Bürger mit armen und empfindlichen Edelleuten sich verunreinigen und so die Cerchi und Donati und daraus die Schwarzen und Weißen entstehen, späterhin die Ricci und Albizzi einander entgegenarbeiten; durchaus erblickt man nur ein hin und wieder schwankendes, unzulängliches, parteiisches Streben.

Ritter gegen Bürger, Zünfte gegen den Adel, Volk gegen Oligarchen, Pöbel gegen Volk, Persönlichkeit gegen Menge oder Aristokratie findet man in beständigem Konflikt. Hier zeigen sich dem aufmerksamen Beobachter die seltsamen Vereinigungen, Spaltungen, Untervereinigungen und Unterspaltungen; alle Arten von Koalitionen und Neutralisationen, wodurch man die Herrschaft zu erlangen und zu erhalten sucht.

Ja sogar werden Versuche gemacht die oberste Gewalt einem oder mehreren Fremden aufzutragen, und niemals wird Ruhe und Zufriedenheit erzielt.

Die meisten Städte, sagt Machiavell, besonders aber solche, die weniger gut eingerichtet sind und unter dem Namen von Republiken regiert werden, haben die Art ihrer Verwaltung öfters verändert, und zwar gewöhnlich, nicht weil Freiheit und Knechtschaft, wie viele meinen, sondern weil Knechtschaft und Gesetzlosigkeit miteinander im Streite liegen.

Bei so mannigfaltigen Veränderungen des Regiments, bei dem Schwanken der Parteigewalten, entsteht ein immerwährendes Hin- und Herwogen von Verbannten, Ausgewanderten und Zurückberufenen, und niemals waren solche Veränderungen ohne Zerstreuung, Zerstörung, Mord, Brand und Plünderung.

Hierbei hat Florenz nicht allein seine eigne Verirrung zu büßen, sondern trägt die Verirrungen benachbarter Städte und Ortschaften, woselbst ähnliche politische Unruhen durch florentinische Ausgewanderte oft erregt, immer unterhalten werden.

Siena, Pisa, Lucca, Pistoja, Prato beunruhigen auf mehrerlei Weise Florenz lange Zeit und müssen dagegen gar viel von der Hab- und Herrschsucht, von den Launen und dem Übermut ihrer Nachbarin erdulden, bis sie alle zuletzt, außer Lucca, welches sich selbständig erhält, in die Hände der Florentiner fallen.

Daher wechselseitig ein unauslöschlicher Haß, ein unvertilgbares Mißtrauen. Wenn Benvenuto den Verdacht einer ihm verderblichen Todfeindschaft auf diesen oder jenen wälzen will, so bedarf es nur, daß dieser von Pistoja oder Prato gewesen. Ja, bis auf diesen Tag pflanzt sich eine leidenschaftliche Abneigung zwischen Florentinern und Lucchesern fort.

Wie bei ihrer ersten Entstehung, so auch in den spätern Zeiten, erfährt die Stadt das Schicksal des übrigen Italiens, insofern es durch in- oder ausländische große Mächte bestimmt wird.

Der Papst und die Herrscher von Neapel im Süden, der Herzog von Mailand, die Republiken Genua und Venedig im Norden machen ihr auf mancherlei Weise zu schaffen und wirken auf ihre politischen und kriegerischen Anstalten mächtig ein, und dies um so mehr und so schlimmer, als kein Verhältnis, groß oder klein, Festigkeit und Dauer gewinnen konnte. Alles was sich in Italien geteilt hatte, oder teil am Raube zu nehmen wünschte, Päpste, Könige, Fürsten, Republiken, Geistlichkeit, Barone, Kriegshelden, Usurpatoren, Bastarde, alle schwirren in fortwährendem Streite durcheinander. Hier ist an kein dauerhaftes Bündnis zu denken. Das Interesse des Augenblicks, persönliche Gewalt oder Unmacht, Verrat, Mißtrauen, Furcht, Hoffnung bestimmen das Schicksal ganzer Staaten, wie vorzüglicher Menschen, und nur selten blickt bei Einzelnen oder Gemeinheiten ein höherer Zweck, ein durchgreifender Plan hervor.

Zieht nun gar ein deutscher Kaiser, oder ein anderer Prätendent, an der Spitze von schlecht besoldeten Truppen durch Italien und verwirrt durch seine Gegenwart das Verworrene aufs höchste, ohne für sich selbst etwas zu erreichen, zerreißt ein Zwiespalt die Kirche und gesellen sich zu diesen Übeln auch die Plagen der Natur, Dürre, Teurung, Hungersnot, Fieber, Pestilenz: so werden die Gebrechen eines übelregierten und schlecht polizierten Staates immer noch fühlbarer.

Liest man nun in den florentinischen Geschichten und Chroniken, die doch gewöhnlich nur solche Verwirrungen und Unheile anzeigen und vor die Augen bringen, weil sie das breite Fundament bürgerlicher Existenz, wodurch alles getragen wird, als bekannt voraussetzen, so begreift man kaum wie eine solche Stadt entstehen, zunehmen und dauern können.

Wirft man aber einen Blick auf die schöne Lage, in einem reichen und gesunden Tale, an dem Fuße fruchtbarer Höhen, so überzeugt man sich, wie ein solches Lokal, von einer Gesellschaft Menschen einmal in Besitz genommen, nie wieder verlassen werden konnte.

Man denke sich diese Stadt zu Anfang des eilften Jahrhunderts hergestellt, und ihre genugsame Bevölkerung durch den Einzug der Einwohner von Fiesole ansehnlich vermehrt; man vergegenwärtige sich, was jede wachsende bürgerliche Gesellschaft, nur um ihren eignen nächsten Bedürfnissen genugzutun, für technische Tätigkeiten ausüben müsse, wodurch neue Tätigkeiten aufgeregt, neue Menschen herbeigezogen und beschäftigt werden.

So finden wir denn schon die Zünfte, in früherer Zeit an diese oder jene Partei angeschlossen, bald selbst als Partei, nach dem Regimente strebend oder an dem Regimente teilnehmend.

Die Zunft der Wollwirker treffen wir schnell in vorzüglicher Aufnahme und besonderm Ansehen, und erblicken alle Handwerker, die sich mit Bauen beschäftigen in der größten Tätigkeit. Was der Mordbrenner zerstört, muß durch den gewerbsamen Bürger hergestellt werden, was der Kriegsmann zu Schutz und Trutz fordert, muß der friedliche Handwerker leisten. Welche Nahrung und man kann sagen welchen Zuwachs von Bevölkerung gewährte nicht die öftere Erneuerung der Mauern, Tore und Türme, die öftere Erweiterung der Stadt, die Notwendigkeit ungeschickt angelegte Festungswerke zu verbessern, die Aufführung der Gemeinde- und Zunfthäuser, Hallen, Brücken, Kirchen, Klöster und Paläste. Ja das Stadtpflaster, als eine ungeheure Anlage, verdient mit angeführt zu werden, dessen bloße Unterhaltung gegenwärtig große Summen aufzehrt.

Wenn die Geschichte von Florenz in diesen Punkten mit den Geschichten anderer Städte zusammentrifft, so erscheint doch hier der seltnere Vorzug, daß sich aus den Handwerkern die Künste früher und allmählich entwickelten. Der Baumeister dirigierte den Maurer, der Tüncher arbeitete dem Maler vor, der Glockengießer sah mit Verwunderung sein tönendes Erz in bedeutende Gestalten verwandelt, und der Steinhauer überließ die edelsten Blöcke dem Bildhauer. Die neuentstandene Kunst, die sich an Religion festhielt, verweilte in den höhern Gegenden, in denen sie allein gedeiht.

Erregte und begünstigte nun die Kunst hohe Gefühle, so mußte das Handwerk in Gesellschaft des Handels mit gefälligen und neuen Produktionen der Pracht- und Scheinliebe des Einzelnen schmeicheln. Wir finden daher schon früh Gesetze gegen übermäßigen Prunk, die von Florenz aus in andere Gegenden übergingen.

Auf diese Weise erscheint uns der Bürger mitten in fortdauernden Kriegsunruhen friedlich und geschäftig. Denn ob er gleich von Zeit zu Zeit nach den Waffen griff und gelegentlich bei dieser oder jener Expedition sich hervorzutun und Beute zu machen suchte, so ward der Krieg zu gewissen Epochen doch eigentlich durch eine besondere Zunft geführt, die in ganz Italien, ja in der ganzen Welt zu Hause, um einen mäßigen Sold bald da bald dort Hülfe leistete oder schadete. Sie suchten mit der wenigsten Gefahr zu fechten, töteten nur aus Not und Leidenschaft, waren vorzüglich aufs Plündern gestellt und schonten sowohl sich als ihre Gegner, um gelegentlich an einem andern Ort dasselbige Schauspiel wieder aufführen zu können.

Solche Hülfstruppen beriefen die Florentiner oft und bezahlten sie gut; nur werden die Zwecke der Städter nicht immer erreicht, weil sie von den Absichten der Krieger gewöhnlich verschieden waren und die Heerführer mehrerer zusammenberufener Banden sich selten vereinigten und vertrugen.

FLORENTINISCHE ZUSTÄNDE

Über alles dieses waren die Florentiner klug und tätig genug gewesen an dem Seehandel teilzunehmen, und ob sie gleich in der Mitte des Landes eingeschlossen lagen, sich an der Küste Gelegenheiten zu verschaffen. Sie nahmen ferner durch merkantilische Kolonien, die sie in der Welt verbreiteten, teil an den Vorteilen, welche der gewandtere Geist der Italiener über andere Nationen zu jener Zeit davontrug. Genaue Haushaltungsregister, die Zaubersprache der doppelten Buchhaltung, die feenmäßigen Wirkungen des Wechselgeschäftes, alles finden wir sowohl in der Mutterstadt tätig und ausgeübt als in den europäischen Reichen durch unternehmende Männer und Gesellschaften verbreitet.

Immer aber brachte über diese rührige und unzerstörliche Welt die dem Menschen angeborne Ungeschicklichkeit zu herrschen oder sich beherrschen zu lassen, neue Stürme und neues Unheil.

Den öfteren Regimentswechsel und die seltsamen, mitunter beinahe lächerlichen Versuche, eine Konstitution zu allgemeiner Zufriedenheit auszuklügeln, möchte sich wohl kaum ein Einheimischer, dem die Geschichte seines Vaterlandes am Herzen läge, im einzelnen gern ins Gedächtnis zurückrufen; wir eilen um so mehr nach unsern Zwecken darüber hin und kommen zu dem Punkte wo bei innerer lebhafter Wohlhabenheit der Volksmasse aus dieser Masse selbst Männer entstanden, die mit großem Vater- und Bürgersinn nach innen und mit klarem Handels- und Weltsinn nach außen wirkten.

Gar manche tüchtige und treffliche Männer dieser Art hatten die Aufmerksamkeit und das Zutrauen ihrer Mitbürger erregt; aber ihr Andenken wird vor den Augen der Nachwelt durch den Glanz der Mediceer verdunkelt.

Diese Familie gewährt uns die höchste Erscheinung dessen, was Bürgersinn, der vom Nutzbaren und Tüchtigen ausgeht, ins Ganze wirken kann.

Die Glieder dieser Familie, besonders in den ersten Generationen, zeigen keinen augenblicklichen gewaltsamen

Trieb nach dem Regiment, welcher sonst manchen Individuen sowohl als Parteien den Untergang beschleunigt; man bemerkt nur ein Festhalten im großen Sinne am hohen Zwecke, sein Haus wie die Stadt, die Stadt wie sein Haus zu behandeln, wodurch sich von innen und außen das Regiment selbst anbietet. Erwerben, Erhalten, Erweitern, Mitteilen, Genießen gehen gleichen Schrittes, und in diesem lebendigen Ebenmaß läßt uns die bürgerliche Weisheit ihre schönsten Wirkungen sehen.

Den Johannes Medicis bewundern wir auf einer hohen Stufe bürgerlichen Wohlstandes als eine Art Heiligen; gute Gefühle, gute Handlungen sind bei ihm Natur. Niemanden zu schaden, jedem zu nutzen! bleibt sein Wahlspruch, unaufgefordert eilt er den Bedürfnissen anderer zu Hülfe, seine Milde, seine Wohltätigkeit erregen Wohlwollen und Freundschaft. Sogar aufgefordert mischt er sich nicht in die brausenden Parteihändel, nur dann tritt er standhaft auf, wenn er dem Wohl des Ganzen zu raten glaubt, und so erhält er sich sein Leben durch bei wachsenden Glücksgütern ein dauerhaftes Zutrauen.

Sein Sohn Cosmus steht schon auf einer höhern und gefährlichern Stelle. Seine Person wird angefochten, Gefangenschaft, Todesgefahr, Exil bedrohen und erreichen ihn, er bedarf hoher Klugheit zu seiner Rettung und Erhaltung.

Schon sehen wir des Vaters Tugenden zweckmäßig angewendet; Milde verwandelt sich in Freigebigkeit, und Wohltätigkeit in allgemeine Spende die an Bestechung grenzt. So wächst sein Anhang, seine Partei, deren leidenschaftliche Handlungen er nicht bändigen kann. Er läßt diese selbstsüchtigen Freunde gewähren und einen nach dem andern untergehen, wobei er immer im Gleichgewicht bleibt.

Ein großer Handelsmann ist an und für sich ein Staatsmann, und so wie der Finanzminister doch eigentlich die erste Stelle des Reichs einnimmt, wenn ihm auch andere an Rang vorgehen, so verhält sich der Wechsler zur bürgerlichen Gesellschaft, da er das Zaubermittel zu allen Zwekken in Händen trägt.

An Cosmus wird die Lebensklugheit besonders gepriesen, man schreibt ihm eine größere Übersicht der politischen Lagen zu als allen Regierungen seiner Zeit, deren leidenschaftliche, planlose Ungeschicklichkeit ihm freilich manches Unternehmen mag erleichtert haben.

Cosmus war ohne frühere literarische Bildung, sein großer, derber Haus- und Weltsinn bei einer ausgebreiteten Übung in Geschäften diente ihm statt aller andern Beihülfe. Selbst vieles, was er für Literatur und Kunst getan, scheint in dem großen Sinne des Handelsmanns geschehen zu sein, der köstliche Waren in Umlauf zu bringen und das Beste davon selbst zu besitzen sich zur Ehre rechnet.

Bediente er sich nun der entstehenden bessern Architektur, um öffentlichen und Privatbedürfnissen auf eine vollständige und herrliche Weise genugzutun, so hoffte seine tiefe Natur in der auflebenden Platonischen Philosophie den Aufschluß manches Rätsels, über welches er im Laufe seines mehr tätigen als nachdenklichen Lebens mit sich selbst nicht hatte einig werden können, und im ganzen war ihm das Glück, als Genosse einer nach der höchsten Bildung strebenden Zeit, das Würdige zu kennen und zu nutzen; anstatt daß wohl andere in ähnlichen Lagen das nur für würdig halten, was sie zu nutzen verstehen.

In Peter, seinem Sohn, der geistig und körperlich ein Bild der Unfähigkeit bei gutem Willen darstellt, sinkt das Glück und das Ansehen der Familie. Er ist ungeschickt genug sich einbilden zu lassen, daß er allein bestehen könne, ohne die Welt um sich her auf eine oder die andere Weise zu bestechen. Er fordert auf Antrieb eines falschen Freundes die Darlehne, welche der Vater freiwillig, selbst Wohlhabenden, aufdrang und wofür man sich kaum als Schuldner erkennen will, zurück, und entfernt alle Gemüter.

Die Partei seines Stammes, welche der bejahrte Cosmus selbst nicht mehr beherrschen konnte, wird noch weniger von ihm gebändigt, er muß sie gewähren lassen, und Florenz ist ihrer unerträglichen Raubsucht ausgesetzt.

Lorenz wird nun schon als Prinz erzogen. Er bereist die Höfe und wird mit allem Weltwesen früh bekannt.

Nach seines Vaters Tode erscheint er mit allen Vorteilen der Jugend an der Spitze einer Partei. Die Ermordung seines Bruders durch die Pazzi und seine eigne Lebensgefahr erhöhen das Interesse an ihm, und er gelangt stufenweise zu hohen Ehren und Einfluß. Seine Vaterstadt erduldet viel um seinetwillen von äußern Mächten, deren Haß auf seine Person gerichtet ist; dagegen wendet er große Gefahren durch Persönlichkeit von seinen Mitbürgern ab. Man möchte ihn einen bürgerlichen Helden nennen. Ja man erwartet einigemal, daß er sich als Heerführer zeigen werde; doch enthält er sich des Soldatenhandwerks mit sehr richtigem Sinne.

Durch die Vorsteher seiner auswärtigen Handelsverhältnisse bevorteilt und beschädigt zieht er nach und nach seine Gelder zurück, und legt durch Ankauf größerer Landbesitzungen den Grund des fürstlichen Daseins. Schon steht er mit den Großen seiner Zeit auf Einer Stufe des Ansehns und der Bedeutung. Er sieht seinen zweiten Sohn im dreizehnten Jahr als Kardinal auf dem Wege zum päpstlichen Thron, und hat dadurch seinem Hause für alle Stürme künftiger Zeit Schutz und Wiederherstellung von Unglücksfällen zugesichert.

So wie er sich in körperlich-ritterlichen Übungen hervortat und an der Falkenjagd ergötzte, so war er früh zu literarischen Neigungen und poetischen Versuchen gebildet. Seine zärtlichen enthusiastischen Gedichte haben weniger Auffallendes, weil sie nur an höhere Arbeiten dieser Art erinnern; aber unter seinen Scherzen gibt es Stücke, in denen man eine geistreiche Darstellung geselliger Laune und eine heitere Lebensleichtigkeit bewundert. Wie er denn überhaupt im Verhältnis gegen Kinder und Freunde sich einem ausgelassenen lustigen Wesen hingeben konnte. Von Gelehrten, Philosophen, Dichtern häuslich umgeben, sieht man ihn sehr hoch über den dunkeln Zustand mancher seiner Zeitgenossen erhaben. Ja, man könnte eine der katholischen Kirche, dem Papsttume, drohende Veränderung mitten in Florenz vorahnen.

Diesem großen, schönen, heitern Leben setzt sich ein fratzenhaftes, phantastisches Ungeheuer, der Mönch Savonarola, undankbar, störrisch, fürchterlich entgegen, und trübt pfäffisch die in dem Mediceischen Hause erbliche Heiterkeit der Todesstunde.

Eben dieser unreine Enthusiast erschüttert nach Lorenzens Tode die Stadt, die dessen Sohn, der so unfähige als unglückliche Peter, verlassen und die großen Mediceischen Besitztümer mit dem Rücken ansehen muß.

Hätte Lorenz länger leben und eine fortschreitende, stufenhafte Ausbildung des gegründeten Zustandes statthaben können, so würde die Geschichte von Florenz eins der schönsten Phänomene darstellen; allein wir sollen wohl im Lauf der irdischen Dinge die Erfüllung des schönen Möglichen nur selten erleben.

Oder wäre Lorenzens zweiter Sohn Johann, nachmals Leo X. im Regimente seinem Vater gefolgt, so hätte wahrscheinlich alles ein andres Ansehn gewonnen. Denn nur ein vorzüglicher Geist konnte die verworrenen Verhältnisse auffassen und die gefährlichen beherrschen; allein leider ward zum zweiten Male der Mediceischen Familie der Name Peter verderblich, als dieser Erstgeborne bald nach des Vaters Tod von der schwärmerisch aufgeregten Menge sich überwältigt, und mit so manchen schönen ahnherrlichen Besitzungen das aufgespeicherte Kapital der Künste und Wissenschaften zerstreut sah.

Eine neueingerichtete, republikanische Regierung dauerte etwa sechzehn Jahre; Peter kehrte nie in seine Vaterstadt zurück und die nach seinem Tode überbliebenen Glieder des Hauses Medicis hatten nach wiedererlangter Herrschaft mehr an ihre Sicherheit als an die Verherrlichung der Vaterstadt zu denken.

Entfernt nun die Erhöhung Leos X. zur päpstlichen Würde manchen bedeutenden Mann von Florenz und schwächt auf mehr als Eine Weise die dort eingeleitete Tätigkeit aller Art, so wird doch durch ihn und seinen Nachfolger Clemens VII. die Herrschaft der Mediceer nach einigem abermaligen Glückswechsel entschieden.

Schließen sie sich ferner durch Heirat an das österreichische, an das französische Haus, so bleibt Cosmus, dem ersten Großherzog, wenig für die Sicherheit seines Regiments zu sorgen übrig, obgleich auch noch zu seiner Zeit manche Ausgewanderte von der Volkspartei, in mehreren Städten Italiens, einen unmächtigen Haß verkochen.

Und so wären wir denn zu den Zeiten gelangt, in denen wir unsern Cellini finden, dessen Charakter und Handelsweise uns durchaus den Florentiner, im fertigen technischen Künstler sowohl als im schwer zu regierenden Parteigänger, darstellt.

Kann sich der Leser nunmehr einen solchen Charakter eher vergegenwärtigen und erklären, so wird er diese flüchtig entworfene Schilderung florentinischer Begebenheiten und Zustände mit Nachsicht aufnehmen.

XI. *Stammtafel des Hauses Medicis [nebenstehend]*

XII. *Schilderung Cellinis*

In einer so regsamen Stadt zu einer so bedeutenden Zeit erschien ein Mann, der als Repräsentant seines Jahrhunderts und vielleicht als Repräsentant sämtlicher Menschheit gelten dürfte. Solche Naturen können als geistige Flügelmänner angesehen werden, die uns mit heftigen Äußerungen dasjenige andeuten, was durchaus, obgleich oft nur mit schwachen unkenntlichen Zügen, in jeden menschlichen Busen eingeschrieben ist.

Bestimmter jedoch zeigt er sich als Repräsentanten der Künstlerklasse durch die Allgemeinheit seines Talents. Musik und bildende Kunst streiten sich um ihn, und die erste,

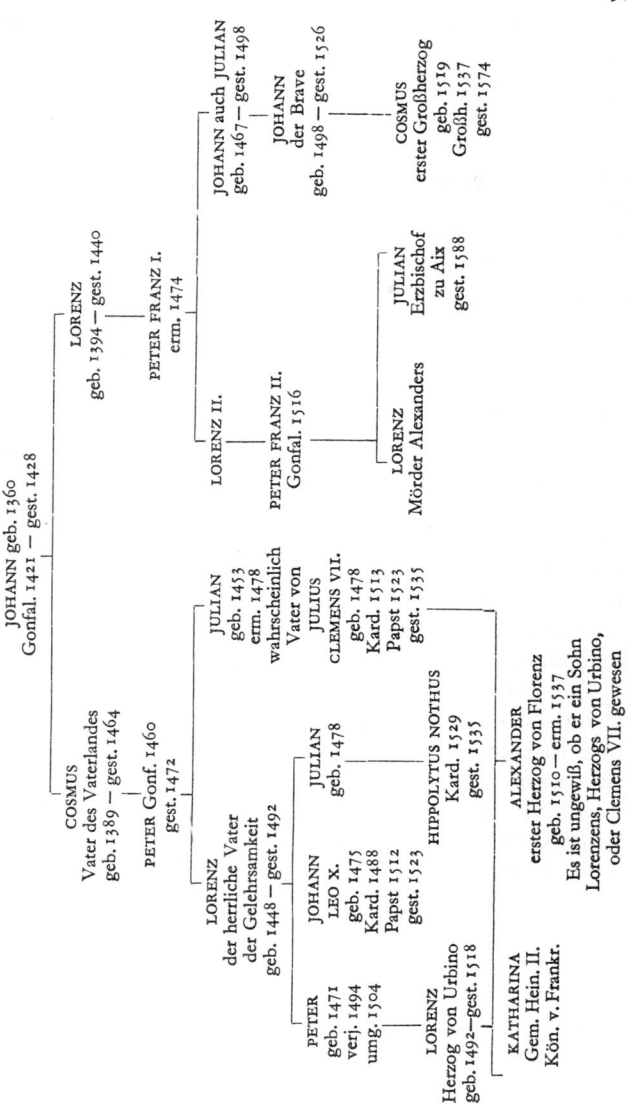

STAMMTAFEL DES HAUSES MEDICIS

JOHANN geb. 1360
Gonfal. 1421 — gest. 1428

COSMUS
Vater des Vaterlandes
geb. 1389 – gest. 1464

PETER Gonf. 1460
gest. 1472

LORENZ
der herrliche Vater
der Gelehrsamkeit
geb. 1448 – gest. 1492

PETER
geb. 1471
verj. 1494
umg. 1504

LORENZ
Herzog von Urbino
geb. 1492–gest. 1518

KATHARINA
Gem. Hein. II.
Kön. v. Frankr.

JOHANN
LEO X.
geb. 1475
Kard. 1488
Papst 1512
gest. 1523

JULIAN
geb. 1478

HIPPOLYTUS NOTHUS
Kard. 1529
gest. 1535

ALEXANDER
erster Herzog von Florenz
geb. 1510 – erm. 1537
Es ist ungewiß, ob er ein Sohn
Lorenzens, Herzogs von Urbino,
oder Clemens VII. gewesen

JULIAN
geb. 1453
erm. 1478
wahrscheinlich
Vater von

JULIUS
CLEMENS VII.
geb. 1478
Kard. 1513
Papst 1523
gest. 1535

LORENZ
geb. 1394 – gest. 1440

PETER FRANZ I.
erm. 1474

LORENZ II.

PETER FRANZ II.
Gonfal. 1516

LORENZ
Mörder Alexanders

JULIAN
Erzbischof
zu Aix
gest. 1588

JOHANN auch JULIAN
geb. 1467 — gest. 1498

JOHANN
der Brave
geb. 1498 – gest. 1526

COSMUS
erster Großherzog
geb. 1519
Großh. 1537
gest. 1574

ob er sie gleich anfangs verabscheut, behauptet in fröhlich und gefühlvollen Zeiten über ihn ihre Rechte.

Auffallend ist seine Fähigkeit zu allem Mechanischen. Er bestimmt sich früh zum Goldschmied und trifft glücklicherweise den Punkt, von wo er auszugehen hatte, um mit technischen handwerksmäßigen Fertigkeiten ausgestattet sich dem Höchsten der Kunst zu nähern. Ein Geist wie der seinige mußte bald gewahr werden, wie sehr die Einsicht in das Hohe und Ganze die Ausübung der einzelnen, subalternen Forderungen erleichtert.

Schon waren die trefflichsten florentinischen Bildhauer und Baumeister, Donato [Donatello], Ser Brunellesco, Ghiberti, Verrocchio, Pollajuolo, aus der Werkstatt der Goldschmiede ausgegangen, hatten unsterbliche Werke geliefert und die Nacheiferung jedes talentreichen Florentiners rege gemacht.

Wenn aber ein solches Handwerk, indem es echte und große Kunst zu Hülfe rufen muß, gar manche Vorteile einer solchen Verbindung genießt, so läßt es doch, weil mit geringerem Kraftaufwand die Zufriedenheit anderer, so wie der eigene bare Nutzen, zu erzwecken ist, gar oft Willkür und Frechheit des Geschmacks vorwalten.

Diese Betrachtung veranlassen Cellini und seine spätern Zeitgenossen; sie produzierten leicht, ohne geregelte Kraft, man betrachtete die höhere Kunst als Helferin, nicht als Meisterin.

Cellini schätzte durchaus die Natur, er schätzte die Antiken und ahmte beide nach, mehr, wie es scheint, mit technischer Leichtigkeit als mit tiefem Nachdenken und ernstem, zusammenfassendem Kunstgefühl.

Jedes Handwerk nährt bei den Seinigen einen lebhaften Freiheitssinn. Von Werkstatt zu Werkstatt, von Land zu Land zu wandern und das gültigste Zeugnis ohne große Umstände augenblicklich durch Tat und Arbeit selbst ablegen zu können, ist wohl ein reizendes Vorrecht für denjenigen, den Eigensinn und Ungeduld bald aus dieser, bald aus jener Lage treiben, ehe er einsehen lernt, daß der Mensch, um frei zu sein, sich selbst beherrschen müsse.

Zu damaliger Zeit genoß der Goldschmied vor vielen, ja man möchte wohl sagen vor allen Handwerkern einen bedeutenden Vorzug. Die Kostbarkeit des Materials, die Reinlichkeit der Behandlung, die Mannigfaltigkeit der Arbeiten, das beständige Verkehr mit Großen und Reichen, alles versetzte die Genossen dieser Halbkunst in eine höhere Sphäre.

Aus der Heiterkeit eines solchen Zustandes mag denn wohl Cellinis guter Humor entspringen, den man durchgängig bemerkt, und wenn er gleich öfters getrübt wird, sogleich wieder zum Vorschein kommt, sobald nur das heftige Streben, sobald flammende Leidenschaften einigermaßen wieder Pause machen.

Auch konnte es ihm an Selbstgefälligkeit, bei einem immer produziblen, brauchbaren und anwendbaren Talente nicht fehlen, um so weniger, als er sich schon zur Manier hinneigte, wo das Subjekt, ohne sich um Natur oder Idee ängstlich zu bekümmern, das was ihm nun einmal geläufig ist mit Bequemlichkeit ausführt.

Demohngeachtet war er doch keineswegs der Mann sich zu beschränken, vielmehr reizten ihn günstige äußere Umstände immer an, höhere Arbeiten zu unternehmen.

In Italien hatte er sich innerhalb eines kleinen Maßstabs beschäftigt, jedoch sich bald von Zieraten, Laubwerk, Blumen, Masken, Kindern zu höhern Gegenständen, ja zu einem Gott Vater selbst erhoben, bei welchem er, wie man aus der Beschreibung wohl sieht, die Gestalten des Michelangelo als Muster vor Augen hatte.

In Frankreich wurde er ins Größere geführt, er arbeitete Figuren von Gold und Silber, die letzten sogar in Lebensgröße, bis ihn endlich Phantasie und Talent antrieben, das ungeheure achtzig Fuß hohe Gerippe zum Modell eines Kolosses aufzurichten, woran der Kopf, allein ausgeführt, dem erstaunten Volke zum Wunder und Märchen ward.

Von solchen ausschweifenden Unternehmungen, wozu ihn der barbarische Sinn einer nördlicher gelegnen, damals nur einigermaßen kultivierten Nation verführte, ward er als er nach Florenz zurückkehrte gar bald abgerufen. Er zog sich wieder in das rechte Maß zusammen, wendete sich an den Marmor, verfertigte aber von Erz eine Statue, welche das Glück hatte auf dem Platze von Florenz im Angesicht der Arbeiten des Michelangelo und Bandinelli aufgestellt, neben jenen geschätzt und diesen vorgezogen zu werden.

Bei dergleichen Aufgaben fand er sich nun durchaus genötigt die Natur fleißig zu studieren; denn nach je größerm Maßstabe der Künstler arbeitet, desto unerläßlicher wird Gehalt und Fülle erfordert. Daher kann Cellini auch nicht verleugnen, daß er besonders die schöne weibliche Natur immer in seiner Nähe zu besitzen gesucht, und wir finden durchaus bald derbe, bald reizende Gestalten an seiner Seite. Wohlgebildete Mägde und Haushälterinnen bringen viel Anmut, aber auch manche Verwirrung in seine Wirtschaft und eine Menge so abenteuerlicher als gefährlicher Romane entspringen aus diesem Verhältnisse.

Wenn nun von der einen Seite die Kunst so nahe mit roher Sinnlichkeit verwandt ist, so leitet sie auf der entgegengesetzten ihre Jünger zu den höchsten, zartesten Gefühlen. Nicht leicht gibt es ein so hohes, heiteres, geistreiches Verhältnis als das zu Porzia Chigi, und kein sanfteres, liebevolleres, leiseres als das zu der Tochter des Goldschmieds Raffaello del Moro.

Bei dieser Empfänglichkeit für sinnliche und sittliche Schönheiten, bei einem fortdauernden Wohnen und Bleiben unter allem was alte und neue Kunst Großes und Bedeutendes hervorgebracht, mußte die Schönheit männlicher Jugend mehr als alles auf ihn wirken. Und fürwahr es sind die anmutigsten Stellen seines Werks, wenn er hierüber seine Empfindungen ausdrückt. Haben uns denn wohl Poesie und Prosa viele so reizende Situationen dargestellt als wir an dem Gastmahl finden, wo die Künstler sich mit ihren Mädchen, unter dem Vorsitz des Michelangelo von Siena, vereinigen und Cellini einen verkleideten Knaben hinzubringt?

Aber auch hiervon ist die natürliche Folge, daß er sich dem Verdacht roher Sinnlichkeit aussetzt und deshalb manche Gefahr erduldet.

Was uns jedoch an seiner ganzen Geschichte am lebhaftesten entgegenspringt, ist die entschieden ausgesprochene, allgemeine Eigenschaft des Menschencharakters, die augenblickliche lebhafte Gegenwirkung, wenn sich irgend etwas dem Sein oder dem Wollen entgegensetzt. Diese Reizbarkeit einer so gewaltigen Natur verursacht schreckliche Explosionen und erregt alle Stürme, die seine Tage beunruhigen.

Durch den geringsten Anlaß zu heftigem Verdruß, zu unbezwinglicher Wut aufgeregt, verläßt er Stadt um Stadt, Reich um Reich, und die mindeste Verletzung seines Besitzes oder seiner Würde zieht eine blutige Rache nach sich.

Furchtbar ausgebreitet war diese Weise zu empfinden und zu handeln in einer Zeit, wo die rechtlichen Bande kaum geknüpft durch Umstände schon wieder loser geworden und jeder tüchtige Mensch bei mancher Gelegenheit sich durch Selbsthülfe zu retten genötigt war. So stand Mann gegen Mann, Bürger und Fremder gegen Gesetz und gegen dessen Pfleger und Diener. Die Kriege selbst erscheinen nur als große Duelle. Ja hat man nicht schon das unglückliche Verhältnis Karls V. und Franz I., das die ganze Welt beunruhigte, als einen ungeheuren Zweikampf angesehen?

Wie gewaltsam zeigt sich in solchen Fällen der italienische Charakter! Der Beleidigte, wenn er sich nicht augenblicklich rächt, verfällt in eine Art von Fieber, das ihn als eine physische Krankheit verfolgt, bis er sich durch das Blut seines Gegners geheilt hat. Ja wenig fehlt, daß Papst und Kardinäle einem, der sich auf diese Weise geholfen, zu seiner Genesung Glück wünschen.

In solchen Zeiten eines allgemeinen Kampfes tritt eine so technisch gewandte Natur zuversichtlich hervor, bereit mit Degen und Dolch, mit der Büchse sowie mit der Kanone sich zu verteidigen und andern zu schaden. Jede Reise ist Krieg und jeder Reisender ein gewaffneter Abenteurer.

Wie aber die menschliche Natur sich immer ganz herzustellen und darzustellen genötigt ist, so erscheint in diesen wüsten, sinnlichen Welträumen an unserm Helden, so wie an seinen Umgebungen, ein sittliches und religiöses Streben, das erste im größten Widerspruch mit der leidenschaftlichen Natur, das andere zu Beruhigung in verdienten und unverdienten unausweichlichen Leiden.

Unserm Helden schwebt das Bild sittlicher Vollkommenheit als ein unerreichbares beständig vor Augen. Wie er die äußere Achtung von andern fordert, ebenso verlangt er die innere von sich selbst, um so lebhafter, als er durch die Beichte auf die Stufen der Läßlichkeit menschlicher Fehler und Laster immer aufmerksam erhalten wird. Sehr merkwürdig ist es, wie er in der Besonnenheit, mit welcher er sein Leben schreibt, sich durchgehends zu rechtfertigen sucht, und seine Handlungen mit den Maßstäben der äußern Sitte, des Gewissens, des bürgerlichen Gesetzes und der Religion auszugleichen denkt.

Nicht weniger treibt ihn die Glaubenslehre seiner Kirche, so wie die drang- und ahnungsvolle Zeit, zu dem Wunderbaren. Anfangs beruhigt er sich in seiner Gefangenschaft, weil er sich durch ein Ehrenwort gebunden glaubt, dann befreit er sich auf die künstlichste und kühnste Weise, zuletzt, da er sich hülflos eingekerkert sieht, kehrt alle Tätigkeit in das Innere seiner Natur zurück. Empfindung, Leidenschaft, Erinnerung, Einbildungskraft, Kunstsinn, Sittlichkeit, Religiosität wirken Tag und Nacht in einer ungeduldigen, zwischen Verzweiflung und Hoffnung schwankenden Bewegung und bringen bei großen körperlichen Leiden die seltsamsten Erscheinungen einer innern Welt hervor. Hier begeben sich Visionen, geistig-sinnliche Gegenwarten treten auf, wie man sie nur von einem andern Heiligen oder Auserwählten damaliger Zeit andächtig hätte rühmen können.

Überhaupt erscheint die Gewalt, sich innere Bilder zu wirklich gewissen Gegenständen zu realisieren, mehrmals in ihrer völligen Stärke und tritt manchmal sehr anmutig an die Stelle gehinderter Kunstausübung. Wie er sich zum Beispiel gegen die ihm als Vision erscheinende Sonne völlig als ein plastischer Metallarbeiter verhält.

Bei einem festen Glauben an ein unmittelbares Verhältnis zu einer göttlichen und geistigen Welt, in welchem wir das Künftige voraus zu empfinden hoffen dürfen, mußte er die Wunderzeichen verehren, in denen das sonst so stumme Weltall bei Schicksalen außerordentlicher Menschen seine Teilnahme zu äußern scheint. Ja damit ihm nichts abgehe, was den Gottbegabten und Gottgeliebten bezeichnet, so legte er den Limbus, der bei aufgehender Sonne einem Wanderer um den Schatten seines Haupts auf feuchten Wiesen sichtbar wird, mit demütigem Stolz, als ein gnädiges Denkmal der glänzenden Gegenwart jener göttlichen Personen aus, die er von Angesicht zu Angesicht in seliger Wirklichkeit glaubte geschaut zu haben.

Aber nicht allein mit den obern Mächten bringt ihn sein wunderbares Geschick in Verhältnis; Leidenschaft und Übermut haben ihn auch mit den Geistern der Hölle in Berührung gesetzt.

Zauberei, so hoch sie verpönt sein mochte, blieb immer für abenteuerlich gesinnte Menschen ein höchst reizender Versuch, zu dem man sich leicht durch den allgemeinen Volksglauben verleiten ließ. Wodurch sich es auch die Berge von Norcia, zwischen dem Sabinerlande und dem Herzogtum Spoleto, von alten Zeiten her verdienen mochten: noch heutzutage heißen sie die Sibyllenberge. Ältere Romanenschreiber bedienten sich dieses Lokals, um ihre Helden durch die wunderlichsten Ereignisse durchzuführen, und vermehrten den Glauben an solche Zaubergestalten, deren erste Linien die Sage gezogen hatte. Ein italienisches Märchen, Guerino Meschino, und ein altes französisches Werk erzählen seltsame Begebenheiten, durch welche sich neugierige Reisende in jener Gegend überrascht gefunden; und Meister Cecco von Ascoli, der wegen nekromantischer Schriften im Jahre 1327 zu Florenz verbrannt worden, erhält sich durch den Anteil, den Chronikenschreiber, Maler und Dichter an ihm genommen, noch immer in frischem Andenken.

Auf jenes Gebirg nun ist der Wunsch unsers Helden gerichtet, als ihm ein sizilianischer Geistlicher Schätze und andere glückliche Ereignisse im Namen der Geister verspricht.

Kaum sollte man glauben, daß aus solchen phantastischen Regionen zurückkehrend ein Mann sich wieder so gut ins Leben finden würde; allein er bewegt sich mit großer Leichtigkeit zwischen mehrern Welten. Seine Aufmerksamkeit ist auf alles Bedeutende und Würdige gerichtet was zu seiner Zeit hervortritt, und seine Verehrung aller Talente nimmt uns für ihn ein.

Mit so viel Parteilichkeit er diesen oder jenen schelten kann, so klar und unbefangen nimmt dieser leidenschaftlich-selbstische Mann an allem teil, was sich ihm als außerordentliche Gabe oder Geschicklichkeit aufdringt; und so beurteilt er Verdienste in verschiedenen Fächern mit treffender Schärfe.

Auf diesem Wege erwirbt er sich nach und nach, obgleich nur zum Gebrauch für Augenblicke, den gefaßten Anstand eines Weltmanns. Wie er sich denn gegen Päpste, Kaiser, Könige und Fürsten auf das beste zu betragen weiß.

Der Versuch sich bei Hofe zu erhalten will ihm desto weniger gelingen, wobei er, besonders in älteren Tagen, mehr durch Mißtrauen und Grillen als durch seine Eigenheiten, die er in solchen Verhältnissen ausübt, den Obern lästig wird, und bequemern, obgleich an Talent und Charakter viel geringern, Menschen den Platz einräumen muß.

Auch als Redner und Dichter erscheint er vorteilhaft. Seine Verteidigung vor dem Gouverneur von Rom, als er sich wegen entwendeter Juwelen angeklagt sieht, ist eines Meisters wert, und seine Gedichte, obgleich ohne sonderliches poetisches Verdienst, haben durchaus Mark und Sinn. Schade, daß uns nicht mehrere aufbehalten worden, damit wir einen Charakter, dessen Andenken sich so vollständig erhalten hat, auch durch solche Äußerungen genauer kennenlernen.

So wie er nun in Absicht auf bildende Kunst wohl unstreitig dadurch den größten Vorteil gewann, daß er in dem unschätzbaren florentinischen Kunstkreise geboren worden, so konnte er als Florentiner, ohne eben auf Sprache und Schreibart zu studieren, vor vielen andern zu der Fähigkeit gelangen, durch die Feder seinem Leben und seiner Kunst fast mehr als durch Grabstichel und Meißel dauerhafte Denkmale zu setzen.

XIII. Letzte Lebensjahre

Nach diesem Überblick seines Charakters, den wir seiner Lebensbeschreibung verdanken, welche sich bis 1562 erstreckt, wird wohl gefordert werden können, daß wir erzählen was ihm in acht Jahren, die er nachher noch gelebt, begegnet sei, in denen ihm, wenn er auch mit der äußern Welt mehr in Frieden stand, doch noch manches innere wunderbare Abenteuer zu schaffen machte.

Wir haben bei seinem ungebändigten Naturwesen durchaus einen Hinblick auf moralische Forderungen, eine Ehrfurcht für sittliche Grundsätze wahrgenommen; wir konnten bemerken, daß sich sein Geist in Zeiten der Not zu religiosen Ideen, zu einem gründlichen Vertrauen auf Teilnahme und Einwirkung einer waltenden Gottheit erhob. Da sich nun eine solche Sinnesweise bei zunehmendem Alter zu reinigen, zu bestärken und den Menschen ausschließlicher zu beherrschen pflegt, so stand es seiner heftigen und drangvollen Natur wohl an, daß er, um jenes Geistige wornach er sich sehnte recht gewiß und vollständig zu besitzen, endlich den zerstreuten und gefährlichen Laienstand verließ und in geistlicher Beschränkung Glück und Ruhe zu finden trachtete.

Er nahm auch wirklich die Tonsur an, wodurch er den Entschluß, seine Leidenschaften völlig zu bändigen und sich höhern Regionen anzunähern, entschieden genug an den Tag legte.

Allein die allgemeine Natur, die von jeher stärker in ihm als eine jede besondere Richtung und Bildung geherrscht, nötigt ihn gar bald zu einem Rückschritt in die Welt.

Bei seinem mannigfaltigen, lebhaften Verhältnis zu dem andern Geschlecht, woraus er uns in seiner Geschichte kein Geheimnis macht, finden wir doch nur ein einzigmal erwähnt, daß er einen ernsten Vorsatz gefaßt habe sich zu verheiraten.

Ferner gedenkt er im Vorbeigehen zweier natürlicher Kinder, wovon das eine in Frankreich bleibt und sich verliert, das andere ihm auf eine ungeschickte Weise durch einen gewaltsamen Tod entrissen wird.

Nun aber in einem Alter von mehr als sechszig Jahren wird es ihm erst klar, daß es löblich sei, eheliche Kinder um sich zu sehen; alsobald tut er auf seine geistlichen Grade Verzicht, heiratet und hinterläßt, da er 1570 stirbt, zwei Töchter und einen Sohn, von denen wir keine weitere Nachricht gefunden.

Jedoch existierte ein geschickter, geistreicher, gutgelaunter, wohlhabender Schuster kurz vor der Revolution in Florenz, der den Namen Cellini führte und wegen seiner trefflichen Arbeit von allen Elegants höchlich geschätzt wurde.

Cellinis Leichenbegängnis zeugt von der Achtung, in der er als Bürger und Künstler stand.

Von seinem letzten Willen ist auch eine kurze Notiz zu uns gekommen.

XIV. Hinterlassene Werke

1. Goldschmiedearbeit

Von seinen getriebenen Arbeiten in Gold und Silber mag wenig übriggeblieben sein, wenigstens wüßten wir keine mit Gewißheit anzugeben. Vielleicht ist auch noch gar in diesen letzten Zeiten manches, was sich hie und da befunden, vermünzt worden.

Übrigens war sein Ruf so groß, daß ein jedes Kunststück dieser Art ihm von den Aufsehern der Kloster- und Familienschätze gewöhnlich zugeschrieben wurde. Auch noch neuerlich kündigte man einen Harnisch von verguldetem Eisen an, der aus seiner Werkstatt ausgegangen sein soll. (Journal de Francfort, No. 259. 1802.)

Indessen findet sich in Albertollis drittem Bande auf der zwanzigsten Tafel der Kopf eines zum Opfer geschmückten Widders, an welchem die tierische Natur, das strenge Fell, die frischen Blätter, das gewundne Horn, die geknüpfte Binde, mit einer zwar modernen jedoch bedeutenden, kräftigen, geistreichen, geschmackvollen Methode, sowohl im ganzen dargestellt als im einzelnen ausgeführt.

Man wird sich dabei des Einhornkopfes erinnern, den Cellini als Base des großen Hornes, das der Papst dem König in Frankreich zu schenken gedachte, vorschlug.

In dem Jahre 1815 erfuhren wir durch einen aufmerksamen reisenden Kunstliebhaber, daß jenes goldene Salzfaß, welches in Cellinis Leben eine so große Rolle gespielt, noch vorhanden sei, und zwar zu Wien im achten Zimmer des untern Belvedeers nebst anderen Schätzen, welche von dem Schlosse Ambras dahin versetzt worden, glücklich aufbewahrt werde.

Sehr wohlgeratene Zeichnungen dieses wundersamen Kunstwerkes, welches den Charakter des Künstlers vollkommen ausspricht, befinden sich auf der Großherzoglichen Bibliothek zu Weimar. Man hat die runden Figuren von zwei Seiten genommen, um ihre Stellungen deutlicher zu machen, besonders aber auch um die unendlichen bis ins kleinste ausgeführten Nebenwerke dem Beschauer vors Gesicht zu bringen.

Ebenso verfuhr man mit den halberhobenen Arbeiten der ovalen Base, welche erst im Zusammenhang mit dem Aufsatz, sodann aber flach und streifenweis vorgestellt sind.

Soviel bekannt, war dieses Werk für Franz I. bestimmt und kam als Geschenk Karls IX. an den Erzherzog Ferdinand von Österreich und wurde nebst andern unübersehbaren Schätzen auf dem Schloß Ambras bis auf die neuesten Zeiten bewahrt. Nun können Kunstfreunde sich glücklich schätzen, daß dieses Werk, welches die Verdienste und Seltsamkeiten des sechzehnten Jahrhunderts in sich schließt, vollkommen erhalten und jedem zugänglich ist.

2. Plastische Arbeiten

Größere Arbeiten hingegen, wo er sich in der Skulptur als Meister bewiesen, sind noch übrig und bestätigen das Gute, das er von sich selbst, vielleicht manchmal allzu lebhaft, gedacht haben mag.

An seinem Perseus, der in der Loge auf dem Markte zu Florenz steht, läßt sich manches erinnern, wenn man ihn mit den höhern Kunstwerken, welche uns die Alten hinterlassen, vergleicht; doch bleibt er immer das beste Werk seiner Zeit und ist den Werken des Bandinell und Ammannato vorzuziehen.

Ein Kruzifix von weißem Marmor in Lebensgröße auf einem schwarzen Kreuze ist das letzte bedeutende Werk, dessen Cellini in seiner Lebensbeschreibung erwähnt.

Es war ein Eigentum des Großherzogs Cosmus, der es eine Zeitlang in seiner Garderobe aufbewahren ließ; wo es sich aber gegenwärtig befinde, läßt sich nicht mit Gewißheit angeben.

Diejenigen, welche die Merkwürdigkeiten des Eskorials beschreiben, behaupten, daß es dort aufbewahrt werde;

und wirklich zeigt man den Reisenden daselbst ein solches Kruzifix von vortrefflicher Arbeit.

Anton de la Puente meldet in seiner Reisebeschreibung durch Spanien, daß in einem Durchgange hinter dem Sitze des Priors und dem Portal der Kirche ein Altar gesehen werde, worauf ein Kruzifix von Marmor stehe. Die Figur, sagte er, ist in Lebensgröße und vortrefflich von Benvenuto Cellini gearbeitet. Der Großherzog von Toskana hat es dem Könige Philipp II. zum Geschenk gesandt.— Der Name des Künstlers ist auf dem Kreuz bezeichnet, nämlich: Benvenutus Cellinus civis florentinus faciebat. 1562.

Ferner bemerkt Pater Siguenza als ein wunderbares Ereignis, daß in ebendemselben Jahre der Ort zum Bau bestimmt und mit dem Bau des Eskorials der Anfang gemacht worden, und daß in eben denselben Monaten Cellini sein Werk angefangen habe. Er setzt hinzu, daß es von dem Orte der Ausschiffung auf den Schultern bis nach dem Eskorial getragen worden.

Überdies nimmt Paolo Mini in seinem Discorso sopra la nobilità di Firenze 1593 als bekannt an, daß Spanien ein bewundernswertes Kruzifix von unserm Verfasser besitze.

Gegen diese Nachrichten streiten aber die Herausgeber der oft angeführten Traktate über Goldschmiedekunst und Skulptur, indem sie behaupten, daß Cellinis Kruzifix, welches erst für die kleine Kirche im Palaste Pitti bestimmt gewesen, nachher in die unterirdische Kapelle der Kirche San Lorenzo gebracht worden, wo es sich auch noch zu ihrer Zeit (1731) befinde.

Die neusten Nachrichten aus Florenz melden, es sei ein solches Kruzifix aus gedachter, unterirdischer Kapelle auf Befehl des letzten Großherzogs vor wenigen Jahren in die Kirche San Lorenzo gebracht worden, wo es gegenwärtig auf dem Hauptaltar aufgerichtet stehe. Es sei wesentlich von dem spanischen verschieden und keins als eine Kopie des andern anzusehen.

Das spanische sei durchaus mit sich selbst übereinstimmender, nach einer höhern Idee geformt. Der sterbende, oder vielmehr gestorbene Christus trage dort das Gepräge einer höhern Natur, der florentinische hingegen sei viel menschlicher gebildet. Der ganze Körper zeige sichtbare Spuren des vorhergegangenen Leidens, doch sei der Kopf voll Ausdruck einer schönen Ruhe. Arme, Brust und Leib, bis zur Hüfte, sind sorgsam gearbeitet, eine etwas dürftige, aber wahre Natur. Schenkel und Beine erinnern an gemeine Wirklichkeit.

Über den Künstler, der es verfertigt, ist man in Florenz selbst nicht einig. Die meisten schreiben es dem Michelangelo zu, dem es gar nicht angehören kann, einige dem Johann von Bologna, wenige dem Benvenuto.

Vielleicht läßt sich künftig durch Vergleichung mit dem Perseus, einer beinahe gleichzeitigen Arbeit unsers Künstlers, eine Auflösung dieser Zweifel finden.

Ein von ihm zum Ganymed restaurierter fürtrefflicher Apoll befand sich zu Florenz, an welchem freilich die neuen, ins Manierierte und Vielfache sich neigenden Teile von der edlen Einfalt des alten Werks merklich abweichen.

Das Brustbild in Bronze von Cosmus I. steht wahrscheinlich auch noch zu Florenz, dessen sehr gezierter Harnisch als ein Beispiel der großen Liebhaberei unsers Künstlers zu Laubwerk, Masken, Schnörkeln und dergleichen angeführt werden kann.

Die halberhobene Nymphe in Bronze, welche er für eine Pforte in Fontainebleau gearbeitet, ist zur Revolutionszeit abgenommen worden, und stand vor einigen Jahren in Paris zwar unter seinem Namen, doch an einem Orte, wohin nur wenig Fremde gelangten, in dem letzten Teile der Galerie des Museums, welche zunächst an den Palast der Tuilerien stößt; die Decke war zum Teil eingebrochen und sollte erst gebaut werden, daher auch die freie Ansicht des Basreliefs durch altes Bauholz und dergleichen gehindert war.

Die beiden Viktorien, welche in den Gehren über der Nymphe an dem Tor zu Fontainebleau angebracht waren, standen in dem Vorrat des französischen Museums bei den Augustinern, ohne daß dort der Name des Meisters bekannt war.

Ein von ihm durch ein Stück getriebener Goldarbeit restaurierter Kamee, ein zweispänniges Fuhrwerk vorstellend, fand sich in der Gemmensammlung zu Florenz.

3. Zeichnungen

Eine Zeichnung des goldenen Salzfasses, das in der Lebensbeschreibung eine so wichtige Rolle spielt, war in der florentinischen Zeichnungsammlung zu finden.

Mehrere von ihm angefangne Bildhauerarbeiten, sowie eine Anzahl großer und kleiner Modelle, wovon das Verzeichnis noch vorhanden, sind schon früher zerstreut worden und verloren gegangen.

XV. *Hinterlassene Schriften*

1. Lebensbeschreibung

Indem wir zu bewundern Ursache haben, daß eine allgemeinere Ausbildung, als gewöhnlich dem Künstler zuteil zu werden pflegt, aus einer so gewaltsamen Natur, durch Übung eines mannigfaltigen Talents hervorgegangen, so bleibt uns nicht unbemerkt, daß Cellini seinen Nachruhm fast mehr seinen Schriften als seinen Werken zu verdanken habe. Seine Lebensbeschreibung, ob sie gleich beinahe zweihundert Jahre im Manuskript verweilte, ward von seinen Landsleuten höchlich geschätzt und im Original, wovon er den Anfang selbst geschrieben, das Ende aber diktiert hatte, sowie in vielfältigen Abschriften aufbewahrt.

Und gewiß ist dieses Werk, das der deutsche Herausgeber genugsam kennt, um es völlig zu schätzen, das er aber nicht nach seiner Überzeugung preisen darf, weil man ihm Parteilichkeit vorwerfen könnte, ein sehr schätzbares Dokument, worin sich ein bedeutendes und gleichsam unbegrenztes Individuum, und in demselben der gleichzeitige sonderbare Zustand vor Augen legt.

Unter den fremden Nationen, die sich um dieses Werk bekümmerten, ging die englische voran. Ihrer Liebe zu biographischen Nachrichten, ihrer Neigung seltsame Schicksale merkwürdiger, talentreicher Menschen zu kennen, verdankt man, wie es scheint, die erste und soviel ich weiß einzige Ausgabe der Cellinischen Lebensbeschreibung. Sie ist, unter dem Schild eines geheuchelten Druckorts: Köln, ohne Jahrzahl, wahrscheinlich in Florenz, um 1730 herausgekommen. Sie ward einem angesehenen und reichen Engländer, Richard Boyle, zugeschrieben und dadurch seinen Landsleuten, mehr aber noch durch eine Übersetzung des Thomas Nugent, welche in London 1771 herauskam, bekannt.

Dieser Übersetzer bediente sich einer bequemen und gefälligen Schreibart, doch besitzt er nicht Ort- und Sachkenntnis genug, um schwierige Stellen zu entziffern. Er gleitet vielmehr gewöhnlich darüber hin. Wie er denn auch, zu Schonung mancher Leser, das derbe Charakteristische meistens verschwächt und abrundet.

Von einer ältern deutschen Übersetzung hat man mir erzählt, ohne sie vorweisen zu können.

Lessing soll sich auch mit dem Gedanken einer solchen Unternehmung beschäftigt haben; doch ist mir von einem ernstern Vorsatz nichts Näheres bekannt geworden.

Dumouriez sagt in seiner Lebensbeschreibung, daß er das Leben Cellinis im Jahr 1777 übersetzt, aber niemals Zeit gehabt habe, seine Arbeit herauszugeben. Leider scheint es, nach seinen Ausdrücken, daß das Manuskript verloren gegangen, wodurch wir des Vorteils entbehren, zu sehen, wie ein geistreicher Franzos in seiner Sprache die Originalität des Cellini behandelt habe.

2. Zwei Abhandlungen

Die Traktate von der Goldschmiede- und Bildhauerkunst, von denen wir oben einen Auszug gegeben, wurden von ihm 1565 geschrieben und 1568, also noch bei seinen Lebzeiten, gedruckt. Als nun im vergangenen Jahrhundert sein Leben zum ersten Male herauskam, gedachte man auch jener Traktate wieder und veranstaltete, da die erste Ausgabe längst vergriffen war, eine neue, Florenz 1731, wobei sich eine lehrreiche Vorrede befindet, welche wir bei unsern Arbeiten zu nutzen gesucht haben.

3. Kleine Aufsätze

Ein Mann, der mit so entschiedenem Hange zur Reflexion von sich selbst in einer Lebensbeschreibung, von seinem Handwerk in einigen Traktaten Rechenschaft gegeben, mußte sich zuletzt gedrungen fühlen, auch die Regeln seiner Kunst, insofern er sie einsehen gelernt, den Nachkommen zu überliefern. Hierin hatte er Leonardo da Vinci zum Vorgänger, dessen fragmentarischer Traktat im Manuskript zirkulierte und hoch verehrt ward.

Je unzufriedner man mit der Methode ist, durch die man gebildet worden, desto lebhafter entsteht in uns der Wunsch, einer Folgewelt den nach unserer Einsicht bessern Weg zu zeigen.

Cellini unternahm auch wirklich ein solches Werk, das aber bald ins Stocken geriet und als Fragment zu uns gekommen ist.

Es enthält eine Anleitung, wie man sich das Skelett bekanntmachen soll, mit so vieler Liebe zum Gegenstand geschrieben, daß der Leser den Knochenbau von unten herauf entstehen und wachsen sieht, bis endlich das Haupt, als Gipfel des Ganzen, sich hervortut.

Wir haben diese wenigen Blätter unsern Lesern in der Übersetzung vorlegen wollen, damit diejenigen, die dem Verfasser günstig sind, ihn auch in dem sonderbaren Zustand erblicken, wo er sich gern als Theoretiker zeigen möchte.

Wie wenig seine leidenschaftliche, nur aufs Gegenwärtige gerichtete Natur ein dogmatisches Talent zuläßt, erscheint so auffallend als begreiflich, und wie er sich aus dem didaktischen Schritt durch diesen und jenen Nebengedanken, durch freundschaftliche oder feindselige Gesinnungen ablenken läßt, gibt zu heiteren Betrachtungen Anlaß.

Ein Gleiches gilt von dem Aufsatz über den Rangstreit der Malerei und Skulptur. Wie denn beide kleine Schriften manches Merkwürdige und Belehrende enthalten.

4. Poetische Versuche

Die beschränkte Form der Sonette, Terzinen und Stanzen, durch die Natur der italienischen Sprache höchlich begünstigt, war allen Köpfen der damaligen Zeit durch fleißiges Lesen früherer Meisterwerke und fortdauernden Gebrauch des Verseprunks bei jeder Gelegenheit dergestalt eingeprägt, daß jeder, auch ohne Dichter zu sein, ein Gedicht hervorzubringen und sich an die lange Reihe, die sich von den Gipfeln der Poesie bis in die prosaischen Ebenen erstreckte, mit einigem Zutrauen anzuschließen wagen durfte.

Verschiedene Sonette und andere kleine poetische Versuche sind seiner Lebensbeschreibung teils vorgesetzt, teils eingewebt, und man erkennt darin durchaus den ernsten, tiefen, nachsinnenden, weder mit sich noch der Welt völlig zufriedenen Mann.

Wenige findet der Leser durch Gefälligkeit eines Kunstfreundes übersetzt, andere sind weggeblieben, so wie ein langes, sogenanntes Capitolo, in Terzinen, zum Lobe des Kerkers. Es verdient im Original gelesen zu werden, ob es gleich die auf eine Übersetzung zu verwendende Mühe nicht zu lohnen schien. Es enthält die Umstände seiner Gefangenschaft, welche dem Leser schon bekannt geworden, auf eine bizarre Weise dargestellt, ohne daß dadurch eine neue Ansicht der Begebenheiten oder des Charakters entstehen kann.

5. Ungedruckte Papiere und Nachrichten

Verschiedne seiner Landsleute bewahrten sorgfältig andere Manuskripte, davon sich in Florenz noch manches, besonders in der Bibliothek Riccardi, finden soll. Vorzüglich werden einige Haushaltungs- und Rechnungsbücher geschätzt, welche über die Lebensweise jener Zeiten besondere Aufschlüsse geben. Vielleicht bemüht sich darum einmal ein deutscher Reisender, aufgefordert durch das Interesse, das denn auch wohl endlich unsere Nation an einem so bedeutenden Menschen und durch ihn aufs neue an seinem Jahrhundert nehmen möchte.

XVI. *Über die Grundsätze, nach welchen man das Zeichnen erlernen soll*

«Unter andern wundersamen Kunstfertigkeiten, welche in dieser unserer Stadt Florenz ausgeübt worden und worin sie nicht allein die Alten erreicht, sondern gar übertroffen hat, kann man die edelsten Künste der Skulptur, Malerei und Baukunst nennen, wie sich künftig an seinem Ort wird beweisen lassen.

Aber weil mein Hauptvorsatz ist über die Kunst, ihre wahren Grundsätze und wie man sie erlernen soll, zu reden, ein Vorhaben, welches auszuführen meine Vorfahren große Neigung gehabt, sich aber nicht entschließen können, einem so nützlichen und gefälligen Unternehmen den Anfang zu geben, so will ich, obgleich der geringere von so vielen und vortrefflichen Geistern, damit ein solcher Nutzen den Lebenden nicht entgehe, auf die beste Weise wie die Natur mir es reichen wird, dieses Geschäft übernehmen und mit aller Anstrengung, doch so faßlich als es sich nur tun läßt, diesen ruhmwerten Vorsatz durchzuführen suchen.

Es ist wahr, daß manche zu Anfang eines solchen Unternehmens eine große Abhandlung zur Einleitung schreiben würden, weil so eine ungeheure Maschine zu bewegen man sehr viele Instrumente nötig hat.

Solche große Vorbereitungen erregen jedoch mehr Überdruß als Vergnügen, und deshalb wollen wir den Weg einschlagen, der uns besser dünkt, daß wir von denen Künsten reden, welche andern zum Grunde liegen und so nach und nach eine jede in Tätigkeit setzen, wie sie eingreift. Auf diese Weise wird man alles in einem bessern Zusammenhang im Gedächtnis behalten. Deshalb wir auch ohne weiteres mit Bedacht zu Werke gehen.

Ihr Fürsten und Herren, die ihr euch an solchen Künsten vergnügt, ihr vortrefflichen Meister und ihr Jünglinge, die ihr euch noch erst unterrichten wollt, wisset für gewiß: daß das schönste Tier, das die Natur hervorgebracht, der Mensch sei, daß das Haupt sein schönster Teil und der schönste und wundersamste Teil des Hauptes das Auge sei.

Will nun jemand eben deshalb die Augen nachahmen, so muß er darauf weit größere Kunst verwenden als auf andere Teile des Körpers. Deshalb scheint mir die Gewohnheit, die man bis auf den heutigen Tag beibehält, sehr unschicklich, daß Meister ihren armen zarten Knaben gleich zu Anfang ein menschliches Auge zu zeichnen und nachzuahmen geben. Dasselbe ist mir in meiner Jugend begegnet, und ich denke, es wird andern auch so gegangen sein.

Aus oben angeführten Ursachen halte ich aber für gewiß, daß diese Art keineswegs gut sei, und daß man weit schicklicher und zweckmäßiger leichtere und zugleich nützlichere Gegenstände den Schülern vorlegen könne.

Wollten jedoch einige stöckische Pedanten oder irgendein Sudler gegen mich rechten und anführen, daß ein guter Fechtmeister seinen Schülern zu Anfang die schwersten Waffen in die Hände gibt, damit ihnen die gewöhnlichen desto leichter scheinen, so könnte ich gar vieles dagegen auf das schönste versetzen; allein das wär' doch in den Wind gesprochen und ich, der ich ein Liebhaber von Resultaten bin, begnüge mich ihnen mit diesen Worten den Weg verrannt zu haben und wende mich zu meiner leichtern und nützlichern Methode.

Weil nun das Wichtigste eines solchen Talentes immer die Darstellung des nackten Mannes und Weibes bleibt, so muß derjenige, der so etwas gut machen und die Gestalten gegenwärtig haben will, auf den Grund des Nackten gehen, welches die Knochen sind. Hast du dieses Gebäude gut im Gedächtnis, so wirst du weder bei nackten noch bekleideten Figuren einen Irrtum begehen, welches viel gesagt ist. Ich behaupte nicht, daß du dadurch mehr oder mindere Anmut deinen Figuren verschaffst; es ist hier die Rede, sie ohne Fehler zu machen und dieses, kann ich dich versichern, wirst du auf meinem Wege erreichen.

Nun betrachte, ob es nicht leichter sei einen Knochen zum Anfang zu zeichnen als ein Auge?

Hierbei verlange ich, daß du zuerst den Hauptknochen des Beines zeichnest! Denn wenn man einen solchen dem Schüler von dem zartesten Alter vorlegt, so wird er einen Stab zu zeichnen glauben. Fürwahr in den edelsten Künsten ist es von der größten Wichtigkeit, wenn man sie überwinden und beherrschen will, daß man Mut fasse, und kein Kind wird so kleinmütig sein, das ein solches beinernes Stäbchen, wo nicht auf das erste-, doch auf das zweitemal, nachzuahmen sich verspräche, wie solches bei einem Auge nicht der Fall sein würde. Alsdann wirst du die kleine Röhre, welche wohl über die Hälfte dünner ist als die große, mit dem Hauptknochen gehörig zusammenfügen und also nachzeichnen lassen. Über diese beiden setzest du den Schenkelknochen, welcher einzeln und stärker ist als die beiden vorhergehenden.

Dann fügst du die Kniescheibe zwischenein und lässest den Schüler diese vier Knochen sich recht ins Gedächtnis fassen, indem er sie von allen Seiten zeichnet, sowohl von vorn und hinten als von den beiden Profilen. Sodann wirst du ihnen die Knochen des Fußes nach und nach erklären, welche der Schüler, von welchem Alter er sei, zählen und ins Gedächtnis prägen muß.

Daraus wird sich ergeben, daß wenn sich jemand die Knochen des ganzen Beines bekanntgemacht, ehe er an den Kopf kömmt, ihm alle andern Knochen leicht scheinen werden, und so wird er nach und nach das schöne Instrument zusammensetzen lernen, worauf die ganze Wichtigkeit unserer Kunst beruht.

Laß nachher den Schüler einen der schönen Hüftknochen zeichnen, welche wie ein Becken geformt sind und sich genau mit dem Schenkelknochen verbinden, da wo dessen Ende gleich einer Kugel an einen Stab befestigt ist. Dagegen hat der Beckenknochen eine wohl eingerichtete Vertiefung, in welcher der Schenkelknochen sich nach allen Seiten bewegen kann, wobei die Natur gesorgt hat, daß er nicht über gewisse Grenzen hinausschreite, in welchen sie ihn mit Sennen und andern schönen Einrichtungen zurückhält.

Ist nun dieses gezeichnet und dem Gedächtnis wohl eingedrückt, so kommt die Reihe an einen sehr schönen Knochen, welcher zwischen den beiden Hüftknochen befestigt ist. Er hat acht Öffnungen, durch welche die Meisterin Natur mit Sennen und andern Vorrichtungen das ganze Knochenwerk zusammenhält. Am Ende von gedachtem Bein ist der Schluß des Rückgrates, welcher als ein Schwänzchen erscheint, wie er es denn auch wirklich ist.

Dieses Schwänzchen wendet sich in unsern warmen Gegenden nach innen; aber in den kältesten Gegenden, weit hinten im Norden, wird es durch die Kälte nach außen gezogen, und ich habe es vier Finger breit bei einer Menschenart gesehen, die sich Iberni nennen und als Monstra erscheinen; es verhält sich aber damit nicht anders als wie ich gesagt habe.

Sodann lässest du den wunderbaren Rückgrat folgen, der über gedachtem heiligen Bein aus vierundzwanzig Knochen besteht. Sechszehen zählt man bis dahin wo die Schultern anfangen und acht bis zur Verbindung mit dem Haupte, welchen Teil man den Nacken nennt. Der letzte Knochen hat eine runde Vertiefung, in welcher der Kopf sich trefflich bewegt.

Von diesen Knochen mußt du einige mit Vergnügen zeichnen; denn sie sind sehr schön. Sie haben eine große Öffnung, durch welche der Strang des Rückenmarks durchgeht.

An dieses Knochenwerk des Rückens schließen sich vierundzwanzig Rippen, zwölf auf jeder Seite, so daß man das Zimmerwerk einer Galeere zu sehen glaubt. Dieses Rippenwesen mußt du oft zeichnen und dir wohl von allen Seiten bekanntmachen. Du wirst finden, daß sie sich am sechsten Knochen, vom heiligen Bein an gerechnet, anzusetzen anfangen. Die vier ersten stehen frei. Von diesen sind die beiden ersten klein und ganz knöchern. Die erste ist klein, die zweite größer, die dritte hat ein klein Stückchen Knorpel an der Spitze, die vierte aber ein größeres, die fünfte ist auch noch nicht mit dem Brustknochen verbunden wie die übrigen sieben. Dieser Knochen ist porös wie ein Bimsstein und macht einen Teil des ganzen Rippenwerks aus.

Einige dieser sieben Rippen haben den dritten, einige den vierten Teil Knorpel und dieser Knorpel ist nichts anders als ein zarter Knochen ohne Mark. Auf alle Weise läßt er sich mehr einem Knochen als einer Senne vergleichen, denn der Knochen ist zerbrechlich, der Knorpel auch, die Senne aber nicht.

Nun verstehe wohl! wenn du dieses Rippenwesen gut im Gedächtnis hast und dazu kommst Fleisch und Haut darüberzuziehen, so wisse, daß die fünf untersten freien Rippen, wenn sich der Körper dreht, oder vor- und rückwärts biegt, unter der Haut viel schöne Erhöhungen und Vertiefungen zeigen, welches eben die schönen Dinge sind, welche an dem Körper des Menschen unfern des Nabels erscheinen.

Diejenigen, welche nun diese Knochen nicht gut im Gedächtnis haben, wie mir einige einbildische Maler, ja Schmierer vorgekommen sind, die sich auf ihr Gedächtnislein verlassen und ohne ander Studium als schlechter und oberflächlicher Anfänge zur Arbeit rennen, nichts Gutes verrichten und sich dergestalt gewöhnen, daß sie, wenn sie auch wollten, nichts Tüchtiges leisten können. Mit diesem Handwerkswesen, wobei sie noch der Geiz betört, schaden sie denen, die auf dem guten Wege der Studien sind, und machen den Fürsten Schande, die, indem sie sich von solcher Behendigkeit betören lassen, der Welt zeigen, daß sie nichts verstehn. Die trefflichen Bildhauer und Maler verfertigen ihre Arbeiten für viele hundert Jahre zum Ruhme der Fürsten und zur größten Zierde ihrer Städte. Da solche Werke nun ein so langes Leben haben sollen, so erwarte nicht, mächtiger und würdiger Fürst, daß man sie geschwind vollbringe. Die gute Arbeit braucht vielleicht nur zwei oder drei Jahre mehr als die schlechte. Nun bedenke, ob sie nicht, da sie so viele Jahre leben soll, diesen Aufschub verdient.

Habe ich mich nun ein wenig von meinem Hauptzwecke entfernt, so kehre ich gleich dahin wieder zurück.

Über diesem Rippenbau befinden sich noch zwei Knochen außer der Ordnung, die sich beide auf den Brustknochen auflegen und mit einiger Wendung sich mit den Schulterknochen verbinden. Du brauchst sie nicht besonders zu zeichnen, wie mehrere der andern, sondern zugleich mit dem Rippenkasten mußt du dir sie wohl in das Gedächtnis eindrücken; es sind dieses die Schlüsselbeine.

Diejenigen Knochen, mit welchen sie sich hinterwärts verbinden, haben die Form zweier Schaufeln. Es sind sehr schöne Knochen, die, weil sie gewisse Erhöhungen haben, unter der Haut erscheinen und daher von deinem Schüler anstatt des Auges zu zeichnen sind. Es kömmt viel darauf an, daß er sie recht kenne. Denn wenn ein Arm einige Gewalt brauchen will, so macht dieser Knochen verschiedene schöne Bewegungen, welche der, der es versteht, auf dem Rücken wohl erkennen kann, weil sich diese Knochen sehr von den Muskeln auszeichnen. Man nennt sie Schulterblätter.

An diesen sind die Armknochen befestigt, welche den Beinen ähnlich, obgleich viel kleiner sind. Wenn du dich mit diesen beschäftigst, so brauchst du es gerade nicht auf eben die Art zu tun, wie du es mit den Füßen gehalten hast. Denn wenn du in der Ordnung, wie ich dir angezeigt habe, bis zu den Armen gelangt bist, so kannst du diese alsdann gewiß zugleich mit der Hand zeichnen, welches eine künstliche und schöne Sache ist. Auch diese Teile mußt du genugsam, nach allen Seiten hin, zeichnen, und zwar sowohl die rechte als die linke.

Bist du so weit gelangt, so kannst du dich gleichsam zum Vergnügen an dem wundersamen Knochen des Schädels versuchen, den du alsdann, wenn du fleißig und anhaltend die untern Teile studiert hast, mit Ernst vornehmen magst.

Hast du ihn nun, von irgendeiner Seite, gezeichnet und deine Arbeit gefällt dir, so mußt du suchen, ihn mit den untern Teilen zu verbinden und dieses von allen Seiten und in allen Wendungen tun. Denn wer die Knochen des Schädels nicht gut in Gedanken hat, der wird keinen Kopf, er sei von welcher Art er wolle, mit einiger Anmut ausführen können.

Das beste wär', daß du während der Zeit, wenn du das menschliche Knochengerüste zeichnest, nichts weiter vornähmest, um dein Gedächtnis nicht zu beschweren. Nun mußt du noch dieses wissen, daß du auch das Maß aller dieser Teile dir bekanntzumachen hast, auf daß du mit mehr Sicherheit Sennen und Muskeln darüberziehen könnest, womit die göttliche Natur mit so vieler Kunst das schöne Instrument verbindet.

Wenn du nun diese Knochen messen willst, so mußt du sie so aufstellen, als wenn es ein lebendiger Mensch wär', zum Beispiel der Fuß muß sich in seiner Pfanne befinden, welche Richtung er auch nehme.

Den Körper kannst du daher kühnlich zurechte rücken, daß er auf zwei Beinen stehe, und den Kopf ein wenig zur

Seite wenden. Auch kannst du dem Arm einige Handlung geben.

Nachher magst du das Gerippe, hoch oder niedrig, sitzenlassen und ihm verschiedene Wendungen und Bewegungen geben. Dadurch wirst du dir ein wundersames Fundament bereiten, das dir die großen Schwierigkeiten unserer göttlichen Kunst erleichtern wird.

Damit ich dir ein Beispiel zeige und den größten Meister anführe, so betrachte die Werke des Michelangelo Buonarroti, dessen hohe Weise, die von allen andern und von allem, was man bisher gesehen, so sehr verschieden ist, nur darum so wohl gefallen hat, weil er das Gefüge der Knochen genau betrachtete. Dich hievon zu überzeugen, betrachte alle seine Werke, sowohl der Skulptur als Malerei, wo die an ihrem Ort wohlbezeichneten Muskeln ihm kaum soviel Ehre machen als die sichere Andeutung der Knochen und ihres Übergangs zu den Sennen, wodurch das künstliche Gebäude des Menschen erst entschieden Gestalt, Maß und Verbindung erhält.»

XVII. Über den Rangstreit der Skulptur und Malerei

«Man zeichnet mit verschiedenen Materien und auf verschiedene Weise, mit Kohle, Bleiweiß und der Feder. Die Zeichnungen mit der Feder werden gearbeitet, indem man eine Linie mit der andern durchschneidet und mehr Linien aufsetzt, wo man die Schatten verstärken will; soll er schwächer sein, so läßt man es bei weniger Linien bewenden, und für die Lichter bleibt das Papier ganz weiß. Gedachte Art ist sehr schwer, und nur wenige Künstler haben sie vollkommen zu behandeln gewußt. Auf diesem Wege sind die Kupferstiche erfunden worden, in welchen sich Albrecht Dürer als ein wahrhaft bewundernswürdiger Meister bewiesen hat, sowohl durch die Lebhaftigkeit und Feinheit der Zeichnung als durch die Zartheit des Stichs.

Man zeichnet auch noch auf andere Weise, indem man nach vollendetem Umriß mit der Feder Pinsel nimmt und mit mehr oder weniger in Wasser aufgelöster und verdünnter Tusche nach Bedürfnis hellern oder dunklern Schatten anbringt. Diese Art nennt man Aquarell.

Ferner färbt man mit verschiedenen Farben das Papier und bedient sich der schwarzen Kreide den Schatten, und des Bleiweißes das Licht anzugeben. Dieses Weiß wird auch gerieben, mit etwas arabischem Gummi vermischt und in Stäbchen, so stark als eine Feder, zu gedachtem Zwecke gebraucht.

Ferner zeichnet man mit Rotstein und schwarzer Kreide. Mit diesen Steinen wird die Zeichnung überaus angenehm und besser als auf die vorige Weise. Alle guten Zeichner bedienen sich derselben, wenn sie etwas nach dem Leben abbilden; denn wenn sie mit gutem Bedacht Arm oder Fuß auf diese oder jene Weise gestellt haben und sie ihn nachher anders zu bewegen gedenken, höher oder niedriger, vor oder zurück, so können sie es leicht tun, weil sich mit ein wenig Brotkrume die Striche leicht wegwischen lassen, und deswegen wird diese Weise für die beste gehalten.

Da ich nun von der Zeichnung rede, so sage ich nach meinem Dafürhalten, die wahre Zeichnung sei nichts anders als der Schatten des Runden, und so kann man sagen, daß das Runde der Vater der Zeichnung sei; die Malerei aber ist eine Zeichnung mit Farben gefärbt wie sie uns die Natur zeigt.

Man malt auf zweierlei Weise, einmal, daß man die sämtlichen Farben nachahmt wie wir sie in der Natur vorfinden, sodann daß man nur das Helle und Dunkle ausdrückt, welche letztere Art in unsern Zeiten in Rom wieder aufgebracht worden, von Polidor und Maturino, außerordentlichen Zeichnern, welche unter der Regierung Leos, Hadrians und Clemens' unendliche Werke darin verfertigt haben, ohne sich mit den Farben abzugeben.

Indem ich nun aber zu der Art wie man zeichnet zurückkehre und besonders meine Beobachtungen über die Verkürzung mitteilen will, so erzähle ich, daß wenn wir, mehrere Künstler, zusammen studierten, ließen wir einen Mann von guter Gestalt und frischem Alter in einer geweißten Kammer, entweder sitzend oder stehend, verschiedene Stellungen machen, wobei man die schwersten Verkürzungen beobachten konnte. Dann setzten wir ein Licht an die Rückseite, weder zu hoch noch zu tief, noch zu weit entfernt von der Figur und befestigten es, sobald es uns den wahren Schatten zeigte. Dieser wurde denn alsbald umgezogen, und man zeichnete die wenigen Linien, die man im Schatten nicht hatte sehen können, in den Umriß hinein, als: die Falten am Arm, die von der Biegung des Ellbogens herkommen, und so an andern Teilen des Körpers.

Dieses ist die wahre Art zu zeichnen, durch die man ein trefflicher Maler wird, wie es unserm außerordentlichen Michelangelo Buonarroti gelungen ist, der, wie ich überzeugt bin, aus keiner andern Ursache in der Malerei so viel geleistet hat, als weil er der vollkommenste Bildhauer war und in dieser Kunst mehr Kenntnisse hatte als niemand anders zu unsern Zeiten.

Und welch ein größeres Lob kann man einer schönen Malerei geben, als wenn man sagt: sie trete dergestalt hervor, daß sie als erhoben erscheine. Daraus lernen wir, daß das Runde und Erhobene als der Vater der Malerei, einer angenehmen und reizenden Tochter, angesehen werden müsse.

Der Maler stellt nur eine der acht vornehmsten Ansichten dar, welche der Bildhauer sämtlich leisten muß. Daher wenn dieser eine Figur, besonders eine nackte, verfertigen will, nimmt er Erde oder Wachs und stellt die Teile nach und nach auf, indem er von den vordern Ansichten anfängt. Da findet er nun manches zu überlegen, die Glieder zu erhöhen und zu erniedrigen, vorwärts und rückwärts zu wenden und zu biegen. Ist er nun mit der vordern Ansicht zufrieden und betrachtet die Figur auch von der Seite, als einer der vier Hauptansichten, so findet er oft, daß sie weniger gefällig erscheint, deswegen er die erste Ansicht, die er bei sich schon festgesetzt hatte, wieder verderben muß, um sie mit der zweiten in Übereinstimmung zu setzen. Und es begegnet wohl, daß ihm jede Seite neue Schwierigkeiten entgegensetzt. Ja man kann sagen, daß es nicht etwa nur acht, sondern mehr als vierzig Ansichten gibt; denn wie er seine Figur im geringsten wendet, so zeigt sich ein Muskel entweder zu sehr oder zu wenig, und es kommen die größten Verschiedenheiten vor. Daher muß der Künstler von der Anmut der ersten Ansicht gar manches aufopfern, um die Übereinstimmung rings um die ganze Figur zu leisten, welche Schwierigkeit so groß ist, daß man niemals eine Figur gesehen hat, welche sich gleich gut von allen Seiten ausnähme.

Will man aber die Schwierigkeit der Bildhauerkunst sich recht vorstellen, so kann man die Arbeiten des Michelangelo zum Maßstabe nehmen. Denn wenn er ein lebensgroßes Modell mit aller gehörigen Sorgfalt, die er bei seinen Arbeiten zu beobachten pflegte, vornahm, so endigte er es gewöhnlich in sieben Tagen. Zwar habe ich ihn auch manchmal ein solches nacktes Modell von morgens bis auf den Abend mit allem gehörigen Kunstfleiß vollenden gesehen. Dieses leistete er manchmal, wenn ihn unter der Arbeit ein wundersamer wütender Paroxysmus überfiel. Wir können daher im allgemeinen sieben Tage annehmen. Wollte er aber eine solche Statue in Marmor ausführen, so brauchte er sechs Monate, wie man öfters beobachtet hat.

Auch könnte die Zahl der Werke, welche Michelangelo gemacht, zum Beweis der Schwierigkeit der Bildhauerkunst dienen; denn für Eine Figur in Marmor brachte er hundert gemalte zustande, und bloß deswegen, weil die Malerei nicht an der Schwierigkeit so vieler Ansichten haftet. Wir dürfen daher wohl schließen, daß die Schwierigkeit der Bildhauerei nicht bloß von der Materie herkomme, sondern die Ursache in den größern Studien liege, die man machen, und in den vielen Regeln, die man beobachten muß, um etwas Bedeutendes zu leisten, welches bei der Malerei nicht der Fall ist. Daher glaube ich mit aller Bescheidenheit behaupten zu können: daß die Bildhauerkunst der Malerei weit vorzuziehen sei.

Da mich nun aber diese Meinung noch auf eine andere führt, die einen verwandten Gegenstand betrifft, so halte ich für schicklich, auch dieselbe hier vorzutragen.

Ich bin nämlich überzeugt, daß diejenigen Künstler, welche durch Übung der Bildhauerkunst den menschlichen Körper mit seinen Proportionen und Maßen am besten verstehen, auch die bessern Architekten sein werden, vorausgesetzt, daß sie die andern Studien dieser nötigen und trefflichen Kunst nicht versäumt haben. Denn nicht allein haben die Gebäude einen Bezug auf den menschlichen Körper, sondern die Proportion und das Maß der Säulen und anderer Zieraten haben daher ihren Ursprung, und wer eine Statue mit ihren übereinstimmenden Maßen und Teilen zu machen versteht, dem wird es auch in der Baukunst gelingen, weil er gewohnt ist, große Schwierigkeiten zu überwinden und mit besonderm Fleiß zu arbeiten, daher er denn auch ein besonderes Urteil sich über die Gebäude erwerben wird.

Dadurch will ich aber nicht behaupten, daß nur der treffliche Bildhauer ein guter Baumeister sein könne; denn Bramante, Raffael und viele andere Maler haben auch mit großem Sinn und vieler Anmut sich in der Baukunst bewiesen; doch sind sie nicht zu der Höhe gelangt, auf welcher sich unser Buonarroti gezeigt hat, welches nur daher kam, weil er besser als jeder andere eine Statue zu machen verstand.

Deswegen finden wir so viel Zierlichkeit und Anmut in seinen architektonischen Werken, daß unsere Augen sich an ihrem Anschauen niemals genug sättigen können.

Dieses habe ich nicht sowohl um des Streites der Bildhauerkunst und der Malerei willen hier anführen wollen, sondern weil es viele gibt, denen nur ein kleines Lichtchen in der Zeichenkunst geschienen, und die, als völlige Idioten, sich unterstehen, Werke der Baukunst zu unternehmen. Dies begegnete dem Meister Terzo, einem ferraresischen Krämer, der mit einer gewissen Neigung zur Baukunst und mit Hülfe einiger Bücher, die davon handelten, welche er fleißig las, mehrere bedeutende Männer überredete und viele Gebäude aufführte. Ja, er ward so kühn, daß er sein erstes Gewerb verließ und sich der Baukunst ganz ergab. Er pflegte zu sagen, die vollkommensten Meister dieser Kunst seien Bramante und Antonio von San Gallo gewesen; außer diesen nehme er es mit jedem auf. Dadurch erwarb er sich den Spitznamen Terzo (der Dritte).

Wußte denn der Mann nicht, daß Brunellesco der erste gewesen, der die Baukunst nach so vielen Jahren wieder aufgeweckt, nachdem sie unter den Händen barbarischer Handwerker völlig erloschen. Wohl haben sich nachher Bramante, Antonio von San Gallo und Balthasar Peruzzi hervorgetan; aber zuletzt ist sie auf den höchsten Grad der Vortrefflichkeit durch Michelangelo gelangt, welcher, da er die lebhafteste Kraft der Zeichnung durch das Mittel der Bildhauerkunst erlangt, vieles an dem Tempel von Sankt Peter in Rom veränderte, was jene angegeben hatten, wobei er sich nach dem allgemeinen Urteil den guten Regeln der Architektur mehr angenähert.

Übrigens behalte ich mir vor, ein andermal mehr hierüber zu sprechen, da ich denn auch die Perspektive abhandeln und nächst dem, was ich aus mir selbst mitzuteilen denke, auch unzählige Bemerkungen des Leonardo da Vinci, die ich aus einer schönen Schrift desselben gezogen, überliefern werde.

Daher will ich nicht länger säumen und dasjenige, was ich bisher gesagt habe, denen übergeben, die mit größern und bessern Gründen, ohne Leidenschaft diese Dinge abzuhandeln werden imstande sein.»

RAMEAUS NEFFE

EIN DIALOG VON DIDEROT

Aus dem Manuskript übersetzt
und mit Anmerkungen begleitet

>...Vertumnis, quotquot sunt, natus iniquis.
> HORAT. Serm. Lib. II. Sat. VII. v. 14.

Es mag schön oder häßlich Wetter sein, meine Gewohnheit bleibt auf jeden Fall um fünf Uhr abends im Palais Royal spazieren zu gehen. Mich sieht man immer allein, nachdenklich auf der Bank d'Argenson. Ich unterhalte mich mit mir selbst von Politik, von Liebe, von Geschmack oder Philosophie, und überlasse meinen Geist seiner ganzen Leichtfertigkeit. Mag er doch die erste Idee verfolgen, die sich zeigt, sie sei weise oder töricht. So sieht man in der Allée de Foi unsere jungen Liederlichen einer Kurtisane auf den Fersen folgen, die mit unverschämtem Wesen, lachendem Gesicht, lebhaften Augen, stumpfer Nase dahingeht; aber gleich verlassen sie diese um eine andere, necken sie sämtlich und binden sich an keine. Meine Gedanken sind meine Dirnen.

Wenn es gar zu kalt oder regnicht ist, flüchte ich mich in den Café de la Régence und sehe zu meiner Unterhaltung den Schachspielern zu. Paris ist der Ort in der Welt, und der Café de la Régence der Ort in Paris, wo man das Spiel am besten spielt. Da, bei Rey, versuchen sich gegeneinander der profunde Légal, der subtile Philidor, der gründliche Mayot. Da sieht man die bedeutendsten Züge, da hört man die gemeinsten Reden. Denn, kann man schon ein geistreicher Mann und ein großer Schachspieler zugleich sein, wie Légal, so kann man auch ein großer Schachspieler und albern zugleich sein, wie Foubert und Mayot.

Eines Nachmittags war ich dort, beobachtete viel, sprach wenig und hörte so wenig als möglich, als eine der wunderlichsten Personnagen zu mir trat, die nur jemals dieses Land hervorbrachte, wo es doch Gott an dergleichen nicht fehlen ließ. Es ist eine Zusammensetzung von Hochsinn und Niederträchtigkeit, von Menschenverstand und Unsinn; die Begriffe vom Ehrbaren und Unehrbaren müssen ganz wunderbar in seinem Kopf durcheinander gehn: denn er zeigt, was ihm die Natur an guten Eigenschaften gegeben hat, ohne Prahlerei, und was sie ihm an schlechten gab, ohne Scham. Übrigens ist er von einem festen Körperbau, einer außerordentlichen Einbildungskraft und einer ungewöhnlichen Lungenstärke. Wenn ihr ihm jemals begegnet, und seine Originalität hält euch nicht fest, so verstopft ihr eure Ohren gewiß mit den Fingern, oder ihr entflieht. Gott, was für schreckliche Lungen!

Und nichts gleicht ihm weniger als er selbst. Manchmal ist er mager und zusammengefallen, wie ein Kranker auf der letzten Stufe der Schwindsucht; man würde seine Zähne durch seine Backen zählen; man sollte glauben, er habe mehrere Tage nichts gegessen, oder er käme aus la Trappe.

Den nächsten Monat ist er feist und völlig, als hätte er die Tafel eines Financiers nicht verlassen, oder als hätte man ihn bei den Bernhardinern in die Kost gegeben. Heute, mit schmutziger Wäsche, mit zerrissenen Hosen, in Lumpen gekleidet und fast ohne Schuhe, geht er mit gebeugtem Haupte, entzieht sich den Begegnenden, man möchte ihn anrufen, ihm Almosen zu geben. Morgen, gepudert, chaussiert, frisiert, wohl angezogen, trägt er den Kopf hoch, er zeigt sich, und ihr würdet ihn beinah für einen ordentlichen Menschen halten.

So lebt er von Tag zu Tag, traurig oder heiter, nach den Umständen. Seine erste Sorge des Morgens, wenn er aufsteht, ist, sich zu bekümmern, wo er zu Mittag speisen wird. Nach Tische denkt er auf eine Gelegenheit zum Nachtessen, und auch die Nacht bringt ihm neue Sorgen. Bald erreicht er zu Fuß ein kleines Dachstübchen, seine Wohnung, wenn nicht die Wirtin, ungeduldig den Mietzins länger zu entbehren, ihm den Schlüssel schon abgefordert hat. Bald wirft er sich in eine Schenke der Vorstadt, wo er den Tag zwischen einem Stück Brot und Kruge Bier erwartet. Hat er denn auch die sechs Sous zum Schlafgeld nicht in der Tasche, das ihm wohl manchmal begegnet, so wendet er sich an einen Mietkutscher, seinen Freund, oder an den Kutscher eines großen Herrn, der ihm ein Lager auf Stroh neben seinen Pferden vergönnt. Morgens hat er denn noch einen Teil seiner Matratze in den Haaren. Ist die Jahrszeit gelind, so spaziert er die ganze Nacht auf dem Cours oder den Elysäischen Feldern hin und wieder. Mit dem Tage erscheint er sogleich in der Stadt, gekleidet von gestern für heute, und von heute manchmal für den Überrest der Woche.

Dergleichen Originale kann ich nicht schätzen; andre machen sie zu ihren nächsten Bekannten, sogar zu Freunden. Des Jahrs können sie mich einmal festhalten, wenn ich ihnen begegne, weil ihr Charakter von den gewöhnlichen absticht, und sie die lästige Einförmigkeit unterbrechen, die wir durch unsre Erziehung, unsre gesellschaftlichen Konventionen, unsre hergebrachten Anständigkeiten eingeführt haben. Kommt ein solcher in eine Gesellschaft, so ist er ein Krümchen Sauerteig, das das Ganze hebt und jedem einen Teil seiner natürlichen Individualität zurückgibt. Er schüttelt, er bewegt, bringt Lob oder Tadel zur Sprache, treibt die Wahrheit hervor, macht rechtliche Leute kenntlich, entlarvt die Schelme, und da horcht ein Vernünftiger zu und sondert seine Leute.

Diesen kannt' ich seit langer Zeit; er kam öfters in ein Haus, wo ihm sein Talent den Eingang verschafft hatte. Die Leute hatten eine einzige Tochter. Er schwur dem Vater und der Mutter, daß er ihre Tochter heiraten würde. Diese zuckten die Achseln, lachten ihm ins Gesicht und versicherten ihm, er sei närrisch. Doch sah ich den Augenblick kommen, wo die Sache gemacht war. Er verlangte von mir einige Taler, die ich ihm gab. Er hatte sich, ich weiß nicht wie, in einigen Häusern eingeschlichen, wo sein Couvert bereitstand, aber man hatte ihm die Bedingung gemacht, er solle niemals ohne Erlaubnis reden. Da schwieg er nun und aß vor Bosheit: es war lustig ihn in diesem Zwang zu sehen. Sobald er es wagte den Traktat zu brechen und den Mund aufzutun, sogleich beim ersten Wort riefen alle Gäste: O Rameau! Dann funkelte die Wut in seinen Augen, und er fiel mit neuer Gewalt über das Essen her.

Ihr wart neugierig den Namen des Mannes zu wissen, da habt ihr ihn. Es ist der Vetter des berühmten Tonkünstlers, der uns von Lullis Kirchengesang gerettet hat, den wir seit hundert Jahren psalmodieren. Ein Vetter des Mannes, der so viel unverständliche Visionen und apokalyptische Wahrheiten über die Theorie der Musik schrieb, wovon weder er noch sonst irgendein Mensch jemals etwas verstanden hat; in dessen Opern man Harmonie findet, einzelne Brocken guten Gesangs, unzusammenhängende Ideen, Lärm, Aufflüge, Triumphe, Lanzen, Glorien, Murmeln und Viktorien, daß den Sängern der Atem ausgehen möchte; des Mannes, der, nachdem er den Florentiner begraben hat, durch italienische Virtuosen wird begraben werden, wie er vorausfühlte, und deshalb mißmutig, traurig und ärgerlich ward. Denn niemand hat bösere Laune, nicht einmal eine hübsche Frau, die morgens eine Blatter auf der Nase gewahr wird, als ein Autor, der sich bedroht sieht, seinen Ruf zu überleben, wie Marivaux und Crébillon, der Sohn, beweisen.

Er tritt zu mir: Ach, mein Herr Philosoph, treff' ich Euch auch einmal! Was macht Ihr denn hier unter den Taugenichtsen? Verliert Ihr auch Eure Zeit mit Holzschieben? (So nennt man aus Verachtung das Schach- oder Damenspiel.)

ICH. Nein, aber wenn ich nichts Besseres zu tun habe, so ist's eine augenblickliche Unterhaltung, denen zuzusehen, die gut schieben.

ER. Also eine seltene Unterhaltung. Nehmt Légal und Philidor aus; die übrigen verstehn nichts.

ICH. Und Herr von Bissy, was sagt Ihr zu dem?

ER. Der ist als Schachspieler, was Demoiselle Clairon als Schauspielerin ist; beide wissen von diesen Spielen alles, was man davon lernen kann.

ICH. Ihr seid schwer zu befriedigen. Ich merke, nur den vorzüglichsten Menschen laßt Ihr Gnade widerfahren.

ER. Ja im Schach- und Damenspiel, in der Poesie, Redekunst, Musik und andern solchen Possen. Wozu soll die Mittelmäßigkeit in diesen Fällen?

ICH. Beinahe geb' ich Euch recht. Aber doch müssen sich viele auch auf diese Künste legen, damit der Mann von Genie hervortrete. Er ist dann der Eine in der Menge. Aber lassen wir das gut sein. Seit einer Ewigkeit habe ich Euch nicht gesehen. Ich denke niemals an Euch, wenn ich Euch nicht sehe. Aber es freut mich jedesmal, wenn ich Euch wiederfinde. Was habt Ihr gemacht?

ER. Das was Ihr, ich und alle die andern machen, Gutes, Böses und nichts. Dann hab' ich Hunger gehabt und gegessen, wenn sich dazu Gelegenheit fand. Ferner hatt' ich Durst und manchmal hab' ich getrunken; indessen ist mir der Bart gewachsen, und da hab' ich mich rasieren lassen.

ICH. Daran habt Ihr übel getan: denn der Bart nur fehlt Euch zum Weisen.

ER. Freilich! meine Stirn ist groß und runzlich, mein Auge blitzt, die Nase springt vor, meine Wangen sind breit, meine Augenbrauen breit und dicht, der Mund wohl gespalten, die Lippen umgeschlagen, und das Gesicht viereckt. Wißt Ihr wohl, dieses ungeheure Kinn, wäre es von einem langen Barte bedeckt, es würde sich in Erz oder Marmor recht gut ausnehmen.

ICH. Neben Cäsar, Marc Aurel, Sokrates.

ER. Nein, ich stünde lieber zwischen Diogenes und Phryne. Unverschämt bin ich wie der eine, und die andern besuch' ich gern.

ICH. Ihr befindet Euch immer wohl?

ER. Ja, gewöhnlich; aber heute nicht besonders.

ICH. Und wie, mit Eurem Silenenbauch, mit einem Gesicht —

ER. Einem Gesicht, das man für die Rückseite nehmen könnte. Wißt Ihr, daß böse Laune, die meinen Onkel ausdorrt, wahrscheinlich seinen Neffen fett macht?

ICH. Apropos! den Onkel; seht Ihr ihn manchmal?

ER. Ja, manchmal auf der Straße vorbeigehn.

ICH. Tut er Euch denn nichts Gutes?

ER. Tut er jemanden Gutes, so weiß er gewiß nichts davon. Es ist ein Philosoph in seiner Art; er denkt nur an sich, und die übrige Welt ist ihm wie ein Blasebalgsnagel. Seine Tochter und Frau können sterben, wann sie wollen, nur daß ja die Glocken im Kirchsprengel, mit denen man ihnen zu Grabe läutet, hübsch die Duodezime und Septdezime nachklingen, so ist alles recht. Er ist ein glücklicher Mann! und besonders weiß ich an Leuten von Genie zu schätzen, daß sie nur zu Einer Sache gut sind, drüber hinaus zu nichts. Sie wissen nicht, was es heißt, Bürger, Väter, Mütter, Vettern und Freunde zu sein. Unter uns, man sollte ihnen durchaus gleichen, aber nur nicht wünschen, daß der Same zu gemein würde. Menschen muß es geben, Menschen von Genie nicht. Nein, wahrhaftig nicht! Sie sind's, die unsre Welt umgestalten, und nun ist im Einzelnen die Torheit so allgemein und mächtig, daß man sie nicht ohne Händel verdrängt. Da macht sich's nun zum Teil, wie sich's die Herren eingebildet haben, zum Teil bleibt's, wie es war. Daher kommen die zwei Evangelien, des Harlekins Rock! ... Nein! die Weisheit des Mönchs im Rabelais, das ist die wahre Weisheit für unsere Ruhe und für die Ruhe der andern. Seine Schuldigkeit tun, so gut es gehn will, vom Herrn Prior immer Gutes reden, und die Welt gehn lassen, wie sie Lust hat. Sie geht ja gut, denn die Menge ist damit zufrieden. Wüßt' ich Geschichte, so wollt' ich Euch zeigen, das Übel hier unten ist immer von genialischen Menschen hergekommen; aber ich weiß keine Geschichte, weil ich nichts weiß. Der Teufel hole mich, wenn ich jemals was gelernt habe, und ich befinde mich nicht schlechter deshalb. Ich war eines Tages an der Tafel eines königlichen Ministers, der Verstand für ein Dutzend hat. Er zeigte uns klar, so klar wie zweimal zwei vier ist, daß nichts den Völkern nützlicher sei als die Lüge, nichts aber schädlicher als die Wahrheit. Ich besinne mich nicht mehr auf seine Beweise, aber es folgte sonnenklar daraus, daß die Leute von Genie ganz abscheulich sind, und daß man ein Kind, wenn es bei seiner Geburt ein Charakterzeichen dieses gefährlichen Naturgeschenks an der Stirn trüge, sogleich ersticken oder ins Wasser werfen sollte.

ICH. Und doch! diese Personen, die vom Genie so übel sprechen, behaupten alle Genie zu haben.

ER. Im stillen schreibt sich's wohl ein jeder zu; aber ich glaube doch nicht, daß sie sich unterstünden, es zu bekennen.

ICH. Das geschieht aus Bescheidenheit. Und also habt Ihr einen schrecklichen Haß gegen das Genie gefaßt?

ER. Für mein ganzes Leben.

ICH. Aber ich erinnere mich wohl der Zeit, da Ihr in Verzweiflung wart, nur ein gemeiner Mensch zu sein. Ihr könnt nie glücklich werden, wenn Euch das eine wie das andere quält. Man sollte seine Partie ergreifen und daran festhalten. Wenn ich Euch auch zugebe, daß die genialischen Menschen gewöhnlich ein wenig sonderbar sind, oder, wie das Sprichwort sagt, kein großer Geist sich findet ohne einen Gran von Narrheit, so läßt man die Genies doch nicht fahren. Man wird die Jahrhunderte verachten, die keine hervorgebracht haben. Sie werden die Ehre des Volks sein, bei dem sie lebten. Früh oder spät errichtet man ihnen Statuen und betrachtet sie als Wohltäter des Menschengeschlechts. Verzeihe mir der vortreffliche Minister, den Ihr anführt, aber ich glaube, wenn die Lüge einen Augenblick nützen kann, so schadet sie notwendig auf die Länge. Im Gegenteil nutzt die Wahrheit notwendig auf die Länge, wenn sie auch im Augenblick schadet. Daher käm' ich in Versuchung, den

Schluß zu machen, daß der Mann von Genie, der einen allgemeinen Irrtum verschreit, oder einer großen Wahrheit Eingang verschafft, immer ein Wesen ist, das unsre Verehrung verdient. Es kann geschehen, daß dieses Wesen ein Opfer des Vorurteils und der Gesetze wird; aber es gibt zwei Arten Gesetze: die einen sind unbedingt billig und allgemein, die andern wunderlich, nur durch Verblendung oder durch Notwendigkeit der Umstände bestätigt. Diese bedecken den, der sie übertritt, nur mit einer vorübergehenden Schande, einer Schande, die von der Zeit auf die Richter und Nationen zurückgeworfen wird, um ewig an ihnen zu haften. Sokrates oder das Gericht, das ihm den Schierling reichte, wer von beiden ist nun der Entehrte?

ER. Das hilft ihm auch was Rechts! Ist er deswegen weniger verdammt worden? Ist sein Todesurteil weniger vollzogen? War er nicht immer ein unruhiger Bürger, und indem er ein schlechtes Gesetz verachtete, hat er nicht die Narren zur Verachtung der guten angeregt? War er nicht ein kühner und wunderlicher Mann, und seid Ihr nicht ganz nah an einem Geständnis, das den Männern von Genie wenig günstig ist?

ICH. Hört mich, lieber Mann, eine Gesellschaft sollte keine schlechten Gesetze haben. Hätte sie nur gute, sie käme niemals in Gefahr, einen Mann von Genie zu verfolgen. Ich habe nicht zugegeben, daß das Genie unauflöslich mit der Bosheit verbunden sei, noch die Bosheit mit dem Genie. Ein Tor ist öfter ein Bösewicht als ein Mann von Geist. Wäre nun auch ein Mann von Genie gewöhnlich in der Unterhaltung hart, rauh, schwer zu behandeln, unerträglich, wäre er auch ein Bösewicht, was wolltet Ihr daraus folgern?

ER. Daß man ihn ersäufen sollte.

ICH. Sachte, lieber Freund! So sagt mir doch! Nun ich will nicht Euern Onkel zum Beispiel nehmen, das ist ein harter und roher Mann, ohne Menschlichkeit, geizig, ein schlechter Vater, schlechter Gatte, schlechter Onkel; und dabei ist es noch nicht einmal ganz entschieden, daß er ein

Mann von Genie sei, daß er es in seiner Kunst sehr weit gebracht habe, daß man sich in zehn Jahren noch um seine Werke bekümmern werde. Aber Racine, der hatte doch Genie und galt nicht für den besten Mann. Aber Voltaire?

ER. Drängt mich nicht: denn ich weiß zu folgern.

ICH. Was würdet Ihr nun vorziehen, daß Racine ein guter Mann gewesen wäre, völlig eins mit seinem Comptoir wie Briasson, oder mit seiner Elle wie Barbier, ein Mann, der regelmäßig alle Jahre seiner Frau ein rechtmäßiges Kind macht, guter Gatte, guter Vater, guter Onkel, guter Nachbar, ehrlicher Handelsmann und nichts weiter; oder daß er schelmisch, verräterisch, ehrgeizig, neidisch gewesen wäre, aber Verfasser von Andromache, Britannikus, Iphigenia, Phädra und Athalia?

ER. Hätte er zu der ersten Art gehört, das möchte für ihn das Beste gewesen sein.

ICH. Das ist sogar unendlich wahrer als Ihr selbst nicht empfindet.

ER. Ja so seid ihr andern! Wenn wir etwas Gutes sagen, so soll es, wie bei Narren und Schwärmern, der Zufall getan haben. Ihr andern nur versteht euch selbst. Ja, Herr Philosoph, ich verstehe mich, und verstehe mich ebensogut als Ihr Euch versteht.

ICH. Nun, so laßt sehen, warum denn für ihn?

ER. Darum, weil alle die schönen Sachen, die er da gemacht hat, ihm nicht zwanzigtausend Franken eingetragen haben. Wäre er ein guter Seidenhändler in der Straße Saint Denis oder Saint Honoré gewesen, ein guter Materialienhändler im großen, ein besuchter Apotheker, da hätte er ein großes Vermögen zusammengebracht und dabei alle Arten Vergnügen genossen. Er hätte von Zeit zu Zeit einem armen Teufel von Lustigmacher, wie mir, ein Goldstück gegeben, und man hätte ihn zu lachen gemacht, man hätte ihm gelegentlich ein hübsches Mädchen verschafft, um eine ewige langweilige Beiwohnung bei seiner Ehefrau zu unterbrechen. Wir hätten bei ihm vortrefflich gegessen, großes

Spiel gespielt, vortrefflichen Wein getrunken, vortreffliche Liköre, vortrefflichen Kaffee, man hätte Landfahrten gemacht. Ihr seht doch, daß ich mich darauf verstehe. Ihr lacht? Schon gut! Nur werdet Ihr doch zugeben, so wäre es auch besser für seine Umgebungen gewesen.

ICH. Ganz gewiß. Nur mußte er den durch ein rechtmäßiges Gewerbe errungenen Reichtum nicht auf eine schlechte Weise verwenden. Alle die Spieler mußte er von seinem Hause entfernen, alle diese Schmarotzer, alle diese süßlichen Jaherren, alle diese Windbeutel, diese unnützen verkehrten Menschen. Mit Stockprügeln mußte er durch seine Lehrburschen den dienstbaren Gefälligen totschlagen lassen, der, durch eine saubere Mannigfaltigkeit, den Ehemann von dem Abgeschmack einer einförmigen Beiwohnung zu retten sucht.

ER. Totschlagen? Herr, totschlagen? Niemanden schlägt man tot in einer wohl polizierten Stadt. Es ist eine ehrbare Beschäftigung; viele Personen, sogar mit Titeln, schämen sich ihrer nicht. Und wozu ins Teufels Namen soll man denn sein Geld verwenden als auf einen guten Tisch, gute Gesellschaft, gute Weine, schöne Weiber, Vergnügen von allen Farben, Unterhaltungen aller Art? Ebenso gern möchte ich ein Bettler sein, als ein großes Vermögen ohne diese Genüsse besitzen. Nun aber wieder von Racine. Dieser Mann taugte nur für die Unbekannten, für die Zeit, wo er nicht mehr war.

ICH. Ganz recht! Aber wägt einmal das Gute und das Böse. In tausend Jahren wird er Tränen entlocken, er wird in allen Ländern der Erde bewundert werden, Menschlichkeit wird er einflößen, Mitleiden, Zärtlichkeit. Man wird fragen, wer er war, woher gebürtig, man wird Frankreich beneiden. Einige Wesen haben durch ihn gelitten, die nicht mehr sind, an denen wir beinahe keinen Teil nehmen. Wir haben nichts mehr zu fürchten, weder von seinen Lastern noch von seinen Fehlern. Besser wär' es freilich gewesen, wenn die Natur zu den Talenten eines großen Mannes auch die Gesinnungen des Rechtschaffenen gegeben hätte. Er war ein Baum, der einige in seiner Nachbarschaft gepflanzte Bäume verdorren machte, der die Pflanzen erstickte, die zu seinen Füßen wuchsen: aber seinen Gipfel hat er bis in die Wolken erhoben, seine Äste sind weit verbreitet, seinen Schatten hat er denen gegönnt, die kommen und kommen werden, um an seinem majestätischen Thron zu ruhen. Früchte des feinsten Geschmacks hat er hervorgebracht und die sich immer erneuern. Freilich könnte man wünschen, auch Voltaire wäre so sanft wie Duclos, so offen wie der Abbé Trublet, so gerade wie der Abbé d'Olivet; aber, da das nun einmal nicht sein kann, so laßt uns die Sache von der wahrhaft interessanten Seite betrachten. Laßt uns einen Augenblick den Punkt vergessen, wo wir im Raum und in der Zeit stehen. Verbreiten wir unsern Blick über künftige Jahrhunderte, entfernte Regionen, künftige Völker; denken wir an das Wohl unserer Gattung, und wenn wir hierzu nicht groß genug sind, verzeihen wir wenigstens der Natur, daß sie weiser war als wir. Gießt auf Greuzens Kopf kaltes Wasser, vielleicht löscht Ihr sein Talent mit seiner Eitelkeit zugleich aus. Macht Voltairen unempfindlicher gegen den Tadel, und er vermag nicht mehr in die Seele Meropens hinabzusteigen, Euch nicht mehr zu rühren.

ER. Aber wenn die Natur so mächtig als weise war, warum machte sie diese Männer nicht ebenso gut als groß?

ICH. Seht Ihr denn aber nicht, daß mit solchen Forderungen Ihr die Ordnung des Ganzen umwerft: denn wäre hierunten alles vortrefflich, so gäb' es nichts Vortreffliches.

ER. Ihr habt recht: denn darauf kommt es doch hauptsächlich an, daß wir beide da seien, Ihr und ich, und daß wir eben Ihr und ich seien: das andere mag gehen, wie es kann. Die beste Ordnung der Dinge, scheint mir, ist immer die, worein ich auch gehöre, und hole der Henker die beste Welt, wenn ich nicht dabei sein sollte. Lieber will ich sein, und selbst ein impertinenter Schwätzer sein, als nicht sein.

ICH. Jeder denkt wie Ihr, und doch will jeder an der Ordnung der Dinge, wie sie sind, etwas aussetzen, ohne zu merken, daß er auf sein eigen Dasein Verzicht tut.

ER. Das ist wahr.

ICH. Nehmen wir darum die Sachen, wie sie sind, bedenken wir, was sie uns kosten und was sie uns eintragen, und lassen wir das Ganze, das wir nicht genug kennen, um es zu loben oder zu tadeln, und das vielleicht weder böse noch gut ist, wenn es notwendig ist, wie viele Leute sich einbilden.

ER. Von allem, was Ihr da vorbringt, verstehe ich nicht viel. Wahrscheinlich ist es Philosophie, und ich muß Euch sagen, damit gebe ich mich nicht ab. So ganz, wie ich bin, möchte ich wohl gern ein anderer sein, selbst auf die Gefahr ein Mann von Genie zu werden, ein großer Mann. Ja! gesteh ich's nur, hier ist etwas, das mir es sagt! Ich habe niemals einen dergleichen loben hören, daß mich dieses Lob nicht heimlich rasend gemacht hätte. Neidisch bin ich. Wenn ich etwas von ihrem Privatleben vernehme, das sie heruntersetzt, das hör' ich mit Vergnügen, das nähert uns einander, und ich ertrage leichter meine Mittelmäßigkeit. Ich sage mir: freilich du hättest niemals Mahomet oder die Lobrede auf Maupeou schreiben können. Und so war, so bin ich voller Verdruß mittelmäßig zu sein. Ja ja, mittelmäßig bin ich und verdrießlich. Niemals habe ich die Ouvertüre der Galanten Indien spielen hören, niemals singen hören: Profonds abîmes du Ténare, Nuit, éternelle nuit, ohne mir mit Schmerzen zu sagen, dergleichen wirst du nun niemals machen. Und so war ich denn eifersüchtig auf meinen Onkel, und fänden sich bei seinem Tod einige gute Klavierstücke in seinem Portefeuille, so würde ich mich nicht bedenken ich zu bleiben und er zu sein.

ICH. Ist's weiter nichts als das, was Euch verdrießt, das ist doch nicht sehr der Mühe wert.

ER. Nichts, nichts! das sind Augenblicke die vorübergehen. (Dann sang er die Ouvertüre der Galanten Indien, die Arie Profonds abîmes und fuhr fort:)

Da seht! das Etwas, das hier an mich spricht, sagt mir: Rameau, du möchtest gern die beiden Stücke gemacht haben; hättest du die beiden Stücke gemacht, du machtest mehr dergleichen. Hättest du eine gewisse Anzahl gemacht, so spielte man dich, so sänge man dich überall. Du könntest mit aufgehobenem Kopfe gehen, dein Gewissen würde von deinem eigenen Verdienste zeugen. Die andern wiesen mit Fingern auf dich. Das ist der, sagte man, der die artigen Gavotten gemacht hat. (Nun sang er die Gavotten. Dann mit der Miene eines gerührten Mannes, der in Freude schwimmt, dem die Augen feucht werden, rieb er sich die Hände und sprach:) Du hättest ein gutes Haus (er streckte die Arme aus, um die Größe zu bezeichnen), ein gutes Bett (er sank nachlässig darauf hin), gute Weine (er schien sie zu kosten, indem er mit der Zunge am Gaumen klatschte), Kutsch' und Pferde (er hob den Fuß auf hineinzusteigen), hübsche Weiber (er umfaßte sie schon und blickte sie wollüstig an). Hundert Lumpenhunde kämen täglich mich zu beräuchern. (Er glaubte sie um sich zu sehen. Er sah Palissot, Poinsinet, die Frérons, Vater und Sohn, La Porte, er hörte sie an, brüstete sich, billigte, lächelte, verschmähte, verachtete sie, jagte sie fort und rief sie zurück. Dann sprach er weiter:) So sagte man dir morgens, daß du ein großer Mann bist, so läsest du in der Geschichte der drei Jahrhunderte, daß du ein großer Mann bist: du wärst abends überzeugt, daß du ein großer Mann bist, und der große Mann Rameau, der Vetter, schliefe bei dem sanften Geräusch des Lobes ein, das um sein Ohr säuselte. Selbst schlafend würde er eine zufriedene Miene zeigen, seine Brust erweiterte sich, er holte mit Bequemlichkeit Atem, er schnarchte wie ein großer Mann. (Und als er das sagte, ließ er sich weichlich auf einen Sitz nieder, schloß die Augen und ahmte den glücklichen Schlaf nach, den er sich vorgebildet hatte. Nach einigen Augenblicken eines solchen süßen Ruhegenusses wachte er auf, streckte die Arme, gähnte, rieb sich die Augen und suchte seine abgeschmackten Schmeichler noch um sich her.)

ICH. So glaubt Ihr, daß der Glückliche ruhig schläft?

ER. Ob ich's glaube? Ich armer Teufel, wenn ich abends mein Dachstübchen erreicht habe, wenn ich auf mein Lager gekrochen, unter meiner Decke kümmerlich zusammengeschroben bin, dann ist meine Brust enge, das Atemholen schwach, es ist eine Art von leiser Klage, die man kaum vernimmt, anstatt daß ein Financier sein Schlafgemach erschüttert und die ganze Straße in Erstaunen setzt. Aber was mich heute betrübt, ist nicht, daß ich nur kümmerlich schlafe und schnarche.

ICH. Traurig ist's immer.

ER. Was mir begegnet, ist noch viel trauriger.

ICH. Und was?

ER. Ihr habt an mir immer einigen Anteil genommen, weil ich ein armer Teufel bin, den Ihr im Grund verachtet, aber der Euch unterhält.

ICH. Das ist wahr.

ER. So laßt Euch sagen. (Ehe er anfängt, seufzt er tief, bringt seine beiden Hände vor die Stirne, dann beruhigt er seine Gesichtszüge und sagt:) Ihr wißt, ich bin unwissend, töricht, närrisch, unverschämt, gaunerisch, gefräßig.

ICH. Welche Lobrede!

ER. Sie ist durchaus wahr. Kein Wort ist abzudingen, keinen Widerspruch deshalb, ich bitt' Euch. Niemand kennt mich besser als ich selbst, und ich sage nicht alles.

ICH. Euch nicht zu erzürnen, stimme ich mit ein.

ER. Nun denkt, ich lebte mit Personen, die mich eben sehr wohl leiden konnten, weil ich auf einen hohen Grad diese Eigenschaften sämtlich besaß.

ICH. Das ist doch wunderbar. Bisher glaubte ich, man verbärge sie vor sich selbst, oder man verziehe sie sich, aber man verachte sie an andern.

ER. Sie sich verbergen, könnte man das? Seid gewiß, wenn Palissot allein ist und sich selbst betrachtet, sagt er sich ganz andre Sachen. Seid gewiß, sein Kollege und er, einander gegenüber, bekennen sich offenherzig, daß sie zwei gewaltige Schurken sind. An andern diese Eigenschaften verachten? Meine Leute waren viel billiger und mir ging es vortrefflich bei ihnen. Ich war der Hahn im Korbe. Abwesend ward ich gleich vermißt; man hätschelte mich. Ich war ihr kleiner Rameau, ihr artiger Rameau, ihr Rameau der Narr, der Unverschämte, der Unwissende, der Faule, der Fresser, der Schalksnarr, das große Tier. Jedes dieser Beiwörter galt mir ein Lächeln, eine Liebkosung, einen kleinen Schlag auf die Achsel, eine Ohrfeige, einen Fußtritt, bei Tafel einen guten Bissen, den man mir auf den Teller warf, nach Tische eine Freiheit, die ich mir nahm, als wenn es nichts bedeutete: denn ich bin ohne Bedeutung. Man macht aus mir, vor mir, mit mir alles was man will, ohne daß es mir auffällt. Die kleinen Geschenke, die mir zuregneten — dummer Hund, der ich bin! das habe ich alles verloren. Alles habe ich verloren, weil ich einmal Menschenverstand hatte, ein einziges Mal in meinem Leben. Ach, wenn mir das jemals wieder begegnet!

ICH. Wovon war denn die Rede?

ER. Rameau, Rameau! hatte man dich deshalb aufgenommen? welche Narrheit ein bißchen Geist, ein bißchen Vernunft zu haben! Rameau mein Freund, das wird dich lehren das zu bleiben, wozu Gott dich gemacht hat und wie deine Beschützer dich haben wollen. Nun hat man dich bei den Schultern genommen, dich zur Türe geführt und gesagt: Fort, Schuft, laß dich nicht wieder sehen! Das will Sinn haben, glaub' ich, will Vernunft haben? Fort mit dir! Dergleichen haben wir übrig. Nun gingst du und bissest in die Finger. In die verfluchte Zunge hättest du vorher beißen sollen. Warum warst du nicht klüger? Nun bist du auf der Gasse, ohne einen Pfennig, und weißt nicht wohin. Du warst genährt, Mund, was begehrst du? und nun halte dich wieder an die Höken. Gut logiert, und überglücklich wirst du nun sein, wenn man dich wieder ins Dachstübchen läßt; wohl gebettet warst du, und Stroh erwartet dich wieder zwischen dem Kutscher des Herrn von Soubise und Freund

Robbé. Statt eines sanften und ruhigen Schlafs hörst du mit einem Ohr das Wiehern und Stampfen der Pferde, und mit dem andern das tausendmal unerträglichere Geräusch trockner, harter, barbarischer Verse. Unglücklich, übelberaten; von tausend Teufeln besessen.

ICH. Aber gäb' es denn kein Mittel Euch wieder zurückzuführen? Ist denn Euer Fehler so groß, so unverzeihlich? An Eurem Platz suchte ich meine Leute wieder auf. Ihr seid ihnen viel nötiger als Ihr glaubt.

ER. O gewiß! Jetzt da ich sie nicht lachen mache, haben sie Langeweile wie die Hunde.

ICH. So ging' ich wieder hin. Ich ließ' ihnen keine Zeit mich entbehren zu lernen, sich an ehrbare Unterhaltung zu gewöhnen: denn wer weiß, was geschehen kann.

ER. Das fürchte ich nicht, das kann nicht geschehen.

ICH. So vortrefflich Ihr auch sein mögt, ein andrer kann Euch ersetzen.

ER. Schwerlich!

ICH. Das sei! Aber ich ginge doch mit diesem entstellten Gesicht, diesem verirrten Blick, diesem losen Hals, diesen zerzausten Haaren, in diesem wahrhaft tragischen Zustand, wie Ihr dasteht. Ich würfe mich zu den Füßen der Gottheit, und ganz gebückt sagte ich mit leiser schluchzender Stimme: Vergebung, Madame, Vergebung! ich bin ein Unwürdiger, ein Nichtswürdiger. Es war ein unglücklicher Augenblick: denn Ihr wißt, es begegnet mir niemals Menschenverstand zu haben, und ich verspreche Euch, es soll in meinem ganzen Leben nicht wieder geschehen. (Lustig war es anzusehen, wie er, unterdessen ich so sprach, die Pantomime dazu spielte. Er hatte sich niedergeworfen, sein Gesicht an die Erde gedrückt, er schien mit beiden Händen die Spitze eines Pantoffels zu halten, er weinte, er schluchzte, er sagte: Ja, meine kleine Königin, ja das versprech' ich, in meinem ganzen Leben soll mir's nicht wieder begegnen. Dann sprang er auf und sagte mit ernstem und bedächtigem Ton:)

ER. Ja, Ihr habt recht, das ist wohl das beste. Herr Viellard sagt, sie sei so gut; ich weiß wohl, daß sie es ist; aber sich vor einer solchen Meerkatze zu erniedrigen, eine kleine elende Komödiantin um Barmherzigkeit anzuflehen, eine Kreatur, die dem Pfeifen des Parterres nicht ausweichen kann — Ich Rameau, Sohn des Herrn Rameau, Apothekers von Dijon, ich ein rechtlicher Mann, der niemals das Knie vor irgend jemand gebeugt hat, ich Rameau, der Vetter dessen, den man den großen Rameau nennt, dessen, der nun grade und strack und mit freier Bewegung der Arme im Palais Royal spazieren geht, seitdem ihn Herr Carmontelle gezeichnet hat, wie er gebückt und die Hände unter den Rockschößen sonst einherschlich; ich, der ich Stücke fürs Klavier gesetzt habe, die niemand spielt, aber die vielleicht allein auf die Nachwelt kommen, die sie spielen wird, ich, genug ich! gehen sollt' ich? Nein, Herr, das geschieht nicht! (Nun legte er seine rechte Hand auf die Brust und fuhr fort:) Hier fühle ich etwas, das sich regt, das mir sagt: Rameau, das tust du nicht. Es muß doch eine gewisse Würde mit der menschlichen Natur innig verknüpft sein, die niemand ersticken kann. Das wacht nun einmal auf, um nichts und wieder nichts, ja um nichts und wieder nichts: denn es gibt andre Tage, da mich's gar nichts kostete so niederträchtig zu sein als man wollte, Tage, wo ich für einen Pfennig der kleinen Hus den H—n geküßt hätte.

ICH. Ei, mein Freund! sie ist weiß, niedlich, jung, fettlich. Zu so einer Demutshandlung könnte sich wohl einer entschließen, der delikater wäre als Ihr.

ER. Verstehen wir uns. Es ist ein Unterschied zwischen H—n küssen. Es gibt ein eigentliches und ein figürliches. Fragt nur den dicken Bergier, er küßt Madame de la M— den H—n im eigentlichen und figürlichen Sinne, und wahrhaftig das Eigentliche und Figürliche würde mir da gleich schlecht gefallen.

ICH. Behagt Euch das Mittel nicht, das ich Euch angebe, so habt doch den Mut ein Bettler zu sein.

ER. Es ist hart ein Bettler sein, indessen es so viel reiche Toren gibt, auf deren Unkosten man leben kann, und dann sich selbst verachten zu müssen ist doch auch unerträglich.

ICH. Und kennt Ihr denn dieses Gefühl?

ER. Ob ich es kenne? Wie oft habe ich mir gesagt: wie, Rameau, es gibt zehntausend gute Tafeln zu Paris, zu fünfzehn bis zwanzig Gedecken eine jede, und von allen diesen Gedecken ist keines für dich? Tausend kleine Schöngeister ohne Talent, ohne Verdienst, tausend kleine Kreaturen ohne Reize, tausend platte Intrigants sind gut gekleidet, und du liefest nackend herum, so unfähig wärst du? Wie, du solltest nicht schmeicheln können wie ein andrer, nicht lügen, schwören, falsch schwören, versprechen, halten oder nicht halten wie ein andrer? Solltest du nicht können auf vier Füßen kriechen wie ein andrer? Solltest du nicht den Liebeshandel der Frau begünstigen und das Briefchen des Mannes bestellen können wie ein andrer? Solltest du nicht einem hübschen Bürgermädchen begreiflich machen, daß sie übel angezogen ist, daß zierliche Ohrgehänge, ein wenig Schminke, Spitzen und ein Kleid nach polnischem Schnitt sie zum Entzücken kleiden würden? daß diese kleinen Füßchen nicht gemacht sind über die Straße zu gehen, daß ein hübscher Mann jung und reich sich finde, mit galoniertem Kleid, prächtiger Equipage, sechs großen Lakaien, der sie im Vorbeigehen gesehen habe, der sie liebenswürdig finde, der seit dem Tage weder essen noch trinken könne, der nicht mehr schlafe, der daran sterben werde? — Aber mein Vater? — Nun nun, Euer Vater, der wird anfangs ein wenig böse sein — Und meine Mutter? die mir so sehr empfiehlt ein ehrbares Mädchen zu bleiben, die mir immer sagt, über die Ehre gehe nichts in der Welt — Alte Redensarten, die nichts heißen wollen — Und mein Beichtvater? — Den seht Ihr nicht mehr, oder wenn Ihr auf der Grille besteht, ihm die Geschichte eures Zeitvertreibs zu erzählen, so kostet es Euch einige Pfund Zucker und Kaffee. — Es ist ein strenger Mann, der mir schon wegen des Liedchens: «Komm in meine Zelle» die Absolution verweigert hat — Nur weil Ihr ihm nichts zu geben hattet. Aber wenn Ihr vor ihm in Spitzen erscheint — Spitzen also soll ich haben? — Gewiß und von aller Art! mit brillantenen Ohrgehängen — Brillantene Ohrgehänge? — Ja! — Wie die Marquise, die manchmal bei uns Handschuhe kauft? — Völlig so. In einer schönen Equipage mit Apfelschimmeln, zwei Bediente, ein kleiner Mohr hintendrauf und ein Laufer voraus, Schminke, Schönpflästerchen und die Schleppe vom Diener getragen — Zum Ball? — Zum Ball, zur Oper, zur Komödie. — Schon schlägt ihr das Herz vor Freude. Nun spiel' ich mit einem Papier zwischen den Fingern. — Was ist das? — Nichts, gar nichts — Ich dächte doch — Ein Billet — Und für wen? — Für Euch, wenn Ihr ein bißchen neugierig seid. — Neugierig? ich bin es gar sehr, laßt sehn — Sie liest. — Eine Zusammenkunft? — Das geht nicht — Wenn Ihr in die Messe geht — Mama begleitet mich immer. Aber wenn er ein bißchen früh käme. Ich stehe immer zuerst auf und bin von allen zuerst im Comptoir. — Er kommt, er gefällt, und ehe man sich's versieht, zwischen Licht und Dunkel, verschwindet die Kleine, man bezahlt mir meine zweitausend Taler. Und ein solch Talent besitzest du ebensogut und dir fehlt's an Brot? Schämst du dich nicht, Unglücklicher? Da erinnerte ich mich eines Haufens Schelme, die mir nicht an den Knorren reichten, strotzend von Vermögen. Ich ging im Surtout von Baracan; sie waren mit Samt bedeckt, sie lehnten sich auf ein Rohr mit goldenem Schnabelkopfe, sie haben Aristoteles und Plato am Finger. Und was waren sie früher? die elendesten Lumpenhunde; jetzt sind sie eine Art Herren. Auf einmal fühlte ich mir Mut, die Seele erhoben, den Geist subtil und fähig zu allem. Aber diese glücklichen Dispositionen dauern, scheint es, nicht lange: denn bis jetzt habe ich keinen besondern Weg machen können. Dem sei wie ihm wolle, dies ist der Text zu meinen öftern Selbstgesprächen. Paraphrasiert sie nach Belieben, nur ziehet mir den Schluß daraus, daß ich die Verachtung meiner selbst kenne, diese Qual des Gewissens, wenn wir die Gaben, die uns der Himmel schenkte, unbenutzt ruhen lassen. Es wäre fast ebensogut nicht geboren zu sein.

(Ich hörte ihm zu, und als er diese Szene des Verführers und des jungen Mädchens vortrug, fühlte ich mich von zwei entgegengesetzten Bewegungen getrieben: ich wußte nicht, ob ich mich der Lust zu lachen oder dem Trieb zur Verachtung hingeben sollte. Ich litt. Ich war betroffen von so viel Glück und so viel Niedrigkeit, von so richtigen und wieder falschen Ideen, von einer so völligen Verkehrtheit der Empfindung, einer so vollkommenen Schändlichkeit und einer so seltenen Offenheit. Er bemerkte den Streit, der in mir vorging, und fragte:) Was habt Ihr?

ICH. Nichts.

ER. Ihr scheint verwirrt.

ICH. Ich bin es auch.

ER. Aber was ratet Ihr mir denn?

ICH. Von etwas anderm zu reden. Unglücklicher! zu welchem verworfenen Zustand seid Ihr geboren oder verleitet.

ER. Ich gesteh's. Aber laßt Euch meinen Zustand nicht allzusehr zu Herzen gehn; indem ich mich Euch eröffnete, war es meine Absicht nicht Euch weh zu tun. Ich habe mir bei diesen Leuten etwas gespart.

Bedenkt, daß ich gar nichts brauchte, ganz und gar nichts, und daß man mir für kleine Vergnügen noch so viel zulegte...

<small>Hier findet sich im Manuskript eine Lücke. Die Szene ist verändert und die Sprechenden sind in eins der Häuser bei dem Palais Royal gegangen.</small>

(Da fing er an die Stirne sich mit der Faust zu schlagen, die Lippe zu beißen und mit verwirrtem Blick an der Decke herzusehen. Dabei rief er aus:) Nein, die Sache ist richtig; etwas habe ich beiseite gebracht, die Zeit ist vergangen, und das ist so viel gewonnen.

ICH. Verloren wollt Ihr sagen.

ER. Nein, nein! gewonnen. Jeden Augenblick wird man reicher. Ein Tag weniger zu leben, oder ein Taler mehr ist ganz eins. Der Hauptpunkt im Leben ist doch nur frei, leicht, angenehm, häufig alle Abende auf den Nachtstuhl zu gehen. O stercus pretiosum! das ist das große Resultat des Lebens in allen Ständen. Im letzten Augenblick hat einer so viel als der andre, Samuel Bernard, der mit Rauben, Plündern, Bankerottmachen siebenundzwanzig Millionen in Gold zusammenbringt und zurückläßt, so gut als Rameau, der nichts zurückläßt, Rameau, dem die Wohltätigkeit das Leichentuch schaffen wird, womit man ihn einwickelt. Der Tote hört kein Glockengeläut; umsonst singen sich hundert Pfaffen heiser um seinetwillen; umsonst ziehen lange Reihen von brennenden Kerzen vor ihm und hinterher; seine Seele schreitet nicht neben dem Zeremonienmeister. Unter dem Marmor faulen oder unter der Erde, ist immer faulen. Um seinen Sarg rote und blaue Kinder, oder niemand haben, was ist daran gelegen? Und dann sehet diese Faust an, sie war strack wie ein Teufel, diese zehn Finger, zehn Stäbe in eine hölzerne Handwurzel befestigt, diese Sehnen, alte Darmsaiten, trockener, straffer, unbiegsamer als die an einem Drechselersrad gedient haben. Aber ich habe sie so gequält, so geknickt, so gebrochen. Du willst nicht gehen, und ich, bei Gott! ich sage dir, gehen sollst du, und so soll's werden.

(Und wie er das sagte, hatte er mit der rechten Hand die Finger und die Handwurzel der Linken gefaßt, er riß sie herauf und herunter, die Fingerspitzen berührten den Arm, die Gelenke krachten, und ich fürchtete, er würde sich die Knochen verrenken.)

ICH. Nehmt Euch in acht, Ihr tut Euch Schaden.

ER. Fürchtet nichts, das sind sie gewohnt. Seit zehn Jahren habe ich ihnen schon anders aufzuraten gegeben. So wenig sie dran wollten, haben die Schufte sich doch gewöhnen müssen, sie haben lernen müssen die Tasten zu treffen und auf den Saiten herumzuspringen. Aber jetzt geht's auch, jetzt geht's.

(Sogleich nimmt er die Stellung eines Violinspielers an.

Er summt mit der Stimme ein Allegro von Locatelli; sein rechter Arm ahmt die Bewegung des Bogens nach, die Finger seiner linken Hand scheinen sich auf dem Hals der Violine hin und her zu bewegen. Bei einem falschen Ton hält er inne, stimmt die Saite und kneipt sie mit dem Nagel, um gewiß zu sein, daß der Ton rein ist. Dann nimmt er das Stück wieder auf, wo er es gelassen hat. Er tritt den Takt, zerarbeitet sich mit dem Kopfe, den Füßen, den Händen, den Armen, dem Körper, wie ihr manchmal im Concert spirituel Ferrari, oder Chiabran, oder einen andern Virtuosen in solchen Zuckungen gesehen habt, das Bild einer ähnlichen Marter vorstellend und uns ungefähr denselben Schmerz mitteilend. Denn ist es nicht eine schmerzliche Sache an demjenigen nur die Marter zu schauen, der bemüht ist uns das Vergnügen auszudrücken? Zieht einen Vorhang zwischen mich und diesen Menschen, damit ich ihn wenigstens nicht sehe, wenn er sich nun einmal wie ein Verbrecher auf der Folterbank gebärden muß.

Aber in der Mitte solcher heftigen Bewegungen und solches Geschreis veränderte mein Mann sein ganzes Wesen bei einer harmonischen Stelle, wo der Bogen sanft auf mehreren Saiten stirbt. Auf seinem Gesicht verbreitete sich ein Zug von Entzücken. Seine Stimme ward sanfter, er behorchte sich mit Wollust. Ich glaubte so gut die Akkorde zu hören als er. Dann schien er sein Instrument mit der Hand, in der er's gehalten hatte, unter den linken Arm zu nehmen, die Rechte mit dem Bogen ließ er sinken und sagte:) Nun was denkt Ihr davon?

ICH. Vortrefflich!

ER. Das geht so, dünkt mich. Das klingt ungefähr wie bei den andern.

(Alsbald kauerte er, wie ein Tonkünstler, der sich vors Klavier setzt. Ich bitte um Gnade für Euch und für mich, sagte ich.)

ER. Nein, nein! weil ich Euch einmal festhalte, sollt Ihr mich auch hören. Ich verlange keinen Beifall, den man gibt, ohne zu wissen, warum. Ihr werdet mich mit mehr Sicherheit loben, und das verschafft mir einen Schüler mehr.

ICH. Ich habe so wenig Bekanntschaft und Ihr ermüdet Euch ganz umsonst.

ER. Ich ermüde niemals.

(Da ich sah, daß mich der Mann vergebens dauerte: denn die Sonate auf der Violine hatte ihn ganz in Wasser gesetzt, so ließ ich ihn eben gewähren. Da sitzt er nun vor dem Klaviere mit gebogenen Knien, das Gesicht gegen die Decke gewendet, man hätte geglaubt, da oben sähe er eine Partitur. Nun sang er, präludierte, exekutierte ein Stück von Alberti oder Galuppi, ich weiß nicht von welchem. Seine Stimme ging wie der Wind, und seine Finger flatterten über den Tasten. Bald verließ er die Höhe, um sich im Baß aufzuhalten, bald ging er von der Begleitung wieder zur Höhe zurück. Die Leidenschaften folgten einander auf seinem Gesichte, man unterschied den Zorn, die Zärtlichkeit, das Vergnügen, den Schmerz, man fühlte das Piano und Forte, und gewiß würde ein Geschickterer als ich das Stück an der Bewegung, dem Charakter, an seinen Mienen, aus einigen Zügen des Gesangs erkannt haben, die ihm von Zeit zu Zeit entfuhren. Aber höchst seltsam war es, daß er manchmal tastete, sich schalt, als wenn er gefehlt hätte, sich ärgerte das Stück nicht geläufig in den Fingern zu haben. Endlich sagte er:) Nun seht Ihr (und wandte sich um, und trocknete den Schweiß, der ihm die Wangen hinunterlief:) Ihr seht, daß wir auch mit Dissonanzen umzuspringen wissen, mit überflüssigen Quinten, daß die Verkettung der Dominanten uns geläufig ist. Diese enharmonischen Passagen, von denen der liebe Onkel so viel Lärm macht, sind eben keine Hexerei. Wir wissen uns auch herauszuziehn.

ICH. Ihr habt Euch viel Mühe gegeben mir zu zeigen, daß Ihr sehr geschickt seid. Ich war der Mann Euch aufs Wort zu glauben.

ER. Sehr geschickt! Das nicht. Was mein Handwerk betrifft, das verstehe ich ungefähr, und das ist mehr als nötig:

denn ist man denn in diesem Lande verbunden das zu wissen, was man lehrt?

ICH. Nicht mehr, als das zu wissen, was man lernt.

ER. Richtig getroffen, vollkommen richtig! Nun, Herr Philosoph, die Hand aufs Gewissen, redlich gesprochen, es war eine Zeit, wo Ihr nicht so gefüttert wart wie jetzt.

ICH. Noch bin ich's nicht sonderlich.

ER. Aber doch würdet Ihr im Sommer nicht mehr ins Luxemburg gehn — Erinnert Ihr Euch? im —

ICH. Laßt das gut sein. Ja! ich erinnere mich.

ER. Im Überrock von grauem Plüsch.

ICH. Ja doch!

ER. Verschabt an der einen Seite, mit zerrissenen Manschetten und schwarzwollenen Strümpfen, hinten mit weißen Faden geflickt.

ICH. Ja doch, ja! Alles wie's Euch gefällt.

ER. Was machtet Ihr damals in der Allee der Seufzer?

ICH. Eine sehr traurige Gestalt.

ER. Und von da ging's übers Pflaster.

ICH. Ganz recht.

ER. Ihr gabt Stunden in der Mathematik.

ICH. Ohne ein Wort davon zu verstehen. Nicht wahr, dahin wolltet Ihr?

ER. Getroffen!

ICH. Ich lernte, indem ich andre unterrichtete, und ich habe einige gute Schüler gezogen.

ER. Das ist möglich. Aber es geht nicht mit der Musik wie mit der Algebra oder Geometrie. Jetzt, da Ihr ein stattlicher Herr seid —

ICH. Nicht so gar stattlich.

ER. Da Ihr Heu in den Stiefeln habt —

ICH. Sehr wenig.

ER. Nun haltet Ihr Eurer Tochter Lehrmeister.

ICH. Noch nicht: denn ihre Mutter besorgt die Erziehung. Man mag gern Frieden im Hause haben.

ER. Frieden im Hause, beim Henker! den hat man nur, wenn man Knecht oder Herr ist, und Herr muß man sein. Ich hatte eine Frau, Gott sei ihrer Seele gnädig! aber wenn sie manchmal stöckisch wurde, setzte ich mich auch auf meine Klauen, entfaltete meinen Donner und sagte wie Gott: es werde Licht, und es ward Licht. Auch haben wir in vier Jahren nicht zehnmal im Eifer gegeneinander unsere Stimmen erhoben. Wie alt ist Euer Kind?

ICH. Das tut nichts zur Sache.

ER. Wie alt ist Euer Kind?

ICH. Ins Teufels Namen, laßt mein Kind und sein Alter! Reden wir von den Lehrmeistern, die sie haben wird.

ER. Bei Gott! so ist doch nichts störriger als ein Philosoph. Wenn man Euch nun ganz gehorsamst bäte, könnte man von dem Herrn Philosophen nicht erfahren, wie alt ungefähr Mademoiselle seine Tochter ist?

ICH. Acht Jahre könnt Ihr annehmen.

ER. Acht Jahre! Schon vier Jahre sollte sie die Finger auf den Tasten haben.

ICH. Aber vielleicht ist mir nicht viel daran gelegen, in den Plan ihrer Erziehung ein solches Studium einzuflechten, das so lange beschäftigt und so wenig nützt.

ER. Und was soll sie denn lernen, wenn's beliebt?

ICH. Vernünftig denken, wenn's möglich ist, eine seltne Sache bei Männern und noch seltner bei Weibern.

ER. Mit Eurer Vernunft! Laßt sie hübsch, unterhaltend, kokett sein.

ICH. Keineswegs! Die Natur war stiefmütterlich genug gegen sie und gab ihr einen zarten Körperbau mit einer fühlenden Seele, und ich sollte sie den Mühseligkeiten des Lebens aussetzen, eben als wenn sie derb gebildet und mit einem ehernen Herzen geboren wäre? Nein, wenn es möglich ist, so lehre ich sie das Leben mit Mut ertragen.

ER. Laßt sie doch weinen, leiden, sich zieren und gereizte Nerven haben wie die andern, wenn sie nur hübsch, unterhaltend und kokett ist. Wie, keinen Tanz?

ich. Nicht mehr als nötig ist, um sich schicklich zu neigen, sich anständig zu betragen, sich vorteilhaft darzustellen und ungezwungen zu gehen.

er. Keinen Gesang?

ich. Nicht mehr als nötig ist, um gut auszusprechen.

er. Keine Musik?

ich. Gäbe es einen guten Meister der Harmonie, gern würde ich sie ihm zwei Stunden täglich anvertrauen, auf ein oder zwei Jahre, aber nicht länger.

er. Und nun an die Stelle so wesentlicher Dinge, die Ihr ablehnt —

ich. Setze ich Grammatik, Fabel, Geschichte, Geographie, ein wenig Zeichnen und viel Moral.

er. Wie leicht wäre es mir Euch zu zeigen, wie unnütz alle diese Kenntnisse in einer Welt wie die unsrige sind. Was sage ich unnütz, vielleicht gefährlich. — Aber daß ich bei einer einzigen Frage bleibe, muß sie nicht wenigstens ein oder zwei Lehrer haben?

ich. Ganz gewiß.

er. Ah, da sind wir wieder. Und diese Lehrer, glaubt Ihr denn, daß sie die Grammatik, die Fabel, die Geschichte, die Geographie, die Moral verstehen werden, worin sie Unterricht geben? Possen, lieber Herr, Possen. Besäßen sie diese Kenntnisse hinlänglich um sie zu lehren, so lehrten sie sie nicht.

ich. Und warum?

er. Sie hätten ihr Leben verwendet sie zu studieren. Man muß tief in eine Kunst oder eine Wissenschaft gedrungen sein, um die Anfangsgründe wohl zu besitzen. Klassische Werke können nur durch Männer hervorgebracht werden, die unter dem Harnisch grau geworden sind. Erst Mittel und Ende klären die Finsternisse des Anfangs auf. Fragt Euern Freund Herrn d'Alembert, den Chorführer mathematischer Wissenschaften, ob er zu gut sei, die Elemente zu lehren. Nach dreißig oder vierzig Jahren Übung ist mein Onkel die erste Dämmerung musikalischer Theorie gewahr worden.

ICH. O Narr! Erznarr! rief ich aus, wie ist es möglich, daß in deinem garstigen Kopf so richtige Gedanken vermischt mit so viel Tollheit sich finden?

ER. Wer Teufel kann das wissen? Wirft sie ein Zufall hinein, so bleiben sie drinnen. Soviel ist gewiß, wenn man nicht alles weiß, so weiß man nichts recht. Man versteht nicht, wo eine Sache hinwill, wo eine andre herkommt, wohin diese oder jene geordnet sein will, welche vorausgehn oder folgen soll. Unterrichtet man gut ohne Methode? und die Methode? woher kommt sie? Seht, lieber Philosoph, mir ist, als wenn die Physik immer eine arme Wissenschaft sein würde, ein Tropfen Wasser mit einer Stecknadelspitze aus dem unendlichen Ozean geschöpft, ein Sandkörnchen von der Alpenkette losgelöst. Und nun gar die Ursachen der Erscheinungen! Wahrhaftig es wäre besser gar nichts zu wissen, als so wenig so schlecht zu wissen. Und da war ich gerade, als ich mich zum Lehrer der musikalischen Begleitung aufwarf. Worauf denkt Ihr?

ICH. Ich denke, daß alles, was Ihr da sagt, auffallender als gründlich ist. Es mag gut sein. Ihr unterwiest, sagtet Ihr, in der Begleitung und Tonsetzung?

ER. Ja.

ICH. Und wußtet gar nichts davon?

ER. Nein, bei Gott! und deswegen waren jene viel schlimmer als ich, die sich einbildeten, sie verstünden was. Wenigstens verdarb ich weder das Urteil noch die Hände der Kinder. Kamen sie nachher von mir zu einem guten Meister, so hatten sie nichts zu verlernen, da sie nichts gelernt hatten, und das war immer so viel Geld und Zeit gewonnen.

ICH. Wie machtet Ihr das aber?

ER. Wie sie's alle machen. Ich kam, ich warf mich in einen Stuhl. — Was das Wetter schlecht ist! wie das Pflaster ermüdet! — Dann kam es an einige Neuigkeiten. — Mademoiselle Le Mierre sollte eine Vestalin in der neuen Oper machen, sie ist aber zum zweitenmal guter Hoffnung; man weiß nicht, wer sie duplieren wird. Mademoiselle Arnould hat ihren kleinen Grafen fahren lassen. Man sagt, sie unterhandelt mit Bertin. Unterdessen hat sich der kleine Graf mit dem Porzellan des Herrn von Montamy entschädigt. Im letzten Liebhaber-Konzert war eine Italienerin, die wie ein Engel gesungen hat. Das ist ein seltner Körper, der Préville. Man muß ihn in dem Galanten Merkur sehen. Die Stelle des Rätsels ist unbezahlbar. Die arme Dumesnil weiß nicht mehr was sie sagt, noch was sie tut... Frisch, Mademoiselle, Ihr Notenbuch! — Und indem Mademoiselle sich gar nicht übereilt, das Buch sucht, das sie verlegt hat, man das Kammermädchen ruft, fahre ich fort: Die Clairon ist wirklich unbegreiflich. Man spricht von einer sehr abgeschmackten Heirat der Mademoiselle ... wie heißt sie doch? einer kleinen Kreatur, die er unterhielt, der er zwei, drei Kinder gemacht hat, die schon so mancher unterhalten hatte — Geht, Rameau, das ist nicht möglich — Genug, man sagt, die Sache ist gemacht. Es geht das Gerücht, daß Voltaire tot ist. Desto besser — Warum desto besser? — Da gibt er uns gewiß wieder was Neckisches zum besten. Das ist so seine Art, vierzehn Tage ehe er stirbt... Was soll ich weiter sagen? Da sagte ich nun einiges Unanständige aus den Häusern, wo ich gewesen war: denn wir sind alle große Klätscher. Ich spielte den Narren, man hörte mich an, man lachte, man rief: Er ist doch immer allerliebst. Unterdessen hatte man das Notenbuch unter einem Sessel gefunden, wo es ein kleiner Hund, eine kleine Katze herumgeschleppt, zerkaut, zerrissen hatte. Nun setzte sich das schöne Kind ans Klavier, nun machte sie erst allein gewaltigen Lärm darauf. Ich nahte mich dann und machte der Mutter heimlich ein Zeichen des Beifalls. — Nun, das geht so übel nicht (sagt die Mutter), man brauchte nur zu wollen; aber man will nicht, man verdirbt lieber seine Zeit mit Schwätzen, Tändeln, Auslaufen und mit Gott weiß was. Ihr wendet kaum den Rücken, so ist auch schon das Buch zu, und nur, wenn Ihr wieder da seid, wird es aufgeschlagen. Auch hör' ich niemals, daß Ihr einen Verweis gebt. — Unterdessen, da doch was geschehen mußte, so nahm ich ihr die Hände und setzte sie anders. Ich tat böse, ich schrie: Sol, sol, sol, Mademoiselle, es ist ein sol. — Die Mutter: Mademoiselle, habt Ihr denn gar keine Ohren. Ich steh' nicht am Klavier, ich sehe nicht in Euer Buch und fühle selbst, ein sol muß es sein. Ihr macht dem Herrn eine unendliche Mühe, behaltet nichts was er Euch sagt, kommt nicht vorwärts. — Nun fing ich diese Streiche ein wenig auf, zuckte mit dem Kopfe und sagte: Verzeiht, Madame, verzeiht! Es könnte besser gehen, wenn Mademoiselle wollte, wenn sie ein wenig studierte; aber so ganz übel geht es doch nicht. — An Eurer Stelle hielt' ich sie ein ganzes Jahr an Einem Stücke fest—Was das betrifft, soll sie mir nicht los, bis sie über alle Schwierigkeiten hinaus ist, und das dauert nicht so lange, als Mademoiselle vielleicht glaubt. — Herr Rameau, Ihr schmeichelt ihr; Ihr seid zu gut. Das ist von der Lektion das einzige, was sie behalten und mir gelegentlich wiederholen wird. — So ging die Stunde vorbei. Meine Schülerin reichte mir die Marke mit anmutiger Armbewegung, mit einem Reverenz, wie sie der Tanzmeister gelehrt hatte. Ich steckte es in meine Tasche, und die Mutter sagte: Recht schön, Mademoiselle! Wenn Javillier da wäre, würde er applaudieren. — Ich schwatzte noch einen Augenblick der Schicklichkeit wegen, dann verschwand ich, und das hieß man damals eine Lektion in der Begleitung.

ICH. Und heutzutage ist es denn anders?

ER. Bei Gott! das sollt' ich denken. Ich komme, bin ernsthaft, werfe meinen Muff weg, öffne das Klavier, versuche die Tasten, bin immer eilig, und wenn man mich einen Augenblick warten läßt, so schrei' ich als wenn man mir einen Taler stähle. In einer Stunde muß ich da und dort sein, in zwei Stunden bei der Herzogin Soundso, mittags bei einer schönen Marquise, und von da gibt's ein Konzert bei Herrn Baron von Bagge, Rue neuve des petits champs.

ICH. Und indessen erwartet man Euch nirgends.

ER. Das ist wahr!

ICH. Und wozu alle diese kleinen niederträchtigen Künste?

ER. Niederträchtig? und warum, wenn's beliebt? In meinem Stand sind sie gewöhnlich, und ich erniedrige mich nicht, wenn ich handle wie jedermann. Ich habe sie nicht erfunden, und ich wäre sehr wunderlich und ungeschickt mich nicht zu bequemen. Wohl weiß ich, daß Ihr mir da gewisse allgemeine Grundsätze anführen werdet von einer gewissen Moral, die sie alle im Munde haben und niemand ausübt. Da mag sich denn finden, daß schwarz weiß und weiß schwarz ist. Aber, Herr Philosoph, wenn es ein allgemeines Gewissen gibt, wie eine allgemeine Grammatik, so gibt es auch Ausnahmen in jeder Sprache. Ihr nennt sie, denk' ich, Ihr Gelehrten — und nun, so helft mir doch! —

ICH. Idiotismen.

ER. Ganz recht! Und jeder Stand hat Ausnahmen von dem allgemeinen Gewissen, die ich gar zu gern Handwerks-Idiotismen nennen möchte.

ICH. Richtig! Fontenelle spricht gut, schreibt gut, und sein Stil wimmelt von französischen Idiotismen.

ER. Und der Fürst, der Minister, der Financier, die Magistratsperson, der Soldat, der Gelehrte, der Advokat, der Prokurator, der Kaufmann, der Bankier, der Handwerker, der Singmeister, der Tanzmeister sind sehr rechtschaffene Leute, wenn sich gleich ihr Betragen auf mehreren Punkten von dem allgemeinen Gewissen entfernt und voll moralischer Idiotismen befunden wird. Je älter die Einrichtungen der Dinge, je mehr gibt's Idiotismen. Je unglücklicher die Zeiten sind, um soviel vermehren sich die Idiotismen. Was der Mensch wert ist, ist sein Handwerk wert, und wechselseitig am Ende was das Handwerk taugt, taugt der Mensch. Und so sucht man denn das Handwerk soviel als möglich geltend zu machen.

ICH. Soviel ich merken kann, soll alle das Redegeflechte nur sagen, selten wird ein Handwerk rechtlich betrieben, oder wenig rechtliche Leute sind bei ihrem Handwerk.

ER. Gut! die gibt's nicht. Aber dagegen gibt's auch wenig Schelme außer ihrer Werkstatt. Und alles würde gut gehen, wenn es nicht eine Anzahl Leute gäbe, die man fleißig nennt, genau, streng ihre Pflichten erfüllend, ernst, oder was auf eins hinauskommt, immer in ihren Werkstätten, ihre Handwerke treibend von Morgen bis auf den Abend, und nichts als das. Auch sind sie die einzigen, die reich werden und die man schätzt.

ICH. Der Idiotismen willen.

ER. Ganz recht! Ihr habt mich verstanden. Also der Idiotism fast aller Stände: denn es gibt ihrer, die allen Ländern gemein sind, allen Zeiten, wie es allgemeine Torheiten gibt; genug ein allgemeiner Idiotism ist, sich so viel Kunden zu verschaffen als möglich; eine gemeinsame Albernheit ist's zu glauben, daß der Geschickteste die meisten habe. Das sind zwei Ausnahmen vom allgemeinen Gewissen, denen man eben nachgeben muß, eine Art Kredit, nichts an sich, aber die Meinung macht es zu was. Sonst sagte man: guter Ruf ist goldnen Gürtel wert. Indessen nicht immer hat der einen goldnen Gürtel, der guten Ruf hat. Aber das ist heutzutage gewiß, wer den goldnen Gürtel hat, dem fehlt der gute Ruf nicht. Man muß, wenn's möglich ist, den Ruf und den Gürtel haben. Das ist mein Zweck, wenn ich mich gelten mache, und zwar durch das, was Ihr unwürdige, niederträchtige, kleine Kunstgriffe scheltet. Ich gebe meine Stunde, gebe sie gut, das ist die allgemeine Regel. Ich mache die Leute glauben, daß ich deren mehr zu geben habe, als der Tag Stunden hat; das gehört zu den Idiotismen.

ICH. Und Euren Unterricht gebt Ihr gut?

ER. Ja! nicht übel, ganz leidlich. Der Grundbaß meines Onkels hat das alles sehr vereinfacht. Sonst stahl ich meinem Lehrling das Geld. Ja ich stahl's, das ist ausgemacht. Jetzt verdien' ich's wenigstens so gut als ein andrer.

ICH. Und Ihr stahlt es ohne Gewissensbisse?

ER. Was das betrifft, man sagt, wenn ein Räuber den andern beraubt, so lacht der Teufel dazu. Die Eltern strotzten von ungeheurem, Gott weiß wie erworbenem Gute. Es waren Hofleute, Finanzleute, große Kaufleute, Bankiers, Makler. Ich und viele andre, die sie brauchten wie mich, wir erleichterten ihnen die gute Handlung des Wiedererstattens. In der Natur fressen sich alle Gattungen, alle Stände fressen sich in der Gesellschaft, wir strafen einer den andern, ohne daß das Gesetz sich drein mische. Die Deschamps sonst, wie jetzt die Guimard, rächt den Prinzen am Finanzmann; die Modehändlerin, der Juwelenhändler, der Tapezierer, die Wäscherin, der Gauner, das Kammermädchen, der Koch, der Sattler rächen den Finanzmann an der Deschamps, und indessen ist's nur der Unfähige, der Faule, der zu kurz kommt, ohne jemand verkürzt zu haben, und das geschieht ihm recht, und daran seht Ihr, daß alle die Ausnahmen vom allgemeinen Gewissen, alle diese moralischen Idiotismen, über die man so viel Lärm macht und sie Schelmstreiche nennt, gar nichts heißen wollen, und daß es überhaupt nur darauf ankommt, wer den rechten Blick hat.

ICH. Den Euern bewundre ich.

ER. Und denn das Elend! Die Stimme des Gewissens und der Ehre ist sehr schwach, wenn die Eingeweide schreien. Genug, wenn ich einmal reich werde, muß ich eben auch wiedererstatten, und ich bin fest entschlossen wiederzuerstatten, auf alle mögliche Weise, durch die Tafel, durchs Spiel, den Wein und die Weiber.

ICH. Aber ich fürchte, Ihr kommt niemals dazu.

ER. Mir ahnet auch so was.

ICH. Wenn's Euch aber doch gelänge, was würdet Ihr tun?

ER. Machen wollt' ich's, wie alle glücklichen Bettler, der insolenteste Schuft wollt' ich sein, den man jemals gesehn hätte. Erinnern würde ich mich an alles, was sie mir Leids getan, und ich wollte ihnen die schlechte Behandlung redlich wiedererstatten. Ich mag gern befehlen und befehlen werd' ich. Ich will gelobt sein und man wird mich loben. Das sämtliche Klatschpack will ich im Sold haben, und wie man mit mir gesprochen hat, will ich mit ihnen sprechen. Frisch, ihr Schurken, man unterhalte mich, und man wird mich unterhalten. Man zerreiße die rechtlichen Leute, und man wird sie zerreißen, wenn's ihrer noch gibt. Dann wollen wir Mädchen haben, wir wollen uns duzen, wenn wir betrunken sind, wir wollen uns betrinken und Märchen erfinden, an allerlei Schiefheiten und Lastern soll es nicht fehlen. Das wird köstlich sein. Dann beweisen wir, daß Voltaire ohne Genie sei, daß Buffon, immer hoch auf Stelzen herschreitend, aufgeblasen deklamiere, daß Montesquieu nur ein schöner Geist sei; d'Alembert verweisen wir in seine Mathematik, und gehen solchen kleinen Catonen wie Ihr über Bauch und Rücken weg, Euch, die Ihr uns aus Neid verachtet, deren Bescheidenheit nur Stolz andeutet, und deren Enthaltsamkeit durch die Not geboten wird. Und was die Musik betrifft — hernach wollen wir erst Musik machen!

ICH. An dem würdigen Gebrauch, den Ihr von Eurem Reichtum zu machen gedenkt, sehe ich, wie sehr es schade ist, daß Ihr ein Bettler seid. Ihr würdet, merk' ich, auf eine für das Menschengeschlecht sehr ehrenvolle Weise leben, auf eine Euern Mitbürgern, Euch selbst höchst rühmliche Weise.

ER. Ihr spottet wohl gar, Herr Philosoph, und wißt nicht, mit wem Ihr's vorhabt. Ihr merkt nicht, daß ich in diesem Augenblick den beträchtlichsten Teil der Stadt und des Hofes vorstelle. Unsre Reichen aller Stände haben sich dasselbe gesagt oder haben sich's nicht gesagt, dasselbe was ich Euch soeben vertraute. Soviel ist aber gewiß, das Leben, das ich an ihrer Stelle führen würde, ist ganz genau ihr Leben. So seid ihr nun, ihr andern! Ihr glaubt, dieselbige Ehre sei für alle gemacht. Welch wunderliche Grille! Eure Art von Ehre verlangt eine gewisse romanenhafte Wendung des Geistes, die wir nicht haben, eine sonderbare Seele, einen eigenen Geschmack. Diese Grillen verziert ihr mit dem Namen der Tugend, ihr nennt es Philosophie; aber die

Tugend, die Philosophie, sind sie denn für alle Welt? Wer's vermag, halte es, wie er will; aber denkt Euch, die Welt wäre weise und philosophisch gesinnt, gesteht nur, verteufelt traurig würde sie sein. Leben soll mir dagegen Salomons Philosophie und Weisheit, gute Weine zu trinken, köstliche Speisen zu schlucken, hübsche Weiber zu besitzen, auf weichen Betten zu ruhen; übrigens ist alles eitel.

ICH. Wie? sein Vaterland verteidigen?

ER. Eitelkeit! Es gibt kein Vaterland mehr. Von einem Pol zum andern sehe ich nur Tyrannen und Sklaven.

ICH. Seinen Freunden zu dienen?

ER. Eitelkeit! Hat man denn Freunde? Und wenn man ihrer hätte, sollte man sie in undankbare verwandeln? Beseht's genau, und Ihr werdet finden, fast immer ist's Undank, was man für geleistete Dienste gewinnt. Die Dankbarkeit ist eine Last, und jede Last mag man gern abwerfen.

ICH. Ein Amt haben und dessen Pflichten erfüllen?

ER. Eitelkeit! Habe man eine Bestimmung oder nicht, wenn man nur reich ist; denn man übernimmt doch nur ein Geschäft, um reich zu werden. Seine Pflichten erfüllen, wohin kann das führen? Zur Eifersucht, zur Unruhe, zur Verfolgung. Kommt man auf solche Weise vorwärts? Seine Aufwartung machen, die Großen sehen, ihren Geschmack ausforschen, ihren Phantasien nachhelfen, ihren Lastern dienen, ihre Ungerechtigkeiten billigen, das ist das Geheimnis.

ICH. Um die Erziehung seiner Kinder besorgt sein?

ER. Eitelkeit! das ist die Sache des Lehrers.

ICH. Aber wenn der Lehrer nach Euern eigenen Grundsätzen seine Pflichten versäumt, wer wird alsdann gestraft?

ER. Ich doch wohl nicht? Aber vielleicht einmal der Mann meiner Tochter oder die Frau meines Sohns.

ICH. Aber wenn sie sich ins liederliche Leben, ins Laster stürzen?

ER. Das ist standsmäßig.

ICH. Wenn sie sich entehren?

ER. Man mag sich stellen wie man will, man entehrt sich nicht, wenn man reich ist.

ICH. Wenn sie sich zu Grunde richten?

ER. Desto schlimmer für sie.

ICH. Und wenn Ihr Euch nicht nach dem Betragen Eurer Frau, Eurer Kinder erkundigt, so möchtet Ihr auch wohl Eure Haushaltung vernachlässigen.

ER. Verzeiht, es ist manchmal schwer Geld zu finden, und drum ist es klug sich von weitem vorzusehn.

ICH. Und um Eure Frau werdet Ihr Euch wenig bekümmern?

ER. Gar nicht, wenn's beliebt. Das beste Betragen gegen seine liebe Hälfte bleibt immer das zu tun, was ihr ansteht. Doch geschähe im ganzen was Ihr wünscht, so würde die Gesellschaft sehr langweilig sein, wenn jeder nur darin an sich und sein Gewerb dächte.

ICH. Warum nicht? Der Abend ist niemals schöner für mich, als wenn ich mit meinem Morgen zufrieden bin.

ER. Für mich gleichfalls.

ICH. Was die Weltleute so delikat in ihrem Zeitvertreib macht, das ist ihr tiefer Müßiggang.

ER. Glaubt's nicht. Sie machen sich viel zu schaffen.

ICH. Da sie niemals müde werden, so erholen sie sich niemals.

ER. Glaubt's nicht. Sie sind immer außer Atem.

ICH. Das Vergnügen ist immer ein Geschäft für sie, niemals ein Bedürfnis.

ER. Desto besser. Das Bedürfnis ist immer beschwerlich.

ICH. Alles nutzen sie ab. Ihre Seele stumpft sich, und die Langeweile wird Herr. Wer ihnen mitten in dem erdrückenden Überfluß das Leben nähme, würde ihnen einen Dienst leisten, eben weil sie vom Glück nur den Teil kennen, der sich am schnellsten abstumpft. Ich verachte nicht die Freuden der Sinne, ich habe auch einen Gaumen, der durch eine feine Speise, durch einen köstlichen Wein geschmeichelt wird; ich habe ein Herz und Auge, ich mag auch ein zierliches Weib besitzen, sie umfassen, meine Lippen auf die ihrigen drücken, Wollust aus ihren Blicken saugen und an ihrem Busen vor Freude vergehn. Manchmal mißfällt mir nicht ein lustiger Abend mit Freunden, selbst ein ausgelassener; aber ich kann Euch nicht verhalten, mir ist's unendlich süßer, dem Unglücklichen geholfen, eine kitzliche Sache geendigt, einen weisen Rat gegeben, ein angenehmes Buch gelesen, einen Spaziergang mit einem werten Freunde, einer werten Freundin gemacht, lehrreiche Stunden mit meinen Kindern zugebracht, eine gute Seite geschrieben und der Geliebten zärtliche sanfte Dinge gesagt zu haben, durch die ich mir eine Umarmung verdiene. Ich kenne wohl Handlungen, welche getan zu haben ich alles hingäbe was ich besitze. Mahomet ist ein vortreffliches Werk; aber ich möchte lieber das Andenken des Calas wiederhergestellt haben. Einer meiner Bekannten hatte sich nach Cartagena geflüchtet. Es war ein nachgeborner Sohn aus einem Lande, wo das Herkommen alles Vermögen dem ältesten zuspricht. Dort vernimmt er, daß sein Erstgeborner, ein verzogner Sohn, seinen zu nachgiebigen Eltern alle Besitzungen entzogen, sie aus ihrem Schlosse verjagt habe, daß die guten Alten in einer kleinen Provinzstadt ein kümmerliches Leben führen. Was tut nun dieser Nachgeborne, der in seiner Jugend hart von den Eltern gehalten, sein Glück in der Ferne gesucht hatte? Er schickt ihnen Hülfe, er eilt seine Geschäfte zu ordnen, er kommt reich zurück, er führt Vater und Mutter in ihre Wohnung, er verheiratet seine Schwestern. Ach mein lieber Rameau, diesen Teil seines Lebens betrachtete der Mann als den glücklichsten. Mit Tränen im Auge sprach er mir davon, und mir, indem ich es Euch erzähle, bewegt sich das Herz vor Freude und das Vergnügen versetzt mir die Stimme.

ER. Ihr seid wunderliche Wesen!

ICH. Ihr seid bedauernswerte Wesen, wenn Ihr nicht begreift, daß man sich über das Schicksal erheben kann, und daß es unmöglich ist unglücklich zu sein unter dem Schutze zwei so schöner Handlungen.

ER. Das ist eine Art Glückseligkeit, mit der ich mich schwerlich befreunden könnte: denn man findet sie selten. So meint Ihr denn also wirklich, man müßte rechtschaffen sein?

ICH. Um glücklich zu sein, gewiß!

ER. Indessen sehe ich unendlich viel rechtschaffene Leute, die nicht glücklich sind, und unendlich viel Leute, die glücklich sind, ohne rechtschaffen zu sein.

ICH. Das scheint Euch nur so.

ER. Und warum fehlt's mir heute abend an Nachtessen, als weil ich einen Augenblick Menschenverstand und Offenheit zeigte.

ICH. Keinesweges, sondern weil Ihr sie nicht immer hattet; weil Ihr nicht beizeiten fühltet, daß man sich vor allen Dingen einrichten sollte, unabhängig von Knechtschaft zu sein.

ER. Unabhängig oder nicht. Meine Einrichtung ist wenigstens die bequemste.

ICH. Aber nicht die sicherste, die ehrenvollste.

ER. Aber die passendste für meinen Charakter eines Tagediebs, eines Toren, eines Taugenichts.

ICH. Vollkommen.

ER. Und eben weil ich mein Glück machen kann durch Laster, die mir natürlich sind, die ich ohne Arbeit erwarb, die ich ohne Anstrengung erhalte, die mit den Sitten meiner Nation zusammentreffen, die nach dem Geschmack meiner Beschützer sind, übereinstimmender mit ihren kleinen besondern Bedürfnissen als unbequeme Tugenden, die sie von Morgen bis Abend anklagen würden. Es wäre doch wunderlich, wenn ich mich wie eine verdammte Seele quälte, um mich zu verrenken, um mich anders zu machen als ich bin, um mir einen fremden Charakter aufzubinden, die schätzbarsten Eigenschaften, über deren Wert ich nicht streiten will, aber die ich nur mit Anstrengung erwerben und ausüben könnte, und die mich doch zu nichts führten, vielleicht zum Schlimmern als nichts: denn darf wohl ein Bettler wie ich, der sein Leben von reichen Leuten hat, ihnen solch einen Sittenspiegel beständig vorhalten? Man lobt die Tugend, aber man haßt sie, man flieht sie, man läßt sie frieren, und in dieser Welt muß man die Füße warm halten. Und dann würde ich gewiß die übelste Laune haben: denn warum sind die Frommen, die Andächtigen so hart, so widerlich, so ungesellig? Sie haben sich zu leisten auferlegt, was ihnen nicht natürlich ist. Sie leiden, und wenn man leidet, macht man andere leiden. Das ist weder meine Sache noch die Sache meiner Gönner. Munter muß ich sein, ungezwungen, neckisch, närrisch, drollig. Die Tugend fordert Ehrfurcht, und Ehrfurcht ist unbequem; die Tugend fordert Bewunderung, und Bewunderung ist nicht unterhaltend. Ich habe mit Leuten zu tun, denen die Zeit lang wird, und sie wollen lachen. Nun seht: die Torheit, das Lächerliche macht lachen, und also muß ich ein Tor, ich muß lächerlich sein. Und hätte mich die Natur nicht so geschaffen, so müßte ich kurz und gut so scheinen. Glücklicherweise brauche ich kein Heuchler zu sein. Es gibt ihrer ohnehin von allen Farben, ohne die zu rechnen, die sich selbst belügen.

Seht doch einmal den Ritter de la Morlière, der seinen Hut aufs Ohr drückt, die Nase in die Höhe trägt, der den Vorbeigehenden über die Schulter ansieht, dem ein langer Degen auf die Schenkel schlägt, der für jeden Unbewaffneten eine Beleidigung bereit hat, der jeden Begegnenden herauszufordern scheint, was tut er? Alles was er kann, um sich zu überreden, daß er herzhaft ist; aber feig ist er. Bietet ihm einen Nasenstüber an, er wird ihn sanftmütig empfangen. Soll er seinen Ton herabstimmen, so erhebt den Eurigen, zeigt ihm Euren Stock, oder gebt ihm einen Tritt in H—n. Ganz erstaunt sich so feig zu finden, wird er Euch fragen, wer's Euch gesteckt hat, woher Ihr es wissen könnt, daß er eine Memme sei: denn im Augenblick vorher war es ihm selbst noch unbekannt. Durch eine langgewohnte Nachäffung mutvollen Betragens hatte er sich selbst überzeugt. Er machte so lange die Gebärden, daß er glaubte die Sache zu haben.

Und jene Frau, die sich kasteit, Gefängnisse besucht, allen wohltätigen Gesellschaften beiwohnt, mit gesenkten Augen einhergeht, keinen Mann gerade ansehen kann, immer wegen Verführung ihrer Sinne besorgt; brennt ihr Herz deshalb weniger? entwischen ihr nicht Seufzer? entzündet sich nicht ihr Temperament? ist sie nicht von Begierden umlagert, und wird nicht ihre Einbildungskraft zu Nacht von gewaltsam verführerischen Bildern ergriffen? Und nun wie ergeht's ihr? Was denkt ihre Kammerfrau, die aus dem Bette springt um einer Gebieterin Hülfe zu leisten, die gefährlich krank scheint? O! gute Justine, lege dich wieder zu Bette, dich rief sie nicht in ihrem Wahnsinn.

Sollte es nun Freund Rameau jemals einfallen, das Glück, die Weiber, das gute Leben, den Müßiggang zu verachten, zu catonisieren, was wäre er? ein Heuchler. Rameau sei was er ist, ein glücklicher Räuber unter reichen Räubern, nicht aber ein Tugendprahler oder ein Tugendhafter, der sein Krüstchen Brot allein verzehrt oder in Gesellschaft von Bettlern. Kurz und gut, Eure Glückseligkeit, das Glück einiger Schwärmer wie Ihr, kann mir nicht gefallen.

ICH. Ich sehe, mein Freund, Ihr wißt nicht was es ist, und seid nicht einmal imstande es kennenzulernen.

ER. Desto besser für uns, desto besser! Ich stürbe vor Hunger, vor Langerweile und vielleicht vor Reue.

ICH. So rat' ich Euch denn, ein für allemal, geschwind in das Haus zurückzukehren, woraus Ihr Euch so ungeschickt habt verjagen lassen.

ER. Um das zu tun, was Ihr im eigentlichen Sinne nicht mißbilligt und was mir im figürlichen ein wenig zuwider ist?

ICH. Welche Sonderbarkeit!

ER. Ich finde nichts Sonderbares daran. Ich will mich wohl wegwerfen, aber ohne Zwang; ich will von meiner Würde heruntersteigen ... Ihr lacht?

ICH. Ja! Eure Würde macht mich lachen.

ER. Jeder hat die seinige. Ich will die meine vergessen, aber nach Belieben und nicht auf fremden Befehl. Sollte man mir sagen: krieche, und ich müßte kriechen? Der Wurm kriecht wohl, ich auch, und wir wandern beide so fort, wenn man uns gehn läßt; aber wir bäumen uns, wenn man uns auf den Schwanz tritt. Man hat mir auf den Schwanz getreten und ich werde mich bäumen. Und dann habt Ihr keinen Begriff von dem konfusen Zustande, von dem die Rede ist. Denkt Euch eine melancholische verdrießliche Figur, von Grillen aufgefressen, den weiten Schlafrock zwei- oder dreimal umhergeschlagen, einen Mann, der sich selbst mißfällt, dem alles mißfällt, den man kaum zum Lachen brächte, wenn man sich Körper und Geist auf hundert verschiedene Weisen verrenkte, der mit Kälte die neckischen Gesichter betrachtet, die ich schneide, und die noch neckischern Sprünge meines Witzes. Denn unter uns, der Père Noël, der häßliche Benediktiner, so berühmt wegen seiner Grimassen, ist ungeachtet seines Glücks bei Hofe, ohne mich und ihn zu rühmen, gegen mich nur ein hölzerner Pulcinell. Und doch muß ich mich plagen und quälen, um eine Tollhauserhabenheit zu erreichen, die nichts wirkt. Lacht er? Lacht er nicht? das muß ich mich mitten in meinen Verrenkungen fragen, und Ihr begreift, was eine solche Ungewißheit dem Talente hinderlich ist. Mein Hypochonder, den Kopf in die Nachtmütze gesteckt, die ihm die Augen überschattet, sieht völlig aus wie eine unbewegliche Pagode mit einem Faden am Kinn, der bis auf den Sessel herunterhinge. Man paßt, der Faden soll gezogen werden, er wird nicht gezogen. Oder wenn die Kinnlade sich öffnet, so buchstabiert sie ein Wort, das Euch zur Verzweiflung bringt, ein Wort, das Euch lehrt, man habe Euch nicht bemerkt und alle Eure Afferreien sei'n verloren. Dieses Wort ist eine Antwort auf eine Frage, die Ihr vor vier Tagen an ihn tatet. Es ist gesprochen, die Muskularfeder spannt sich ab, und die Maschine schließt sich.

(Nun machte er seinen Mann nach. Er hatte sich auf einen Stuhl gesetzt, den Kopf unbeweglich, den Hut bis auf die Augenbrauen, die Augen halb geschlossen, die Arme hängend, die Kinnlade bewegend, wie ein Automat. Er sagte:)

Ja, Mademoiselle, Sie haben recht, das muß mit Feinheit behandelt werden! — Und so entscheidet unser Mann, entscheidet immer in letzter Instanz, morgens und abends, am Putztisch, bei Tafel, beim Kaffee, beim Spiel, im Theater, beim Abendessen, im Bette und, Gott verzeih mir! ich glaube in den Armen seiner Geliebten. Diese letzten Entscheidungen zu vernehmen hatte ich nicht Gelegenheit; aber die übrigen bin ich verteufelt müde. Traurig, dunkel, schneidend wie das Schicksal, so ist unser Patron.

Gegen ihm über ist eine Närrin, die wichtig tut, der man wohl sagen möchte, sie sei hübsch, weil sie es noch ist, ob sie gleich im Gesicht hie und da einige Flecken hat und sich dem Umfang der Madame Bouvillon nähert. Ich liebe hübsches Fleisch, aber zuviel ist zuviel, und die Bewegung ist der Materie so wesentlich. Item sie ist boshafter, eingebildeter, dümmer als eine Gans; item sie will Witz haben; item man muß ihr versichern, daß man überzeugt ist, sie habe mehr als jemand; item das weiß nichts, und das entscheidet auch; item man muß diese Entscheidungen beklatschen, mit Händ' und Füßen Beifall geben, vor Behagen aufspringen, vor Bewunderung sich entzücken. Ach was ist das schön, zart, gut gesagt, fein gesehen, vorzüglich empfunden! Wo nehmen die Weiber das her? ohne Studium einzig durch die Gewalt des Naturtriebs, durch natürliche Gaben. Das grenzt ans Wunder, und dann sage man uns, Erfahrung, Studium, Nachdenken, Erziehung täten was dabei — und mehr solche Albernheiten. Dann vor Freuden geweint, zehnmal des Tags sich gebückt, ein Knie niedergebogen, den andern Fuß nachgeschleift, die Arme gegen die Göttin ausgestreckt, ihre Wünsche in ihren Augen suchend, abhängend von ihren Lippen, ihre Befehle erwartend und wie ein Blitz gehorchend. Wer möchte sich nun einer solchen Rolle unterwerfen als der Elende, der zwei- oder dreimal die Woche die Tribulation seiner Eingeweide an einem solchen Orte besänftigen kann. Was soll man aber von andern denken, von solchen wie Palissot, Fréron, Poinsinet, Baculard, die nicht arm sind, deren Niederträchtigkeiten sich nicht durch die Borborygmen eines leidenden Magens entschuldigen lassen?

ICH. Ich hätte Euch nicht so schwierig geglaubt.

ER. Auch bin ich's nicht. Anfangs bemerkte ich, wie es die andern machten, und ich machte es wie sie, ja ein wenig besser. Denn ich bin unverschämter, besserer Schauspieler, hungriger und mit bessern Lungen versehen. Wahrscheinlich stamm' ich in gerader Linie vom berühmten Stentor ab.

(Und um mir einen völligen Begriff von der Gewalt dieses Eingeweides zu geben, fing er an so gewaltig zu husten, daß die Gläser des Kaffeezimmers zitterten, und die Schachspieler die Aufmerksamkeit auf ihr Spiel für einen Augenblick unterbrachen.)

ICH. Aber wozu soll das Talent?

ER. Ratet Ihr's nicht?

ICH. Nein! ich bin ein wenig beschränkt.

ER. Laßt einmal den Streit im Gang sein, den Sieg ungewiß. Ich stehe auf, entfalte meinen Donner und sage: Die Sache verhält sich völlig wie Mademoiselle behauptet, das heißt urteilen! Hundert von unsern schönen Geistern sollen es besser machen. Der Ausdruck ist genialisch... Aber man muß nicht immer auf gleiche Weise Beifall geben, man würde eintönig werden, man würde für einen Heuchler gelten, man würde abgeschmackt. Dies läßt sich nur durch Urteilskraft und Fruchtbarkeit vermeiden. Man muß diese mächtigen und abschließenden Töne vorzubereiten und wohl anzubringen wissen, Gelegenheit und Augenblick ergreifen. Wenn zum Beispiel die Meinungen geteilt sind, wenn der Streit sich bis zum höchsten Grade der Heftigkeit erhoben hat, wenn man sich nicht mehr versteht, wenn alle zusammen reden: so muß man sich besonders halten im Winkel des Zimmers, entfernt von dem Schlachtfeld. Den Ausbruch muß man durch ein langes Stillschweigen vorbereitet haben, und dann schnell wie eine Bombe mitten unter die Streitenden hineinfallen. Niemand versteht diese Kunst besser als ich; aber wo ich überrasche, das ist im Gegenteil. Ich habe kleine Töne, die ich mit einem Lächeln begleite, eine unendliche Menge Beifallsmienen besitze ich. Bald bring' ich die Nase, den Mund, die Stirne, die Augen mit ins Spiel. Ich habe eine Gewandtheit der Hüften, eine Art den Rückgrat zu drehen, die Achseln auf- und abzuzucken, die Finger auszurecken, den Kopf zu biegen, die Augen zu schließen und mich so verwundert zu zeigen, als hätte ich vom Himmel eine englische und göttliche Stimme vernommen. Das ist es, was schmeichelt. Ich weiß nicht, ob Ihr die ganze Kraft dieser letzten Stellung einseht; aber niemand hat mich in der Ausübung übertroffen. Seht nur, seht her!

ICH. Das ist wahr, es ist einzig.

ER. Glaubt Ihr, daß es ein Weiberhirn gibt mit einiger Eitelkeit, die das aushalte?

ICH. Nein! man muß gestehen, Ihr habt das Talent Narren zu machen und sich zu erniedrigen so weit als möglich getrieben.

ER. Sie mögen sich stellen, wie sie wollen, alle so viel ihrer sind, dahin gelangen sie nicht. Der Beste unter ihnen, zum Exempel Palissot, wird höchstens ein guter Schüler bleiben. Aber wenn eine solche Rolle uns anfangs unterhält, wenn man einiges Vergnügen findet sich über die Dummheit derer aufzuhalten, die man trunken macht, am Ende reizt es nicht mehr, und dann nach einer gewissen Anzahl Entdeckungen ist man genötigt sich zu wiederholen. Geist und Kunst haben ihre Grenzen. Nur vor Gott und einigen seltnen Geistern erweitert sich die Laufbahn, indem sie vorwärtsschreiten. Bouret gehört vielleicht darunter. Manchmal läßt er einen Zug sehen, der mir, ja mir selbst, von ihm den höchsten Begriff gibt. Der kleine Hund, das Buch von der Glückseligkeit, die Fackeln auf dem Weg von Versailles sind Dinge, die mich bestürzen, erniedrigen, das könnte mir gar das Handwerk verleiden.

ICH. Was wollt Ihr mit Eurem kleinen Hund?

ER. Woher kommt Ihr denn? Wie, im Ernste, Euch ist nicht bekannt, wie es dieser außerordentliche Mann anfing, einen kleinen Hund von sich ab- und an den Siegelbewahrer zu gewöhnen, dem er gefallen hatte?

ICH. Mir ist's nicht bekannt.

ER. Desto besser. Das ist eins der schönsten Dinge, die man erdenken kann. Ganz Europa war darüber erstaunt und jeder Hofmann hat ihn beneidet. Ihr habt doch auch Scharfsinn, laßt sehen, was Ihr an seiner Stelle getan hättet. Bedenkt, daß Bouret von seinem Hunde geliebt war; bedenkt, daß das seltsame Kleid des Ministers das kleine Tier erschreckte; bedenkt, er hatte nur acht Tage, um diese Schwierigkeiten zu überwinden. Man muß die Bedingungen der Aufgabe gut kennen, um das Verdienst der Auflösung genugsam zu schätzen. Nun denn?

ICH. Nun denn! Ich bekenne gern, daß die leichtesten Dinge dieser Art mich in Verwirrung setzen würden.

ER. Hört (sagte er, indem er mir einen kleinen Schlag auf die Achsel gab, denn er ist zudringlich), hört und bewundert. Er läßt sich eine Maske machen, die dem Siegelbewahrer gleicht, er borgt vom Kammerdiener das faltenreiche Gewand, er bedeckt das Gesicht mit der Maske, er hängt das Kleid um. Nun ruft er seinen Hund, streichelt ihn, gibt ihm Kuchen. Dann auf einmal Veränderung der Dekoration. Es ist nicht mehr der Siegelbewahrer, Bouret ist's, der seinen Hund ruft und peitscht. Nach zwei drei Tagen von morgens bis abends fortgesetzter Übung lernt der Hund vor Bouret dem Generalpachter fliehen und sich zu Bouret dem Siegelbewahrer gesellen. Aber ich bin zu gut, Ihr seid ein Ungläubiger, der nicht verdient die Wunder zu erfahren, die neben ihm vorgehen.

ICH. Demohngeachtet, ich bitte Euch, wie war's mit dem Buch und den Fackeln?

ER. Nein, nein, wendet Euch ans Straßenpflaster, das wird Euch solche Dinge erzählen, und benutzt den Umstand, der uns zusammenbrachte, um Dinge zu erfahren, die niemand weiß als ich.

ICH. Ihr habt recht.

ER. Gewand und Perücke zu borgen! Ich hatte die Perücke des Siegelbewahrers vergessen. Sich eine Maske, die ihm gleicht, zu verschaffen! Die Maske besonders dreht mir den Kopf um. Auch steht dieser Mann in der größten Achtung, auch besitzt er Millionen. Es gibt Ludwigskreuze, die das Brot nicht haben, was laufen sie aber auch nach dem Kreuz mit Gefahr ihrer Glieder und wenden sich nicht zu einem Stand, der ohne Gefahr ist und niemals ohne Belohnung? Das heißt man sich ums Große bemühen. Diese Muster nehmen einem den Mut, man bedauert sich selbst und hat Langeweile. Die Maske! die Maske! Einen meiner Finger gäbe ich drum, die Maske gefunden zu haben!

ICH. Aber mit diesen Enthusiasmus für die schönen Erfindungen, mit dieser Gewandtheit des Genies habt Ihr denn nichts erfunden?

ER. Verzeiht! zum Beispiel die bewundernde Stellung des Rückens, von der ich Euch sprach, die seh' ich als mein eigen an, ob sie mir gleich durch Neider könnte streitig gemacht werden. Man mag sie wohl vor mir angewendet haben; aber wer hat wohl gefühlt, wie bequem sie sei, eigentlich über den Toren zu lachen, den man bewundert? Ich habe mehr als hundert Kunstgriffe, ein junges Mädchen an der Seite ihrer Mutter zu verführen, ohne daß es diese merkt, ja sogar mit dazu beiträgt. Kaum trat ich in die Laufbahn, als ich alle die gemeinen Manieren, Liebesbriefe zuzustecken, verachtete. Ich habe zehn Mittel mir sie entreißen zu lassen, und unter diesen Mitteln gibt's manche neue, darf ich mir schmeicheln. Besonders besitze ich das Talent junge schüchterne Männer aufzumuntern. Ich habe manchen angebracht, der weder Geist noch Gestalt hatte. Wäre das alles geschrieben, ich glaube man würde mir wohl Genie zugestehn.

ICH. Für einen außerordentlichen Mann würdet Ihr gelten.

ER. Ich zweifle nicht.

ICH. An Eurer Stelle würf' ich das alles aufs Papier. Schade für die schönen Sachen, wenn sie verloren gehen sollten!

ER. Es ist wahr. Aber Ihr glaubt nicht, wie wenig mir Unterricht und Vorschriften gelten. Wer einer Anweisung bedarf, kommt nicht weit. Die Genies lesen wenig, treiben viel und bilden sich aus sich selbst. Bedenkt nur Cäsarn, Turenne, Vauban, die Marquise Tencin, ihren Bruder den Kardinal und seinen Sekretär den Abbé Trublet — und Bouret? Wer hat Bouret Lektion gegeben? Niemand. Die Natur bildet diese seltnen Menschen. Glaubt Ihr denn, daß die Geschichte des Hundes und der Maske irgendwo gedruckt sei?

ICH. Aber in verlorenen Stunden, wenn die krampfhaften Bewegungen Eures leeren Magens, oder die Anstrengungen des überfüllten Magens den Schlaf abhalten —

ER. Ich will darauf denken. Besser ist's große Sachen zu schreiben, als kleine zu tun. Da erhebt sich die Seele, die Einbildungskraft erhitzt, entflammt, erweitert sich, anstatt daß sie sich zusammenzieht, wenn man sich in Gegenwart der kleinen Hus über die Albernheit des Publikums verwundern soll, das sich nun einmal in den Kopf setzt, den Zieraffen, die Dangeville, mit Beifall zu überhäufen, die so platt spielt, gebückt auf dem Theater einhergeht, die immer dem in die Augen sieht, mit dem sie spricht, und ihre Grimassen für Feinheit hält, ihr Trippeln für Grazie; des Publikums, das die emphatische Clairon ebenso begünstigt, die magrer, zugestutzter, studierter, schwerfälliger ist als möglich. Das unfähige Parterre beklascht sie, daß alles brechen möchte, und merkt nicht, daß wir ein Knaul von Zierlichkeiten sind. Es ist wahr, der Knaul nimmt ein wenig zu, aber was tut's, haben wir nicht die schönste Haut? die schönsten Augen, den schönsten Schnabel, freilich wenig Gefühl, einen Gang, der nicht leicht ist, doch auch nicht so linkisch, wie man sagt. Aber was die Empfindung betrifft, da ist keine, der wir nachgeben.

ICH. Was soll das heißen? Ist es Ironie oder Wahrheit?

ER. Das Übel ist, daß die Teufels-Empfindungen alle inwendig stecken, und daß doch auch keine Dämmerung durchscheint. Aber ich, der mit Euch rede, ich weiß, und weiß gewiß, sie hat Gefühl. Und ist's nicht gerade das, so ist's etwas von der Art. Seht nur, wenn wir böser Laune sind, wie wir die Bedienten behandeln, wie die Kammermädchen Ohrfeigen kriegen, wie wir mit heftigen Fußtritten die zufälligen Teile zu treffen wissen, die sich einigermaßen vom schuldigen Respekt entfernen. Das ist ein kleiner Teufel, sage ich, ganz voll Gefühl und Würde... Nun! wie sieht's aus? Ihr wißt wohl nicht, woran Ihr seid. Nicht wahr?

ICH. Laßt mich bekennen, ich unterscheide nicht, ob Ihr redlicher- oder boshafterweise redet. Ich bin ein gerader Mann, seid so gut und geht aufrichtig mit mir zu Werke, laßt Eure Kunst beiseite.

ER. So sprechen wir von der kleinen Hus, von der Dangeville und der Clairon, hie und da mit einigen Worten gemischt, die anreizen. Mögt Ihr mich doch für einen Taugenichts halten, aber nicht für dumm. Nur ein dummer Teufel oder ein äußerst verliebter Mensch könnte im Ernst so viel Albernheiten vorbringen.

ICH. Und wie entschließt man sich sie zu sagen?

ER. Das macht sich nicht auf einmal; aber nach und nach kommt man dazu. Ingenii largitor venter.

ICH. Man muß aber grimmigen Hunger haben.

ER. Das ist möglich. Indessen so stark Euch das auch scheinen mag, jene sind mehr gewohnt dergleichen zu hören, als wir es zu sagen.

ICH. Ist denn einer, der sich untersteht Eurer Meinung zu sein?

ER. Was heißt Ihr einer? Das ist die Gesinnung, die Sprache der ganzen Gesellschaft.

ICH. Die muß also aus Taugenichtsen und aus Dummköpfen bestehen.

ER. Dummköpfen? Ich schwöre Euch, es ist nur Einer darunter, und zwar jener, der uns gastiert, damit wir ihn zum besten haben sollen.

ICH. Wie dürft Ihr es aber so grob machen? denn die Talente der Dangeville und Clairon sind entschieden.

ER. Man schlingt die Lüge, die uns schmeichelt, in vollen Zügen hinab und kostet Tropfen für Tropfen die Wahrheit, die uns bitter ist. Und dann haben wir auch so durchdrungene Mienen, ein so wahrhaftes Aussehn.

ICH. Und doch müßt Ihr einmal gegen die Grundsätze der Kunst gesündigt haben. Es müssen Euch einmal aus Versehn einige bittere Wahrheiten entwischt sein von solchen, die verletzen. Denn ungeachtet Eurer Rolle, die so elend, verworfen, niederträchtig und abscheulich ist, habt Ihr im Grunde eine zarte Seele.

ER. Ich? Keinesweges. Der Teufel hole mich, wenn ich im Grunde weiß, was ich bin. Im ganzen habe ich den Geist rund wie eine Kugel und den Charakter frisch wie eine Weide, niemals falsch, wenn es mein Vorteil ist wahr zu sein, niemals wahr, wenn ich es einigermaßen nützlich finde falsch zu sein. Ich sage die Sachen, wie sie mir ins Maul kommen, vernünftig, desto besser; ungehörig, man merkt nicht drauf. Ich spreche frei vor mich hin, ich habe niemals in meinem Leben gedacht, weder vor dem Reden, noch im Reden, noch nach dem Reden. Auch findet sich niemand beleidigt.

ICH. Aber das ist Euch doch mit den braven Leuten begegnet, mit denen Ihr lebtet, und die für Euch so viel Güte hatten.

ER. Was wollt Ihr? Es ist ein Unglück, ein falscher Augenblick, wie es ihrer im Leben gibt. Kein Glück hält an. Mir ging es zu gut, das konnte nicht dauern. Wir haben, wie Ihr wißt, die zahlreichste ausgesuchteste Gesellschaft, es ist eine Schule der Menschlichkeit, eine Erneuerung der alten Gastfreundschaft. Alle Poeten die fallen, wir raffen sie auf. Wir hatten Palissot nach seiner Zarès, Bret nach dem Faux Généreux, alle verschrienen Musiker, alle Schriftsteller, die man nicht liest, alle ausgepfiffenen Schauspielerinnen, alle ausgezischten Schauspieler, ein Haufen verschämter Armen, platte Schmarotzer, an deren Spitze ich mich zu stellen die Ehre habe als wackerer Anführer eines furchtsamen Haufens. Das erstemal, wenn sie sich zeigen, muntre ich sie auf. Ich verlange zu trinken für sie. Nehmen sie doch gar so wenig Platz weg! Abgerissene junge Leute, die nicht wissen wohin, aber die eine Figur haben. Andere Schelme, die den Patron streicheln, um ihn einzuschläfern, um alsdann die Patronin zu umschweben. Wir scheinen munter; aber im Grunde haben wir alle bösen Humor und gewaltigen Appetit. Wölfe sind nicht heißhungriger, Tiger nicht grausamer. Wir verzehren wie Wölfe, wenn die Erde lange mit Schnee bedeckt war; wir zerreißen wie Tiger alles was Glück macht. Manchmal vereinigen sich Bertin, Montsauge und Vilmorien; dann gibt es erst einen schönen Lärm im Tiergarten. Niemals sah man so viel traurige, übelwollende, übeltätige und erzürnte Bestien. Da hört man nur die Namen Buffon, Duclos, Montesquieu, Rousseau, Voltaire, d'Alembert, Diderot und Gott weiß mit welchen Beinamen begleitet. Niemand hat Geist, wenn er nicht so abgeschmackt ist wie wir. Und so ist der Plan des Schauspiels Die Philosophen erfunden worden. Die Szene des Büchertrödlers habe ich selbst geliefert, nach Anlaß der Rockentheologie, und Ihr seid nicht mehr geschont als ein andrer.

ICH. Desto besser! Vielleicht erzeigt man mir mehr Ehre als ich verdiene. Ich wäre gedemütigt, wenn sie, die so viel Übels von geschickten und ehrlichen Leuten sprechen, sich einfallen ließen von mir Gutes zu reden.

ER. Wir sind viele und jeder muß seine Zeche bezahlen. Wenn die großen Tiere geopfert sind, dann kommt es an die andern.

ICH. Wissenschaft und Tugend angreifen, um zu leben, das ist sehr teures Brot.

ER. Ich sagte es Euch schon: wir sind ohne Konsequenz. Wir lästern alle Menschen und betrüben niemand. Manchmal findet sich auch bei uns der schwerfällige Abbé d'Olivet, der dicke Abbé Le Blanc, der Heuchler Batteux. Der dicke Abbé ist nur boshaft vor Tafel, nach dem Kaffee wirft er sich in einen Sessel, die Füße gegen den Kaminsockel gestemmt, da schläft er ein wie ein alter Papagei auf der Stange. Wird aber der Lärm gewaltsam, dann gähnt er, dehnt sich, reibt die Augen und sagt: Nun, nun, was gibt's? — Es fragt sich, ob Piron mehr Geist habe als Voltaire? — Verstehn wir uns, Geist sagt Ihr, vom Geschmack ist nicht die Rede. Denn vom Geschmack ahnet Piron nicht das mindeste — Nicht das mindeste — Nein... Und nun geht eine Abhandlung über den Geschmack los. Der Patron macht ein Zeichen mit der Hand, daß man ihn höre: denn auf Geschmack glaubt er sich besonders zu verstehen. — Der Geschmack, sagt er... der Geschmack ist ein Ding... fürwahr ich weiß nicht, für welch ein Ding er es ausgab, er wußt' es selbst nicht.

Manchmal haben wir Freund Robbé, der tischt uns seine zynischen Märchen auf von konvulsionären Wundern, wovon er Augenzeuge war. Manchmal auch einen Gesang seines Gedichtes über einen Gegenstand, den er gründlich kennt. Ich hasse seine Verse, aber ich höre ihn gerne lesen. Er hat das Ansehn eines Besessenen. Alle schreien um ihn her: das heißt doch ein Poet!... Unter uns, diese Poesie ist nichts als ein Charivari von allerlei konfusen Klängen, ein barbarisches Tongemisch der Erbauer des babylonischen Turmes. Auch kommt manchmal ein Pinselgesicht von plattem und dummem Ansehn, der aber Verstand wie ein Teufel hat und boshafter ist als ein alter Affe. Es ist eine von den Figuren, die zu Spöttereien und Nasenstübern reizen, die aber Gott zur Züchtigung der Menschen geschaffen hat, die nach der Gesichtsbildung urteilen und die ihre Erfahrung hätte belehren sollen, daß es ebenso leicht ist, ein Mann von Geist zu sein und das Ansehn eines Dummkopfs zu haben, als den Dummkopf unter einer geistreichen Physiognomie zu verbergen. Es ist eine gemeine Niederträchtigkeit, andern zum Zeitvertreib einen Gutmütigen aufzuopfern, und gewöhnlich fällt man auf diesen. Dies ist eine Falle, die wir den Neuankommenden legen, und ich habe fast niemand gefunden, der nicht hineingetappt wäre.

Manchmal bewunderte ich die Richtigkeit der Bemerkungen dieses Narren über Menschen und Charaktere und gab es ihm zu verstehen. — Aus der schlechten Gesellschaft, antwortete er mir, läßt sich Vorteil ziehen wie aus der Liederlichkeit. Hier entschädigt uns der Verlust der Vorurteile wegen des Verlustes der Unschuld, in der Gesellschaft der Bösen, wo das Laster sich ohne Maske zeigt, lernt man sie kennen. — Er hat recht; aber ich habe auch ein wenig gelesen.

ICH. Was habt Ihr gelesen?

ER. Gelesen habe ich und lese und unaufhörlich lese ich wieder Theophrast, La Bruyère und Molière.

ICH. Das sind vortreffliche Bücher.

ER. Sie sind viel besser als man denkt, aber wer versteht sie zu lesen?

ICH. Jedermann, nach dem Maß seines Geistes.

ER. Fast niemand. Könnt Ihr mir sagen, was man darin sucht?

ICH. Unterhaltung und Unterricht.

ER. Aber welchen Unterricht? denn darauf kommt es an.

ICH. Die Kenntnis seiner Pflichten, die Liebe der Tugend, den Haß des Lasters.

ER. Ich aber lerne daraus alles was man tun soll und alles was man nicht sagen soll. Also wenn ich den Geizigen lese, so sage ich mir, sei geizig wenn du willst, nimm dich aber in acht, wie ein Geiziger zu reden. Lese ich den Tartuffe, so sage ich mir, sei ein Heuchler wenn du willst, aber sprich nicht wie ein Heuchler. Behalte die Laster, die dir nützlich sind, aber bewahre dich vor dem Ton, vor den Äußerungen, die dich lächerlich machen würden. Und dich vor diesem Ton, diesen Äußerungen zu bewahren, mußt du sie kennen. Nun haben sie dir diese Autoren vortrefflich geschildert. Ich bleibe was ich bin, aber ich handle und rede wie sich's geziemt. Ich bin nicht von denen, die den Moralisten verachten. Es ist viel zu lernen, besonders bei denen, die die Moral in Handlung gesetzt haben. Das Laster beleidigt die Menschen nur von Zeit zu Zeit, die lasterhaften Charaktere beleidigen sie von morgens bis abends. Vielleicht wäre es besser insolent zu sein, als so auszusehn. Ein insolenter Charakter verletzt nur manchmal, ein insolentes Ansehn verletzt immer. Übrigens bildet Euch nicht ein, daß ich der einzige Leser meiner Art sei. Ich habe hier kein andres Verdienst, als systematisch, durch richtigen Blick, eine vernünftige und wahre Ansicht das geleistet zu haben, was andre aus Instinkt tun. Daher kommt, daß ihr vieles Lesen sie nicht besser macht als mich, und daß sie noch dazu lächerlich bleiben wider ihren Willen, anstatt daß ich's nur bin, wenn ich will, und sie alsdann weit hinter mir zurücklasse. Denn dieselbe Kunst, die mich lehrt bei gewissen Gelegenheiten das Lächerliche vermeiden, lehrt mich bei andern es glücklich erwischen. Dann erinnre ich mich an alles, was andre gesagt haben, an alles, was ich gelesen habe, und dann füg' ich noch alles hinzu, was auf meinem Grund und Boden wächst, der in dieser Art ganz erstaunliche Früchte trägt.

ICH. Ihr habt wohl getan mir diese Geheimnisse zu eröffnen, sonst hätte ich glauben müssen, Ihr widersprächt Euch selber.

ER. Ich widerspreche mir nicht: denn für Einen Fall, wo man das Lächerliche zu vermeiden hat, gibt es glücklicherweise hundert, wo man sich's geben muß. Es gibt keine beßre Rolle bei den Großen als die Rolle der Narren. Lange gab es einen wirklich betitelten Narren des Königs; niemals hat jemand den Titel eines Weisen des Königs getragen. Ich bin der Narr Bertins und mehrerer andern, Eurer vielleicht in diesem Augenblick, vielleicht seid Ihr der meine. Wer weise wäre, hätte keine Narren, wer einen Narren hat, ist nicht weise, und ist er nicht weise, so ist er ein Narr, und vielleicht wäre der König der Narr seines Narren. Übrigens bedenkt, daß in einer so veränderlichen Sache, wie die Sitten sind, nichts absolut, wesentlich und allgemein wahr oder falsch ist, außer daß man sei was unser Vorteil gebietet, gut oder böse, weise oder närrisch, anständig oder lächerlich, ehrbar oder lasterhaft. Wenn zufälligerweise die Tugend zum Glück geführt hätte, so wäre ich tugendhaft gewesen oder hätte die Tugend geheuchelt wie ein andrer. Man hat mich lächerlich haben wollen und dazu habe ich mich gebildet. Bin ich lasterhaft, so hat die Natur allein den Aufwand gemacht. Wenn ich lasterhaft sage, so rede ich nur Eure Sprache. Denn wenn wir uns erklären wollten, so wäre wohl möglich, Ihr hießet Laster was ich Tugend nenne, und was ich Laster nenne, Tugend.

So kommen auch zu uns die Autoren der komischen Oper, ihre Schauspieler und Schauspielerinnen, öfter aber die Unternehmer, Corbie und Moette, alles Leute von Geschick und vorzüglichen Verdiensten.

Ach ich vergaß die großen Kritiker der Literatur: l'Avant-Coureur, les Petites Affiches, l'Année littéraire, l'Observateur littéraire, le Censeur hebdomadaire, das ganze Gezücht der Blättler.

ICH. Die Année littéraire, der Observateur littéraire? Das ist nicht möglich, die verabscheuen sich.

ER. Das ist wahr, aber alle Bettler versöhnen sich um den hölzernen Suppennapf. Der verfluchte Observateur littéraire, daß der Teufel ihn und seine Blätter geholt hätte! Das ist der Hund, der kleine geizige Priester, der stinkende Wucherer, der Ursache ist an meinem Unglück. Gestern erschien er zum erstenmal an unserm Horizont, zur Stunde, die uns alle aus unsern Löchern treibt, zur Stunde des Mittagessens. Glücklich, wenn es schlechtes Wetter ist, glücklich derjenige unter uns, der ein Vierundzwanzig-Sousstück in seiner Tasche hat, um den Wagen zu bezahlen. Da spottet man wohl über seinen Mitbruder, der bis an den Rückgrat schmutzig und bis auf die Knochen genetzt erscheint, und kommt abends doch wohl selbst ebenso zugerichtet in seine Wohnung zurück. Ja es war einmal einer, der vor einigen Monaten einen heftigen Streit mit dem Savoyarden unserer Türe hatte. Sie standen auf Rechnung miteinander, der Gläubiger wollte bezahlt sein, der Schuldner war nicht bei Gelde und konnte doch nicht hinauf ohne durch jenes Hände gegangen zu sein.

Es wird aufgetragen, man erzeigt dem Abbé die Ehre, ihn obenan zu setzen. Ich trete hinein und werde ihn gewahr. — Wie, sagte ich, Abbé, Ihr präsidiert? Das ist gut für heute; aber morgen, wenn's Euch beliebt, rückt Ihr um einen Teller herunter, und so immer von Teller zu Teller, bis Ihr von dem Platz, den ich auch einmal eingenommen, Fréron einmal nach mir, Dorat einmal nach Fréron, Palissot einmal nach Dorat, bis Ihr endlich stationär werdet neben mir armem plattem Schuft Euresgleichen, che siedo sempre come un maestoso c—o fra duoi c—i.

Der Abbé, ein guter Teufel, der alles leicht nimmt, lachte dazu, auch Mademoiselle, von der Wahrheit meiner Bemerkung und der Richtigkeit meiner Vergleichung durchdrungen, lachte gleichfalls. Alle die neben ihm zur Rechten und Linken saßen, oder die er um einen Kerbschnitt heruntergedrängt hatte, fingen an zu lachen. Alle Welt lacht, ausgenommen der Herr, der böse wird und mir Reden hält, die nichts bedeutet hätten, wenn wir allein gewesen wären. — Rameau, Ihr seid ein impertinenter Bursche — Ich weiß es: denn auf diese Bedingung habt Ihr mich aufgenommen — Ein Schuft — Wie ein andrer — Ein Bettler — Wäre ich sonst hier? — Ich werde Euch hinauswerfen lassen — Nach

Tische werde ich von selbst gehen — Das rat' ich Euch ...
Man speiste und ich verlor keinen Bissen. Nachdem ich gut
gegessen und reichlich getrunken hatte: denn im ganzen
wäre es nicht mehr noch weniger gewesen, Messer Gaster
ist eine Person, mit der ich niemals getrutzt habe, jetzt entschloß ich mich und schickte mich an zum Weggehen: denn
ich hatte doch in Gegenwart von so vielen mein Wort verpfändet, daß ich's wohl halten mußte. Ich brauchte viel
Zeit, um in dem Zimmer herum nach Hut und Stock zu suchen, wo sie nicht waren. Immer dacht' ich, der Patron
würde sich abermals in Schimpfwörtern auslassen, jemand
würde als Mittelsperson auftreten und wir würden uns zuletzt vor lauter Zanken wieder versöhnen. Ich drehte mich
und drückte mich: denn ich hatte nichts auf dem Herzen.
Aber der Patron, düstrer und schwärzer als Apollo beim
Homer, da er seine Pfeile unter das Heer der Griechen
schießt, die Mütze noch einmal so tief als gewöhnlich eingedrückt, ging im Zimmer hin und wieder, die Faust unter
dem Kinn. Mademoiselle nahte sich mir: Aber Mademoiselle was gibt's denn besonders? War ich denn heute von
mir selbst verschieden? — Ihr sollt fort — Ich will fort;
aber ich habe den Patron nicht beleidigt. — Verzeiht mir,
man lädt den Herrn Abbé und... — Der Patron hat gefehlt,
daß er den Abbé einlud, daß er mich aufnahm, und mit mir
so viele schöne Wesen als ich bin — Frisch, kleiner Rameau,
ihr müßt mir den Herrn Abbé um Verzeihung bitten —
Was brauch' ich die? — Fort, fort! das wird sich alles geben
— Sie nimmt mich bei der Hand, sie zieht mich gegen den
Sessel des Abbé: Abbé, sage ich, das ist alles doch sehr lächerlich, nicht wahr? — und dann fang' ich an zu lachen,
und er auch. Da war ich nun von einer Seite entschuldigt,
nun mußte ich aber zur andern, und was ich da zu sagen
hatte, war von andrer Sorte. Ich weiß nicht recht mehr, wie
ich meine Entschuldigung wendete: Mein Herr, hier ist der
Narr... — Schon zu lange ist er mir beschwerlich, ich will
nichts mehr von ihm wissen — Man ist erzürnt — Ja sehr

erzürnt — Das soll nicht mehr begegnen — Beim ersten Schuft ... — Ich weiß nicht, war er gerade diesen Tag von solcher Laune, wo Mademoiselle ihn nur mit Samthandschuhen anzurühren traut, oder verstand er nicht recht, was ich sagte, oder sprach ich nicht recht? genug es war schlimmer als vorher. Was Teufel, kennt er mich denn nicht, weiß er denn nicht, daß ich wie die Kinder bin, und daß es Umstände gibt, wo ich alles unter mich gehen lasse? Und, Gott verzeih mir! soll ich mir's denn nicht auch einmal bequem machen? Eine Gliederpuppe von Stahl könnte man abnutzen, wenn man von Morgen bis in die Nacht am Faden zöge. Ich muß ihnen die Zeit vertreiben, das ist meine Bedingung; aber ich muß mir manchmal doch auch einen Spaß machen. Mitten in dieser Verworrenheit ging mir ein unglücklicher Gedanke durch den Kopf, ein Gedanke, der mir Trutz einflößte, ein Gedanke, der mich zur Kühnheit, zur Insolenz erhob, nämlich, daß man mich nicht missen könne, daß ich ein wesentlicher Mann sei.

ICH. Ja, ich glaube, daß Ihr ihnen sehr nützlich seid, aber daß sie es Euch noch mehr sind. Ihr findet nicht, wenn Ihr wollt, ein so gutes Haus wieder; aber sie, für Einen Narren, der ihnen abgeht, finden sie hundert.

ER. Hundert Narren wie mich, Herr Philosoph, die sind nicht so gemein! ja platte Narren. Aber in betreff der Narrheit nimmt man's genauer als bei Talent und Tugend. Ich bin selten in meiner Art, ja sehr selten. Jetzt da sie mich nicht mehr haben, was machen sie? Sie haben Langeweile wie die Hunde. Ich bin ein unerschöpflicher Sack von Albernheiten. Alle Augenblick tat ich einen Ausfall, der sie bis zu Tränen lachen machte. Ich war für sie ein ganzes Tollhaus.

ICH. Auch hattet Ihr Tisch, Bett, Kleid, Weste und Hosen, Schuhe und eine Pistole monatlich.

ER. Das ist die schöne Seite, das ist der Gewinn. Aber von den Lasten sagt Ihr nichts. Erhob sich ein Gerücht, ein neues Theaterstück sei im Werke, was für Wetter auch war, mußte ich in allen Pariser Dachstuben herumstöbern, bis ich den Verfasser gefunden hatte. Ich mußte mir das Stück zum Lesen verschaffen und ganz künstlich merken lassen, darin sei eine Rolle, die eine meiner Bekanntschaft vortrefflich spielen würde — Und wer denn? wenn's beliebt — Wer denn? schöne Frage! Es sind die Grazien, die Zierlichkeit, die Feinheit — Mademoiselle Dangeville wollt Ihr sagen. Solltet Ihr sie vielleicht kennen? — Ja, ein wenig; aber sie ist es nicht — Und wer denn? — Ganz leise sprach ich den Namen — Sie! — Ja sie, versetzt' ich ein wenig beschämt, denn manchmal hab' ich auch Schamhaftigkeit, und bei dem Namen hätte man sehen sollen, wie das Gesicht des Poeten sich verlängerte, und manchmal wie man mir ins Gesicht lachte. Indessen, er mochte wollen oder nicht, sollte ich meinen Mann zum Mittagessen herbeischaffen, und er, der sich vor Verbindlichkeiten fürchtete, zog sich zurück, dankte. Und dann mußte man sehen, wie ich behandelt ward, wenn ich das Geschäft nicht glücklich durchsetzte. Da war ich ein Tropf, ein dummer schwerfälliger Bursche zu nichts nütze, das Glas Wasser nicht wert, das mir gereicht ward. Schlimmer ging's noch, wenn's zur Aufführung kam, und ich unerschrocken mitten unter dem Hohngeschrei des Publikums, das richtig urteilt, man mag sagen was man will, mein einzelnes Klatschen mußte vernehmen lassen. Alle Blicke fielen dann auf mich, und ich leitete manchmal das Pfeifen von der Schauspielerin ab und auf mich herunter. Da hört' ich neben mir lispeln: Das ist einer von den verkleideten Bedienten ihres Liebhabers. Der Schuft! wird er schweigen? ... Niemand weiß, was dazu bestimmen kann, man glaubt es sei Albernheit, indessen es ein Beweggrund ist, der alles entschuldigt.

ICH. Und selbst die Übertretung der bürgerlichen Gesetze.

ER. Am Ende lernte man mich kennen und sagte: O es ist Rameau ... Mein Rettungsmittel war, einige ironische Worte drein zu werfen, die mein einzelnes Klatschen vom Lächerlichen retteten. Man legte es im Gegensinn aus.

ICH. Warum wendetet Ihr Euch nicht an die Wache?

ER. Das kam auch vor, doch nicht gern. Ehe es zum Richtplatz ging, mußte man sich das Gedächtnis mit glänzenden Stellen anfüllen, wo es Zeit war den Ton zu geben. Begegnete es mir sie zu vergessen, oder mich zu vergreifen, so hatte ich das Unglück bei meiner Rückkehr. Das war ein Lärm, wovon Ihr keinen Begriff habt. Und dann immer eine Kuppel Hunde zu füttern! Es ist wahr, ich hatte mir albernerweise dieses Geschäft selbst aufgelegt. Nicht weniger die Katzen, über die ich die Oberaufsicht hatte. Ich war nur zu glücklich, wenn Micou mich mit der Tatze begünstigte und mir die Manschette oder die Hand zerriß. Criquette hat oft Kolik und da reib' ich ihr den Bauch. Sonst hatte Mademoiselle Vapeurs, jetzt sind's die Nerven. Ich rede nicht von andern leichten Indispositionen, derenthalben man sich vor mir nicht Zwang antut. Das mag hingehen. Meine Sache war's niemals, jemand lästig zu sein. Ich las, ich weiß nicht wo, daß ein Fürst mit dem Namen der Große manchmal über die Rücklehne des Nachtstuhls seiner Maitresse gebeugt stand. Man macht sich's bequem mit seinen Hausgenossen, und das war ich damals mehr als jemand. Ich bin der Apostel der Familiarität, der Bequemlichkeit, ich predigte sie durch Beispiel, ohne daß man es hoch aufnahm, ich konnte mich nur gehen lassen. Nun hab' ich Euch den Patron zum besten gegeben. Mademoiselle fängt an ein wenig schwer zu werden, man erzählt die lustigsten Märchen.

ICH. Ich hoffe doch nicht Ihr?

ER. Warum nicht?

ICH. Es ist wenigstens unanständig seine Wohltäter lächerlich machen.

ER. Aber ist es nicht noch schlimmer, sich durch Wohltaten berechtigt glauben den Begünstigten zu erniedrigen?

ICH. Aber wenn der Begünstigte nicht schon von selbst niedrig wäre, nichts würde dem Gönner diese Macht verleihen.

ER. Aber wenn die Personen nicht lächerlich von selbst wären, so gäb' es keine hübschen Märchen. Und ist es denn mein Fehler, daß sie sich mit Lumpen bepacken, und wenn sie mit Lumpen bepackt sind, daß man sie verrät, sie in den Kot schleift? Entschließt man sich mit Leuten zu leben wie wir sind, und man hat nur Menschenverstand, so muß man sich auf den schwärzesten Undank gefaßt machen. Wenn man uns aufnimmt, kennt man uns nicht als das, was wir sind, als eigennützige, niederträchtige, treulose Seelen? Kennt man uns, so ist alles getan. Es besteht nun eine stillschweigende Übereinkunft, daß man uns Gutes tun wird und daß wir, früher oder später, das Gute mit Bösem vergelten werden. Diese Übereinkunft, besteht sie nicht zwischen dem Menschen und seinem Affen und seinem Papagei?

Was erhebt Le Brun für ein Geschrei, daß Palissot, sein Tischgenoß, sein Freund, gegen ihn Spottreime gemacht hat! Palissot hat Spottreime machen müssen und Le Brun hat unrecht. Poinsinet erhebt ein lautes Geschrei, daß Palissot ihm die Reime gegen Le Brun aufbürdet. Palissot hat Poinsineten die Reime aufbürden müssen, die er gegen Le Brun gemacht hat, und Poinsinet hat unrecht. Der kleine Abbé Rey erhebt ein lautes Geschrei, daß sein Freund Palissot ihm seine Maitresse weggeschnappt hat, zu der er ihn einführte. Er hätte Palissot nicht bei seiner Maitresse einführen sollen, oder er mußte sich gleich entschließen sie zu verlieren. Palissot hat seine Schuldigkeit getan, und der Abbé Rey hat unrecht. Mag Helvetius ein lautes Geschrei erheben, daß Palissot ihn als einen schlechten Mann aufs Theater bringe, ihn, dem Palissot noch Geld schuldig ist, das er ihm borgte, um sich kurieren zu lassen, sich zu nähren, sich zu kleiden. Sollte sich der Wohltäter eine andre Behandlung erwarten von seiten des Mannes, der mit allen Arten von Schändlichkeiten befleckt ist, der zum Zeitvertreib seinen Freund die Religion abschwören läßt, der sich der Güter seiner Gesellen bemächtigt, der weder Treue, noch Gesetz, noch Gefühl kennt, der nach dem Glück läuft per fas et nefas, der seine Tage nach seinen Verbrechen zählt, der sich selbst auf dem Theater als einen der gefährlichsten Schelmen dargestellt hat; eine Unklugheit, wovon schwerlich ein Beispiel vorhanden ist, noch sich künftig finden wird. Nein, es ist also nicht Palissot, es ist Helvetius, der unrecht hat. Wenn man einen jungen Burschen aus der Provinz in den Tiergarten von Versailles bringt und er aus Dummheit die Hand durchs Gitter, zum Tiger oder Panther hineinstreckt, und der Bursche seinen Arm in dem Rachen des wilden Tieres läßt, wer hat dann unrecht? Das alles ist im stillschweigenden Vertrag enthalten. Desto schlimmer für den, der ihn nicht kennt, oder vergißt.

Wie viele Menschen lassen sich nicht durch diesen allgemeinen und heiligen Vertrag entschuldigen, die man der Bosheit anklagt, indessen daß man nur sich der Dummheit anklagen sollte. Ja, dicke Gräfin, Ihr habt schuld, wenn Ihr um Euch her solches Volk versammelt, das man in Eurer Sprache Espèces nennt. Wenn diese Especen Euch Schlechtigkeiten begehen, und Euch zu Schlechtigkeiten verleiten, und ehrliche Leute gegen Euch aufbringen, so tun die Rechtlichen was sie sollen und die Especen auch. Ihr habt unrecht sie aufzunehmen. Lebte Bertinus ruhig und still mit seiner Geliebten, hätten sie sich durch die Rechtlichkeit ihres Charakters rechtliche Bekanntschaften erworben, hätten sie um sich her talentvolle Männer berufen, durch ihre Tugenden bekannte Männer, hätten sie einer kleinen erlesenen und erleuchteten Gesellschaft die Stunden aufbewahrt, die sie der Süßigkeit zusammen zu sein, sich zu lieben und sich's im stillen zu sagen entziehen mochten, glaubt Ihr, daß man gute oder schlimme Märchen auf sie gemacht hätte? Aber was ist ihnen begegnet? Was sie verdienten. Sie sind wegen ihrer Unklugheit gestraft. Uns hatte die Vorsehung von Ewigkeit her bestimmt, Gerechtigkeit zu üben am jedesmaligen Bertin, und wer uns unter unsern Enkeln gleicht, ist bestimmt Gerechtigkeit zu üben an den Montsauges und Bertins der Zukunft. Aber indessen wir ihre gerechten Beschlüsse an der Albernheit vollstrecken, was würdet Ihr sagen, die Ihr uns darstellt wie wir sind, und jene gerechten Ratschlüsse an uns vollstreckt, wenn wir verlangten, daß wir mit schändlichen Sitten der allgemeinen Achtung genießen sollten? Nicht wahr, daß wir toll sind? Aber jene, die ein rechtliches Betragen von seiten lasterhafter Menschen, weggeworfner und niedriger Charaktere erwarten, sind denn die klug? Alles erhält seinen wahren Lohn in dieser Welt. Es gibt zwei Generalprokuratoren, einer der Euch aufpaßt und die Verbrechen gegen die Gesellschaft bestraft, die Natur ist der andre. Diese kennt alle Laster, welche den Gesetzen entwischen. Überlaßt Euch der Liederlichkeit, Ihr werdet wassersüchtig. Seid Ihr ein Trunkenbold, so werdet Ihr lungensüchtig. Öffnet Eure Türe dem Lumpengesindel und lebt mit ihnen, Ihr werdet verraten, ausgepfiffen und verachtet sein. Das Kürzeste ist, sich diesen billigen Urteilen unterwerfen und sich sagen, man schüttle seine Ohren, man verbeßre sich oder man bleibe was man ist; aber auf obige Bedingungen.

ICH. Ihr habt recht.

ER. Übrigens was die bösen Märchen betrifft, ich erfinde keins. Ich halte mich an die Rolle des Umträgers. Sie sagen vor einiger Zeit — — —

(Hier erzählt Rameau von seinen Wohltätern ein skandalöses Märchen, das zugleich lächerlich und infamierend ist, und seine Mißreden erreichen ihren Gipfel.)

ICH. Ihr seid ein Polisson. Laßt uns von was anderm reden. Seitdem wir schwätzen, habe ich eine Frage auf den Lippen.

ER. Warum haltet Ihr sie so lange zurück?

ICH. Weil ich fürchtete zudringlich zu sein.

ER. Nach dem was ich Euch offenbart habe, wüßt' ich nicht, was ich noch geheim vor Euch haben könnte.

ICH. Ihr zweifelt nicht, was ich von Eurem Charakter halte?

ER. Keinesweges. Ich bin in Euern Augen ein sehr verworfnes Wesen, ich bin es auch in den meinigen; aber selten, und ich wünsche mir öfter zu meinen Lastern Glück, als daß ich mich deshalb tadle. Ihr seid beständiger in Eurer Verachtung.

ICH. Es ist wahr. Mir Eure ganze Schändlichkeit zu zeigen!

ER. Kanntet Ihr doch schon einen guten Teil und ich glaubte mehr zu gewinnen als zu verlieren, wenn ich Euch den Überrest bekannte.

ICH. Und wie das, wenn's beliebt?

ER. Wenn es bedeutend ist, sublim in irgendeiner Art zu sein, so ist es besonders im Bösen. Man spuckt auf einen kleinen Schelm, aber man kann einem großen Verbrecher eine Art Achtung nicht verweigern. Sein Mut setzt Euch in Erstaunen, seine Grausamkeit macht Euch zittern, man ehrt überall die Einheit des Charakters.

ICH. Aber diese schätzbare Einheit des Charakters habt Ihr noch nicht. Ich finde Euch von Zeit zu Zeit wankend in Euern Grundsätzen. Es ist ungewiß, ob Ihr bösartig von Natur oder durch Bemühung seid, und ob Euch die Bemühung so weit geführt hat als möglich.

ER. Ihr mögt recht haben; aber ich habe mein Bestes getan. Bin ich nicht bescheiden genug vollkommnere Wesen über mir zu erkennen? Habe ich Euch nicht von Bouret mit der tiefsten Bewunderung gesprochen? Bouret ist der erste Mensch in der Welt nach meiner Meinung.

ICH. Aber unmittelbar nach Bouret kommt Ihr?

ER. Nein!

ICH. Also Palissot?

ER. Freilich Palissot, aber nicht Palissot allein.

ICH. Und wer kann wohl wert sein, die zweite Stelle mit ihm zu teilen?

ER. Der Renegat von Avignon.

ICH. Vom Renegaten von Avignon habe ich niemals reden hören, aber es muß ein erstaunlicher Mann sein.

ER. Das ist er auch.

ICH. Die Geschichte großer Personen hat mich immer interessiert.

ER. Ich glaube es wohl. Dieser lebte bei einem guten redlichen Abkömmling Abrahams, deren dem Vater der Gläubigen eine den Sternen gleiche Anzahl versprochen ward.

ICH. Bei einem Juden.

ER. Bei einem heimlichen Juden. Erst hatte er das Mitleiden, dann das Wohlwollen, dann ein völliges Zutrauen zu gewinnen verstanden. Wir zählen dergestalt auf unsre Wohltaten, daß wir selten unser Geheimnis dem verschweigen, den wir mit Güte überfüllten. Wie soll's nun da keine Undankbaren geben, wenn wir den Menschen der Versuchung aussetzen, es ungestraft sein zu können? Das ist eine richtige Betrachtung, die unser Jude nicht anstellte. Er vertraute deshalb dem Renegaten, daß er mit gutem Gewissen kein Schweinefleisch essen könne. Hört nun, was ein fruchtbarer Geist aus diesem Bekenntnis zu bilden vermochte. Einige Monate gingen vorbei und unser Renegat verdoppelte seine Aufmerksamkeit. Als er nun seinen Juden durch so viel Mühe genugsam gerührt, eingenommen, überzeugt hatte, daß kein beßrer Freund in allen Stämmen Israels zu suchen sei... Bewundert mir die Vorsichtigkeit des Menschen. Er eilt nicht, er läßt den Apfel reif werden, ehe er den Ast schüttelt. Zu viel Lebhaftigkeit konnte das Projekt zerstören: denn gewöhnlich entsteht die Größe des Charakters aus einem natürlichen Gleichgewicht mehrerer entgegengesetzten Eigenschaften.

ICH. Ich erlasse Euch Eure Betrachtungen, fahrt in der Geschichte fort.

ER. Das geht nicht. Es sind Tage, wo ich Betrachtungen anstellen muß. Das ist eine Krankheit, die man ihrem Lauf zu überlassen hat. Wo war ich denn?

ICH. Bei der genauen Verbindung des Juden und des Renegaten.

ER. Nun war der Apfel reif... Aber Ihr hört mir nicht zu, auf was sinnt Ihr?

ICH. Ich sinne über die Ungleichheit Eures Tons. Ihr sprecht bald hoch, bald tief.

ER. Kann die Stimme eines Lasterhaften eine Einheit haben? ... Endlich abends kommt er zu seinem guten Freund mit zerstörter Miene, gebrochner Stimme, totenbleichem Gesicht, an allen Gliedern zitternd — Was habt Ihr? — Wir sind verloren — Verloren und wie? — Verloren, sage ich, verloren ohne Rettung — Erklärt Euch. — Geduld einen Augenblick, daß ich mich von meinem Schrecken erhole. — So erholt Euch, sagte der Jude, anstatt ihm zu sagen: du bist ein abgefeimter Spitzbube. Ich weiß nicht was du für Nachricht bringst; aber du bist ein Spitzbube. Du spielst den Erschrockenen.

ICH. Und warum sollte der Jude so sagen?

ER. Weil der Renegat in seiner Verstellung das Maß überschritten hatte. Das ist klar für mich. Unterbrecht mich nicht weiter. — Wir sind verloren, verloren ohne Rettung ... Fühlt Ihr nicht die Affektation dieses wiederholten verloren? ... Ein Verräter hat uns bei der Inquisition angegeben, Euch als Juden, mich als Renegaten, als infamen Renegaten. — Seht, wie der Spitzbube nicht errötet sich der verhaßtesten Ausdrücke zu bedienen. Es braucht mehr Mut, als man denkt, um sich seinen wahren Titel zu geben. Ihr wißt nicht, was es kostet, um dahin zu gelangen.

ICH. Freilich nicht. Aber der infame Renegat?

ER. Ist falsch; aber seine Falschheit scheint sehr künstlich. Der Jude erschrickt, reißt sich den Bart aus, wälzt sich an der Erde. Er sieht die Häscher an seiner Türe, er sieht sich mit dem San Benito geziert, er sieht sein auto-da-fé bereitet — Mein Freund, mein zärtlicher, mein einziger Freund, was zu tun? — Betragt Euch mit der größten Ruhe und Sicherheit, betragt Euch wie gewöhnlich. Die Prozedur des Tribunals ist heimlich, aber langsam, benutzt die Frist, um alles zu verkaufen. Ich miete oder lasse durch einen Dritten ein Schiff mieten, ja durch einen Dritten, das wird das beste sein. Wir bringen Euer Vermögen dahin:

denn auf Euer Vermögen ist es vorzüglich angesehn. Und so wollen wir beide unter einem andern Himmel die Freiheit suchen unserm Gott zu dienen, und in Sicherheit dem Gesetz Abrahams und unsres Gewissens gehorchen. Das Wichtigste in der gefährlichen Lage, in der wir uns befinden, ist, ja nichts Unkluges zu begehen... Gesagt, getan. Das Schiff ist gemietet, mit Lebensmitteln und Matrosen versehen, das Vermögen des Juden ist an Bord. Morgen mit Anbruch des Tages fahren sie ab und können nun munter zu Nacht essen und sicher schlafen. In der Nacht steht der Renegat auf, nimmt des Juden Brieftasche, seinen Beutel, seine Juwelen, begibt sich an Bord und weg ist er. Und Ihr denkt wohl, das ist alles. Denkt Ihr? Ich sehe, Ihr seid der Sache nicht gewachsen. Ich, als man mir dieses Geschichtchen erzählte, riet ich gleich, was ich Euch verschwieg, um Euern Scharfsinn auf die Probe zu stellen. Ihr habt wohl getan ein ehrlicher Mann zu sein: denn Ihr wärt nur ein Schelmchen geblieben. Bis jetzt ist der Renegat nichts weiter, es ist ein verächtlicher Schuft, dem niemand gleichen möchte. Aber das Erhabene seiner Bosheit zeigt sich erst darin, daß er selbst seinen Freund, den Israeliten, angegeben hatte, daß die Inquisition diesen bei seinem Erwachen in Empfang nahm, und nach einigen Tagen ein Lustfeuerchen mit ihm anstellte, und so war der Renegat ruhiger Besitzer des Vermögens dieses verfluchten Abkömmlings derer, die unsern Herrn gekreuzigt haben.

ICH. Ich weiß nicht, wovor ich mich mehr entsetzen soll, vor der Verruchtheit des Renegaten oder vor dem Ton, mit dem Ihr davon sprecht.

ER. Das ist, was ich Euch sagte. Die Schrecklichkeit der Handlung hebt Euch über die Verachtung weg. Das ist die Ursache meiner Aufrichtigkeit. Ihr solltet einsehen, wie hoch ich in meiner Kunst stehe, Ihr solltet bekennen, daß ich wenigstens original in meiner Erniedrigung sei, und solltet mich in Eurem Kopf in die Reihe der großen Taugenichtse setzen, dann wollt' ich rufen: Vivat Mascarillus fourbum Imperator! Nun lustig, Herr Philosoph, Chorus! Vivat Mascarillus fourbum Imperator!

(Und nun führte er einen ganz sonderbaren fugierten Gesang auf. Bald war die Melodie ernst und majestätisch, bald leicht und flatterhaft, bald ahmte er den Baß nach, bald eine Oberstimme, bezeichnete mit Armen und verlängertem Hals die gehaltnen Stellen, komponierte, führte sich selbst ein Triumphlied auf, wobei man wohl sah, daß er sich besser auf gute Musik als auf gute Sitten verstand.

Ich wußte nicht, sollte ich bleiben oder fliehen, lachen oder mich entrüsten. Ich blieb in der Absicht, die Unterhaltung auf irgendeinen Gegenstand zu lenken, der aus meiner Seele den Abscheu, wovon sie erfüllt war, vertreiben könnte. Die Gegenwart eines Menschen fing mir an unerträglich zu werden, der eine erschreckliche Tat, ein abscheuliches Verbrechen eben behandelte wie ein Kenner der Malerei oder Poesie die Schönheiten irgendeines vortrefflichen Werkes, oder ein Moralist, ein Historiker die Umstände einer heroischen Handlung erhebt und lebhaft darstellt. Wider meinen Willen ward ich finster. Er bemerkte es und sagte:)

Was habt Ihr? befindet Ihr Euch übel?

ICH. Ein wenig. Aber das geht vorüber.

ER. Ihr habt das grämliche Ansehn eines Menschen, der von beschwerlichen Gedanken gepeinigt wird.

ICH. So ist's auch.

(Nachdem wir beide einen Augenblick geschwiegen hatten, indem er pfeifend und singend auf- und niederging, sagte ich, um ihn auf sein Talent zurückzuführen:) Was macht Ihr jetzt?

ER. Nichts!

ICH. Das ist sehr ermüdend.

ER. Ich war schon dumm genug, nun habe ich diese Musik von Duni und andern jungen Komponisten gehört, die mich ganz närrisch macht.

ICH. Billigt Ihr denn diese Art?

ER. Ganz gewiß.

ICH. Und Ihr findet Schönheit in diesen neuen Gesängen?

ER. Ob ich Schönes drin finde? Bei Gott dafür stehe ich Euch. Wie ist das deklamiert! welche Wahrheit, welcher Ausdruck!

ICH. Alles Nachgeahmte hat sein Muster in der Natur. Was ist das Muster des Tonkünstlers, wenn er einen Gesang hervorbringt?

ER. Warum nehmt Ihr die Sache nicht höher? Was ist denn ein Gesang?

ICH. Gesteh' ich Euch, diese Frage geht über meine Kräfte. So sind wir alle. Wir haben im Gedächtnis nur Worte, die wir zu verstehen glauben, weil wir uns ihrer oft bedienen und sie sogar richtig anwenden. So haben wir auch im Verstand nur unbestimmte Begriffe. Sprech' ich das Wort Gesang aus, so habe ich davon keinen bestimmtern Begriff als Ihr und die meisten Euresgleichen wenn sie aussprechen: Reputation, Schande, Ehre, Laster, Tugend, Scham, Anstand, Beschämung, Lächerliches.

ER. Der Gesang ist eine Nachahmung durch Töne einer, durch Kunst erfundenen, oder, wenn es Euch beliebt, durch Natur eingegebenen Tonleiter, sie werde nun durch Stimmen oder Instrumente dargestellt, eine Nachahmung physischer Laute oder leidenschaftlicher Töne, und Ihr seht, daß mit gehöriger Veränderung sich die Definition der Malerei, der Redekunst, der Skulptur und Poesie wohl anpassen ließe. Nun, auf Eure Frage zu kommen: was ist das Muster des Musikers oder des Gesanges? Es ist die Deklamation, wenn das Muster lebendig und empfindend ist; es ist der Klang, wenn das Muster unbelebt ist. Man muß die Deklamation wie eine Linie ansehen, und den Gesang wie eine andre Linie, die sich um die erste herschlängelt. Je mehr diese Deklamation, Muster des Gesangs, stark und wahr ist, an je mehr Punkten der Gesang, der sich ihr gleichstellt, sie durchschneidet, desto wahrer, desto schöner wird er sein. Und das haben unsre jungen Musiker gar wohl gefühlt.

Wenn man hört: je suis un pauvre diable, so glaubt man die Klage eines Geizigen zu vernehmen. Sänge er nicht, so würde er in denselbigen Tönen zur Erde sprechen, wenn er ihr sein Gold vertraut und zu ihr sagt: o terre, reçois mon trésor. Und nun das kleine Mädchen, das sein Herz klopfen fühlt, das rot wird, sich verwirrt und den gnädigen Herrn bittet, sie loszulassen, würde sie sich anders ausdrücken? In diesen Werken gibt es die verschiedensten Charaktere, eine unendliche Wahrheit von Deklamation, das ist vortrefflich. Ich sag' es Euch. Geht! geht! die Arie zu hören, wo der junge Mann, der sich sterben fühlt, ausruft: mon coeur s'en va! Hört den Gesang, hört die Begleitung und sagt mir nachher, welch ein Unterschied sei zwischen den wahren Tönen eines Sterbenden und der Wendung dieses Gesangs. Ihr werdet sehen, daß die Linie der Melodie ganz mit der Linie der Deklamation zusammenfällt. Ich rede nicht von dem Takt, der auch eine Bedingung des Gesangs ist, ich halte mich an den Ausdruck, und es ist nichts Wahreres als folgende Stelle, die ich irgendwo gelesen habe: Musices seminarium accentus, der Akzent ist die Pflanzschule der Melodie. Und darum überlegt nur, wie schwer und bedeutend es ist, ein gutes Rezitativ schreiben zu können. Es gibt keine schöne Arie, woraus man nicht ein schönes Rezitativ machen könnte, kein schönes Rezitativ, daraus ein geschickter Mann nicht eine schöne Arie ziehen sollte. Ich möchte nicht behaupten, daß einer, der gut rezitiert, auch gut singen werde; aber ich wäre sehr verwundert, wenn der, der gut singt, nicht gut rezitieren sollte. Und glaubt nur alles, was ich Euch da sage, denn es ist wahr.

ICH. Von Herzen gern, wenn ich nur nicht durch eine kleine Bedenklichkeit abgehalten würde.

ER. Und diese Bedenklichkeit?

ICH. Wenn eine solche Musik sublim ist, so muß die des göttlichen Lulli, des Campra, des Destouches, des Mouret und, unter uns gesagt, des lieben Onkels ein wenig platt sein.

ER *sich meinem Ohre nähernd.* Ich wollte nicht, daß man mich hörte: denn hier sind viele Leute, die mich kennen. Sie ist's auch. Ich rede leise, nicht weil ich mich um den lieben Onkel bekümmere, den ihr immer lieb heißen mögt! Aber von Stein ist er, und wenn mir die Zunge ellenlang aus dem Halse hinge, so gäbe er mir kein Glas Wasser. Nun mag er's auch mit der Oktave und Septime probieren: Hon, hon; hin, hin; tu, tu, tu; tur le tutu und dem sämtlichen Teufelslärm. Alle die anfangen sich darauf zu verstehen, und die das Getöse nicht mehr für Musik nehmen, werden sich niemals mehr daran befriedigen. Ja wenn man durch eine Polizeiverordnung den Personen aller Art und Standes verbieten könnte, das Stabat von Pergolese singen zu lassen. Das Stabat sollte man durch die Hand des Henkers verbrennen. Wahrhaftig diese verfluchten Schalksnarren mit ihrer Servante maîtresse, mit ihrem Tracollo haben uns einen gewaltigen Rippenstoß gegeben. Ehmals gingen Tancrède, Issé, Europe galante, les Indes, Castor, les Talents lyriques vier, fünf, sechs Monate, die Vorstellungen Armidens wollten gar nicht endigen. Jetzt fällt das alles übereinander wie Kartenmänner. Auch speien Rebel und Francoeur deshalb Feuer und Flammen. Sie sagen, alles gehe verloren, sie seien zugrunde gerichtet, und wenn man länger diese Jahrmarktsänger dulde, so sei die Nationalmusik zum Teufel und die königliche Akademie im Sackgäßchen könne nur ihren Laden zumachen. Es ist wohl was Wahres dran. Die alten Perücken, die seit dreißig, vierzig Jahren alle Freitage zusammenkommen, anstatt sich wie sonst unterhalten zu sehen, haben Langeweile und gähnen, ohne zu wissen warum. Sie fragen sich und wissen nicht warum. Warum wenden sie sich nicht an mich? Dunis Weissagung wird erfüllt werden und den Weg, den das nimmt, will ich sterben, wenn in vier oder fünf Jahren, vom Peintre amoureux de son modèle an gerechnet, die Herren im berühmten Sackgäßchen nicht völlig auf den Hefen sind. Die guten Leute haben ihre Symphonien aufgegeben, um italienische Symphonien zu spielen. Sie haben geglaubt, ihre Ohren sollten sich an diese gewöhnen, ohne daß der bisherigen Vokalmusik Eintrag geschähe, eben als wenn die Symphonie sich nicht zum Gesang verhielte, abgezogen ein wenig Leichtfertigkeit, wozu der Umfang des Instruments, die Beweglichkeit der Finger einen wohl verleiten kann, wie sich der Gesang zur natürlichen Deklamation verhält. Ist der Violinist nicht der Affe des Sängers, der, wenn künftig das Schwere an die Stelle des Schönen treten wird, sich gewiß zum Affen des Violinisten macht? Der erste, der etwas von Locatelli spielte, war der Apostel der neuen Musik. Man heftet uns nichts mehr auf. Man wird uns an die Nachahmung der leidenschaftlichen Akzente, der Naturakzente, durch Gesang und Stimme und durchs Instrument gewöhnen: denn das ist der ganze Umfang musikalischer Gegenstände. Und wir sollten unsern Geschmack für Aufflüge, Lanzen, Glorien, Triumphe, Viktorien behalten? Va-t'en voir s'ils viennent, Jean. Sie haben sich eingebildet, sie wollten weinen oder lachen in musikalischen Tragödien oder Komödien, man könnte vor ihre Ohren die Akzente der Wut, des Hasses, der Eifersucht, die wahren Klagen der Liebe, die Schalkheiten und Scherze des italienischen oder französischen Theaters bringen, und sie könnten fortfahren Ragonde und Platée zu bewundern. Die Herren schneiden sich gewaltig. Sie bilden sich ein, sie könnten erfahren und empfinden, mit welcher Leichtigkeit, welcher Biegsamkeit, welcher Weichheit die Harmonie, die Prosodie, die Ellipsen, die Inversionen der italienischen Sprache sich der Kunst anbieten, der Bewegung, dem Ausdruck, den Wendungen des Gesangs, dem gemessenen Wert der Töne, und könnten dabei fernerhin ignorieren, wie ihre Sprache schroff, dumpf, schwerfällig, schwer, pedantisch und eintönig ist. Eh! ja ja! Warum nicht gar! Sie haben sich überredet, daß, nachdem sie Tränen mit den Tränen einer Mutter über den Tod eines Sohnes vergossen, nachdem sie beim Befehl eines mordgebietenden Tyrannen gezittert, daß sie nicht Langeweile haben würden bei ihrer Feerei, bei ihrer abgeschmackten Mythologie, bei ihren kleinen süßlichen Madrigalen, welche nicht weniger den bösen Geschmack des Poeten als den Jammer der Kunst bezeichnen, die sich so etwas gefallen läßt. Gute Leute! So ist's nicht und kann's nicht sein. Das Wahre, das Gute, das Schöne haben ihre Gerechtsame. Man bestreitet sie, aber man endigt mit Bewunderung. Was nicht mit diesem Stempel bezeichnet ist, man bewundert's eine Zeitlang, aber man endigt mit Gähnen. So gähnt denn, liebe Herren, gähnt nach Bequemlichkeit und laßt euch nicht stören. Das Reich der Natur setzt sich ganz sachte fest, das Reich meiner Dreieinigkeit, gegen welche die Pforten der Hölle nichts vermögen. Das Wahre, das der Vater ist, der das Gute zeugt, das der Sohn ist, aus dem das Schöne hervorgeht, das der Heilige Geist ist. Dieser fremde Gott setzt sich bescheiden auf den Altar, an die Seite des Landesgötzen. Nach und nach gewinnt er Platz, und an einem hübschen Morgen gibt er mit dem Ellbogen seinem Kameraden einen Schub, und Bauz! Baradauz! der Götze liegt am Boden. So sollen die Jesuiten das Christentum in China und in Indien gepflanzt haben, und Eure Jansenisten mögen sagen, was sie wollen, diese politische Methode, die zum Zweck führt, ohne Lärm, ohne Blutvergießen, ohne Märtyrer, ohne einen ausgerauften Schopf, dünkt mich die beste.

ICH. Es ist etwas Vernunft in allem, was Ihr da sagt.

ER. Vernunft? desto besser. Der Teufel hole mich, wenn ich darauf ausgehe. Das kommt gelegentlich. Bin ich doch wie die Musiker in der Sackgasse, als mein Onkel erschien. Treff' ich's, meinetwegen. Ein Köhlerjunge wird immer besser von seinem Handwerk sprechen als eine Akademie und alle Duhamels der Welt.

(Und dann spaziert er auf und ab und murmelt einige Arien aus der Ile des Fous, dem Peintre amoureux de son modèle, dem Maréchal ferrant, der Plaideuse — und von Zeit zu Zeit ruft er mit aufgehobenen Augen und Händen aus:) Ob das schön ist? bei Gott! ob das schön ist? Ob man ein Paar

Ohren am Kopf haben und eine solche Frage tun kann? — (Nun ward er wieder leidenschaftlich und sang ganz leise, dann erhob er den Ton, nach Maßgabe wie er sich mehr passionierte, dann kamen die Gebärden, das Verziehen des Gesichts und das Verzerren des Körpers. Nun sagte ich: gut, er verliert den Kopf und eine neue Szene ist zu erwarten. — Wirklich bricht er auf einmal singend los:) Je suis un pauvre misérable... Monseigneur, Monseigneur, laissez-moi partir... O terre, reçois mon or, conserve bien mon trésor, mon âme, mon âme, ma vie! O terre!... Le voilà, le petit ami! Aspettare e non venire... A Zerbina penserete... Sempre in contrasti con te si sta... (Er häufte und verwirrte dreißig Arien, italienische, französische, tragische, komische von aller Art Charakter. Bald mit einem tiefen Baß stieg er bis in die Hölle, dann zog er die Kehle zusammen und mit einem Fistelton zerriß er die Höhe der Lüfte, und mit Gang, Haltung, Gebärde ahmte er die verschiedenen singenden Personen nach, wechselsweise rasend, besänftigt, gebieterisch und spöttisch. Da ist ein kleines Mädchen, das weint, und er stellt die ganze kleine Ziererei vor. Nun ist er Priester, König, Tyrann, er droht, befiehlt, erzürnt sich, nun ist er Sklave und gehorcht. Er besänftigt sich, er verzweifelt, beklagt sich und lacht, immer im Ton, im Takt, im Sinn der Worte, des Charakters, des Betragens.

Alle die Schachspieler hatten ihre Bretter verlassen und sich um ihn versammelt, die Fenster des Kaffeezimmers waren von außen durch Vorbeigehende besetzt, welche der Lärm angehalten hatte. Es war ein Gelächter, daß die Decke hätte bersten mögen. Er ward nichts gewahr, er fuhr fort, ergriffen von einer solchen Entfremdung des Geistes, einem Enthusiasmus so nahe an der Tollheit, daß es ungewiß ist, ob er sich erholen wird, ob man ihn nicht in einen Mietwagen werfen und gerade ins Tollhaus führen muß, indem er ein Stück der Lamentationen des Jomelli singt.

Hier wiederholte er mit einer Präzision, einer Wahrheit, einer unglaublichen Wärme die schönste Stelle jeder Abteilung; das schöne obligate Rezitativ, wo der Prophet die Zerstörung Jerusalems malt, brachte er unter einem Strom von Tränen vor und kein Auge blieb trocken. Mehr war nicht zu verlangen, an Zartheit des Gesangs, an Stärke des Ausdrucks und des Schmerzes. Er verweilte besonders bei den Stellen, wo sich der Tonkünstler vorzüglich als großen Meister bewiesen hatte. Verließ er den Teil des Gesangs, so ergriff er die Instrumente, und die verließ er wieder schnell um zur Stimme zurückzukehren, eins ins andre verschlingend, daß die Verbindung, die Einheit des Ganzen erhalten wurde. So bemächtigte er sich unsrer Seelen und hielt sie in der wunderbarsten Lage schwebend, die ich jemals empfunden habe. Bewunderte ich ihn? Ja ich bewunderte. War ich gerührt und mitleidig? Ich war gerührt und mitleidig, doch ein lächerlicher Zug war in diese Gefühle verschmolzen und nahm ihnen ihre Natur.

Aber ihr wärt in Lachen ausgebrochen über die Art, wie er die verschiedenen Instrumente nachmachte. Mit aufgeblasenen strotzenden Wangen und einem rauhen dunkeln Ton stellte er Hörner und Fagott vor, einen schreienden näselnden Ton ergriff er für das Hautbois, mit unglaublicher Geschwindigkeit übereilte er seine Stimme die Saiteninstrumente darzustellen, deren Tönen er sich aufs genaueste anzunähern suchte, er pfiff die kleinen Flöten, er kollerte die Querflöte, schrie, sang mit Gebärden eines Rasenden und machte ganz allein die Tänzer, die Tänzerinnen, die Sänger, die Sängerinnen, ein ganzes Orchester, ein ganzes Operntheater, sich in zwanzig verschiedene Rollen teilend, laufend, innehaltend, mit der Gebärde eines Entzückten, mit blinkenden Augen und schäumendem Munde.

Es war eine Hitze zum Umkommen, und der Schweiß, der den Runzeln seiner Stirne, der Länge seiner Wange folgte, vermischte sich mit dem Puder seiner Haare, rieselte und befurchte den Oberteil seines Kleides. Was begann er nicht alles! Er weinte, er lachte, er seufzte, blickte zärtlich, ruhig oder wütend. Es war eine Frau, die in Schmerz versinkt, ein Unglücklicher seiner ganzen Verzweiflung hingegeben, ein Tempel, der sich erhebt, Vögel, die beim Untergang der Sonne sich im Schweigen verlieren. Bald Wasser, die an einem einsamen und kühlen Orte rieseln, oder als Gießbäche von Bergen herabstürzen, ein Gewitter, ein Sturm, die Klage der Umkommenden, vermischt mit dem Gezisch der Winde, dem Lärm des Donners, es war die Nacht mit ihren Finsternissen, es war der Schatten und das Schweigen, denn selbst das Schweigen bezeichnet sich durch Töne. Er war ganz außer sich. Erschöpft von Anstrengung, wie ein Mann der aus einem tiefen Schlaf oder aus einer langen Zerstreuung hervortritt, blieb er unbeweglich, stumpf, erstaunt. Nun kehrt er seine Blicke um sich her, wie ein verwirrter Mensch, der den Ort, wo er sich befindet, wiederzuerkennen sucht. Er erwartet die Rückkehr seiner Kräfte, seines Bewußtseins, er trocknet maschinenmäßig sein Gesicht. Gleich einem, der beim Erwachen sein Bett von einer großen Menge Personen umgeben fände, so in einem völligen Vergessen, in einem tiefen Unbewußtsein dessen, was er getan hat, ruft er im ersten Augenblick:) Nun, meine Herren, was gibt's, was lacht Ihr? was erstaunt Ihr? was gibt's denn?... (Dann setzte er hinzu:) Das heißt man eine Musik, einen Musiker. Indessen verachte man nicht gewisse Gesänge des Lulli. Die Szene j'attendrai mache man besser, ohne die Worte zu verändern. Ich fordre jedermann auf. Verachte man nicht einige Stellen von Campra, die Violinstücke meines Onkels, seine Gavotten, seine kriegerischen Märsche, seine Priester- und Opferzüge. Pâles flambeaux, Nuit plus affreuse que les ténèbres... Dieux du Tartare, Dieu de l'oubli... (Da verstärkte er seine Stimme und hielt die Töne gewaltsam aus. Die Nachbarn steckten die Köpfe durch die Fenster, wir steckten unsre Finger in die Ohren. Er sagte:) Hier muß man Lungen haben, ein großes Organ, Luft genug. Aber Himmelfahrt ist da, Fasten und Dreikönige sind vorbei, und sie wissen noch nicht, was sie in Musik setzen sollen, und daher auch nicht, was dem Tonkünstler frommt. Die lyrische Poesie soll noch geboren werden, aber sie kommen schon noch dazu, hören sie nur genug den Pergolese, den Sachsen, Terradeglias, Traetta und andre, lesen sie nur Metastasio wiederholt, so kommen sie schon dazu.

ICH. Und wie? Hätten Quinault, La Motte, Fontenelle nichts davon verstanden?

ER. Nichts, was wir brauchen könnten. Es sind nicht sechs Verse hintereinander, in allen ihren allerliebsten Gedichten, die man in Musik setzen könnte. Es sind geistreiche Sprüche, zärtliche, zarte Madrigale. Aber um zu wissen, wie leer das von Hülfsmitteln für unsre Kunst ist, für die gewaltsamste der Künste, selbst die Kunst des Demosthenes nicht ausgenommen, laßt Euch solche Stücke vorlesen, und sie erscheinen Euch kalt, ohnmächtig, eintönig: denn nichts ist drin, was dem Gesang zur Unterlage dienen könnte. Ebensogern komponierte ich die Maximen des Rochefoucauld und die Gedanken des Pascal. Der tierische Schrei der Leidenschaft hat die Reihe zu bezeichnen, die uns frommt. Diese Ausdrücke müssen übereinander gedrängt sein, die Phrase muß kurz sein, der Sinn abgeschnitten, schwebend, damit der Musiker über das Ganze sowohl wie über die Teile herrsche, ein Wort auslasse oder wiederhole, eins hinzufüge, das ihm fehlt, das Gedicht wenden und umwenden könne wie einen Polypen, ohne das Gedicht zu zerstören. Das macht die französische lyrische Poesie viel schwerer, als in Sprachen, welche Umwendungen zulassen und von selbst diese Bequemlichkeiten darbieten... Barbare, cruel, plonge ton poignard dans mon sein; me voilà prête à recevoir le coup fatal; frappe, ose... Ah! je languis, je meurs ... Un feu secret s'allume dans mes sens... Cruel amour, que veux-tu de moi? Laisse-moi la douce paix dont j'ai joui... rends-moi la raison... Die Leidenschaften müssen stark sein. Die Zärtlichkeit des lyrischen Poeten und des Musikus muß extrem sein. Die Arie ist fast immer am Schluß einer Szene. Wir brauchen Ausrufungen, Interjektionen, Suspensionen, Unterbrechungen, Bejahungen, Verneinungen, wir rufen, wir flehen, wir schreien, wir seufzen, wir weinen, wir lachen von Herzen. Keinen Witz, keine Sinngedichte, keine hübschen Gedanken, das ist zu weit von der einfachen Natur. Und glaubt nur ja nicht, daß das Spiel der Theaterkünstler und ihre Deklamation uns zum Muster dienen könne. Pfui doch! Wir müssen es kräftiger haben, weniger manieriert, wahrer. Einfache Gespräche, die gemeine Stimme der Leidenschaft sind uns um so nötiger, als unsre Sprache monotoner ist und weniger Akzent hat. Der tierische Schrei, der Schrei des leidenschaftlichen Menschen bringt ihn hervor.

(Indessen er so zu mir sprach, hatte sich die Menge verlaufen, die uns erst umgab, entweder weil sie nichts verstand, oder wenig teil an seiner Rede nahm, denn gewöhnlich mag das Kind sich lieber unterhalten als sich unterrichten, und so waren sie denn wieder an ihrem Spiel und wir in unserm Winkel allein. Auf einer Bank sitzend, den Kopf wider die Mauer gelehnt, die Arme hängend, die Augen halb geschlossen, sagte er zu mir:) Ich weiß nicht, wie mir ist; als ich hierher kam, war ich frisch und froh, und nun bin ich zerbrochen und zerschlagen, als wenn ich zehn Meilen gemacht hätte, das hat mich schnell angepackt.

ICH. Wollt Ihr etwas Erfrischungen?

ER. Recht gern. Ich bin heiser, die Kraft entgeht mir und ich fühle einige Brustschmerzen. Das begegnet mir fast alle Tage so, ohne daß ich weiß warum...

ICH. Was beliebt Euch?

ER. Was Euch gefällt. Ich bin nicht lecker. Der Mangel hat mich gelehrt mir alles gefallen zu lassen...

(Man brachte uns Bier und Limonade. Er füllte ein großes Glas, leerte es zwei- oder dreimal. Dann wie ein erquickter Mensch hustet er stark, ruckt sich zusammen und fährt fort:)

Aber meint Ihr nicht auch, Herr Philosoph, ist es nicht ein recht sonderbarer Fall, daß ein Fremder, ein Italiener, ein Duni kommen muß, uns erst zu lehren, wie unsrer Musik ein Ausdruck zu geben sei, wie unser Gesang sich allen Bewegungen, allen Taktarten, allen Pausen, allen Deklamationen fügen könne und das ohne die Prosodie zu verletzen. Und es war doch kein Meer auszutrinken. Wer von einem Bettler auf der Straße um Almosen angesprochen wurde, wer einen Mann vom Zorn hingerissen, ein eifersüchtiges rasendes Weib gehört hatte, einen verzweifelten Liebhaber, einen Schmeichler, ja einen Schmeichler, der seinen Ton sanft macht, seine Silben zieht mit einer Honigstimme, genug jede Leidenschaft, es sei welche es wolle, wenn sie nur durch ihre Kraft verdiente ein Vorbild des Musikus zu sein; ein solcher hätte zwei Dinge gewahr werden sollen, einmal daß die langen und kurzen Silben keine bestimmte Dauer haben, nicht einmal einen bestimmten Bezug unter ihrer wechselseitigen Dauer, daß die Leidenschaft mit der Prosodie verfährt fast wie es ihr gefällt, daß sie die größten Intervalle trifft, daß der, welcher im höchsten Schmerze ausruft: Wehe mir Unglücklichen! die ausrufende Silbe auf den höchsten und schärfsten Ton trägt und alsdann in tieferen und schwächeren Tönen herabsteigt in die Oktave oder ein größeres Intervall, und einem jeden Ton die Quantität gibt, die der Wendung der Melodie zuspricht, ohne daß das Ohr beleidigt werde, ohne daß die lange oder kurze Silbe die Länge oder Kürze des ruhigen Gesprächs behalten habe. Welchen Weg haben wir nicht gemacht, seitdem wir die Parenthese Armidens: Le vainqueur de Renaud (si quelqu'un le peut être), das Obéissons sans balancer aus dem Galanten Indien als Wunder musikalischer Deklamation anführten? Jetzt zuck' ich bei diesen Wundern die Achseln. Bei dem Schwunge, wie die Kunst vorwärts geht, weiß ich nicht, wohin sie gelangen kann, indessen trinken wir eins!

(Er trank zwei-, dreimal, ohne zu wissen was er tat, und war auf dem Wege sich zu ersäufen, wie er sich erschöpft hatte, ohne es zu bemerken, hätte ich nicht die Flasche weggesetzt, die er zerstreut am vorigen Orte suchte. Da sagte ich zu ihm:)

Wie kommt's, daß, mit einem so feinen Gefühl, einer so großen Reizbarkeit für die Schönheiten musikalischer Kunst, Ihr so blind gegen sittliche Schönheit sein könnt, so gefühllos für den Reiz der Tugend?

ER. Wahrscheinlich weil es für diese einen Sinn gibt, den ich nicht habe, eine Fiber, die mir nicht gegeben ist, eine erschlaffte Fiber, die man immer kneipen mag und die nicht schwirrt. Oder habe ich vielleicht immer mit guten Musikern und schlechten Menschen gelebt und mein Ohr ist dadurch fein, mein Herz aber taub geworden, und sollte nicht auch etwas in der Familie liegen? Das Blut meines Vaters und meines Onkels ist dasselbe Blut, und das meine dasselbe Blut wie meines Vaters. Die väterliche Erbfaser war hart und stumpf, und diese verfluchte erste Grundfaser hat sich alles übrige angeglichen.

ICH. Liebt Ihr Euer Kind?

ER. Ob ich's liebe? Den kleinen Wilden bis zur Narrheit.

ICH. Und bemüht Ihr Euch nicht ernstlich bei ihm die Wirkung der verfluchten väterlichen Faser zu hemmen?

ER. Das würde, deucht mir, eine sehr unnütze Arbeit sein. Ist er bestimmt ein rechtlicher Mann zu werden, so würde ich nicht schaden; aber wollte die Urfaser, daß er ein Taugenichts würde wie der Vater, so wäre die sämtliche Mühe ihn zu einem ehrlichen Manne zu machen ihm sehr schädlich. Indem die Erziehung immer den Hang der Erbfaser durchkreuzt, so würde er, wie durch zwei entgegengesetzte Kräfte gezogen, den Weg des Lebens nur schwankend gehen, wie man deren so viele sieht, die sich gleich linkisch im Guten wie im Bösen benehmen. Das heißen wir Especen, von allen Spitznamen ist dies der fürchterlichste, denn er bezeichnet die Mittelmäßigkeit und drückt die höchste Stufe der Verachtung aus. Ein großer Taugenichts ist ein großer Taugenichts, aber er ist keine Espece. Käme ich nun meinem Sohn durch Erziehung die Quere, so verlör' er seine schönsten Jahre, ehe die väterliche Faser sich wieder in ihre Rechte gesetzt und ihn zu der vollkommenen Verworfenheit gebracht hätte, zu der ich gekommen bin. Aber ich tue jetzt nichts, ich lasse ihn gehen, ich betrachte ihn, er ist schon gefräßig, zudringlich, schelmisch, faul, verlogen, ich fürchte er wird nicht aus der Art schlagen.

ICH. Und Ihr werdet einen Musikus aus ihm machen, damit ja nichts an der Ähnlichkeit fehle?

ER. Einen Musikus, einen Musikus! Manchmal betracht' ich ihn und knirsche mit den Zähnen und sage: Solltest du jemals eine Note kennen, ich glaube, ich drehte dir den Hals um.

ICH. Und warum das, wenn's beliebt?

ER. Das führt zu nichts.

ICH. Das führt zu allem.

ER. Ja, wenn man vortrefflich ist; aber wer kann sich von seinem Kinde versprechen, daß es vortrefflich sein wird? Zehntausend gegen eins, er wird nur ein elender Saitenkratzer werden wie ich. Wißt Ihr, daß vielleicht eher ein Kind zu finden wäre ein Königreich zu regieren, einen großen König daraus zu machen, als einen großen Violinspieler?

ICH. Mir scheint, daß angenehme Talente, selbst mittelmäßig ausgeübt, bei einem sittenlosen, in Liederlichkeit und Aufwand verlornen Volke einen Menschen sehr geschwind auf dem Wege des Glückes fördern. Ich selbst habe einer Unterredung beigewohnt zwischen einer Espece von Beschützer und einer Espece von Beschütztem. Dieser war an jenen als einen gefälligen Mann empfohlen, der wohl dienen könne — Mein Herr, was versteht Ihr? — Ich verstehe Mathematik so ziemlich — So unterrichtet in der Mathematik! und wenn Ihr Euch zehn bis zwölf Jahre auf dem Pflaster von Paris werdet beschmutzt haben, so habt Ihr drei- bis vierhundert Livres Renten erworben — Ich habe das Recht studiert und bin ziemlich darin bewandert —

Kämen Pufendorf und Grotius auf die Welt zurück, sie stürben vor Hunger an einem Prallstein — Ich weiß recht gut die Geschichte und Geographie — Gäbe es Eltern, denen die Erziehung ihrer Kinder am Herzen läge, so wäre Euer Glück gemacht, aber es gibt keine — Ich bin ein guter Musikus — Und warum sagtet Ihr das nicht gleich? Und um Euch zu zeigen, was man aus diesem Talente für Vorteil ziehen kann: ich habe eine Tochter, kommt alle Abende von halb sieben bis neun, gebt ihr Unterricht und ich gebe Euch fünfundzwanzig Louisdors des Jahrs. Ihr frühstückt, speist, nehmt das Vesper- und Abendbrot mit uns. Der Überrest Eures Tags gehört Euch und Ihr verwendet ihn zu Eurem Vorteil.

ER. Und der Mann, was ist aus ihm geworden?

ICH. Wäre er klug gewesen, so hätte er sein Glück gemacht, das einzige was Ihr im Auge zu haben scheint.

ER. Freilich! Nur Gold, nur Gold! Gold ist alles und das übrige ohne Gold ist nichts. Auch hüte ich mich meinem Knaben den Kopf mit schönen Grundsätzen vollzupfropfen, die er vergessen müßte, wenn er nicht ein Bettler bleiben wollte: dagegen sobald ich einen Louisdor besitze, das mir nicht oft begegnet, stelle ich mich vor ihn hin, ziehe das Goldstück aus meiner Tasche, zeige es ihm mit Verwunderung, hebe die Augen gen Himmel und küsse das Geld; und ihm noch besser begreiflich zu machen, wie wichtig das heilige Stück sei, so lalle ich ihm, so zeige ich mit dem Finger alles was man sich anschaffen kann, ein hübsches Röckchen, ein hübsches Mützchen, einen guten Biskuit. Dann steck' ich den Louisdor in die Tasche, ich spaziere mit Übermut, ich hebe den Schoß meiner Weste auf, ich schlage mit der Hand auf die Tasche und so mache ich ihm begreiflich, daß diese Sicherheit, die er an mir bemerkt, von dem Louisdor sich herschreibt.

ICH. Man kann's nicht besser. Aber wenn es begegnete, daß er, tief durchdrungen von dem Wert der Goldstücke, gelegentlich eines Tages...

ER. Ich verstehe Euch. Darüber muß man die Augen zudrücken. Es gibt ja auch keinen moralischen Grundsatz, der nicht seine Unbequemlichkeit hätte, und wenn das Schlimmste zum Schlimmen kommt, so ist es eine böse Viertelstunde und dann ist alles vorbei.

ICH. Auch nach so mutigen und weisen Ansichten bestehe ich noch auf meinem Glauben, daß es gut wäre ihn zum Musiker zu machen. Ich weiß kein Mittel sich geschwinder den Großen zu nähern, ihren Lastern zu dienen und aus den seinigen Vorteil zu ziehen.

ER. Es ist wahr. Aber ich habe Projekte, die noch schneller und sicherer guten Erfolg versprechen. Ach wenn's nur ebensowohl ein Mädchen wäre! Aber da man nicht tun kann was man will, so muß man nehmen was kommt, den besten Vorteil daraus ziehen, und nicht deshalb auf dumme Weise wie die meisten Väter, die nichts Schlimmers tun könnten, wenn sie aufs Unglück ihrer Kinder studiert hätten, einem Kinde, das in Paris zu leben bestimmt ist, die lakedämonische Erziehung geben. Ist unsre Erziehung schlimm, so sind die Sitten meiner Nation schuld dran, nicht ich. Verantwort' es wer kann. Mein Sohn soll glücklich sein, oder was auf eins hinauskommt, geehrt, reich und mächtig. Ich kenne ein wenig die leichtesten Wege zu diesem Zweck zu gelangen, und ich will ihn früh genug damit bekannt machen. Tadelt Ihr mich, Ihr andern Weisen, so wird die Menge und der Erfolg mich lossprechen. Er wird Gold besitzen, ich sag's Euch, und wenn er genug besitzt, so wird ihm nichts ermangeln, selbst Eure Achtung nicht und Eure Ehrfurcht.

ICH. Ihr könntet Euch irren.

ER. Oder er bekümmert sich nichts drum wie andre mehr...

(Hierin war nun freilich gar viel von dem was man denkt, wornach man sich beträgt; aber was man nicht ausspricht, und das ist denn der auffallendste Unterschied zwischen meinem Manne und den meisten Menschen, die uns umgeben. Er bekannte die Laster, die ihm anhingen, die auch andern anhängen; aber er war kein Heuchler; er war nicht abscheulicher als jene, er war nur offener und folgerechter, manchmal profunder in seiner Verderbnis. Ich zitterte, wozu sein Knabe unter einem solchen Lehrer werden könnte: denn gewiß bei einer Erziehung, die so genau nach unsern Sitten gebildet war, mußte er weit gehn, wenn ihm nicht frühzeitig Einhalt geschah.)

ER. O fürchtet nichts. Der bedeutende, der schwere Punkt, bei dem ein guter Vater besonders verweilen soll, ist nicht etwa, daß er seinem Knaben die sämtlichen Laster überliefre, die ihn reich machen, die Lächerlichkeiten, wodurch er den Großen unschätzbar wird; das weiß die ganze Welt, wenn nicht systematisch wie ich, doch nach Beispiel und einzelnem Unterricht. Nein, der Hauptpunkt ist, ihm das rechte Maß zu bezeichnen, die Kunst sich der Schande, der Entehrung, den Gesetzen zu entziehen: das sind Dissonanzen in der gesellschaftlichen Harmonie, diese muß man wissen anzubringen, vorzubereiten, zu retten. Nichts ist so platt als eine Reihe vollkommener Akkorde. Es muß etwas geben, das anrege, das den Strahlenbündel trenne und ihn in Farben zerstreue.

ICH. Sehr gut! Durch diesen Vergleich führt Ihr mich von den Sitten abermals zur Musik, von der ich mich wider meinen Willen entfernt hatte. Ich danke Euch; denn um nichts zu verbergen, ich liebe Euch mehr als Musiker denn als Moralist.

ER. Und doch stehe ich in der Musik sehr untergeordnet und sehr hoch in der Moral.

ICH. Daran zweifle ich, aber wenn es wäre, so bin ich ein einfacher Mann und Eure Grundsätze sind nicht die meinigen.

ER. Desto schlimmer für Euch. Ach besäß' ich nur Eure Talente!

ICH. Laßt meine Talente und gedenken wir der Euren.

ER. Ja, wenn ich mich nur ausdrücken könnte wie Ihr.

Aber ich spreche einen verteufelten Mischmasch, halb wie Weltleute und Gelehrte und halb wie die Marktweiber.

ICH. Ich rede übel. Ich weiß nur die Wahrheit zu sagen und das greift nicht immer, wie Ihr wißt.

ER. Es ist auch nicht um die Wahrheit zu sagen, aber um die Lüge gut zu sagen, daß ich mir Euer Talent wünsche. Wüßt' ich nur zu schreiben, ein Buch zu schnüren, eine Dedikation zu wenden, einen Narren recht von seinem Verdienste trunken zu machen, mich bei den Weibern einzuschmeicheln.

ICH. Das alles wißt Ihr tausendmal besser als ich. Ich wäre nicht einmal wert Euer Schüler zu sein.

ER. Wie viel große Eigenschaften, deren Preis Ihr nicht erkennt!

ICH. Den Preis, den ich drauflege, erwerbe ich auch.

ER. Wäre das wahr, so trügt Ihr nicht diesen groben Rock, diese Zeugweste, diese baumwollnen Strümpfe, diese schweren Schuhe und diese alte Perücke.

ICH. Ihr habt recht. Man muß sehr ungeschickt sein, wenn man nicht reich ist, und sich doch alles erlaubt, um es zu werden. Aber es gibt Leute wie ich, die den Reichtum nicht als das Kostbarste auf der Welt betrachten. Wunderliche Leute!

ER. Sehr wunderliche Leute! Mit dieser Ansicht wird man nicht geboren, man gibt sie sich: denn sie ist nicht in der Natur.

ICH. Des Menschen?

ER. Des Menschen. Alles was lebt, und so auch der Mensch, sucht sein Wohlsein auf Kosten dessen, der was hergeben kann, und ich bin sicher, daß wenn ich meinen kleinen Wilden gehen ließe, ohne daß ich ihm irgend etwas sagte, würde er reiche Kleider verlangen, reichliche Nahrung, Wertschätzung der Männer, Liebe der Frauen, alles Glück des Lebens auf sich vereinigt.

ICH. Wäre der kleine Wilde sich selbst überlassen und bewahrte seine ganze Schwäche, vereinigte mit der geringen Vernunft des Kindes in der Wiege die Gewalt der Leidenschaften des Mannes von dreißig Jahren, so bräch' er seinem Vater den Hals und entehrte seine Mutter.

ER. Das zeigt die Notwendigkeit einer guten Erziehung und wer bestreitet sie? Was ist denn aber eine gute Erziehung, als die zu allen Arten Genuß führt ohne Gefahr und Ungelegenheit?

ICH. Beinahe könnt' ich Euch beipflichten! aber wir wollen uns vor einer Erklärung hüten.

ER. Warum?

ICH. Weil ich fürchte, die Übereinstimmung ist nur scheinbar, und wollten wir bestimmen, was denn für Gefahren und Ungelegenheiten zu vermeiden sind, so verstehn wir uns nicht mehr.

ER. Und was tut's denn?

ICH. Lassen wir das, was ich davon weiß, werde ich Euch nicht lehren, und leichter unterrichtet Ihr mich in dem, was Ihr von der Musik versteht und ich nicht weiß. Lieber Rameau, laßt uns von Musik reden und sagt mir, wie kommt's, daß Ihr, mit der Leichtigkeit die schönsten Stellen der großen Meister zu fühlen, im Gedächtnis zu behalten, sie mit dem Enthusiasmus, den sie Euch einflößen, wiederzugeben und andere wieder zu entzücken, wie kommt's, daß Ihr nichts gemacht habt, das etwas wert sei?

(Anstatt mir zu antworten zuckte er mit dem Kopf, hob den Finger gen Himmel und rief:) Und das Gestirn, das Gestirn! Als die Natur Leo, Vinci, Pergolese, Duni bildete, da lächelte sie; ein ernsthaftes und gebietrisches Gesicht machte sie, als sie den lieben Onkel Rameau hervorbrachte, den man während zehn Jahren den großen Rameau wird genannt haben, und von dem man bald nicht mehr sprechen wird. Als sie aber seinen Vetter zusammenraffte, da schnitt sie eine Fratze und wieder eine Fratze und noch eine Fratze ... (Als er das sagte, schnitt er verschiedene Gesichter. Es war Verachtung, Geringschätzung, Ironie. Er schien ein

Stück Teig zwischen seinen Fingern zu kneten, und lächelte über die lächerlichen Formen, die er ihm gab. Hierauf warf er die seltsame Pagode weg und sagte:) So machte sie mich und warf mich neben andre Pagoden, einige mit dicken wohlgesättigten Bäuchen, kurzen Hälsen, klotzenden vorliegenden Augen von apoplektischem Ansehn. Auch krumme Hälse gab's, und dann trockne Figuren, mit lebhaftem Auge und einer Habichtsnase. Alle wollten sich zu Tode lachen, indem sie mich sahen, und ich setzte meine Fäuste in die Seiten und wollte mich zu Tode lachen, als ich sie sahe. Denn die Toren und Narren haben Freude aneinander, sie suchen sich, sie ziehen sich an. Hätte ich da bei meiner Ankunft nicht das Sprichwort schon fertig gefunden, das Geld der Narren ist das Erbteil der Gescheiten, mir wäre man's schuldig geworden. Ich fühlte, die Natur hatte mein Erbteil in den Beutel der Pagoden gelegt, und ich versuchte tausend Mittel um es wieder zu erhaschen.

ICH. Ich kenne diese Mittel. Ihr habt mir davon gesprochen. Ich habe sie sehr bewundert; aber bei so viel Fähigkeiten, warum versuchtet Ihr nicht ein schönes Werk?

ER. Das ist gerade wie ein Weltmann zum Abbé Le Blanc sagte. Der Abbé sagte: Die Marquise von Pompadour nimmt mich auf die Hand, und trägt mich bis an die Schwelle der Akademie, da zieht sie ihre Hand weg, ich falle und breche beide Beine. — Der Weltmann antwortete: Ihr solltet Euch zusammennehmen, Abbé, und die Türe mit dem Kopf einstoßen. — Der Abbé versetzte: Das habe ich eben versucht und wißt Ihr, was ich davontrug? eine Beule an der Stirn.

(Nach diesem Geschichtchen ging mein Mann mit hängendem Kopf einher, nachdenklich und niedergeschlagen. Er seufzte, weinte, jammerte, erhub Hände und Augen, schlug den Kopf mit der Faust, daß ich dachte, er würde Stirn oder Finger beschädigen. Dann setzt' er hinzu:) Mir scheint, es ist doch was da drinnen. Aber ich mag schlagen und schütteln wie ich will, nichts kommt heraus. (Dann begann er wieder den Kopf zu schütteln, die Stirn gewaltig zu schlagen und sagte:) Entweder ist niemand drinnen, oder man will mir nicht antworten.

(Nach einem Augenblick zeigte er ein mutiges Ansehn, erhob den Kopf, legte die rechte Hand aufs Herz, ging und sagte:) Ich fühle, ja ich fühle... (Er stellte einen Menschen vor, der böse wird, der sich ärgert, zärtlich wird, befiehlt, bittet, und ohne Vorbereitung sprach er Reden des Zorns, des Mitleidens, des Hasses, der Liebe. Er entwarf die Charaktere der Leidenschaft mit einer Feinheit, einer erstaunenden Wahrheit. Dann setzte er hinzu:) So ist's recht, glaub' ich. Nun kommt's. Da sieht man, was ein Geburtshelfer tut, der die Schmerzen reizt und beschleunigt und eilig das Kind bringt. Bin ich allein und nehm' ich die Feder, will ich schreiben, so zerbeiß' ich mir die Nägel, nütze die Stirn ab. Gehorsamer Diener, guten Abend, der Gott ist abwesend. Ich glaube Genie zu haben, am Ende der Zeile lese ich, daß ich dumm bin, dumm, dumm. Aber wie will man auch fühlen, sich erheben, denken, mit Stärke malen, wenn man mit Leuten umgeht, wie die sind, denen man aufwarten muß, um zu leben? Wie will man das mitten unter solchen Reden, die man führt und hört, und diesem Gevattergeklatsch: Heute war der Boulevard allerliebst. Habt Ihr den kleinen Murmeltierjungen gehört, er spielt scharmant. Herr Soundso hat das schönste graugeapfelte Gespann, das man sich nur denken mag. Die schöne Madame N. N. ist auch auf dem Rückweg. Trägt man denn mit fünfundvierzig Jahren noch einen solchen Aufsatz? Die junge Soundso ist mit Diamanten bedeckt, die ihr wenig kosten — Ihr wollt sagen, die ihr viel kosten — Nicht doch! — Wo habt Ihr sie gesehen? — Beim Verlornen und wiedergefundenen Arlequin. Die Szene der Verzweiflung ist gespielt worden wie noch niemals. Der Polichinelle der Foire hat Kehle, aber keine Feinheit, keine Seele. Madame Dieunddie hat auf einmal zwei Kinder gekriegt. So kann doch jeder Vater zu dem Seinigen greifen... Und das nun alle Tage zu sagen, wieder zu sagen und zu hören, sollte das erwärmen und zu großen Dingen führen?

ICH. Nein! man schlösse sich lieber auf sein Dachstübchen, tränke Wasser, speiste trocknes Brot und suchte sich selbst.

ER. Vielleicht. Aber dazu habe ich den Mut nicht. Und sein ganzes Dasein an etwas Ungewisses wagen? und der Name, den ich führe, Rameau! Rameau zu heißen, das ist unbequem. Es ist nicht mit Talenten wie mit dem Adel, der sich fortpflanzt und dessen Herrlichkeit wächst, indem er vom Großvater zum Vater, vom Vater zum Sohn, vom Sohn zum Enkel übergeht, ohne daß der Ahnherr eine Forderung von Verdienst an seinen Abkömmling mache. Der alte Stamm ästet sich zu einem ungeheuren Narrenbaume, aber was schadet das? Mit dem Talent ist's ganz anders. Um nur den Ruf seines Vaters zu erhalten, muß man geschickter sein als er, man muß von seiner Faser geerbt haben. Die Faser ist mir ausgeblieben; aber das Handgelenk ist geübt, der Bogen rührt sich und der Topf siedet, ist's nicht Ruhm, so ist's Bouillon.

ICH. An Eurer Stelle ließe ich mir's nicht nur gesagt sein, ich versuchte.

ER. Und glaubt Ihr, daß ich nicht versucht habe? Ich war noch nicht vierzehn Jahr alt, als ich mir zum erstenmal sagte: Was hast du, Rameau? Du sinnst? Auf was sinnst du? Du möchtest gern etwas gemacht haben, oder machen, woran sich die Welt entzückte ... Nun denn; so blase und rühre die Finger, schneide das Rohr zu, so gibt es eine Flöte. Ich ward älter und wiederholte die Reden meiner Kindheit, und noch immer wiederhole ich sie. Aber die Statue Memnons bleibt mein Nachbar.

ICH. Was wollt Ihr mit Eurer Statue Memnons?

ER. Das ist klar, dünkt mich. In der Nachbarschaft von Memnons Bildsäule standen viele andre, gleichfalls von der Sonne beschienen, aber nur die eine gab einen Klang. Voltaire ist ein Poet und wer noch? Voltaire, und der dritte?

Voltaire, und der vierte? Voltaire. Musiker sind Rinaldo von Capua, Hasse, Pergolese, Alberti, Tartini, Locatelli, Terradeglias, mein Onkel, der kleine Duni, der weder Gesichtsausdruck noch Figur hat; aber der fühlt, bei Gott! der Gesang hat, und Ausdruck. Das ist nun wohl eine kleine Zahl Memnons. Das übrige will nicht mehr heißen als ein Paar Ohren an einen Stock genagelt. Auch sind wir übrigen bettelhaft, so bettelhaft; daß es eine Lust ist. Ach, Herr Philosoph, das Elend ist eine schreckliche Sache. Ich sehe es kauernd, mit lechzendem Munde, um einige Tropfen Wasser aufzufangen, die sich aus dem Gefäß der Danaiden verlieren. Ich weiß nicht, ob es den Geist der Philosophen schärft, aber es verkältet teuflisch den Kopf des Poeten. Man singt nicht gut unter dem Fasse, und doch ist der glücklich zu preisen, der einen Platz findet. Ich war so glücklich und habe mich nicht halten können. Ach ich war schon einmal so ungeschickt, ich reiste durch Böhmen, Deutschland, die Schweiz, Holland, zum Teufel in alle Welt.

ICH. Unter dem löcherigen Faß?

ER. Unter dem löcherigen Faß. Es war ein reicher verschwendrischer Jude, der die Musik und meine Torheiten liebte. Ich musizierte wie es Gott gefiel, und spielte den Narren dabei. Mir ging nichts ab. Mein Jude war ein Mann, der das Gesetz kannte, der es streng und schroff beobachtete, manchmal in Gegenwart des Freundes, immer in Gegenwart des Fremden. Er zog sich einen bösen Handel zu, den ich Euch erzählen muß.

In Utrecht fand sich eine allerliebste Dirne, die Christin gefiel ihm. Er schickte ihr einen Kuppler mit einem starken Wechsel. Die wunderliche Kreatur verwarf das Anerbieten, der Jude war in Verzweiflung. Der Mittelsmann sagte: Warum betrübt Ihr Euch so? Wollt Ihr eine hübsche Frau? Nichts ist leichter, und zwar eine noch hübschere als die, nach der Ihr trachtet. Es ist meine Frau, ich trete sie Euch ab für denselbigen Preis. — Gesagt getan. Der Mittelsmann behält den Wechsel und führt meinen Juden zur Frau. Der Wechsel wird fällig, der Jude läßt ihn protestieren und weigert die Zahlung. Denn der Jude sagte zu sich selbst: Niemals wird dieser Mann sich zu sagen unterstehen, um welchen Preis er meinen Wechsel besitzt, und ich werde ihn nicht bezahlen. Vor Gericht fragte er den Kuppler: Diesen Wechsel, von wem habt Ihr ihn? — Von Euch. — Habt Ihr mir Geld geborgt? — Nein! — Habt Ihr mir Waren geliefert? — Nein! — Habt Ihr mir Dienste geleistet? — Nein! aber davon ist die Rede nicht. Ihr habt den Wechsel unterzeichnet und werdet bezahlen — Ich habe ihn nicht unterzeichnet — So wäre ich also ein Verfälscher? — Ihr oder ein andrer, dessen Werkzeug Ihr seid — Ich bin ein Schuft, aber Ihr seid ein Spitzbube. Glaubt mir und treibt mich nicht aufs Äußerste. Ich gestehe sonst alles. Ich entehre mich, aber Euch richte ich zugrunde... Der Jude verachtete die Drohung, und der Kuppler entdeckte die ganze Geschichte bei der nächsten Sitzung. Sie wurden beide beschimpft und der Jude zu Zahlung des Wechsels verdammt, dessen Summe man zum Besten der Armen verwendete. Da trennte ich mich von ihm und kam hieher.

Was sollte ich tun? denn ich mußte vor Elend umkommen oder etwas vornehmen. Allerlei Vorschläge gingen mir durch den Kopf. Bald wollt' ich mich in eine Landtruppe werfen und taugte weder fürs Theater noch fürs Orchester. Bald wollt' ich mir ein Bild malen lassen, wie man's an der Stange herumträgt und auf einer Kreuzstraße hinpflanzt. Dabei hätt' ich mit lauter Stimme meine Geschichte erzählt: Hier ist die Stadt, wo er geboren ist. Hier nimmt er Abschied von seinem Vater dem Apotheker, hier kommt er in die Hauptstadt und sucht die Wohnung seines Onkels. Hier liegt er seinem Onkel zu Füßen, der ihn fortjagt. Hier zieht er mit einem Juden herum und so weiter. Den andern Tag stand ich auf, wohl entschlossen mich mit den Gassensängern zu verbinden, und das würd' ich nicht am schlimmsten gemacht haben. Unsre Übungen hätten wir unter den Fenstern meines lieben Onkels angestellt, der von Bosheit zerplatzt wäre. Ich ergriff ein anderes Mittel.

(Da hielt er inne und ging nach und nach von der Stellung eines Mannes, der eine Violine hält, auf der er die Töne greift, bis zur Gestalt eines armen Teufels über, dem die Kräfte mangeln, dem die Knie schlottern und der verscheiden würde, wenn man ihm nicht ein Stückchen Brot zuwürfe. Er bezeichnete sein äußerstes Bedürfnis durch die Bewegung des Fingers gegen seinen halboffenen Mund.)

Das versteht man. Man wirft mir eine Kleinigkeit zu, um die wir uns streiten, drei oder vier Hungrige, wie wir sind. Und nun denkt einmal groß, macht schöne Sachen in einem solchen Zustande!

ICH. Das ist schwer.

ER. Von Stufe zu Stufe fiel ich endlich in ein gutes Haus und befand mich köstlich. Nun bin ich verstoßen und muß von neuem die Darmsaiten sägen und auf die Gebärde des Fingers gegen den lechzenden Mund zurückkehren. Nichts ist beständig auf der Welt. Am Glücksrade heute oben, morgen unten. Verfluchte Zufälle führen uns und führen uns sehr schlecht.

(Dann trank er einen Schluck, der noch in der Flasche übriggeblieben war. Dann wendete er sich zu seinem Nachbar:)

Mein Herr, ich bitte Euch um eine kleine Prise. Ihr habt da eine schöne Dose. Ihr seid kein Musikus? — Nein! — Desto besser für Euch. Das sind arme beklagenswerte Schufte. Das Schicksal hat mich dazu gemacht, mich, indessen zu Montmartre vielleicht in einer Mühle ein Müller, ein Mühlknecht sich befindet, der nichts anders als das Klappern der Mühle hören wird und der vielleicht die schönsten Gesänge gefunden hätte. Rameau, zur Mühle, zur Mühle, dort gehörst du hin!

ICH. Die Natur bestimmte jeden dazu, wozu er sich Mühe geben mag.

ER. Doch vergreift sie sich oft. Was mich betrifft, ich betrachte die irdischen Dinge nicht von solcher Höhe, wo alles einerlei aussieht. Der Mann, der einen Baum mit der Schere reinigt, und die Raupe, die daran das Blatt nagt, können für zwei gleiche Insekten gelten. Jeder hat seine Pflicht. Stellt Euch auf eine Planetenbahn und teilet von dorther, wenn es Euch gefällt, nach Art des Réaumur, das Geschlecht der Fliegen in Nähende, Ackernde, Sichelnde, oder die Menschengattung in Tischer, Zimmerleute, Dachdecker, Tänzer, Sänger, das ist Eure Sache, ich mische mich nicht drein. Ich bin in dieser Welt und bleibe drin, aber wenn es natürlich ist, Appetit zu haben — denn ich komme immer zum Appetit zurück, zu der Empfindung, die mir immer gegenwärtig ist — so finde ich, daß es keine gute Ordnung sei, nicht immer etwas zu essen zu haben. Welche Teufelseinrichtung! Menschen, die alles übervoll haben, indessen andre, eben auch wie sie mit ungestümen Mägen, wie sie mit einem wiederkehrenden Hunger nichts für ihren Zahn finden. Und dann ist die gezwungene Stellung in der uns das Bedürfnis hält das Allerschlimmste. Der bedürftige Mensch geht nicht wie ein andrer, er springt, er kriecht, er krümmt sich, er schleppt sich und bringt sein Leben zu, indem er Positionen erdenkt und ausführt.

ICH. Was sind denn Positionen?

ER. Fragt Noverre! und doch bringt die Welt viel mehr Positionen hervor, als seine Kunst nachahmen kann.

ICH. So versteigt Ihr Euch doch auch in höhere Regionen und betrachtet von da herab die verschiedenen Pantomimen der Menschengattung?

ER. Nein, nein! Ich sehe nur um mich her und setze mich in meine Position, oder ich erlustige mich an den Positionen, die ich andre nehmen sehe. Ich verstehe mich trefflich auf Pantomimen; Ihr sollt urteilen.

(Nun lächelt er, spielt den Bewundernden, den Bittenden, den Gefälligen, er setzt den rechten Fuß vor, den linken zurück, den Rücken gebogen, den Kopf in die Höhe, den Blick wie auf anderer Blicke gerichtet, den Mund halb offen, die Arme nach einem Gegenstande ausgestreckt. Er erwartet einen Befehl, er empfängt ihn, fort ist er wie ein Pfeil, er ist wieder da, es ist getan, er gibt Rechenschaft; er ist aufmerksam auf alles; was fällt, hebt er auf; ein Kissen legt er zurecht; einen Schemel schiebt er unter; er hält einen Präsentierteller, er nähert einen Stuhl, er öffnet eine Türe, zieht die Vorhänge zu, bemerkt den Herrn und die Frau, ist unbeweglich mit hängenden Armen, steifen Beinen, er hört, er horcht, er sucht auf den Gesichtern zu lesen und dann sagt er:) Das ist nun meine Pantomime ungefähr, wie aller Schmeichler, Schmarutzer und Dürftigen.

(Die Torheiten dieses Menschen, die Märchen des Abts Galiani, die Ausschweifungen Rabelais' haben mich manchmal zu tiefem Nachdenken veranlaßt. Das sind drei Kramläden, wo ich mich mit lächerlichen Masken versehe, die ich den ernsthaftesten Personen aufs Gesicht setze. Ich sehe einen Pantalon in einem Prälaten, einen Satyr in einem Präsidenten, ein Schwein in einem Mönche, einen Strauß in einem Minister, eine Gans in seinem ersten Sekretär.)

Aber nach Eurer Rechnung (sagte ich zu meinem Manne) gibt es auf dieser Welt viel Dürftige, und ich kenne niemand, der sich nicht zu einigen Schritten Eures Tanzes bequeme.

ER. Ihr habt recht. In einem ganzen Königreiche gibt es nur Einen Menschen, der grad vor sich hingeht, den Souverän, das übrige alles nimmt Positionen.

ICH. Der Souverän? und dabei ließe sich doch auch noch etwas erinnern. Glaubt Ihr denn nicht, daß sich von Zeit zu Zeit neben ihm ein kleiner Fuß, ein kleiner Chignon, eine kleine Nase befinde, die ihn gleichfalls zu einiger Pantomime veranlassen? Wer einen andern braucht, ist bedürftig und nimmt eine Position an. Vor seiner Geliebten nimmt der König eine Position an, und vor Gott macht er seinen Pantomimenschritt. Der Minister macht den Schritt des Hofmanns, des Schmeichlers, des Bedienten, des Bettlers vor seinem König. Die Menge der Ehrgeizigen tanzt Eure

Positionen auf hundert Manieren, eine verworfener als die andern, vor dem Minister. Der vornehme Abbé mit Überschlag und langem Kinn macht wenigstens einmal die Woche vor dem, der die Benefizien auszuteilen hat, seine Männchen. Wahrlich, was Ihr die Pantomime der Bettler nennt, ist der große Hebel der Erde. Jeder hat seine kleine Hus und seinen Bertin.

ER. Das tröstet mich.

(Aber indessen ich sprach, stellte er die genannten Leute vor; es war zum Totlachen, zum Beispiel als kleiner Abbé hielt er den Hut unterm Arm, das Brevier in der linken Hand, mit der rechten trug er den Schweif seines Mantels, den Kopf ein wenig auf die Schulter geneigt ging er einher, mit niedergeschlagenen Augen, und ahmte so völlig den Heuchler nach, daß ich glaubte, den Autor der Réfutations vor dem Bischof von Orléans zu sehen. Hinter den Schmeichlern, den Ehrsüchtigen war er gewaltig drein. Es war der leibhafte Bouret bei der General-Contrôle.)

ICH. Das heißt vortrefflich ausführen, aber doch gibt es ein Wesen, das von der Pantomime freigesprochen ist, der Philosoph, der nichts hat und nichts verlangt.

ER. Und wo ist denn das Tier? Hat er nichts, so leidet er, bemüht er sich um nichts, so erhält er nichts und wird immer leiden.

ICH. Nein. Diogenes, der über die Bedürfnisse spottete.

ER. Aber man will gekleidet sein!

ICH. Nein. Er ging nackt.

ER. Manchmal war es kalt in Athen.

ICH. Weniger als hier.

ER. Man speiste.

ICH. Ganz gewiß.

ER. Auf wessen Kosten?

ICH. Der Natur. Zu wem wendet sich der Wilde? zur Erde, zu den Tieren, den Fischen, den Bäumen, den Kräutern, den Wurzeln, den Bächen.

ER. Schlechte Tafel.

ICH. Sie ist groß.

ER. Aber übel bedient.

ICH. Und doch deckt man sie ab, um die unsrigen zu besetzen.

ER. Aber bekennt nur, daß die Industrie unsrer Köche, Pastetenbäcker und Zuckerbäcker ein weniges von dem Ihrigen hinzutut. Mit einer so strengen Diät mußte Euer Diogenes wohl keine störrischen Organe besitzen?

ICH. Ihr irrt Euch. Des Kynikers Kleid war ehmals was jetzt unsre Mönchskleidung, und mit derselben Kraft. Die Kyniker waren die Karmeliten und Kapuziner von Athen.

ER. Da hab' ich Euch! Diogenes hat also auch seine Pantomime getanzt, wenn auch nicht vor Perikles, wenigstens vor Lais oder Phryne.

ICH. Da betriegt Ihr Euch wieder. Andre bezahlten sehr teuer die Schönheit, die sich ihm aus Vergnügen überließ.

ER. Begab sich's aber, daß die Schönheit sonst beschäftigt war und der Kyniker nicht warten konnte —

ICH. So ging er in sein Faß und suchte sie entbehrlich zu finden.

ER. Und Ihr rietet mir ihn nachzuahmen?

ICH. Ich will sterben, wenn es nicht besser wäre, als zu kriechen, sich wegzuwerfen, sich zu beschimpfen.

ER. Aber ich brauche ein gutes Bett, eine gute Tafel, ein warmes Kleid im Winter, ein kühles Kleid im Sommer und mehr andre Dinge, die ich lieber dem Wohlwollen schuldig sein als durch Arbeit erwerben mag.

ICH. Weil Ihr ein Nichtswürdiger, ein Vielfraß, ein Niederträchtiger seid, eine Kotseele.

ER. Das hab' ich Euch, glaub' ich, schon alles gestanden.

ICH. Ohne Zweifel haben die Dinge des Lebens einen Wert; aber Ihr kennt nicht den Wert des Opfers, das Ihr bringt, um sie zu erlangen. So tanzt Ihr die schlechte Pantomime, Ihr habt sie getanzt und werdet sie tanzen.

ER. Es ist wahr, aber es hat mich wenig gekostet und deswegen wird mich's künftig nichts kosten, und deshalb tät' ich übel einen andern Gang anzunehmen, der mir beschwerlich wäre und in dem ich nicht verharren könnte. Aber aus dem, was Ihr mir da sagt, begreif' ich erst, daß meine arme kleine Frau eine Art Philosoph war; sie hatte Mut wie ein Löwe. Manchmal fehlte es uns an Brot, wir hatten keinen Pfennig, und manchmal waren fast alle unsere Kleinigkeiten von Wert verkauft. Ich hatte mich aufs Bett geworfen, da zerbrach ich mir den Kopf, den Mann zu finden, der mir einen Taler liehe, den ich ihm nicht wiedergäbe. Sie, munter wie ein Zeisig, setzte sich ans Klavier, sang und begleitete sich. Das war eine Nachtigallenkehle. Hättet Ihr sie doch nur auch gehört! Wenn ich in einem Konzert spielte, nahm ich sie mit. Unterwegs sagte ich: Frisch, Madame! macht, daß man Euch bewundre. Entwickelt Euer Talent, Eure Reize, entführt, überwindet. — Wir kamen an, sie sang, sie entführte, sie überwand. Ach! ich habe die arme Kleine verloren. Außer ihrem Talent hatte sie ein Mäulchen, kaum ging der kleine Finger hinein, Zähne, eine Reihe Perlen, Augen, eine Haut, Wangen, Brust, Rehfüßchen und Schenkel und alles zum Modellieren. Früh- oder später hätte sie einen Generalpächter gewonnen. Das war ein Gang, Hüften, ach Gott was für Hüften!

(Und nun machte er den Gang seiner Frau nach, kleine Schritte, den Kopf in der Luft, er spielte mit dem Fächer, er schwänzelte, es war die Karikatur unserer kleinen Koketten, so neckisch und lächerlich als möglich. Dann fuhr er in seinem Gespräche fort:)

Überall führte ich sie hin, in die Tuilerien, ins Palais Royal, auf die Boulevards. Es war unmöglich, daß sie mir bleiben konnte. Morgens, wenn sie über die Straße ging, mit freien Haaren und niedlichem Jäckchen, Ihr wäret stehn geblieben sie zu besehen, Ihr hättet sie mit vier Fingern umspannt, ohne sie zu zwängen. Kam jemand hinter ihr drein, und sah sie mit ihren kleinen Füßchen hintrippeln, und betrachtete die breiten Hüftchen, deren Form das leichte Röckchen zeichnete, gewiß er verdoppelte den Schritt. Sie ließ ihn ankommen und dann wendete sie schnell ihre großen schwarzen Augen auf ihn los und jeder blieb betroffen stehn. Denn die Vorderseite der Medaille war wohl die Rückseite wert. Aber ach! ich habe sie verloren und alle unsre Hoffnungen auf Glück sind mit ihr verschwunden. Ich hatte sie nur darum geheiratet. Ich hatte ihr meine Plane mitgeteilt und sie hatte zu viel Einsicht, um nicht ihre Sicherheit zu begreifen, und zu viel Verstand, um sie nicht zu billigen.

(Nun schluchzt er, nun weint er, nun ruft er aus:) Nein, nein! darüber tröst' ich mich niemals, und darauf hab' ich Umschlag und Käppchen genommen.

ICH. Vor Schmerz?

ER. Eigentlich, um meinen Napf immer auf dem Kopfe zu haben. Aber seht doch ein wenig, wieviel Uhr es ist. Ich muß in die Oper.

ICH. Was gibt man?

ER. Von d'Auvergne. Es sind schöne Sachen in seiner Musik. Schade, daß er sie nicht zuerst gesagt hat. Unter den Toten gibt's immer einige, die den Lebendigen im Wege sind. Was hilft's! Quisque suos patimur manes. Aber es ist halb sechse. Ich höre die Glocke, die zu der Vesper des Abbé de Canaye läutet. Die ruft mich auch ab. Lebt wohl. Ist's nicht wahr, Herr Philosoph, ich bin immer derselbe?

ICH. Ja wohl, unglücklicherweise.

ER. Laßt mich das Unglück noch vierzig Jahre genießen. Der lacht wohl, der zuletzt lacht.

ANMERKUNGEN
über Personen und Gegenstände, deren in dem Dialog Rameaus Neffe erwähnt wird.

Vorerinnerung

Der Übersetzer hatte sich vorgenommen, die Personen und Gegenstände, welche in vorliegendem Dialog genannt und abgehandelt werden, ihre Verhältnisse und Beziehungen in diesen alphabetisch geordneten Anmerkungen zur Bequemlichkeit des Lesers mehr ins klare zu stellen. Manche Hindernisse setzten sich diesem Unternehmen entgegen, das nur zum Teil ausgeführt werden konnte. Da aber auch schon hierdurch der Zweck einigermaßen erreicht wird, so hat man in Hoffnung einer künftigen weitern Ausführung das Gegenwärtige nicht zurückhalten wollen.

Alberti

Ein außerordentliches musikalisches Talent, mit einer vortrefflichen Stimme begünstigt, die sogar Farinellis Eifersucht erregte, zugleich ein guter Klavierspieler, der aber seine großen Gaben nur als Dilettant zum Vergnügen seiner Zeitgenossen und zu eigenem Behagen anwendete, auch sehr frühzeitig starb.

d'Alembert
Geboren 1717. Gestorben 1783

Ihm ist sein Ruhm als Mathematiker niemals streitig gemacht worden, als er sich aber um des Lebens und der Gesellschaft willen vielseitig literarisch ausbildete, so nahmen die Mißgünstigen daher Anlaß, schwächere Seiten aufzusuchen und zu zeigen.

Solche feindselige Naturen, die nur wider Willen entschiedene Vorzüge anerkennen, möchten gern jeden trefflichen Mann in sein Verdienst ganz eigentlich einsperren und ihm eine vielseitige Bildung, die allein Genuß gewährt, verkümmern. Sie sagen gewöhnlich, zu seinem Ruhme habe er dieses oder jenes nicht unternehmen sollen! als wenn man alles um des Ruhms willen täte, als wenn die Lebensvereinigung mit ähnlich Gesinnten, durch ernste Teilnahme an dem was sie treiben und leisten, nicht den höchsten Wert hätte. Und nicht allein Franzosen, welche alles nach außen tun, sondern auch Deutsche, welche die Wirkung nach innen recht gut zu schätzen wissen, geben solche Gesinnungen zu erkennen, wodurch der Schriftsteller vom Schriftsteller, der Gelehrte vom Gelehrten gildemäßig abgetrennt würde.

Soviel bei Gelegenheit der Stelle: d'Alembert verweisen wir in die Mathematik.

d'Auvergne

Der erste unter den Franzosen, der in seiner Oper les Troqueurs sich dem italienischen Geschmack zu nähern suchte und zu jener Epoche dadurch viel beitrug. (Siehe Musik)

Baculard sonst Arnaud
Geboren 1715

Verfasser kleiner galanter Gedichte, bei uns mehr bekannt durch seine Trauerspiele, den Grafen von Cominges und Euphemien, worin der fürchterliche Apparat von Gewölben, Gräbern, Särgen und Mönchskutten den Mangel des großen furchtbaren Tragischen ersetzen soll.

Bagge [Baron von]

Ein deutscher oder brabantischer Edelmann, der sich lange Zeit in Paris aufhielt und wegen seiner Leidenschaft zur Musik merkwürdig war. Er wollte sie nicht allein durch andre genießen, sondern er suchte sie auch selbst, wiewohl ohne sonderlichen Erfolg, auszuüben. Ja seine Bemühungen und seine Konzerte, allgemein gekannt und besucht, konnten sich eines in Paris so leicht erregten Lächerlichen nicht erwehren, in welchem Sinne denn auch Diderot hier auf dieselben anzuspielen scheint.

Batteux
Geboren 1713. Gestorben 1780

Apostel des halbwahren Evangeliums der Nachahmung der Natur, das allen so willkommen ist, die bloß ihren Sinnen vertrauen und dessen was dahinter liegt sich nicht bewußt sind. Warum er hier als Heuchler gescholten wird, davon wissen wir keine Rechenschaft zu geben.

Le Blanc (Abbé)
Geboren zu Dijon 1707. Gestorben 1781

Wenn durch die Gunst der Menge oder der Großen ein mittelmäßiges Talent zu Glück und Ehren gelangt, so entsteht eine wunderbare Bewegung unter seinesgleichen. Alles was sich ihm ähnlich fühlt, wird durch die Hoffnung belebt, daß nun gleichfalls die Reihe an andre ehrliche Leute, die doch eben auch nicht für ganz verdienstlos zu halten, endlich kommen müsse und solle.

Doch auch hier wie überall behauptet das Glück sein Majestätsrecht und nimmt sich der Mittelmäßigen sowenig als der Trefflichen an, als wenn es ihm nun gerade einmal beliebt.

Der Abbé Le Blanc, ein freilich sehr mittelmäßiger Mann, mußte so manchen seinesgleichen in der Akademie sehen, die ungeachtet einer, freilich nur vorübergehenden, Gunst des Hofes für ihn unerbittlich blieb.

Die im Dialog erzählte Anekdote drückt das Verhältnis sehr geistreich aus.

Bouret

Ein reicher Finanzmann, der zugleich Oberdirektor der Posten war und ein ungeheures Vermögen durch die Gunst des Hofes und der Großen, denen er also wohl ein Hündchen abtreten konnte, zusammenbrachte.

Aber weder sein Glück noch seine Erniedrigungen, die ihm Diderot sehr hart aufrechnet, konnten ihn vor dem Untergang schützen, da er in sich selbst kein Maß hatte und sein Geist im Ausgeben noch gewandter und unternehmender war als im Erwerben.

Er baute königlich einen Pavillon, nur um den König, der alle Jahre mit seinem Hofstaat auf der Jagd jene Gegend besuchte, bewirten zu können, und errichtete als Nebensache, bei einer durchaus kostspieligen Lebensweise, sehr ansehnliche Gebäude, wodurch er die Kräfte seiner eigenen Finanzen dergestalt schwächte, daß er, als Ludwig der XV. unvermutet starb und er seinen königlichen Gönner sowie durch die Regierungsveränderung manche andre Unterstützung verlor, gerade da er ihrer am nötigsten bedurft hätte, um sich im Gleichgewicht zu erhalten, in die größte Verwirrung, ja Verzweiflung geriet und seinem Leben selbst ein Ende machte.

Bret
Geboren 1717. Gestorben 1792

Fruchtbarer gefälliger Autor, aber schwach und nachlässig. Herausgeber von Molière, zu welchem Geschäft seine Kräfte nicht hinreichten.

Sein Stück Le faux généreux fällt in das Jahr 1758.

Carmontelle

Verfasser der dramatischen Sprichwörter und anderer angenehmer kleiner theatralischer Stücke.

Destouches
Geboren 1680. Gestorben 1754

Literator und Geschäftsmann.

Mehrere seiner Stücke erwarben sich Beifall. Zuletzt verliert er die Gunst des Publikums und zieht sich vom Theater zurück. (Siehe Dorat)

Dorat
Geboren 1736. Gestorben 1780

Fruchtbarer angenehmer Dichter, besonders in kleinen Stücken, nicht so glücklich in größern ernsteren, besonders dramatischen.

Der große Reiz, den das Theater für jeden Zuschauer hat, zeigt sich auch darin, daß es so manchen produktiv zu machen scheint, der eigentlich dafür gar kein Talent hat. In jeder Nation strebt eine unverhältnismäßige Anzahl Menschen nach dem Glück sich selbst von dem Theater herunter wiederzuhören, und es ist niemanden zu verargen, wenn man zu dieser innern Behaglichkeit noch die äußeren Vorteile eines schnellen, allgemeinen, günstigen Bekanntwerdens hinzurechnet.

Ist diese Begierde fürs Theater zu arbeiten bei dem stillen, mehr in sich gekehrten Deutschen fast zur Seuche geworden, so begreift man leicht, wie der Franzose, der sich es selbst gar nicht zum Vorwurfe rechnet unmäßig eitel zu scheinen, unwiderstehlich genötigt sein muß, sich auf ein Theater zu drängen, das bei einem hundertjährigen Glanze so große Namen zählt, die den lebhaftesten Wunsch erregen müssen, wenn gleich auch hinter ihnen, doch mit und neben ihnen an derselben Stelle genannt zu werden.

Dorat konnte diesen Lockungen nicht entgehen, um so mehr, da er anfangs sehr beliebt und vorgeschoben ward; allein sein Glück war nicht von Dauer, er ward herabgesetzt und befand sich in dem traurigen Zustand des Mißbehagens mit so vielen andern, mit deren Zahl man wo nicht einen Platz in Dantes Hölle, doch wenigstens in seinem Fegfeuer besetzen könnte. (Siehe Marivaux)

Duni

Geboren im Neapolitanischen den 9. Februar 1709. Gestorben den 11. Juni 1775

Die Franzosen scheinen, bei aller ihrer Lebhaftigkeit, mehr als andre Nationen an hergebrachten Formen zu hangen und selbst in ihren Vergnügungen eine gewisse Eintönigkeit nicht gewahr zu werden. So hatten sie sich an die Musik Lullis und Rameaus gewöhnt, die sie, wenn man es recht genau untersuchte, vielleicht noch nicht ganz losgeworden sind.

Zur Zeit nun, als diese Musik noch herrschend war, in

der Hälfte des vorigen Jahrhunderts, mußte es eine große Bewegung geben, als eine andere, gerade entgegengesetzte Art das Publikum zu unterhalten, sich darneben stellte. Indessen die große französische Oper mit einem ungeheuern Apparat ihre Gäste kaum zu befriedigen imstande war, hatten die Italiener die glückliche Entdeckung gemacht, daß wenige Personen, fast ohne irgendeine Art von Umgebung, durch melodischen Gesang, heitern und bequemen Vortrag eine viel lebhaftere Wirkung hervorzubringen imstande seien. Diese eigentlichen Intermezzisten machten, unter dem Namen der Bouffons, in Paris ein großes Aufsehen und erregten Parteien für und wider sich.

Duni, der sich in Italien an der Buona figliola schon geübt hatte, schrieb für Paris den Peintre amoureux de son modèle, und später Das Milchmädchen, das auch auf dem deutschen Theater die komische Oper beinahe zuerst einführte. Jene ersten Stücke des Duni waren in Paris völlig im Gange, zur Zeit als Diderot den gegenwärtigen Dialog schrieb. Er hatte sich, nebst seinen Freunden, schon früher zur Partei der heitern Produktionen geschlagen und so weissagte er auch Rameaus Untergang durch den gefälligen Duni.

Fréron (Vater)
Geboren zu Quimper 1719. Gestorben zu Paris 1776

Ein Mann von Kopf und Geist, von schönen Studien und mancherlei Kenntnissen, der aber, weil er manches einsah, alles zu übersehen glaubte und als Journalist sich zu einem allgemeinen Richter aufwarf. Er suchte sich besonders durch seine Opposition gegen Voltaire bedeutend zu machen, und seine Kühnheit sich diesem außerordentlichen hochberühmten Manne zu widersetzen, behagte einem Publikum, das einer heimlichen Schadenfreude sich nicht erwehren kann, wenn vorzügliche Männer, denen es gar manches Gute schuldig ist, herabgesetzt werden, da es sich, von der andern Seite, einer strenge behandelten Mittelmäßigkeit gar zu gern liebreich und mitleidsvoll annimmt.

Frérons Blätter hatten Glück und Gunst und verdienten sie zum Teil. Unglücklicherweise hielt er sich nun für den ganz wichtigen und bedeutenden Mann und fing an, aus eigener Macht und Gewalt geringe Talente zu erheben und als Nebenbuhler der größern aufzustellen. Denn derjenige, der aus Mangel von Sinn oder Gewissen das Vortreffliche herunterzieht, ist nur allzu geneigt das Gemeine, das ihm selbst am nächsten liegt, heraufzuheben und sich dadurch ein schönes mittleres Element zu bereiten, auf welchem er als Herrscher behaglich walten könne. Dergleichen Nivelleurs finden sich besonders in Literaturen, die in Gärung sind, und bei gutmütigen, auf Mäßigkeit und Billigkeit durchaus mehr als auf das Vortreffliche in Künsten und Wissenschaften gerichteten Nationen haben sie starken Einfluß.

Die geistreiche französische Nation war dagegen dem Fréron bald auf der Spur, wozu Voltaire selbst nicht wenig beitrug, der seinen Widersacher mit gerechten und ungerechten, aber immer geistreichen Waffen unausgesetzt bekämpfte. Keine Schwäche des Journalisten blieb unbemerkt, keine Form der Rede- und Dichtkunst unbenutzt, so daß er ihn sogar als Frélon in der Schottländerin aufs Theater brachte und erhielt.

Wie Voltaire in so manchem, was er leistete, die Erwartung der Welt übertraf, so unterhielt er auch in diesem Falle das Publikum mit immer neuen und überraschenden Späßen, griff den Journalisten zugleich und alle dessen Günstlinge an, und warf ihr Lächerliches gehäuft auf den Gönner zurück.

So ward jene Anmaßung aller Welt klar, Fréron verlor seinen Kredit, auch den verdienten, weil sich denn doch das Publikum, wie die Götter, zuletzt auf die Seite der Sieger zu schlagen behaglich findet.

Und so ist das Bild Frérons dergestalt verschoben und verdunkelt worden, daß der spätere Nachkömmling Mühe hat, sich von dem was der Mann leistete und was ihm ermangelte, einen richtigen Begriff zu machen.

Geschmack

«Der Geschmack, sagt er ... der Geschmack ist ein Ding ... bei Gott ich weiß nicht zu was für einem Ding er den Geschmack machte, wußte er es doch selbst nicht.»

In dieser Stelle will Diderot seine Landsleute lächerlich darstellen, die, mit und ohne Begriff, das Wort Geschmack immer im Munde führen und manche bedeutende Produktion, indem sie ihr den Mangel an Geschmack vorwerfen, heruntersetzen.

Die Franzosen gebrauchten zu Ende des siebzehnten Jahrhunderts das Wort Geschmack noch nicht allein, sie bezeichneten vielmehr durch das Beiwort die besondere Bestimmung. Sie sagten ein böser, ein guter Geschmack und verstanden recht gut, was sie dadurch bezeichneten. Doch findet man schon in einer Anekdoten- und Spruchsammlung jener Zeit das gewagte Wort: «Die französischen Schriftsteller besitzen alles, nur keinen Geschmack.»

Wenn man die französische Literatur von Anfang an betrachtet, so findet sich, daß das Genie schon bald sehr viel für sie getan. Marot war ein trefflicher Mann, und wer darf den hohen Wert Montaignes und Rabelais' verkennen?

Das Genie sowohl als der recht gute Kopf sucht sein Gebiet ins Unendliche auszudehnen. Sie nehmen gar mannigfaltige Elemente in ihren Schöpfungskreis auf, und sind oft glücklich genug sie vollkommen zu beherrschen und zu verarbeiten. Gelingt aber ein solches Unternehmen nicht ganz, fühlt sich der Verstand nicht durchaus genötigt die Segel zu streichen, erlangen die Arbeiten nur eine solche Stufe, wo er ihnen noch etwas anhaben kann, so entsteht sogleich ein Loben und Tadeln des Einzelnen, und man glaubt vollkommene Werke dadurch vorzubereiten, wenn man die Elemente, woraus sie bestehen sollen, recht säuberlich sondert.

Die Franzosen haben einen Poeten du Bartas, den sie gar nicht mehr, oder nur mit Verachtung nennen. Er lebte von

1544 bis 1590, war Soldat und Weltmann und schrieb zahllose Alexandriner. Wir Deutschen, die wir die Zustände jener Nation aus einem andern Gesichtspunkte ansehen, fühlen uns zum Lächeln bewegt, wenn wir in seinen Werken, deren Titel ihn als den Fürsten der französischen Dichter preist, die sämtlichen Elemente der französischen Poesie, freilich in wunderlicher Mischung, beisammen finden. Er behandelte wichtige, bedeutende, breite Gegenstände, wie zum Exempel die sieben Schöpfungstage, wobei er Gelegenheit fand, eine naive Anschauung der Welt und mannigfaltige Kenntnisse, die er sich in einem tätigen Leben erworben, auf eine darstellende, erzählende, beschreibende, didaktische Weise zu Markte zu bringen. Diese sehr ernsthaft gemeinten Gedichte gleichen daher sämtlich gutmütigen Parodien und sind, wegen ihres bunten Ansehens, dem Franzosen auf der jetzigen Höhe seiner eingebildeten Kultur äußerst verhaßt, anstatt daß, wie der Kurfürst von Mainz das Rad, ein französischer Autor die sieben Tagwerke des du Bartas irgend symbolisiert im Wappen führen sollte.

Damit wir aber, bei einer aphoristischen Behandlung unserer Aufsätze, nicht unbestimmt und dabei paradox erscheinen, so fragen wir, ob nicht die ersten vierzig Verse des siebenten Schöpfungstages von du Bartas vortrefflich sind, ob sie nicht in jeder französischen Mustersammlung zu stehen verdienen, ob sie nicht die Vergleichung mit manchem schätzenswerten neuern Produkt aushalten? Deutsche Kenner werden uns beistimmen und uns für die Aufmerksamkeit danken, die wir auf dieses Werk erregen. Die Franzosen aber werden wohl fortfahren, wegen der darin vorkommenden Wunderlichkeiten auch das Gute und Treffliche daran zu verkennen.

Denn die immer anstrebende und zu Ludwig des XIV. Zeiten zur Reife gedeihende Verstandeskultur hat sich immerfort bemüht, alle Dicht- und Sprecharten genau zu sondern, und zwar so, daß man nicht etwa von der Form, sondern vom Stoff ausging, und gewisse Vorstellungen, Gedanken, Ausdrucksweisen, Worte aus der Tragödie, der Komödie, der Ode, mit welcher letztern Dichtart sie deshalb auch nie fertig werden konnten, hinauswies und andre dafür, als besonders geeignet, in jeden besondern Kreis aufnahm und für ihn bestimmte.

Man behandelte die verschiedenen Dichtungsarten wie verschiedene Sozietäten, in denen auch ein besonderes Betragen schicklich ist. Anders benehmen sich Männer, wenn sie allein unter sich, anders, wenn sie mit Frauen zusammen sind, und wieder anders wird sich dieselbe Gesellschaft betragen, wenn ein Vornehmerer unter sie tritt, dem sie Ehrfurcht zu bezeigen Ursache haben. Der Franzose scheut sich auch keinesweges, bei Urteilen über Produkte des Geistes von Convenancen zu sprechen, ein Wort, das eigentlich nur für die Schicklichkeiten der Sozietät gelten kann. Man sollte darüber nicht mit ihm rechten, sondern einzusehen trachten, inwiefern er recht hat. Man kann sich freuen, daß eine so geistreiche und weltkluge Nation dieses Experiment zu machen genötigt war, es fortzusetzen genötigt ist.

Aber im höhern Sinne kommt doch alles darauf an, welchen Kreis das Genie sich bezeichnet, in welchem es wirken, was es für Elemente zusammenfaßt, aus denen es bilden will. Hierzu wird es teils durch innern Trieb und eigne Überzeugung bestimmt, teils auch durch die Nation, durch das Jahrhundert, für welche gearbeitet werden soll. Hier trifft das Genie freilich nur allein den rechten Punkt, sobald es Werke hervorbringt, die ihm Ehre machen, seine Mitwelt erfreuen und zugleich weiter fördern. Denn indem es seinen weiteren Lichtkreis in den Brennpunkt seiner Nation zusammendrängen möchte, so weiß es alle innern und äußern Vorteile zu benutzen und zugleich die genießende Menge zu befriedigen, ja zu überfüllen. Man gedenke Shakespeares und Calderons! Vor dem höchsten ästhetischen Richterstuhle bestehn sie untadelig, und wenn irgendein verständiger Sonderer wegen gewisser Stellen hartnäckig gegen sie klagen sollte, so würden sie ein Bild jener Nation, jener Zeit, für welche sie gearbeitet, lächelnd vorweisen und nicht etwa dadurch bloß Nachsicht erwerben, sondern deshalb, weil sie sich so glücklich bequemen konnten, neue Lorbeern verdienen.

Die Absonderung der Dicht- und Redarten liegt in der Natur der Dicht- und Redekunst selbst; aber nur der Künstler darf und kann die Scheidung unternehmen, die er auch unternimmt: denn er ist meist glücklich genug zu fühlen, was in diesen oder jenen Kreis gehört. Der Geschmack ist dem Genie angeboren, wenn er gleich nicht bei jedem zur vollkommenen Ausbildung gelangt.

Daher wäre freilich zu wünschen, daß die Nation Geschmack hätte, damit sich nicht jeder einzeln notdürftig auszubilden brauchte. Doch leider ist der Geschmack der nicht hervorbringenden Naturen verneinend, beengend, ausschließend und nimmt zuletzt der hervorbringenden Klasse Kraft und Leben.

Wohl findet sich bei den Griechen sowie bei manchen Römern eine sehr geschmackvolle Sonderung und Läuterung der verschiedenen Dichtarten, aber uns Nordländer kann man auf jene Muster nicht ausschließlich hinweisen. Wir haben uns andrer Voreltern zu rühmen und haben manch anderes Vorbild im Auge. Wäre nicht durch die romantische Wendung ungebildeter Jahrhunderte das Ungeheure mit dem Abgeschmackten in Berührung gekommen, woher hätten wir einen Hamlet, einen Lear, eine Anbetung des Kreuzes, einen Standhaften Prinzen?

Uns auf der Höhe dieser barbarischen Avantagen, da wir die antiken Vorteile wohl niemals erreichen werden, mit Mut zu erhalten ist unsre Pflicht, zugleich aber auch Pflicht, dasjenige was andre denken, urteilen und glauben, was sie hervorbringen und leisten, wohl zu kennen und treulich zu schätzen.

Lulli
Geboren zu Florenz 1633. Gestorben zu Paris 1687

Die große Oper war in Italien zu einer Zeit erfunden worden, als Perspektiv-Malerei und Maschinerie sich in einem hohen Grade ausgebildet hatten, die Musik aber noch weit zurückstand. An einem solchen Ursprung hat diese Schauspielart immer gelitten und leidet noch daran. Was aus dem Prunk entstanden ist, kann nicht zur Kunst zurückkehren, was sich vom Scheine herschreibt, kann keine höhern Forderungen befriedigen.

In der Hälfte des siebzehnten Jahrhunderts kam die italienische Oper nach Frankreich; französische Dichter und Komponisten machten bald darauf den Versuch sie zu nationalisieren, welcher mit abwechselndem Glück eine Zeitlang fortgesetzt wurde, bis endlich Lulli die Privilegien der französischen Oper, die unter dem Namen Académie royale de musique 1669 errichtet wurde, an sich brachte, die Erweiterung ihrer Privilegien zu erlangen wußte und ihr erst ihre eigentliche Konsistenz gab.

«Von diesem Zeitpunkt fing die französische theatralische Musik an, durch mannigfaltige Verschiedenheiten, sowohl in der poetischen Einrichtung der Dramen und der musikalischen Beschaffenheit ihrer Bestandteile, der Arien, Chöre, des mehr singenden oder eigentlich psalmodischen Rezitativs, der Ballette, der eigentümlichen Gänge und Schlußfälle der Melodie, der einförmigern Modulationen, der Liebe zu den weichern Tonarten, als auch in Absicht vieler Fehler der Exekution sich zu trennen und zu einer Nationalmusik zu werden. Die auf Lulli folgenden Komponisten nahmen ihn ganz zu ihrem Muster, und so konnte es geschehen, daß seine Musik eine Art Epoche von so langer Dauer in den Annalen der französischen Kunstgeschichte bildete.»

An dem schönen Talente Quinaults fand Lulli eine große Unterstützung. Er war für diese Dichtungsart geboren, deklamierte selbst vortrefflich und arbeitete so dem Komponisten in doppeltem Sinne vor. Sie lebten beide zusammen und starben nicht lange nacheinander, und man kann wohl den Sukzeß der französischen Oper und die lange dauernde Gunst für dieselbe der Vereinigung zweier so glücklichen Talente zuschreiben.

Marivaux
Geboren zu Paris 1688. Gestorben 1763

Die Geschichte seines erworbenen und wiederverlorenen Rufes ist die Geschichte so vieler andern, besonders bei dem französischen Theater.

Es gibt so viele Stücke, die zu ihrer Zeit sehr gut aufgenommen worden, bei denen die französischen Kritiker selbst nicht begreifen, wie es zugegangen, und doch ist die Sache leicht erklärlich.

Das Neue hat als solches schon eine besondre Gunst. Nehme man dazu, daß ein junger Mann auftritt, der als ein Neuer das Neue liefert, der sich durch Bescheidenheit Gunst zu erwerben weiß, um so leichter als er nicht den höchsten Kranz davon zu tragen, sondern nur Hoffnungen zu erregen verspricht. Man nehme das Publikum, das jederzeit nur von augenblicklichen Eindrücken abhängt, das einen neuen Namen wie ein weißes Blatt ansieht, worauf man Gunst oder Ungunst nach Befinden schreiben kann, und man denke sich ein Stück mit einigem Talent geschrieben, von vorzüglichen Schauspielern aufgeführt, warum sollte es nicht günstig aufgenommen werden? warum sollte es nicht sich und seinen Autor durch Gewohnheit empfehlen?

Selbst ein erster Mißgriff ist in der Folge zu verbessern, und wem es zuerst nicht ganz geglückt, kann sich durch fortdauerndes Bestreben in Gunst setzen und erhalten. Von jenem sowohl als diesem Fall kommen in der französischen Theatergeschichte mannigfaltige Beispiele vor.

Aber was unmöglich ist zeigt sich auch. Unmöglich ist es die Gunst der Menge bis ans Ende zu erhalten. Das Genie erschöpft sich, um so mehr das Talent. Was der Autor nicht merkt, merkt das Publikum. Er befriedigt selbst seine Gönner nicht mehr lebhaft. Neue Anforderungen an Gunst werden gemacht, die Zeit schreitet vor, eine frische Jugend wirkt und man findet die Richtung, die Wendung eines frühern Talentes veraltet.

Der Schriftsteller, der nicht selbst beizeiten zurückgetreten, der noch immer eine ähnliche Aufnahme erwartet, sieht einem unglücklichen Alter entgegen, wie eine Frau, die von den scheidenden Reizen nicht Abschied nehmen will.

In diese traurige Lage kam Marivaux; er mochte sich mit der Allgemeinheit seines Geschicks nicht trösten, zeigte sich übellaunig und wird hier um deswillen von Diderot verspottet.

Montesquieu
Geboren 1689. Gestorben 1755

«Daß Montesquieu nur ein schöner Geist sei.» Eine ähnliche Redensart ist oben schon bei d'Alembert angeführt worden.

Durch seine Lettres persanes machte sich Montesquieu zuerst bekannt. Die große Wirkung, welche sie hervorbrachten, war ihrem Gehalt und der glücklichen Behandlung desselben gleich. Unter dem Vehikel einer reizenden Sinnlichkeit weiß der Verfasser seine Nation auf die bedeutendsten, ja die gefährlichsten Materien aufmerksam zu machen, und schon ganz deutlich kündigt sich der Geist an, welcher den Esprit des loix hervorbringen sollte. Weil er sich nun aber bei diesem seinem ersten Eintritt einer leichten Hülle bedient, so will man ihn denn auch nur, da er sie schon abgeworfen, nach ihr schätzen und ihm das weitere größere Verdienst halbkennerisch ableugnen.

Musik

Ein großer Teil des vorliegenden Gespräches handelt von Musik, und es ist nötig hier einiges Allgemeine über diese Kunst zu sagen, damit jeder Lesende in den Stand gesetzt werde, die oft wunderlich genug geäußerten Meinungen einigermaßen zu beurteilen.

Alle neuere Musik wird auf zweierlei Weise behandelt, entweder daß man sie als eine selbständige Kunst betrachtet, sie in sich selbst ausbildet, ausübt und durch den verfeinerten äußeren Sinn genießt, wie es der Italiener zu tun pflegt, oder daß man sie in bezug auf Verstand, Empfindung, Leidenschaft setzt und sie dergestalt bearbeitet, daß sie mehrere menschliche Geistes- und Seelenkräfte in Anspruch nehmen könne, wie es die Weise der Franzosen, der Deutschen und aller Nordländer ist und bleiben wird.

Nur durch diese Betrachtung als durch einen doppelten ariadneischen Faden kann man sich aus der Geschichte der neuern Musik und aus dem Gewirr parteiischer Kämpfer heraushelfen, wenn man die beiden Arten da, wo sie getrennt erscheinen, wohl bemerkt und ferner untersucht, wie sie sich an gewissen Orten, zu gewissen Zeiten, in den Werken gewisser Individuen zu vereinigen gestrebt und sich auch wohl für einen Augenblick zusammengefunden, dann aber wieder auseinandergegangen, nicht ohne sich ihre Eigenschaften einander mehr oder weniger mitgeteilt zu haben, da sie sich denn in wunderbaren, ihren Hauptästen mehr oder weniger annähernden Ramifikationen über die Erde verbreiteten.

Seit einer sorgfältigen Ausbildung der Musik in mehreren Ländern mußte sich diese Trennung zeigen und sie besteht bis auf den heutigen Tag. Der Italiener wird sich der lieblichsten Harmonie, der gefälligsten Melodie befleißigen, er wird sich an dem Zusammenklang, an der Bewegung als solchen ergötzen, er wird des Sängers Kehle zu Rate ziehn, und das, was dieser an gehaltenen oder schnell aufeinanderfolgenden Tönen und deren mannigfaltigstem Vortrag leisten kann, auf die glücklichste Weise hervorheben und so das gebildete Ohr seiner Landsleute entzücken. Er wird aber auch dem Vorwurf nicht entgehen, seinem Text, da er zum Gesang doch einmal Text haben muß, keineswegs genug getan zu haben.

Die andere Partei hingegen hat mehr oder weniger den Sinn, die Empfindung, die Leidenschaft, welche der Dichter ausdrückt, vor Augen; mit ihm zu wetteifern hält sie für Pflicht. Seltsame Harmonien, unterbrochene Melodien, gewaltsame Abweichungen und Übergänge sucht man auf, um den Schrei des Entzückens, der Angst und der Verzweiflung auszudrücken. Solche Komponisten werden bei Empfindenden, bei Verständigen ihr Glück machen, aber dem Vorwurf des beleidigten Ohrs, insofern es für sich genießen will, ohne an seinem Genuß Kopf und Herz teilnehmen zu lassen, schwerlich entgehen.

Vielleicht läßt sich kein Komponist nennen, dem in seinen Werken durchaus die Vereinigung beider Eigenschaften gelungen wäre, doch ist es keine Frage, daß sie sich in den besten Arbeiten der besten Meister finde und notwendig finden müsse.

Übrigens was diesen Zwiespalt betrifft, so ist er wohl nie gewaltsamer erschienen als in dem Streit der Gluckisten und Piccinisten, da denn auch der Bedeutende vor dem Gefälligen die Palme erhielt. Ja, haben wir nicht noch in unsern Tagen den lieblichen Païsiello durch einen ausdrucksvollern Komponisten verdrängt gesehen, eine Begebenheit, die sich in Paris immerfort wiederholen wird.

Wie der Italiener mit dem Gesang, so verfuhr der Deutsche mit der Instrumentalmusik. Er betrachtete sie auch eine Zeitlang als eine besondere, für sich bestehende Kunst, vervollkommnete ihr Technisches und übte sie, fast ohne weitern Bezug auf Gemütskräfte, lebhaft aus, da sie denn bei einer, dem Deutschen wohl gemäßen, tiefern Behandlung der Harmonie zu einem hohen, für alle Völker musterhaften Grade gelangt ist.

Da alles dasjenige, was wir allgemein und flüchtig über Musik geäußert, nur die Absicht haben kann einiges Licht über vorliegenden Dialog zu verbreiten, so müssen wir bemerken, daß sich nicht ohne Schwierigkeit der Standpunkt, auf welchem sich Diderot befindet, einsehen läßt.

In der Hälfte des vorigen Jahrhunderts waren die sämtlichen Künste in Frankreich auf eine sonderbare, ja für uns fast unglaubliche Weise manieriert und von aller eigentlichen Kunstwahrheit und Einfalt getrennt. Nicht allein das abenteuerliche Gebäude der Oper war durch das Herkommen nur starrer und steifer geworden, auch die Tragödie ward in Reifröcken gespielt, und eine hohle affektierte Deklamation trug ihre Meisterwerke vor. Dieses ging so weit, daß der außerordentliche Voltaire, bei Vorlesung seiner eigenen Stücke, in einen ausdruckslosen, eintönigen, gleichfalls psalmodierenden Bombast verfiel und sich überzeugt hielt, daß auf diese Weise die Würde seiner Stücke, die eine weit bessere Behandlung verdienten, ausgedrückt werde.

Ebenso verhielt sich's mit der Malerei. Durchaus war das Fratzenhafte eines gewissen Herkömmlichen so hoch gestiegen, daß es den aus innerer Naturkraft sich entwickelnden trefflichen Geistern der damaligen Zeit höchst auffallend und unerträglich scheinen mußte.

Sie fielen daher sämtlich drauf, das was sie Natur nannten, der Kultur und der Kunst entgegenzusetzen. Wie hierin Diderot sich geirrt, haben wir anderswo, mit Achtung und Neigung gegen diesen vortrefflichen Mann, dargetan.

Auch gegen die Musik befand er sich in einer besondern Lage. Die Kompositionen des Lulli und Rameau gehören mehr zur bedeutenden als zur gefälligen Musik. Das was die Bouffons aus Italien brachten, hatte mehr Angenehmes und Einschmeichelndes als Bedeutendes, und doch schlägt sich Diderot, der so lebhaft auf die Bedeutung dringt, zu dieser letzten Partei und glaubt seine Wünsche durch sie befriedigt zu sehen. Aber es war wohl mehr, weil dieses neue Bewegliche jenes alte, verhaßte, starre Zimmerwerk zu zerstören und eine frische Fläche für neue Bemühungen zu ebnen schien, daß er das letzte so hoch in Gunst nahm. Auch benutzten französische Komponisten sogleich den gegebenen Raum und brachten ihre alte bedeutende Weise melodischer und mit mehrerer Kunstwahrheit, zu Befriedigung der neuen Generation, in den Gang.

d'Olivet (Abbé)
Geboren 1682. Gestorben 1768

Bei den Jesuiten erzogen, beschäftigte er sich zuerst mit dem Cicero, den er auch übersetzte. Aufgenommen in die französische Akademie, gedachte er auch für die vaterländische Sprache etwas zu leisten, und hat ihr auf mehr denn Eine Weise genutzt; doch ward er nun als Grammatiker, Prosodist, Neuerungsfeind, Purist und Rigorist den Dichtern und Schriftstellern höchlich verhaßt, denen er, man muß es freilich gestehen, öfters Unrecht tat, indem er ihnen die rechten Wege wies.

Palissot
Geboren zu Nancy 1730

Eine von den mittlern Naturen, die nach dem Höhern streben, das sie nicht erreichen, und sich vom Gemeinen abziehn, das sie nicht los werden. Will man billig sein, so darf man ihn unter die guten Köpfe rechnen. Es fehlt ihm nicht an Verstandesklarheit, an Lebhaftigkeit, an einem gewissen Talent; aber gerade diese Menschen sind es, die sich mancher Anmaßung schuldig machen. Denn indem sie alles nach einem gewissen, kleineren Maßstabe messen, so fehlt ihnen der Sinn fürs Außerordentliche, und indem sie sich gegen das Gewöhnliche gerecht halten, werden sie ungerecht gegen das vorzügliche Verdienst, besonders anfangs, wenn es sich ankündigt. So vergriff sich Palissot an Rousseau, und es dient zu unserm Zwecke, dieser Händel, von ihrem ersten Ursprunge an, zu gedenken. König Stanislaus errichtete zu Nancy Ludwig dem XV. eine Statue. Am Feste der Weihung, den 6. November 1755, sollte auch ein analoges Theaterstück gegeben werden. Palissot, dessen

Talent in seiner Vaterstadt Zutrauen erregt haben mochte, erhielt hierzu den Auftrag. Anstatt nun daß ein wahrer Dichter diese Gelegenheit zu einer edlen und würdigen Darstellung nicht unbenutzt gelassen hätte, suchte der gute Kopf durch ein kurzes allegorisches Vorspiel den glücklichen Stoff nur geschwind los zu werden, worauf er hingegen ein Schubladenstück, Der Zirkel, folgen ließ, worin er das, was seiner literarischen Kleinheit am nächsten lag, mit Selbstgefälligkeit behandelte.

Es erschienen nämlich in diesem Stücke übertriebene Poeten, anmaßliche Gönner und Gönnerinnen, gelehrte Frauen und dergleichen Personen, deren Urbilder nicht selten sind, sobald Kunst und Wissenschaft in das Leben einwirkt. Was sie nun Lächerliches haben mögen, wird hier bis ins Abgeschmackte übertrieben dargestellt, anstatt daß es immer schon dankenswert ist, wenn jemand Bedeutendes aus der Menge, eine Schöne, ein Reicher, ein Vornehmer am Rechten und Guten teilnimmt, wenn es auch nicht auf die rechte Weise geschieht.

Überhaupt gehört nichts weniger aufs Theater als Literatur und ihre Verhältnisse. Alles was in diesem Kreise webt, ist so zart und wichtig, daß keine Streitfrage aus demselben vor den Richterstuhl der gaffenden und staunenden Menge gebracht werden sollte. Man berufe sich nicht auf Molière, wie Palissot und nach ihm andre getan haben. Dem Genie ist nichts vorzuschreiben, es läuft glücklich wie ein Nachtwandler über die scharfen Gipfelrücken weg, von denen die wache Mittelmäßigkeit beim ersten Versuche herunterplumpt. Mit wie leichter Hand Molière dergleichen Gegenstände berührt, wird nächstens anderswo zu entwickeln sein.

Nicht genug, daß Palissot seine literarischen Zunftverwandten vor Hof und Stadt durchzog, ließ er auch ein Fratzenbild Rousseaus auftreten, der sich zu jener Zeit, zwar paradox aber doch würdig genug, angekündigt hatte. Was von den Sonderbarkeiten dieses außerordentlichen Mannes den Weltmenschen auffallen konnte, ward hier, keineswegs geistreich und heiter, sondern täppisch und mit bösem Willen vorgestellt, und das Fest zweier Könige pasquillantisch herabgewürdigt.

Auch blieb diese unschickliche Kühnheit für den Verfasser nicht ohne Folgen, ja sie hatte Einfluß auf sein ganzes Leben. Die Gesellschaft genie- und talentreicher Menschen, die man unter dem Namen der Philosophen oder Enzyklopädisten bezeichnete, hatte sich schon gebildet und d'Alembert war ein bedeutendes Glied derselben. Er fühlte was ein solcher Ausfall, an einem solchen Tage, bei einer solchen Gelegenheit, für Folgen haben könne. Er lehnte sich mit aller Gewalt dagegen auf; und ob man gleich Palissoten nicht weiter beikommen konnte, so ward er doch als ein entschiedener Gegner jener großen Sozietät behandelt, und man wußte ihm auf mancherlei Weise das Leben sauer zu machen. Dagegen blieb er von seiner Seite nicht müßig.

Nichts ist natürlicher, als daß jene verbündete Anzahl außerordentlicher Männer, wegen dessen was sie waren und was sie wollten, viele Widersacher finden mußten. Zu diesen schlug sich Palissot und schrieb das Lustspiel, die Philosophen, worüber der folgende Artikel nachzusehen.

Die Philosophen

Ein Lustspiel von Palissot, zum erstenmal den 2. Mai 1760 zu Paris aufgeführt

Wie ein Schriftsteller sich ankündigt, fährt er meistenteils fort, und bei mittleren Talenten sind oft im ersten Werke alle die übrigen enthalten. Denn der Mensch, der in sich selbst eins und rund ist, kann auch in seinen Werken nur einen gewissen Kreis durchlaufen.

So waren auch Palissots Philosophen nur eine Amplifikation jenes Feststückes zu Nancy. Er geht weiter, aber er sieht nicht weiter. Als ein beschränkter Widersacher eines gewissen Zustandes erblickt er keinesweges, worauf es im allgemeinen ankommt, und bringt auf ein beschränktes leidenschaftliches Publikum eine augenblickliche Wirkung hervor.

Erheben wir uns höher, so bleibt uns nicht verborgen, daß ein falscher Schein gewöhnlich Kunst und Wissenschaft begleitet, wenn sie in den Gang der Welt eintreten: denn sie wirken auf alle vorhandenen Menschen und nicht etwa allein auf die vorzüglichsten des Jahrhunderts. Oft ist die Teilnahme halbfähiger anmaßlicher Naturen fruchtlos, ja schädlich. Der gemeine Sinn erschrickt über die falsche Anwendung höherer Maximen, wenn man sie mit der rohen Wirklichkeit unmittelbar in Verhältnis bringt.

Sodann haben alle zurückgezogenen, nur für ein gewisses Geschäft wirksamen Menschen vor der Welt ein fremdes Ansehen, das man gern lächerlich findet. Sie verbergen nicht leicht, daß sie auf das, worauf sie ihr Leben verwenden, einen großen Wert legen, und erscheinen dem, der die Bemühung nicht zu schätzen oder gegen das Verdienst, das sich vielleicht zu sehr fühlt, keine Nachsicht zu haben weiß, als übermütig, grillenhaft und eingebildet.

Alles dieses entspringt aus der Sache, und nur der wäre zu loben, der solchen unvermeidlichen Übeln dergestalt zu begegnen wüßte, daß der Hauptzweck nicht verfehlt würde und die höhern Wirkungen für die Welt nicht verloren gingen. Palissot aber will das Übel ärger machen, er gedenkt eine Satire zu schreiben und gewissen bestimmten Individuen, deren Bild sich allenfalls verzerren läßt, in der öffentlichen Meinung zu schaden, und wie benimmt er sich?

Sein Stück ist in drei Akte kurz zusammengefaßt. Die Ökonomie desselben ist geschickt genug und zeugt von einem geübten Talente; allein die Erfindung ist mager, man sieht sich in dem ganz bekannten Raume der französischen Komödie. Nichts ist neu als die Kühnheit ganz deutlich ausgesprochene Personalitäten auszubringen.

Ein wackrer Bürger hatte seine Tochter vor seinem Tode einem jungen Soldaten zugesagt, die Mutter aber ist nunmehr als Witwe von der Philosophie eingenommen und will das Mädchen nur einem aus dieser Gilde zugestehen. Die Philosophen selbst erscheinen abscheulich, und doch in der Hauptsache so wenig charakteristisch, daß man an ihre Stelle die Nichtswürdigen einer jeden Klasse setzen könnte.

Keiner von ihnen ist etwa durch Neigung, Gewohnheit oder sonst an die Frau und das Haus gebunden, keiner betriegt sich etwa über sie, oder hat sonst irgendein menschliches Gefühl gegen dieselbe: das alles war dem Autor zu fein, ob er gleich genugsame Muster hierzu in dem sogenannten Bureau d'esprit vor sich fand; verhaßt wollte er die Gesellschaft der Philosophen machen. Diese verachtet und verwünscht ihre Gönnerin auf das plumpste. Die Herren kommen sämtlich nur ins Haus, um ihrem Freund Valère das Mädchen zu verschaffen. Sie versichern, daß keiner, sobald dieser Anschlag gelungen, die Schwelle je wieder betreten werde. Unter solchen Zügen soll man Männer wie d'Alembert und Helvetius wieder erkennen! Denken läßt sich, daß die von dem letztern aufgestellte Maxime des Eigennutzes wacker durchgezogen und als unmittelbar zum Taschendiebstahl führend vorgestellt werde. Zuletzt erscheint ein Hanswurst von Bedienten auf Händen und Füßen, mit einer Salatstaude, um den von Rousseau wünschenswert geschilderten Naturzustand lächerlich zu machen. Ein aufgefangener Brief entdeckt die Gesinnungen der Philosophen gegen die Hausdame, und sie werden mit Beschämung fortgejagt.

Das Stück konnte sich, seinem technischen Verdienst nach, recht wohl in Paris sehen lassen. Die Versifikation ist nicht ungelenk, hie und da findet man eine geistreiche Wendung, durchaus aber ist der Appell an die Gemeinheit, jener Hauptkunstgriff derer, die sich dem Vorzüglichen widersetzen, unerträglich und verächtlich.

Wie Voltaire über diese Sachen nicht sowohl dachte als schrieb, gibt über die damaligen Verhältnisse den besten Aufschluß. Wir übersetzen daher ein Paar seiner Briefe an Palissot, der in seinen Antworten gegen jenen die Zustände mit Freiheit und Klugheit, man möchte sagen mit Weisheit überschauenden Geist eine sehr beschränkte, rechthaberische, subalterne Rolle spielt.

Voltaire an Palissot

Mögt Ihr doch selbst Euer Gewissen prüfen, und untersuchen, ob Ihr gerecht seid, indem Ihr die Herren d'Alembert, Duclos, Diderot, Helvetius, den Chevalier de Jaucourt und tutti quanti wie Schurken vorstellt, die im Taschendiebstahl unterrichten.

Noch einmal. Sie haben auf Eure Kosten in ihren Schriften lachen wollen, und ich finde recht gut, daß Ihr auf die ihrigen lacht. Aber, beim Himmel! der Spaß ist zu stark. Wären sie, wie Ihr sie schildert, man müßte sie auf die Galeeren schicken, welches keinesweges ins komische Genre paßt. Ich rede gerade zu. Die Männer, die Ihr entehren wollt, gelten für die wackersten Leute in der Welt, und ich weiß nicht, ob ihre Rechtschaffenheit nicht noch größer ist als ihre Philosophie. Ich sage Euch offenherzig: ich kenne nichts ehrwürdiger als Herrn Helvetius, der 200 000 Livres Einkünfte aufgeopfert hat, um sich in Frieden der Wissenschaft zu widmen. Hat er in einem dicken Buch ein halb Dutzend verwegene und übelklingende Sätze vorgebracht, so hat es ihn genug gereut, ohne daß Ihr nötig hättet, seine Wunden auf dem Theater wieder aufzureißen. Herr Duclos, Sekretär der ersten Akademie des Königreichs, scheint mir viel mehr Achtung zu verdienen, als Ihr ihm bezeigt. Sein Buch über die Sitten ist keinesweges ein schlechtes Buch, besonders ist es das Buch eines rechtschaffenen Mannes. Mit Einem Wort, diese Herren, haben sie Euch öffentlich beleidigt? Mir scheint es nicht. Warum beleidigt Ihr sie denn auf so grausame Weise?

Ich kenne Herrn Diderot gar nicht, ich habe ihn niemals gesehen. Ich weiß nur, daß er unglücklich und verfolgt war, und schon darum allein sollte Euch die Feder aus der Hand fallen.

Übrigens betrachte ich das Unternehmen der Enzyklopädie als das schönste Denkmal, das man zu Ehren der Wissenschaften aufrichten konnte. Es befinden sich darin bewundernswerte Artikel, nicht allein von Herrn d'Alembert, von Herrn Diderot, von Herrn Ritter Jaucourt, sondern auch von vielen andern Personen, die ohne an Ruhm oder Vorteil zu denken, sich ein Vergnügen machten an diesem Werke zu arbeiten.

Es gibt auch freilich jämmerliche Artikel darin und vielleicht sind die meinigen darunter; aber das Gute überwiegt so unendlich das Schlechte, und ganz Europa wünscht die Fortsetzung der Enzyklopädie. Die ersten Bände sind schon in mehrere Sprachen übersetzt, warum denn auf dem Theater sich über ein Werk aufhalten, das zum Unterricht der Menschen und zum Ruhm der Nation unentbehrlich ist? —

Ihr macht mich rasend, mein Herr. Ich hatte mir vorgenommen über alles zu lachen, in meiner stillen Eingezogenheit, und Ihr macht mich traurig, überhäuft mich mit Höflichkeiten, Lobreden, Freundschaft; aber Ihr macht mich erröten, wenn Ihr drucken laßt, daß ich denen, die Ihr angreift, überlegen bin. Ich glaube wohl, daß ich bessere Verse mache wie sie, und daß ich ungefähr ebensoviel Geschichte weiß; aber bei meinem Gott, bei meiner Seele, ich bin kaum ihr Schüler in dem übrigen, so alt als ich bin. — Noch einmal, Diderot kenne ich nicht, ich habe ihn nie gesehen. Aber er hatte mit Herrn d'Alembert ein unsterbliches Werk unternommen, ein notwendiges Werk, das ich täglich befrage. Außerdem war dieses Werk ein Gegenstand von 300000 Talern im Buchhandel. Man übersetzt es in drei bis vier Sprachen. Questa rabbia detta gelosia waffnet sich nun gegen dieses der Nation werte Denkmal, woran mehr als funfzig Personen von Bedeutung Hand anzulegen sich beeiferten.

Ein Abraham Chaumeix unternimmt eine Schrift gegen die Enzyklopädie herauszugeben, worin er die Autoren sagen läßt was sie nicht gesagt haben, vergiftet was sie gesagt haben, und gegen das argumentiert, was sie noch sagen werden. Er zitiert die Kirchenväter so falsch als er das Diktionär zitiert.

Und in diesen gehässigen Umständen schreibt Ihr Eure Komödie gegen die Philosophen. Ihr durchbohrt sie, da sie sich schon sub gladio befinden. Ihr sagt mir: Molière habe Cotin und Ménage durchgezogen. Sei's; aber er sagte nicht, daß Cotin und Ménage eine verwerfliche Moral lehrten, und Ihr beschuldigt alle diese Herren abscheulicher Maximen, in Euerm Stück und Eurer Vorrede. Ihr versichert mir, daß Ihr den Herrn Chevalier de Jaucourt nicht angeklagt habt, und doch ist er der Verfasser des Artikels Gouvernement. Sein Name steht in großen Buchstaben am Ende des Artikels. Ihr bringt einige Züge an, die ihm großen Schaden tun können, entkleidet von allem was vorhergeht und was folgt, aber was im ganzen genommen des Cicero, de Thou und Grotius wert ist. — Ihr wollt eine Stelle der vortrefflichen Vorrede des Herrn d'Alembert zur Enzyklopädie verhaßt machen, und es ist kein Wort von dieser Stelle darin. Ihr bürdet Herrn Diderot auf, was in den jüdischen Briefen steht. Gewiß hat Euch irgendein Abraham Chaumeix Auszüge mitgeteilt und Euch betrogen.

Ihr tut mehr. Ihr fügt zu Eurer Anklage der rechtschaffensten Männer Abscheulichkeiten aus irgendeiner Broschüre, die den Titel führt: La vie heureuse. Ein Narr namens Lamettrie schrieb sie einmal zu Berlin, da er trunken war, vor mehr als zwölf Jahren. Diese Abgeschmacktheit des Lamettrie, die auf immer vergessen war und die Ihr wieder belebt, hat nicht mehr Verhältnis zur Philosophie und Enzyklopädie als ein liederliches Buch mit der Kirchengeschichte, und doch verbindet Ihr alle diese Anklagen zusammen. Was entsteht daraus? Euer Angeben kann in die Hände eines Fürsten fallen, eines Ministers, einer wichtig beschäftigten Magistratsperson. Man hat wohl Zeit flüchtig Eure Vorrede zu lesen, aber nicht die unendlichen Werke zu vergleichen.

Piron

Geboren 1689. Gestorben 1773

Piron war einer der besten geistreichsten Gesellschafter, und auch in seinen Schriften zeigt sich der heitere freie Ton, anziehend und belebend.

Die französischen Kritiker beklagen sich, daß man bei Sammlung seiner Werke nicht streng genug verfahren. Man hätte, meinen sie, manches davon der Vergessenheit übergeben sollen.

Diese Anmaßung der Kritik erscheint ganz lächerlich, wenn wir die große Masse unbedeutender Bücher aufgestellt sehen, die doch alle der Nachwelt angehören und die kein Bibliothekar zu verbannen das Recht hat; warum will man uns die Übungsstücke, die geistreichen und leichten Kompositionen eines guten Kopfs vorenthalten?

Und gerade diese leichteren Arbeiten sind es, wodurch man Piron am ersten lieb gewinnt. Er war ein trefflicher kraftvoller Kopf und hatte, in einer Provinzstadt geboren und erzogen, nachher in Paris bei kümmerlichem Unterhalt, sich mehr aus sich selbst entwickelt, als daß er die Vorteile, die ihm das Jahrhundert anbot, zu seiner Bildung hätte benutzen können. Daher findet sich bei seinen ersten Arbeiten immer etwas wegzuwünschen.

Wir leugnen nicht, daß er uns da fast am meisten interessiert, wo er sein Talent zu äußern Zwecken gelegentlich zum besten gibt. Wie Gozzi, obgleich nicht mit solcher Macht und in solcher Breite, nimmt er sich bedrängter oder beschränkter Theater an, arbeitet für sie, macht ihnen Ruf und ist vergnügt etwas Unerwartetes geleistet zu haben.

Man weiß, daß in Paris die Schauspiele scharf voneinander gesondert waren; jedes Theater hatte ein bestimmtes umschriebenes Privilegium auf diese oder jene Darstellungsart. So erlangte noch ein Künstler, da alle übrigen Formen schon vergeben waren, die Erlaubnis Monodramen im strengsten Sinne aufzuführen. Andre Figuren durften wohl noch auf dem Theater erscheinen, er aber allein durfte handeln und reden. Für diesen Mann arbeitete Piron, und mit Glück. Dank sei es den Herausgebern, daß wir diese Kleinigkeiten noch besitzen, deren uns die pharisäischen und schriftgelehrten Kritiker wohl gern beraubt hätten.

Auch in den Vaudeville-Stücken zeigte sich Piron sehr geistreich. Das gelegentliche Ergreifen einer Melodie, deren erster Text mit dem neuen Text in einem neckischen Verhältnisse steht, gelang ihm vortrefflich und seine Arbeiten dieser Art haben viel Vorzügliches.

So unglücklich es nun auch Piron im Anfange ging, daß er das ekle Publikum durch keines seiner für das regelmäßige französische Theater geschriebenen Stücke befriedigen konnte, so glücklich war er mit seiner Métromanie. Er wußte in demselben seine Landsleute dergestalt von der schwachen Seite zu fassen, daß sein Stück, sogleich bei seiner Erscheinung und noch lange Jahre nachher, fortdauernd überschätzt wurde. Man setzte es den Molièreschen an die Seite, mit denen es sich denn doch auf keine Weise messen kann. Doch kommt man freilich, nach und nach, auch in Frankreich auf die Spur, dieses Stück nach seinem wahren Werte zu schätzen.

Überhaupt war nichts für die Franzosen schwerer, als einen Mann wie Piron zu rangieren, der bei einem vorzüglichen und gerade seiner Nation zusagenden Talent in seinen meisten Arbeiten so viel zu wünschen übrig ließ. Seine Bahn war von Jugend auf exzentrisch; ein gewaltsam unanständiges Gedicht nötigte ihn aus seiner Vaterstadt zu fliehen und sich neun Jahre in Paris kümmerlich zu behelfen. Sein ungebundenes Wesen verleugnete er nie ganz, seine lebhaften, oft egoistischen Ausfälle, seine treffenden Epigramme, Geist und Heiterkeit, die ihm durchaus zu Gebote standen, machten ihn allen Mitlebenden in dem Grade wert, daß er, ohne lächerlich zu scheinen, sich mit dem weit überlegenen Voltaire vergleichen und nicht nur als Gegner, sondern auch als Rival auftreten durfte.

Was übrigens die ihren Piron genugsam schätzenden Franzosen von ihm auch immer Gutes sagen können, schließt sich immer mit dem Refrain, den Diderot schon hier als eine gewöhnliche Redensart aufführt: «Was den Geschmack betrifft, von dem hat euer Piron auch nicht die mindeste Ahnung.» (Siehe Geschmack.)

Poinsinet
Geboren zu Fontainebleau 1735. Gestorben 1769

Es gibt in der Literatur wie in der Gesellschaft solche kleine, wunderliche, purzliche Figuren, die mit einem gewissen Talent begabt, sehr zu- und vordringlich sind, und indem sie leicht von jedem übersehen werden, Gelegenheit zu allerlei Unterhaltung gewähren.

Indessen gewinnen diese Personen doch immer genug dabei, sie leben, wirken, werden genannt, und es fehlt ihnen nicht an guter Aufnahme. Was ihnen mißglückt, bringt sie nicht aus der Fassung, sie sehen es als einen einzelnen Fall an und hoffen von der Zukunft die besten Erfolge.

Eine solche Figur ist Poinsinet in der französischen literarischen Welt. Bis zum Unglaublichen geht, was man mit ihm vorgenommen, wozu man ihn verleitet, wie man ihn mystifiziert, und selbst sein trauriger Tod, indem er in Spanien ertrank, nimmt nichts von dem lächerlichen Eindruck, den sein Leben machte, hinweg; so wie der Frosch des Feuerwerkers dadurch nicht zu einer Würde gelangt, daß er, nachdem er lange genug geplatzert hat, mit einem stärkeren Knalle endet.

Rameau
Geboren zu Dijon 1683. Gestorben zu Paris 1764

Nachstehendes Urteil Rousseaus über die Rameauschen Verdienste trifft mit Diderots Äußerungen genau zusammen und ist geschickt, unsern Lesern die Übersicht der Hauptfrage zu erleichtern.

Die theoretischen Werke Rameaus haben das sonderbare Schicksal, daß sie ein großes Glück machten, ohne daß man sie gelesen hatte, und man wird sie jetzt noch viel weniger lesen, seitdem Herr d'Alembert sich die Mühe gegeben, die Lehre dieses Verfassers im Auszuge mitzuteilen. Gewiß werden die Originale dadurch vernichtet werden, und wir werden uns dergestalt entschädigt finden, daß wir sie keineswegs vermissen. Diese verschiedenen Werke enthalten nichts Neues noch Nützliches als das Prinzip des Grundbasses; aber es ist kein kleines Verdienst einen Grundsatz, wär' er auch willkürlich, in einer Kunst festzusetzen, die sich dazu kaum zu bequemen schien, und die Regeln dergestalt erleichtert zu haben, daß man das Studium der Komposition, wozu man sonst zwanzig Jahre brauchte, gegenwärtig in einigen Monaten vollbringen kann. Die Musiker haben Herrn Rameaus Entdeckung begierig ergriffen, indem sie solche zu verachten scheinen wollten. Die Schüler haben sich mit unglaublicher Schnelligkeit vervielfältigt. Man sah von allen Seiten kleine zweitägige Komponisten, die meisten ohne Talente, welche nun auf Unkosten ihres Meisters die Lehrer spielten, und auf diese Weise haben die großen reellen und gründlichen Dienste, welche Herr Rameau der Musik geleistet, zu gleicher Zeit die Unbequemlichkeit herbeigeführt, daß Frankreich sich von schlechter Musik und schlechten Musikern überschwemmt sah, weil jeder schon glaubte alle Feinheiten der Kunst einzusehen, sobald er mit den Elementen bekannt war, und alle nun Harmonien erfinden wollten, ehe die Erfahrung ihrem Ohr die gute zu unterscheiden gelehrt hatte.

Was die Opern des Herrn Rameau betrifft, so hat man ihnen zuerst die Verbindlichkeit, daß sie das lyrische Theater über die gemeinen Bretter erhuben. Er hat kühn den kleinen Zirkel der sehr kleinen Musik durchbrochen, innerhalb dessen unsere kleinen Musiker sich, seit dem Tode des großen Lulli, immer herumtrieben, daß, wenn man auch ungerecht genug sein wollte, Herrn Rameau außerordentliche Talente abzusprechen, man doch gestehen müßte, daß er ihnen einigermaßen die Laufbahn eröffnet, daß er künftige Musiker in den Stand gesetzt, die ihrigen ungestraft zu entwickeln, welches fürwahr kein geringes Unternehmen ist. Er hat die Dornen gefühlt, seine Nachfolger pflücken die Rosen.

Man beschuldigt ihn sehr leichtsinnig, wie mir scheint, nur schlechte Texte komponiert zu haben: denn wenn dieser Vorwurf einigen Sinn haben sollte, so müßte man zeigen, daß er sich in dem Fall befunden, wählen zu können. Wollte man denn lieber, daß er gar nichts gemacht hätte? Weit gegründeter ist der Vorwurf, daß er seinen Text nicht immer verstanden, daß er die Absicht des Poeten übel gefaßt oder nicht etwas Schicklicheres an die Stelle gesetzt, daß er vieles widersinnig ausgedrückt. Es war nicht seine Schuld, daß er schlechte Texte bearbeitete; aber man kann zweifeln, daß er bessere genugsam ins Licht gestellt hätte. Gewiß steht er, von seiten des Geists und der Einsicht, weit unter Lulli, ob er gleich ihm, von seiten des Ausdrucks, fast vorzuziehen ist.

Man muß in Herrn Rameau ein sehr großes Talent anerkennen, viel Feuer, einen wohlklingenden Kopf, eine große Kenntnis harmonischer Umkehrungen und aller Mittel, die Wirkung hervorbringen; man muß ihm die Kunst zugestehen, sich fremde Ideen zuzueignen, ihre Natur zu verändern, sie zu verzieren, zu verschönern und seine eigenen auf vielfältige Weise umzudrehen. Dagegen hatte er weniger Leichtigkeit neue zu erfinden, mehr Geschicklichkeit als Fruchtbarkeit, mehr Wissen als Genie, oder wenigstens ein Genie erstickt durch zu vieles Wissen; aber immer Stärke, Zierlichkeit und sehr oft einen schönen Gesang.

Sein Rezitativ ist nicht so natürlich, aber viel mannigfaltiger als das des Lulli, in wenigen Szenen bewundernswert, übrigens schlecht fast durchaus. Vielleicht ist dies ebensosehr der Fehler der Gattung als der seinige. Denn sehr oft, weil er sich der Deklamation zu sehr unterwarf, ward sein Gesang barock und seine Übergänge hart. Hätte er die Kraft gehabt das wahre Rezitativ zu fassen und bis unter die Schafherde zu bringen, so glaube ich, er hätte das Vortreffliche leisten können.

Er ist der erste, der Symphonien und reiche Begleitungen gemacht hat; aber er ist darin zu weit gegangen. Das Orchester der Oper glich vor seiner Zeit einer Truppe blinder Musikanten, die von der fallenden Sucht ergriffen werden. Er hat ihnen einige Freiheit gegeben, und sie versichern, daß sie jetzt etwas auszuführen wissen; aber ich sage, diese Leute werden niemals weder Geschmack noch Seele zeigen. Es ist immer noch nichts, beisammen zu sein, stark oder leise zu spielen und dem Akteur zu folgen; die Töne stärker, sanfter, gehaltener, flüchtiger vortragen, wie es der gute Geschmack oder der Ausdruck verlangt, den Geist einer Begleitung fassen, die Stimmen tragen und heben, das ist die Kunst aller Orchester der Welt, nur nicht unsers Opernorchesters.

Und ich sage, Herr Rameau hat dieses Orchester, es sei wie es will, mißbraucht; er machte die Begleitungen so konfus, so überladen, so häufig, daß einem der Kopf springen möchte bei dem unendlichen Gelärme der verschiedenen Instrumente, während der Aufführung seiner Opern, die man mit Vergnügen hören würde, wenn sie die Ohren weniger betäubten. Daher kommt es, daß das Orchester, weil es immer im Spiel ist, nicht ergreift, nicht trifft und fast immer seine Wirkung verfehlt. Eigentlich muß nach einer rezitierten Szene ein unerwarteter Bogenstrich den zerstreutesten Zuhörer aufwecken, ihn auf die Bilder aufmerksam machen, die ihm der Verfasser darstellen will, ihn zu den Gefühlen vorbereiten, die er in ihm erregen will, und das wird kein Orchester leisten, das nicht aufhört zu kratzen.

Ein andrer, noch stärkerer Grund gegen die überladenen Begleitungen ist, daß sie gerade das Gegenteil von dem bewirken, was sie hervorbringen sollten. Anstatt die Aufmerksamkeit des Zuschauers angenehmer festzuhalten, so teilen sie solche um sie zu zerstören. Ehe man mich beredet, daß drei oder vier Motive, durch drei oder vier Instrumente übereinandergehäuft, etwas Lobenswürdiges seien, so muß man mir erst beweisen, daß drei oder vier Handlungen in einer Komödie nötig sind. Alle diese beliebten Feinheiten der Kunst, diese Nachahmungen, diese Doppelmotive, diese gezwungenen Bässe, diese Gegenfugen sind nur ungestalte Ungeheuer, Denkmale des schlechten Geschmacks, die man in die Klöster verweisen soll, dort mag ihre letzte Zuflucht sein.

Um schließlich nochmals auf Herrn Rameau zu kommen, so denke ich, niemand hat besser als er den Geist des Einzelnen gefaßt, niemand hat besser die Kunst der Kontraste verstanden; aber zu gleicher Zeit hat er seinen Opern jene glückliche und so sehr gewünschte Einheit nicht zu geben gewußt, und er konnte nicht dazu gelangen, ein gutes Werk aus vielen guten, wohl arrangierten Stücken zusammenzusetzen.

Rameaus Neffe

Das bedeutende Werk, welches wir unter diesem Titel dem deutschen Publikum übergeben, ist wohl unter die vorzüglichsten Arbeiten Diderots zu rechnen. Seine Nation, ja sogar seine Freunde warfen ihm vor, er könne wohl vortreffliche Seiten, aber kein vortreffliches Ganze schreiben. Dergleichen Redensarten sagen sich nach, pflanzen sich fort, und das Verdienst eines trefflichen Mannes bleibt ohne weitere Untersuchung geschmälert. Diejenigen, die also urteilen, hatten wohl den Jacques le fataliste nicht gelesen; und auch gegenwärtige Schrift gibt ein Zeugnis, wie glücklich er die heterogensten Elemente der Wirklichkeit in ein ideales Ganze zu vereinigen wußte. Man mochte übrigens als Schriftsteller von ihm denken, wie man wollte, so waren doch Freunde und Feinde darin einverstanden, daß niemand ihn, bei mündlicher Unterhaltung, an Lebhaftigkeit, Kraft, Geist, Mannigfaltigkeit und Anmut übertroffen habe.

Indem er also für die gegenwärtige Schrift eine Gesprächsform wählte, setzte er sich selbst in seinen Vorteil, brachte ein Meisterwerk hervor, das man immer mehr bewundert, je mehr man damit bekannt wird. Die rednerische und moralische Absicht desselben ist mannigfaltig. Erst bietet er alle Kräfte des Geistes auf, um Schmeichler und Schmarotzer in dem ganzen Umfang ihrer Schlechtigkeit zu schildern, wobei denn ihre Patrone keineswegs geschont werden. Zugleich bemüht sich der Verfasser seine literarischen Feinde als eben dergleichen Heuchler- und Schmeichlervolk zusammenzustellen und nimmt ferner Gelegenheit seine Meinung und Gesinnung über französische Musik auszusprechen.

So heterogen dieses letzte Ingrediens zu den vorigen scheinen mag, so ist es doch der Teil, der dem Ganzen Halt und Würde gibt: denn indem sich in der Person von Rameaus Neffen eine entschieden abhängige, zu allem Schlechten auf äußern Anlaß fähige Natur ausspricht, und also unsere Verachtung, ja sogar unsern Haß erregt, so werden doch diese Empfindungen dadurch gemildert, daß er sich als ein nicht ganz talentloser, phantastisch-praktischer Musikus manifestiert. Auch in Absicht der poetischen Komposition gewährt dieses, der Hauptfigur angeborne Talent einen großen Vorteil, indem der als Repräsentant aller Schmeichler und Abhänglinge geschilderte, ein ganzes Geschlecht darstellende Mensch nunmehr als Individuum, als besonders bezeichnetes Wesen, als ein Rameau, als ein Neffe des großen Rameau lebt und handelt.

Wie vortrefflich diese von Anfang angelegten Fäden ineinandergeschlungen sind, welche köstliche Abwechselung der Unterhaltung aus diesem Gewebe hervorgeht, wie das Ganze, trotz jener Allgemeinheit, womit ein Schuft einem ehrlichen Mann entgegengestellt ist, doch aus lauter wirklichen Pariser Elementen zusammengesetzt erscheint, mag der verständige Leser und Wiederleser selbst entdecken. Denn das Werk ist so glücklich aus- und durchgedacht als erfunden. Ja selbst die äußersten Gipfel der Frechheit, wohin wir ihm nicht folgen durften, erreicht es mit zweckmäßigem Bewußtsein. Möge dem Besitzer des französischen Originals gefallen, dem Publikum auch dieses baldigst mitzuteilen; als das klassische Werk eines abgeschiedenen bedeutenden Mannes mag alsdann sein Ganzes in völliger unberührter Gestalt hervortreten.

Eine Untersuchung, zu welcher Zeit das Werk wahrscheinlich geschrieben worden, möchte wohl hier nicht am unrechten Platze stehn. Von dem Lustspiele Palissots, Die Philosophen, wird als von einem erst erschienenen oder erscheinenden Werke gesprochen. Dieses Stück wurde zum erstenmal den 2. Mai 1760 in Paris aufgeführt. Die Wirkung einer solchen öffentlichen persönlichen Satire mag auf Freunde und Feinde in der so lebhaften Stadt groß genug gewesen sein.

In Deutschland haben wir auch Fälle, wo Mißwollende, teils durch Flugschriften, teils vom Theater herab, andern zu schaden gedenken. Allein wer nicht von augenblicklicher Empfindlichkeit gereizt wird, darf die Sache nur ganz ruhig abwarten, und so ist in kurzer Zeit alles wieder im Gleise, als wäre nichts geschehen. In Deutschland haben sich vor der persönlichen Satire nur die Anmaßlichkeit und das Scheinverdienst zu fürchten. Alles Echte, es mag angefochten werden wie es will, bleibt der Nation im Durchschnitt wert, und man wird den gesetzten Mann, wenn sich die Staubwolken verzogen haben, nach wie vor auf seinem Wege gewahr.

Hat also der Deutsche nur mit Ernst und Redlichkeit sein Verdienst zu steigern, wenn er von der Nation früher oder später begriffen sein will, so kann er dies auch um so gelassener abwarten, weil bei dem unzusammenhängenden Zustande unsres Vaterlandes jeder in seiner Stadt, in seinem Kreise, seinem Hause, seinem Zimmer ungestört fortleben und arbeiten kann, es mag draußen übrigens stürmen wie es will. Jedoch in Frankreich war es ganz anders. Der Franzose ist ein geselliger Mensch, er lebt und wirkt, er steht und fällt in Gesellschaft. Wie sollte es sich eine französische bedeutende Sozietät in Paris, an die sich so viele angeschlossen hatten, die von so wichtigem Einfluß war, wie sollte sie sich gefallen lassen, daß mehrere ihrer Glieder, ja sie selbst schimpflich ausgestellt und an dem Orte ihres Lebens und Wirkens lächerlich, verdächtig, verächtlich gemacht würde? Eine gewaltsame Gegenwirkung war von ihrer Seite zu erwarten.

Das Publikum, im ganzen genommen, ist nicht fähig irgendein Talent zu beurteilen: denn die Grundsätze, wornach es geschehen kann, werden nicht mit uns geboren, der Zufall überliefert sie nicht, durch Übung und Studium allein können wir dazu gelangen; aber sittliche Handlungen zu beurteilen, dazu gibt jedem sein eigenes Gewissen den vollständigsten Maßstab, und jeder findet es behaglich, diesen nicht an sich selbst, sondern an einen andern anzulegen. Deshalb sieht man besonders Literatoren, die ihren Gegnern vor dem Publikum schaden wollen, ihnen moralische Mängel, Vergehungen, mutmaßliche Absichten und wahrscheinliche Folgen ihrer Handlungen vorwerfen. Der eigentliche Gesichtspunkt, was einer als talentvoller Mann dichtet oder sonst leistet, wird verrückt, und man zieht diesen zum Vorteile der Welt und der Menschen besonders Begabten vor den allgemeinen Richterstuhl der Sittlichkeit, vor welchen ihn eigentlich nur seine Frau und Kinder, seine Hausgenossen, allenfalls Mitbürger und Obrigkeit zu fordern hätten. Niemand gehört als sittlicher Mensch der Welt an. Diese schönen allgemeinen Forderungen mache jeder an sich selbst, was daran fehlt berichtige er mit Gott und seinem Herzen, und von dem, was an ihm wahr und gut ist, überzeuge er seine Nächsten. Hingegen als das, wozu ihn die Natur besonders gebildet, als Mann von Kraft, Tätigkeit, Geist und Talent gehört er der Welt. Alles Vorzügliche kann nur für einen unendlichen Kreis arbeiten, und das nehme denn auch die Welt mit Dank an und bilde sich nicht ein, daß sie befugt sei, in irgendeinem andern Sinne zu Gericht zu sitzen.

Indessen kann man nicht leugnen, daß sich niemand gern des löblichen Wunsches erwehrt, zu großen Vorzügen des Geistes und Körpers auch Vorzüge der Seele und des Herzens gesellt zu finden; und dieser durchgängige Wunsch, wenn er auch so selten erfüllt wird, ist ein klarer Beweis von dem unablässigen Streben zu einem unteilbaren Ganzen, welches der menschlichen Natur, als ihr schönstes Erbteil, angeboren ist.

Dem sei nun wie ihm wolle, so finden wir, indem wir zu unsern französischen Streitern zurückkehren, daß, wenn Palissot nichts versäumte, seine Gegner im moralischen Sinne herabzusetzen, Diderot in vorliegender Schrift alles anwendet, was Genie und Haß, was Kunst und Galle vermögen, um diesen Gegner als den verworfensten Sterblichen darzustellen.

Die Lebhaftigkeit, womit dieses geschieht, würde vermuten lassen, daß der Dialog in der ersten Hitze, nicht lange nach der Erscheinung des Lustspiels der Philosophen geschrieben worden, um so mehr, als noch von dem ältern Rameau darin als von einem lebenden wirkenden Manne gesprochen wird, welcher 1764 gestorben ist. Hiermit trifft überein, daß der Faux généreux des Le Bret, dessen als eines mißratenen Stückes gedacht wird, im Jahre 1758 herausgekommen.

Spottschriften wie die gegenwärtige mögen damals vielfach erschienen sein, wie aus des Abbé Morellet Vision de Charles Palissot und andern erhellet. Sie sind nicht alle gedruckt worden, und auch das bedeutende Diderotsche Werk ist lange im verborgenen geblieben.

Wir sind weit entfernt, Palissot für den Bösewicht zu halten, als der er im Dialog aufgestellt wird. Er hat sich als ein ganz wackrer Mann, selbst durch die Revolution durch, erhalten, lebt wahrscheinlich noch und scherzt in seinen kritischen Schriften, in denen sich der gute, durch eine lange Reihe von Jahren ausgebildete Kopf nicht verkennen läßt, selbst über das schreckliche Fratzenbild, das seine Widersacher von ihm aufzustellen bemüht gewesen.

Tencin (Madame de)

Bei der geselligen Natur der Franzosen mußten die Frauen bald ein großes Übergewicht in der Sozietät erhalten, indem sie doch immer als Präsidentinnen anzusehen sind, die, bei der Leidenschaftlichkeit und Einseitigkeit der Männer, durch einen gewissen allgemeinen Ton des Anstandes und der Duldung einer Zusammenkunft von bedeutenden Menschen Haltung und Dauer zu geben wissen.

Madame de Tencin ist eigentlich die Stifterin der neuern Pariser Gesellschaften, welche sich unter den Augen merkwürdiger Frauen versammelten.

Im geselligen und tätigen Leben entwickelte sie die größten Vorzüge; sie verbarg unter der äußern unscheinbaren Hülle einer gutmütigen Gevatterin die tiefste Menschenkenntnis und das größte Geschick in weltlichen Dingen zu wirken.

Diderot legt kein geringes Zeugnis ihrer Verdienste ab, indem er sie unter den größten Geistern mit aufzählt.

Eine genauere Schilderung ihrer und ihrer Nachfolgerinnen, Madame Geoffrin, des Essarts, du Deffand, Mademoiselle de l'Espinasse, würde einen schönen Beitrag zur Menschen- und besonders zur Franzosen-Kenntnis geben. Marmontel hat in seinen Mémoires hierzu sehr viel geleistet.

Tencin (Kardinal)
Geboren 1679. Starb im 80. Jahr

Er stand mit Law in Verbindung, ward Minister, wie man behauptet, durch die Geschicklichkeit seiner Schwester, und ließ seine Geistesfähigkeiten in zweideutigem Rufe, als er sich zurückzog. Diderot scheint unter die zu gehören, die günstig von ihm urteilen.

Trublet (Abbé)
Geboren zu St. Malo 1697. Gestorben 1770

Fontenelle und La Motte, zwei Männer von Talent und Geist, jedoch mehr zur Prosa als zur Poesie geneigt, gedachten die erstere auf Kosten der letztern zu erheben, und konnten doch immer eine Zeitlang den Teil des Publikums, der sich selbst äußerst prosaisch fühlt, so wenig er auch die Poesie entbehren kann, für ihre Meinung gewinnen.

Der Abbé Trublet, ein Mann von einigen literarischen Verdiensten, schlug sich auf ihre Seite, und brachte überhaupt sein Leben in Beschauung und Anbetung dieser beiden Männer zu. Er hatte viel von Voltaires feindseligem Mutwillen zu leiden, gelangte aber doch, nach fünfundzwanzigjährigem Harren, obgleich anerkannt mittelmäßig, zu dem Glück, durch Begünstigung des Hofes in die Akademie aufgenommen zu werden.

Voltaire
Geboren 1694. Gestorben 1778

Wenn Familien sich lange erhalten, so kann man bemerken, daß die Natur endlich ein Individuum hervorbringt, das die Eigenschaften seiner sämtlichen Ahnherren in sich begreift, und alle bisher vereinzelten und angedeuteten Anlagen vereinigt und vollkommen ausspricht. Ebenso geht es mit Nationen, deren sämtliche Verdienste sich wohl einmal, wenn es glückt, in einem Individuum aussprechen. So entstand in Ludwig XIV. ein französischer König im höchsten Sinne, und ebenso in Voltairen der höchste unter den Franzosen denkbare, der Nation gemäßeste Schriftsteller.

Die Eigenschaften sind mannigfaltig, die man von einem geistvollen Manne fordert, die man an ihm bewundert, und die Forderungen der Franzosen sind hierin wo nicht größer, doch mannigfaltiger als die andrer Nationen.

Wir setzen den bezeichneten Maßstab, vielleicht nicht ganz vollständig und freilich nicht methodisch genug gereiht, zu heiterer Übersicht hieher.

Tiefe, Genie, Anschauung, Erhabenheit, Naturell, Talent, Verdienst, Adel, Geist, schöner Geist, guter Geist, Gefühl, Sensibilität, Geschmack, guter Geschmack, Verstand, Richtigkeit, Schickliches, Ton, guter Ton, Hofton, Mannigfaltigkeit, Fülle, Reichtum, Fruchtbarkeit, Wärme, Magie, Anmut, Grazie, Gefälligkeit, Leichtigkeit, Lebhaftigkeit, Feinheit, Brillantes, Saillantes, Petillantes, Pikantes, Delikates, Ingenioses, Stil, Versifikation, Harmonie, Reinheit, Korrektion, Eleganz, Vollendung.

Von allen diesen Eigenschaften und Geistesäußerungen kann man vielleicht Voltairen nur die erste und die letzte, die Tiefe in der Anlage und die Vollendung in der Ausführung, streitig machen. Alles was übrigens von Fähigkeiten und Fertigkeiten auf eine glänzende Weise die Breite der Welt ausfüllt, hat er besessen und dadurch seinen Ruhm über die Erde ausgedehnt.

Es ist sehr merkwürdig zu beobachten, bei welcher Gelegenheit die Franzosen in ihrer Sprache, statt jener von uns verzeichneten Worte, ähnliche oder gleich bedeutende gebrauchen und in diesem oder jenem Falle anwenden. Eine historische Darstellung der französischen Ästhetik von einem Deutschen wäre daher höchst interessant, und wir würden auf diesem Wege vielleicht einige Standpunkte gewinnen, um gewisse Regionen deutscher Art und Kunst, in welchen noch viel Verwirrung herrscht, zu übersehen und zu beurteilen, und eine allgemeine deutsche Ästhetik, die jetzt noch so sehr an Einseitigkeiten leidet, vorzubereiten.

NACHTRÄGLICHES ZU RAMEAUS NEFFE

I. Rameaus Neffe

Zu Ende des Jahrs 1804 vertraute mir Schiller, es sei ein Manuskript in seinen Händen, ein Dialog Diderots, Rameaus Neffe zum Titel führend, noch ungedruckt und unbekannt, Herr Göschen sei geneigt dasselbe abdrucken zu lassen, vorher aber zu Erregung lebhafter Aufmerksamkeit eine deutsche Übersetzung ins Publikum zu senden. Man trug mir die Arbeit an, und ich, seit langer Zeit vor dem Verfasser große Achtung hegend, übernahm sie gern, nachdem ich das Original durchgesehen hatte.

Meiner Arbeit wird man hoffentlich ansehen, daß ich mit ganzer Seele dabei war; der Abdruck erfolgte, konnte aber eigentlich im deutschen Publikum nicht greifen. Die kriegerischen Aspekten verbreiteten überall eine bängliche Sorge, wie denn auch die intentionierte Herausgabe des Originals durch die französische Invasion unrätlich, ja untunlich gemacht wurde. Der aufgeregte Haß gegen die Eindringenden und ihre Sprache, die lange Dauer einer traurigen Epoche, verhinderten das Vorhaben, Schiller verließ uns und ich erfuhr nicht, wohin das zurückgegebene Manuskript gekommen war.

Als man aber im Jahr 1818 die sämtlichen Werke Diderots an die Sammlung französischer Prosaisten anzuschließen gedachte und deshalb eine vorläufige Anzeige herausgab, erwähnte man auch dieses verborgenen Manuskripts, nach dessen deutscher Übersetzung man den Inhalt dieses wunderlichen Werkes umständlich anzeigte, und zugleich nicht unglücklich einige Stellen ins Französische zurücktrug. Man wollte zwar den Dialog nicht als ein Meisterwerk gelten lassen, fand ihn aber doch der originalen Feder Diderots würdig, welches wohl ebensoviel heißen soll.

Die Sache kam noch einigemal in Anregung, aber ohne weitern Erfolg. Endlich erschien im Jahr 1821 in Paris: Le Neveu de Rameau, dialogue, ouvrage posthume et inédit par Diderot, und machte wie billig großes Aufsehen. Das Nähere davon verdient wohl die Aufmerksamkeit auch künftiger Zeiten.

Jene wiederholten Äußerungen und Anfragen wurden endlich von jungen Männern im stillen aufgefaßt und sie versuchten eine solche Rückübersetzung. Der Vicomte de Saur, maître de requêtes au Conseil du roi, wie er sich in einer Sendung an mich unterschreibt, übernahm die Arbeit mit einem Freunde de Saint-Géniés und sie gelang dergestalt, daß sie wagen durften, sie für das Original auszugeben. Einige Abweichungen und Mißverständnisse (wie zum Beispiel Rockentheologie, Théologie de quenouille, hieß Théologie de roch) sowie eingeschaltete, den Übersetzern eigene Stellen konnten nicht leicht entdeckt werden. Genug man glaubte eine Zeitlang das Original zu besitzen, bis endlich durch diese Bewegung durch die Bemühung des Herausgebers der Werke Diderots in der Familie das wirkliche Original gefunden ward.

Jene geistreichen jungen Männer aber wollten sich eines literarischen Frevels nicht sogleich bezüchtigen lassen und erklärten das wahre Original für untergeschoben, welches denn zu mancherlei Kontestationen Gelegenheit gab. Der Herausgeber Herr Brière wendete sich an mich in einem Schreiben vom 27. Juli 1823, aus welchem ich folgende Stelle mitteile:

«Als Herausgeber der vollständigen Werke Diderots hab' ich auch einen von Ew. pp. selbst ausgesprochenen Wunsch zu erfüllen gesucht, indem ich den Neffen Rameaus in meine Ausgabe mit aufnahm. Dieses Werk ist noch nicht öffentlich erschienen, aber Ihre deutsche Übersetzung dieser merkwürdigen Produktion ist so treu, wie der Sohn des Colmarschen Pfeffels mir noch vor einigen Tagen versicherte, um darnach Diderots Arbeit originalmäßig wieder herstellen zu können.

Indessen aber habe ich, um der französischen Literatur Diderots Werk zu überliefern, keinen Gebrauch von Ihrer Übersetzung, sondern einen Abdruck nach einer Kopie gemacht, welche 1760 unter den Augen des Verfassers verfertigt war und welche ich von der Frau Marquise Vandeul, Diderots einziger Tochter, empfing, welche noch lebt und gegenwärtig in Paris wohnt, Neuestraße Luxemburg Nummer 18.»

Weiter klagt nun Herr Brière über die Unvollkommenheiten jener Rückübersetzung, davon er mir ein Exemplar mit Randglossen zusendet und, indem er mir auch das echte Original nunmehr abgedruckt zuschickt, gar bedeutende Beweise von französischer Leichtbehandlung vor Augen legt. Zunächst aber zeigt sich erst die Wichtigkeit seiner Klage, indem, weil einmal das Publikum durch eine Übersetzung hintergangen wurde, man nun auch das echte Original für eine gleiche Spiegelfechterei erklärt. An die inneren Gründe denkt niemand, man verlangt äußere, man will Diderots Original vorgewiesen haben, und eine würdige Dame so gut als der Herausgeber werden für Betrieger erklärt. Er wendet sich daher an mich, als den einzigen, welcher hierin Recht sprechen könne: denn was das Hauptoriginal betrifft, ist es noch ungewiß, ob es an den Herzog von Gotha, bei welchem ich es doch nie gesehen, oder an den Prinzen Heinrich von Preußen gesendet worden. Soll ich eine Vermutung aussprechen, so ist das Manuskript nach Petersburg an Ihro Majestät die Kaiserin Katharina gelangt, die Kopie, nach der ich übersetzte, schien dort genommen und für mich hatte diese Filiation die höchste Wahrscheinlichkeit.

Dem wirklich wohl- und gutdenkenden Verleger aber antwortete ich folgendermaßen:

«Hochgeehrtester Herr! Sie haben mir durch die bedeutende zutrauliche Sendung sehr viel Vergnügen gemacht; denn ob ich gleich vor so viel Jahren den Diderotischen trefflichen Dialog mit Neigung, ja mit Leidenschaft übersetzte, so konnte ich demselben doch nur eine flüchtige Zeit widmen, darauf aber meine Arbeit mit dem Original niemals wieder vergleichen.

Nun geben Sie mir Gelegenheit es zu tun, und ich trage kein Bedenken hiemit meine Überzeugung auszusprechen, daß der von Ihnen gedruckte Neveu de Rameau gleichlautend mit der Kopie sei, wornach ich übersetzt. Schon empfand ich dies gleich beim ersten Lesen, was nun zur größern Gewißheit wird, indem ich, nach einer so langen Pause das französische Werk mit meiner Übersetzung zusammenhaltend, gar manche Stelle finde, welche mich befähigt meiner Arbeit einen größern Wert zu geben, wenn ich sie weiter darnach ausbilde.

Eine solche Erklärung scheint hinreichend zu Ihren Zwecken, die ich gern fördern mag, weil, wie gesagt, durch die Entdeckung und Publikation des Originals mir selbst ein bedeutender Dienst geschehen.

Weimar den 16. Oktober 1823.»

Aus Vorstehendem erkennt man den großen und unersetzlichen Schaden, welchen falsche, ganz oder halb erlogene Schriften im Publikum anrichten; er besteht darin, daß das Urteil der Menge, welches immer einer hohen reinen Leitung bedarf, sich durchaus an solchen Schriften verwirrt, die durch Annäherung an gewisse Originalitäten gerade das Bessere zu sich herabziehen, so daß das Mittelmäßige vom Vortrefflichen, das Schwache vom Starken, das Absurde vom Erhabenen nicht mehr zu scheiden ist.

Wer indessen Freude an der französischen Literatur hat, auch an den Einwirkungen der Literaturen ineinander einsichtigen Teil nimmt, mag mit uns das Glück preisen, daß ein solches Juwel als das schon anerkannte und noch allgemeiner anzuerkennende sich doch endlich wieder gefunden hat.

Nunmehro aber halte für nötig etwas über die Noten zu äußern, welche ich meiner Übersetzung jenes Dialogs zugefügt hatte.

Das große Interesse, das ich diesem Dialog bei der ersten Lesung zuwendete, entsprang wohl aus der frühern Bekanntschaft mit Diderots Werken in dem Augenblick da sie erschienen. Die oft genannte und noch jetzt respektable Korrespondenz, womit Herr von Grimm sein Paris in Verbindung mit der übrigen Welt zu erhalten wußte, ward durch die neu entstandenen und entstehenden Werke höchlich gesteigert. Stückweise kamen La Religieuse sowie Jacques le Fataliste in ununterbrochener Folge nach Gotha, wo denn diese sich einander folgenden Abschnitte jener bedeutenden Werke gleich in besondere Hefte abgeschrieben und in jenem Kreise, zu dem ich auch zu gehören das Glück hatte, mitgeteilt wurden.

Unsre Tagesblätter bedienen sich desselben Kunststücks, ihre Leser von Blatt zu Blatt fortzuziehen und wenn es auch nur der Neugierde wegen geschähe. Uns aber wurden jene gehaltschweren Abteilungen nach und nach zugezählt und wir hatten während der gewöhnlichen Pausen immer genug zu tun, den Gehalt dieser sukzessiven Trefflichkeiten zu bedenken und durchzusprechen, wodurch wir sie uns auf eine Weise zu eigen machten, von welcher man in der spätern Zeit kaum einen Begriff haben möchte.

Ich aber hatte von diesen Dingen desto größere Fördernis und Belehrung, als ich von Kindheit auf, wie ich in meinen biographischen Heften schon bekannt, mit der französischen Literatur durchaus befreundet worden. Deshalb mir denn alle in dem gedachten Dialog vorkommenden gerühmten und gescholtenen Personen nicht fremd waren und mir dadurch diese sehr komplizierte Produktion in heiterer Klarheit vor der Seele stand.

Betrachtete ich nun aber meine lieben Landsleute in dieser späten Zeit, so konnt' ich nicht erwarten, daß jene Tage nur irgendeinem Deutschen wie mir könnten gegenwärtig sein. Die Regierungsjahre Ludwigs des Funfzehnten waren schon völlig in den Hintergrund getreten, die Revolution hatte ganz andere Zustände und Ansichten hervorgebracht; von solchen Frechheiten eines müßigen, beschaulich humoristischen Lebens, wie solches in dem Element der ersten sechziger Jahre nur zu denken war, konnte die Rede nicht mehr sein.

Da man doch aber ältere literarische Bezüge in solchen Fällen durch Noten mit Vergnügen aufgeklärt sieht, so dachte ich, das Entschwundene dem deutschen Leser wieder entgegenzuheben; allein auch diese Bemühung war für den Augenblick vergebens, die Kriegstage und -jahre verschlangen alles Interesse und ohne dies konnte auch ein solches Werk an keine augenblickliche Teilnahme einigen Anspruch machen.

Gleicherweise unterließ der Verleger den Abdruck des Originals, wodurch denn manche Verwirrung für die Folgezeit eingeleitet wurde.

Jene oben genannten jungen Männer mußten, indem sie heimlich an ihrer Rückübersetzung arbeiteten, auch von den Noten Kenntnis nehmen, welche ich meiner Arbeit hatte folgen lassen. Sie scheinen dieselben wohl durchgedacht zu haben und faßten den Entschluß, eine Übersetzung davon dergestalt ans Licht zu bringen, daß es dem französischen Publikum angemessen sein könnte. Sie gaben daher nun das Werk in dem Jahre 1823 unter folgendem Titel heraus: Des hommes célèbres de France au dix-huitième siècle, et de l'état de la littérature et des arts à la même époque; par M. Goethe: traduit de l'allemand, par M. M. de Saur et de Saint-Géniés; et suivi de notes des traducteurs, destinées à développer et à compléter sur plusieurs points importants les idées de l'auteur. Paris chez Antoine-Augustin Renouard 1823.

Dieses Buch, mit einiger Gunst angesehen, kann man wirklich als wohl zusammengestellt gelten lassen; in einer kurzen Vorrede geben sie einen allgemeinen Begriff von meinen dichterischen und literarischen Bemühungen, indem sie einen leisen Abriß meines Lebens folgen lassen. Meine Noten zu Rameaus Neffen, die ich in alphabetische Ordnung gestellt, haben sie umgesetzt, um dem Titel ihres Werkes einige Folge zu leisten. Voltaire steht obenan, Diderot und andere interessante Menschen folgen. Übersetzungsweise, Geschmack, Musik kommen zur Sprache.

Die Übersetzung selbst ist sehr frei, teils auslassend, teils paraphrastisch, jedoch ungeachtet einer solchen Behandlung völlig im Sinne des Originals, in welchen sie genugsam eingedrungen sind, deswegen sich nun auch auf diese Weise der Text als zusammenhängend und übereinstimmend ganz bequem lesen läßt.

Dagegen haben sie sich in den hinzugefügten Noten ihrer Freiheit bedient und bald übereinstimmend, bald in einigem Widerspruch sich vernehmen lassen. Bald lassen sie gelten, bald bestimmen, bald berichtigen sie, wobei denn ihre Erweiterungen und die fernere genauere Kenntnis dieser Angelegenheit ganz willkommen sind; deswegen denn dieses Buch, wie es liegt, als ein brauchbarer Beitrag zur französischen Literatur, wie sie sich in der Hälfte des vorigen Jahrhunderts gebildet hatte, gar wohl angesehen werden kann. Wobei denn wohl bemerkt zu werden verdient, wie angenehm ihnen die Billigkeit gewesen, womit ein Ausländer ihre Literatur betrachtet und behandelt. Auch wird es einem jeden bei Durchlesung dieses Bandes angenehm sein, den Brief Voltaires an Palissot wieder zu finden, worin er diesen wegen des Schauspiels: Die Philosophen bestraft, ein bewundernswertes Beispiel, wie man mit gerechter Schärfe und Strenge zugleich sich aufs anmutigste und heiterste benehmen kann. Eine Art jedoch, die vielleicht niemand als Voltaire gelang, vielleicht auch keiner andern Nation so gut hätte kleiden können.

Nachdem die französische Übersetzung des Diderotischen Dialogs erschienen war, fing man an zu zweifeln, ob dieser Neffe Rameaus jemals existiert habe. Glücklicherweise fand man in Merciers Tableau de Paris eine Stelle, welche sein Dasein außer Zweifel stellt und sowohl vom Oheim als vom Neffen charakteristische Züge mitteilt. Auch diese fügen wir übersetzt hier bei, es ist Mercier, der spricht:

Ich habe in meiner Jugend den Musikus Rameau gekannt; es war ein großer Mann, trocken und mager, eingeschrumpften Unterleibs, der, gebückt wie er war, im Palais royal spazieren ging, die Hände auf dem Rücken verschränkt, um sich ins Gleichgewicht zu setzen.

Er hatte eine lange Nase, ein spitzes Kinn, Flöten statt der Beine, eine rauhe Stimme; schien von verdrießlicher

Laune und, nach Art der Poeten, salbaderte er über seine Kunst.

Damals hieß es: alle musikalische Harmonie sei in seinem Kopfe. Ich ging in die Oper, und Rameaus Opern, einige Symphonien abgerechnet, machten mir gewaltige Langeweile, und da alle Welt sagte, in der Musik könne man nicht weiter, glaubt' ich dieser Kunst abgestorben zu sein und betrübte mich innerlich. Da kamen aber Gluck, Piccini, Sacchini und erweckten, im innern Grunde meiner Seele, die verdumpften oder nicht angeregten Fähigkeiten. Ich begriff nichts von Rameaus großem Ruf und es wollte mir nachher scheinen, als hätte ich damals nicht so großes Unrecht gehabt.

Ich kannte seinen Neffen, halb geistlich, halb weltlich, er lebte in den Kaffees und führte alle Wunder der Tapferkeit, alle Wirkungen des Genies, alle Opfer des Heldentums, genug alles was nur Großes in der Welt geschehen mochte, auf ein kräftiges Kauen zurück. Ihn zu hören, hatte jenes alles keinen andern Zweck, keinen andern Erfolg als etwas unter die Zähne zu bringen.

Er predigte diese Lehre mit ausdrucksvoller Gebärde und einer sehr malerischen Bewegung seiner Kinnladen. Sprach man von einem schönen Gedicht, einer großen Handlung, einem neuen Gesetz, so erwiderte er: Vom Marschall von Frankreich an bis zum Seifensieder, von Voltaire bis zu Chabanon, das alles rührt sich nur, um etwas in den Mund zu stecken und die Gesetze der Mastikation zu erfüllen.

Eines Tags sagt' er mir gesprächsweise: «Mein Onkel, der Musikus, ist ein großer Mann, aber mein Vater, erst Soldat, dann Violinist, dann Kaufmann, dieser war noch größer: Ihr sollt selbst urteilen, er wußte etwas zwischen die Zähne zu bringen. In meines Vaters Hause lebte ich sehr unbesorgt, denn ich war niemals neugierig genug, um der Zukunft aufzupassen. Zweiundzwanzig Jahre hatt' ich hinter mir, als der Vater zu mir ins Zimmer trat und sagte: Wie lange willst du so fortleben, nichtswürdiger Taugenichts?

Seit zwei Jahren erwart' ich dich tätig zu sehen; weißt du, daß ich, zwanzig Jahre alt, schon gehangen war und eine Versorgung hatte? — Nach meiner muntern Natur antwortete ich meinem Vater: Gehangen ist man wohl versorgt, aber wie hing man Euch auf und seid doch noch mein Vater?

Höre, sagt' er, ich war Soldat und marodierte, der Großprofos erwischte mich, ließ mich an einen Baum befestigen, ein kleiner Regen hinderte den Strick zu gleiten wie sich's gehört, oder vielmehr wie sich's nicht gehört, der Steffchen hatte mir mein Hemd gelassen, weil es zerrissen war, Husaren ritten vorbei und nahmen mir das Hemd auch nicht, weil es nichts taugte; aber mit einem Säbelhieb zerschnitten sie meinen Strick, ich fiel auf die Erde, sie war feucht und die Feuchtigkeit rief meine Geister zurück. Da lief ich im Hemd ins nächste Dorf, trat ins Wirtshaus und sagte zur Frau: Erschreckt nicht, mich im Hemde zu sehen, mein Gepäck ist hinter mir; davon hernach! — Jetzt aber verlang' ich nur Feder, Tinte, vier Blätter Papier, Brot für einen Sou und einen Schoppen Wein. Wahrscheinlich hatte mein zerlöchertes Hemd die Wirtin zum Mitleiden bewogen, ich schrieb auf die vier Blätter: «Heute großes Schauspiel, durch den berühmten Italiener aufgeführt, zu sechs Sous die ersten Plätze, die zweiten zu drei, jedermann wird eingelassen, wenn er bezahlt.» Ich verschanzte mich hinter einen Teppich, borgte eine Violine, schnitt mein Hemd in Stücke, machte fünf Puppen daraus und bemalte sie mit Tinte und ein wenig von meinem Blut. Da bin ich nun, meine Puppen wechselsweise reden zu lassen; dazu sang ich und strich die Geige hinter dem Teppich.

Zum Präludium hatte ich aus meinem Instrument gar wunderliche Töne gezogen. Die Zuschauer drängten sich herbei, der Saal war voll, der Geruch aus der nahen Küche gab mir neue Kräfte; der Hunger, der ehemals Horazen begeisterte, begeisterte deinen Vater; eine ganze Woche lang gab ich täglich zwei Vorstellungen, jedesmal auf dem Zettel

«ohne Unterbrechung»; da ging ich aus der Schenke mit einem Reisesack, drei Hemden, Schuhen, Strümpfen und Geld genug, um die Grenze zu erreichen. Eine kleine Rauhigkeit des Halses, durch die Hängerei verursacht, war völlig verschwunden, so daß man in der Fremde meine wohlklingende Stimme bewunderte. Du siehst, daß ich mich im zwanzigsten Jahre schon hervorgetan und eine Versorgung erlangt hatte; du bist zweiundzwanzig, hast ein neues Hemd auf dem Leibe, da sind zwölf Franken, pack dich aus dem Hause!

So verabschiedete mich mein Vater und gesteht! von da auszugehen, war es etwas weiter, als daß man hätte zu Dardanus oder Kastor und Pollux gelangen sollen. Seit der Zeit seh' ich alle Menschen ihre Hemden nach eignem Sinn und Fähigkeit zuschneiden, öffentlich Marionetten spielen und das alles nur, um den Mund zu füllen. Nach meiner Überzeugung ist die Mastikation der wahre Endzweck aller der seltensten Dinge dieser Welt.»

Eben dieser Neffe Rameaus hatte an seinem Hochzeitstage alle Leiermädchen, jede zu einem Taler gemietet; in deren Mitte trat er auf, seine Braut unterm Arm: «Ihr seid die Tugend selbst», sprach er, «aber ich wollte sie durch die Schatten, die Euch umgeben, noch mehr heraussetzen.»

Diese Unterredung Merciers mit dem Neffen Rameaus hat vollkommen den Charakter des Gespräches, welches Diderot mit diesem Original durchführte; die beiden Maler haben sich nicht verabredet und eine solche Ähnlichkeit zeugt unwidersprechlich, daß hier nicht von einer erfundenen Persönlichkeit die Rede sei, sondern von einem sehr wirklichen Wesen, von welchem beide das Porträt nach der Natur genommen haben.

Alles Vorhergehende nochmals übersehend, scheint es mir dem allgemeinen Interesse gemäß, jenen oben angedeuteten Brief des französischen Verlegers im Original beizufügen; er versetzt uns lebhafter in jene Tage, wo das In-

teresse dieser Angelegenheit mit Leidenschaft behandelt wurde.

« Pardonnez-moi, Monsieur, si je viens vous dérober quelques-uns de ces instants précieux que pour les plaisirs de notre âge et ceux des siècles futurs vous avez consacrés au culte des muses. Mais c'est au nom des mânes de Diderot que je vous invoque, et le rang distingué que cet illustre écrivain me paraît tenir dans votre estime m'est un gage assuré que je ne me serai point vainement adressé à vous. Je me sens encore soutenu dans ma témérité à solliciter de vous une réponse par ce profond caractère de vérité et de droiture que je trouve empreint dans tous vos écrits.

Il s'agit, Monsieur, de prononcer dans un procès purement littéraire, votre sentence sera sans appel, et votre réponse me donnera une victoire éclatante sur un imposteur qui n'a pas craint de me présenter au public français comme un fourbe capable d'en imposer au point de donner pour un original une traduction d'un ouvrage de Diderot. Voici le fait :

Editeur des Œuvres complètes de Diderot, j'ai rempli le vœu formé par vous-même en comprenant dans mon édition le Neveu de Rameau. Cet ouvrage n'est pas encore publié. La traduction allemande que vous avez donnée de cet ouvrage remarquable est si fidèle me disait encore il y a quelques jours le fils de Pfeffel de Colmar, qu'il serait très facile de reproduire textuellement Diderot.

Cependant pour rendre aux lettres françaises l'ouvrage de Diderot, je n'ai point fait usage de votre traduction; j'ai imprimé mon édition sur une copie faite en 1760 sous les yeux de l'auteur; cette copie m'a été donnée par Madame la Marquise de Vandeul, fille unique de Diderot, vivant et demeurant aujourd'hui à Paris, rue Neuve de Luxembourg No. 18.

D'un autre côté un Monsieur de Saur a retraduit en 1821 votre traduction, il l'a défigurée en beaucoup d'endroits, s'est permis beaucoup d'amplifications et n'en a pas moins présenté son livre comme un ouvrage posthume et inédit de Diderot. Aujourd'hui qu'il se voit forcé d'avouer qu'il n'est [que] traducteur, il me dénonce comme un fourbe semblable à lui et prêche dans tous nos journaux que mon édition, prétendue originale, n'est comme la sienne qu'une traduction de votre traduction. Prouvez le contraire, me dit-il, en me présentant l'autographe de Diderot et je me retracte à l'instant! Le méchant sait bien que cet autographe envoyé au prince de Saxe-Gotha, ou au prince Henri de Prusse a été détruit; et comme je n'ai à lui opposer que la copie faite par un secrétaire de Diderot, il persiste à taxer d'imposture et la famille de Diderot et moi-même! C'est à vous seul qu'il est réservé, Monsieur, c'est à vous seul qu'il est possible de faire voir quels sont les trompeurs de M. de Saur ou de l'estimable Marquise de Vandeul avec laquelle je m'honore de faire cause commune dans cette affaire. La France attend votre arrêt.

J'ai l'honneur de vous envoyer, Monsieur, un exemplaire de mon édition du Neveu de Rameau, vous reconnaîtrez, je n'en doute point, le même texte qui a servi à votre élégante traduction. Après avoir reconnu la vérité de mes assertions serez-vous assez bon, pour me donner, par la réponse dont j'ose me flatter d'être honoré, le moyen de confondre mes accusateurs et ceux de la famille de Diderot lui-même? Je me vois, à mon début dans le monde, compromis dans ce que j'ai de plus cher auprès de mes concitoyens; dans mon honneur même, puisque ces Messieurs n'ont pas craint de me présenter comme capable d'abuser de la confiance publique.

Je vous envoie aussi, Monsieur, un journal dans lequel vous verrez que ces Messieurs traitent Diderot avec aussi peu de pudeur que de bonne foi.

Vouz recevrez enfin un exemplaire de la traduction de MM. de Saur et de Saint-Géniés dans lequel j'ai souligné ou indiqué une faible partie des contresens qu'ils ont faites et des additions qu'ils se sont permises. Les numéros inscrits à la marge indiquent les pages correspondantes de mon édition.

Si vous daignez m'honorer d'une réponse, je ne doute pas de voir contester par mes détracteurs l'authenticité de votre signature; mais l'Europe savante la connaît et l'Institut de France est là pour me venger.

C'est beaucoup vous demander, Monsieur, que de solliciter de vous de pareils soins; mais je suis sûr que quand il dépend de vous d'assurer le triomphe de la vérité et de confondre l'imposture, vous oubliez promptement toutes les peines que vous avez pu prendre.

Je suis, Monsieur, avec les sentiments du plus profond respect, et de la plus haute considération, de Votre Excellence le très humble et très obéissant serviteur Brière

Libraire-éditeur des Œuvres de Diderot,
rue St. André des Arts No. 68

Paris le 27 Juillet 1823.»

II

Des Hommes Célèbres de France au dix-huitième siècle, et de l'état de la littérature et des arts à la même époque. Par M. Goethe: traduit de l'allemand par MM. de Saur et de Saint-Géniés. A Paris MDCCCXXIII

Als die Freunde der Goethischen Produktionen von genanntem französischem Werke hörten, fragten sie sich verwundert: was denn eigentlich damit gemeint sei, und wo sich das Original in den Werken ihres Dichters und Schriftstellers finden möchte. Diese Zweifel waren jedoch bald gelöst, denn es zeigte sich, daß die Anmerkungen zu Rameaus Neffe, ein Dialog von Diderot, hier als ein selbständiges Werk behandelt und angekündigt worden, wodurch denn freilich der Gesichtspunkt einigermaßen verruckt erscheint.

Denn als Goethe im Jahr 1804 sich bewogen fand, genanntes Diderotisches Werk zu übersetzen, mußte sich wohl unter der Arbeit eine lebhafte Teilnahme notwendig entwickeln; zugleich trat aber deutlich hervor, daß der vollkommene Genuß an dieser seltsamen Produktion nur bei einer näheren Kenntnis der französischen Literatur überhaupt, besonders der gleichzeitigen des Dialogs, nicht weniger dessen, was in jenen Tagen über Musik verhandelt wurde, sich einfinden könne. Nach vollendeter Übersetzung reifte daher der Entschluß, dasjenige alphabetisch zu verfassen und zu ordnen, was sich auf die im Dialog genannten Namen und Hauptgegenstände notwendig bezog, um dadurch dem deutschen Leser einen anschaulichen Begriff von einer höchst problematischen Produktion einigermaßen mitzuteilen, welches denn auch seinerzeit bei der teilnehmenden Klasse die Wirkung nicht verfehlte.

Indessen trat für das nördliche Deutschland die jammervolle Epoche von 1806 ein, die beabsichtigte Herausgabe des Originals unterblieb, so wie denn auch die Übersetzung bei vorwaltenden widerwärtigen Umständen bald in Vergessenheit geriet, indem sich niemand mit einer feindlichen Nation und ihrer Literatur abzugeben einiges Bedürfnis fühlte.

Erst später, als man eine Sammlung der sämtlichen Diderotischen Werke veranstaltete, kam auch gedachter Dialog wieder zur Sprache, und da alle Forschung, wo das Original sich versteckt haben möchte, ganz erfolglos blieb, gab man in dem Prospektus aus der Übersetzung einen allgemeinen Begriff von dem fraglichen Werke, und versuchte die Rückübersetzung einiger Stellen, welche glücklich gelangen, indem der deutsche Übersetzer sich ganz nahe an seinen Text gehalten und zugleich Sinn, Wendung und Wort nachzubilden bemüht gewesen.

Einstweilen ruhte nun die Sache, bis im Jahr 1821 Le Neveu de Rameau, dialogue, in Paris erschien, als Diderots hinterlassenes ungedrucktes Werk großes Aufsehen erregte, und als eine, dem Inhalt und der Form nach höchst seltsame Erscheinung zu mancherlei Betrachtungen und Wünschen Anlaß gab.

Während der Zeit hatte sich der Herausgeber des Dialogs, Herr Vicomte de Saur, noch einen Gehülfen, Herrn de Saint-Géniés, zugesellt und beide, nicht ohne Einfluß eines unterrichteten Deutschen, wendeten sich zu den Anmerkungen und übersetzten sie, änderten jedoch die Ordnung der aufgestellten Charaktere aus einer alphabetischen in eine dem Wert und der Würde der Personen und Gegenstände mehr angemessen scheinende Folge.

Durch dieses Umstellen jedoch wird die Vergleichung des Übertragenen mit dem Original sehr erschwert, und es wird nicht deutlich, was eigentlich dem Deutschen und was den Franzosen angehöre. Da wäre denn zu untersuchen: inwiefern sich die Übersetzer ans Original gehalten, sich von demselben entfernt, Gedanken entwickelt, Meinungen substituiert und sonst Veränderungen vorgenommen haben, um ihrer Nation das günstige Urteil eines Fremden über ihre vorzüglichsten Männer noch erst recht eingänglich und schmackhaft zu machen.

In eben dem Sinne lassen sich die Noten betrachten, welche sparsam eingeschaltet und am Schlusse mäßig nachgebracht werden. Sie sind bestimmt, wie gesagt wird, die Ideen des deutschen Verfassers über verschiedene bedeutende Punkte zu entwickeln und zu vervollständigen, wobei sich denn einige angenehme historische Data deutlich ergeben. Wir erhalten anschauliche Kenntnis, daß der Geist der Verneinung auch in Frankreich zu Hause sei; journalistische Kritiker zweifelten an der Persönlichkeit des Neffen und wollten ihn nur für eine phantastische Erfindung gelten lassen. Glücklicherweise fand sich in Merciers Tableau de Paris eine geistreiche Schilderung beider Rameaus, wo der Neffe völlig übereinstimmend mit dem Diderotischen auftritt; er ist gleich redselig, nur ist seine Frechheit fast noch gewissenloser, als man sie gekannt. Er spricht auf das schmählichste von seinem eigenen Vater, der ihn denn freilich auch auf das schonungsloseste behandelt hat. Eine Haupteigenschaft des Neffen, die Gefräßigkeit, wird von Mercier mit kräftigen Zügen gleichfalls gerügt.

Der andere Zweifel ward erregt, ob Diderot der Verfasser sei, oder ob man den Dialog als ein Machwerk ansehen müsse, welches unterzuschieben ein neuerer die Kühnheit gehabt? Auch dieser Einwurf wird gründlich widerlegt und kommen einige gute Bemerkungen zur Sprache. Wir sehen uns ferner verschiedentlich aufgeklärt über Piron, über seine kleineren Stücke, wie auch die Metromanie. Gar manches andere dieser Art wird historisch bekräftigt und hie und da berichtigt, wie einem deutschen Leser angenehm sein wird, der sich um französische Literatur zu bemühen geneigt ist.

Im ganzen wird ihm jedoch höchst merkwürdig und lehrreich erscheinen, wie diese guten jungen Männer, die mit Leidenschaft deutschen Schriftstellern zugetan sind, oftmals, indem sie manches nach eigenem Sinne vortragen, den Zwiespalt französischer und deutscher Denkweise unbewußt aussprechen. Es sind nun einmal gewisse Dinge, von denen sie nicht abgehen, andere, die sie sich nicht zueignen können; doch sucht ihr Urteil überall irgendeine Vermittlung. Die Gedanken der Frau von Staël kommen zur Sprache und werden teils aufgenommen, teils abgelehnt; im ganzen aber sieht man den Zweck, beiden Nationen einen wechselseitigen guten, obgleich bedingten Begriff mitzuteilen.

Im literarischen Sinne jedoch werden die vorzüglichen und wohlwollenden Männer ihr Verdienst noch besonders dadurch steigern, wenn sie sich von dem Leben deutscher Schriftsteller, von Inhalt und Form ihrer Produktionen genauer zu unterrichten suchen, welches ihnen in der gegenwärtigen Zeit, die so vieles ins klare setzt, nicht schwer werden kann. Behalten sie übrigens den guten Willen gegen uns und unsere Nation im ganzen, gegen die Einzelnen im besondern, so kann daraus ein wechselseitig nützliches und erfreuliches Verhältnis entstehen.

ÜBER FREMDSPRACHEN
UND ÜBERSETZUNGEN

Wer fremde Sprachen nicht kennt, weiß nichts von seiner eigenen.

[aus «Kunst und Altertum», Art. Ged. Ausg. Bd. 9, S. 508]

Eine Hauptüberzeugung, die sich immer in mir erneuerte, war die Wichtigkeit der alten Sprachen: denn so viel drängte sich mir aus dem literarischen Wirrwarr immer wieder entgegen, daß in ihnen alle Muster der Redekünste und zugleich alles andere Würdige, was die Welt jemals besessen, aufbewahrt sei. Das Hebräische sowie die biblischen Studien waren in den Hintergrund getreten, das Griechische gleichfalls, da meine Kenntnisse desselben sich nicht über das Neue Testament hinaus erstreckten. Desto ernstlicher hielt ich mich ans Lateinische... So hatte ich denn das Lateinische gelernt, wie das Deutsche, das Französische, das Englische, nur aus dem Gebrauch, ohne Regel und ohne Begriff. Wer den damaligen Zustand des Schulunterrichts kennt, wird nicht seltsam finden, daß ich die Grammatik übersprang, so wie die Redekunst: mir schien alles natürlich zuzugehen, ich behielt die Worte, ihre Bildungen und Umbildungen in Ohr und Sinn und bediente mich der Sprache mit Leichtigkeit zum Schreiben und Schwätzen.

[aus «Dichtung und Wahrheit», Art. Ged. Ausg. Bd. 10, S. 264]

Die französische Sprache war mir von Jugend auf lieb; ich hatte sie in einem bewegteren Leben, und ein bewegteres Leben durch sie kennen gelernt. Sie war mir ohne Grammatik und Unterricht, durch Umgang und Übung, wie eine zweite Muttersprache zu eigen geworden.

[aus «Dichtung und Wahrheit», Art. Ged. Ausg. Bd. 10, S. 524]

Nun aber scheint es nötig, umständlicher anzuzeigen und begreiflich zu machen, wie ich mir in solchen Fällen in der französischen Sprache, die ich doch nicht gelernt, mit mehr oder weniger Bequemlichkeit durchgeholfen. Auch hier kam mir die angeborene Gabe zustatten, daß ich leicht den Schall und Klang einer Sprache, ihre Bewegung, ihren Akzent, den Ton und was sonst von äußern Eigentümlichkeiten, fassen konnte. Aus dem Lateinischen waren mir viele Worte bekannt; das Italienische vermittelte noch mehr, und so horchte ich in kurzer Zeit von Bedienten und Soldaten, Schildwachen und Besuchen so viel heraus, daß ich mich, wo nicht ins Gespräch mischen, doch wenigstens einzelne Fragen und Antworten bestehen konnte. Aber dies war alles nur wenig gegen den Vorteil, den mir das Theater brachte. Von meinem Großvater hatte ich ein Freibillett erhalten, dessen ich mich, mit Widerwillen meines Vaters, unter dem Beistand der Mutter, täglich bediente.

[aus «Dichtung und Wahrheit», Art. Ged. Ausg. Bd. 10, S. 102]

Mein Vater lehrte die Schwester [Cornelia] in demselben Zimmer Italienisch, wo ich den Cellarius auswendig zu lernen hatte. Indem ich nun mit meinem Pensum bald fertig war und doch still sitzen sollte, horchte ich über das Buch weg und faßte das Italienische, das mir eine lustige Abweichung des Lateinischen auffiel, sehr behende.

[aus «Dichtung und Wahrheit», Art. Ged. Ausg. Bd. 10, S. 39]

Eine spanische Blumenlese, durch Gefälligkeit des Herrn Perthes erhalten, war mir höchst erfreulich; ich eignete mir daraus zu was ich vermochte, obgleich meine geringe Sprachkenntnis mich dabei manche Hinderung erfahren ließ.

[aus «Annalen oder Tag- und Jahreshefte», Art. Ged. Ausg. Bd. 11, S. 937]

Bei der englischen [Sprache] können wir bemerken, daß ihre Schriftsteller mit unsrer Denkweise und dem, was wir in unserer eigenen Literatur schätzen, übereinkommen, so daß man sie deshalb vorzüglich gesucht hat. Die Liebe zu der italienischen Sprache ist nicht weit ausgebreitet, sie scheint mehr des Gesanges willen geliebt zu sein, die spanische ist nur das Eigentum einiger Personen, auch ist die französische weniger kultiviert worden, als diese allgemeine Sprache verdient.

[aus «Über die verschiedenen Zweige der hiesigen Tätigkeit». Vortrag in der Freitags-Gesellschaft. Art. Ged. Aus. Bd. 12, S. 679]

Ich ehre den Rhythmus wie den Reim, wodurch Poesie erst zur Poesie wird, aber das eigentlich tief und gründlich Wirksame, das wahrhaft Ausbildende und Fördernde ist dasjenige was vom Dichter übrigbleibt, wenn er in Prose übersetzt wird. Dann bleibt der reine vollkommene Gehalt, den uns ein blendendes Äußere oft, wenn er fehlt, vorzuspiegeln weiß, und wenn er gegenwärtig ist, verdeckt. Ich halte daher, zum Anfang jugendlicher Bildung, prosaische Übersetzungen für vorteilhafter als die poetischen: denn es läßt sich bemerken, daß Knaben, denen ja doch alles zum Scherze dienen muß, sich am Schall der Worte, am Fall der Silben ergötzen, und durch eine Art von parodistischem Mutwillen den tiefen Gehalt des edelsten Werks zerstören. Deshalb gebe ich zu bedenken, ob nicht zunächst eine prosaische Übersetzung des Homer zu unternehmen wäre; aber freilich müßte sie der Stufe würdig sein, auf der sich die deutsche Literatur gegenwärtig befindet. Ich überlasse dies und das Vorgesagte unsern würdigen Pädagogen zur Betrachtung, denen ausgebreitete Erfahrung hierüber am besten zu Gebote steht. Nur will ich noch, zugunsten meines Vorschlags, an Luthers Bibelübersetzung erinnern: denn daß dieser treffliche Mann ein in dem verschiedensten Stile verfaßtes Werk und dessen dichterischen, geschichtlichen, gebietenden, lehrenden Ton uns in der Muttersprache, wie aus einem Gusse überlieferte, hat die Religion mehr gefördert, als wenn er die Eigentümlichkeiten des

Originals im einzelnen hätte nachbilden wollen. Vergebens hat man nachher sich mit dem Buche Hiob, den Psalmen und andern Gesängen bemüht, sie uns in ihrer poetischen Form genießbar zu machen. Für die Menge, auf die gewirkt werden soll, bleibt eine schlichte Übertragung immer die beste. Jene kritischen Übersetzungen, die mit dem Original wetteifern, dienen eigentlich nur zur Unterhaltung der Gelehrten untereinander.

[aus «Dichtung und Wahrheit», Art.Ged.Ausg. Bd. 10, S. 540]

Es gibt zwei Übersetzungsmaximen: die eine verlangt, daß der Autor einer fremden Nation zu uns herüber gebracht werde, dergestalt, daß wir ihn als den Unsrigen ansehen können; die andere hingegen macht an uns die Forderung, daß wir uns zu dem Fremden hinüber begeben und uns in seine Zustände, seine Sprachweise, seine Eigenheiten finden sollen. Die Vorzüge von beiden sind durch musterhafte Beispiele allen gebildeten Menschen genugsam bekannt. Unser Freund, der auch hier den Mittelweg suchte, war beide zu verbinden bemüht, doch zog er als Mann von Gefühl und Geschmack in zweifelhaften Fällen die erste Maxime vor.

[aus «Zu brüderlichem Andenken Wielands». Art.Ged.Ausg. Bd. 12, S. 705]

Es gibt dreierlei Arten Übersetzungen. Die erste macht uns in unserm eigenen Sinne mit dem Auslande bekannt; eine schlicht-prosaische ist hiezu die beste. Denn indem die Prosa alle Eigentümlichkeiten einer jeden Dichtkunst völlig aufhebt und selbst den poetischen Enthusiasmus auf eine allgemeine Wasserebene niederzieht, so leistet sie für den Anfang den größten Dienst, weil sie uns mit dem fremden Vortrefflichen mitten in unserer nationalen Häuslichkeit, in unserem gemeinen Leben überrascht und, ohne daß wir wissen, wie uns geschieht, eine höhere Stimmung verleihend, wahrhaft erbaut. Eine solche Wirkung wird Luthers Bibelübersetzung jederzeit hervorbringen.

Hätte man die «Nibelungen» gleich in tüchtige Prosa gesetzt und sie zu einem Volksbuche gestempelt, so wäre viel gewonnen worden, und der seltsame, ernste, düstere, grauerliche Rittersinn hätte uns mit seiner vollkommenen Kraft angesprochen. Ob dieses jetzt noch rätlich und tunlich sei, werden diejenigen am besten beurteilen, die sich diesen altertümlichen Geschäften entschiedener gewidmet haben.

Eine zweite Epoche folgt hierauf, wo man sich in die Zustände des Auslandes zwar zu versetzen, aber eigentlich nur fremden Sinn sich anzueignen und mit eignem Sinne wieder darzustellen bemüht ist. Solche Zeit möchte ich im reinsten Wortverstand die parodistische nennen. Meistenteils sind es geistreiche Menschen, die sich zu einem solchen Geschäft berufen fühlen. Die Franzosen bedienen sich dieser Art bei Übersetzung aller poetischen Werke; Beispiele zu Hunderten lassen sich in Delilles Übertragung finden. Der Franzose, wie er sich fremde Worte mundrecht macht, verfährt auch so mit den Gefühlen, Gedanken, ja den Gegenständen, er fordert durchaus für jede fremde Frucht ein Surrogat, das auf seinem eignen Grund und Boden gewachsen ist.

Wielands Übersetzungen gehören zu dieser Art und Weise; auch er hatte einen eigentümlichen Verstands- und Geschmacksinn, mit dem er sich dem Altertum, dem Auslande nur insofern annäherte, als er seine Konvenienz dabei fand. Dieser vorzügliche Mann darf als Repräsentant seiner Zeit angesehen werden; er hat außerordentlich gewirkt, indem gerade das, was ihn anmutete, wie er sich's zueignete und es wieder mitteilte, auch seinen Zeitgenossen angenehm und genießbar begegnete.

Weil man aber weder im Vollkommenen noch Unvollkommenen lange verharren kann, sondern eine Umwandlung nach der andern immerhin erfolgen muß, so erlebten wir den dritten Zeitraum, welcher der höchste und letzte zu nennen ist, derjenige nämlich, wo man die Übersetzung dem Original identisch machen möchte, so daß eins nicht anstatt des andern, sondern an der Stelle des andern gelten soll.

Diese Art erlitt anfangs den größten Widerstand; denn der Übersetzer, der sich fest an sein Original anschließt, gibt mehr oder weniger die Originalität seiner Nation auf, und so entsteht ein Drittes, wozu der Geschmack der Menge sich erst heranbilden muß.

Der nie genug zu schätzende Voß konnte das Publikum zuerst nicht befriedigen, bis man sich nach und nach in die neue Art hinein hörte, hinein bequemte. Wer nun aber jetzt übersieht, was geschehen ist, welche Versatilität unter die Deutschen gekommen, welche rhetorischen, rhythmischen, metrischen Vorteile dem geistreich-talentvollen Jüngling zur Hand sind, wie nun Ariost und Tasso, Shakespeare und Calderon als eingedeutschte Fremde uns doppelt und dreifach vorgeführt werden, der darf hoffen, daß die Literaturgeschichte unbewunden aussprechen werde, wer diesen Weg unter mancherlei Hindernissen zuerst einschlug.

[aus «Noten und Abhandlungen zum bessern Verständnis des west-östlichen Divans», Art. Ged. Ausg. Bd. 3, S. 554]

Übersetzer sind als geschäftige Kuppler anzusehen, die uns eine halbverschleierte Schöne als höchst liebenswürdig anpreisen: sie erregen eine unwiderstehliche Neigung nach dem Original.

[aus «Kunst und Altertum», Art. Ged. Ausg. Bd. 9, S. 531]

Beim Übersetzen muß man bis ans Unübersetzliche herangehen; alsdann wird man aber erst die fremde Nation und die fremde Sprache gewahr.

[aus «Literatur und Leben», Art. Ged. Ausg. Bd. 9, S. 633]

Beim Übersetzen des Don Juan [Byrons] ließen sich dem Engländer manche Vorteile ablernen; nur einen Spaß können wir ihm nicht nachmachen, welcher öfters durch seltsame und zweifelhafte Aussprache mancher, auf dem Papier ganz verschieden gestalteter Worte bewirkt wird. Der englische Sprachkenner mag beurteilen, inwiefern der Dichter auch da mutwillig über die Schnur gehauen. Nur zufällig konnte die Übersetzung der hier mitgeteilten Strophen entstehen, und wir lassen sie abdrucken nicht als Muster, sondern zur Anregung. Unsere sämtlichen talentvollen Übersetzer sollten sich teilweise daran versuchen; man müßte sich Assonanzen, unreine Reime und wer weiß was alles erlauben; dabei würde eine gewisse lakonische Behandlung nötig sein, um Gehalt und Gewicht dieses frechen Mutwillens auszudrücken; erst wenn etwas geleistet ist, wird man sich weiter darüber besprechen können.

[aus «Kunst und Altertum», Art. Ged. Ausg. Bd. 14, S. 791]

Wollen wir an diesen Produktionen der herrlichsten Geister teilnehmen, so müssen wir uns orientalisieren, der Orient wird nicht zu uns herüberkommen. Und obgleich Übersetzungen höchst löblich sind, um uns anzulocken, einzuleiten, so ist doch aus allem vorigen ersichtlich, daß in dieser Literatur die Sprache als Sprache die erste Rolle spielt. Wer möchte sich nicht mit diesen Schätzen an der Quelle bekannt machen!

[aus «Noten und Abhandlungen zum bessern Verständnis des west-östlichen Divans», Art. Ged. Ausg. Bd. 3, S. 474]

Diese Zeitschriften, wie sie sich nach und nach ein größeres Publikum gewinnen, werden zu einer gehofften allgemeinen Weltliteratur auf das wirksamste beitragen; nur wiederholen wir, daß nicht die Rede sein könne, die Nationen sollen überein denken, sondern sie sollen nur einander gewahr werden, sich begreifen, und wenn sie sich wechselseitig nicht lieben mögen, sich einander wenigstens dulden lernen.

[aus «Kunst und Altertum», Art. Ged. Ausg. Bd. 14, S. 956]

Eine wahrhaft allgemeine Duldung wird am sichersten erreicht, wenn man das Besondere der einzelnen Menschen und Völkerschaften auf sich beruhen läßt, bei der Überzeugung jedoch festhält, daß das wahrhaft Verdienstliche sich dadurch auszeichnet, daß es der ganzen Menschheit angehört. Zu einer solchen Vermittlung und wechselseitigen Anerkennung tragen die Deutschen seit langer Zeit schon bei. Wer die deutsche Sprache versteht und studiert, befindet sich auf dem Markte, wo alle Nationen ihre Waren anbieten; er spielt den Dolmetscher, indem er sich selbst bereichert. Und so ist jeder Übersetzer anzusehen, daß er sich als Vermittler dieses allgemein-geistigen Handels bemüht und den Wechseltausch zu befördern sich zum Geschäft macht. Denn was man auch von der Unzulänglichkeit des Übersetzens sagen mag, so ist und bleibt es doch eines der wichtigsten und würdigsten Geschäfte in dem allgemeinen Weltverkehr.

[aus «Kunst und Altertum», Art. Ged. Ausg. Bd. 14, S. 932]

NACHWORT · ANMERKUNGEN · REGISTER

NACHWORT DES HERAUSGEBERS

GOETHE ALS ÜBERSETZER

Goethe hat uns, über sein ganzes Werk verstreut, vielfach über sein Verhältnis zu fremden Sprachen aufgeklärt. Wir können uns dieses daher ziemlich genau vorstellen. Ließ er einerseits in seinen linguistischen Interessen kaum je völlig nach, so legte er anderseits den Grund seiner diesbezüglichen Kenntnisse in früher Jugend. Maßgebend war zunächst der Standpunkt seines Vaters, der den üblichen Schulunterricht verwarf und an dessen Stelle die eigne Anleitung unter Beiziehung geeigneter Kräfte treten ließ. Dabei spielte die Grammatik eine ganz untergeordnete Rolle: die unmittelbare Beziehung zum fremdsprachlichen Text war das Wesentliche. Von selbst verstand sich, daß dem Knaben Wolfgang so früh wie möglich der Zugang zur Vulgata zu eröffnen war. Goethe blieb lebenslang ein guter Latinist, das Griechische beschäftigte ihn immer wieder neu, das Hebräische hat ihn vorübergehend angezogen. Mit welcher Leichtigkeit Goethe gelernt hat, geht aus einem vom Dichter uns vermittelten Zug anschaulich hervor. Der Rat Goethe pflegte im selben Zimmer, in dem der Sohn lateinisch lernte, die Tochter italienisch zu unterrichten. Indem der Knabe über sein Buch hinweg der neusprachlichen Veranstaltung zuhörte, erfaßte er behende das Italienische, «das mir als eine lustige Abweichung des Lateinischen auffiel». Nicht minder eindrucksvoll ist die Gedächtniskraft des Jünglings. Gelegentlich der vom Frankfurter Schöffen Olenschlager geleiteten Theateraufführungen spielte Goethe französisch den Nero in Racines «Britannicus» — der kleine Schauspieler stand damals im vierzehnten Lebensjahr. Ungefähr in jene Zeit gehört auch die Episode, durch welche Goethe mit dem Englischen bekannt wurde. Ein reisender Sprachmeister machte sich anheischig, es in vier Wochen jedermann derart zu vermitteln, daß er sich danach selber weiterhelfen könne. Goethes Vater ging für sich und seine beiden Kinder auf das Experiment ein: «Die Stunden wurden treulich gehalten; man ließ die vier Wochen über eher einige andere Übungen liegen; der Lehrer schied von uns und wir von ihm mit Zufriedenheit.»

Goethes Verhältnis zu fremden Sprachen hatte halb praktischen, halb spielhaften Charakter. Er erwähnt unter seinen jugendlichen Projekten einen Briefroman, worin sechs bis sieben Geschwister sich abwechslungsweise, ein jedes in einer andern Sprache, schreiben sollten. Der älteste Bruder gibt in gutem Deutsch Bericht von seinen Reisen, ebenso eine Schwester von den häuslichen Verhältnissen. Ein jüngerer Bruder, Student der Theologie, bedient sich des Lateinischen, in gelegentlichen Postskripten des Griechischen. Ein Angestellter in Hamburg übernimmt die englische, ein anderer in Marseille die französische Korrespondenz. Für das Italienische findet sich ein Musikus, während der Jüngste es nur bis zum Judendeutsch gebracht hat. Goethes Phantasie gefiel sich in solchen Spielen, die zuweilen in die Nähe der Verwirklichung gerieten, wie er denn zur Zeit seiner Begeisterung für Ossian sich mit dem Gälischen, zur Zeit seines westöstlichen Dichtens mit dem Arabischen abgab. Zuweilen können wir unser Erstaunen über Goethes fremdsprachliches Selbstvertrauen nicht ganz unterdrücken. Einmal erbittet er sich, ohne sonstwie vorbereitet zu sein, ein spanisches Wörterbuch, um die Übersetzung eines spanischen Stücks wenigstens «an einigen Stellen beurteilen zu können». Sogar eine ihm zugesandte portugiesische Schrift verdankt er mit der Bemerkung, er könne «damit so ziemlich zurechtkommen». Nur in der Unkenntnis aller slawischen Sprachen ist sein Geständnis formell. Die Besprechung aufnehmend, die Jacob Grimm einer serbischen Liedersammlung gewidmet hatte, benutzt Goethe zu einer Schilderung seines Verhältnisses zu dieser Literatur und ihren Verwandten, ausdrücklich bedauernd, «daß ich keinen der slawischen Dialekte, unerachtet mehrerer Gelegenheiten, mir jemals eigen gemacht noch studiert und also von aller Originalliteratur dieser großen Völkerschaften völlig abgeschlossen blieb, ohne jedoch den Wert ihrer Dichtungen, insofern solche zu mir gelangten, jemals zu verkennen».

Aus Goethes früher und bis ins höchste Alter fortgesetzter Beschäftigung mit fremden Sprachen erklärt sich die Leichtigkeit und Natürlichkeit, mit der er aus dem Lateinischen und Griechischen, dem Französischen, Italienischen und Englischen übersetzte. Darüber hinaus hat er allerdings einzelnen seiner Übertragungen Herkunftsbezeichnungen beigegeben, die uns im ersten Augenblick verblüffen müssen. Zwei seiner Gedichte tragen den Untertitel «Brasilianisch». Daß Goethe sich jemals mit Indianerdialekten abgegeben hätte, dürfte nirgends bezeugt sein. Das Rätsel löste sich, als man in Montaignes Kapitel über die Kannibalen zwei Prosagesänge nachgebildet fand, die Goethe in mühelose Verse umgegossen hat. Aber man muß anderseits bei ihm immer damit rechnen, daß sein Ahnungsvermögen selbst schwierigste Grenzen überwand. Daß er imstande war, aus dem Sizilianischen zu übersetzen, versteht man leicht, wenn man feststellt, daß der dabei ihm vorliegende Text von schriftitalienischen Erläuterungen begleitet war. Seltsamer allerdings liegen die Umstände bei seinem Finnischen Gedicht. Goethe konnte kein Finnisch. Die Vorlage, die ihm in diesem Falle zur Verfügung stand, war eine französische Version mit beigegebenem Urtext. Wie bediente sich Goethe seiner? Er entnahm den Sinn den französischen Versen, den Rhythmus aber dem finnischen Original. Schließlich ein Wort zu Goethes chinesischen Gedichten, über deren Quellen nicht alle Geheimnisse gelüftet sind. Aber sicher ist, daß Goethe stellenweise einen bestimmten chinesischen Versroman in einer englischen Übersetzung von 1824 nachahmte. Schlagen wir diesen Band auf, so gewahren wir über dem englischen Text den originalen Wortlaut in chinesischen Schriftzeichen. Was mögen sie dem deutschen Übersetzer zugeflüstert haben?

Zum Charakter von Goethes Übersetzen gehört die lange Ausübung dieser Tätigkeit, die einen Zeitraum umfaßte, der vor seinem zwanzigsten Lebensjahr beginnt und erst zu Beginn seines neunten Dezenniums schließt. Dabei scheint Goethe insofern als der geborne Übersetzer, als er bei seinem Auftreten als solcher seiner Sache völlig sicher ist und diese Sicherheit auch im Greisenalter nicht einbüßt. Die Madrigale aus dem Französischen, in seiner Leipziger Zeit entstanden, sind reinstes Rokoko. Die späte Wiedergabe eines an ihn gerichteten Briefes von Carlyle, vielleicht Goethes letzte Übersetzungsarbeit, ein sprechendes Zeugnis der europäischen Romantik, wirkt so deutsch wie englisch, insofern sie, auf das Original gelegt, sich mit diesem völlig deckt. Was hatte nicht alles Platz zwischen diesen zeitlichen Grenzen! Goethes Bemühen um fremde Lyrik reicht von jenen frühen Madrigalen, in mächtigem Bogen Homer und Pindar berührend, über den berühmten Pfingstgesang und die Ode auf den Fünften Mai, bis zur letztdatierbaren kleinen Leistung dieser Kategorie, der Übertragung der lateinischen Dornburger Inschrift aus dem Jahr 1828. Noch imposanter, gemessen an den Namen, wirkt Goethes Einsatz für das fremdsprachige Drama. Vor dem zwanzigsten Lebensjahr überträgt er Corneille, vor dem vierzigsten Racine, nach dem fünfzigsten Voltaire, nach dem sechzigsten Byron, nach dem siebzigsten, ja nach dem achtzigsten Euripides. Mehr als zwei Drittel all seiner Übersetzungen betreffen Prosastücke, vom Fragment bis zum umfangreichen Buch. Es finden sich darunter religiöse Texte, Erzählungen, Kritiken, Reden und dann, der Masse nach die Hauptsache, Benvenuto Cellinis Selbstbiographie und Diderots Dialog mit Rameaus Neffen. Diese beiden größten Übersetzungsarbeiten Goethes erschienen um sein fünfzigstes Lebensjahr.

Wir erwähnten schon bei Goethes Verhältnis zu den fremden Sprachen den dabei gelegentlich auftretenden Spieltrieb: dieser ist noch weniger aus seinem lebenslangen Übersetzen wegzudenken. Abgesehen davon untersteht diese seine Tätigkeit ganz bestimmten Zwecken. Im Vordergrund steht das Motiv der Mehrung. Der erste Roman, «Leiden des jungen Werthers», gewinnt an Pathos wie an Epik durch eine im entscheidenden Augenblick eingefügte Stelle aus Ossian. Der letzte Roman, «Wilhelm Meisters Wanderjahre», enthält unter den eingestreuten Novellen auch eine ganz dem Französischen entnommene Erzählung. Noch klarer tritt uns das Moment der Mehrung bei Goethes Beschäftigung mit dem ausländischen Drama entgegen. Das für seine Frühzeit symptomatische Bemühen um die Alexandriner Corneilles führte freilich nicht zu einem Abschluß, so wenig wie der spätere Einsatz für die Chöre Racines. Ebenso blieb, abermals in einem Abstand von Dezennien, seine Beschäftigung mit englischen Dramen wie Maturins Trauerspiel «Bertram», ein tastender Versuch. Aber zwei Stücke Voltaires, für deren Übertragung Goethe den zur Selbstverständlichkeit gewordenen Blankvers verwandte, einverleibte er wenigstens vorübergehend dem Weimarer Bühnenrepertoire. Eine Mehrung schließlich seltenster Art tritt uns in seinem Verhalten Euripides gegenüber zutage: Goethe will uns, im Fall des nur fragmentarisch überlieferten «Phaethon», durch Ergänzung geben, was uns fehlt. Überhaupt ist die Zutat eines der Elemente seiner Übersetzungstaten: «Benvenuto Cellini» und «Rameaus Neffe», beide vom Übersetzer mit weitausholenden Kommentaren versehen, werden zu historischen Monographien, die eine zur italienischen Renaissance, die andere zur französischen Aufklärung. Am tiefsten eingreifend erscheint uns Goethe bei Vermittlung des zeitgenössischen Wortes, sei es Manzonis oder Byrons: da steht die Übersetzung im unmittelbaren Dienst des werdenden Zeitalters, eines gemeinschaftlich wirkenden Abendlandes. Und schließlich darf in diesem Zusammenhang eine freundschaftliche Geste im engern Wortsinne nicht übergangen werden: Goethes Übersetzung von Johannes v. Müllers französischer Rede auf Friedrich den Großen sollte dem angegriffenen Historiker zum Beistand dienen.

Goethes Übersetzungen stellen eine seiner souveränen Handlungen dar und müssen aus dem Ganzen seines Lebens begriffen werden. Es wäre nicht sehr treffend, ihn einen großen Übersetzer zu nennen. Richtig aber ist, daß er auch groß im Übersetzen war. Er hat keinen neuen Übersetzungsstil begründet und, von wenigen Ausnahmen abgesehen, der deutschen Literatur keine auf die Dauer geliebten Fremdtexte einverleibt. Was Herder für die englische Ballade und die spanische Romanze getan, was Wieland und August Wilhelm Schlegel, in verschiedenen Epochen und mit verschiedenen Methoden, für Shakespeare geleistet, scheint uns stofflich und methodisch über Goethes meisten vergleichbaren Übersetzungen zu stehen. Unvergleichlich werden die letztern erst, wenn wir den Dienst bedenken, die sie dem Übersetzer tun sollten: als Mittel zur eigenen Abklärung, zur eignen Übersicht, zum eignen Wachstum ohne Grenzen. Kaum eine Fiber seines Wesens bleibt ganz unbeteiligt bei diesem seinem lebenslang andauerndern Walten. Selbst diejenige seiner Eigenschaften, die man in Ansehung seiner geschichtlichen Bedeutung kaum auszusprechen wagt, tritt in lebhafteste Erscheinung: der Fleiß. Aber freilich, wenn derselbe auch aus diesen Unternehmungen nicht wegzudenken ist, bedeutete er doch nur eine Selbstverständlichkeit. Ans Wunder aber grenzt die nie stillestehende Entfaltung Goethes, auf den wir dies Wort von ihm selber anwenden möchten: «Er spielt den Dolmetscher, indem er sich bereichert».

FRITZ ERNST

ANMERKUNGEN

S. 7 ff. Labores juveniles. Von dem jungen Wolfgang Goethe hat sich ein Schulheft erhalten, das 1845 auf die Stadtbibliothek Frankfurt kam. Es umfaßt 87 Blätter in Quart. Die ersten Seiten sind Schreibübungen, die «wie gestochen» geschrieben sein mußten, sogenannte Stechschrift. Die Schreibproben, meist biblischen und moralischen Inhalts, wurden prämiiert; und Goethe hat bei jeder angegeben, wann sie geschrieben wurde, welchen Platz er unter etwa zwanzig Mitschülern mit ihr errungen hat und von wem der Preis bestimmt wurde. So erhalten wir die Namen: v. Olenschlager, Hartmann, Grunelius, Gullmann und Seelhof. Bei diesen Männern, zumeist Frankfurter Kaufleuten, ging der Unterricht, wie scheint, in Sonntagszirkeln um. Nur Olenschlager, den auch «Dichtung und Wahrheit» mehrfach erwähnt, war für den Knaben von wirklicher Bedeutung. Die Daten reichen vom März 1757 bis März 1758; die Blätter stammen also aus Wolfgangs achtem und neuntem Lebensjahr.

Vom Januar 1757 setzen nun aber auch lateinische Sprachübungen ein, derart, daß jeweils auf dem gebrochenen Blatt links ein deutscher Text steht, vom Vater oder vom Lehrer diktiert, rechts Goethes Übersetzung, beides in Reinschrift. Die Stücke, oft aus dem Leben gegriffen, geben Einblick in den Alltag von Goethes Kindheit. Es folgen auch Vokabeln, zum Teil aus einer politischen Leipziger Zeitung, die unter wechselndem Titel bis 1786 in Latein erschien, also Gegenwartslatein, weiter Kapitel nach Justinian, Fabeln nach Äsop und Phädrus, sowie auch deutsch-griechische Übersetzungen. Das letzte Datum ist vom Januar 1759. Die Artemis-Ausgabe bringt eine Auswahl nach: «Der junge Goethe. Neue Ausgabe in sechs Bänden besorgt von Max Morris», Bd. 1. 1909.

S. 75 ff. Die Auswahl aus Goethes fremdsprachigen Jugendbriefen beschränkt sich auf die Jahre 1765 bis 1767 und will lediglich den Grad von Goethes damaliger Vertrautheit mit modernen Fremdsprachen dartun. Vgl. Art. Ged. Ausg. Bd. 18.

S. 103. Beide Madrigale stammen aus Goethes Gedichtsammlung «Annette», die der Leipziger Zeit angehört. Annette, das ist Käthchen Schönkopf. Das Original, von Goethes Leipziger Freund Behrisch geschrieben, tauchte 1895 aus dem Nachlaß der Luise von Göchhausen, der Hofdame der Herzogin Amalie, auf, ein Klein-Oktavband von 50 Blättern, in braunes Leder mit Goldstreifen gebunden. Es befindet sich jetzt im Goethe-Schiller-Archiv zu Weimar.

Goethe schreibt über den Band in «Dichtung und Wahrheit» Buch 7, Art. Ged. Ausg. Bd. 10, S. 328, auch S. 384. Das erste Madrigal geht auf A. v. Rambouillet de la Sablière (1615—1680) zurück. Goethe fand es in einer französischen Sammlung «Elite de poesies fugitives Londres, 1764». Das zweite, auf Voltaire beruhend, war gerichtet an die Prinzessin Ulrike von Preußen und beginnt im Original: «Souvent un peu de vérité...»

Das Schreien. Nach dem Italienischen. Auch aus dem Buch «Annette». Das italienische Original ist unbekannt.

S. 104. *Pindars Fünfte Olympische Ode.* Der Göttinger Altphilologe Heyne hatte im Frühjahr 1773 eine Pindarausgabe mit lateinischer Übersetzung erscheinen lassen. Die hat Goethe benutzt. Die erste Strophe rühmt den Sieger Psaumis vom Jahre 452 v.Chr., der aus Kamarina, heute Camarana, im Süden Siziliens stammte. Die Antistrophe preist Pallas Athene, die Epode Zeus. Was Goethe veranlaßte, gerade diese Ode zu übersetzen, war vermutlich die antiprometheische Schlußzeile. Erster Druck 1868.

S. 105. *Klaggesang von den edlen Frauen des Asan Aga.* In dem Buch von C. Werthes «Über die Sitten der Morlacken» 1775 hatte Goethe in deutscher Prosaübertragung die serbische Ballade kennenlernen, der er nun diese Gestalt in reimlosen trochäischen Fünffaktern gab. Der erste Druck erschien 1778 im Ersten Teil der «Volkslieder», die Herder herausgab.

S. 108. *Scheintod.* Aus dem Französischen. Die Verse stehen am Anfang der kleinen Sammlung von zehn Gedichten, die Goethe vermutlich beim Abschied aus Leipzig im Herbst 1768 Friederike Oeser überreichte. Erster Druck Michaelis Messe 1770 in den «Neuen Lieder in Melodien gesetzt von Bernhard Theodor Breitkopf».

S. 109. *Canzonetta Romana.* Erster Druck in Wielands «Teutschem Merkur» Dezember 1780 in Verbindung mit dem italienischen Original und einer Melodie, die von Corona Schröter herrührt.

S. 110. *Gnomische Verse.* Aus dem Griechischen. Aus den «Goldenen Worten Χρυσᾶ ἔπη», die unter dem Namen des Pythagoras überliefert sind, im Brief an Charlotte v. Stein vom 7./8. September 1780 aus Ilmenau, Art. Ged. Ausg. Bd. 18, S. 520. Die innere Mitte der Verse waren für Goethe die zwei letzten Zeilen.

S. 111. *An die Cikade.* Entstanden im Sommer 1781. Das Original ist nicht von Anakreon, dem Lyriker am Hof des Polykrates von Samos im 6. Jahrhundert v.Chr. Es findet sich vielmehr in den «Anakreonteia», einer Sammlung leichter und seichter Trink- und Liebeslieder in griechischer Sprache aus römischer Zeit. Goethe gab seine Übersetzung in das «Tiefurter Journal», die handschriftliche literarische Zeitschrift am Hof der Anna Amalia, wo sie im Spätherbst 1781 im Neunten Stück erschien. Erster Druck im 8. Band von Goethes «Schriften» bei Göschen in Leipzig 1790.

S. 111. Süßer Drang. Aus dem Griechischen. Gedichtfragment aus Bakchylides, griechischem Lyriker um 472 v. Chr. am Hof Hierons in Syrakus.

S. 112. «Liebeslied eines amerikanischen Wilden», und «Todeslied eines Gefangenen» erschienen zuerst im 1781 begründeten «Tiefurter Journal» und wurden erstmals mit demselben 1892 veröffentlicht. Die französische Prosaquelle beider Gedichte steht bei Montesquieu (1689—1755), «Essais», Buch 1, Kap. 30. («Des Canibales»).

S. 113. «Nach dem Italienischen». Entstanden 1786 oder 1787 in Rom oder Neapel. Die Verse stehen in einem Notizbuch der Italienreise, eigenhändig unter dem gleichfalls von Goethe eingetragenen Urtext: «Cari figli non piangete Perchè nati voi non siete. Non lo potendo il caro padre Vostra madre vi farà.» Erstdruck in der Ausgabe letzter Hand: «Paulo post futuri».

S. 113. «Nach dem Lateinischen». Die Worte «Pauper ubique jacet, Der Arme liegt überall herum» stehen in Ovids Fasti Buch 1, V. 218. Nach Zincgrefs «Apophtegmata» (1683) Tl. 3, S. 336, die Goethe gern las, soll die Königin von England einen armen Poeten, der sie anbettelte, damit weggewiesen haben. Dieser antwortete: «In thalamis, regina, tuis hac nocte cubarem Si foret hoc verum Pauper ubique jacet. In Deinem Bett, Königin, würde ich heute nacht liegen, wenn das Wort wahr wäre: der Arme liegt überall herum.» Goethe sandte seine Verse an Charlotte v. Stein mit einem Briefchen vom 22. November 1784.

S. 113. Diese Übersetzungen aus Ilias und Odyssee werden in die neunziger Jahre des 18. Jahrhunderts angesetzt und in Verbindung mit der Lektüre von Voß gebracht; 1793 war dessen Übersetzung der Ilias und die Umarbeitung der Odyssee erschienen. Goethe las 1794 in der Freitags-Gesellschaft aus der Ilias vor.

S. 120 ff. «Auf die Geburt des Apollo», 1795 übersetzt für Schillers «Horen», aus einer der sechs großen und 28 kleineren Götterhymnen, die unter dem Namen Homers überliefert sind. Zwischen dem 8. und 6. Jahrhundert entstanden war der Hymnus auf den Apollo von Delos die Dichtung eines Rhapsoden zu liturgischem Gebrauch bei Festen des Gottes.

S. 124. «Finnisches Lied». Gedichtet 1810 und zuerst gedruckt in der Cotta'schen Ausgabe 1815 ff. Das Original steht bei A. F. Skjöldebrand, «Voyage pittoresque au Cap Nord», Stockholm 1801. Dort war dem Original eine französische Übersetzung beigegeben.

ANMERKUNGEN

S. 125. «Sizilianisches Lied». Vgl. Goethes Tagebucheintrag vom 28. Februar 1811: «Expeditionen und Briefe. An Professor Zelter nach Berlin mit drei Liedchen, sicilianisch, finnisch, schweizerisch.» Erstdruck in der Cotta'schen Ausgabe von 1815 ff. Das Original bei Giovanni Meli, «L'occhi» («Poesie siciliane», Bd. 1, Palermo 1787, pag. 155 ff.). Goethe übersetzte nur die zwei ersten der insgesamt zwölf Strophen in sizilianischem Dialekt mit beigedruckten italienischen Worterklärungen.

S. 125 f. «La Biondina». Erstdruck 1812. Goethes Vorbild dieses venezianischen Gondelliedes wahrscheinlich eine Verdeutschung von Johann Diederich Gries (1775—1842), die 1798 in Wielands «Neuem teutschen Merkur» erschienen war.

S. 126 f. «Arie». Umarbeitung einer italienischen Baßarie «Una vaga giovinetta» von A. Bianchi, vom 4. Januar 1813. Vgl. Goethes Tagebucheintrag zu diesem Datum: «Parodie des Gedichts ‚Eine liebenswürdige Schöne'. Bei den Frauenzimmern, um dasselbe zu probieren». Erstdruck 1858.

S. 127. «Myrons Kuh». Myron, Griechischer Bildhauer um 500 v. Chr. Seine Bronzeplastik einer säugenden Kuh mit Kälbchen unter dem Euter ist in 36 Epigrammen griechischer Dichter besungen worden. Die Epigramme sind in der «Anthologia graeca» überliefert, die im 10. Jahrhundert n. Chr. in Konstantinopel zusammengetragen, in einer Handschrift ursprünglich in Heidelberg, jetzt im Vatikan vorliegt. Sie enthält über 3000 Epigramme aus allen Jahrhunderten. Goethes Aufsatz über Myrons Kuh, erstmals 1818 in Band 2 seiner Zeitschrift «Über Kunst und Altertum» gedruckt, trägt die Datierung «Jena, den 20. November 1812». Der Dichter überprüfte die Epigramme, um danach Myrons Kunstwerk zu rekonstruieren.

S. 128. «Klagegesang». Vgl. Goethes Tagebuch vom 22. Oktober 1817: «Klaggesang aus Glenarvon übersetzt.» Ferner Tag- und Jahreshefte zum Jahr 1817, im Zusammenhang mit Lord Byron: «Der Roman Glenarvon sollte uns über manches Liebesabenteuer desselben Aufschlüsse geben.» Verfasserin dieses Romans von 1817 war Caroline Lamb, Byrons Freundin.

(Erstdruck 1823, ohne jeden Kommentar, in Band 4 von «Kunst und Altertum»).

S. 129. «Aus einem Stammbuch von 1604». Entstanden zwischen 1818 und 1820, vermutlich am 3. Mai 1818. Erstdruck 1820 in Band 2 von «Kunst und Altertum», mit irriger Zuschreibung an Shakespeare. Der englische Urtext, den die Weimarer Ausgabe Bd. 3 (1890) S. 388 abdruckt, erschien zuerst in: John Dowlands First Booke of Songes or Ayres, 1597. Ein zweiter Druck in: «Englands Helicon», 1600. Goethe erhielt den Text handschriftlich durch seinen Sohn August

ANMERKUNGEN 1103

im Anfang des Jahres 1818; August hatte ihn von einer Dame erhalten, als Dichtung Shakespeares. Am 27. April 1818 war das englische Gedicht in Nummer 34 von: «Wünschelruthe, Ein Zeitblatt» erschienen, veröffentlicht von dem Göttinger Germanisten Georg Friedrich Benecke. Dieser hat als Quelle ein handschriftliches Kollektaneenbuch der Hamburger Stadtbibliothek von 1604 angegeben. Dieses Buch ist heute verschollen. Der Name des englischen Dichters ist unbekannt. (Harold Jantz).

S. 129 ff. «Byrons Don Juan». Erstdruck dieser Übersetzung der ersten fünf Stanzen des Byronschen Epos, einer Neuerscheinung von Anfang 1819, in Band 3 von «Kunst und Altertum» (1821) mit anschließendem Kommentar, der in Bd. 14 der Art. Ged. Ausg. S. 790 bis 792 abgedruckt ist.

S. 131. «Aus Byrons English Bards». Gibt V. 87 bis 92 des Originals wieder. Undatiert. Gedruckt 1899.

S. 131 f. «Veni Creator Spiritus». Vgl. Goethes Tagebucheintrag zum 9. April 1820: «Veni creator spiritus übersetzt.» Am Tage vorher hatte Goethe, wie das Tagebuch ergibt, seinen Sekretär Kräuter zum katholischen Pfarrer geschickt, den lateinischen Urtext zu holen. Am 11. April wird das Gedicht ins Reine geschrieben, am 14. an Zelter nach Berlin zum Komponieren gesandt: «Zu beiliegender Hymne wünsche eine wahrhaft Zeltersche Komposition, damit solche jeden Sonntag vor meinem Hause chormäßig möge gesungen werden. Käme eine solche im Laufe des Monat Mais an meine Schwiegertochter, so würde sie einstudiert und ich bei meiner Wiederkunft anfangs Juni damit fromm und freundlich empfangen. Der Paraklet [das ist der heilige Geist] walte harmonisch über dem Freund jetzt und immerdar.» Vgl. Art. Ged. Ausg. Bd. 21, S. 1280, «Komm heiliger Geist». Erster Druck 1869. Der alte Goethe, 1823 im 4. Band von «Kunst und Altertum», sagt: «Der herrliche Kirchengesang ‚Veni creator spiritus‘ ist ganz eigentlich ein Appell ans Genie; deswegen er auch geist- und kraftreiche Menschen gewaltig anspricht.» Der lateinische Hymnus wurde früher dem Papst Gregor d. Gr. zugeschrieben. Heute gilt Hrabanus Maurus, geb. in Mainz um 776, als sein Verfasser (Günther Müller).

S. 132 f. «Das Sträußchen». Vgl. Goethes Marienbader Tagebucheintrag zum 28. Juli 1822. «Böhmische Gedichte. Das Sträußchen, durch Umsetzung hergestellt.» Loeper im Kommentar zu Band 3 (1890) der Weimarer Ausgabe S. 428: «Goethe machte die 3. Strophe, nach der sogenannten Königinhofer Handschrift, zur letzten, sie zugleich ergänzend.» Über Goethes Wertschätzung der Königinhofer, oder wie er sagt, «Königingräfer Handschrift», die heute als Fälschung erwiesen ist, vgl. «Kunst und Altertum», 6. Band (1827) S. 198. Erstdruck der Goethischen Bearbeitung des Gedichts, ohne jeden Kommentar, 1823 im 4. Band von «Kunst und Altertum». Die

Handschrift, eine Sammlung böhmischer Gedichte, angeblich des 13. und 14. Jahrhunderts, war 1819 in Prag der Öffentlichkeit vorgelegt worden.

S. 133. «Gätet Mädchen Hanf». Aus derselben Quelle und aus demselben Jahr wie das vorige Gedicht. Erstdruck 1910 in der Zweiten Abteilung des 5. Bandes der Weimarer Ausgabe, S. 390, mit Kommentar.

S. 134ff. «Der fünfte Mai». Die Ode Manzonis (1785—1873) auf den Tod Napoleons († 1821) wurde von Goethe nach Einträgen in seinen Tagebüchern im Januar 1822 übersetzt. Erstdruck 1823 in Band 4 von «Kunst und Altertum». Über Goethe und Manzoni vgl. Art. Ged. Ausg. Bd. 14 Register.

S. 137ff. «Neugriechisch-epirotische Heldenlieder». Laut Tagebücher entstanden zwischen April und September 1822. Goethe ging aus von einer französischen Übersetzung, die ihm unter dem 3. Februar 1822 von Paris aus zugesandt worden war, mit der Aufforderung, sie ins Deutsche zu übertragen. Die Erhebung der Griechen gegen die Türken war im Frühjahr losgebrochen. Erstdruck 1823 in Band 4 von «Kunst und Altertum».

S. 143. «Neugriechische Liebe-Skolien». Laut Tagebücher entstanden im Juni 1825. Goethe benutzte das unmittelbar vorher erschienene Werk Fauriels, «Chants populaires de la Grèce moderne», worin dem griechischen Original eine französische Übersetzung beigegeben war. Erstdruck in der Ausgabe letzter Hand, 1827ff.

S. 145ff. «Alhama». Auf dieses Gedicht läßt sich Goethes Tagebucheintrag vom 10. September 1822 beziehen: «Die maurische Romanze zu übersetzen angefangen.» Es handelt sich um eine Romanze des Pérez de Hiza («Las guerras civiles de Granada»), woraus schon Herder diese Strophen 1779 in den zweiten Teil seiner Volkslieder aufnahm. Goethe scheint ausgegangen zu sein von Beauregard Pandin, dessen Spanische Romanzen er im Dezember 1822 in Gubitzens «Gesellschafter» gelesen hatte und die er 1823 in Band 4 von «Kunst und Altertum» rezensierte. Erstdruck mit Erläuterung in der zweiten Abteilung des 5. Bandes der Weimarer Ausgabe, S. 388ff. (1910). Pandin ist Pseudonym für v. Jariges. Die «Spanischen Romanzen» erschienen 1823 in Berlin als Buch. Goethe muß dem Tagebucheintrag zufolge, schon im September Druckbogen in der Hand gehabt haben. Die Spanischen Romanzen waren 1765 durch den englischen Bischof Thomas Peray in seinen «Reliques of ancient English Poetry» wieder entdeckt worden.

S. 147. «Zwei griechische Rätsel». Erstdruck 1826 am Schluß des 5. Bandes von «Kunst und Altertum», dort betitelt «Altgriechische Rätsel». Quelle: die zu S. 127, Myrons Kuh, erwähnte «Griechische

ANMERKUNGEN

Anthologie». Die Auflösung des ersten ist: ὕπνος der Schlaf, des zweiten: ἐπιστολή, der Brief, die Epistel.

S. 147. «Brasilianisch». Diese Bearbeitung der oben S. 112 abgedruckten Liebeslieder eines amerikanischen Wilden erschien zuerst 1824 in Band 5 von «Kunst und Altertum». Vgl. die Anmerkung zu S. 112.

S. 148f. «Aus Dantes Divina Commedia». Aus einem für einen Übersetzer Dantes verfaßten Aufsatz, den Goethe im September 1826 an Zelter zu Händen eben des Dante-Übersetzers schickte, nämlich des Staatsrats Adolf Friedrich Karl Streckfuß (1778—1844). Erstdruck 1833 in der Ausgabe letzter Hand. Vgl. Zweite Abteilung des 42. Bandes der Weimarer Ausgabe, S. 288 ff. und Art. Ged. Ausg. Bd. 14, 862 ff.

S. 149. «Hochländisch». Zufolge der zweiten Abteilung des 5. Bandes der Weimarer Ausgabe, S. 211 f. findet sich in der Handschrift von Goethe eigenhändig und datiert Juni 1827, die englische Vorlage. Erstdruck, ohne Kommentar. 1827 in Bd. 6 von «Kunst und Altertum».

S. 150f. «Altschottisch». Goethe sandte das Gedicht am 17. Juli 1827 an Zelter. Erstdruck 1827, ohne Kommentar, in Bd. 6 von «Kunst und Altertum». Die Zweite Abteilung des 5. Bandes der Weimarer Ausgabe, S. 212, nennt Goethes schottische Quelle: «Get up and bar the door» in: «Ancient and modern Scottish Songs, Heroic Ballads etc.» Edinburgh 1776, Bd. 2, S. 159.

S. 151 ff. «Aus den Gedichten der hundert schönen Frauen». Vgl. die Tagebücher vom 31. Januar 1827 an. Aus dem Aufsatz «Chinesisches», erstmals 1827 gedruckt in Bd. 6 von «Kunst und Altertum». Die letzten sechs Verse von Goethe nicht veröffentlicht und erstmals gedruckt S. 235 der Ersten Abteilung des 42. Bandes der Weimarer Ausgabe (1904) Goethes Vorlage war die englische Übersetzung eines chinesischen Versromans mit vorgedrucktem chinesischen Text: «Chinese Courtship. In Verse.» By Peter Perring Thoms, London und Macao 1824. Vgl. E. H. von Tscharner, «China in der deutschen Dichtung», München 1939, S. 90 und 100f. (mit Beispielen). Vgl. Art. Ged. Ausg. Bd. 14, S. 722 ff. und Weimarer Ausgabe Bd. 41, Abt. 2, S. 272 ff. und Bd. 42, Abt. 1, S. 230.

S. 153 ff. «Chinesisch-deutsche Jahres- und Tageszeiten», der letzte Gedichtzyklus, den Goethe geschrieben hat, entstanden wie die vorstehenden Gedichte 1827. Erstdruck «Berliner Musenalmanach für das Jahr 1830. Vgl. darüber E. H. v. Tscharner, «China in der deutschen Dichtung», München 1939, S. 102: «Von den chinesischen Dichtungen angeregt, die Goethe in diesem Jahre (1827) kennenlernte.» Die Gedichte sind mehr Nachdichtungen als Übersetzungen. Einfühlung in die Natur und Meisterung des Lebens sind die Themen.

S. 156. «Dornburger Inschrift». Entstanden 1828. Das Original am Dornburger Schlößchen aus dem Jahr 1608. Erstdruck in: Vogel, Goethe in amtlichen Verhältnissen, Jena 1834. Im Tagebuch unter dem 11. Juli 1828: «Gaudeat ingrediens, laetetur et aede recedens, His qui praetereunt det bona cuncta Deus.»

S. 157. «Fragmente aus dem Nachlaß». Sentenzen, bei der Lektüre auf Papierstreifen, Visitenkarten usw. festgehalten und in einem Umschlag: «Gnomen Griechisch» aufbewahrt. Bis jetzt nicht datiert. Erstdruck 1914 in Band 53 der Weimarer Ausgabe, S. 359f. Ebenda Hinweis auf die Original-Stellen bei Sophokles, Menander, Äschylos und Euripides.

S. 161 ff. «Der Lügner». Die fragmentarische Übersetzung aus Corneilles 1642 entstandenem Lustspiel «Le menteur» ist in Goethes Leipziger Studentenzeit zu setzen. Goethe ließ sie nicht drucken, schenkte die Handschrift an Frau v. Stein, aus deren Nachlaß sie 1846 zuerst veröffentlicht wurde. Goethe hat sich nach dem von Corneille 1660 umgearbeiteten Text gerichtet, dessen Inhalt er gewandt und frei übertrug. Er gestattete sich nur wenige Zusätze mit eigenen Gedanken. Am bezeichnendsten sind der zynische Vers «Am Tage sind sie streng, geschmeidig bei der Nacht» und die Zeile «Was sie dem Christen gab auch wohl dem Juden bringt».

S. 164f. «Chöre aus Racines Athalie». Im Jahre 1786 erschienen die Chöre aus Racines «Athalie», mit beigefügter Übersetzung von Karl Friedrich Cramer, in der Komposition von J. A. P. Schulz, dem Kapellmeister des Prinzen Heinrich von Preußen. Cramer (1752 bis 1802), der Sohn des Theologen und Freundes von Klopstock Johann Andreas Cramer, war Mitglied des Göttinger Hains, später Professor der Philologie in Kiel. Goethe, der mit dessen Übersetzung unzufrieden war, schrieb am 15. Juni 1789 an J. F. Reichardt: «Zu Schulzens Athalie hab ich Worte untergelegt, das heißt zu den ausgezeichneten Chören. Nach und nach tu ich wohl zum Ganzen. Cramers Unverstand geht über alle Begriffe. Es ist sonderbar, daß die Deutschen mit mancherlei Kräften und Talenten so wenig Gefühl vom Gehörigen in den Künsten haben.» Man besitzt keinen Anhaltspunkt dafür, daß Goethe die vorliegenden, erst 1895 veröffentlichten Bruchstücke jemals vervollständigt hat.

S. 166ff. «Mahomet, Trauerspiel in fünf Aufzügen nach Voltaire». Goethe hat die 1742 entstandene Tragödie in der Zeit vom 29. September bis 18. Oktober 1799 übersetzt, am 27. Dezember 1799 am Hofe vorgelesen und am 30. Januar 1800 zum erstenmal in Weimar aufführen lassen. Schillers Stanzen «An Goethe, als er den Mahomet des Voltaire auf die Bühne brachte» rechtfertigen diesen Versuch, ein strenges französisches Drama in fünffüßige Jambenverse zu übertragen und aufzuführen, mit den gleichen Gründen, die Goethe vorbringt, als er einige Szenen seiner Übersetzung im Ersten Stück des

3. Bandes der «Propyläen» (1800) abdruckte und mit einer kurzen Einleitung versah. In ihr heißt es: «Die Notwendigkeit, unser tragisches Theater durch Versifikation von dem Lustspiel und Drama zu entfernen, wird immer mehr gefühlt werden.» Er hofft, daß «die Scheue, welche so manchen, der sich einen dramatischen Künstler nannte, bisher ergriff, wenn ihm etwas Rhythmisches angeboten wurde, endlich radikal kuriert werden könne. Um eine solche Epoche beschleunigen zu helfen, den Schauspieler zu einem wörtlichen Memorieren, zu einem gemäßnen Vortrag, zu einer gehaltnen Aktion zu veranlassen, ist diese Bearbeitung des Voltaireschen Mahomets unternommen worden. Die Allgemeinheit seines Interesses, die Klarheit der Behandlung, die Entschiedenheit der Charaktere, das Pathetische der Situationen begünstigt von innen, so wie die Beschränktheit des Personals von außen einen Versuch dieser Art auf jedem Theater.» Vgl. Art. Ged. Ausg. Bd. 14, S. 60. Die erste Aufführung fand zur Feier des Geburtstages der Herzogin Louise am 30. Januar 1800 statt. Die Absicht des Bühnenleiters, seine Akteure zu erziehen, wurde «zu großem Vorteil für die Bildung unserer Schauspieler» erreicht. «Sie mußten sich aus ihrem Naturalisieren in eine gewisse Beschränktheit zurückziehen, deren Maniriertes aber sich gar leicht in ein Natürliches verwandeln ließ.» So berichtet Goethe befriedigt rückblickend in den «Annalen» auf das Jahr 1800. Die Voltaireübersetzung hat also mehr eine theatergeschichtliche als literarische Bedeutung. Im Gegensatz zur naturalistischen Bühne Friedrich Ludwig Schröders in Hamburg und Ifflands in Berlin gründet Goethe in Weimar den Stil des klassischen Theaters.

S. 222 ff. «Tancred, Trauerspiel in fünf Aufzügen nach Voltaire». Goethe übersetzte die 1760 entstandene Tragödie in der Zeit vom 22. Juli bis 25. Dezember 1800. Die ursprüngliche Absicht, seine Bearbeitung Voltaires um eigene Chöre zu bereichern, hat Goethe nicht verwirklicht. Die erste Aufführung in Weimar erfolgte am 31. Januar 1801 und wurde beifällig aufgenommen, nicht bloß vom Herzog Carl August, der schon die Übersetzung des Mahomed bestellt hatte, und der französisch gebildeten Hofgesellschaft, sondern auch von dem Kreis der Romantiker. Goethe hat hier weniger geändert als beim Mahomed, dessen Motive und Charaktere er vertiefte und veredelte. Schelling urteilte über diesen deutschen Tancred und Goethes Leistung: «Er setzt den Voltaire in Musik, wie Mozart den Schikaneder, aber seine Arbeit ist doch nicht so dankbar.»

S. 286 ff. «Aus Byrons Manfred». Byrons Dramatisches Gedicht erschien 1817, Goethes Anzeige desselben 1820 im 2. Band der Zeitschrift «Über Kunst und Altertum», darin der Monolog «Manfred allein». Welchen Wert Goethe dem Schaffen Byrons stets zugesprochen hat, geht aus vielen Zeugnissen hervor. In einem Brief an den Göttinger Bibliothekar und Professor Benecke vom 12. November 1822 bekennt er: «Seit seinem ersten Erscheinen begleitete ich, mit näheren und ferneren Freunden, ja mit Einstimmung von ganz

Deutschland und der Welt, jenes charakter-gegründete, grenzenlos produktive, kräftig unaufhaltsame, zart-liebliche Wesen auf allen seinen Pfaden. Ich suchte mich mit ihm durch Übersetzung zu identificieren und an seine zartesten Gefühle wie an dessen kühnsten Humor mich anzuschließen.» Vgl. Art. Ged. Ausg. Bd. 14, Register S. 1058 und die Register zu den Briefe- und Gesprächsbänden unter: Byron.

S. 291 ff. «Aus Maturins Trauerspiel Bertram». Diese fragmentarische Übersetzung des 1816 erschienenen Originals entstand von 1817 an. Der englische Landgeistliche und Pädagoge Charles Robert Maturin (1782—1824) übertrieb Byrons leidenschaftliche Dichtart. In einem ebenfalls in Goethes Nachlaß vorgefundenen Aufsatz aus dem Jahre 1817 über sein Trauerspiel heißt es: «Eine deutsche Übersetzung ist nicht unmöglich, aber schwer, der abstruse Lakonismus der Sprache ist bei uns noch nicht einheimisch, man müßte einen Stil schaffen, dem man erlaubte, sich vieles zu erlauben.»

S. 294 ff. «Die Bacchantinnen des Euripides». Die schon am 29. Dezember 1821 begonnene und später verbesserte Übersetzung erschien 1827 im 6. Band der Zeitschrift «Über Kunst und Altertum».

S. 297 ff. «Phaeton, Tragödie des Euripides». Am 15. Juli 1821 schickte der Leipziger Professor Johann Gottfried Jakob Hermann an Goethe den Druck der von ihm zum ersten Male veröffentlichten «Euripidis fragmenta duo Phaetonis». Goethe ließ sie sofort von dem Jenaer Universitätsbibliothekar und Professor für Philologie Göttling übersetzen und benutzte diesen Text für seine dichterische Fassung. Diese erschien 1823 im 4. Band der Zeitschrift «Über Kunst und Altertum».

S. 311 ff. «Aus dem Ossian». Aus einem Brief Goethes an Herder aus Frankfurt im Oktober 1771. Der schottische Lyriker James Macpherson (1736—1796) schuf nach Resten irischer Balladen eine Reihe schwermütig sentimentaler Naturdichtungen, die er 1760—1763 veröffentlichte und als Werke des gälischen Barden Ossian ausgab, der im 8. oder 9. Jahrhundert gelebt hat.

S. 314 ff. «Die Gesänge von Selma». Von Goethe aus Ossian in der Straßburger Zeit für Friederike Brion übersetzt, veröffentlicht erst 1842. Selma war die Burg von Ossians Vater Fingal.

S. 322 ff. «Aus dem Koran». Luthers Choral «Ein feste Burg ist unser Gott» war gegen die Türken und die Lehre des Islams gedichtet worden. Aber seit der endgültigen Abwehr des Feindes durch die Befreiung Wiens 1683 und infolge des erweiterten, duldsamen Weltbildes der Aufklärung wurde das Abendland langsam reif für ein Verständnis des Korans. Auch Gottfried Arnold [Art. Ged. Ausg. Bd. 10, S. 384/5 und 959] sowie Herder haben dazu verholfen. Goethes Übersetzungen aus dem Koran fallen in den Herbst 1772. Aus ihnen erwuchs vermutlich im Folgejahr der Entwurf zu einem Mahomet-Drama. Goethes Quelle war: D. F. Megerlin, Die Türkische Bibel, Frankfurt 1772. Der Professor David Friedrich Megerlin war Theologe und Orientalist, wohnte beim Junghof, nahe bei Goethes Elternhaus und war Goethe sicher persönlich bekannt. Seiner Koranübersetzung ist alles nachgebildet, außer Sure 6. Diese hat Goethe aus Ludovicus Marracius, Mohammedis Fides Islamitica, Lipsiae 1721. Lodovico Marracci, Theologe und Orientalist in Rom, lebte von 1612 bis 1700; er hat den Koran in zwei Bänden 1698 in Padua herausgegeben. Die Handschrift seiner Übersetzung wurde von Goethe an Charlotte v. Stein geschenkt, 1910 zum erstenmal vollständig gedruckt in: Der junge Goethe, hrsg. v. Max Morris, Bd. 3, S. 132ff.

S. 323 ff. «Das Hohelied Salomons». Am 7. Oktober 1775, kurz vor dem Aufbruch nach Weimar, schrieb Goethe an Merck: «Ich hab das Hohelied Salomons übersetzt, welches ist die herrlichste Sammlung Liebeslieder, die Gott erschaffen hat.» Die Kirche sah im Hohenlied den Messias als Bräutigam, sich selbst als Braut. Die jüdische Theologie hatte in dem Paar allegorisch Jahve und Israel gesehen. Das richtige Verständnis haben Opitz, Herder und Goethe angebahnt. Das Hohelied ist eine Sammlung von Volksliedern und, wie diese zu sein pflegen, «zersungen», das heißt, oft ohne logischen Zusammenhang. Das «Beschreibungslied» ist allgemein morgenländisch. Die Stätte der Lieder ist Jerusalem. Als Entstehungszeit wird das 3. vorchristliche Jahrhundert angesehen. Einzelnes ist älter. Die Zuschreibung an Salomon ist mythisch. Die Lieder verherrlichen sowohl die eheliche wie die freie Liebe. Goethe übersetzte aus der «Biblia sacra Vulgata», Lugdunis 1612/13; der Band, einst der Bibliothek des Kaiserlichen Rates zugehörig, stand bis zu Goethes Tod in seinem Arbeitszimmer in Weimar und steht dort noch heute. Ferner benutzte er die deutsche Ausgabe des sogenannten englischen Bibelwerkes: «Die heilige Schrift aus den auserlesensten Anmerkungen verschiedener Engländischen Schriftsteller zusammengetragen», von I. A. Dietelmair, Leipzig 1749—1770; hier steht das Hohelied in Band 7, Leipzig 1756. Auch dieses Werk war in der Bibliothek des Vaters. Weiter zog Goethe den Text Luthers und die griechische Septuaginta heran. Sprachlich ist seine Übersetzung eine der kraftvollsten Leistungen der Sturm- und Drang-Dichtung.

S. 329 ff. «Versuch, Eine homerische dunkle Stelle zu erklären». Aus dem Nachlaß. Entstehung 1787? (Bernhard Suphan).

S. 332 ff. «Über Johann Joachim Eschenburgs Übersetzung». Aus einer zusammen mit J. H. Meyer verfaßten Rezension von J. H. Füßlis «Lectures on Painting», London 1801. Die Rezension erschien Februar 1804 in vier Nummern der «Jenaischen Allgemeinen Literaturzeitung». Vgl. Art. Ged. Ausg. Bd. 13, Schriften zur Kunst.

S. 335 ff. «Versuch über die Dichtungen». Erschienen im Zweiten Stück des Jahrgangs 1796 der Zeitschrift «Die Horen». Das Original der Madame de Staël (1766—1817) trägt den Titel «Sur les fictions».

S. 361 ff. «La Gloire de Frédéric». Erschienen in Nr. 51 vom 28. Februar 1807 der Jenaischen Allgemeinen Literaturzeitung.

S. 364 ff. «Friedrichs Ruhm». Erschienen in Nr. 53 und Nr. 54 vom 3. und 4. März 1807 des «Morgenblatts für gebildete Stände». Über den Anlaß zur Übersetzung vgl. «Tag -und Jahreshefte» zum Jahr 1807. Art. Ged. Ausg. Bd. 11, S. 822, weiter Art. Ged. Ausg. Bd. 14, S. 244.

S. 375. «Die pilgernde Törin». F. W. Riemer, «Mitteilungen über Goethe», Bd. 2, Berlin 1841, S. 615, bezeichnet dieses Erzählung, zuerst erschienen im «Taschenbuch für Damen auf das Jahr 1809», dann aufgenommen in die «Wanderjahre», als freie Übersetzung einer französischen Novelle «La Folle en pélerinage», die bereits in den achtziger Jahren in Weimar zirkulierte.

S. 389 ff. «Teilnahme Goethes an Manzoni». Die abgedruckten Prosa-Übersetzungen aus Manzoni erschienen zuerst 1821 und 1823 im 3. und 4. Band der Zeitschrift «Über Kunst und Altertum». Vgl. Art. Ged. Ausg. Bd. 14, S. 1093.

S. 399 ff. «Mythologie, Hexerei, Feerei». Erschienen 1827 in «Über Kunst und Altertum», Band 6, Heft 1. Der französische Text war am 8. Februar 1825 in Nr. 66 der Pariser Zeitschrift «Le Globe» erschienen als eine Verteidigung von Carl Maria v. Webers Romantischer Oper «Der Freischütz», die als «Robin des Bois» im Théâtre de l'Odéon gegeben worden war. Vgl. Art. Ged. Ausg. Bd. 14, S. 886 ff.

S. 403 ff. «Le Tasse». Aus einer Besprechung, zuerst erschienen 1827, Bd. 6, Heft 1 der Zeitschrift «Über Kunst und Altertum». Alexandre Duval, der Direktor des Théâtre Français (1767—1842), Schauspieler und Theaterdichter, hatte unter Anlehnung an Goethes Stück einen Tasso geschrieben. Vgl. Art. Ged. Ausg. Bd. 14, S. 891 ff. und 908/909 die Betrachtungen über Weltliteratur, die sich in «Kunst und Altertum» an die Besprechungen des Stückes von Duval anschlossen.

S. 407. «Thomas Carlyle an Goethe». Dieses Fragment aus Carlyles Brief an Goethe vom 25. September 1828 erschien in Goethes Einleitung zur deutschen Übersetzung von Carlyles «Life of Schiller», Frankfurt a. M. 1830. Der ganze Brief Carlyles in «Correspondance between Goethe and Carlyle», London 1887, S. 117 ff.

S. 409 ff. «Aus dem Material zu Wilhelm Meisters Wanderjahren. (Nach Plotins Enneaden)». Plotin, geb. 204 n. Chr. in Ägypten, gest.

269 südlich von Rom, Haupt der neuplatonischen Schule; sein Werk in 6 Büchern zu je 9 Abschnitten als «Enneaden» überliefert. Über sehr frühe Lektüre Plotins vgl. Goethes Materialien zum 6. Buch von «Dichtung und Wahrheit»: «Da mir denn auf einmal wie durch eine Inspiration Plotin ganz außerordentlich gefiel, so daß ich mir seine Werke borgte und nunmehr zum größten Verdruß meines Freundes Tag und Nacht darüber lag», Band 27, S. 382 der Weimarer Ausgabe. Friedrich August Wolf, der Philologe in Halle, war es dann, der Goethe 1805 von neuem auf Plotin hinwies. Was Goethe an diesem besonders fesselte, waren dessen Meinungen über Natur und Kunst, wie sie der Dichter später in «Makariens Archiv» in «Wilhelm Meisters Wanderjahre» einfügte. Die Kunst ahmt nicht die Natur nach. Beide gestalten aus der Idee einer höheren Schönheit, der Vernunft Gottes, nur dem inneren Auge schaubar, über alle Sinne erhaben. Goethe widerspricht aber dem Philosophen, wenn dieser die materielle Verkörperung der Idee geringer achtet als die Idee. Geist und Körper sind für Goethe beide Stellvertreter Gottes, «notwendige Doppelingredienzien des Universums». Vgl. Art. Ged. Ausg. Bd. 1, S. 629. «Wär nicht das Auge sonnenhaft» nach Enneaden Liber VI, Cap. 9 und Art. Ged. Ausg. Bd. 11, S. 436, Italienische Reise, Rom, 6. September 1787.

S. 413. «Benvenuto Cellini» (1500—1571). 1796 plante Goethe eine neue, dritte Reise nach Italien in Gemeinschaft mit Heinrich Meyer. Der Reise, die dann nur in die Schweiz führte, gingen umfangreiche kunstgeschichtliche Vorbereitungen voraus. So stieß Goethe in Verbindung mit der Kunstgeschichte von Florenz auf Cellini. Er lieferte die Übersetzung von dessen Selbstbiographie zuerst in Fragmenten für Schillers «Horen», in denen diese Bruchstücke 1796 und 1797 erschienen. Im Folgejahr 1798 begann er, die Arbeit zu vervollständigen und mit einem Anhang zu versehen. Das ganze Werk erschien zweibändig bei Cotta in Tübingen 1803. Die italienische Ausgabe, deren Goethe sich bediente, stammte von Antonio Cocchi und war ohne Jahrzahl, angeblich in Köln, tatsächlich 1728 in Neapel herausgekommen. Goethes Vermutung S. 910 unseres Druckes, Florenz um 1730, war also irrig. Das Exemplar, ursprünglich Charles Gore gehörig, liegt im Goethe-Nationalmuseum in Weimar.

S. 927ff. Denis Diderot (1713—1784), erst Theist, dann Deist, zuletzt Skeptiker, Gegner des Klassischen Theaters und Vorläufer des bürgerlichen Dramas, dankt seinen Ruhm vor allem seiner Mitarbeit an dem Konversations-Lexikon der französischen Aufklärung der «Encyclopédie» (1751—1780), für die er mehr als tausend Beiträge schrieb. In Petersburg war er auf Einladung der Zarin Katharina II., die, um ihn zu unterstützen, seine Bibliothek ankaufte. So gelangte auch das Manuskript seines Dialogs «Rameaus Neffe», das bei seinem Tode noch unveröffentlicht war, nach Petersburg. Dort kam es in die Hand von Goethes Jugendfreund, des russischen

Generalleutnants Maximilian v. Klinger. Dieser gab die Dichtung an Schillers Schwager Wilhelm v. Wolzogen, als dieser im Jahre 1804 für den Verleger Göschen und mehr noch im Auftrag des Weimarer Hofes in Petersburg war. Am 9. November 1804 brachte Wolzogen, im Gefolge der Zarentochter Maria Paulowna, das Manuskript nach Weimar. Und nun bat Göschen durch Vermittlung Schillers, Goethe möchte es übersetzen. Der Dichter erledigte die Arbeit im Dezember 1804 und Januar 1805. Im Mai brachte Göschen das Buch auf den Markt. — Diderots Werk, glänzend geschrieben, ein Pariser Kaffeehausdialog aus der Zeit der großen politischen Krise, zeichnet die primitive Genußsucht und blasierte, ungeistige Skrupellosigkeit der Epoche, bringt aber zugleich auch musikgeschichtliche wertvolle Betrachtungen über die Oper und über die Komponisten des ausgehenden Rokoko. Vgl. Art. Ged. Ausg. Bd. 14, S. 1064 Register.

Der Herausgeber dieses Bandes wurde besonders von den Herren Dr. Max Gubler und Dr. Hellmuth Freiherr von Maltzahn unterstützt.

REGISTER

I. PERSONENREGISTER ZU «CELLINI»
II. REGISTER DER ÖRTLICHKEITEN
ZU «CELLINI»
III. PERSONENREGISTER ZU «RAMEAU»

Die Register berücksichtigen alle wichtigeren Personen und Örtlichkeiten der Autobiographie Cellinis, sowie die Personen-Namen in Goethes Übersetzung von «Rameau's Neffe». Grundsätzlich sind die Indices nach denselben Gesichtspunkten bearbeitet wie diejenigen der übrigen Bände dieser Ausgabe. Dem Register-Benützer dienen jedoch noch folgende ergänzende Hinweise: 1. Nur wo es wünschenswert erschien, sind Personen-Namen und Örtlichkeiten auch mit knappen erläuternden Angaben versehen worden; 2. Die Schreibweise ist diejenige der Goetheschen Übersetzung, nur teilweise also die ursprüngliche. 3. Wo im Texte eine Person abwechselnd mit dem Eigen- und Familien-Namen angeführt wird, ist im Register unter dem entsprechenden Familien-Namen nachzuschlagen; sonst findet sich der vollständige Name unter dem betreffenden Vor-Namen. 4. Personen-Titel wurden als Sinn-Einheit aufgefaßt und sind dementsprechend unter dem Anfangsbuchstaben des ersten Wortes zu finden (zum Beispiel: «Herzog von Urbino» unter «H»). Ortsbezeichnungen in Titeln wurden somit nicht in das Register der Örtlichkeiten einbezogen. Bei der Bearbeitung der Indices sind maßgebende ältere Ausgaben der hier übersetzten Werke dankbar mitherangezogen worden.

Alfred Brändli

I. PERSONENREGISTER ZU «CELLINI»

ADRIAN, Papst, gemeint: Hadrian VI. 1522–23 921

AGNOLINO siehe: Gaddi, Agnolino

AGNOLO, Julian di Baccio d'-, Florentiner Architekt 816 836

ALAMANNI, Lodovico 1495–1556, italienischer Dichter 493 498 668 669 670 671 688 713

ALAMANNI, Magdalena, Gattin des Lodovico Alamanni, Taufpatin der Constanza Cellini 733

ALBIZZI, Girolamo (= Hieronymus) degli, als Feldhauptmann in Diensten der Medici 828 831 832 834

ALDOBRANDI, Bertino, Freund des Cecchino Cellini (siehe dort) 506

ALEXANDER, Herzog von Penna 505 508 511 513 557 564 580 583 585 782

ALEXANDER (VI.), Papst von 1492 bis 1503, erkauft nach sittenlosem Leben die päpstliche Tiara, als Oberhaupt des Kirchenstaates sucht er die Macht der italienischen Fürsten zu brechen. Unter ihm wurde Savonarola (siehe dort) hingerichtet. Seine Kinder Cesare und Lucrezia Borgia sind bedeutsame Vertreter ihres Zeitalters 638

ALEXANDER, gemeint: Bene, Alessandro del-, in päpstlichen Diensten 478 479

PERSONEN IN «CELLINI»

ALEXANDER, gemeint: Medici, G. Alexander de † 1537, Herzog, Gatte der Margarete, außereheliche Tochter Kaiser Karls V. (s. dort) 635

ALFONSO I d'Este, 1475–1535, Herzog von Ferrara 679

ALLEGRETTI, Antonio, Dichter und Gelehrter, gehörte zum Kreise des päpstlichen Kämmerers Gaddi (s. dort), wo auch B. Cellini verkehrte 504 571 574

AMBROSIO, gemeint: Recalcati, Ambrogio, als Sekretär in päpstlichen Diensten 571 572

AMERIGO DI GIOVANNI, Emailleur in Florenz, den B. Cellini besonders schätzte 460

AMMANATI, Bartolommeo 1511–92, Architekt und Bildhauer in Florenz 839 845 846 852 853 906

ANGELICA. Kurtisane; Geliebte Benvenuto Cellinis, auch die «Sizilianerin» genannt 534 535 536 539 543 544 545

ANGUILLOTTO, Luccaneser in florentinischen Diensten; Freund des Cecchino Cellini (s. dort) 506

ANTONIO, Kastellan der Engelsburg in Rom zur Zeit B. Cellinis 663 664 666

ANTONIO (da San Marino), gemeint: Antonio di Paolo dei Fabbri † 1552 (?), Goldschmied und Maler; Hofgoldschmied Papst Leos X.; war auch Gesandter beim päpstlichen Stuhl im Auftrage der Medici von Florenz und der Republik San Marino; Cellini selbst bezeichnet den Künstler als den «vortrefflichsten Goldschmied in Rom» 441

ARISTOTELES 384–322 v. Chr., der berühmte Philosoph der griechischen Antike; einer der größten Denker aller Zeiten 873

ARSAGO (= Arsagno), Paolo da-, genannt Pagolo; † 1530 (?); mailändischer Goldschmied in Rom; zwischen 1519–1521 arbeitete der junge Cellini in dessen Werkstätte in Rom. Über die Werke des Künstlers fehlen fast alle zuverlässigen Angaben. 440

ASCANIO DE MARI, Geselle B. Cellinis, Goldschmied 588 594 595 596 597 598 602 608 621 625 626 627 667 668 671 674 675 680 685 689 690 691 694 719 721 737 740 742 752 753 766

AURELIUS (v. Ascoli), gemeint: Eurialo d'Ascoli, Dichter 466

BACHIACCA, gemeint: Francesco d'Ubertino Lippini, 1494–1557, Maler und Freund des Benvenuto Cellini 464 474 475 773

BAGLIONI, (H)oratio, als Militär in päpstlichen Diensten 479 482 483 487 488

BALDINI, Bernardo(ne), Goldschmied, florentinischer Münzmeister; Zeitgenosse B. Cellinis 771 773 780 781 782 806 814 815 825 845

BANDINELL(O) (= de' Bandinelli), Bacc(h)io 1493–1560, Maler und Bildhauer in Florenz, gilt neben G. Rosso (s. dort) und Pontormo (s. dort) als Mitbegründer des frühen florentinischen Manierismus 495 762 765 766 767 768 778 779 784 785 786 788 789 790 793 816 823 824 825 834 835 836 839 840 841 842 843 844 845 852 858 869 881–898 906

BANDINELLI, Michel-Agnolo (= de Brandini, M.) 1459–1528, italienischer Goldschmied und Emailleur, Lehrmeister B. Cellinis, arbeitete besonders für die Familie der Medici. Nach dem Urteile B. Cellinis und anderer Zeitgenossen muß Bandinelli als einer der bedeutendsten Goldschmiede seiner Zeit angesehen werden. Sein Sohn ist Bacchio (s. dort) 428

BARTOLINI, Onofrio † 1556, seit 1518 Erzbischof von Pisa 835

BARTOLOMMEO, Fra –, gemeint: Porta, Baccio della – 1475–1517, Maler 862 863

BASSAN, Jakob, gemeint: Bassano Jacopo da Ponte 1510–92, Maler 862

PERSONEN IN «CELLINI»

BASTIAN (von Venedig), gemeint: Sebastiano del Piombo (s. dort)

BEATRICE, Kurtisane sizilianischer Herkunft 543 545

BELLARMATO, Girolamo (= Hieronymus) 1493–1555, Festungsbaumeister aus Siena 744

BELLIN(I), Gentile 1426(?)–1507, venezianischer Maler, Schüler seines Vaters Jacopo B.; Werke des Gentile B. finden sich u. a. im Dogenpalast, in der Scuola di San Giovanni Evangelista in Venedig; auch in Mailand und heute in Berlin 862

BELLIN(I), Giovanni (= Johann) 1428 (?) bis 1516; gilt als Bahnbrecher der venezianischen Renaissancemalerei, Wegbereiter des Giorgione und des Tizian (s. dort); wirkte in Venedig. Zu seinen Hauptwerken zählen: Krönung Mariä (Pesaro), zahlreiche Madonnen (so in Venedig, Mailand, Turin, Berlin), «Christliche Allegorie» und die «Fünf Allegorien» (Venedig); ferner die drei großen Altarbilder: Taufe Christi (Vicenza), Madonna mit Heiligen (Venedig) und «Madonna» (Mailand) 862

BEMBO, Pietro 1470–1547, Humanist, Kardinal 594

BENDIDIO, Alberto, aus Ferrara, in Diensten des Kardinals d'Este 463 680 682 683 684

BENE, Albertaccio del -, Schriftsteller, Freund B. Cellinis, lebte in der ersten Hälfte des 16. Jh. 550 551 598

BENE, Alexander del -, in päpstlichen Diensten, Freund B. Cellinis 478 479 539

BENE, Riccardo del -, römischer Finanzmann des 16. Jh. 607 733

BENINTENDI, Niccolo und Pietro, verbannte florentinische Offiziere zur Zeit B. Cellinis 558 559 560 561 562

BENVENUTO (von Perugia), als Kämmerer in päpstlichen Diensten unter Clemens VII. 467 475 476 477

BERNARDACCIO, gemeint: Baldini Bernardo(ne) (s. dort)

BERNHARDIN, gemeint: Bernardino da Todi, Arzt, in päpstlichen Diensten 578,579

BERNARDON(E), gemeint: Baldini, Bernardone (s. dort)

BERTHOLD, Peter Franziskus, gemeint: Bertoldi, Pier Francesco, florentinischer Notar zur Zeit B. Cellinis 847

BERTOLDO, Giovanni di -, † 1491, Bildhauer, Donatello-Schüler 864

BISCHOF VON JESI siehe «Conversini, Benedetto» 638

BISCHOF VON PAVIA, gemeint: Rossi, Giovanni Girolamo de' - † 1546 663 713 752 753

BISCHOF VON SALAMANCA, gemeint: Don Francisco de Bobadilla 451 453 454 457 458

BOLOGNA, Personen-Beiname für: Primaticcio, Francesco (s. dort)

BONI, Pasqualino d'Ancona nahm an der Verteidigung von Florenz im Kriege gegen Siena teil 816

BOTTICELLI, Sandro (= Lodovico di Mariano Filippi) 1445 (?)–1510, Florentiner Maler, verbindet in seinem Werk Formen der Spätgotik und der Früh-Renaissance 863

BOURBON, Herzog von -, gemeint: Karl von Bourbon, Connetable des Königs Franz I. von Frankreich 478 479

BOZZA, Gefängniswärter im römischen Castello Sant'Angelo zur Zeit von B. Cellinis Gefangenschaft 630 650

BRAMANTE, Donato 1444–1514, Architekt, Meister der Renaissance-Baukunst. Besonders berühmt durch seine Entwürfe für St. Peter in Rom. Begründer der sog. «Bramante-Schule» 519 924 925

BRONZIN(O), gemeint: Agnolo di Cosimo, genannt B. 1503–72, Maler in Florenz; wirkte am Hofe der Medici 824 834 862

BRUNELESCHI, Filippo 1377–1446, Goldschmied und Maler und vor allem Baumeister. Sein Hauptwerk ist die Überwölbung des Domes in Florenz mit einer achtseitigen Kuppel 863 896 925

BUGIARDINI, Giuliano 1475–1554, Maler in Florenz 492

BUONACCORSI, Giuliano, im Dienste König Franz I. von Frankreich 607 770 776

BUONAROTTI, Michelangelo 1475 bis 1564, 436 437 438; M's Einfluß auf Cellini 447 462 463ff; M. gründet einen Künstlerkreis 471; Cellinis Urteil über M. 487 492 779 790 806 807 M's Urteil über Werke Cellinis 562 760 808 809 824; M's «David» 835 841 843 860 862 863 864 869; Zeichnungen des M. 870. Heinrich Füßli (s. dort) als Bewunderer M's 871 881. Kritik an M. 897; 898 899; Künstlerkreis um M., dem auch Cellini angehört 908; 920 922 923 924 925

CAGLI, Benedetto da -, römischer Polizeibeamter zur Zeit B. Cellinis 646

CAJO, mailändischer Juwelier, in Rom tätig 590 591 592

CARADOSSA, Spitzname für Ambrogio Foppa, Goldschmied in Florenz 460 470 497 875

CARNESECCHI, Piero, Gelehrter, in päpstlichen Diensten (erste Hälfte des 16. Jh.) 547 548

CARO, Hannibal, gemeint: Caro, Annibale 1507–66, Gelehrter und Dichter 504 541 571 574

CARPI, Giacomo Berengario da - 1502 bis 27, Bologneser Chirurg und Anatom 458 462 463 495 497 504

CARPI, Jakob da -, gemeint: Carpi Giacomo Berengario da - (s. dort)

CASA, Cecchino della -, Bekannter B. Cellinis 478 479

CÄSAR, Gajus Julius 100–44 v. Chr., bedeutendster Feldherr und Staatsmann des Alten Rom 420 702

CÄSAR (aus Bagno), gemeint: Federighi, Cesare de' - 1530–61, Bildhauer aus Bagno 828

CASTELLO, Giovanni Bernardo da -, 1495–1555, römischer Medailleur 539

CASTORO, Francesco, Lehrmeister B. Cellinis 430

CAVALETTI, Scipio, Bologneser Miniatur-Maler; Zeitgenosse B. Cellinis 430

CECCHINO, gemeint: Casa, Cecchino della - (s. dort)

CECCO (aus Ascoli), gemeint: Stabili, Cecco 1269–1327, Arzt und Astrolog 902

CELLINI, Andreas, Großvater des Benvenuto C. 420 422 423 424

CELLINI, Bartholomäus, Onkel des Benvenuto C. 422

CELLINI, Benvenuto 1500–71, ein typischer «uomo universale» der ital. Renaissance. Er wirkte als Bildhauer, Goldschmied, aber auch als Dichter und Musiker. Seine wertvolle Autobiographie, welche Goethe zunächst in Fragmenten 1796 in den «Horen» übersetzt veröffentlichte, erschien 1803 in einer vollständigen Ausgabe. (Näheres siehe Einführung.) Cellini führte ein unstetes Künstler-Wanderleben, welches ihn nicht nur in die Dienste italienischer Fürstlichkeiten führte (Medici, Clemens VII.), sondern auch nach Frankreich, wo er im Auftrage König Franz I. arbeitete. Seine Werke als Goldschmied sind heute mit einer einzigen Ausnahme, dem Salzgefäß für Franz I. (heute in Wien), nicht mehr nachzuweisen; sonst zählen zu seinen Hauptwerken: das Kolossalrelief der Nymphe von Fontainebleau in Bronze, die Erzstatue des Perseus in Florenz; außerdem ist er Schöpfer mehrerer Werke in Marmor (Apollon und Hyazinth; Narcissus).

CELLINI, Cecchino, Bruder des Benvenuto C. 433 506

PERSONEN IN «CELLINI»

CELLINI, Christoph, Urgroßvater des Benvenuto C. väterlicherseits 420 422
CELLINI, Cosa, Schwester von Benvenuto Cellini 488
CELLINI, Francesco, Onkel des Benvenuto C. väterlicherseits 422
CELLINI, Hieronymus, Onkel des Benvenuto C. väterlicherseits 422 431
CELLINI, Johannes, Vater des Benvenuto C. 422 423 424 427 431 453
CELLINI, Johann Franziskus, genannt «Cecchin der Pfeiffer»; Bruder des Benvenuto C. 509
CELLINI, Liberata, Schwester von Benvenuto Cellini 490 491 576
CELLINI, Lucas, entfernter Verwandter des Benvenuto C. 421
CELLINI, Maria Elisabeth, geborene Granacci, Gattin des Giovanni C., Mutter des Benvenuto C. 420
CELLINI, Rosa, Schwester des Benvenuto Cellini 424
CELLINO, Florin von, ein Vorfahre des Benvenuto Cellini 420
CENCIO, Lehrling und Diener von B. Cellini 569 571 577 774
CENNINI, Bastian(o), gemeint: Cennini Sebastiano, florentinischer Goldschmied und Stempelschneider; war um 1535 neben B. Cellini an der florentinischen Münze beschäftigt 566
CENTANO, Andrea, römischer Adeliger, Zeitgenosse des B. Cellini 642
CERI, Rienzo (Lorenzo) da - † 1528, Renaissance-Condottiere 458 479
CESANO, Gabriele Maria da - 1490 bis 1568, römischer Jurist 668 669 670
CESARINI, Gabriele, Gonfaloniere von Rom, mit welchem B. Cellini befreundet war 457
CESI, Agnolo da -, Auftraggeber des Antonio di San Gallo, Zeitgenosse des B. Cellini 606
CHERUBIN, gemeint: Cherubino Sforzani, Juwellier, Zeitgenosse B. Cellinis 672 675 676 677
CHIAVELLUZZI, Pietro, Mitbeteiligter an der Flucht des spätern Papstes Paul III. aus dem römischen Castell Sant'Angelo 638
GHIBERTI, Lorenzo 1378–1455. Der berühmte florentinische Bildhauer, Erzgießer und Baumeister; schuf vor allem Bronze-Türen des Baptisteriums zu Florenz, ferner Standbilder Johannes des Täufers, des Matthäus und Stephanus für Or San Michele in Florenz, Bronze-Reliefs in San Giovanni zu Siena. Ghiberti war als Architekt auch beim Dombau in Florenz maßgebend tätig. Als Schriftsteller behandelte er in seinen «Commentarii» die antike und mittelalterliche Kunst, ebenso diejenige der Toskana des 14. und 15. Jahrhunderts 896
CHIGI, Agostino, italienischer Bankier von Siena, großer Förderer der Kunst; Zeitgenosse B. Cellinis 447
CHIGI, Gismondo, Bruder des Agostino Chigi (s. dort); Bekannter B. Cellinis 447
CHIGI, Porzia, Gattin des Gismondo Chigi (s. dort); Kunstfreundin; Bekannte des B. Cellini 446 447 448 449 450 451 457 898
CHIOCCIA, Bartolommeo, Geselle B. Cellinis 719 721 729 730
CHRISTUS (= Jesus von Nazareth) 489 501 505 518 587 617 655 656 658 690 702 704 824
CIBO, Innocenzio Malaspino, Kardinal † 1550, Auftraggeber B. Cellinis 457
CIBO, Lorenzo, Marchese di Massa, Zeitgenosse des B. Cellini 557
CIMABUE, Giovanni 1240–1302, italienischer Maler 863
CISTI, florentinischer Militär, auch in Diensten der Medici; Zeitgenosse des B. Cellini 505 506
CLEMENS VII. = Medici, Giulio 1478 bis 1533, Pontifikat: 1523–1533. Ausbleiben versprochener Empfehlungsschreiben für B. Cellini 430; Wahl zum Papste (1523) 446; Kunstaufträge des Papstes 449 457 475; Cellini in militärischen Dien-

sten Clemens' VII. 478 479 480 481;
Geheimauftrag Clemens' VII. für
Cellini 485; Bruch zwischen Clemens VII. und Florenz 487; Cellini
soll erneut in den Dienst Clemens'
VII. treten 493 542; Cellini schlägt
eine Medaille auf Clemens VII. 543
547; Tod Clemens' VII. 549 565; Ergebenheit Cellinis gegenüber Clemens 580 583; Arbeiten Cellinis im
Auftrage Clemens' 586 589 590; Urteil Cellinis über Clemens 593; Cellini angeklagt, Schmuckgegenstände Clemens' entwendet zu haben 616 618 619; Cellini beurteilt
eigene Arbeiten im Auftrage Clemens' 782 894 921

CONSTANZA, geb. 1544, außereheliche
Tochter Benvenuto Cellinis 733

CONVERSINI, Benedetto, Gouverneur
von Rom, späterer Bischof von Jesi;
Bekannter des B. Cellini 615

CORIDA, Magd im Hause der Pantasilea (s. dort) 474

CORNARO, Marco, Kardinal † 1524,
Gönner und Auftraggeber B. Cellinis 457 549 552 553 561 579 624 625
636 642 666

CORREGGIO, gemeint: Allegri, Antonio, genannt Correggio, 1494 bis
1534. Von den Hauptwerken des
Malers sind besonders nennenswert: das gewaltige Fresko im Dom
zu Parma (Torso), Madonna mit
dem hl. Hieronymus (Parma, Galerie), Madonna mit dem hl. Georg
(Dresden), allegorische Temperagemälde im Pariser Louvre 862

COSMUS, gemeint: Cosimo I. Medici,
Herzog 1519–74 429 557 580 585
612 758 759 860 894 906 908

CROCE, Baccino della -, Goldschmied
in Rom, Zeitgenosse des B. Cellini
505 533

DANIEL (aus Volterra), gemeint: Ricciarelli, Daniello 1509–66, ital.
Künstler. Dessen Hauptwerk:
Kreuzabnahme in Santa Trinità ai
Monti, Rom 858 862

DANTE, Alighieri 1265–1321, der berühmte spätmittelalterliche Dichter
Italiens 574 718 863

DANTI, Vincenzio 1530–76, ital. Bildhauer in Florenz, Schüler von Michelangelo (s. dort). Seine Werke
befinden sich namentlich in Florenz
846

DAUPHIN, gemeint: der spätere Heinrich II. von Frankreich (s. dort) 696
705 715 740

DIEGO, junger Spanier in Rom, Bekannter B. Cellinis 464 465

DIEGO, Don -, spanischer Adeliger in
Rom, Auftraggeber B. Cellinis 595
596 597

DONATELLO (= Donato), gemeint:
Donato di Niccolò di Betto-Bardi
1386(?)–1466, Bildhauer, schuf
Werke besonders in Bronze, Marmor und Holz. Der Künstler verband in großartiger Weise Antike
und Natur; er war ein bahnbrechender Meister der Freistatue. Zu seinen
Hauptwerken zählen: Hl. Georg
(Florenz), Reiterstatue des Gattamelata (Padua) und verschiedene
Reliefs 760 777 779 863 896

DONATI, florentinischer Familienname 884

DONNINO DI LORENZO RIPPA, aus
Parma, Goldschmied 516 517

DUMOURIEZ, Charles François 1739 bis
1823, General und Minister. Übersetzer von Cellinis Autobiographie
910

DURANTE, Duranti † 1557, päpstlicher
Kämmerer, Zeitgenosse Cellinis 589
590 648 661 662 663

DÜRER, Albrecht 1471–1528, einer der
größten deutschen Künstler; war
vornehmlich in seiner Vaterstadt
Nürnberg tätig. Setzte sich mit der
ital. Frührenaissance und der antiken
Kunst auseinander. Zu seinen
Hauptwerken zählen u. a.: Selbstbildnisse (Louvre, Prado, Mün-

PERSONEN IN «CELLINI»

chen); Dreikönige (Florenz, Uffizien); Adam und Eva (Prado). Die vier Apostel (München); ferner zahlreiche Holzschnitte (u. a. Apokalypse, Passion, Marienleben), auch Schöpfer von Kupferstichen (u. a. Verlorener Sohn; Adam und Eva, Passion) und Zeichnungen, sowie Autor theoretischer Schriften (bes. «Vier Bücher über die Proportionen» 1528) 862 920

EDELINCK, Gerard 1640–1707, niederländischer Kupferstecher, in Frankreich naturalisiert (1675); sein Werk trägt französischen Charakter; er ist ein Meister der Reproduktion und verfeinerte namentlich die Technik des Kupferstiches in ungewöhnlichem Maße. Edelinck war «graveur ordinaire du Roi» 870

ERZBISCHOF VON CAPUA, gemeint: Erzbischof Nikolaus, Bekannter B. Cellinis 495 497

ERZBISCHOF VON PISA, gemeint: Bartolini, Onofrio † 1556, seit 1508 Erzbischof von Pisa 835

ESTAMPES, Madame d'-, verheiratete Mätresse des Königs Franz I. von Frankreich 695 696 705 706 707 711 712 713 714 715 716 725 726 737 739 740 743 744 745 748 749 753

FARNESE, Alessandro, seit 1524 Kardinal, seit 1534 als Paul III. Papst (s. dort) 483 553 638 664

FELIX, gemeint: Felice Guadagni, Lehrling bei B. Cellini 533 539 540 568 569 573 574 575 577 578 579 580 581 584 597 611

FERDINAND (II.), Erzherzog von Österreich 1529–95, Sohn des deutschen Kaisers Franz I.; 1564 Regent Tirols und der österreichischen Vorlande; gewann letztere dem Katholizismus zurück 906

FERRARA, Kardinal, gemeint: Ippolito d'Este von Ferrara 1509–72, seit 1539 Kardinal 606 607 611 612 613 623 665 667 687 690 691 695 697 706 708 725 734 743 749 750 752 756 771

FIAMINGO, Johann, gemeint: Jean Boulogne 1524–1608, Bildhauer in Florenz 846

FILIPPO, Filippo di Fra-, Goldschmied, mit welchem der junge B. Cellini als Freund gemeinschaftlich Kunststudien betrieb 438

FINIGUERRA, Tommaso (= Thomas), Goldschmied in Florenz des 15. Jahrhunderts 874

FIRENZUOLA (di Lombardia), Goldschmied in Rom, bei dem auch der junge B. Cellini arbeitete 439 440 441

FOJANO, Benedetto Tiezzi da-, Dominikaner-Mönch des Klosters Santa Maria Novella in Florenz (s. dort); da er in seinen Predigten sich gegen die Medici richtete und für eine republikanische Verfassung in Florenz eintrat, wurde er Clemens VII. (s. dort) ausgeliefert und in dessen Auftrag getötet 652 653

FONTANA, Domenico, Goldschmied in Neapel, in dessen Werkstatt B. Cellini vorübergehend arbeitete 544

FRANCESCO, gemeint: Francesco Guttieres, spanischer Goldschmied in Rom; Zeitgenosse des B. Cellini 594 596 597

FRANCESCO DI FILIPPO, Jugendfreund B. Cellinis 441

FRANZ, gemeint: Francesco, ein Gehilfe B. Cellinis, Sohn eines gewissen Matteo 786 792

FRANZ(ISKUS) I., König von Frankreich 1494–1547, Gönner und Auftraggeber B. Cellinis 526 606 611 619 667 783 796 826 877 899 906

FRANZ (Beiname: der Pfeiffer), als Musiker in päpstlichen Diensten 481

FRANZ («Meister-»), gemeint: Primatacio, Francesco (s. dort), genannt «Bologna»

FRANZ (da Monte Varchi), gemeint: Francesco Cattani aus Montevarchi, Arzt in Florenz 581

FRANZ(ISKUS) VON NORCIA, Meister-, gemeint: Francesco Fusconi, Arzt in päpstlichen Diensten 572 573 575 576 577 578 579

FRASCHINO (Fiaschino), Kämmerer in Diensten des Herzogs von Ferrara 681 684

FÜSSLI, Johann Heinrich 1742–1825, berühmter Maler, entstammte einer Zürcherfamilie; siedelte nach längerem Aufenthalt in Rom nach London über; dort wird er Gründermitglied der Royal Academy und ist besonders mit William Blakes befreundet. Füßli verkörpert das universelle Interesse der Romantik und schöpft Anregungen zu seinen Werken aus Homer, Dante, Shakespeare und Milton. Seine besten Werke, vor allem kompositionell hervorragend, tragen ausgesprochen pathetisch-heroischen Charakter; unter diesen sind die bedeutendsten: die 9 Gemälde zur Boydell'schen Shakespeare-Galerie, der Zyklus von 47 Bildern zu Miltons «Paradise lost»; Theseus, von Ariadne Abschied nehmend (Zürich, Kunsthaus), Ugolino im Hungerturm u. a. 870

GADDI, Agnolino, Freund Benvenuto Cellinis 536 537

GADDI, Johann, gemeint: Gaddi Giovanni de-, päpstlicher Kämmerer; mit B. Cellini befreundet 504 517 541 542 568 570 573 574 576

GADDI, Niccolo de -, Kardinal, ein florentinischer Zeitgenosse B. Cellinis 482 504 606 612 613

GADDI, Taddeo 1300–66, Maler in Florenz und Pisa; einer der bedeutendsten Schüler von Giotto. Hauptwerke: Fresken in der Baroncelli-Kapelle von Santa Croce zu Florenz; Abendmahl-Fresko im dortigen Refektorium; Tafelbilder: besonders ein Tryptichon (Berlin), Madonna (Florenz, Uffizien) 863

GALEN, gemeint: Galenus 130–(?), hellenistischer Mediziner, Leibarzt des Kaisers Marcus Aurelius; wegen anmaßenden Auftretens öfters angefeindet 571

GALLI, Benedetto, Kriminalrichter in Rom, Zeitgenosse B. Cellinis 615

GALLUZZI, Bernardo, Kassier in Rom, Zeitgenosse B. Cellinis 666

GAMBETTA, gemeint: Margherita, eine Bologneserin; Kurtisane in Florenz 767 774

GEORG, gemeint: Giorgio di Cortona, Goldschmied in Florenz, Zeitgenosse B. Cellinis 780

G(H)ERARD(O) siehe: Guasconti G(h)erard(o)

GHIRLANDAJO, gemeint: Bigordi Domenico di Tomaso, genannt Ghirlandajo, 1449–94. Als Maler vor allem von Giotto und Masaccio (s. dort) beeinflußt. Seine Bedeutung liegt vornehmlich in seinen großartigen Fresken, welche eine monumentale Einfachheit offenbaren; besonders: Hl. Fina (San Gimignano: Collegiata); Hieronymus und Abendmahl (Florenz: Ognissanti); Petrus und Andreas (Rom: Sixtina), Franziskus-Szenen (Florenz: Santa Trinità). G. schuf außerdem wertvolle Tafelbilder (heute in Pisa, Lucca, Volterra, Florenz und Paris) 863

GIANOTTO, Giannotti, Goldschmied in Rom, Jugendfreund des B. Cellini; Schüler des Giovanni da Firenzuola (s. dort) 439

GIGLIOLO, Hieronymus, gemeint: Gioglioto Girolamo, Schatzmeister des Herzogs von Ferrara 679 681

GINORI, Carlo, Gonfaloniere von Florenz, Zeitgenosse Cellinis 543

GINORI, Friedrich (= Federigo), ein Auftraggeber von Benvenuto Cellini 487 492 493 498

GIORGETTO, gemeint: Vasari Giorgio 1511–74, Maler, Architekt und Kunstschriftsteller; in Florenz und

Rom tätig; Schüler von Bandinelli und Rosso (s. dort); als Baumeister unter bestimmendem Einflusse von Michelangelo (s. dort). V. ist vor allem bekannt durch seine «Vite de' più eccellenti pittori, scultori ed architetti italiani» (1550), eines der wichtigsten Quellenwerke der neuern Kunstgeschichte 846

GIORGINE, gemeint: Giorgio da Castelfranco (oder Giorgio Barbarelli), 1475 (?)–1511 (?), ital. Maler, Bellini-Schüler; bedeutender Vertreter der ital. Hoch-Renaissance; malte in leuchtenden Farben Landschaften mit träumerischer Stimmung 862

GIOTTO DI BONDONE 1266 (?)–1336(?), Maler, Architekt, Bildhauer aus Florenz; gilt als Wegbereiter der neuen ital. Kunst, welche der byzantinisch-mittelalterlichen Überlieferung entwächst und um eine eigene Ausdruckswelt ringt. Werke: vor allem Fresken in Padua 718 863

GIOVANNI, Don -, Prinz aus dem Hause Medici, den B. Cellini als Kind kennenlernte 821

GONZAGA, Ippolito (= Hippolytus), in Diensten des französischen Königs Franz I., Bekannter Cellinis 752 756

GORINI, Lactantio, als Schatzmeister in Diensten der Medici; Zeitgenosse B. Cellinis 762 763 784 816

GOUVERNEUR VON ROM zur Zeit B. Cellinis siehe auch unter: «Conversini, Benedetto» 477 515 529 534 615 903

GRANACCI, Elisabeth, Gattin des Giovanni Cellini (s. dort) 423

GRANACCI, Stephan, mit der Familie Cellini verschwägert 420 423

GRAZIA, Prinz aus der Familie Medici; dieser lernte B. Cellini als Kind am Hofe in Florenz kennen 821

GRECO, Johann, gemeint: Vergezio Giovanni, Gelehrter 504 571

GUADAGNI, Tomaso, florentinischer Kaufmann, Zeitgenosse B. Cellinis 719

GUASCONTI, G(h)erard(o), ein persönlicher Gegner B. Cellinis 436 443 444

GUIDI, Guido † 1569, italienischer Arzt und Leibarzt König Franz' I. von Frankreich 713 714 733 753 766 847

HANNIBAL, gemeint: Claude d'Annebaut † 1552, Militär und Vertrauter des französischen Königs Franz I. 736 744

HEINRICH II., König von Frankreich 1518–59, Gatte der Katharina Medici 853 858

HERKULES (mit dem irreführenden Beinamen: del piffero), Lehrmeister B. Cellinis 430

HERZOG VON CASTRO, natürlicher Sohn des Papstes Paul III. aus dem Hause Farnese 614

HERZOG VON FERRARA, gemeint: Alfonso I. von Este 1475–1535 463 558 678 679 843

HERZOG VON FLORENZ, Zeitgenosse und Auftraggeber B. Cellinis, siehe auch «Medici»; «Alexander (de M.)» 572 635

HERZOG VON MAILAND, Philipp -, gemeint: Filippo Maria Visconti 1392 bis 1447, betrieb eine verwegene ital. Gleichgewichtspolitik; mit ihm erlosch die Hauptlinie der Visconti im Mannesstamm 865 886

HERZOG VON MELFI, gemeint: Alfonso Piccolomini, Herzog v. Amalfi 676

HERZOG VON TOSKANA 806

HERZOG VON URBINO 482 (gemeint: Francesco Maria della Rovere); 829 (gemeint: Guidobaldo della Rovere)

HIERONYMA, Gattin des Farnese Pierluigi (s. dort) 647

HIERONYMUS (aus Perugia), gemeint: Pascucci Girolamo, Geselle B. Cellinis aus Perugia 626

HIPPOKRATES, Arzt, Philosoph der griechischen Antike 571

HOLBEIN, Hans, gemeint: der Jüngere 1497–1543; einer der größten Meister deutscher Kunst; ein Hauptvertreter der Renaissance-Malerei nördlich der Alpen. Hauptwerke: Madonna (Solothurn); Madonna (Darmstadt); vor allem Bildnisse u. a. des Erasmus von Rotterdam, des Thomas Morus, das sog. Gesandtenbild (London); Holzschnitte, worunter der «Totentanz» besonders berühmt ist 862

ISCATINARO, Cäsar, kaiserlicher Unterhändler bei Papst Clemens VII. (s. dort) 618 619

JAKOB, gemeint: Giacomo Rastelli 1491–1556, aus Perugia, päpstlicher Leibarzt 503, 504, (522) 636
JAKOB (aus Capri), Chirurg aus Capri, in Rom tätig 683
JAKOB (da Carpi), gemeint: Giacomo Berengario da - Carpi (s. dort)
JAKOB (von Cesena), als Musiker in päpstlichen Diensten 452 453
JAKOB (Beiname: vom Kahn), gemeint: Jacopo, Zeichner und Fährenbesitzer 493 494
JOHANN, Angiolo, gemeint: Montorsoli, Fra Giovann' Angiolo da - 1504 bis 63, Bildhauer, später Servitenmönch 826
JOHANN Baptista, gemeint: Giambattista Tasso (s. dort)
JOHANNES (Beiname: Pedignone), Gefängniswärter in der Engelsburg in Rom des 16. Jahrhunderts 630 663
JOHANNES, venezianischer Adeliger in Rom 472 473
JULIUS II., Papst von 1503–1513, befestigte und erweiterte die Macht des Kirchenstaates; begann auch den Neubau der Peterskirche (Bramante), war ein Förderer Michelangelos; eröffnete 1512 in Rom das V. Laterankonzil 428 437 519
JULIUS III., Papst von 1550–55, war eine zwiespältige Figur des Übergangszeit: persönlich noch dem weltlichen Geist der Renaissance verbunden, förderte indessen als Pontifex Maximus die gegenreformatorischen Kräfte durch endgültige Bestätigung der Societas Jesu (1550) und durch Wiederberufung des Tridentinum (1551) 806
JUVENALE, Latino 1486–1553, Dichter und Archäologe 553 554 586 587 588 593

«KARDINAL VON LOTHRINGEN», gemeint: Jean de Lorraine; ein Gönner B. Cellinis 696 697 705 711 712
«KARDINAL VON RAVENNA», gemeint: Benedetto, Accolti, Schriftsteller, Erzbischof von Ravenna, seit 1527 Kardinal 482 684
KARL V., römisch-deutscher Kaiser von 1500–58 580 588 743 877 899
KARL IX. 1550–74, seit 1560 französischer König 906
KATHARINA, Bediente und Modell B. Cellinis 715 720 721 723 724 725 729 730 731
KÖNIG VON FRANKREICH, gemeint: Franz I. (s. dort) 615 685 766 783 905
KÖNIG VON NAVARRA, gemeint: Henri II. d'Albret, Gatte der Marguerite de Valois, Schwester König Franz I. (s. dort) 696 698 740
KÖNIGIN VON FRANKREICH, gemeint: Katharina Medici (s. dort) 858
KÖNIGIN VON NAVARRA, gemeint: Marguerite d'Angoulême 1492 bis 1549, Schwester König Franz I. von Frankreich, seit 1527 mit Heinrich d'Albret, König von Navarra (s. dort) vermählt. Sie unterstützte in großzügigster Weise bildende Künstler und war selbst schriftstellerisch tätig. Ihr Œuvre wurde 1852 von Lefranc herausgegeben 715 740 750

LANDI, Antonio Vittorio, in Florenz lebender Dichter, Jugendfreund B. Cellinis 771 772 773 780 782
LANDI, Piero, Freund Cellinis 445 491 494 580 (756)
LASTRICATI, Alessandro, Erzgießer in

Florenz, übte Kritik an künstlerischen Plänen B. Cellinis 801

LEGAT VON ROM, gemeint: Salviati, Giovanni (s. dort) 515

LEO X., Papst von 1513–21, identisch mit Giovanni de Medici († 1521) (s. dort) 427 869 893 894 921

LEONARDO, gemeint: Vinci, Leonardo da - (s. dort)

LESSING, Gotthold Ephraim 1729–81, berühmter Dichter-Denker und Kritiker der deutschen Aufklärung; soll angeblich eine Übersetzung der Autobiographie Cellinis geplant haben 910

LIONE (von Arezzo), gemeint: Leone Leoni, Goldschmied in Rom; ein persönlicher Feind B. Cellinis 661 663

LIPPI, der Ältere, gemeint: Lippi, Fra Filippo 1406–69, Maler und Karmeliter-Mönch in Florenz. Verbindet als Künstler frisches Naturgefühl und seelische Innigkeit. Schuf Fresken im Dom zu Prato und Spoleto, auch Tafelbilder (heute in Florenz: Uffizien; Berlin, Paris: Louvre) 863

LORENZINO, Philosoph, Bekannter B. Cellinis 583 585

LUCAGNOLO (von Jesi), Goldschmied in Rom, Schüler des Raffael Santi (s. dort), in dessen Atelier auch B. Cellini arbeitete 446 448 449 450 451 454 459

LUDWIG, gemeint: Pulci Lodovico (s. dort)

LUDWIG (aus Fano), gemeint: Lodovico di Fano † 1540, Gelehrter 504 571 574

MACCHERANI, Paolo (Paul), ein Gehilfe B. Cellinis, aus Rom gebürtig 719 721 722 723 725

MAC(C)HIAVELLI, Niccolo 1469–1527, der berühmte florentinische Staatsmann und Geschichtsschreiber 871 885

MAFFIO, gemeint: Maffeo di Giovanni, römischer Polizeikommandant 507 508

MAGALOTTO, Gregorio, Gouverneur von Rom (s. auch dort) 529

MAN(N)ELINI, Bernardino (da Mugello), Gehilfe B. Cellinis 768

MANNO, gemeint: Sbarri, Manno (= Alemanno) di Bastiano; genaue Lebensdaten fehlen; war als Goldschmied Schüler B. Cellinis; fertigte die Casetta Farnese (jetzt Mus. Naz. Neapel) an, eine der hervorragendsten Goldschmiedearbeiten der ital. Renaissance 581

MANTEGNA, Andrea(s) 1431–1506, ital. Maler und Kupferstecher, sein Stil ist äußerst realistisch. Meister der Perspektive. Schuf vor allem Fresken in der Eremita-Kirche zu Padua; einen Altar in San Zeno zu Verona; ein weiterer befindet sich in den Uffizien in Florenz; Fresken im Palazzo Ducale zu Mantua; ebendort Leinwandbilder «Triumph Cäsars». Mantegna gilt außerdem als bedeutendster Vertreter des ital. Kupferstichs des 15. Jahrhunderts 862

MARCHESE del Guasto, gemeint: Alfonso d'Avalos, Karls V. Feldherr, Gouverneur des Herzogtums Mailand 592

MARCONE, gemeint: Sandro Antonio Giamberti Marcone, florentinischer Goldschmied 429 435 442

MARGARETA (von Navarra), gemeint: Marguerite d'Angoulême 1492 bis 1549, Königin von Navarra (s. dort) 740

MARMAGNA, Herr von-, gemeint: Jean Lallemant, Seigneur de Marmaignes, Sekretär König Franz I. von Frankreich 693 694 747

MARTINI, Lukas, gemeint: Martini Luca, Gelehrter, Freund B. Cellinis 581

MARTINI, Pietro, Goldschmied in Florenz, dem B. Cellini einen Auftrag erteilte 783

MASACCIO, gemeint: Tommaso di Ser Giovanni di Simone Guidi 1401 bis 28 (?), ital. Maler. Reifte unter dem Einfluß Donatellos und Bruneleschis zum Schöpfer des Stilausdrucks der Frührenaissance in der Malerei. Hauptwerke: Fresken in der Brancacci-Kapelle zu Florenz und der Katharinen-Kapelle von San Clemente in Rom 863

MATTHÄUS (= Matteo), Schmied in Florenz, Vater des Francesco, eines Gesellen B. Cellinis 786 792

MATURINO (da Firenze), unbedeutender florentinischer Maler um die Wende des 15./16. Jahrhunderts 921

MAURIZIO, Fra, Kanzler und Vorsitzender der florentinischen Polizeibehörde 558

MEDICI, Dynastie der- 437 479 491 546 581 759 860 864 868 893 894 895

MEDICI, Alessandro de'- 1510–1537 491

MEDICI, Cosimo de'- 1389–1464, genannt Pater Patriae 890 891

MEDICI, Francesco de'- 1541–87, Sohn des Herzogs Cosimo I. Medici 853

MEDICI, Giovanni (= Johann) de'- 1475–1521, als Leo X. Papst von 1513–21 869

MEDICI, Giovanni (= Johannes) de'- 1360–1428 890

MEDICI, Giulio de' - siehe Clemens VII.

MEDICI, Ippolito de- † 1535, Kardinal 491 541 542 543 545 547 552 581 587 (853?)

MEDICI, Johannes von- † 1526 429 433 478 490 505 585

MEDICI, Katharina de' - 1519–89, wurde 1547 französische Königin, Gattin König Heinrichs II. 853 858

MEDICI, Lorenz(o) de' - 1514–48 426 566 567 568 776 864 893

MEDICI, Octaviano de' - 557 566 581 582

MEDICI, Octavio de' -, Kunstfreund, zu dem auch B. Cellini Beziehungen unterhielt 846

MEDICI, Piero (= Peter) de' - † 1469, Sohn des Cosimo de' Medici (s. dort) 891

MEDICI, Piero (= Peter) de' - 1471 bis 1504, von Savonarola (s. dort) 1494 gestürzt 426 427 542 893

MICCERI, Paolo, Gehilfe B. Cellinis 719 729 731

MICHAEL, Goldschmied, Bekannter B. Cellinis 626

MICHELAGNOLO DA SIENA 1470 bis 1540(?). Bildhauer, nach Vasaris Angaben aus Siena gebürtig; wahrscheinlich Mitschöpfer des Grabmals Hadrians VI. in Santa Maria dell' Anima zu Rom 463 465 466 467 468 473

Michelangelo, gemeint: Michelangelo Buonarrotti (s. dort)

MICHELETTO, gemeint: Michele di Francesco Nardini, Goldschmied und Bildhauer in Rom; Zeitgenosse Cellinis 498 499

MINI, Paolo, unbedeutender florentinischer Schriftsteller des 16. Jahrhunderts 907

MIRANDOLA, Graf von, gemeint: Giovanni Pico, Graf von Mirandola 1463–1494, Kunstfreund (auch Auftraggeber B. Cellinis) und Philosoph. Als Vertreter des Neuplatonismus suchte Pico eine Synthese von antiker Philosophie und christlicher Religion; war auch stark von Ideen der Kabbala beeinflußt. Seine Opera erschienen bereits 1496 706 752 755

MONTE AGUTO, Niccolò da -, am Hofe der Medici; Freund B. Cellinis 557 580 582 583

MONTE LUPO, Raffaello da- † 1566, mit B. Cellini befreundeter Bildhauer 618 798

MONTE VARCHI, Francesco da -, berühmter Arzt, den auch B. Cellini beizog 852

MORGHEN, Raffaello 1758–1835, italinischer Kupferstecher 870

PERSONEN IN «CELLINI»

MORLUC, französischer Gesandter König Franz I. (s. dort) am päpstlichen Hofe 619 625 664

MORO, Raffael(lo) del -, Goldschmied in Rom; ein Freund B. Cellinis 495 512 591 898

MOSCHINO, gemeint: Francesco Mosca, † 1578, Bildhauer und Architekt in Florenz, zeitweilig in Diensten der Medici und am Hofe der Farnese in Parma. Schuf Marmor-Reliefs und Statuen 846

NARDI, Jacopo 1476–1555(?), florentinischer Dichter, Gelehrter und Staatsmann; mußte Florenz wegen Teilnahme an einer Verschwörung gegen die Medici verlassen; hernach lebte er bis zu seinem Tode in Venedig. Sein Œuvre umfaßt satirische Dichtungen, eine Komödie («Amizia», 1494); Nardi verfaßte auch einen wertvollen Kommentar zu Livius; schrieb «Storie fiorentine», sein Hauptwerk 558 559

NASARO, Matteo del -, Medailleur, in Diensten des französischen Königs Franz I. (s. dort) 721 731

NERO, Francesco del -, in päpstlichen Diensten 514 515

NIKOLAUS (von Mailand), mantuanischer Goldschmied in Diensten der Medici, der auch mit B. Cellini bekannt war 489

NOBILI, Antonio de' -, als Schatzmeister in Diensten der Medici 832

NUGENT, Thomas, englischer Schriftsteller des 18. Jahrhunderts 910

ORBEC, Vicomte d'-, im Dienste König Franz I. von Frankreich 694 699

ORCAGNA, Andrea (di Cione) 1308 bis 68(?), ital. Maler, Bildhauer und Baumeister; der letzte große selbständige Vertreter der florentinischen Gotik; Nachfolger Giottos (s. dort). Am Dombau zu Florenz beteiligt, ebenso an demjenigen von Orvieto. Das einzige gesicherte bildhauerische Werk ist der Tabernakel in Or San Michele zu Florenz; das einzige gesicherte Gemälde ist ein Altarbild in Santa Maria Novella zu Florenz (s. dort) 863

ORSINI, Francesco † 1531, Kardinal 486 487

ORSINI, Hieronymus, ein Auftraggeber Cellinis 612

OTTAVIO, gemeint: Farnese, Herzog von Parma, Gatte der Margarete, außerehelicher Tochter Karls V. (s. dort) 635

PALLAVICINI, römischer Ordensgeistlicher, bekannter Kanzelredner, Mitgefangener Cellinis im römischen Castello Sant'Angelo 621

PALLONE, Marcello, in päpstlichen Diensten 479

PALMERIUS, gemeint: Palmieri, Matteo 1405(?)–75, florentinischer Geschichtsschreiber und Staatsmann; auch Verfasser moralphilosophischer Arbeiten. Ein allegorisches Gedicht, La città di vita, wurde wegen «ketzerischer» Anschauungen verdammt und erst im 20. Jahrhundert veröffentlicht 871

PANTASILEA - Florentinerin, Bekannte von Benvenuto Cellini 464 467 470 472 474 475 476 477

PARMEGIANIN, gemeint: Parmigianino, Francesco (Mazzola) 1503–40, Maler und Kupferstecher 862

PAUL III., Papst von 1534–49, vorher Alessandro Farnese (s. dort), seit 1524 Kardinal-Bischof 549 557 589 614 619 636 638 679

PAUL(IN), Cellinis Gehilfe 452 454 456 461 668 671 675 676 677 680 685 689 691 694 719

PAZZI, adelige Familie in Florenz 557 845 892

PENNI, Franz 1488–1528(?), ital. Maler; Schüler und Mitarbeiter Raffaels (s. dort) in Rom 446 447 451 456 457 458 464 862

PERIN(O) DEL VAGA, gemeint: Buonacorsi, Pietro 1501-47, italienischer Maler; Schüler Raffaels (s. dort); arbeitete u. a. an Raffaels Loggien des Vatikans, an der Decke der Cappella del Crocifisso in San Marcello zu Rom 862

PERUGIN(O), Peter, gemeint: Pietro di Cristoforo Vanucci 1446(?)-1523 (24), ital. Maler; vornehmlich in Florenz, Rom und Venedig tätig, war Lehrer Raffaels. Hauptwerke: besonders Wandgemälde in der Sixtina zu Rom 862

PERUZZI, Baldassare (= Balthasar) 1481-1536, ital. Maler und Baumeister; Bramante-Schüler. Von ihm stammen großartige Bau-Entwürfe (Florenz: Uffizien); sein Hauptwerk ist der Palazzo Massimi alle Colonne zu Rom 862 925

PETER LUDWIG, gemeint: Farnese Pierluigi, natürlicher Sohn Papst Pauls III. (s. dort) 549 554 555 556 569 600 (?) 614 615 619 636 639 647 654 660 665 667 753 756

PETER PAUL (von Monteritondo), gemeint: Pietro Paolo Galeotti aus Monteritondo (bei Rom), Lehrling B. Cellinis 565 583 586

PETER, «der Pfeiffer», ein Schüler von Cellinis Vater 431

PHILIPP, gemeint: Philipp II. 1527-98, König von Spanien 787 907

PICCININ(I), Niccolò (= Nikolaus), Militär im Dienste der mailändischen Visconti 865 867 871 872

PIERINO, gemeint: Peter, der Pfeiffer (s. dort)

PIERO, siehe: Pierino (s. dort) 432

PILLI, Raffaello de'-, Chirurg in Florenz, der auch B. Cellini behandelte 794 852

PILOTO, Baldassare Giovanni di-, florentinischer Goldschmied, mit dem B. Cellini bekannt war 471 551

PITIGLIANO, Giovanni Francesco, Conte di -, ein Auftraggeber B. Cellinis 706

POGGINI, Domenico, Goldschmied in Florenz, der auch unter Cellini arbeitete 768 773 780 781 782

POGGINI, Giampaolo (= Johann Paul), Goldschmied in Florenz, der auch unter der Leitung Cellinis arbeitete 768 780 782

POLIDOR (von Caravaggio), gemeint: Caravaggio, Polidoro da - (Caldara), 1495-1543, ital. Maler 862 921

POLLAJUOLO, Antonio 1429-98, Goldschmied, Bildhauer; Maler und Kupferstecher in Florenz 896

POLVERINI, Jacopo, Fiskal-Beamter in Diensten der Medici 834

POMPEO DE CAPITANEIS, Goldschmied und Juwelier in päpstlichen Diensten, persönlicher Widersacher B. Cellinis 495 499 527 532 534 541 542 549 550 551 553 554 556 568 614

PONTORMO, Jacopo Carucci da - 1494 bis 1557, Maler in Florenz, der die Kunst B. Cellinis besonders hoch schätzte; Pontormo gilt neben G. Rosso (s. dort) und Bandinelli (s. dort) als Mitbegründer des frühen florentinischen Manierismus. P. ist stark von Dürer (s. dort) beeinflußt. Hauptwerke: Fresko im Vorhof der Annunziatenkirche zu Florenz; Fresken in San Lorenzo ebendort; Entwurfzeichnungen in den Uffizien von Florenz u. a. 824

PRIMATICCIO, Francesco 1504-70, Beiname: «Bologna», ital. Maler und Baumeister in französischen Diensten seit 1531 (erster Hofmaler Franz I.); Führer der Schule von Fontainebleau 715 716 725 726 727 728 731 732 737 739 750 862

PRINZ VON ORANIEN, gemeint: Philibert de Chalon 1502-30, prince d'Orange; kämpfte unter Karl V. gegen Franz I. 478 486

PUCCI, Pandolfo, Vater des Roberto Pucci (s. dort) 637

PUCCI, Robert(o), Florentiner in päpstlichen Diensten zur Zeit der Gefangenschaft Cellinis im römischen Castello Sant' Angelo 520 637

PUENTE, Antonio de la -, Reiseschriftsteller des 18.(?) Jahrhunderts 907

PULCI, Ludovico, Sohn des Dichters Jacopo Pulci, wegen Inzestes hingerichtet (1531) 467 471 472 473 474 475 476

QUISTELLI, Alfonso, in Diensten der Medici, ein Widersacher B. Cellinis 834 854

RICCI, Federigo (= Friedrich), florentinischer Senator, persönlicher Widersacher B. Cellinis 854 855

RICCI(O), Pier Francesco del -, als Hofmeister und Prinzen-Erzieher in Diensten der Medici 762 764 809

RIDOLFI, Niccolò, Kardinal † 1550, Auftraggeber B. Cellinis 457

ROMANO, Julius, gemeint: Giulio Pippi 1492–1546, aus Rom, Künstler aus Raffaels Schule 465 466 467 468 489 492(?) 862

ROMOLI, Vincenzio, Börsenmakler, Zeitgenosse B. Cellinis 535 536 537

ROSSI, Giovanni Girolamo de'- † 1546, Bischof von Pavia 663

ROSSO, Giovanni Battista 1494–1541, genannt «il Rosso», Maler und Zeichner, der sich autodidaktisch bildete und mit Pontormo (s. dort) und Bandinelli (s. dort) zu den Begründern des frühen florentinischen Manierismus gehört. Sein Hauptwerk ist die mit einem Freskenzyklus und Stukkaturen ausgestattete Galerie Königs Franz I. von Frankreich (s. dort) 458 606 607 716 739 862

RUCELLAI, Lodovico 1495–1549, ein Gönner B. Cellinis 552

RUSTICI, Francesco (= Franz) 1474 bis 1554, Sieneser Maler, der sich besonders an Leonardo da Vinci bildete und mit diesem eng befreundet war; seit 1528 wirkte er am Hofe Franz I. von Frankreich. Von Rusticis Gemälden sind keine mehr bekannt; auch die Zeichnungen sind größtenteils verschollen. Das Hauptwerk des Künstlers bildet die Bronzefiguren-Gruppe des Baptisteriums in Florenz 862

SALIMBENI, Francesco, Goldschmied in Florenz, bei welchem B. Cellini kürzere Zeit (um 1518) arbeitete 438 441

SALITTI, Bernardo, ein Freund B. Cellinis 681

SALVIATI, Alamanni, florentinischer Adeliger, Bekannter Cellinis 832

SALVIATI, Francesco (= Franz) 1510 bis 63, ital. Maler, Schüler Bandinellis (s. dort); bedeutender Vertreter des florentinisch-römischen Manierismus; den Künstler charakterisiert eine Vielseitigkeit des Schaffens: Fresken, Altarbilder, Teppichentwürfe, Vorlagen für kunstgewerbliche Arbeiten, Bildnisse. Sein Werk ist im allgemeinen zwischen Hochrenaissance und Frühbarock einzureihen. Übte einen nachhaltigen Einfluß u. a. auf Vasari, Daniele da Volterra, Bronzino (s. dort) 862

SALVIATI, Giovanni 1490–1553, Erzbischof von Ferrara, Kardinal, Gönner und Auftraggeber B. Cellinis 515 520 522 525 684 siehe auch «Legat von Rom»

SALVIATI, Jacopo (= Jakob), war 1514 Gonfaloniere von Florenz 428 478 483 495

SALVIATI, Piero, florentinischer Senator, Gönner B. Cellinis 837 838

SANDRINO, gemeint: Monaldi, Alessandro, florentinischer Hauptmann 650 652

SANDRO, Antonio, identisch mit dem 436 genannten Goldschmied 428

SANGA, Battista, päpstlicher Sekretär und Poet, Zeitgenosse B. Cellinis 505

SAN GALLO, Antonio da -, der Jüngere, 1485–1546, Bramante-Schüler, 1516 zum zweiten Architekten von St. Peter in Rom ernannt. 1520 Ernennung zum Capo maestro von St. Peter (als Nachfolger Raffaels). Nach Jacob Burckhardts Urteil «ein sehr ungleiches und vielleicht innerlich nie ganz selbständiges Talent». Werke: Vollendung der Korridore im römischen Castello Sant'Angelo; Entwurf für den Farnese-Palast zu Rom; päpstliches Münzgebäude «La Zecca» (jetzt Pal. del Banco di S. Spirito); Befestigungsarbeiten verschiedener ital. Städte; eigenes Palais in Rom, «das Muster einer aristokratischen Stadtwohnung» (Willich) 606 607 925

SAN GALLO, Francesco da -, Beiname: Margolla, 1494–1576, Bildhauer und Architekt in Florenz; unter dem Einflusse von Michelangelo, Sansovino und Leonardo (s. dort). Sein bildhauerisches Werk zeigt klassizistisch-realistische Prägung, vereinzelt auch frühbarocken Einschlag. Zu seinen bedeutenderen Werken als Bildhauer gehören: Statuen von Petrus und Paulus in Montecassino; Grabmal des Leonardo Bonafede (Florenz, Certosa). San Gallos Werke als Architekt dagegen sind schwer feststellbar infolge häufiger Verwechslung mit dessen Vetter, Giovanni Francesco San Gallo. Gesichert ist jedoch San Gallos Tätigkeit als Dombaumeister in Florenz. 816

SANKT PAUL, Herr von -, gemeint: François de Bourbon 1491–1545, Seigneur de St. Paul 749

SAN SECONDO, Graf, Bruder des Monsignore de Rossi, Bischof von Padua; Mitgefangener Cellinis im römischen Castello Sant'Angelo 663 713

SANSOVINO, Jacopo, identisch mit: Tatti, Jacopo 1486–1570, italienischer Baumeister und Bildhauer. Stand als Künstler unter Bramantes Einfluß, war in Florenz, Rom und Venedig tätig. In Venedig wurde er 1529 staatlicher Bauleiter. Sansovino entwickelte im Sinne der Hochrenaissance einen der Lagunenstadt harmonisch angepaßten Baustil. Zu seinen Hauptwerken zählen: Palazzo Cornèr (Venedig), Alte Bibliothek von San Marco, in Padua schuf er den Universitätshof. Zu seinen besten bildhauerischen Leistungen gehören: Das Standbild des hl. Jakobus (Florenz, Dom), Marmor-Standbild des Bacchus, Florenz, marmorene Kolossalstandbilder des Mars und Neptun im Dogenpalast in Venedig 557 561 562 775 776 862

SANTA FIORI, Kardinal, gemeint: Guido Ascanio Sforza 640 641 842

SANTI, Raffaello 1483–1520, bedeutender Maler der italienischen Hochrenaissance und Architekt. Aus Urbino gebürtig, wirkte vor allem im Dienste Papst Julius' II. Raffael gründete eine bedeutende Schule, die zahlreiche seiner Spätwerke ausgeführt hat. Er schuf monumentale Wandgemälde, wurde nach Bramantes Tod Bauleiter der Peters-Kirche in Rom; seine Werke sind besonders charakterisiert durch harmonischen Gesamtaufbau und hervorragende Raumerfassung 446 448 458 504 606 862 924

SANTIQUATTRO, gemeint: Antonio Pucci, Kardinal de Quattro Santi Coronati, Zeitgenosse B. Cellinis 625

SARTO, Andrea del -, gemeint: Andrea Domenico d'Agnolo, genannt Vanucchi, 1486–1530; florentinischer Maler; stand unter dem Einflusse von Fra Bartolommeo, Leonardo, Michelangelo und Dürer (s. dort); war meist in Florenz tätig. Sarto ist ein typischer Vertreter der italienischen Hochrenaissance. Seine Fresken in Florenz: Santissima Annunziata (Vorhalle und Kreuzgang); Tafelgemälde: u. a. Verkündigung und Disputa (Florenz, Gal. Pitti), Madonna und Unbekannte Frau (Florenz, Uffizien); Madonna mit Heiligen, Beweinung, sowie Mariä Himmelfahrt (Florenz, Gal. Pitti) 862

SAVELLI, Gastgeber B. Cellinis im Palombara (s. dort) 542

SAVONAROLA, Girolamo (= Hieronymus) 1452–1498, italienischer Dominikaner, Prediger von größter Wirkung, suchte Florenz nach der Vertreibung der Medici (1494) zu einer theokratischen Demokratie umzugestalten, trat auch als Kritiker der sittlichen Zustände am damaligen päpstlichen Hofe auf, wurde 1498 verbrannt 622 893

SBIETTA, gemeint: Anterigoli, Pier Maria d' -, Viehhändler aus Vic(c)hio (s. dort)

SCHIAVONE, gemeint: Me(l)do(l)la, Andrea † 1563, Maler und Radierer aus Dalmatien, wirkte vor allem in Venedig. Leben und Werk des Künstlers sind nur lückenhaft bekannt. Er gilt als Meister des venezianischen Manierismus und als bedeutender Kolorist. Gemälde: Anbetung der Könige (Mailand), Gang nach Emaus (Venedig), Heilige Familie (Dresden), Mythologische Szenen (Wien), Radierung: Raub der Helena 862

SCHIEGGIA, Raffaello, persönlicher Widersacher B. Cellinis 853

SCOZZONA, gemeint: Scorzone Jeanne, Modell und Geliebte B. Cellinis 725 733

SEBASTIAN, gemeint: Sebastiano del Piombo, (eigentlich: Luciani) 1485 bis 1547, Maler der venezianisch-römischen Hochrenaissance; starb in Diensten des Papstes als Siegler der päpstlichen Bullen (deshalb sein Beiname «del Piombo») 504 519 520

SERRISTORI, Averado, florentinischer Adeliger, Diplomat und Politiker, Zeitgenosse B. Cellinis (798) 806 854

SFORZA, gemeint: Graf von Santa Fiore, Nepote Clemens VII. (s. dort) 594

SFORZA, Almeni, Kammerherr von Cosimo I. de' Medici (s. dort) 786 810 825 827 828

SGUAZELLA, Andrea, Maler aus Florenz, Schüler des Andrea del Sarto (s. dort), den er 1517 nach Paris begleitete. Dort war er noch 1537 ansässig und Gastgeber B. Cellinis 607

SIGNORELLI, Luca 1441–1523, ital. Maler; Meister der Frührenaissance in Umbrien; schuf Gestalten mit monumentaler Gebärde in tiefleuchtender Farbengebung. Fresken in Loreto, Rom (Sixtina), Monte Oliveto Maggiore (daselbst sein Hauptwerk: Jüngstes Gericht). Signorelli ist außerdem Schöpfer von Tafelwerken, vor allem von Madonnen (in Perugia, Florenz, London u. a.); auch von Rundbildern, ferner einer Kreuzigung (Urbino), der «Beweinung» (Cortona) u. a. 862

SIGUENZA, José 1544(?)–1606, spanischer Ordens-Chronist und Dichter, Mönch des Hieronymiten-Ordens 907

SODERINI, Piero 1502–12, florentinischer Gonfaloniere 864

SOGLIANI, Paolo 1455–1520, Goldschmied in Florenz. Zu seinen bedeutendsten Werken gehören: das Gehäuse für das sog. Reliquario del libretto im Baptisterium zu Florenz; ferner das Reliquiar des hl. Johannes Gualbertus in der Kirche des ehemaligen Klosters Vallombrosa (s. dort) 442

SOLOSMEO, Antonio (da Settignano), florentinischer Bildhauer und Maler des 16. Jahrhunderts; Schüler von Andrea Sansovino und Andrea del Sarto (s. dort). Freund B. Cellinis. Zu den Hauptwerken von Solosmeo zählt besonders das Altarbild in der Kirche San Fedele in Poppi (Casentino) 534 542 543 546

STEPHAN, gemeint: Ali, Stefano, florentinischer Adeliger am Hofe der Medici 846

STROZZI, Alexius, Mönch des Klosters Santa Maria Novella in Florenz (s. dort) 445 446

STROZZI, Cattivanza, römischer Militär, Zeitgenosse B. Cellinis 505

STROZZI, Leone, Prior, Bekannter B. Cellinis 776

STROZZI, Piero 1508–58, Marschall von Frankreich 705 706 749 776 818 829

STROZZI, Philipp, ein Verwandter der Medici 485 600

STUFA, Pandolfo della -, Beamter in Diensten der Medici 835

TACCA, Giovanni Francesco della -, Goldschmied aus Mailand, arbeitete bei B. Cellini 641

TARGHETTA, Milano, venezianischer Goldschmied und Diamantschleifer; lebte in der ersten Hälfte des 16. Jahrhunderts 590 591

TASSO, Giambattista 1500–1555, Künstler und Architekt in Florenz 436 438 439 440 763 816

TECCI, römischer Adeliger, Zeitgenosse B. Cellinis 547

TERZO, Terzi d' - † 1560, Architekt und Ingenieur aus Ferrara, im Dienste des Herzogs von Ferrara und der dortigen Stadtgemeinde erbaute das ehemalige Schloß in Copparo und den eingestürzten Torre Rigobello der Stadtbefestigung von Ferrara 924

TINTORET(TO), gemeint: Jacopo Robusti, 1518–94, venezianischer Maler; seine Werke zeigen bereits eine renaissanceferne Bildwelt (sog. «Manierismus»); T. gilt als größter Vertreter einer übersinnlich hintergründigen Malerei der Epoche der Gegenreformation. Hauptwerke: Darstellungen zur Wundergeschichte des hl. Markus (Venedig, Akademie); Bilder zum Leben Jesu in der Scuola di San Rocco; biblische Bilder in Santa Maria dell'Orto in Venedig; Hochzeit zu Kana in Santa Maria della Salute zu Venedig, mythologische Figuren im Dogenpalast; Selbstbildnis u. a. 862

TIZIAN(O), gemeint: Vecellio, Tiziano 1477–1576, ital. Maler, Schüler Bellinis, gilt als Vollender der venezianischen Hochrenaissance; Anreger der Meister des Barock; zu den Hauptwerken zählen: Himmlische und irdische Liebe (Rom), Mariä Himmelfahrt (Venedig), Venusfest (Madrid), Bacchus und Ariadne (London), Porträtbilder Papst Pauls III., Karls V. 775 776 862

TOBIAS, gemeint: Tobbia da Camerino, Goldschmied des 16. Jahrhunderts, wegen einer Pfründe in der Diözese Mailand von Cellini als Mailänder bezeichnet. Tobbia fertigte im Auftrage des Papstes Clemens VII. (s. dort) 1533 für Franz I. von Frankreich (s. dort) eine Horn-Montierung, deren Entwurf demjenigen Cellinis vorgezogen wurde 525 526 528 531 532 534 541 542 543

TORELLI, Lelio, Sekretär von Herzog Cosimo I. Medici 836

TORRIGIANI, Pietro, gemeint: Piero di Torrigiani d'Automo 1472–1528, italienischer Bildhauer und Maler; eine Auseinandersetzung mit Michelangelo kostete ihm das Nasenbein, worauf er Florenz verließ und durch ganz Europa wanderte. Im Auftrage Heinrichs VIII. von England reiste er nach Florenz, versuchte (1519) auch Cellini als Gehilfen zu gewinnen, endete als Opfer der spanischen Inquisition im Jahre 1528 436 437

TRAJANO, Alicorno, päpstlicher Kämmerer 498 499 500 527 552 554

TRIBOLO, gemeint: Niccolo Percioli 1500–50, florentinischer Bildhauer und Architekt 557 558 560 561 562 563 564

TRONCI, Paolo, italienischer Geschichtsschreiber des 17. Jahrhunderts 871

TROTTI, Alfonso de -, Minister des Herzogs von Ferrara (s. dort) 682 683 684

UGOLINO, Giorgio, in päpstlichen Diensten 620 660 661

URBINO, gemeint: Francesco Amatori da Castel Durante, Gehilfe und Diener Michelangelos (s. dort) 808 809 810

VALORI, Bartolommeo † 1537, in päpstlichen Diensten 519 520

VARCHI, Benedetto 1503–66, Schriftsteller in Florenz 574 576

VASARI, Giorgio 1511–74, ital. Architekt und vor allem Kunstschriftsteller; auch Maler. Schüler des Michelangelo und Sarto (s. dort). Sein architektonisches Hauptwerk sind die von ihm begonnenen (nicht aber vollendeten) Uffizien zu Florenz. Vasaris große Leistung ist sein biographisches Sammelwerk «Vite de' più eccellenti pittori, scultori ed architetti» (1550) 580 581 582 867 871

VASELLAI, Georg, gemeint: Vasari, Giorgio (s. dort)

VERROCCHIO, Andrea del - 1436–88, Maler und Bildhauer; als solcher ist er ein Hauptvertreter des spätern Quattrocento. Unter seinen plastischen Werken sind vor allem zu nennen: Medici-Grabmäler (Florenz, San Lorenzo); ein Marmor-Relief (der Tod des Bargello F. T.); Bronze-Gruppen (Christus und Thomas) in Florenz. Als Gemälde ist einzig die Taufe Christi sichergestellt (Florenz: Uffizien). Leonardo (s. dort) war ein Verrocchio-Schüler 824 896

VILLA, Page des Kardinals Ippolito d'Este 744

VILLANI, Giovanni † 1348, italienischer Chronist des Spätmittelalters aus Florenz. Neffe des bekannteren Historikers Filippo Villani. Giovanni V. ist Verfasser eines annalistischen Werkes, welches die Geschichte von Florenz in einen größern, nicht nur italienischen Gesichtskreis einordnet, jedoch von einer Quellenkritik im humanistischen Sinne noch absieht; diese Chronik war eines der verbreitetsten geschichtlichen Werke des Mittelalters 649

VILLEROI, Nicole de Neufville, Sekretär König Franz I. von Frankreich 693 694 747

VINCI, Leonardo da -, 1452–1519, war zunächst in Florenz, seit etwa 1487 als Kriegsingenieur im Dienste der mailändischen Herzoge tätig. In Mailand begründete er eine eigene Malerschule; war zuletzt im Dienste Franz I. von Frankreich. Leonardo war ein typischer «uomo universale» der beginnenden Neuzeit: in seiner Person vereinigten sich Künstler, Bildhauer, Kunsttheoretiker und Naturwissenschafter. Sein Hauptwerk als Künstler ist das berühmte «Abendmahl» (Mailand); sein kunsttheoretisches Werk ist der hervorragende «Trattato della pittura» 436 691 779 860 862 863 864 867 869 871 911 925

VIRGIL(IUS), gemeint: Publius Vergilius Maro 70–19 v. Chr., römischer Dichter 718

VITRUV, gemeint: Marcus Vitruvius Pollio, spätrömischer Verfasser von «De architectura libri X»; Goethe schätzte dieses Werk bei seinem Studium der antiken Architektur 422

VIZEKÖNIG VON NEAPEL, gemeint: Pedro Alvarez de Toledo, Marquis von Villafranca 543

ZANOBI, italienischer Glockengießer aus Pagno, in dessen Werkstätte B. Cellini vorübergehend arbeitete 778

II. REGISTER DER ÖRTLICHKEITEN ZU «CELLINI»

AMBRA, Val d' -, Tal bei Arezzo 422
AREZZO, toskanische Ortschaft 815 818
ARGENTAN, französische Stadt an der Orne 750
ARNO, Fluß Mittelitaliens 420 421 437 794 816 818 839 883
ASCOLI, Stadt Süditaliens 902
BAGNO, mittelitalienischer Badeort 828 829

BELFIORE, Ortschaft bei Ferrara 558 678
BOLOGNA 429 430 520 521 594 598 728
CAJANO, toskanische Ortschaft 758 839 842
CAMALDOLI, toskanische Ortschaft in den Appenninen 815 827 829
CAMOLLIA, vermutlich gemeint: Camogli im östlichen Oberitalien 673 674
CAPRI 683
CASTELLO, mittelitalienische Ortschaft 809 810
CESENA, Ortschaft bei Ravenna 818
CHIOGGIA, Stadt im östlichen Norditalien 562
CIVITAVECCHIA, Hafenstadt bei Rom 534

DAUPHINÉ 685 688

ELBA, ital. Insel im Tyrrhenischen Meer 796
ENGLAND 436 437 682 870

FAENZA 683
FARFA, Abtei im Sabinergebirge 538
FERRARA 421 463 560 562 606 610 671 678 682 684 687
FIESOLE 420 784 785 884 887
FLORENZ, Ursprung der Stadt 419 420 421; Cellinis lassen sich in F. nieder 422 423; Verbannung C's aus F. 429 430 431; C. sucht F. insgeheim auf 435; Rückkehr C's nach F. 436 440 441; Neue Schwierigkeiten C's in F. 443 471 480; C's Rückkehr nach F. 487 488 490 491 493; Belagerung von F. 498 534 543; erneuter Aufenthalt in F. 549 556 557 558 562 564 574 576; C. wieder in F. 579 580 581; 583 584 585; C's Besuche in F. 594 598 635 650 667 671 672 677 699; 728; C's Besuch von F. nach seinem Frankreich-Aufenthalt 752 756 758 760 764; 766 767 769 774; C. arbeitet erneut in F. 775 776 777 780; 785 798 807; Schwierigkeiten C's in F. 808 809 810; F. im Kriegszustand mit Siena 815 823; C. verläßt F. 828 829; 834 835; Marmor-Transport nach F. 839; erneute Rückkehr C's nach F. 841 842 856 869; aus der Geschichte von F. und F. zur Zeit C's 883 bis 894 898 904 906 907 908 910 911 913
—al Prato (Stadttor) 816 817
—Carmine, Kirche del- 437
—Medici, Palast der- 437
—Nunciata, Platz der- 854
—Pazzi, Palazzo der- 557
—Pitti, Palazzo 907
—Podestà, Palazzo des- 829
—Riccardi, Bibliothek 913
—Rifredi, Brücke 422
—San Domenico, Platz von- 785 786
—San Friano 816
—San Lorenzo 907
—Santa Croce, Kirche 846
—Santa Maria de Fiore, Kirche 828 836 837
—Santa Maria Novella, Kloster 445 844
—St. Johann, Kirche von- 840
—Sankt Peter (= Pier) Gattolini, Stadttor 438 816
—Sankt Ursula, Kloster- 422
—Signorie, Palast der- 437
—Strada Chiara 422

ÖRTLICHKEITEN IN «CELLINI»

FONTAINEBLEAU 606 607 678 685 702 705 707 708 716 725 726 737 739 860 908 909

FRANKREICH 498 526; C's Entschluß und Vorkehrungen zur Reise nach F. 588 594 597 598 599; C. über F. enttäuscht 606 608 612 637 639 665 667 678; Aufforderung an C., nach F. zurückzukehren 680 683 684; C. in F. 687 693; Arbeiten C's in F. 695 709; 717 719; C. erwägt den Gedanken, F. zu verlassen 722 734 737 749 756 761; Schwierigkeiten C's in F. 763; C's Gedanke, erneut nach F. zurückzukehren 764 765; C's Verzicht auf eine Rückkehr nach F. 766; 771 776 777; C. über seine Arbeiten in F. 796; C. bereut, F. verlassen zu haben 798 823 826 858; ein angeblich nach F. verschlepptes Werk Leonardos 869; C's Urteil über das Kunsthandwerk in F. 877 897

GENF 594 605
GENUA, Republik 886
GOVERNO (am Po) 490
GRENOBLE 608

HOLKHAM, Stadt in der englischen Grafschaft Norfolk 870

ISDEVEDRO, norditalienische Ortschaft 608

ITALIEN 418 459; C. über ital. Kunst 468 ff.; C's Rückkehr nach I. 606 608 613; C's Wegreise aus I. 678; 687 689 693 702 706; über Treppenbaukunst in I. 709; C's Wunsch der Rückkehr nach I. 719; 729 735 741; C. wünscht erneut nach I. zurückzukehren 743; C. über ein bereits in I. begonnenes Werk 747; Anstrengungen C's, um wieder nach I. zurückzukehren 748 750 751; C's Reise nach I. 752 753; C's Enttäuschungen in I. 765 766 770 783; 814; 870; politische Uneinigkeit I's. 884 886; 888 897

JERUSALEM 685

KÖLN 910

LACHEN (Schweiz, Kt. Schwyz) 604
LANGUEDOC 693
LAUSANNE 605
LIVORNO 853 855
LOMBARDEI 478
LONDON 910
LORETTO, italienische Stadt in der Nähe von Ancona 610 611
LUCCA 433 843 885
LYON 421 594 600 606 607 608 678 680 685 752 753 754 755

MAILAND 525 685
MANTUA 487 488 489 490 869
MODENA 679
MONTE CASSINO 542 546
MONTE CAVALLO bei Rom 517 579
MONTE FIASCONE, Ortschaft in Italien 420
MONTEROSI, Ortschaft Mittelitaliens 672
MUGELLO, Ortschaft in der Toskana 776

NEAPEL 492 540 542 543 544 545 728 886
NORCIA, ital. Stadt in Umbrien 538 901
NORMANDIE 711 717

OSTIA 534

PADUA 594 600
PALISSA 605
PALOMBARA, ital. Stadt in den Sabinerbergen 542
PARIS 421; C's Ankunft in P. 594 605; Zusammentreffen C's mit Rosso 606/07 667; C's zweite Ankunft in P. 685; C's Atelier in P. 685 691 692; Aufnahme der Arbeiten 696; der König besucht C. 707 708; Zusammentreffen C's mit einem Florentiner Freunde Guido Guidi 713; 715 717 719 729 731; Rückkehr Franz I. nach P. 732 734; Karl V. besucht P. 735 739; P. soll befestigt werden 743 744 750 751; C. hält sich erneut in P. auf 752 776 785 826; C's «Nymphe»

in P. 908; Pariser «Ballhaus» 869
siehe auch unter «Fontainebleau»
PARMA 525 756
PAVIA 663
PERUGIA 487 496 527 614
PIACENZA 756
PISA 429 433 434 435 437 804 805 824
853 857 859 865 871 872 885
—Campo Santo 872
PISTOJA 615 885
PLAZENZ, wahrscheinlich gemeint:
Piacenza 752
PO 421
POGGIO, mittelitalienische Kleinstadt
839
PONTE SISTO, Ortschaft Mittelitaliens
493 542
POPPI, Castello di -, bei Florenz 829
PRATO (-Magno), mittelitalienische
Ortschaft im toskanischen Gebirge
630 661 663 664 762 774 818 829 885

RAVENNA 421 510
RHONE 421
ROM. R. als Vorbild für Florenz 420;
421 432 433; Cellini reist nach R. 436
438 439 440; Cellini arbeitet bei
«Meister Santi» in R. 446; 456; Pest
in R. 458; Cellini wetteifert mit Lautizio 459; Aufträge Cellinis in R. 460
462 463 467; 469; Cellinis Bekanntschaft mit Lodovico Pulci in R.
471; 474; Belagerung Roms 478
479 480 481 483; Cellini erneut in R. 487 490 491 493 495
497; Begegnung Cellinis mit Micheletto in R. 498; neuer päpstlicher Auftrag 501; Cellinis Bruder
wird in Rom getötet 503 505; römische Kurtisanen 511; Überschwemmungskatastrophe 515 518;
Erkrankung Cellinis in R. 524 525;
erzwungene Flucht einer Geliebten
Cellinis aus R. 534; Giovanni da Castello in R. 539 540; Cellini zur
Flucht aus R. aufgefordert 541 542;
543; Rückkehr Cellinis nach R. 545
546 547 554; Cellini soll wieder in
den Dienst Clemens VII. treten 557;
565; Cellini erneut in R. tätig 566
567 568 573; Auftrag Cellinis anläßlich Karls V. Besuch in R. 580 581;
Cellini von einem florentinischen
Emigranten besucht 583; 584; Cellini in Gunst Karls V. anläßlich seines Römeraufenthaltes 588 589 590
594; 595 596; Cellinis Rückkehr
nach R. nach einem Frankreichaufenthalt 606 607 608 611 613; Cellinis erneute Schwierigkeiten in R. 614
616 617 618; Cellinis Flucht 634 635
636; 642 643 647 652; der Kardinal
von Ferrara nimmt Cellini in Schutz
665 666; neue Arbeiten Cellinis in
R. 667 668; 671 672 673 675 680;
Bestechungsangelegenheit 683 698;
Römer-Arbeiten Cellinis 702; 719
728; schönste Kunstwerke Roms
732 739; 750 756 757; Römer Jugendfreundschaft Cellinis mit Tizian
und Jacopo del Sansovino 776; 780;
Marmor-Sendung aus R. für Cellini
794; Cellinis vorübergehender Römeraufenthalt i. J. 1550(?) 805 806
807 808; 810; Zeichen-Kunst in R.
921 925

—Belvedere (päpstliches Palais) 452
548
—Campo di Fiore 551
—Campo Santo 478 479
—Engelsbrücke 507
—Engelsburg: siehe Sant' Angelo
Castel'-
—Kapitol 572
—Monte Cavallo (bei Rom) 517 579
—Navona, Piazza 511 516
—Rotonde 440 511
—Sammolo, Falltor von- 653
—Sant' Angelo, Castello 478 479 606
614 620 634 636 666
—Sankt Peter 479 550 634 635 658 806
808 925
—Santo Spirito, Porton von- 485
—Strada Julia 551 555 568 614
—Torre di Nona 508 645
ROMAGNA 671

SAN FELICE (in Mittelitalien) 835
SAN FRANCESCO DELLA VERNIA 827 829
SAN GERMANO, süditalienische Ortschaft 542
SANT' ANGELO, Ortschaft Mittelitaliens 493
SCHWEIZ 594; siehe auch unter: Genf, Lachen, Lausanne, Solothurn, Wallenstadt, Wallenstädtersee (= Walensee), Weesen, Zürich
SEINE 421 698
SESTILE, Ortschaft Mittelitaliens 827
SIENA 422 429 430 439 446 447 463 540 547 568 667 672 673 674 744 815 853 859 885 899
—«das römische Tor» 439
SIMPLON 608
SIZILIEN 534 815 825 826
SOLOTHURN 605
SPANIEN 454 859 907
SPOLETO, Herzogtum 901
ST. GERMAIN EN LAYE 707 711
STAGGIA, toskanische Ortschaft bei Siena 676

TAGLIACOZZO, ital. Kleinstadt in den Abruzzen 626 627 667 668 719

TIBER 421 474
TOSKANA 739 865
TRESPIANO, Ortschaft bei Florenz 850 851
TUNIS 586 735
TURIN (= Torino) 818
TUSZIEN, gemeint: Toskana (s. dort)

URBINO 606

VALLOMBROSA, Ortschaft in Mittelitalien mit berühmter Abtei 815 827
VENEDIG 557 558 559 561 594 598 771 775 776 777 782 783 886
—Rialto 562
VICCHIO, Ortschaft am Arno bei Florenz 847 849
VITERBO, mittelitalienische Stadt 671 672
VOLTERRA, mittelitalienische Stadt 834

WALLENSTADT (Schweiz) 600 601
WALLENSTÄDTER-SEE (Schweiz), gemeint: Walensee 594
WEESEN (Schweiz) 600 604
WEIMAR 905

ZÜRICH 604 605

III. PERSONENREGISTER ZU «RAMEAU»

ALBERTI, Domenico, ital. Komponist um die Mitte des 18. Jahrhunderts; schrieb mehrere Opern, auch Klavierwerke. Näheres 1025. 951 1016 1025

ALEMBERT, Jean le Rond d'- 1717 bis 1783, Mitherausgeber der «Encyclopédie» (Näheres 1025 ff.) 954 961 977 1025 1026 1038 1044 1046 1048 1049 1053

ARISTOTELES 384–322 v. Chr., größter Denker der paganen Antike 947

ARNOULD, Madeleine Sophie 1744 bis 1809, Sängerin an der «Opéra» in Paris; war eine gefeierte Gluck-Interpretin 955

BACULARD D'ARMAUD, Frédéric de - 1718–1805, Dichter (Näheres 1026). 970 1026

BAGGE, Karl Ernst von - † 1791, Musikliebhaber in Paris (Näheres 1026). 956 1026

BARTAS, Guillaume de Salluste 1544 bis 90, hugenottischer Dichter. Sein Hauptwerk, «La semaine ou La création» (1579), fand vor allem auch in Deutschland große Beachtung 1032 1033

BATTEUX, Charles 1713–80, Ästhetiker. Seine Hauptwerke: «Cours de Belles-lettres» (1750) und «Des principes de littérature» (1777). Näheres 1027. 978 1027

BERGIER, Nicolas 1718–1790, Theologe und Theaterzensor in Paris. In seiner Eigenschaft als Kleriker verteidigte er nachhaltig die christliche Religion gegenüber der Philosophie der Aufklärung. Sein Hauptwerk: «Dictionnaire théologique» 945

BERNARD, Samuel † 1739, Pariser Bankier 949

BERTIN D'ANTILLY, Finanzier, Schatzmeister Louis XV. 956 977 981 988 1021

BISSY, Claude Henri de -, Comte de Thiard 1721–1810, Schriftsteller, Mitglied der Pariser Akademie 932

BOURET, Etienne 1710–77, in Diensten des französischen Königs (Näheres: 1027). 971 972 974 990 1021 1027

BOUVILLON, Madame -, gemeint: die Romanfigur aus «Roman comique» von Paul Scarron (1610–60) 969

BRET, Antoine 1717–92, pflegte fast alle Gattungen der Dichtung, ohne jedoch wirklich Großes zu schaffen. Bret war auch Mitarbeiter am «Journal encyclopédique», ebenso an der «Gazette de France»; edierte die Werke Molières (1773), welche er mit einem geschätzten Kommentare versah. Weitere Angaben siehe 1028. 977 1028

BRIASSON, Antoine Claude † 1775, französischer Buchhändler 937

BRIÈRE, stand mit Goethe wegen Herausgabe von Diderots «Neveu de Rameau» in Briefwechsel 1065 1076

BUFFON, George Louis Leclerc de - 1707–88, französischer Naturphilosoph. Sein popularisierendes Hauptwerk «Histoire naturelle générale et particulière» (1824–32 in 40 Bänden) trug außerordentlich viel bei, weitere Kreise für die Biologie zu interessieren 961 977 1041

CALAS, Jean 1698–1762, wurde als Opfer eines Justizirrtums hingerichtet. Er war angeklagt, als Protestant seinen Sohn ermordet zu haben, der zum Katholizismus übertreten wollte. Voltaires Schrift «Sur la tolérance à cause de la mort de Jean Calas» veranlaßte 1765 die Revision des Urteils im Sinne eines Freispruchs 964

CALDERON, gemeint: Pedro Calderón de la Barca 1600–81, der große spanische Dramatiker des Barock (schrieb über 200 dramatische Dichtungen). Calderón stellt nach Lopes und Tirso den zweiten Höhepunkt des spanischen Theaters dar 1034

CAMPRA, André 1660–1744, ital. Komponist. Zu seiner Zeit zählten zu den geschätztesten seiner Werke: «L'Europe galante», «Idoménée», «Fêtes venitiennes», «Hésione». Er war auch Gründer des Opéra-Balletts in Paris 996 1002

CANAYE, Etienne de - 1694–1782, Abbé in Paris, Freund von d'Alembert (s. dort); Mitglied der Académie. Er publizierte sehr wenig, mit der Begründung: «Je veux toujours demeurer dans la foule... En littérature, comme au théâtre, le plaisir est rarement pour les acteurs» 1024

CARMONTELLE, Louis Carrogis de - 1717–1806. Dramatiker, Romancier und Kupferstecher. Als Dichter veröffentlichte er vor allem die «Proverbes», ferner zwei Romane: «Le triomphe de l'amour» und «Duc d'Arnay», außerdem Komödien 945 1028

CÄSAR, Gajus Julius 100–44 v. Chr., bedeutendster Feldherr und Staatsmann des Alten Rom 933 974

CHABANON, Michael-Paul Guy de - 1730–1792, französischer Literat, als Tragiker blieb er ohne Wirkung im Publikum 1071

CHAUMEIX, Abraham Joseph de - 1730 (?)–90, als Gelehrter griff Ch. die Enzyklopädisten an: «Préjugés légitimes contre l'Encyclopédie»

PERSONEN IN «RAMEAU» 1137

(1758) und «Les philosophes aux Abois» (1760). Die Angegriffenen antworteten mit den «Mémoires pour A. Ch. contre les prétendus philosophes Diderot et d'Alembert» (1759) 1048 1049

CHIABRAN, ital. Violinvirtuose, Zeitgenosse Rameaus 950

CICERO, Marcus Tullius 106–43 v. Chr., der berühmte römische Rhetor und Schriftsteller 1049

CLAIRON, Claire Joséphine † 1803, Schauspielerin in Paris, Zeitgenossin Diderots 933 956 974 975 976

CORBIE, Nicolas 1757–62, Inhaber und Leiter der Komischen Oper in Paris 981

COTIN, Charles 1604–82, Gelehrter, Abbé und galanter Poet. Cotin stand mit Boileau in einem dichterischen Streit, der in Satiren Cotins seinen Niederschlag fand: «Despréaux ou la satire des satires» (1666) und «La critique desintéressée des satires du temps» (1667) 1049

CRÉBILLON, Claude de -, der Jüngere 1707–77, französischer Romancier, Sohn des Prosper Jolyot de C. (1674 bis 1762), Tragiker 932

DANGEVILLE, Marie Anne (Botot) 1714–96, Schauspielerin 974 975 976 985

DANTE, Alighieri 1265–1321, der berühmte spätmittelalterliche Dichter Italiens, dessen bedeutendstes Werk die «Divina Commedia» ist 1029

DEFFAND, Marquise du -, bekannte Pariser Gesellschafterin des 18. Jahrhunderts 1061

DEMOSTHENES 384–322 v. Chr., der bedeutendste Rhetor der griechischen Antike; als Politiker war D. Führer der anti-makedonischen Unabhängigkeitspartei («Philippinische Reden») 1003

DESCHAMPS, Marie Anne (Pagés) 1730 bis 75, Tänzerin an der Pariser Opéra 960

DESTOUCHES, André 1672–1749, Komponist, kirchlicher Würdenträger; (von Goethe in seinen Anmerkungen zu Diderot's Dialog verwechselt mit Destouches Philippe 996

DESTOUCHES, Philippe 1680–1754, Komödiendichter, ursprünglich aber Diplomat. Er schrieb 27 dramatische Werke mit moralisierender Absicht. Die bedeutendsten sind: «L'irresolu» (1713), «Le médisant» (1715), «Le philosophe marié» (1727), «Le glorieux» (1732), «Le dissipateur» (1736) 1028

DIDEROT, Denis 1713–1784, berühmter französischer Schriftsteller und Denker der Aufklärung; Herausgeber der monumentalen «Encyclopédie», in welcher er selbst vor allem die literarischen Artikel betreute 927 977 1026 1027 1032 1038 1041 1047 1048 1049 1052 1056 1060 1061 1063 1064 1065 1066 1069 1070 1073 1074 1075 1076 1077 1079

DIOGENES, gemeint: Diogenes von Sinope 414–324 v. Chr., kynischer Philosoph 933 1021 1022

DORAT, Claude Joseph 1734–80, Dichter unbedeutenderer Tragödien, die ihm trotzdem in den zeitgenössischen Pariser Salons große Erfolge eintrugen. (Näheres 1028). 982 1028 1029

DUCLOS, Charles Pinot 1704–72, französischer Geschichtsschreiber, Moralist und Mitglied der Académie. Hauptwerke: «Considérations sur les mœurs de ce siècle» (1751); «Histoire de Louis XI.» (1745), «Mémoires» 939 977 1047

DUHAMEL, Jean-Baptiste 1624–1706, als Gelehrter veröffentlichte er astronomische und philosophische Arbeiten, auch ist D. der Autor einer «Histoire de l'académie des sciences» (1698) 999

DUMESNIL, Marie Françoise 1714 bis 1803, Schauspielerin 956

DUNI, Egidio Romoaldo 1709–75,

ital. Komponist 994 997 1005 1012 1016 1029

ESPINASSE, Julie Jeanne Eleonore d' - 1732–76, bekannte Pariser Gesellschafterin 1061

ESSARTS, Madame des -, bekannte Pariser Gesellschafterin des 18. Jahrhunderts 1061

FERRARI, Domenico 1772(?)–1780, bedeutender Violinvirtuose; Tartini-Schüler; trat besonders um die Jahrhundertwende mit großem Erfolg in Wien und Paris auf; außerdem komponierte er zahlreiche Violin-Sonaten sowie ein Violin-Konzert 950

FONTENELLE, Bernard le Bouvier de - 1657–1757, Schriftsteller, Neffe von Corneille, Mitarbeiter an der damals bedeutenden Zeitschrift «Mercure Galant»; auch Autor verschiedener Opern-Texte; gehört – geistesgeschichtlich gesehen – bereits dem 18. Jahrhundert an. Fontenelles Werk beeinflußte auch Voltaire (s. dort). F. war Mitglied und Sekretär der Académie des sciences 958 1003

FOUBERT, französischer Chirurg, passionierter Schachspieler in Paris, Zeitgenosse Diderots 929

FRANCOEUR, François 1698–1787, Violinist und Orchesterdirigent an der Opéra in Paris; intimer Freund von François Rebel. F. wurde 1760 oberster Leiter der musikalischen Veranstaltungen am königlichen Hofe. F. verfaßte (zusammen mit seinem Freunde Rebel) zehn Opern 997

FRÉRON, Elie Catherine 1718–76, Kritiker; Vater des Louis Stanislas Fréron (s. dort). Fréron war der große Widerpart der Enzyklopädisten und Voltaires. Letzterer griff Fréron u. a. in seinem «Pauvre diable» an 941 970(?) 1030ff.

FRÉRON, Louis Stanislas 1765–1802, revolutionärer Schriftsteller, Sohn des Elie Catherine Fréron (s. dort) 941 970(?) 982(?)

GALIANI, Fernando 1728–78, Abt in einem neapolitanischen Kloster; Nationalökonom 1020

GALUPI, Baldassare, Beiname: il Buranello; 1706–85, ital. Komponist; bedeutender Schöpfer besonders komischer Opern. G. wirkte 1743 bis 48 in Petersburg; schrieb dort als erster Ausländer russische Kirchenmusik 951

GEOFFRIN, bekannte Pariser Gesellschafterin, Zeitgenossin Diderots 1061

GLUCK, Christoph Willibald von - 1714–87, Tondichter, Erneuerer der Oper durch Rückkehr zum Geiste der antiken Tragödie (Wiedereinführung von Chor, Tanz und Orchester in die Handlung). Unter der riesigen Zahl von Opernwerken sind die hervorragendsten: «Orpheus und Eurydike»; «Alcesten»; «Paris und Helena»; «Iphigenie» 1040

GOESCHEN, Georg Joachim 1752 bis 1828, bekannter Leipziger Verlagsbuchhändler 1063

GOETHE, Joh. Wolfgang 1749–1832 1069 1076

GOZZI, Carlo 1722–1806, ital. Dichter, Rivale von Goldoni. Hauptwerk: «La Tartana» (1757 von Puccini vertont) 1050

GREUZE, Jean Baptiste 1725–1805, berühmter französischer Maler; ihm gelang es, in seinem Werk dem Rufe seiner Zeit, retour à la nature, beredten Ausdruck zu geben; dies erklärt auch seinen Erfolg unter den Zeitgenossen; viele seiner Werke befinden sich im Pariser Louvre 939

GRIMM, Melchior, Freiherr von - 1723 bis 1807, Diplomat und Literat, Freund Diderots, seit 1748 in Paris 1067

GROTIUS, Hugo 1583–1645, niederländischer Staatsmann und berühmter Rechtsphilosoph 1008 1049

HASSE, Johann Adolf 1699–1783. Sänger, später auch Orchesterdirigent; vor allem aber einflußreicher Tondichter des 18. Jahrhunderts 1016

HEINRICH, Prinz von Preußen † 1846, 1066 1075

HELVETIUS, Claude Adrien 1715–71, Philosoph und Schriftsteller; sein Haus war ein Sammelpunkt der Enzyklopädisten. In seinem Werke «De l'esprit» (1758) vertritt er eine sensualistische Richtung, die von der Sorbonne, ebenso vom königlichen «Parlement» aufs heftigste abgelehnt wurde 987 988 1046

HERZOG VON (SACHSEN-) GOTHA 1066 1075

HOMER, altgriechischer Dichter, dessen historische Persönlichkeit umstritten ist; als Schöpfer der «Ilias» und «Odyssee» angesehen 983

HORAT(IUS), Flaccus Quintus 65–8 v. Chr., lyrischer Dichter der augusteischen Periode 929 1072

JAUCOURT, Louis, Chevalier de - 1704 bis 79, Gelehrter, hervorragender Mitarbeiter an der «Encyclopédie»; als solcher redigierte er vornehmlich naturwissenschaftliche Artikel, ebenso philosophische. Jaucourt ist auch Verfasser einer Leibniz-Biographie 1048 1049

JAVILLIER, Tänzer an der Pariser Opéra 957

JOMELLI, Niccolò 1714–1774, als Tondichter der «italienische Gluck» (s. dort) genannt. Schöpfer zahlreicher Opern und religiöser Tonwerke 1000

KATHARINA II., die Große, Kaiserin von Rußland 1729–96, vor allem auch als Anhängerin der Aufklärung bekannt (Briefwechsel mit Voltaire und Diderot) 1066

LA-BRUYÈRE, Jean de - 1645–96; französischer Schriftsteller; sein Werk ist vornehmlich zeitkritisch, aber auch stilistisch hervorragend. Hauptwerk: «Les caractères» (1688) 979

LAMETTRIE, Julien Offray de - 1709–51, jansenistisch erzogen. Arzt und Philosoph der Aufklärung; einer der Enzyklopädisten. Sein Gönner, Friedrich d. Gr., berief ihn nach seiner Vertreibung an seinen Hof. Hauptwerke: «Histoire naturelle de l'âme» (1745, öffentlich verbrannt); «L'homme machine» (1748) 1049

LA-MOTTE-HOUDARD, Antoine 1672 bis 1731, französischer Dichter und Theaterkritiker; führte zahlreiche literarische Kontroversen, in denen er vielfach auch von Fontenelle (s. dort) unterstützt wurde 1003

LA PORTE, Josephe de - 1713–79, französischer Kleriker und Journalist 941

LAW, John 1671–1729, Gründer einer privaten Notenbank in Paris, welche 1718 Staatsbank wurde; auch Begründer der Compagnie d'Occident zur Ausbeutung französischer Kolonien in Nordamerika. Die genannte Gesellschaft aber verursachte durch ihren Zusammenbruch (1720) eine schwere Wirtschaftskrisis in Frankreich 1061

LE BLANC 1707–81, Abbé (Näheres 1027). 978 1013 1027

LE BRUN, Ponce Denis 1729–1807, genannt: Lebrun-Pindare, französischer Dichter; vor allem bekannt geworden als Verfasser von Oden: «Sur le désastre de Lisbonne»; «À Buffon»; «À Voltaire»; «Le vengeur». Seine politische Einstellung war sehr wandelbar: von Louis XVI. bezog er eine Pension, schloß sich dann der Revolution an und billigte den Staatsumbruch zum Consulat, ebenso denjenigen zum Empire 987

LÉGAL, de Kermuy, Sire -, gewiegter

Schachspieler in Paris, Zeitgenosse Diderots 929 932

LE MIERRE, Marie Jeanne 1733–86, Pariser Sängerin 955

LEO, gemeint: Leonardo, Leo, eigentlicher Name: Lionardo Oronzo Salvatore de Leo, 1694–1744, Nachfolger Scarlattis am Conservatorio Sant' Onofrio in Neapel; L. ist einer der hervorragendsten Vertreter der neapolitanischen Schule, vornehmlich auf dem Gebiete der komischen Oper und der Kirchenmusik 1012

LOCATELLI, Pietro 1693–1764, Komponist und Violinist. Corelli-Schüler; wirkte vornehmlich in Amsterdam 950 1016

LUDWIG XIV. 1638–1715, regierte seit 1643 als König von Frankreich 1033 1062

LUDWIG XV., König von Frankreich 1710–74, regierte nominell seit 1715 1028 1042 1068

LULLI (= Lully), Jean Baptiste de - 1632–87, florentinischer Komponist in Paris tätig; auch im Dienste Ludwigs XIV. Leiter der Pariser Oper 932 996 1002 1029 1036 1041 1053 1054

MARC AUREL, gemeint: Marcus Aurelius Antoninus 121–180 n. Chr., 161–180 v. Chr. römischer Kaiser. Stoiker, als solcher Verfasser der zwölf Bücher «Selbstbetrachtungen» 933

MARIVAUX, Pierre Carlet de Chamblain de - 1688–1763, französischer Dichter (Näheres 1037); bekannt als Dramatiker und Romancier; glänzender Stilist 932 1029 1037 f.

MARMONTEL, Jean François 1723–99, Gelehrter und Dichter, vor allem Tragiker (u. a.: Denys le Tyran; Aristomène), bekannte Persönlichkeit der Pariser «cercles littéraires»; seit 1763 auch Mitglied der Académie française 1061

MAROT, Clément 1495–1544, französischer Dichter; wiederholt der Häresie angeklagt, jedoch besonders von Marguerite von Navara protegiert 1032

MAUPEOU, René Charles de - 1688 bis 1775, Politiker und Staatsmann, bekleidete seit 1763 das Amt eines vicechancelier, seit 1768 dasjenige eines chancelier 940

MAYOT, ein passionierter Pariser Schachspieler, Zeitgenosse Diderots 929

MÉNAGE, Giles 1613–92, Sprachforscher und Dichter; begründete einen schöngeistigen Kreis, «Mercuriales»; unter dem Titel «Poemata» erschienen Versdichtungen in französischer, italienischer, griechischer und lateinischer Sprache. Ménage wurde als Philologe vor allem auch durch seinen «Dictionnaire etymologique» berühmt 1049

MERCIER, Louis Sébastien 1740–1814, Jurist, Politiker, auch Dramatiker und literarischer Kritiker 1070 1073 1078

METASTASIO, Pietro 1698–1782, ital. Tondichter aus Assisi, vor allem berühmt durch seine Libretti im Stile des Rokoko 1003

MOLIÈRE, Jean Baptiste Poquelin 1622 bis 73, einer der berühmtesten französischen Dichter komischer Werke; erhebt diese Gattung zur eigentlichen Charakter-Komödie; die natürliche Vernunft bildet ihre Norm 966 979 1026 1043 1049

MONTAIGNE, Michel de - 1533–92, Philosoph und berühmter psychologisierender Essayist; bekleidete 1582–86 auch das Amt des Bürgermeisters von Bordeaux 1032

MONTAMY, Didier François d'Arclais 1703–65, soll Erfinder der Porzellan-Malerei sein 956

MONTESQUIEU, Charles de - 1689–1755, Aufklärungs-Philosoph und Politiker (Näheres 1038 ff.). Seine bedeutendsten Werke: «Lettres persanes» (zeitkritischer Briefroman); «Esprit des lois» (1748, eine vergleichende Theorie der Staatsformen, wobei auch die séparation des pouvoirs erörtert wird). Montesquieu gilt als Wegbereiter einer soziologischen Geschichtsbetrachtung und der großen Französischen Revolution 961 977 1038 ff.

MONTSAUGE, Thiroux de -, Generalpächter der französischen Posten 977

MORELLET, André 1727–1819, Abbé in Paris 1060

MOURET, Jean Josephe 1682–1738, Komponist (vor allem Autor von Opern und Balletten im Stile Lullys) und als Dirigent der Concerts spirituels im Dienste der Herzogin von Maine 996

NOËL AUS REIMS, Benediktiner-Mönch; als Optiker am königlichen Hofe tätig 968

NOVERRE, Jean-George 1727–1810, Opernballettmeister in Paris 1019

OLIVET, Pierre-Joseph Thoulier, Abbé d' - 1682–1768; ursprünglich Mitglied der Societas Jesu, hernach freier Schriftsteller; auch Mitglied der Académie française. Bekannt vor allem als Verfasser einer Histoire de l'Académie (begonnen von Pellisson, von d'Olivet vollendet und 1729 veröffentlicht) 939 978 1042

PAÏSIELLO, Giovanni 1740–1816, ital. Tondichter; einer der markantesten Vertreter der ital. komischen Oper (opera buffa) 1040

PALISSOT DE MONTENOY, Charles 1730 bis 1814, Dichter komischer Werke; literarischer Gegner der «encyclopédistes» und Rousseaus 941 942 970 971 977 982 987 988 990 1042f. 1060 1070

PASCAL, Blaise 1623–62. Als bedeutender Mathematiker entwickelte er vor allem Kombinatorik und Wahrscheinlichkeitsrechnung; als philosophischer Schriftsteller (Jansenist) schrieb er die berühmten «Lettres à un provincial» (1656) gegen die Societas Jesu; ferner die apologetischen «Pensées sur la religion» (als Torso 1670 posthum veröffentlicht) 1003

PERGOLESI, Giovanni Battista 1710 bis 36, Komponist. Schrieb Oratorien und Kammermusik, außerdem ein Hauptvertreter der «opera buffa» 997 1003 1012 1016

PFEFFEL, Gottlieb Konrad 1736–1809, Pädagoge und Dichter. Goethe machte Pfeffels Bekanntschaft in Straßburg. Seine Sympathie für Pfeffel blieb jedoch unerwidert 1065 1074

PHILIDOR, André Danican 1726–95, Komponist und passionierter Schachspieler, Zeitgenosse Diderots 929 932

PHRYNE, athenische Hetäre des 4. Jahrhunderts v. Chr. 933

PICCINI, Niccolo 1728–1800, Tondichter; bedeutender Vertreter der «opera buffa» 1040

PIRON, Alexis 1689–1773. Dramatischer Dichter, von Beruf Jurist; Mitglied der Académie française 978 1050 1051 1052 1079

PLATO(N) 427–347 v. Chr., einer der größten Denker der paganen Antike; eigentlicher Begründer des metaphysischen und ethischen Idealismus; wirkte vornehmlich auch auf die frühchristlichen Denker und durch den sog. Neuplatonismus auf die beginnende Neuzeit 947

POINSINET DE NOIRVILLE, Antoine-Alexandre Henri 1735–69, dramatischer Dichter und Verfasser von Operntexten 941 970 987 1052

POMPADOUR, Jeanne Antoinette (Poisson), Marquise de - 1721–64, Mätresse Louis' XV.; war auch politisch einflußreich 1013

PERSONEN IN «RAMEAU»

PRÉVILLE, Pierre Louis Dubus 1721 bis 99, Schauspieler 956

PUFENDORF, Samuel von - 1632–94, in Deutschland und Schweden lebender Jurist und Denker. Als sein Hauptwerk gilt «De jure naturae et gentium» (1672) 1008

QUINAULT, Philippe 1635–88, Operntext-Dichter 1003 1036

RABELAIS, François 1495–1553, französischer Dichter, auch Geistlicher und Mediziner. Vor allem durch seinen zeitkritischen Roman «Pantagruel» berühmt 934 1020 1032

RACINE, Jean Baptiste 1639–99, Klassiker der französischen Tragödie, charakterisiert durch ihren psychologisierenden Gehalt und ihr antikes Form-Ideal. Hauptwerke: u. a. «Andromaque» (1667), «Bérénice» (1670), «Phèdre» (1677) und die biblischen Tragödien «Athalie» und «Esther», letztere beide auf Veranlassung der Madame de Maintenon geschrieben 937 938

RAMEAU, Claude, aus Dijon, Vater des Jean François R. (s. dort) 945

RAMEAU, Jean François 1716–1767, Neffe des Komponisten und Musiktheoretikers Jean Philippe Rameau (s. dort) 1683–1764. Jean François Rameau lebte vorwiegend in Pariser Künstler- und höhern Gesellschaftskreisen; ein genialer décadent (Näheres 1056ff.).

RAMEAU, Jean Philippe 1683–1764 (Beiname: «der große Rameau»), Komponist und Musik-Theoretiker, Onkel des Jean François Rameau (s. dort) (Näheres 1052ff.) 945 1012 1029 1041 1052 1053 1060 1070 1071 1078

RÉAUMUR, René Antoine Ferchault de- 1683–1757, Naturwissenschafter (Physiker und Zoologe); führte 1730 die R.-Skala des Thermometers ein 1019

REBEL, François 1701–75, Dirigent in Paris; schrieb vor allem gemeinsam mit seinem Freunde François Franceur mehrere Opern 997

REY, Abbé in Paris 987

RINALDO (da Capua), ital. Komponist des 18. Jahrhunderts, wirkte in Italien und Wien; sein Œuvre ist nur in wenigen Bruchstücken erhalten; dieses gehört wesentlich zur Gattung der «opera buffa» 1016

ROBBÉ DE BEAUVESET PIERRE HONORÉ 1714–92, französischer Dichter, der insbesondere mit Werken amoralischen Inhalts in Pariser Salons auftrat; näherte sich im Alterswerk dem Katholizismus an. Von seinen Werken sind erwähnenswert: «Odes nouvelles» (1749); «Mon odyssée» (1760); «Victimes du despotisme épiscopal» (1792) 944 978

ROCHEFOUCAULD, gemeint: Larochefoucauld, François, Herzog von - 1613–80, Schriftsteller und Politiker. Hauptwerk: «Mémoires» (1662) 1003

ROUSSEAU, Jean Jacques 1712–78, Philosoph und Schriftsteller; Überwinder der Aufklärung durch sein «retour à la nature»; verkündet im «Contrat social» (1762) die Lehre von der «souveraineté du peuple» und der volonté générale. Seine «Confessions» (posthum 1782), eine schonungslose Autobiographie, ebenso der Erziehungsroman «Emile» (1762) sowie der Liebesroman «La nouvelle Héloïse» (1761) gehören zu seinen bedeutendsten Werken 977 1042 1043 1046 1052

SAINT-GÉNIÉS, de -, Zeitgenosse Goethes; arbeitete an einer Rückübersetzung des «Neveu de Rameau» von Diderot 1065 1075 1076 1078

SAUR, Vicomte de -, Mitglied des «Conseil du roi»; in Korrespondenz mit Goethe wegen Herausgabe von Diderots Werk «Neveu de Rameau» 1064 1074 1075 1076 1078

SCHILLER, Friedrich 1759–1805, Dichterdenker, Goethes Freund 1063 1064

SHAKESPEARE, William 1564–1616, größter englischer Dramatiker. Seine 36 Bühnenwerke blieben, von «Raubdrucken» abgesehen, bis 1623 ungedruckt. Nur die Versepen «Venus und Adonis» und «Lucretia» erschienen zu Lebzeiten des Dichters 1034

SOKRATES 470–399 v. Chr., einer der bedeutendsten Denker der paganen Antike; übte auf die Geistesgeschichte der folgenden Jahrhunderte einen ungeheuren Einfluß aus, obwohl er selbst keine geschriebenen Werke hinterließ. Sein philosophisches Denken konzentriert sich vornehmlich auf ethische Probleme, die er im idealistischen Sinne zu lösen versuchte 933 936

SOUBISE, Herr von -, gemeint: Charles de Rohan, Prince de Soubise 1715 bis 87 943

STAËL-HOLSTEIN, Anne Germaine de - 1766–1817. Von Napoleon I. verbannt, begab sie sich mehrfach auf Reisen in Deutschland, Italien, Rußland und Schweden. War Anhängerin Rousseaus (s. dort). Hauptwerke: «De l'Allemagne», ferner die Romane «Delphine» und «Corinna», in denen Rousseaus Einfluß nachweisbar ist 1079

STENTOR, ein thrakischer Kämpfer vor Troja, der nach der Überlieferung mit übermenschlich gewaltiger Stimme begabt war 970

TARTINI, Giuseppe 1692–1770, ital. Tondichter, meisterhafter Violinist. Sein Œuvre umfaßt mehr denn 140 Violinkonzerte und etwa 200 Violinsonaten 1016

TENCIN, Claudine Alexandrine Guérin de - 1681–1749, Mutter von d'Alembert (s. dort), Schwester des Kardinals Tencin (s. dort), dessen Aufstieg sie intensiv förderte. Unterhielt rege Beziehungen zu John Law (s. dort) und zu den bedeutendsten französischen Philosophen ihrer Zeit 974 1061

TENCIN, Pierre de - 1680–1758, französischer Kardinal und Minister Louis' XV.; berühmt vor allem wegen seiner offenen Kritik an der Bulle «Unigenitus», welche Papst Clemens XI. 1713 gegen den Jansenismus richtete 974 1061

TERRADEGLIA, gemeint: Terradellas, Domingo 1713–51, spanischer Tondichter aus Barcelona; vor allem als Opernkomponist hervorgetreten; gehört der neapolitanischen Schule an 1003 1016

THEOPHRAST(OS) 372–287 v. Chr., gemeint: Tyrtamos, griechischer Philosoph; bedeutendster Schüler des Aristoteles; leitete die peripatetische Schule in Athen; Verfasser der «Charaktere» und einer «Pflanzengeschichte» 979

THOU, Jacques Auguste de - 1553 bis 1617, historischer Schriftsteller und Politiker; Schüler von Cujas und Freund Montaignes (s. dort). Thou war von Henri IV. beauftragt, das «Edit de Nantes» vorzubereiten. Als Historiker veröffentlichte er seine berühmte «Histoire de mon temps» 1049

TRAETTA, Tommaso 1727–79, ital. Opernkomponist der neapolitanischen Schule. Im Jahre 1768 folgte er einem Rufe Katharinas II. nach Petersburg. Seine musikgeschichtliche Bedeutung beruht darauf, daß seine Tonwerke wesentlich die Reform Glucks (s. dort) vorbereiten halfen 1003

TRUBLET, Nicolas Charles Joseph 1697 bis 1770, Sekretär des Kardinals Tencin (s. dort); als Literaturkritiker griff er Voltaires «Henriade» an, der sich seinerseits gegen Trublet in seiner «Satire du pauvre diable» verteidigte 974 1062

TURENNE, Henri de la Tour d'Auvergne, Vicomte de - 1611–75, französischer Feldmarschall, Heerführer im Dreißigjährigen und im Holländischen Kriege (1674/75) 974

VANDEUL, Marquise de -, Diderots Tochter, Verfasserin der Biographie ihres Vaters 1065 1074 1075

VAUBAN, Sébastien le Prêtre de - 1633 bis 1707, französischer Marschall und Festungsingenieur 974

VIELLARD, ein junger Pariser, Zeitgenosse Diderots 945

VIL(L)MORIEN, ein Generalstallmeister der französischen Posten 977

VINCI, Leonardo da - 1690–1732, ital. Musiker in neapolitanischen Diensten; Komponist zahlreicher Opern und Schöpfer mehrerer Oratorien und Messen 1012

VOLTAIRE, eigentlich: Arouet, François Marie - 1694–1778; Dichter-Denker der Aufklärung und bedeutendster Historiker des 18. Jahrhunderts. Als Zeit- und Literaturkritiker half er die große Französische Revolution vorbereiten.
Historische Hauptwerke: «Histoire de Charles XII» (1731); «Le siècle de Louis XIV» (1751); «Essai sur les mœurs et l'esprit des nations» (1756). Dichterische Hauptwerke: die Dramen «Mahomet», «Zaïre», mehrere Epen satirischen Charakters; Gedichte philosophischen Inhalts, wie «La loi naturelle» (1756), «Poème sur le désastre de Lisbonne» (1756). 937 939 956 961 977 978 1015 1016 1030 1031 1041 1047 1051 1062 1063 1069 1070 1071

INHALTSVERZEICHNIS

LABORES JUVENILES

Exercitia privata I.–XVIII	8
Phrases ac denominationes ex novellis latinis lipsiensibus politicis huc positae	16
Colloquium pater et filius	20
Colloquium Wolfgang et Maximilian	26
Colloquium Pater · Filius	30
Exemplum autocheiriae	34
Mori	38
Vortreffliches königliches Denkmal der Menschenliebe	38
Etliche Übungen	42
Liber exercitiorum germanico graecorum atque latinorum	66
Aesopus, Phaedrus	71

AUS FREMDSPRACHIGEN JUGENDBRIEFEN

An Cornelia Goethe, 18. Oktober 1765	77
An Cornelia Goethe, 12. Dezember 1765	77
An Cornelia Goethe, 31. Dezember 1765	78
An Cornelia Goethe, 18. Januar 1766	79
An Cornelia Goethe, 14. März 1766	80
An Cornelia Goethe, 30. März 1766	85
An Augustin Trapp, 2. Juni 1766	89
An Ernst Wolfgang Behrisch, 8. Oktober 1766	91
An Ernst Wolfgang Behrisch, 12. Oktober 1766	92
An Cornelia Goethe, 27. September 1766	93
An Cornelia Goethe, 12./13. Oktober 1766	94
An Cornelia Goethe, 11. Mai 1767	99
An Cornelia Goethe, 12. Oktober 1767	100

GEDICHTE UND GEDICHTFRAGMENTE

Madrigal · Aus dem Französischen	103
Madrigal · Aus dem Französischen des Herrn v. Voltaire	103
Das Schreien · Nach dem Italienischen	103

Pindars fünfte olympische Ode	104
Klaggesang von der edlen Frauen des Asan Aga, aus dem Morlackischen	105
Scheintod · Aus dem Französischen	108
Canzonetta romana	108
Gnomische Verse · Aus dem Griechischen	110
An die Cicade · Nach dem Anakreon	111
Süßer Drang · Aus dem Griechischen	111
Liebeslied eines amerikanischen Wilden · Brasilianisch	112
Todeslied eines Gefangenen · Brasilianisch	112
Nach dem Italienischen	113
Nach dem Lateinischen	113
Aus Homers Ilias	113
Aus Homers Odyssee	115
Auf die Geburt des Apollo. Nach dem Griechischen	120
Finnisches Lied	124
Sizilianisches Lied	125
La Biondina	125
Arie · Nach dem Italienischen	126
Myrons Kuh · Aus dem Griechischen	127
Klaggesang · Irisch	128
Aus einem Stammbuch von 1604 · Englisch	129
Byrons Don Juan	129
Aus Byrons «English Bards»	131
Veni Creator Spiritus	131
Das Sträußchen · Altböhmisch	132
Gätet Mädchen Hanf · Altböhmisch	133
Der fünfte Mai. Ode von Alexander Manzoni	134
Neugriechisch-epirotische Heldenlieder	137
Neugriechische Liebe-Skolien	143
Alhama · Maurische Romanze	145
Zwei griechische Rätsel	147
Brasilianisch	147
Aus Dantes Divina Commedia	148
Hochländisch	149
Altschottisch	150
Aus den «Gedichten der hundert schönen Frauen»	151
Chinesisch-deutsche Jahres- und Tageszeiten	153
Dornburger Inschrift · Aus dem Lateinischen	156
Fragmente aus dem Nachlaß · Griechisch	157

INHALTSVERZEICHNIS

DRAMEN- UND DRAMENFRAGMENTE

Der Lügner · Aus Corneilles Komödie «Le Menteur»	161
Chöre aus Racines «Athalie»	164
Mahomet · Trauerspiel in fünf Aufzügen nach Voltaire	166
Tancred · Trauerspiel in fünf Aufzügen nach Voltaire	222
Aus Manzonis Conte di Carmagnola	284
Aus Manzonis Adelchi	285
Aus Byrons Manfred	286
Aus Maturins Trauerspiel Bertram	291
Die Bacchantinnen des Euripides	294
Phaeton, Tragödie des Euripides	297

PROSA- UND PROSAFRAGMENTE

Aus dem Ossian	311
Die Gesänge von Selma	314
Aus dem Koran	322
Das Hohelied Salomons	323
Versuch, eine homerische dunkle Stelle zu erklären	329
Über Johann Joachim Eschenburgs Übersetzung von Heinrich Füßlis Vorlesungen über die Malerei	332
Versuch über die Dichtungen · Aus dem Französischen der Madame de Staël	335
La gloire de Frédéric · Discours prononcé... par Jean de Muller	361
Friedrichs Ruhm · Vorlesung... durch Johann von Müller	364
Die pilgernde Törin · Aus dem Französischen	375
Teilnahme Goethes an Manzoni	389
Indicazione di ciò che nel 1819 si è fatto in Italia intorno alle lettere, alle scienze ed alle arti	395
Mythologie, Hexerei, Feerei · Aus dem Französischen des Globe	399
Le Tasse · Drame... par M. Alexandre Duval	403
Thomas Carlyle an Goethe	407
Aus dem Material zu Wilhelm Meisters Wanderjahren · Nach Plotins Enneaden	409

BENVENUTO CELLINI

Vorrede des italienischen Herausgebers	415
Erstes Buch	419
Zweites Buch	534
Drittes Buch	665

INHALTSVERZEICHNIS

Viertes Buch 752
Anhang zur Lebensbeschreibung des Benvenuto Cellini bezüglich auf Sitten, Kunst und Technik 860

RAMEAUS NEFFE

Ein Dialog von Diderot, aus dem Manuskript übersetzt und mit Anmerkungen begleitet 929
Anmerkungen über Personen und Gegenstände, deren in dem Dialog «Rameaus Neffe» erwähnt wird 1025
Nachträgliches zu «Rameaus Neffe» 1063

ÜBER FREMDSPRACHEN UND ÜBERSETZUNGEN 1083

NACHWORT · ANMERKUNGEN · REGISTER

Nachwort, *von Fritz Ernst* 1093
Anmerkungen 1099
Register, *von Alfred Brändli* 1113
   I. Personenregister zu «Cellini» 1113
  II. Register der Örtlichkeiten zu «Cellini» 1132
 III. Personenregister zu «Rameaus Neffe» 1135

JOHANN WOLFGANG GOETHE

GEDENKAUSGABE
DER WERKE, BRIEFE UND GESPRÄCHE

Erster Band
SÄMTLICHE GEDICHTE
Erster Teil

Zweiter Band
SÄMTLICHE GEDICHTE
Zweiter Teil

Dritter Band
THEATERGEDICHTE — EPEN
WEST-ÖSTLICHER DIVAN

Vierter Band
DER JUNGE GOETHE

Fünfter Band
DIE FAUSTDICHTUNGEN

Sechster Band
DIE WEIMARER DRAMEN

Siebter Band
WILHELM MEISTERS
LEHRJAHRE

Achter Band
WILHELM MEISTERS
WANDERJAHRE — URMEISTER

Neunter Band
DIE WAHLVERWANDTSCHAFTEN
NOVELLEN
MAXIMEN UND REFLEXIONEN

Zehnter Band
DICHTUNG UND WAHRHEIT

Elfter Band
ITALIENISCHE REISE
ANNALEN

Zwölfter Band
BIOGRAPHISCHE
EINZELSCHRIFTEN

Dreizehnter Band
SCHRIFTEN ZUR KUNST

Vierzehnter Band
SCHRIFTEN ZUR LITERATUR

Fünfzehnter Band
ÜBERSETZUNGEN

Sechzehnter Band
NATURWISSENSCHAFTLICHE
SCHRIFTEN
Erster Teil

Siebzehnter Band
NATURWISSENSCHAFTLICHE
SCHRIFTEN
Zweiter Teil

Achtzehnter Band
BRIEFE DER JAHRE 1764—1786

Neunzehnter Band
BRIEFE DER JAHRE 1786—1814

Zwanzigster Band
BRIEFWECHSEL
GOETHE-SCHILLER

Einundzwanzigster Band
BRIEFE DER JAHRE 1814—1832

Zweiundzwanzigster Band
GOETHES GESPRÄCHE
Erster Teil

Dreiundzwanzigster Band
GOETHES GESPRÄCHE
Zweiter Teil

Vierundzwanzigster Band
GOETHES GESPRÄCHE MIT
ECKERMANN